D1409063

Diccionario EVEREST Lengua Española

EDICIONES EVEREST

DICCIONARIOS EVEREST

CUMBRE

DICCIONARIO DE LA LENGUA ESPAÑOLA

Contiene unas 70.000 voces.

Con nuevas normas de Prosodia y Ortografía de la Real Academia y últimos vocablos de la lengua.

DECIMO QUINTA EDICION

EDITORIAL EVEREST

LEÓN - MADRID - BARCELONA - SEVILLA - GRANADA
VALENCIA - BILBAO - ZARAGOZA - LAS PALMAS

© EDITORIAL EVEREST - LEÓN (España)
Carretera León-Astorga, Km. 4,500 - LEÓN
ISBN 84-241-1030-7 (Rústica)
      84-241-1031-5 (Plástico)
      84-241-1032-3 (Cartoné)
      84-241-1033-1 (Plástico lujo)
Depósito legal LE: 63 /1975.
Reservados todos los derechos.
Printed in Spain 1975.

Litografía Everest - Carretera León-Astorga, Km. 4,500
LEÓN (España)

PRESENTACION DE LA OBRA

Como instrumento adecuado para manifestar lo que lleva dentro de su alma, el ser racional ha buscado los medios de expresión y, como consecuencia lógica y necesaria, fue brotando el lenguaje, que primero fue oral, por medio de fonemas, y solo mucho más tarde escrito, cuando el hombre sintió la urgencia de concretar y plasmar los sonidos por medio de signos gráficos que apresaran e hicieran perdurar el milagro siempre fugaz de la palabra.

El lenguaje con su morfología y su sintaxis, con su gramática, no nace y se desarrolla al acaso, sino que se va formando lentamente, paso a paso, siguiendo un camino, una evolución precisa y normal, llena de sentido, de razón, de lógica.

Primero brota el sustantivo para nombrar a los seres que forman el mundo, los seres que el hombre primitivo toca con sus ásperas manos y ve con sus ojos asombrados y percibe con los demás sentidos cargados de su elemental sensibilidad y sutileza; y luego, el verbo, para expresar la peripecia de los seres, su pequeña o grande historia de cada día: cazar, comer, luchar, matar, morir... Sustantivo y verbo enlazados, unidos íntimamente, son el fundamento, la base, sobre la que se construye el idioma de cada pueblo. Sólo después, de la necesidad de expresar sus cualidades y circunstancias, nacen los adjetivos y los adverbios; para relacionarlos y unirlos, las preposiciones y las conjunciones; para sustituir a los seres, los pronombres... Una tras otra con su motivo y su fuerza maravillosos brotan y fluyen las palabras del idioma, con su carga inmensa de significado, de valor expresivo, de sentido, de vigor.

Para concretar y fijar esas palabras, para reunir y conservar ese tesoro inmenso y entrañable que es la lengua de un país, para ofrecer en su fácil manejo el caudal valioso de los vocablos, se han hecho los diccionarios. Acaso alguien pueda pensar que son como un montón informe de signos privados de alma, como un frío cementerio de palabras apenas relacionadas por el leve nexo del orden alfabético. Si no pecamos de superficiales, si tratamos de llegar al fondo de las cosas, a su médula jugosa y fundamental, comprenderemos que un diccionario es un libro maravilloso, imprescindible para la formación intelectual del individuo, una fuente inagotable de conocimientos y de saber, una disciplina nece-

PRESENTACION
DE LA OBRA

saria para sujetar al caballo desbocado de la imaginación humana, una inmensa seguridad en nuestras formas de expresión, un tener siempre a la mano la magnífica flor, fresca y fragante, de la palabra con su bagaje inmenso de riqueza y de saber.

Es nuestro deseo que quienes usen este diccionario que, con la fe ilusionada de una obra nueva, ponemos hoy en las manos del público de habla hispana, tengan en él una valiosa ayuda para el manejo del lenguaje, un guía seguro y eficaz en ese mundo multiforme y maravilloso que es la lengua castellana.

RED COMERCIAL DEL NOROESTE

NORMAS DE ORTOGRAFIA

EL ALFABETO ESPAÑOL

Es el conjunto de letras que empleamos para representar los sonidos que hacemos al hablar nuestro idioma.

Son: a, b, c, ch, d, e, f, g, h, i, j, k, l, ll, m, n, ñ, o, p, q, r, rr, s, t, u, v, w, x, y, z.

UNIDAD DE LA PALABRA

La palabra es un todo, con significado propio.

LA SILABA

Es el sonido que pronunciamos en un golpe de voz.

SEPARACION DE LAS SILABAS

A veces es necesario separar las sílabas de una palabra, bien para indicar su separación o porque la palabra va al final de un renglón y no cabe completa en él.

Hay varias reglas que se deben tener en cuenta para la separación de sílabas al final de renglón:

— La separación debe hacerse por sílabas completas.

Ejemplos: Restaura-ción. Rom-piente. Cuali-dades.

— Si la primera sílaba es una vocal, no se debe poner sola al final de renglón.

Ejemplos: Ama-dor. Y no: A-mador.

— Los diptongos y triptongos pertenecen a una misma sílaba.

Ejemplos. Cau-to. Sonrien-te. Con-fiáis.

— En los palabras compuestas, las sílabas se agrupan según cada una de ellas.

Ejemplos: Sub-rayar. Des-hacer.

— Si se juntan en una palabra tres consonantes, las dos primeras se unen a la vocal anterior y la última, a la siguiente.

Ejemplos: Obs-táculo. Ins-taurar. Cons-tatar.

Pero si la última letra del grupo es l o r, se une solo la primera a la vocal anterior y las otras dos, a la siguiente.

Ejemplos: Con-tribución. Com-placer.

— Si se juntan en una palabra cuatro consonantes, se dividen en grupos de dos.

Ejemplo: Obs-truir. Cons-truir. Ins-truído.

— Si hay dos consonantes juntas, cada una pertenece a una sílaba.

Ejemplos: Cal-ma. Cuen-to. Ac-ción. Rec-to.

Pero si la última letra del grupo es l o r, las dos pertenecen a la misma sílaba.

Ejemplos: Te-clado. Co-brar.

NORMAS DE
ORTOGRAFIA

EMPLEO DE LAS LETRAS MAYUSCULAS

Se emplea mayúscula:
— Al iniciar un escrito.
Ejemplo: Voy a contar...
— Después de punto.
Ejemplo: No te había contestado. Cuando llegué de...
— En los nombres propios.
Ejemplos: Andrés. Perú. Barcelona.
— En títulos y tratamientos.
Ejemplos: Diario de Barcelona. Majestad. Gobernador.
— En nombres de organismos y de instituciones.
Ejemplos: Audiencia Provincial. Colegio Mayor.
— Después de los dos puntos, cuando hacemos una cita o encabezamos las cartas.
Ejemplos: El artículo dice así: Todos los productores que se hallen en posesión del... Muy señor nuestro: Hacemos referencia a su escrito de...

USO DE LA B

Se escriben con **b**:
— Los verbos acabados en -bir, excepto **vivir, servir, hervir** y sus compuestos.
— Los verbos acabados en -aber, menos precaver.
— Los pretéritos imperfectos de indictivo de la primera conjugación.
— El pretérito imperfecto del verbo IR: Iba, ibas, iba, íbamos, ibais, iban.
— Las palabras que empiezan por bibl-
Ejemplo: Biblioteca.
— Las palabras que acaban en: -bundo, -bunda, -bilidad.
Ejemplos: Vagabundo, meditabunda. Habilidad.
— Ante otra consonante.
Ejemplos: Brújula. Blusa. Absorto. Abjurar. Obturado.

USO DE LA V

Se escriben con **v**:
— Los verbos que no tienen B ni V en el infinitivo.
Ejemplos: De estar, **estuve.** De contener, **contuvo.** De tener, **tuve.**
Se exceptúan los pretéritos imperfectos de indicativo en -aba.
— Después de B, D y N.
Ejemplos: Obvio. Advenimiento. Enviar.
— Los verbos terminados en -servar.
Ejemplos: Conservar. Preservar.
— Las palabras que empiezan por vice-, villa-,
Ejemplos: Vicepresidente. Villano.
— Las palabras que terminan en -ívoro, -ívora, -vira y -viro.

Se exceptúa **víbora**.
— Los adjetivos terminados en: **-ava, -ave, -avo, -eva, -eve, -evo, -iva, -ivo.**

USO DE LA W.

Se emplea en palabras extranjeras. Su sonido es igual al de la B y la V.

USOS DE LA C, LA K y LA Q

Las tres letras tienen el mismo sonido.
— Se escribe C delante de **a o, u.**
Ejemplos: Caza. Saco. Cubierta.
— Se escribe QU delante de **e, i.**
Ejemplos: Quepa. Quise.
— Al final de palabra y de sílaba se pone C.
Ejemplos: Vivac. Frac. Recto. Directo.
— Son muy **pocas las** palabras que se escriben con K en nuestro idioma.
Ejemplos: Kilómetro. Kiosco.

USOS DE LA G y DE LA J.

Se escriben con G:
— Las palabras que empiezan por gεo-, gem-, gen-.
Ejemplos: Geometría. Gemido. Gente.
— Los verbos acabados en: -ger, -gir, -igerar, menos **tejer y crujir.**
Ejemplos: Recoger. Aligerar.
— Las palabras que acaban **en** -genio, -gen, -gía, -gio, -gión, -ogía, -ógica, -ígena, -ógeno.
Ejemplos: Ingenio. **Origen. Logia.** Elogio. Legión. Teología. Lógico. Indígena. Hidrógeno.
Se escriben con J:
— Las palabras derivadas de otras que tienen J.
Ejemplos: De majo, majeza. De bajo, bajito. De caja, cajita.
— Las formas verbales en cuyo infinitivo no hay ni G ni J.
Ejemplos: De traer, traje. De decir, dije.
— Las palabras acabadas en: -aje, -eje, -jería.
Ejemplos: Coraje. Hereje. Brujería.

USO DE LA H.

Se escriben con H.
— Las palabras que comienzan por: helio-, hemi-, hidr-, hiper-, hipo-, histo-, homo-.
Ejemplos: Heliografía. Hemisferio. Hidrógeno. Hipertrofia. Hipotenusa. Historia. Homologar.
Se exceptúa: omoplato.
— Las que comienzan por: hie-, hue-, hui-,

NORMAS DE
ORTOGRAFIA

Ejemplos: Hierro. Hueco. Huida.

— Las formas de los verbos HABER y HACER y sus compuestos.

Ejemplos: Hubiramos. Haciendo. Deshaciendo.

— Los derivados y compuestos de palabras que tengan H.

Ejemplos: De hueso, huesecillo, deshuesar. De honra, honradez, deshonrar. De hoja, hojarasca, deshojar.

Se exceptúan: Derivadas de hueco, oquedad. Derivadas de hueso, osario, osificar, óseo. Derivadas de huérfano, orfandad, orfanato.

Derivadas de huevo, óvalo, ovoide, óvulo, ovario.

— Algunas interjecciones: ¡Ah!, ¡Oh!, ¡Eh!, ¡Bah!, ¡Hala!, ¡Hola!, ¡Hurra!

USOS DE LA I y DE LA Y

Haciendo las veces de vocal, se emplea la I al principio de palabra.

Ejemplos: Israel. Ilusión.

— Al final de palabra se pondrá I cuando vaya acentuada.

Ejemplos: Recibí. Viví.

— Se emplea Y en la conjunción copulativa.

Ejemplos: Luis y Antonio. Libros y cuadernos.

— Al final de palabra, cuando no lleva acento.

Ejemplos: Muy. Rey.

— En las formas verbales cuyo infinitivo no tiene ni Y ni LL.

Ejemplos: De oir, oyen. De caer, cayeron.

USO DE LA M.

— Delante de B y P.

Ejemplos: Limpio. Campo. Tiempo. Limbo. Timbre.

— En algunas palabras compuestas, va detrás de la N.

Ejemplos: Inmemorial. Inmortal.

USO DE LA R.

Se usa R:

— Al principio de palabra.

Ejemplos: Rosa. Rudo.

— Después de N, S, L.

Ejemplos: Enriquecer. Israelita. Alrededor.

— Se usa RR:

— En medio de la palabra. Entre dos vocales.

Ejemplos: Corriente. Carro. Perro.

— En palabras compuestas.

Ejemplos: Ultrarrápido. Hispanorromano.

EL ACENTO.

Es el mayor grado de fuerza que hacemos recaer en determinada sílaba de una palabra.

Ejemplos: Es-tre-llas. Co-ra-zón. Cán-dido.

ACENTO PROSODICO

Es el mayor grado de fuerza que hacemos al pronunciar una sílaba.

ACENTO ORTOGRAFICO.

En todas las palabras existe una sílaba que tiene acento prosódico y que se pronuncia con más intensidad. Pero solo en algunas palabras se escribe ese acento. En nuestro idioma consiste en una rayita (') que se pone encima de la vocal acentuada.

Ejemplos: Rápido. Cóndor. Alhelí.

SILABAS TONICAS

Son aquellas que llevan el acento.

Ejemplos: Pájaro. Rosal. Balón.

SILABAS ATONAS

Son aquellas que no llevan acento.

Ejemplos: Roma. Rústico. Perdigón.

CLASIFICACION DE LAS PALABRAS POR EL ACENTO.

Según la sílaba que lleve el acento, las palabras se clasifican en: Agudas, llanas, esdrújulas y sobresdrújulas.

Ejemplos: Pere-ció. Cár-cel. Mú-sica. A-nó-te-se-me.

PALABRAS AGUDAS.

Son aquéllas que llevan el acento en la última sílaba.

Ejemplos: Es-pe-ra-ré. Pa-pel. Co-ra-zón.

ACENTUACION DE LAS PALABRAS AGUDAS.

Todas las palabras tienen acento. En unos casos se escribe y en otros no.

En las palabras agudas se escribe el acento siempre que acaben en vocal (a, e, i, o, u), en N o en S.

Ejemplos. So-fá. To-mé. Rom-pí. Ju-gó. Bam-bú. Co-me-zón. Com-pás.

ACENTUACION DE LAS PALABRAS LLANAS

En las palabras llanas, se escribe el acento siempre que no acaban en vocal (a, e, i, o, u), en N o enS.

Ejemplos: Cés-ped. Már-tir. Cár-cel. Fer-nán-dez.

ACENTUACION DE LAS PALABRAS ESDRUJULAS.

En las palabras esdrújulas se escribe siempre el acento.

Ejemplos: Lá-gri-ma. Pén-du-lo. Lám-pa-ras.

ACENTUACIO DE LAS PALABRAS SOBRESDRUJULAS

En las palabras sobresdrújulas se escribe siempre el acento.

Ejemplos: Már-que-sela. Cas-tí-gue-sele. Cór-te-se-lo.

ACENTUACION DE LOS MONOSILABOS.

Palabras monosílabas son las que tienen una sola sílaba. Generalmente se consideran agudas. Como regla general, se escribe el acento en los monosílabos cuando es necesario distinguir dos palabras que se escriben de la misma manera.

Ejemplos: Si vienes... (conjunción). Sí, lo haré (adverbio). Tu patria (adjetivo). Tú escribes (pronombre). El piso que vimos (pronombre relativo). ¿Qué quieres? (interrogativo).

ELEMENTOS DE LA PALABRA

Palabra es la sílaba o sílabas que tienen una significación determinada. El elemento fundamental de la palabra es la raíz. Los secundarios son los prefijos y los sufijos.

La raíz es la parte que permanece. Los prefijos y los sufijos son las partes variables.

Los prefijos van delante de la raíz. Los sufijos van detrás de la raíz.

Ejemplos: Des-cifr-ar, des-cifr-able. In-caut-ar. In-caut-ación.

PALABRAS PRIMITIVAS

Son las que no provienen de otra palabra de un mismo idioma.

Ejemplos: Libro. Pan. Rosa.

PALABRAS DERIVADAS

Son las que se forman añadiendo a los primitivos prefijos, sufijos o desinencias.

Ejemplos: De honesto, des-honesto. De hierro, herr-amienta. De contar, cont-aría.

PALABRAS COMPUESTAS

Son las que se forman reuniendo dos o más palabras simples.

Ejemplos: Verdi-negro. Peli-rrojo. Salvo-conducto.

SUFIJOS AUMENTATIVOS.

Mediante los sufijos aumentativos, se añade al primitivo la idea de tamaño grande o de cualidad intensa.

Ejemplos: De gato, gat-azo. De bueno, buen-azo.

Los principales sufijos que se emplean para el aumentativo son: -azo, -ón, -ote, -aza,- acho.

SUFIJOS DIMINUTIVOS

Mediante los sufijos diminutivos se añade al primitivo la idea de tamaño pequeño o también de expresión cariñosa.

Ejemplos: De pequeño, pequeñ-ito. De caja, caj-ita. De pícaro, picar-huelo.

Los principales sufijos que se emplean para el diminutivo son: -in, -ito, -ico, -illo, -iño, -cito, -cillo, -ecito, -ecillo, -cecito, -cecillo, -zuelo...

SUFIJOS DESPECTIVOS

Mediante los sufijos despectivos se añade al primitivo la idea de desprecio o burla.

Ejemplos: De gente, gent-uza. De poeta, poet-astro.

Los principales sufijos que se emplean para el despectivo son: -aco, -acho, -ajo, -astro, -orrio, -ejo, -uco, -ucho, -uza...

Nuevas normas de Prosodia y Ortografía dictadas por la Real Academia Española

1.º   Cuando el Diccionario autorice dos formas de acentuación de una palabra, se incluirán ambas en un mismo artículo, separadas por la conjunción o: quiromancia o quiromancía. (Actualmente la segunda forma aparece entre corchetes).

2.º   La forma colocada en primer lugar se considera la más corriente en el uso actual, pero ha de entenderse que la segunda es tan autorizada y correcta como la primera.

3.º   Respecto de las formas dobles incluídas por primera vez en la edición XVIII del Diccionario (1956), el orden de preferencia adoptados se invertirá en los casos siguientes: pentagrama / pentágrama; reuma / reúma.

4.º   Se autoriza la simplicación de los grupos iniciales de consonantes en las palabras que empiezan con ps-, mn-, gn-,: sicología, nemotecnia, nomo. Las formas tradicionales, psicología, mnemotecnia, gnomo se conservan en el Diccionario y en ellas se da la definición correspondiente.

5.º   Se autoriza el empleo de las formas contractas remplazo, remplazar, rembolso, rembolsar, que se remiten en el Diccionario a las formas con doble e.

6.º   Cuando un vocablo simple entre a formar parte de un compuesto como primer complemento del mismo, se escribirá sin acento ortográfico que como simple le habría correspondido: decimoséptimo, asimismo, rioplatense, piamadre.

**NUEVAS NORMAS
DE PROSODIA Y
ORTOGRAFIA
DICTADAS POR LA
REAL ACADEMIA
ESPAÑOLA**

7.º Se exceptúan de esta regla los adverbios en mente, porque en ellos se dan realmente dos acentos prosódicos, uno en el adjetivo y otro en el nombre mente. La pronunciación de estos adverbios con un solo acento, es decir, como voces llanas, ha de tenerse por incorrecta. Se pronunciará, pues, y se escribirá el adverbio marcando en el adjetivo el acento que debiera llevar como simple: ágilmente, cortésmente, lícitamente.

8.º Los compuestos de verbo con enclítico más complemento (tipo sabelotodo) se escribirán sin el acento que solía ponerse en el verbo.

9.º En los compuestos de dos o más adjetivos unidos con guión, cada elemento conservará su acentuación prosódica y la ortográfica si le correspondiere: hispano-belga, anglo-soviético, cántabro-astur, histórico-crítico-bibliográfico.

10. Los infinitivos en uir seguirán escribiéndose sin tilde como hasta hoy.

11. Sin derogar la regla que atribuye al verbo inmiscuir la conjugación regular, se autorizarán las formas con y (inmiscuyo) por analogía con todos los verbos terminados en -uir.

12. Se establecerán como normas generales de acentuación las siguientes:

a) El encuentro de vocal fuerte tónica con débil átona, o de débil átona con fuerte tónica, forma siempre diptongo, y la acentuación gráfica de éste, cuando sea necesaria, se hará con arreglo a lo dispuesto en el número 539, letra e, de la Gramática.

b) El encuentro de fuerte átona con débil tónica, o de débil tónica con fuerte átona, no forma diptongo, y la vocal débil llevará acento ortográfico sea cualquiera la sílaba en que se halle.

13. La combinación ui se considerará, para la práctica de la escritura, como diptongo en todos los casos. Sólo llevará acento ortográfico cuando lo pida el apartado e del número 539 de la Gramática; y el acento se marcará, como allí se indica, en la segunda de las débiles, es decir, en la i: casuístico, benjuí; pero casuista, voz llana, se escribirá sin tilde.

14. Los vocablos agudos terminados en -ay, -ey, -oy, -uy, se escribirán sin tilde: taray, virrey, convoy, magüey, Uruguay.

15. Los monosílabos fue, fui, dio, vio, se escribirán sin tilde.

NUEVAS NORMAS
DE PROSODIA Y
ORTOGRAFIA
DICTADAS POR LA
REAL ACADEMIA
ESPAÑOLA

16.   Los pronombres éste, ése, aquél, con sus femeninos y plurales, llevarán normalmente tilde, pero será lícito prescindir de ella cuando no exista riesgo de anfibología.

17.   La partícula aun llevará tilde (aún) y se pronunciará como bisílaba cuando pueda sustituirse por todavía sin alterar el sentido de la frase: aún está enfermo; está enfermo aún. En los demás casos, es decir, con el significado de hasta, también, inclusive (o siquiera, con negación) se escribirá sin tilde: aun los sordos han de oirme; ni hizo nada por él ni aun lo intentó.

18.   La palabra solo, en función adverbial, podrá llevar acento ortográfico, si con ello se ha de evitar una anfibología.

19.   Se suprimirá la tilde en Geijoo, Campoo y demás paraxítonos terminados en oo.

20.   Los nombres propios extranjeros se escribirán, en general, sin ponerles ningún acento que no tengan en el idioma a que pertenecen; pero podrán acentuarse a la española cuando lo permitan su pronunciación y grafía original. Si se trata de nombres geográficos ya incorporados a nuestra lengua o adaptados a su fonética, tales nombres no se han de considerar extranjeros y habrán de acentuarse gráficamente, de conformidad con las reglas generales.

21.   El uso de la dieresis sólo será preceptivo para indicar que ha de pronunciarse la u en las combinaciones gue, gui, pingüe, pingüino queda a salvo el uso discrecional de este signo, cuando, la licencia poética o con otro propósito, interese indicar una pronunciación determinada.

22.   Cuando los gentilicios de dos pueblos o territorios formen un compuesto aplicable a una tercera entidad geográfica o política en la que se han fundido los caracteres de ambos pueblos o territorios, dicho compuesto se escribirá sin separación de sus elementos: hispanoamericano, checoslovaco. En los demás casos, es decir, cuando no hay fusión, sino oposición o contraste entre los elementos componentes, se unirán éstos con guión: franco-prusiano, germano-soviético.

23.   Los compuestos de nueva formación en que entren dos adjetivos, el primero de los cuales conserva invariable la terminación masculina singular, mientras el segundo concuerda en género y número con el nombre correspondiente, se escribirán uniendo con guión dichos objetivos: tratado teórico-práctico, lección teórico-práctica, cuerpos técnico-administrativos.

**NUEVAS NORMAS
DE PROSODIA Y
ORTOGRAFIA
DICTADAS POR LA
REAL ACADEMIA
ESPAÑOLA**

24. Las reglas que establece la Gramática (número 553, párrafos 1.º a 8.º) referentes a la división de palabras, se modificarán de este modo:

A continuación del párrafo 1.º se insertará la cláusula siguiente: "Esto no obstante, cuando un compuesto sea claramente analizable como formado de palabras que por sí solas tienen uso en la lengua o de una de estas palabras y un prefijo, será potestativo dividir el compuesto separando sus componentes, aunque no coincida la división con el silabeo del compuesto". Así podrá dividirse nosotros o nos-otros, de-samparo o des-amparo.

En lugar de los párrafos 4.º y 5.º, que se suprimen, se intercalará uno nuevo: "Cuando al dividir una palabra por sus sílabas haya de quedar en principio de línea una h precedida de consonante se dejará ésta al fin del renglón anterior y se comenzará el siguiente con la h: al-haraca, in-humación, clorhidrato, des-hidratar".

Los párrafos 6.º y 7.º continuarán en vigor.

El párrafo 8.º se sustituirá por las reglas para el uso del guión contenidas en estas Normas (22.º y 23.º)

25. Se declara que la h muda colocada entre dos vocales no impide que éstas formen diptongo: de-sahucio, sahu-me-rio. En consecuencia, cuando alguna de dichas vocales por virtud de la regla general, haya de ir acentuada, se pondrá el acento ortográfico como si no existiese la h: vahído, búho, rehúso.

Abreviaturas

abl.	ablativo.	expr.	expresión.
adj.	adjetivo.	f.	substantivo femenino.
adj. s.	úsase también como	fam.	familiar.
	substantivo.	Farm.	Farmacia.
adv.	adverbio.	fig.	figurado.
adv. afirm.	adverbio de afirmación.	Fil.	Filosofía.
adv. c.	adverbio de cantidad.	Fon.	Fonética.
adv. l.	adverbio de lugar.	Fís.	Física.
adv. m.	adverbio de modo.	Fisiol.	Fisiología.
adv. neg.	adverbio de negación.	For.	Forense.
adv. t.	adverbio de tiempo.	Fort.	Fortificación.
Agri.	Agricultura.	Fotogr.	Fotografía.
Albañ.	Albañilería.	fr.	francés.
Álg.	Álgebra.	fut.	futuro.
amb.	ambiguo.	galic.	galicismo.
Amér.	América.	gén.	género.
Anat.	Anatomía.	Geod.	Geodesia.
And.	Andalucía.	Geogr.	Geografía.
Antrop.	Antropología.	Geol.	Geología.
Arit.	Aritmética.	Geom.	Geometría.
Arq.	Arquitectura.	Germ.	Germanía.
Arqueol.	Arqueología.	gót.	gótico.
Ar.	Aragón.	gr.	griego.
Arg.	Argentina.	Gram.	Gramática.
art.	artículo.	hebr.	hebreo.
Art.	Artillería.	Hidrául.	Hidráulica.
Ast.	Asturias.	Hidrom.	Hidrometría.
Astrol.	Astrología.	Hig.	Higiene.
Astr.	Astronomía.	Hist. Nat.	Historia Natural.
aum.	aumentativo.	imper.	verbo impersonal.
Biol.	Biología.	Impr.	Imprenta.
Blas.	Blasón.	indt.	indeterminado.
Bot.	Botánica.	indic.	indicativo.
Carp.	Carpintería.	infinit.	infinitivo.
Cetr.	Cetrería.	ingl.	inglés.
Chi.	Chile.	interj.	interjección.
Cir.	Cirugía.	intr.	intransitivo.
Colomb.	Colombia.	ir.	irregular.
Com.	Comercio.	ital.	italiano.
com.	común de dos.	Jurisp.	Jurisprudencia.
conj.	conjunción.	lat.	latín.
contracc.	contracción.	Ling.	Lingüística.
Cuba.	Cuba.	Lit.	Literatura.
dim.	diminutivo.	Liturg.	Liturgia.
der.	derivado.	loc.	locución.
despect.	despectivo.	Lóg.	Lógica.
Ecuad.	Ecuador.	m.	substantivo masculino
Elect.	Electricidad.	m. y f.	substantivo masculino y
Esc.	Escultura.		femenino.
Esgr.	Esgrima.	m. adv.	modo adverbial.
excl.	exclamación.	Mar.	Marina.

Mat.	Matemáticas.	pron. dem.	pronombre demostrativo.
Mec.	Mecánica.		
Med.	Medicina.	pro. ind.	pronombre indeterminado.
Mej.	Méjico.		
Metal.	Metalurgia.	pron. pers.	pronombre personal.
Meteor.	Meteorología.	pron. poses.	pronombre posesivo.
Mil.	Milicia.	pron. relat.	pronombre relativo.
Min.	Minería.	Pros.	Prosodia.
Mineral.	Mineralogía.	Quím.	Química.
Mont.	Montería.	r.	reflexivo.
Mús.	Música.	rec.	recíproco.
n.	neutro.	reg.	regular.
neg.	negación.	Ret.	Retórica.
negat.	negativo.	s.	substantivo.
núm.	número.	Sal.	Salamanca.
Numism.	Numismática.	sing.	singular.
Obst.	Obstetricia.	subj.	subjuntivo.
Ópt.	óptica.	t.	tiempo.
Ortogr.	Ortografía.	Taurom.	Tauromaquia.
p.	participio.	Teol.	Teología.
p. a.	participio activo.	Topogr.	Topografía.
Pat.	Patología.	tr.	transitivo.
p. f.	participio de futuro.	tr. r.	úsase también como regular.
pl.	plural.		
Pint.	Pintura.	Trigon.	Trigonometría.
poét.	poético.	v.	verbo.
p. p.	participio pasivo.	Ven.	Venezuela.
p. us.	por uso.	Vet.	Veterinaria.
pref.	prefijo.	vulg.	Vulgar.
prep.	preposición.	Zool.	Zoología.
pron.	pronombre.		

A. f. Primera de las letras del alfabeto. Vocal y preposición.

AARONITA. ad. Descendiente de Aarón.

AB. Preposición inseparable.

¡ABA! interj. ¡Cuidado! ¡Quita!

ABAB. m. Marino libre que remaba en las galeras turcas.

ABABA. f. Amapola.

ABABOL. m. Persona distraída. Amapola.

ABACA. m. Planta de fibra textil. Tejido hecho con esta fibra.

ABACERÍA. f. Tienda que vende al por menor comestibles.

ABACERO-RA. m. f. Persona que tiene abacería.

ABACIAL. adj. Relativo al abad, abadesa o abadía.

ABACO. m. Tablero contador o parte superior del capitel de una columna. Min. Artesa para lavar los minerales.

ABACORAR. Acometer una cosa con audacia.

ABAD. m. Superior en las colegiatas y monasterios.

ABADA. f. Unicornio indio.

ABADEJO. m. Bacalao. Corralejo, insecto coleóptero.

ABANDEGO-GA. adj. Perteneciente a la dignidad del abad.

ABADERNAR. tr. Sujetar con badernas. Atar con correas.

ABADESA. f. Superiora de una orden religiosa.

ABADÍA. f. Iglesia o monasterio del abad o de la abadesa.

ABADIATO. m. Abadía.

ABA-AETERNO. loc. adv. lat. Desde muy antiguo.

ABAJADERO. m. Cuesta, pendiente.

ABAJAMIENTO. m. Acción de abajar.

ABAJENO-NA. adj. Se dice del que procede de las costas o tierras bajas.

ABAJO. adv. Lugar inferior.

ABALANZAR. tr. Igualar, equilibrar. Poner la balanza en el fiel.

ABALAR. tr. Aballar, llevar o conducir.

ABALAUSTRADO-DA. adj. Balaustrado.

ABALDONAR. trans. Insultar, ofender, injuriar.

ABALEADURA. f. Residuos que quedan después de abalear.

ABALEAR. tr. Limpieza de cereales.

ABALIZAMIENTO. m. Acción y efecto de abalizar.

ABALIZAR. tr. Señalar con balizas.

ABALORIO. m. Cuentecillas de vidrio agujeeradas para hacer adornos y labores.

ABALUARTAR. tr. Fortificar con baluartes.

ABALLAR. tr. e int. Transportar o acarrear. Mover.

ABALLESTAR. tr. Poner tirante un cabo tensándole.

ABANAR. tr. Hacer aire con el abanico.

ABANDERADO. m. El portador de la bandera.

ABANDERAMIENTO. m. Acción de abanderar.

ABANDERAR. tr. Matricular un buque.

ABANDERIZAR. tr. Dividir en banderías.

ABANDONADO-DA. adj. Desidioso, descuidado.

ABANDONAMIENTO. m. Abandono.

ABANDONAR. tr. Dejar algo o a alguien desamparado.

ABANDONO. m. Acción y efecto de abandonar.

ABANEC. m. Cíngulo del Sumo Sacerdote de los hebreos.

ABANICAR. tr. reg. Dar aire con el abanico.

ABANICAZO. m. Golpe dado con el abanico.

ABANICO. m. Instrumento para dar aire.

ABANILLO. m. Adorno de gasa blanca.

ABANIQUEO. m. Acción de abanicarse. Accionar las manos con exageración.

ABANIQUERO-RA. m. y f. Persona que hace o vende abanicos.

ABANO. m. Abanico.

ABANTO. m. Ave rapaz parecida al buitre.

ABANADOR-RA. m. y f. Persona que abaña.

ABANAR. tr. Seleccionar simiente.

ABARATAMIENTO. m. Acción de abaratar.

ABARATAR. v. trans. Reducir el precio.

ABARCA. f. Calzado rústico de cuero.

ABARCADO-DA. adj. Calzado con abarcas.

ABARCAR. tr. Ceñir, comprender, rodear.

ABARCON. m. Aro de hierro que en los coches antiguos afianzaba la lanza dentro de la puerta de la tijera.

ABARLOAR. tr. Poner un buque al costado de otro.

ABARQUERO-RA. m. y f. El que hace o vende abarcas.

ABARQUILLADO-DA. adj. De figura de barquillo. [barquillo.

ABARQUILLAR. tr. Poner en forma de

ABARRACAR in. Acampar construyendo barracas.

ABARRADO-DA. adj. Barrado.

ABAGARRANARSE. tr. Amancebarse.

ABARRAMIENTO. m. Acción y efecto de abarrar.

ABARRANCADERO. m. Lugar donde es fácil atascarse.

ABARRANCAR. tr. Hacer barrancos. Int. Varar, encallar.

ABARRAR. tr. Arrojar violentamente alguna cosa.

ABARREDERA. f. Escoba.

ABARRENADOR. adj. Que abarrena.

ABARROTAR. tr. Asegurar con barrotes. Cargar, atestar.

ABARROTE. m. Fardo pequeño.

ABARSE. r. def. Apartarse, quitarse.

ABASI. adj. Descendiente de Abulabás.

ABASIA. f. Afección nerviosa.

ABASTANZA. f. Copia, abundancia.

ABASTAR. tr. r. Abastecer.

ABASTARDAR. int. Bastardear.

ABASTECEDOR-RA. adj. Que abastece.

ABASTECER. tr. reg. Proveer.

ABASTERO. m. Proveedor.

ABASTIONAR. tr. Fort. Fortificar con bastiones.

ABASTO. m. Provisión de lo necesario.

ABATANAR. tr. Sacudir con el batán.

ABATATAR. tr. Avergonzar, turbar.

ABATE. m. Eclesiástico de órdenes menores.

ABATIDERO. m. Cauce de desagüe.

ABATIDO-DA. ad. Adyecto, vil, despreciable [abatir.

ABATIMIENTO. m. Acción y efecto de

ABATIR. tr. Derribar. Perder el ánimo.

ABAYADO-DA. adj. Bot. Parecido a la baya.

ABAZÓN. m. Buches que tienen algunos monos en los carrillos.

ABDICAR. tr. Ceder o renunciar. Dejar, abandonar creencias.

ABDOMEN. m. Vientre, cavidad del cuerpo del animal.

ABDUCTOR. adj. Músculo que ejecuta movimiento de abducción.

ABECE. m. Abecedario. Principios de una ciencia.

ABEDUL. m. Arbol de corteza plateada y ramas flexibles.

ABEJA. f. Insecto que fabrica la miel y la cera.

ABEJAR. m. Colmenar.

ABEJERO-RA. m. y f. Colmenero-ra. m. Abejaruco.

ABEJORRO. m. Insecto himenóptero velludo.

ABEJUNO-NA. adj. Relativo a la abeja.

ABELLACADO-DA. adj. Que obra con picardía.

ABELLACAR. tr. Envilecer.

ABELLOTAR. tr. De forma de bellota.

ABEMOLAR. tr. Poner bemoles a una nota. Dulcificar la voz.

ABENCERRAJE. m. Individuo de la familia árabe de los abencerrajes.

ABENUZ. m. Ebano.

ABERENJENADO-DA. adj. De color o figura de berenjena.

ABERRACION. f. Descarrío, error. Desvio aparente de los astros.

ABERRAR. int. Errar, equivocarse.

ABERTAL. adj. Terreno agrietado por la sequía.

ABERTURA. f. Hendidura, grieta, agujero.

ABESTIADO-DA. adj. Que parece bestia o de bestia.

ABESTOLA. f. Arrejada, aguijada.

ABETAL. m. Lugar poblado de abetos.

ABETINOTE. m. La resina del abeto.

ABETO. m. Arbol conífero del cual se saca la trementina.

ABETUNADO-DA. adj. Semejante al betún.

ABEY. m. Arbol de las Antillas.

ABIELDAR. tr. Bieldar.

ABIERTAMENTE. adv. Con franqueza, sin reservas.

ABIERTO-TA. p. p. irreg. de Abrir. adj. Llano, raso, no cerrado.

ABIETINEAS. f. De la familia de los abetos. [pino.

ABIETACEO. a n. Como el abeto y el

ABIGARRADO-DA. adj. Que tiene colores o dibujos muy variados.

ABIGARRAR. tr. Dar a una cosa varios colores.

ABIGEO. m. For. El que hurta ganado.

AB-INTESTATO. loc. adv. lat. Sin testamento.

ABINTESTATO. m. Procedimiento judicial sobre adjudicación de los bienes del que muere sin testar.

ABISAGRAR. tr. Hacer bisagras.

ABISAL. adj. Abismal.

ABISMAL. adj. Perteneciente al abismo.

ABISMAR. tr. Hundir en un abismo.

ABISMO. m. Sima, precipicio, gran profundidad.

ABITAR. tr. Amarrar el cable del ancla.

ABJURAR. tr. Retractarse con juramento de un error.

ABLACIÓN. f. Separación, extirpación de una parte del cuerpo.

ABLANDADOR-RA. adj. Que ablanda.

ABLANDAR. tr. Poner blanda alguna cosa. Laxar, suavizar.

ABLANDATIVO-VA. adj. Que ablanda.

ABLATIVO. m. Sexto caso de la declinación que hace oficio de complemento.

ABLEFARIA. f. Med. Falta congénita de los párpados.

ABLEGACIÓN. m. Destierro a que el padre condenaba al hijo en la antigua Roma.

ABLEPSIA. f. Med. Pérdida de la vista.

ABLUCIÓN. f. Lavatorio. Acción de lavarse.

ABLUENTE. adj. Diluyente.

ABLUIR. tr. Limpiar los escritos para reavivar la tinta.

ABNEGACIÓN. f. Acción de abnegar.

ABNEGAR. tr. Negar uno voluntariamente a sus deseos o afectos.

ABOBADO-DA. adj. Que parece bobo.

ABOBAR. tr. r. Hacer a uno bobo.

ABOCADEAR. tr. Herir o maltratar a bocados. Tomar golosinas.

ABOCADO-DA. adj. Dícese principalmente del vino agradable.

ABOCAR. tr. Asir con la boca.

ABOCARDADO-DA. adj. De boca parecida a la de la trompeta.

ABOCARDAR. tr. Ensanchar la boca o agujero de una cosa.

ABOCARDO. m. Alegra. Barrena grande para labrar tubos.

ABOCELADO-DA. adj. Parecido a un bocel.

ABOCETADO-DA. adj. Pintura que más parece boceto que obra terminada.

ABOCETAR. tr. Pintar o dibujar con pocas líneas.

ABOCINAMIENTO. m. Acción y efecto de abocinar.

ABOCINAR. tr. Dar forma de bocina.

ABOCHORNAADOR-RA. adj. Que abochorna.

ABOCHORNAR. tr. Causar bochorno el exceso de calor. Sonrojar.

ABOFETEADOR-RA. adj. El que abofetea.

ABOFETEAR. tr. y r. Dar de bofetadas.

ABOGACÍA. f. Profesión del abogado.

ABOGADIL. adj. Perteneciente al abogado.

ABOGADO. m. Defensor en juicios. Intercesor.

ABOGADOR. m. Muñidor de una cofradía.

ABOGAR. intr. Defender en juicio. Hablar a favor de alguno.

ABOHETADO-DA. adj. Abotargado. Hinchado.

ABOLENGO. m. Ascendencia de antepasados.

ABOLICIÓN. f. Acción y efecto de abolir.

ABOLICIONISTA. m. El que procura la abolición de una ley.

ABOLIR. tr. Anular un precepto o costumbre.

ABOLO-LA. adj. Se dice del potro que no tiene todos los dientes.

ABOLSADO-DA. adj. Que hace o forma bolsas.

ABOLLADO. m. Adorno de bollos en el vestido.

ABOLLADURA. f. Efecto de abollar.

ABOLLAR. tr. Hacer a alguna cosa uno o más bollos.

ABOLLÓN. m. Bollón o hinchazón causada en la cabeza.

ABOMASO. m. Una de las cavidades del estómago de los rumiantes.

ABOMBAR. tr. Hacer una cosa de forma convexa.

ABOMINABLE. adj. Digno de abominación.

ABOMINACIÓN. f. Acción y efecto de abominar.

ABOMINAR. tr. Detestar. Maldecir. Condenar. Aborrecer.

ABONABLE. adj. Que puede o debe ser abonado.

ABONADO-DA. adj. Que es de fiar. El que ha tomado un abono.

ABONADOR-DA. adj. Que abona. m. Barrena de mango largo que usan los toneleros.

ABONANZAR. in. Calmarse la tempestad.

ABONAR. tr. Acreditar de bueno. Fertilizar la tierra.

ABONARÉ. m. Documento que acredita la partida sentada en cuenta.

ABONO. m. Derecho de quien se abona. Acción de abonar. Fertilizador de la tierra.

ABOQUILLADO-DA. adj. Que tiene forma de boquilla.

ABOQUILLAR. tr. Poner boquilla a alguna cosa.

ABORDABLE. adj. Que se puede abordar.

ABORDAJE. m. Acto de abordarse dos embarcaciones.

ABORDAR. tr. e intr. Chocar una embarcación con otra.

ABORIGEN. adj. Originario del suelo en que vive.

ABORIO. m. Madroño.

ABORRAJARSE. r. Secarse antes de tiempo la mies y no completar la granazón.

ABORRASCARSE. r. Ponerse el tiempo borrascoso.

ABORRECER. tr. Tener odio a alguna persona o cosa.

ABORRECIBLE. adj. Digno de ser aborrecido.

ABORRECIDO-DA. adj. Se dice del que está aburrido.

ABORRECIMIENTO. m. Acción de aborrecer. Aburrimiento.

ABORREGARSE. r. Cubrirse el cielo de nubes en forma de bellones.

ABORTAR. tr. e intr. Dar a luz antes de tiempo. Fracasar.

ABORTIVO-VA. adj. Que hace abortar.

ABORTO. m. Acción de abortar.

ABORTON. m. Cuadrúpedo abortado. Piel de cordero abortado.

ABOTAGARSE. r. Hincharse. Inflarse.

ABOTARGARSE. r. Abotagarse.

ABOTINADO-DA. adj. Que tiene forma de botín.

ABOTONADOR-DA. adj. El que abotona. Gancho para abotonar.

ABOTONADURA. f. Botonadura antigua.

ABOTONAR. tr. Ajustar o meter los botones por los ojales. intr. Brotar las plantas.

ABOVEDADO. tr. Que tiene forma de bóveda.

ABOVEDAR. tr. Cubrir con bóveda. Dar forma de bóveda.

ABOVO. loc. latina. Desde el origen.

ABOYADO-DA. adj. Dícese de la tierra que se arrienda con bueyes.

ABOYAR. tr. Mar. Poner boyas.

ABOZALAR. tr. Poner bozal.

ABRA. f. Bahía. Ensenada. Abertura entre dos montañas. Grieta.

ABRACADABRA. m. Palabra que se emplea en los sortilegios y que se decía curaba enfermedades.

ABRACIJARSE. tr. Abrazarse.

ABRAHONAR. tr. Abrazar con fuerza, con los brahones.

ABRANDECOSTA. m. Arbol de madera sólida.

ABRASADOR-RA. ad. Que abrasa.

ABRASAMIENTO. m. acción y efecto de abrasar.

ABRASANTE. p. a. Abrasar. Que abrasa.

ABRASAR. tr. s. Reducir a brasas, quemar. Encenderse en pasión o en ansias.

ABRASIÓN. f. Acción demoledora del mar sobre las costas.

ABRAXAS. m. Palabra usada entre los gnósticos y expresiva del curso del sol en los 365 días del año.

ABRAZADERA. f. Pieza de metal u otra materia que se emplea para asegurar una cosa.

ABRAZADOR-RA. adj. Que abraza. m. Hierro o palo combado que en la noria sostiene seguro el peón sujetándolo al puente.

ABRAZAMIENTO. m. Acción y efecto de abrazar.

ABRAZAR. tr. Ceñir, rodear con los brazos. Admitir una doctrina.

ABREGO. m. Viento del sudoeste.

ABRELATAS. m. Utensilio para abrir las latas de conservas.

ABRENUNCIO. Vocablo usado para rechazar o renunciar a una cosa.

ABRETONAR. tr. Mar. Amarrar los cañones al costado del buque en dirección popa o proa.

ABREVADERO. m. Lugar donde bebe el ganado.

ABREVADOR-RA. adj. Que abreva.

ABREVAR. tr. Dar de beber al ganado. Saciar.

ABREVACION. f. Acción y efecto de abrevar.

ABREVIADAMENTE. adv. m. Compendiosa o sumariamente.

ABREVIADO-DA. adj. Parco, escaso.

ABREVIADOR-RA. adj. Que se abrevia o compendia.

ABREVIAR. tr. Acortar, reducir, acelerar.

ABREVIATURA. f. Algunas letras que representan una palabra reducida.

ABRIBONADO-DA. adj. Que tiene trazas o condiciones de bribón.

ABRIDERO-RA. adj. Que se abre fácilmente.

ABRIGADA. m. Lugar resguardado de los vientos.

ABRIGADERO. m. Abrigada.

ABRIGADO. m. Abrigo o paraje defendido de los vientos.

ABRIGAÑO. m. Abrigo o paraje defendido de los vientos.

ABRIGAR. tr. r. Resguardar del frío. Amparar.

ABRIGO. m. Que resguarda del frío.

ABRIL. m. Cuarto mes del año.

ABRILEÑO-ÑA. adj. Propio del mes de abril.

ABRILLANTAR. tr. Dar brillo, esplendor a una cosa.

ABRIR. tr. Separar la cortina o puerta para entrar y salir. Inaugurar.

ABRO. m. Arbusto leguminoso, sus hojas sirven para infusión pectoral.

ABROCALAR. tr. Poner brocales.

ABROCAR. tr. Quitar las brocas.

ABROCHAR. tr. Ajustar con broches o botones. Castigar.

ABROGACIÓN. f. Acción y efecto de abrogar. Anular.

ABROGAR. For. Abolir, anular.

ABROJAL. m. Terreno poblado de abrojos.

ABROJÍN. m. Gasterópodo marino, común en el Mediterráneo, y del cual se obtenía la púrpura.

ABROJO. m. Planta cigofilea cuyo fruto es redondo y espinoso.

ABROMA. m. Arbusto tropical cuya corteza se aprovecha para hacer cuerdas.

ABROMADO-DA. adj. Mar. Oscurecido o nublado por la niebla.

ABRONCAR. tr. fam. Aburrir, enfadar.

ABROQUELAR. tr. Cubrir con broquel.

Mar. Colocar las velas. De modo que reciban el viento por la proa.

ABRÓTANO. m. Planta de uso medicinal.

ABROTOÑAR. int. Brotar, echar renuevos, hojas, etc.

ABRUMADOR-RA. adj. Que abruma.

ABRUMAR. tr. Agobiar con grave peso. Llenarse de bruma. Oprimir.

ABRUPTAMENTE. adv. De modo brupto.

ABRUPTO-TA. adj. Esparpado.

ABRUTADO-DA. adj. Que se asemeja a los brutos.

ABSCESO. m. Med. Acumulación de pus.

ABSCISA. f. Geom. Una de las distancias que se emplean para fijar la posición de un punto en relación a dos rectas coordenadas.

ABSCISIÓN. f. Separación de una parte pequeña de un cuerpo, realizada con instrumento cortante.

ABSENTA. f. Bebida hecha a base de ajenjo.

ABSENTINA. f. Parte tóxica del ajenjo.

ABSENTISMO. m. Costumbre de residir el propietario en lugar distinto a aquel que tiene sus posesiones.

ABSIDE. f. Arq. Parte en forma de bóveda que sobresale en la fachada posterior de un templo.

ABSIDIOLA. f. Cada una de las capillas que hay en el interior del Abside.

ABSINTISMO. m. Med. Envenenamiento lento del organismo producido por el ajenjo.

ABSOLUCIÓN. f. Acción de absolver. For. Terminación del pleito favorecible al descartado.

ABSOLUTA. Aserción dicha en tono de de magisterio.

ABSOLUTISMO. m. Sistema de gobierno en que el soberano tiene poder ilimitado en su mando.

ABSOLUTISTA. adj. y sub. Partidario del absolutismo.

ABSOLUTO-TA. adj. Que no admite condiciones, ni limitación alguna.

ABSOLUTORIO-RIA. adj. Dícese del que absuelve.

ABSOLVEDERAS. f. p. Facilidad para perdonar y absolver.

ABSOLVER. tr. Dar por libre de algún cargo u obligación.

ABSORBENCIA. f. Acción de absorber.

ABSORBER. tr. Atraer un cuerpo y retener entre sus moléculas las de otros en estado líquido o gaseoso.

ABSORBIMIENTO. m. Absorción.

ABSORTAR. tr. Suspender, arrebatir el ánimo con algo extraordinario.

ABSORTO-TA. adj. Embelesarse. Pasmarse. Admirarse.

ABSTEMIO-MIA. adj. Que no toma bebidas alcohólicas.

ABSTENCION. f. Abstinencia.

ABSTENCIONISMO. m. Actitud de los que no desean participar en alguna actividad.

ABSTENERSE. refle. Privarse de algo.

ABSTERGENTE. p. a. Que absterge.

ABSTERGER. tr. Med. Limpiar, purificar las heridas.

ABSTINENCIA. f. Acción de abstenerse. Virtud por la cual se priva uno de todos o parte de los goces materiales lícitos. No tomar carne en días determinados por la Iglesia. Que practica la abstinencia.

ABSTINENTE. p. a. Abstenerse. Que se abstiene.

ABSTINENTEMENTE. adv. m. Con abstinencia.

ABSTRACCION. f. Que abstrae.

ABSTRACTAMENTE. adv. m. Abstractivamente.

ABSTRACTO-TA. adj. Que no tiene existencia material. El que usa conceptos existentes solo en la mente.

ABSTRAER. tr. Superar in mente una cualidad de un objeto. Prescindirse a la meditación. Ensimismarse.

ABSTRAIDO-DA. adj. Retirado del trato social. Distraído.

ABSTRUSO-SA. adj. Recóndito. Algo difícil de comprender.

ABSURDIDAD. f. Calidad de absurdo. Repugnante a la razón.

ABSURDO-DA. adj. Que no tiene razón, que es contrario a ella.

ABUBILLA. f. Pájaro insectívoro que posee en la cabeza un penacho de plumas eréctiles.

ABUCHEAR. tr. Protestar de modo desagradable cuando no le complace la obra.

ABUELA. f. Respecto de una persona, madre de su padre o de su madre. fig. Mujer anciana.

ABUELASTRO-TRA. m. f. El padre o la madre del padrastro o la madras-

tra. Segundo consorte del abuelo o de la abuela.

ABUELO-LA. m. f. Padre o madre del padre o de la madre de cada uno. Persona de avanzada edad.

ABUHADO-DA. adj. Hinchado o abotargado.

ABUHARDILLADO-DA. adj. Que tiene forma de buhardilla.

ABUINCHE. m. Dícese del hacha en forma de machete que se emplea para descortezar árboles de quina.

ABULENSE. adj. De Avila.

ABULIA. f. Que no tiene voluntad.

ABÚLICO-CA. adj. Que adolece de abulia. [men.

ABULTADO-DA. adj. De mucho volu-

ABULTAR. tr. Aumentar de volumen una cosa. Exagerar o ponderar una noticia, por ejemplo.

ABUNDAMIENTO. m. Abundancia.

ABUNDANCIA. f. Gran cantidad.

ABUNDANTE. p. En mucha cantidad.

ABUNDAR. intr. Que contiene gran cantidad de una cosa. Estar muy a una opinión.

ABUNDO. adv. m. Abundantemente.

ABUÑOLAR. tr. Freir en forma hueca, de buñuelo.

ABUÑUELAR. tr. Abuñolar.

ABURAR. tr. Quemar, abrasar.

ABURELADO-DA. adj. Semejante al color buriel. [gués.

ABURGUESARSE. refle. Hacerse bur-

ABURRADO-DA. adj. Parecido en algo a los burros.

ABURRARSE. r. Embrutecerse.

ABURRIDAMENTE. adv. m. De modo que causa aburrimiento.

ABURRIDO-DA. adj. Que siente fastidio, tedio.

ABURRIMIENTO. m. Tedio, fastidio.

ABURRIR. tr. r. Molestar, cansar, fastidiar.

ABURUJAR. trans. Hacer que algo forme burujos. r. Aborujarse.

ABUSAR. intr. Hacer mal uso de una cosa, usar indebidamente de ella.

ABUSIÓN. f. Abuso. Engaño.

ABUSIONERO-RA. adj. Supersticioso.

ABUSIVO-VA. adj. Que se introduce o practica por abuso.

ABUSO. m. Que abusa o hace mal uso.

ABUSÓN-NA. adj. Que tiene tendencia a abusar. [Envilecimiento.

ABYECCIÓN. f. Bajeza. Abatimiento.

ABYECTO-TA. adj. Bajo, vil, abatido.

ACA. adv. Lugar próximo.

ACABABLE. adj. Que tiene fin o término.

ACABADO-DA. adj. Terminado, perfecto, malparado.

ACABALAR. tr. Completar.

ACABALLADERO. m. Sitio en que los caballos o asnos cubren a las yeguas. Tiempo en que las cubren.

ACABALLADO-DA. adj. Parecido al perfil de la cabeza del caballo.

ACABALLAR. tr. Tomar el caballo o el burro a la yegua.

ACABAMIENTO. m. Efecto o cumplimiento de alguna cosa. Muerte, fin.

ACABAR. tr. Concluir una cosa, rematarla. Dar fin. Apurar.

ACABESTRILLAR. intr. Cazar con buey de cabestrillo.

ACABILDAR. tr. Juntar, unir en un dictamen a muchos para conseguir algún intento.

ACABOSE. m. El acabose. Llegar al último extremo.

ACABRONADO. adj. Semejante en algo al cabrón.

ACACIA. f. Planta leguminosa, árbol con flores en forma de racimos colgantes.

ACACHETEAR. tr. Dar cachetes.

ACADEMIA. f. Sociedad compuesta por literatos, artistas, científicos. Establecimiento donde se enseña.

ACADÉMICO-CA. adj. Que pertenece a una academia.

ACAECEDERO-RA. adj. Que puede acaecer.

ACAECER. intr. Suceder.

ACAECIMIENTO. m. Suceso.

ACAHÉ. m. Urraca del Paraguay.

ACAHUAL. m. Girasol en Méjico. Hierba que cubre los barbechos.

ACAIRELAR. tr. Adornar con caireles.

ACALABROTAR. tr. Mar. Formar un cabo de tres cordones compuesto de otros tres cada uno.

ACALA. f. Especie de hormiga americana del tamaño de un saltamontes.

ACALAMBRARSE. r. Contraer los músculos a causa del calambre.

ACALEFO. adj. sub. Animal celenterio, cuyas medusas se forman por estrangulación y división del pólipo, arroja un líquido que causa gran escozor.

ACALIA. f. Malvavisco.

ACALORADAMENTE. adv. m. Con calor o vehemencia.

ACALORAMIENTO. m. Tener mucho calor. Enardecer.

ACALOTE. m. En Méjico la parte del río que se limpia para pasar las canoas. Ave zancuda.

ACALIA. f. Malvavisco, planta.

ACALLAR. tr. Calmar. Hacer callar.

ACAMAR. tr. Tenderse las mieses a causa de la lluvia o el viento.

ACAMELLADO-DA. adj. Parecido al camello.

ACAMPANAR. tr. Dar forma de campana.

ACAMPAR. intr. Hacer alto en despoblado. Alojarse en tiendas.

ACAMPO. m. Dehesa.

ACANA. m. Arbol de América de la familia de los sapotáceos, de madera excelente.

ACANALADO-DA. adj. De forma de canal. Figura estrecha y larga.

ACANALADOR. m. Instrumento para abrir canales en cercos de puertas y ventanas.

ACANALAR. tr. Dar forma de canal. Hacer estrias.

ACANELONAR. tr. Azotar con disciplinas de canelones.

ACANGA. m. Nombre corriente que se da a la gallina de Guinea.

ACANILLADO-DA. adj. Paño que forma canillas.

ACANSINARSE. refle. Cansarse. Volverse lento o perezoso.

ACANTACEO - A. adj. Parecido al acanto.

ACANTAR.. tr. Medir por cántaros.

ACANTEAR. tr. Tirar con cantos o piedras.

ACANTILADO. adj. Dícese de la costa de corte vertical.

ACANTILAR. tr. Mar. Echar un buque en un acantilado por mala maniobra.

ACANTIO. m. Cardo borriquero.

ACANTOLIS. m. Reptil que tiene en el lomo tubérculos puntiagudos.

ACANTONAMIENTO. m. Acción de acantonar. Sitio donde se acantonan las tropas.

ACANTONAR. tr. Situar tropas en distintos lugares.

ACANTOPTERIGIO-GIA. adj. Zool. Peces de esqueleto óseo, mandícula superior móvil y branquias pectiniformes que tiene espinosos y sencillos todos los radios de la aleta dorsal. m. Orden de estos peces.

ACAÑAVERAR. tr. Herir con cañas cortadas en punta.

ACAÑONEAR. tr. Tirar con cañón.

ACAPARADOR-RA. adj. y subt. Que acapara.

ACAPARAMIENTO. m. Acto de acaparar.

ACAPARAR. tr. Hacer acopio de un producto.

ACAPARRARSE. r. Ajustarse o convenirse con algo.

ACAPILLAR. tr. Atrapar, apresar.

ACAPITE. m. Párrafo aparte de un escrito.

ACAPONADO-DA. adj. Que padece de capón o de hombre castrado.

ACARACOLADO-DA. adj. De forma de caracol.

ACARAMBANADO-DA. adj. Carambanado.

ACARAMELADO-DA. adj. Bañado de caramelo.

ACARAR. tr. Carear.

ACARDENALAR. trns. Producir cardenales en el cuerpo.

ACAREAR. tr. Carear, hacer cara, arrostrar.

ACARICIADOR-RA. adj. Que acaricia.

ACARICIAR. trans. Hacer caricias.

ACARNERADO-DA. adj. Caballo, yegua que tiene arqueada la parte delantera de la cabeza, como el carnero.

ACARO. m. Dícese del aracnido que produce la sarna.

ACARPO-PA. adj. Bot. Que no da fruto.

ACARRALAR. tr. Recoger un hilo, o dejar un claro entre dos en los tejidos.

ACARRARSE. refl. Llevar a la sombra en el estío, el rebaño de ovejas.

ACARRASCADO-DA. adj. Semejante a la carrasca.

ACARREADIZO-ZA. adj. Que se puede acarrear.

ACARREADOR-RA. adj. Que acarrea. m. El que conduce la mies desde el rastrojo a la era.

ACARREAR. tr. Transportar en carro. Ocasionar, causar.

ACARREO. m. Acción de acarrear.

ACARTONARSE. refl. Ponerse como cartón.

ACASAMATADO-DA. adj. De forma de casamata.

ACASO. adv. Por casualidad.

ACASTAÑADO-DA. adj. De color castaño.

ACASTILLADO-DA. adj. Fortificado con castillos. Que tiene forma de Castillo.

ACATABLE. adj. Digno de acatamiento y respeto.

ACATAMIENTO. m. Acto de acatar.

ACATANTE. p. a. de Acatar. Que acata.

ACATAR. tr. Sumisión, respeto, veneración.

ACATARRARSE. refle. Contraer un catarro.

ACATES. m. Persona muy fiel.

ACATO. m. Acatamiento.

ACATÓLICO-CA. adj. Se dice del que no es católico.

ACAUDALADO-DA. adj. Que tiene mucho caudal y dinero.

ACAUDALADOR-RA. adj. Que acaudala.

ACAUDALAR. tr. Reunir riquezas.

ACAUDILLADOR-RA. adj. Que acaudilla.

ACAUDILLAR. tr. Guiar, conducir, mandar gente en la guerra.

ACAULE. adj. Bot. Dícese de la planta que por tener el tallo tan corto parece que no lo tiene.

ACCEDENTE. p. a. de acceder. Que accede.

ACCEDER. intr. Ceder, consentir en lo que otro desea.

ACCENSO. m. Ministro público de la antigua Roma.

ACCESIBLE. adj. De fácil acceso.

ACCESIÓN. f. Acción de acceder.

ACCÉSIT. m. Recompensa inferior inmediata al premio.

ACCESO. m. Que tiene paso o entrada. Golpe de tos.

ACCESORIA. f. Edificio contiguo a otro principal, que depende de ésta.

ACCESORIA-RIA. adj. Que depende de la parte principal.

ACCIDENTADO-DA. adj. Que sufre accidente.

ACCIDENTAL. adj. Casual. No esencial.

ACCIDENTALIDAD. f. Calidad de accidental.

ACCIDENTAR. tr. Producir accidente

ACCIDENTE. m. Lo que altera la marcha normal de las cosas.

ACCIÓN. f. Hacer algo. Acto voluntario.

ACCIONADO. m. Acción, movimiento y aptitudes del orador.

ACCIONAR. int. Hacer movimientos y gestos.

ACCIONISTA. m. El que posee alguna acción de sociedad anónima.

ACCITANO-NA. adj. Natural de Acci hoy Guadix.

ACEBAL. m. Terreno plantado de acebos.

ACEBEDA. f. Sitio poblado de acebos.

ACEBO. m. Arbol de hojas duras y espinosas, de madera blanca, flexible y dura.

ACEBOLLADO-DA. adj. Que tiene acebolladura.

ACEBOLLADURA. f. Daño que tienen algunas maderas por desunión de dos capas del tejido leñoso del árbol.

ACEBRADO-DA. adj. Parecido a las cebras.

ACEBUCHAL. m. Terreno plantado de acebuches.

ACEBUCHE. m. Olivo silvestre.

ACEBUCHINA. f. Fruto del acebuche.

ACECINAR. f. Salar la carne y secarla al humo o al aire para conservarla.

ACECHADERA. f. Sitio donde se puede acechar.

ACECHADOR-RA. adj. Que acecha.

ACECHANZA. f. Acechadura.

ACECHAR. tr. Observar, atisbar, aguardar.

ACECHE. m. Caparrosa.

ACECHO. m. Acción de acechar.

ACEDAR. tr. Poner agria alguna cosa.

ACEDERA. f. Planta poligonácea, comestible.

ACEDERAQUE. m. Cinamomo.

ACEDERILLA. f. Planta parecida a la acedera.

ACEDRON. m. Planta perenne poligonácea, de hojas anchas, flores hermafroditas.

ACEDIA. f. Calidad de acedo. Indisposición del estómago.

ACEDO-DA. adj. Agrio, ácido.

ACEFALIA. f. Calidad de acéfalo. Que no tiene cabeza.

ACEFALISMO. m. Secta que no reconoce al jefe.

ACÉFALO-LA. adj. Falto de cabeza. Secta que no tiene jefe.

ACEGUERO. m. Leñador que recoge las leñas menudas.

ACEIFA. f. Expedición militar sarracena que se realizaba en verano.

ACEITADA. f. Cantidad de aceite derramada.

ACEITAR. tr. Untar con aceite.

ACEITE. m. Líquido denso que se extrae de la aceituna, etc.

ACEITERA. f. Vasija destinada al aceite. Persona que vende aceite.

ACEITÓN. m. Aceite gordo y turbio. Impurezas que en el fondo de las vasijas deja el aceite.

ACEITOSO-SA. adj. Que tiene aceite. Que tiene mucho aceite.

ACEITUNA. f. Fruto del olivo.

ACEITUNADO-DA. adj. De color de la aceituna.

ACEITUNERO-RA. m. y f. Quien coge, acarrea o vende aceitunas.

ACEITUNI. m. Tela rica traída de Oriente, muy usada en la Edad Media.

ACEITUNILLO. m. Arbol de las Antillas de madera muy dura y cuyo fruto es venenoso.

ACEITUNO. m. Olivo.

ACELERACIÓN. f. Acción y efecto de acelerar o acelerarse.

ACELERADOR-RA. adj. Que acelera.

ACELERAR. tr. Anticipar. Hacer más rápido un movimiento. Darse prisa.

ACELERATRIZ. adj. f. Fuerza que aumenta la velocidad.

ACELGA. f. Planta de hojas comestibles.

ACÉMILA. f. Mula o macho de carga.

ACEMILERÍA. f. Lugar destinado para tener las acémilas y sus aparejos.

ACEMILERO-RA. adj. Dícese del que cuida las acémilas.

ACEMITA. f. Pan hecho con acemite.

ACEMITE. m. Afrecho que tiene mezclado harina.

ACENDRADO-DA. adj. Purificado. Que no tiene mancha ni defecto. Depurado.

ACENDRAMIENTO. m. Acción y efecto de acendrar.

ACENDRAR. tr. Limpiar, purificar metales por medio del fuego.

ACENSAR. tr. Acensuar.

ACENSUAR. tr. Imponer un censo.

ACENTO. m. Tilde que se coloca sobre una vocal. Mayor intensidad con que se pronuncia una sílaba.

ACENTUACIÓN. f. Acción y efecto de acentuar.

ACENTUADAMENTE. adv. m. Con pronunciación acentuada.

ACENTUAL. adj. Gram. Relativo al acento.

ACENTUAR. tr. Poner acento prosódico u ortográfico en una palabra. Recalcar.

ACEÑA. f. Molino movido por agua.

ACEÑERO. m. El que tiene a su cargo una aceña o trabaja en ella.

ACEPCIÓN. f. Significado en que se toma una palabra.

ACEPILLADURA. f. Acción de acepillar. Viruta.

ACEPILLAR. tr. Alisar la madera con cepillo.

ACEPTABILIDAD. f. Calidad de aceptable.

ACEPTABLE. adj. Digno de ser aceptado.

ACEPTACIÓN. f. Acción y efecto de aceptar. Aprobación, aplauso.

ACEPTADOR-RA. adj. Que acepta. El que hace acepción de personas.

ACEPTAR. tr. Recibir lo que se dá, ofrece o encarga.

ACEPTO-TA. adj. Agradable.

ACEPTOR. m. Aceptador.

ACEQUIA. f. Canal que conduce agua.

ACEQUIERO. m. El que rige el uso de las acequias o las cuida.

ACERA. f. Parte lateral de una calle por donde transitan los peatones.

ACERADO-DA. adj. Parecido al acero.

ACERAR. tr. Dar las propiedades del acero al hierro.

ACERBIDAD. f. Calidad de acerbo.

ACERBO-BA. adj. Áspero al gusto.

ACERCADOR-RA. adj. Que acerca.

ACERE. m. Arce, árbol.

ACERÍA. f. Fábrica de acero.

ACERICO. m. Almohadilla destinada a clavar alfileres.

ACERILLO. m. Acerico.

ACERO. m. Combinación de hierro y pequeñas cantidades de carbono.

ACEROLA. f. Fruto del acerolo.

ACEROLO. m. Árbol rosáceo de ramas frágiles y cortas, hojas pubescentes y flores blancas.

ACÉRRIMAMENTE. adv. m. De modo acérrimo.

ACÉRRIMO-MA. adj. Muy fuerte, decidido y tenaz.

ACERROJAR. tr. Poner bajo cerrojo.

ACERTADAMENTE. adv. m. Con acierto.

ACERTADO-DA. adj. Que tiene o incluye acierto.

ACERTAR. tr. Dar en el sitio previsto.

ACERTIJO. m. Adivinanza, entretenimiento.

ACERUELO. m. Especie de albardillo para cabalgar.

ACERVO. m. Montón de cosas menudas.

ACETATO. m. Quím. Cualquier sal de ácido acético.

ACÉTICO-CA. adj. Quím. Que se refiere al vinagre. Ácido acético que se produce por oxidación del alcohol vínico.

ACETILENO. m. Hidrocarburo gaseoso que se obtiene por medio de la acción del agua sobre el carburo de calcio.

ACETILO. m. Quím. Radical hipotético del ácido acético.

ACETIMETRO. m. Quím. Aparato para medir la fuerza del vinagre.

ACETÍN. m. Agracejo, arbusto.

ACETONA. f. Líquido incoloro, inflamable, de olor fuerte.

ACETONURIA. f. Med. Existencia de acetona en la orina.

ACETOSA. f. Acedera.

ACETRE. m. Caldero de agua bendita para las aspersiones.

ACETRINAR. tr. Poner de color cetrino.

ACIAGO-GA. adj. Infausto de mal agüero.

ACIAL. m. Instrumento oprimente que se aplica a las bestias para sujetarlas, para herrarlas, curarlas, etc.

ACIANO. m. Planta medicinal.

ACIBAR. m. Aloe, planta liliácea y su jugo.

ACIBARAR. tr. Amargar. Turbar. Echar, acibar.

ACICALADO-DA. adj. Extremadamente pulcro.

ACICALAR. tr. Limpiar, pulir.

ACICATE. m. Espuela de una sola punta.

ACICATEAR. r. Espolear.

ACICULAR. adj. Parecido a la aguja.

ACICHE. m. Herramienta de soldador, con dos bocas.

ACIDAQUE. m. Arras que está obligado a dar el mahometano a la mujer por casamiento.

ACIDEZ. f. Calidad de ácido.

ACIDIA. f. Pereza, flojedad.

ACIDÍFERO-RA. adj. Quím. Que tiene ácido.

ACIDIFICAR. tr. Dar acidez a los cuerpos que no la tienen.

ÁCIDO-DA. adj. Agrio.

ACIDULAR. tr. Poner acidulo un líquido.

ACIDULO-LA. adj. Ligeramente ácido.

ACIERTO. m. Acción de acertar.

ÁCIGOS. adj. Zool. Vena ácigos.

ÁCIMO. adj. Azimo.

ACIMUT. m. Astron. Angulo formado por el meridiano y el círculo vertical que pasa por un punto de la esfera celeste o del globo terrestre.

ACINESIA. f. Carencia de movimiento.

ACINTURAR. tr. Ceñir, estrechar.

ACIÓN. f. Correa que parte del estribo.

ACIRATE. m. Loma que sirve de lindero a las heredades.

ACITARA. f. Citara, pared.

ACLAMACIÓN. f. Acción y efecto de aclamar.

ACLAMAR. tr. Dar voces la multitud aplaudiendo a alguno.

ACLARACIÓN. f. Acción y efecto de aclarar.

ACLARAR. tr. Manifestar, explicar. Disipar.

ACLEIDO-DA. adj. Zool. Dícese del mamífero que no tiene clavículas.

ACLIMATACIÓN. f. Aclimatar.

ACLIMATAR. tr. reg. Acostumbrarse a un clima.

ACOBARDAMIENTO. m. Acción y efecto de acobardarse.

ACOBARDAR. tr. Meter miedo. Amedrantar.

ACOBIJAR. tr. Abrigar las cepas y plantones con acobijos.

ACOBIJO. m. Montón de tierra que se apisona alrededor de las vides y plantones.

ACOCARSE. r. Agusanarse los frutos.

ACOCEAR. tr. Dar coces.

ACOCOTAR. tr. Acogotar.

ACOCHARSE. r. Agacharse, agazaparse.

ACOCHINAR. tr. fam. Matar a uno que no puede huir o defenderse.

ACODADO-DA. adj. Que se pone en forma de codo.

ACODALAR. tr. Arq. Poner codales.

ACODAR. tr. Apoyar el codo sobre alguna parte.

ACODEAR. tr. Mar. Poner en determinada dirección el costado de un buque.

ACODICIAR. tr. reg. Entrar en deseo o codicia de una cosa.

ACODILLAR. tr. Doblar formando codo.

ACODO. m. Vástago acodado.

ACOGEDIZO-ZA. adj. Que se acoge fácilmente.

ACOGEDOR-RA. adj. Que acoge.

ACOGER. tr. Admitir en su casa o compañía.

ACOGIDA. f. Acción y efecto de acoger.

ACOGIMIENTO. m. Acogida, acción de acoger.

ACOGOLLAR. tr. Cubrir las plantas para defenderlas de las inclemencias del tiempo.

ACOGOMBRAR. tr. Agr. Acohombrar.

ACOGOTAR. tr. Matar a la persona o animal por un golpe en el cogote.

ACOCULLADO-DA. adj. En forma de cogulla.

ACOHOMBRAR. tr. Agr. Aporcar las plantas.

ACOJINAR. tr. Acolchar, poner algodón entre dos telas.

ACOLAR. tr. Combinar escudos de armas.

ACOLCHAR. tr. Poner entre dos telas lana o algodón y coserlas.

ACOLITADO. m. La superior de las cuatro órdenes menores que faculta para servir al sacerdote en el altar.

ACÓLITO. m. Clérigo que ha recibido el acolitado. Monaguillo con sobrepelliz.

ACOLMILLADO. adj. Diente grande y muy triscado de las sierras.

ACOLLARADO-DA. adj. Se dice de los animales que tienen el cuello de distinto color que el cuerpo.

ACOLLARAR. tr. Poner collar a los animales.

ACOMBAR. tr. Combar.

ACOMEDIRSE. r. Prestarse espontáneamente y graciosamente a hacer un servicio.

ACOMODADO-DA. adj. Conveniente, oportuno.

ACOMODADOR-RA. adj. Que acomoda.

ACOMODAMIENTO. m. Transacción, convenio sobre alguna cosa.

ACOMODATICIO-CIA. adj. Acomodadizo.

ACOMODO. m. Empleo, ocupación o conveniencia. Arreglo, compostura.

ACOMPASADA-DA. adj. Concurrido. Dícese de la persona que acompaña a otra.

ACOMPASAMIENTO. m. Gente que acompaña a alguno.

ACOMPAÑAR. tr. Estar o ir al lado de otro. Ejecutar el acmpañamiento musical o de voces.

ACOMPASADO-DA. adj. Que está puesto al compás. Que anda o habla pausadamente.

ACOMPASAR. tr. Medir con compás. Compasar.

ACOMUNARSE. tr. Colifarse, confederarse para un fin común.

ACONDICIONAR. tr. Dar cierta condición o calidad.

ACONGOJADAMENTE. adv. m. Con ánimo de acongojado.

ACONGOJAR. tr. Afligir.

ACONITINA. f. Alcaloide del acónito.

ACÓNITO. m. Planta renunculácea, medicinal, venenosa. Se usa como calmante.

ACONSEJADOR-RA. adj. Que aconseja.

ACONSEJAR. tr. Dar consejo. Tomar o pedir consejo.

ACONTECER. intr. Suceder. Acaecer.

ACONTECIMIENTO. m. Suceso de importancia.

ACOPAR. tr. Hacer copa los árboles.

ACOPIADOR-RA. adj. Que acopia.

ACOPIAR. tr. Reunir, juntar cantidad de algo.

ACOPIO. m. Acción y efecto de acopiar.

ACOPLAR. tr. Hacer que dos piezas se junten una a la otra.

ACOQUINAMIENTO. m. Acción y efecto de acoquinar o acoquinarse.

ACOQUINAR. tr. Acobardar.

ACORAZADO. m. Buque de guerra blindado.

ACORAZAR. tr. Cubrir con planchas de hierro o acero los barcos de guerra. Fortificar.

ACORAZONADO-DA. adj. De figura de corazón.

ACORCHADO-DA. adj. Hueco y fofo como el corcho.

ACORCHARSE. refl. Ponerse como el corcho. Embotarse.

ACORDADA. f. Orden que expide un

tribunal para que el inferior ejecute una cosa.

ACORDAR. tr. Resolver una cosa una o varias personas, de común acuerdo.

ACORDE. adj. Conforme. En consonancia o armonía.

ACORDELAR. tr. Medir, alinear o señalar con cuerda.

ACORDEÓN. m. Instrumento de música, con fuelle, válvulas, teclado, etc.

ACORDEONISTA. m. y f. Músico que toca el acordeón.

ACORDONADO-DA. adj. Dispuesto en forma de cordón.

ACORDONADOR. m. Instrumento que se usa para hacer el cordoncillo a las monedas.

ACORDONAR. tr. y r. Cerrar, sujetar, ceñir con cordón.

ACORES. m. Úlceras que suelen padecer los niños en la cara y cabeza.

ACORNAR. tr. Acornear.

ACORNEAR. tr. Dar cornadas.

ÁCORO. m. Planta aroídea de hojas puntiagudas, flores verde claro y rizonas blanquecinas.

ACORRALAR. tr. Encerrar los animales en el corral.

ACORRER. tr. Acudir corriendo a socorrer.

ACORRO. m. Socorro, acción de socorrer.

ACORRUCARSE. r. Acurrucarse.

ACORTADIZOS. m. pl. Ar. Cortaduras o desperdicios de papel, pieles.

ACORTAMIENTO. m. Acción y efecto de acortar.

ACORTAR. tr. Menguar o disminuir la longitud o cantidad de algo.

ACORULLAR. tr. Mar. Meter los remos sin desarmarlos y que los guiones queden bajo crujía.

ACORVAR. tr. Encorvar.

ACOSADAMENTE. adv. m. Con acosamiento.

ACOSADOR-RA. adj. Que acosa.

ACOSAMIENTO. m. Acción y efecto de acosar.

ACOSAR. tr. y r. Perseguir sin descanso a un animal o persona.

ACOMISMO. m. Tesis filosófica que niega la existencia del mundo sensible.

ACOSTADO-DA. adj. Dícese de algo que está de lado u horizontalmente. Estar en la cama.

ACOSTAMIENTO. m. Estipendio, paga.

ACOSTAR. tr. y r. Echar a uno sobre o dentro de la cama. Arrimar, apoyar.

ACOSTUMBRAR. tr. y r. Tener costumbre. Familiarizarse.

ACOTACIÓN. f. Acción y efecto de acotar o poner acotaciones.

ACOTADURA. f. Terreno cercado.

ACOTAR. tr. Poner coto. Poner o escribir al margen.

ACOTILEDÓNEO-NEA. adj. Que no tiene cotiledones.

ACOTILLO. m. Martillo grueso del herrero.

ACOYUNDAR. tr. Poner, unir los bueyes con la correa o soga llamada coyunda.

ACOYUNTAR. tr. Reunir dos labradores cada uno su bestia para formar yunta.

ACOYUNTERO. m. Cada uno de los labradores que acoyuntan.

ACRACIA. f. Doctrina política que niega la autoridad. Anarquía.

ÁCRATA. adj. Anarquista.

ACRE. adj. Aspero, agrio, picante.

ACRE. b. Medida antigua.

ACRECENCIA. f. Acrecimiento. Derecho de acrecer. For. Bienes adquiridos por tal derecho.

ACRECENTADOR-RA. adj. Que acrecienta.

ACRECENTAMIENTO. m. Acrecentar.

ACRECENTAR. tr. Aumentar.

ACRECER. tr. Aumentar. For. Aumento que por pérdida o renuncia de algún partícipe corresponde a los demás.

ACREDITADO-DA. adj. De crédito o reputación.

ACREDITAR. tr. Abonar en cuenta. Dar prueba de facultades para realizar una misión.

ACREEDOR-RA. adj. s. Persona a quien se debe algo.

ACREMENTE. adv. m. Asperamente, agriamente.

ACRIANZADO-DA. adj. Criado o educado.

ACRIANZAR. tr. Criar o educar.

ACRIBADURA. f. Acción y efecto de acribar.

ACRIBAR. tr. Pasar por la criba.

ACRIBILLAR. tr. Hacer muchos agujeros en una cosa. Molestar mucho.

ACRIDIDO. adj. Zool. Insectos ortópteros saltadores con antenas cortas y solo tres artejos en los tarsos.

ACRIMINACIÓN. f. Acción de acriminar.

ACRIOLLADO-DA. adj. Propio del criollo.

ACRISOLAR. tr. Purificar los metales por medio del crisol.

ACRISTIANAR. tr. Bautizar.

ACRITUD. f. Acrimonia.

ACRÓBATA. m. Gimnasta.

ACROBÁTICO-CA. adj. Concerniente a la acrobacia.

ACROFOBIA. f. Horror a las alturas, vértigo producido por las alturas.

ACROMÁTICO-CA. adj. Dícese del cristal que permite ver los objetos sin irisaciones.

ACROMATISMO. m. Calidad de acromático.

ACROMATIZAR. tr. Corregir el cromatismo.

ACROMATOPSIA. f. Med. Daltonismo.

ACROMIÓN. m. La parte alta del omoplato.

ACRÓNICO-CA. adj. Astron. Se dice del astro que nace al ponerse el sol, o se pone cuando éste sale.

ACRÓPOLIS. m. El punto más alto y fortificado de las antiguas ciudades griegas.

ACRÓSTICO-CA. adj. Dícese de las composiciones poéticas en que las letras iniciales, medias o finales del verso forman un vocablo o frase.

ACRÓTERA. f. Pedestal que sirve de remate en un frontispicio.

ACROY. m. Gentilhombre de la casa de Borbón, en España.

ACTA. f. Relación escrita de lo tratado en una junta.

ACTINIO. m. Cuerpo radiactivo hallado en cierto compuesto de uranio.

ACTINISMO. m. Acción química de las radiaciones luminosas.

ACTINOMETRIA. f. Fis. Parte de la física que estudia la intensidad y la acción química de las radiaciones luminosas.

ACTINÓMETRO. m. Opt. Instrumento para medir la intensidad de las radiaciones y especialmente las solares.

ACTITUD. f. Disposición del ánimo. Postura del cuerpo humano.

ACTIVAR. tr. Avivar, acelerar.

ACTIVIDAD. f. Facultad de obrar. Prontitud en el hacer.

ACTIVO-VA. adj. Que obra. Crédito a su favor.

ACTO. m. Hecho realizado. Parte de un drama.

ACTOR. m. El que representa en el teatro. Demandante en juicio.

ACTRIZ. f. La que representa en el teatro.

ACTUACIÓN. f. Acto de actuar.

ACTUADO-DA. adj. Ejercitado o acostumbrado.

ACTUAL. adj. Del momento.

ACTUALIDAD. f. Condición del presente.

ACTUALIZAR. tr. Convertir lo pasado en presente.

ACTUALMENTE. adv. Al presente.

ACTUAR. tr. Poner en acción.

ACTUARIAL. adj. Perteneciente o relativo al actuario de seguros o a sus funciones.

ACTUARIO. m. Escribano judicial.

ACTUOSO-SA. adj. Diligente, solícito.

ACUADRILLAR. tr. Reunir personas en cuadrilla.

ACUARELA. f. Pintura en papel o cartón con colores diluidos en agua.

ACUARELISTA. com. Pintor de acuarelas.

ACUARIO. m. Lugar donde se conservan peces vivos. Signo de Zodíaco.

ACUARTELAMIENTO. m. Acción de acuartelar. Lugar donde se acuartela.

ACUARTELAR. tr. r. Poner la tropa en cuarteles.

ACUARTILLAR. tr. Doblar excesivamente las cuartillas al andar.

ACUÁTICO-CA. adj. Que vive en el agua.

ACUBADO. adj. De figura de cubo.

ACUBILAR. tr. Recoger el ganado en el cubil.

ACUCIA. f. Deseo. Diligencia.

ACUCIAMIENTO. m. Acción de acuciar.

ACUCIAR. tr. Estimular, dar prisa.

ACUCIOSO-SA. adj. Diligente. Presuroso.

ACLUCLILLARSE. r. Ponerse en cuclillas.

ACUCHARADO-DA. De figura parecida a la cuchara.

ACUCHILLADIZO. m. Esgrimidor o gladiador.

ACUCHILLADO-DA. adj. fig. Dícese del que ha adquirido el hábito de conducirse con prudencia en la vida.

ACUCHILLAR. tr. Dar cuchilladas.

ACUDIR. intr. Ir a un sitio. Ir en socorro. Recurrir a alguien.

ACUEDUCTO. m. Conducto para llevar agua.

ÁCUEO-A. adj. Agua.

ACUERDADO-DA. adj. Tirado a cordel o alineado con una cuerda.

ACUERDO. m. Unión, pacto. Resolución de una junta.

ACUITADAMENTE. adv. Con cuita.

ACUITAR. tr. Poner en apuro. Afligir.

ACUJERA. f. Lazo pequeño que usan los chucheros para cazar.

ACULADO-DA. adj. Blas. Dícese del caballo levantado del cuarto delantero y sentado con las patas encogidas.

ACULAR. tr. Arrimar por la parte trasera.

ACULEBRINADO-DA. adj. Art. Aplícase al cañón, que por su mucha longitud se parece a la culebrina.

ACULLÁ. adv. Allá.

ACUMULABLE. adj. Que puede acumularse.

ACUMULADOR-RA. adj. Que acumula.

ACUMULAR. tr. Juntar, amontonar.

ACUNAR. tr. Mecer en la cuna.

ACUSACIÓN. f. Acción y efecto de acuñar.

ACUÑADOR-RA. adj. Que acuña.

ACUÑAR. tr. Fabricar monedas, imprimir el cuño. Metecuñas.

ACUOSIDAD. f. Calidad de acuoso.

ACUOSO-SA. adj. Abundante en agua.

ACURRUCARSE. tr. Encogerse.

ACUSABLE. adj. Que se puede acusar.

ACUSACIÓN. f. Acto de acusar.

ACUSADO-DA. adj. Persona a quien se acusa.

ACUSADOR-RA. adj. Que acusa.

ACUSAR. tr. Denunciar un delito. Notificar.

ACUSATIVO. m. Gram. Caso de la declinación a que corresponde el complemento directo.

ACUSE. m. Lance en los juegos de naipes. Acusar recibo a escritos.

ACUSICA. com. Acusón.

ACUSIQUE. m. Acusón.

ACUSÓN-NA. adj. Que acusa a los demás.

ACÓSTICA. f. Teoría del sonido.

ACUTÁNGULO. adj. Dícese del triángulo que tiene sus tres ángulos agudos.

ACHACADIZO. adj. Simulado, fingido, malicioso.

ACHACAR. tr. Importar. Atribuir.

ACHACOSO-SA. adj. Que padece achaques.

ACHAFLANAR. tr. Hacer chaflanes.

ACHAMPANADO. adj. Dícese de la bebida que imita al champán.

ACHANTARSE. r. Fam. Aguantarse, agazaparse o esconderse mientras dura un peligro.

ACHAPARRADO-DA. adj. Bajo, rechoncho.

ACHAPARRARSE. r. Tomar un árbol la forma del chaparro.

ACHAQUE. m. Enfermedad habitual. Defecto.

ACHAQUIENTO-TA. adj. Achacoso.

ACHAROLADO-DA. adj. Que imita al charol.

ACHATAR. tr. Poner chata una cosa.

ACHICADO-DA. adj. Aniñado.

ACHICAR. tr. Sacar el agua. Humillar..

ACHICORIA. f. Planta de hojas comestibles.

ACHICHARRAR. tr. Abrasarse. Freir demasiado.

ACHIQUE. m. Acción de achicar.

ACHISPAR. tr. Beber hasta ponerse alegre.

ACHOCAR. tr. Arrojar una persona contra la pared. Herir a una persona.

ACHOCOLATADO-DA. adj. De color de chocolate.

ACHOCHARSE. r. fam. Comenzar a chochear.

ACHUBASCARSE. r. Cubrirse el cielo de nubarrones que amenazan lluvia.

ACHUCHAR. tr. Estrujar, aplastar.

ACHUCHÓN. m. fam. Acción o efecto de achuchar o aplastar.

ACHULADO-DA. adj. Que tiene aire de chulo.

ACHULAPARSE. r. Achularse.

AD. prep. lat. que en composición denota proximidad o encarecimiento. Empléase aislada en locuciones latinas usadas en nuestro idioma.

ADACILLA. f. Variedad de la adaza, de la cual se distingue por ser más pequeña.

ADAFINA. f. Olla que los hebreos colocan la noche del viernes en un anafe, cubriéndola con rescoldos y brasas para comer el sábado.

ADAGIO. m. Sentencia breve y aguda. Movimiento del ritmo musical.

ADAGUAR. intr. Beber el ganado.

ADALID. m. Caudillo de gente de guerra.

ADAMADAMENTE. adv. m. Blanda o muellemente.

ADAMADURA. f. Prenda o fineza de cariño.

ADAMAR. tr. Cortejar, requebrar.

ADAMASCADO-DA. adj. Parecido al damasco.

ADAMISCO. m. Doctrina o secta de los adamitas.

ADAMITA. adj. Dícese de ciertos herejes que celebran sus congregaciones desnudos.

ADÁN. m. fam. Hombre desaliñado, dejado.

ADAPTABILIDAD. f. Calidad de adaptable.

ADAPTABLE. adj. Capaz de ser adaptado.

ADAPTACIÓN. f. Acción y efecto de adaptar o adaptarse.

ADAPTAR. f. Ajustar una cosa a otra.

ADARAJA. f. Salientes que se dejan en una pared para poder continuarla.

ADARCE. m. Costra salina que se forma en los objetos que mojan las aguas del mar.

ADARDEAR. tr. Herir con dardo.

ADARGA. f. Escudo de cuero.

ADARGAR. tr. Cubrir con la adarga para defensa.

ADARME. m. Peso antiguo.

ADARVAR. tr. Fortificar con adarves.

ADARVE. m. Camino almenado en una muralla.

ADECENAR. tr. Ordenar en decenas.

ADECENTAR. tr. Poner decente.

ADECUADO-DA. adj. A propósito.

ADECUAR. tr. Acomodar una cosa a otra.

ADEFAGIA. f. Zool. Voracidad.

ADEFESIO. m. Despropósito. Traje ridículo.

ADEHALA. f. Lo que se dá de gracia o se fija sobre el precio de una cosa.

ADEHESAR. tr. Convertir una tierra en dehesa.

ADELANTADO-DA. adj. Precoz, atrevido.

ADELANTAR. tr. Llevar adelante. Anticipar, aventajar.

ADELANTE. m. Progreso. Anticipo.

ADELFA. f. Arbusto de hojas venenosas y flores muy olorosas.

ADELGAZADOR-RA. adj. Que sirve para adelgazar.

ADELGAZAMIENTO. m. Acción de adelgazar.

ADELGAZAR. tr. Poner delgado.

ADEMÁN. m. Movimiento que denota algún afecto del ánimo.

ADEMÁS. adv. A más de ésto o aquéllo.

ADEME. m. Min. Madero que sirve para entibar.

ADENITIS. f. Inflamación de las glándulas o ganglios.

ADENOLOGÍA. f. Parte de la anatomía, que trata de las glándulas.

ADENTELLAR. tr. Hincar los dientes.

ADENTRARSE. ref. Meterse, introducirse.

ADENTRO. adv. Lo interior del ánimo.

ADEPTO-TA. adj. Afiliado a una secta.

ADEREZAR. tr. Disponer, preparar, adornar, hermosear.

ADEREZO. m. Condimento con que se prepara la comida. Joyas para la mujer.

ADERRA. f. Maromilla de esparto o de junco con que se aprieta el orujo.

ADESTRAR. tr. Adiestrar.

ADEUDAR. tr. Estar sujeto al pago de algo. Deber algo.

ADEUDO. m. Deuda. Cantidad que debe pagarse en la aduana.

ADHERENCIA. f. Adherirse.

ADHERIR. intr. r. Unirse.

ADHESIÓN. f. Acción de adherirse.

ADHESIVO-VA. adj. Que puede pegarse a adherirse.

AD HOC. exp. adv. lat. Se aplica a lo que se dice o hace sólo para un fin determinado.

ADIADO-DA. adj. Dícese del día preciso y fijado para ejecutar una cosa.

ADIAFA. f. Regalo o refresco que se daba a los marineros al llegar al puerto.

ADIAMANTADO-DA. adj. Que se parece al diamante.

ADIANO-NA. adj. Fuerte, vigoroso.

ADIAR. tr. Señalar o fijar día.

ADIAVÁN. m. Cocotero silvestre de las Islas Filipinas.

ADICIÓN. f. Añadir, suma.

ADICIONAL. adj. Que se añade.

ADICTO-TA. adj. Partidario, dedicado, apegado.

ADIESTRAMIENTO.. m. Acción de adiestrar.

ADIESTRAR. tr. Enseñar, instruir.

ADIETAR. tr. Poner a dieta.

ADINERADO-DA. adj. Rico. Que tiene mucho dinero.

ADINTELADO-DA. adj. Arco que degenera en recta.

ADIÓS. m. Saludo, despedida.

ADIPOSIDAD. f. Calidad de adiposo.

ADIPOSO-SA. adj. Gordo.

ADITAMENTO. m. Añadidura.

ADIVAS. f. Inflamación de la garganta en las bestias.

ADIVE. m. Mamífero carnicero parecido a la zorra.

ADIVINACIÓN. f. Acción de adivinar.

ADIVINADOR-RA. adj. Que adivina.

ADIVINANZA. f. Adivinación, acertijo.

ADIVINAR. tr. Descubrir lo futuro. Acertar un enigma.

ADIVINO-NA. adj. La persona que adivina.

ADJETIVACIÓN. f. Acción de adjetivar.

ADJETIVAR. tr. Aplicar adjetivos.

ADJETIVO. m. Parte variable de la oración que se junta al nombre para calificarlo o determinarlo.

ADJUDICACIÓN. f. Acción de adjudicar.

ADJUDICAR. tr. Declarar que una cosa pertenece a uno. ref. Apropiarse.

ADJUNTAR. tr. Acompañar una cosa con otra.

ADJUNTO-TA. adj. Unido con otra cosa.

AD LIBITUM. exp. adv. lat. A gusto, a voluntad.

ADMINÍCULO. m. Lo que sirve da ayuda.

ADMINISTRACIÓN. f. Acción de administrar.

ADMINISTRADOR-RA. adj. y s. Que administra.

ADMINISTRAR. tr. Gobernar, regir.

ADMINISTRATIVO-VA. adj. Relativo a la administración.

ADMIRABLE. adj. Digno de admiración.

ADMIRACIÓN. f. Ver con sorpresa. Acción de admirar.

ADMIRADOR-RA. adj. y c. Que admira.

ADMIRAR. tr. Causar sorpresa.

ADMIRATIVAMENTE. adv. m. Con admiración.

ADMISIBLE. adj. Que se puede admitir.

ADMISIÓN. f. Acción de admitir.

ADMITIR. tr. Aceptar. Recibir.

ADMIXTIÓN. f. Mezcla de varias sustancias.

ADMONICIÓN. f. Amonestación.

ADOBADO. m. Carne puesta en adobo.

ADOBAR. tr. Componer. Aderezar. Poner en adobo. Curtir las pieles.

ADOBASILLAS. m. El que compra sillas.

ADOBE. m. Ladrillo sin cocer.

ADOBO. m. Acción de adobar. Salsa para conservar las carnes.

ADOCENADO-DA. adj. Corriente.. De escasa importancia.

ADOCENAR. tr. Ordenar por docenas o dividir por docenas.

ADOCTRINAR. tr. Instruir.

ADOLECER. intr. Caer enfermo o padecer alguna enfermedad.

ADOLESCENCIA. f. Edad que sucede a la infancia.

ADOLESCENTE. adj. Que está en la adolescencia.

ADONDE. adv. A qué parte. A la parte que.

ADONDEQUIERA. adv. A cualquier parte. Donde-quiera.

ADONIS. m. Mancebo hermoso.

ADONIZARSE. r. Embellecerse como un Adonis.

ADOPCIÓN. f. Acción de adoptar.

ADOPCIONISMO. m. Herejía de los adopcionistas.

ADOPCIONISTA. adj. Herejes que suponían que Cristo, en cuanto hombre era hijo de Dios por adopción del Padre.

ADOPTABLE. adj. Que puede ser adoptado.

ADOPTAR. tr. Prohijar. Toma resoluciones.

ADOPTIVO-VA. adj. Persona adoptada o que adopta.

ADOQUÍN. m. Piedra para pavimentar.

ADOQUINADO. m. Suelo de adoquines.

ADOQUINAR. tr. Pavimentar con adoquines.

ADORABLE. adj. Digno de adoración.

ADORACIÓN. f. Acto de adorar.

ADORAR. tr. Honrar con culto religioso. Amar.

ADORATORIO. m. Retablillo portátil para viaje o campaña.

ADORATRIZ. f. Profesa de una orden religiosa formada para reformar las costumbres de las mujeres extraviadas.

ADORMECER. tr. Dar o causar sueño. Calmar.

ADORMECIMIENTO. m. Acción de adormecer.

ADORMIDERA. f. Planta papaverácea de cuyo fruto se extrae el opio.

ADORMITARSE. r. Dormirse a medias.

ADORNAR. tr. Embellecer con adornos.

ADORNO. m. Lo que sirve pra hermosear.

ADOSAR. tr. Arrimar por la espalda.

ADOVELADO-DA. adj. Construido de dovelas.

AD PÉDEM LITTERAE. exp. adv. lat. Al pie de la letra.

AD PERPÉTUAM. exp. lat. Para que conste en lo sucesivo una cosa.

ADQUIRENTE. adj. Que adquiere.

ADQUIRIR. tr. Ganar, conseguir, alcanzar.

ADQUISICIÓN. f. Acción de adquirir.

ADQUISITIVO-VA. adj. Lo que se puede adquirir.

ADRA. f. Turno, vez.

ADRAGANTE. m. Tragacanto.

ADRAL. m. Zarzo o tabla que se pone en los laterales del carro.

ADREDE. adv. m. De propósito.

ADRENALINA. f. Sustancia alcaloide, medicinal, extraída de las glándulas renales del buey.

ADRIÁTICO-CA. adj. Que se refiere al Adriático.

ADROLLERO. m. El que compra o vende con engaño.

ADSCRIBIR. tr. Destinar a una persona a un servicio.

ADSORCIÓN. f. Fis. Concentración de sustancias disueltas en la superficie de un líquido.

ADSTRINGENTE. p. a. Adstringir.

ADUANA. f. Oficina donde registran mercancías sujetas a derecho de arancel.

ADUANAR. tr. Registrar en la aduana.

ADUANERO-RA. adj. Relativo a la aduana.

ADUAR. m. Pequeña población de beduinos.

ADÚCAR. m. Seda exterior del capullo.

ADUCCIÓN. f. Movimiento que aproxima un órgano a su eje del cuerpo.

ADUCIR. tr. Alegar, exhibir, presentar pruebas.

ADUCTOR. m. Anat. Músculo capaz de ejecutar una acción.

ADUEÑARSE. r. Apoderarse de una cosa.

ADUFE. m. Pandero morisco.

ADULA. f. Dula. Ador.

ADULACIÓN. f. Acción de adular.

ADULAR. tr. Tratar de agradar con palabras o acciones.

ADULÓN-NA. adj. Adulador, servil.

ADULTERACIÓN. f. Acción y efecto de adulterar y adulterarse.

ADULTERADOR-RA. adj. s. Que adultera.

ADULTERANTE. p. a. de adulterar. Que adultera.

ADULTERAR. intr. Cometer adulterio. tr. Viciar.

ADULTERINAMENTE. adv. m. Con adulterio.

ADULTERINO-NA. adj. Procedente de adulterio. Relativo al adulterio. fig. Falso, falsificado.

ADULTERIO. m. Acción carnal que viola la fe conyugal.

ADÚLTERO-RA. adj. Que comete adulterio. Viciado.

ADULTO-TA. adj. Llegado al término de la adolescencia.

ADULZAR. tr. Hacer dulce el hierro u otro metal.

ADUMBRACIÓN. f. Pin. Parte menos iluminada de la figura.

ADUMBRAR. tr. Sombrear un dibujo o pintura.

ADUNAR. tr. Unir, juntar, congregar.

ADUNCO-CA. adj. Corvo, combado.

ADUNIA. adv. m. En abundancia.

ADURIR. tr. ant. Abrasar o quemar.

ADUSTEZ. f. Calidad de adusto. Ceño, aspereza.

ADUSTIÓN. f. Acción de adurir.

ADUSTO-TA. adj. Austero, rígido. Melancólico.

AD VALOREM. exp. lat. adv. Con arreglo al valor.

ADVENEDIZO-ZA. adj. Extranjero, forastero.

ADVENIMIENTO. m. Venida. Llegada. Ascenso al trono.

ADVENIR. intr. Venir, llegar.

ADVENTICIO-CIA. adj. Extraño. Que sobreviene.

ADVERAR. tr. Certificar, dar por cierto algo o por auténtico algún documento.

ADVERBIAL. adj. Gram. Perteneciente al adverbio.

ADVERBIO. m. Gram. Parte de la oración que modifica al verbo.

ADVERSAMENTE. adv. m. Con adversidad.

ADVERSARIO-RIA. adj. Contrario, enemigo.

ADVERSATIVO-VA. adj. Gram. Que implica oposición.

ADVERSIDAD. f. Calidad de adverso. Infortunio.

ADVERSO-SA. adj. Contrario, enemigo, desfavorable.

ADVERTENCIA. f. Acto de advertir.

ADVERTIDO-DA. adj. Capaz, experto, avisado.

ADVERTIR. intr. Atender. Reparar, observar, hacer notar.

ADVIENTO. m. Tiempo de cuatro semanas que dura hasta la Navidad.

ADVOCACIÓN. f. Título que se da a una capilla o altar.

ADYACENTE. adj. Inmediato, próximo, contiguo.

AERACIÓN. f. Med. Acción del aire en el tratamiento de las enfermedades.

AÉREO-A. adj. Del aire. Relativo a él. Sin solidez.

AERÍFERO-RA. adj. Que lleva aire.

AEROBIO. adj. Aplícase al ser vivo que necesita del aire para vivir.

AERODINÁMICA. f. Parte de la mecánica que estudia el movimiento de los gases.

AERÓDROMO. m. Terreno destinado para la llegada y salida de aeronaves.

AEROFOBIA. f. Aversión al aire.

AEROGRAMA. f. Radiotelegrama.

AEROLITO. m. Fragmento de un bólido que cae sobre la tierra.

AEROMANCIA. f. Adivinación por el aire.

AERÓMETRO. m. Aparato para medir la densidad del aire.

AEROMOTOR. m. Máquina movida por aire.

AEROMOZA. f. Azafata.

AERONAUTA. com. Persona que navega por el aire.

AERONÁUTICA. f. Ciencia de navegar por el aire.

AERONAVAL. adj. Relativo a la navegación aérea.

AERONAVE. f. Globo dirigible con motor.

AEROPLANO. m. Vehículo aéreo.

AEROSTACIÓN. f. Navegación aérea.

AEROSTÁTICA. f. Parte de la mecánica que estudia el equilibrio de los gases.

AERÓSTATO. m. Globo aerostático.

AEROTERAPIA. f. Med. Método para curar enfermedades por medio del aire.

AFABILIDAD. f. Calidad de afable.

AFABLE. adj. Agradable en el trato y conversación.

AFABULACIÓN. f. Moralidad, explicación de una fábula.

AFAMADO-DA. adj. Famoso.

AFÁN. m. Trabajo excesivo. Anhelo.

AFANADO-DA. adj. Lleno de afán, afanoso.

AFANAR. intr. r. Entregarse al trabajo con ahínco.

AFANOSO-SA. adj. Muy penoso o trabajoso.

AFASIA. f. Med. Pérdida del habla.

AFÁSICO-CA. adj. El que padece afasia.

AFEAMIENTO. m. Acción y efecto de afear o afearse.

AFEAR. tr. r. Causar fealdad. Tachar, vituperar.

AFEBLECERSE. r. Adelgazarse, debilitarse.

AFECCIÓN. f. Afición, inclinación. Impresión.

AFECTACIÓN. f. Acto de afectar. Extravagancia.

AFECTAR. tr. Poner cuidado. Fingir. r. Emocionarse.

AFECTIVO-VA. adj. Relativo al afecto o a la sensibilidad.

AFECTO-TA. adj. Inclinado. Adicto. m. Pasión, ánimo.

AFECTUOSO-SA. adj. Amoroso, cariñoso.

AFEITAR. tr. r. Adornar, componer. Esquilar.

AFEITE. m. Aderezo, compostura, cosmético.

AFELIO. m. Astr. Punto en que un planeta está más alejado del sol.

AFELPADO-DA. adj. En forma de felpa.

AFEMINACIÓN. f. Flojedad de ánimo.

AFEMINADO-DA. adj. Parecido a la mujer.

AFEMINAR. tr. r. Hacer perder lo varonil.

AFÉRESIS. f. Gram. Supresión de una o más letras al principio de un vocablo.

AFERRADO-DA. adj. Obstinado.

AFERRAR. tr. Agarrar, asir fuertemente. Mar. Atrapar con el bichero. Anclar. r. Agarrarse.

AFESTONAR. tr. Labrar en forma de festón.

AFIANZAMIENTO. m. Acción y efecto de afianzar o afianzarse.

AFIANZAR. tr. Dar fianza. Afirmar algo, asegurar.

AFICIÓN. f. Inclinación a algo. Ahínco.

AFICIONADO-DA. adj. Que cultiva un arte sin profesarlo.

AFICIONAR. tr. r. Inclinar, inducir. Causar afición.

AFIJO-JA. adj. Gram. Letra o sílaba que se antepone o pospone a algunas voces.

AFILADOR-RA. adj. Que afila. m. El que afila.

AFILADURA. f. Acción y efecto de afilar.

AFILAR. tr. Sacar filo o hacer más delgado al de un arma cortante. Aguzar.

AFILIACIÓN. f. Acción y efecto de afiliar o afiliarse.

AFILIAR. tr. r. Juntar, unir, asociar. Prohijar, adoptar.

AFILIGRANAR. tr. Trabajar en filigrana. Pulir.

AFILO-LA. adj. Bot. Que no tiene hojas.

AFÍN. adj. Próximo, contiguo. Que tiene afinidad.

AFILÓN. m. Correa impregnada de grasa que sirve para afinar o sentar el filo.

AFINACIÓN. f. Acto de afinar.

AFINADOR-RA. adj. Que afina. m. El que por oficio afina pianos u otros instrumentos.

AFINAR. tr. Perfeccionar, templar instrumentos. Hacer fino, cortés. Purificar metales.

AFINCAR. tr. r. Adquirir fincas.

AFINIDAD. f. Analogía, semejanza. Parentesco. Conformidad.

AFIRMACIÓN. f. Acto de afirmar.

AFIRMADO. m. Firme de una carretera.

AFIRMAR. tr. r. Poner firme, dar firmeza. Asegurar.

AFIRMATIVA. f. Proposición u opinión afirmativa.

AFLATO. m. Soplo, viento.

AFLICCIÓN. f. Efecto de afligir. Congoja.

AFLICTIVO-VA. adj. Que causa aflicción.

AFIRMATIVO-VA. adj. Que afirma.

AFLIGIDAMENTE. adv. m. Con aflicción.

AFLIGIR. tr. r. Causar congoja.

AFLOJAMIENTO. m. Acción de aflojar o aflojarse.

AFLOJAR. tr. r. Disminuir la presión. intr. Perder fuerza.

AFLORAR. intr. Asomar a la superficie.

AFLUENCIA. f. Acto de afluir. Abundancia.

AFLUENTE. adj. Abundante. Río secundario.

AFLUIR. intr. Confluir. Acudir en abundancia.

AFLUJO. m. Med. Afluencia de líquidos de un tejido orgánico.

AFOLLADO. m. Fuelle o cubierta de vaqueta de los carruajes.

AFOLLAR. tr. Soplar con fuelle.

AFONDAR. tr. Echar a fondo. intr. Hundirse.

AFONÍA. f. Falta de voz.

AFÓNICO-CA. adj. Falto de voz o sonido.

AFONO-NA. adj. Que no suena.

AFORADOR. m. Que afora.

AFORAR. tr. Valuar mercancías para el pago de derechos.

AFORISMO. m. Sentencia breve y doctrinal.

AFORO. m. Acto de valuar mercancías.

AFORTIORI. exp. lat. adv. Con mayor razón.

AFORTUNADAMENTE. adv. m. Por dicha, por buena suerte.

AFORTUNADO-DA. adj. Feliz, que tiene suerte.

AFORTUNAR. tr. Hacer afortunado o dichoso a alguno.

AFRANCESADO. adj. Partidario de los franceses.

AFRANCESAMIENTO. m. Tendencia a las ideas o costumbres de origen francés.

AFRANJADO-DA. Con franjas.

AFRECHO. m. Salvado.

AFRENTA. f. Vergüenza, deshonor.

AFRENTAR. tr. Causar afrenta. Avergonzarse. Sonrojarse.

AFRENTOSO - SA. adj. Que causa afrenta.

AFRETADO-DA. adj. Parecido a la franja o fres.

AFRETAR. tr. Mar. Fregar la embarcación.

AFRICANISTA. com. Persona dedicada al estudio de Africa.

AFRICANIZAR. tr. Dar carácter africano.

AFRODISTA. f. Exageración del apetito genésico.

AFRODISIACO-CA. adj. Excitante, sensual.

AFRODITA. adj. Que se reproduce sin necesidad del otro sexo.

AFRONITO. m. Espuma de nitro.

AFRONTADO-DA. adj. Blas. Escudo en que las figuras de animales que contiene se miran recíprocamente.

AFRONTAMIENTO. m. Acción y efecto de afrontar.

AFRONTAR. tr. Poner frente a frente, carear. Arrostrar.

AFTA. f. Med. Ulcera en la boca.

AFTOSA-SO. adj. Que padece afta. Glosopeda.

AFUERA. adv. Fuera de donde está.

AFUFA. f. fam. Fuga, huída.

AFUSIÓN. f. Med. Acción de verter líquido sobre el cuerpo.

AFUSTE. m. Pieza sobre la que descansa el cañón.

AGACHADIZA. f. Ave zancuda.

AGACHAR. tr. Inclinar, bajar.

AGALLA. f. Excrecencia. Organo de la respiración de los peces.

AGANIPEO-A. adj. Relativo a la fuente de Aganipe.

ÁGAPE. m. Comida. Convite entre los primeros cristianos.

AGARABATADO-DA. adj. En forma de garabato.

AGARBADO-DA. adj. Garboso.

AGARENO-NA. adj. s. Musulmán.

AGARICINA. f. Principio activo del agárico.

AGÁRICO. m. Hongo sin tallo, parásito de algunos árboles.

AGARRADA. adj. fam. Riña, altercado.

AGARRADERO. m. Asa, mango. Amparo.

AGARRADOR-RA. adj. Que agarra.

AGARRADO-DA. adj. fam. Mezquino, miserable.

AGARRAR. tr. r. Asir con fuerza. Hacer presa.

AGARRO. m. Acción de agarrar.

AGARROCHAR. tr. Herir con garrocha.

AGARROTAR. tr. Aprieta con guardas.

AGASAJABLE. adj. Que agasaja, halagüeño.

AGASAJAR. tr. Tratar con cariño. Obsequiar.

AGASAJO. m. Acto de agasajar.

ÁGATA. f. Cuarzo vítreo, jaspeado de franjas de colores.

AGAVANZO. m. Escaramujo, rosal silvestre y su fruto.

AGAVE. f. Pita, planta.

AGAVILLAR. tr. Hacer gavillas. Acuadrillar.

AGAZAPAR. tr. r. Agacharse, Agarrar.

AGENCIA. f. Diligencia, oficio u oficina . de agente.

AGENCIAR. tr. r. Hacer diligencias para conseguir algo.

AGENDA. f. Libro de apuntaciones.

AGENESIA. f. Med. Impotencia, esterilidad.

AGENTE. m. Que tiene propiedad de obrar.

AGERASIA. Fisiol. Vejez sin achaques.

AGÉRATO. m. Planta perenne, compuesta de flores en corimbo y amarilla.

AGESTARSE. r. Poner un determinado gesto.

AGESTIÓN. f. Agregación de materia.

AGIBLE. adj. Factible y hacedero.

AGIGANTADO-DA. adj. De estatura superior a la normal.

ÁGIL. adj. Ligero, expedito, pronto.

AGILIDAD. f. Calidad de ágil. Ligereza.

AGIO. m. Especulación sobre el alta y la baja.

AGIOTAJE. m. Agio. Especulación abusiva.

AGIOTISTA. Com. Que se dedica al agiotaje.

AGITABLE. adj. Que puede agitarse o ser agitado.

AGITACIÓN. f. Acción de agitar.

AGITADOR-RA. adj. Que agita.

AGITANADO-DA. adj. Que se parece a los gitanos.

AGITAR. tr. r. Mover violentamente. Inquietar. Turbar.

AGLOMERACIÓN. f. Acto de aglomerar.

AGLOMERADO. m. Prisma hecho en molde con hornaguera menuda y alquitrán y se usa como combustible.

AGLUTINACIÓN. f. Acto de aglutinar.

AGLUTINANTE. m. adj. Que aglutina.

AGLUTINAR. tr. r. Cir. Mantener unido por un emplasto.

AGNACIÓN. f. Parentesco entre agnados.

AGNADO-DA. adj. Pariente consanguíneo por línea de varón.

AGNOSTICISMO. m. Fil. Doctrina que niega al entendimiento la propiedad de conocer lo absoluto.

AGNÓTICO-CA. adj. Que profesa el agnoticismo.

AGOBIADO-DA. adj. Cargado de espaldas e inclinado hacia adelante.

AGOBIAR. tr. r. Inclinar, encorvar. Oprimir.

AGOBIO. m. Acción de agobiar. Sofocación.

AGOLPAMIENTO. m. Acto y efecto de agolparse.

AGOLPAR. tr. r. Juntarse, amontonarse de golpe.

AGONAL. adj. Perteneciente o relativo a los certámenes. Luchas y juegos públicos, así corporales como de ingenio.

AGONÍSTICA. f. Arte de los atletas. Ciencia de los combates.

AGONÍA f. Congoja del moribundo.

AGÓNICO-CA. adj. Período inmediato a la muerte.

AGONISTA. Com. Luchador.

AGONIZAR. intr. Estar en la agonía.

ÁGORA. f. Plaza pública de Grecia. Asamblea pública.

AGORAFOBIA. f. Sensación de angustia en los espacios abiertos.

AGORAR. tr. Adivinar, predecir.

AGORERO-RA. adj. Que adivina por agoreros.

AGORGOJARSE. r. Criar gorgojo las semillas.

AGOSTADERO. m. Donde agosta el ganado.

AGOSTAR. intr. Pastar el ganado en verano.

AGOSTERO. m. Peón que ayuda al segador en agosto.

AGOSTÍA. f. Empleo de mozo agostero y tiempo durante el que sirve.

AGOSTO. m. Octavo mes del año.

AGOTADOR-RA. adj. Que agota.

AGOTAMIENTO. m. Acto y efecto de agotar.

AGOTAR. tr. r. Consumir, gastar, extraer del todo.

AGRACEJO. m. Arbusto berberídeo, de flores amarillas y bayas rojas y agrias. Es común en los montes de España.

AGRACEÑO-ÑA. adj. Agrio como el agraz.

AGRACERA. f. Vasija en que conserva el zumo del agraz.

AGRACIADAMENTE. adv. m. Con gracia o donaire.

AGRACIADO-DA. adj. Que tiene gracia, es gracioso.

AGRACIAR. tr. Dar una gracia o merced. Hacer agradable.

AGRACILLO. m. Agracejo, arbusto.

AGRADABLE. adj. Que agrada.

AGRADAR. tr. r. Complacer, contentar, gustar.

AGRADECER. tr. Corresponder con gratitud.

AGRADECIDO-DA. adj. Que agradece.

AGRADECIMIENTO. m. Acción y efecto de agradecer.

AGRADO. m. Afabilidad.

AGRAMADERA. f. Útil para agramar.

AGRAMAR. tr. Majar el cáñamo para separar la fibra de la caña.

AGRAMILLAR. tr. Arq. Cuadrar bien los ladrillos.

AGRAMIZA. f. Caña del cáñamo después del agramado.

AGRANDAR. tr. r. Hacer más grande.

AGRARIO-A. adj. Relativo al campo.

AGRARISMO. m. Conjunto de intereses referentes a la explotación agraria.

AGRAVANTE. f. Que agrava un delito.

AGRAVAR. tr. r. Aumentar el peso. Oprimir con tributos o cargas. Hacer más grave o molesto.

AGRAVIADOR-RA. adj. Que agravia.

AGRAVIAR. tr. Hacer agravio.

AGRAVIO. m. Ofensa. Hecho o dicho con que se hace.

AGRAVIOSO-SA. adj. Que implica o causa agravio.

AGRAZ. m. Uva sin madurar.

AGRAZADA. f. Bebida compuesta del agraz, agua y azúcar.

AGRAZÓN. m. Grosellero silvestre. Uva silvestre.

AGREDIR. tr. Atacar, acometer.

AGREGABLE. adj. Que puede agregarse.

AGREGACIÓN. f. Acto de agregar.

AGREGADO. m. Conjunto de cosas honcgéneas. Funcionario diplomático. Empleado sin plaza efectiva.

AGREGAR. tr. Unir o juntar.

AGREMAN. m. Adorno hecho con pasamanería de seda.

AGREMIAR. tr. Reunir en gremio.

AGRESIÓN. f. Acto de agredir.

AGRESIVAMENTE. adv. m. De manera agresiva.

AGRESIVIDAD. f. Calidad de agresivo.

AGRESIVO-VA. adj. Propenso a ofender.

AGRESOR-RA. adj. s. Que acomete injustamente.

AGRESTE. adj. Campesino, áspero. Grosero.

AGRIAR. tr. r. Poner agrio, exasperar.

AGRÍCOLA. adj. Relativo a la agricultura.

AGRICULTOR-RA. s. Persona que cultiva la tierra.

AGRICULTURA. f. Arte de cultivar la tierra.

AGRIDULCE. adj. Que tiene mezcla de agrio y dulce.

AGRIETAR. tr. r. Abrir grietas.

AGRIMENSOR. m. Medidor de tierras.

AGRIMENSURA. r. Arte de medir tierras.

AGRIO-A. adj. Ácido. Áspero, peñascoso.

AGRISETADO-DA. adj. Aplícase a ciertas telas parecidas a la griseta.

AGROLOGÍA. f. Parte de la agronomía que estudia el suelo en sus relaciones con la vegetación.

AGROLÓGICO-CA. adj. Perteneciente o relativo a la agrología.

AGRÓMETRO. m. Útil de agrimensura.

AGRONOMÍA. f. Teoría en la agricultura.

AGROPECUARIO-RIA. adj. Que tiene relación en la agricultura y la ganadería.

AGRÓNOMO. s. Que profesa la agronomía.

AGRUMAR. tr. Hacer que se formen grumos.

AGRUPAR. tr. r. Reunir en grupos. Apiñar.

AGRURA. f. Calidad de agrio.

AGUA. f. Cuerpo líquido compuesto de un volumen de oxígeno y dos de hidrógeno. Líquido inodoro, insípido e incoloro que se solidifica por el frío y se evapora por el calor.

AGUACATE. m. Árbol lauráceo, de fruto comestible.

AGUACERO. m. Lluvia repentina y de poca duración.

AGUACIL. m. Alguacil.

AGUADA. f. Mar. Provisión de agua de un buque. Sitio donde se toma.

AGUADERO-RA. adj. Propio para el agua.

AGUADIJA. f. Humor en granos y llagas.

AGUADOR-RA. s. Persona que tiene por oficio llevar agua.

AGUADUCHO. m. Avenida impetuosa de agua.

AGUAFIESTAS. com. Persona que turba una diversión.

AGUAFUERTE. amb. Grabado al agua fuerte.

AGUAFUERTISTA. com. Persona que graba al agua fuerte.

AGUAJAS. f. pl. Vet. Úlcera sobre los cascos de las caballerías.

AGUAJE. m. Corriente impetuosa del mar.

AGUAMANIL. m. Jarro para aguamanos.

AGUAMARINA. f. Berilo transparente de color verde mar.

AGUAMELADO-DA. adj. Mojado o bañado con aguamanil.

AGUAMIEL. f. Agua mezclada con miel.

AGUANAFA. f. Agua de azahar.

AGUANOSIDAD. f. Humor acuoso detenido en el cuerpo.

AGUANOSO-SA. adj. Húmedo, que tiene abundante agua.

AGUANTAR. tr. Sufrir, tolerar, soportar.

AGUANTE. m. Tolerancia, paciencia. Vigor para los trabajos.

AGUAÑÓN. m. Maestro constructor de obras hidráulicas.

AGUAPIÉ. m. Vino que resulta de la mezcla de agua y orujo.

AGUAR. tr. Mezclar agua con vino. Turbar.

AGUARDAD. f. Acción de aguardar.

AGUARDAR. tr. Esperar.

AGUARDENTERÍA. f. Tienda donde se vende el aguardiente.

AGUARDENTOSO-SA. adj. Que tiene aguardiente.

AGUARDIENTE. m. Bebida espirituosa que se obtiene del vino.

AGUARDILLADO-DA. adj. De figura de guardilla.

AGUARRÁS. m. Aceite de trementina.

AGUAZAL. m. Sitio bajo donde se detiene agua llovediza.

AGUAZAR. tr. Cubrir de agua.

AGUDEZA. f. Sutileza, delgadez en el corte o en la punta de las ramas.

AGUDIZAR. tr. Hacer aguda una cosa.

AGUDO-DA. adj. Delgado. Sutil.

AGÜERA. f. Zanja para conducir el agua de la lluvia.

AGÜERO. m. Presagio supersticioso. Pronóstico.

AGUERRIDO-DA. adj. Ejercitado en la guerra.

AGUERRIR. tr. r. Acostumbrar a la guerra.

AGUIJADA. f. Vara con punta de hierro para picar a los bueyes.

AGUIJADURA. f. Acción y efecto de aguijar.

AGUIJAR. tr. Picar con la aguijada a los animales.

AGUIJÓN. m. Punta aguda con que pican algunos insectos.

AGUIJONEAR. tr. Aguijar, estimular.

AGUILA. f. Ave rapaz de vista potente y de gran tamaño y fuerza.

AGUILEÑO-ÑA. adj. De rostro delgado y largo. Nariz delgada y algo corva.

AGUILUCHO. m. Pollo del águila. Aguila bastarda.

AGUÍN. m. Arbusto conífero, de uno o dos metros de altura.

AGUINALDO. m. Regalo de Navidad.

AGÜISTA. m. Persona que toma aguas minerales.

AGUJA. f. Útil para coser, o bordar o tejer. Obelisco. Pez. Riel movible para cambiar de vía.

AGUJADERA. f. Mujer que trabaja en bonetes u otras cosas de punto.

AGUJAL. m. Agujero que dejan en la pared los sujetadores del andamio.

AGUJAZO. m. Pinchazo dado con una aguja.

AGUJEREAR. tr. Hacer agujeros.

AGUJERO. m. Abertura. Portillo. Alfiletero.

AGUJETA. f. Cinta para atar los calzones. pl. Dolor muscular después de un ejercicio violento.

AGUR. interj. Adiós.

AGUSANADO-DA. adj. Roído o lleno de gusanos.

AGUSANAMIENTO. m. Acción de agusanarse. [cuerpo.

AGUSANARSE. r. Criar gusanos algún

AGUSTINIANISMO. m. Doctrina teológica de San Agustín.

AGUTI. m. Roedor sudamericano, parecido a la liebre.

AGUZADURA. f. Acto de aguzar.

AGUZANIEVE. f. Pájaro, de color ceniciento que mueve constantemente la cola.

AGUZAR. tr. Hacer o sacar punta. Adelgazar. Estimular.

AH! interj. Denota pena, dolor o sorpresa.

AHACADO. adj. Dícese del caballo que por la cabeza o la alzada se parece a la jaca.

AHECHAR. tr. Limpiar con harnero o criba el trigo u otras semillas.

AHERROJAMIENTO. m. Acción y efecto de aherrojar.

AHERROJAR. tr. Poner prisiones de hierro. Oprimir.

AHERRUMBRAR. tr. Dar a una cosa color o sabor de hierro. r. Llenarse de herrumbre.

AHERVORARSE. r. Calentarse el trigo en los graneros.

AHÍ. adv. En ese lugar, a este lugar. En eso.

AHIJADO-DA. m. y f. Persona apadrinada.

AHIJAR. tr. Prohijar al hijo ajeno. Apadrinar.

AHILAR. intr. Ir uno tras de otro en hilera. r. Adelgazar.

AHINCAR. tr. Instar con ahinco, apretar. Darse prisa.

AHINCO. m. Eficacia, empeño.

AHITAR. tr. Señalar los lindes de un terreno con hitos y mojones.

AHITO-TA. adj. Que padece indigestión. Cansado. Indigesto.

AHOCICAR. intr. Mar. Hundirse mucho la proa de un barco.

AHOCINARSE. r. Correr los ríos por angosturas y quebradas.

AHOGADERO-RA. Que ahoga o sofoca.

AHOGADO-DA. ad. Persona que muere por falta de respiración.

AHOGAR. tr. r. Quitar la vida impidiendo la respiración.

AHOGO. m. Aprieto, penuria, aflicción grande.

AHOGUÍO. m. Fatiga del pecho que impide la respiración.

AHONDAR. tr. Profundizar. intr. Penetrar.

AHONDE. m. Acto de ahondar.

AHORA. adv. En este momento. En el tiempo presente.

AHORCADO. m. Persona ajusticiada en la horca.

AHORCAJARSE. r. Ponerse o montar a horcajadas.

AHORCAR. tr. r. Quitar la vida colgando del cuello.

AHORMAR. tr. Ajustar una cosa a su horma o molde .

AHORNAGAR. tr. Quemar los brotes de las plantas por la escarcha. Bochorno en las plantas por excesivo calor.

AHORNAR. tr. Enhornar. Quemarse con fuego sin cocer por dentro.

AHORQUILLAR. tr. Afianzar con horquillas las ramas de los árboles.

AHORRADO-DA. adj. Que ahorra o economiza.

AHORRAR. tr. Reserva del gasto ordinario. Evitar.

AHORRATIVO-VA. adj. Dícese del que ahorra.

AHORRO. m. Acción de ahorrar.

AHOYAR. intr. Hacer hoyos.

AHUCHAR. tr. Guardar en hucha.

AHUECAR. tr. Poner hueca una cosa.

AHUEVAR. tr. Dar limpidez a los vinos con claras de huevo.

AHUMADA. f. Señal de las atalayas por medio de hogueras.

AHUMAR. tr. Poner al humo. intr. Echar humo. Ennegrecerse.

AHUSADO-DA. adj. De forma de huso.

AHUSARSE. r. Adelgazar en forma de huso.

AHUYENTAR. tr. Hacer huir.

AIJADA. f. Aguijada.

AINA. adv. Presto, fácilmente, por poco.

AIRADO-DA. adj. Irritado, furioso.

AIRAR. tr. Irritar, encolerizar.

AIRE. m. Masa gaseosa de oxígeno, nitrógeno, ácido carbónico, agua, etc., que envuelve la Tierra. Garbo.

AIREAR. tr. Tener al aire. Ventilar. Dar aire.

AIRÓN. m. Penacho de plumas de algunas aves. Adorno de plumas.

AIROSO-SA. adj. Sitio o tiempo con mucho aire. Garboso.

AISLADOR-RA. adj. Que aisla. m. Que corta el paso a la electricidad.

AISLAMIENTO. m. Acto de aislar. Retraimiento.

AISLANTE. m. Materia que produce aislamiento.

AISLAR. tr. Rodear de agua. Incomunicar. r. Apartarse.

AJÁ. interj. Indica complacencia.

AJADA. f. Salsa de pan, agua y ajos.

AJAMONARSE. r. Engruesar mucho una mujer.

AJAR. tr. Tierra de ajos. Maltratar algo manoseándolo.

AJARACA. f. Azotea. Terreno alto y extenso.

AJEA. f. Planta leñosa.

AJEAR. intr. Quejarse la perdiz al verse acosada.

AJEDRECISTA. com. Jugador de ajedrez.

AJEDREZ. m. Juego sobre tablero dividido en 64 escaques moviendo 32 piezas entre dos personas, 16 cada uno.

AJENJO. m. Planta medicinal, compuesta, amarga y aromática.

AJENO-NA. adj. Que pertenece a otro. Extraño.

AJERO-RA. m. Persona que vende ajos.

AJETE. m. Ajo tierno. Salsa de ajos.

AJETREARSE. r. Acto de ajetreo. Fatigarse, cansarse yendo de un lado para otro.

AJETREO. m. Acto de ajetrearse.

AJÍ. m. Pimiento de América, Ajíes.

AJIACO. m. Salsa de ají, principalmente.

AJIMEZ. m. Ventana de arco dividida por una columna en el centro.

AJIPUERRO. m. Puerro silvestre.

AJO. m. Planta liliácea que echa en la raíz bulbos de gusto fuerte, usada como condimento.

AJOBAR. tr. Llevar a cuestas.

AJOBO. m. Acción de ajobar. Carga que se lleva a cuestas.

AJOLÍN. m. Insecto heminóptero, especie de chinche de color negro.

AJONJERA. f. Planta de la India usada como condimento.

AJORAR. tr. Llevar por fuerza gente o ganado de un lugar a otro.

AJORCA. f. Argolla de metal con que se adornaban las mujeres.

AJUAR. m. Ropas y enseres que lleva una novia al casamiento. Conjunto de muebles, ropas y alhajas de uso común en una casa.

AJUICIADO-DA. adj. Justo, recto.

AJUICIAR. tr. Hacer que otro tenga juicio.

AJUSTADOR-RA. adj. Que ajusta. m. Jubón ajustado al cuerpo.

AJUSTAR. tr. r. Apretar. Concertar. Igualar.

AJUSTE. m. Acción de ajustar. Medida para el efecto de ajustar.

AJUSTICIADO-DA. m. y f. Reo en quien se ha ejecutado la pena de muerte.

AJUSTICIAR. tr. Castigar con sentencia de muerte.

AL. Gram. Contracción de la preposición "a" y el artículo "el".

ÁL. pron. indt. Otra cosa.

ALA. f. Parte del cuerpo de algunos animales que suple los brazos. Elemento del avión que usa para volar. Flanco del ejército.

¡ALA! Interj. ¡Hala!

ALÁ. m. Dios de los mahometanos.

ALABANZA. f. Acto de alabar, o alabarse.

ALABANCIA. f. Alabanza, jactancia.

ALABAR. tr. Elogiar, celebrar con palabras.

ALABARDA. f. Arma ofensiva que lleva cuchillo transversal.

ALABARDERO. m. Soldado que usaba alabarda. Soldado que daba la guardia a los reyes de España.

ALABASTRINO-NA. adj. Semejante al alabastro.

ALABASTRO. m. Mármol translúcido.

ÁLABE. m. Rama de árbol curvada hacia tierra. Estera a los lados del cuerpo.

ALABEAR. tr. Torcerse una superficie.

ALABEO. m. Vicio que toma la madera combándose.

ALACENA. f. Hueco hecho en la pared con huecos y anaqueles.

ALACRÁN. m. Arácnido pulmonado, de ponzoña irritante.

ALACRIDAD. f. Alegría y presteza para hacer algo.

ALADA. f. Movimiento que hacen las aves subiendo y abajando las alas.

ALADAR. m. Porción de cabellos que cae sobre una de las sienes.

ALADIERNA. f. Arbusto de fruto negro y jugoso.

ALADA-DO. adj. Que tiene alas.

ALADRAR. tr. Arar.

ALADRERO. m. Carpintero que labra las maderas para entibar en las minas.

ALADRO. m. En algunas partes arado.

ALAFIA. f. Gracia, perdón, misericordia.

ALAGA. f. Trigo de grano largo y amarillento.

ALAGAR. tr. r. Llenar de lagos o charcos.

ALAJOR. m. Tributo que se pagaba por los solares.

ALAJÚ. m. Pasta de almendras, nueces, piñones, pan rallado y miel cocida.

ALALÁ. m. Canto popular de algunas provincias del norte de España.

ALAMAR. m. Presilla y botón. Cairel.

ALAMBICADO-DA. adj. Dado con escasez y muy poco a poco.

ALAMBICAR. tr. Destilar. Examinar atentamente.

ALAMBIQUE. m. Aparato usado para destilar.

ALAMBOR. m. Arq. Falseo de una piedra o madero.

ALAMBRADO. m. Red o tejido de alambre.

ALAMBRAR. tr. Poner alambre. Despejar el cielo.

ALAMBRE. m. Hilo metálico.

ALAMBRERA. f. Red de alambre para cubrir braseros o manjares.

ALAMEDA. f. Sitio poblado de álamos.

ALAMÍN. m. Juez de riegos.

ÁLAMO. m. Árbol de considerable altura, de madera blanca y ligera.

ALAMPAR. intr. Ansiar comida o bebida. Enardecer la boca.

ALAMUD. m. Pasador o cerrojo de hierro.

ALANCEAR. tr. Dar lanzadas. Herir con lanza.

ALANO-NA. Pueblo invasor de España. Perro que resulta del cruce del dogo y del lebrel.

ALANTOIDES. adj. Membrana que en algunos animales cubre el feto.

ALANZAR. tr. Alancear.

ALAR. m. Alero del tejado.

ALÁRABE. adj. Árabe.

ALARDE. m. Ostentación de alguna cosa. Visita del juez a los presos.

ALARDEAR. tr. r. Hacer alarde.

ALARGAR. tr. Hacer más larga una cosa. Prolongar.

ALARIA. f. Chapa de hierro que usan los alfareros para esturgar las vasijas.

ALARIDO. m. Grito lastimero. Grito de guerra de los moros.

ALARIFE. m. Arquitecto o maestro de obras.

ALARIJE. adj. Variedad de uvas, de color rojo.

ALARMA. f. Aviso para prepararse a la defensa o ataque. Sobresalto.

ALARMAR. tr. r. Incitar a tomar las armas. fig. Asustar.

ALARMISTA. m. Persona que da noticias alarmantes.

ALAZÁN-NA. adj. Dícese del caballo o yegua de pelo parecido al color de canela.

ALAZOR. m. Planta compuesta cuyas flores se usan para teñir.

ALBA. f. Luz primera del día. Vestidura sacerdotal, de lienzo blanco.

ALBACEA. m. Encargado de cumplir un testamento.

ALBACEAZGO. m. Cargo de albacea.

ALBAHACA. f. Planta labrada con hojas oblongas y flores blancas.

ALBAICÍN. m. Barrio situado en cuesta.

ALBALÁ. m. Cédula real donde se concede alguna merced.

ALBAÑAL. m. Canal de salida de aguas inmundas.

ALBAÑIL. m. Maestro u oficial de albañilería.

ALBAÑILERÍA. f. Arte de construir edificios. Obra de albañiles.

ALBAR. adj. Blanco.

ALBARÁN. m. Papel puesto en los edificios para indicar alquiler.

ALBARAZO. m. Especie de lepra.

ALBARDA. f. Pieza principal en el aparejo de los animales.

ALBARDELA. f. Albardilla, silla para domar potros.

ALBARDERÍA. f. Donde se venden o hacen albardas.

ALBARDERO. m. El que hace o vende albardas.

ALBARDILLA. f. Silla para domar potros.

ALBARDÓN. m. aumet. de Albarda.

Aparejo más alto y hueco que la albarda.

ALBARICOQUE. m. Fruto del albaricoquero.

ALBARICOQUERO. m. Árbol rosáceo de fruto comestible y madera usada en ebanistería.

ALBARILLO. m. Especie de tañido muy acelerado, que se toca en la guitarra, para bailar y acompañamiento.

ALBARIZA. f. Laguna salobre.

ALBARIZO-ZA. adj. Blanquecino.

ALBARRADA. f. Pared de piedra seca.

ALBARRANA. adj. Cebolla medicinal de flores azules en la planta.

ALBARSA. f. Canasta en que lleva su ropa y los útiles del oficio el pescador.

ALBATAZO. f. Especie de embarcación pequeña y cubierta.

ALBAYALDE. m. Quím. Carbonato de plomo, de color blanco, empleado en pintura.

ALBAZANO-NA. adj. De color estaño oscuro.

ALBEAR. tr. Blanquear.

ALBEDRÍO. m. Facultad de obrar por reflexión y elección.

ALBÉITAR. m. Veterinario.

ALBENDENSE. adj. Natural de Albelda, villa de Logroño.

ALBELLÓN. m. Albañal.

ALBENDA. f. Colgadura de lienzo blanco con adornos o encajes.

ALBENDERA. f. Mujer que tejía o hacía albendas.

ALBENGALA. f. Tejido muy delgado usado por los moros en España como adorno en los turbantes.

ALBÉNTOLA. f. Especie de red de hilo delgado, para pescar.

ALBERCA. f. Depósito artificial.

ALBÉRCHIGO. m. Albaricoque, en algunas partes.

ALBERGADOR-RA. adj. Que alberga a otro.

ALBERGAR. tr. Dar albergue. Hospedaje.

ALBERGUE. m. Lugar en que se halla hospedaje.

ALBERGUERÍA. f. Antigua carga por alojamiento.

ALBERGUERO-RA. m. y f. Mesonero, posadero, ventero.

ALBERQUERO-RA. m. y f. Persona que cuida de las albercas.

ALBICANTE. adj. Que albea.

ALBIGENSE. m. Herejes de Francia que condenaban el uso de sacramentos, culto externo y jerarquía eclesiástica.

ALBILLO-LLA. adj. Dícese de una especie de uva de hollejo tierno y muy gustosa.

ALBINA. f. Laguna que se forma con las aguas del mar en las tierras bajas.

ALBINISMO. m. Calidad de albino.

ALBITA. f. Feldespato cuyo color es comunmente blanco.

ALBITANA. f. Cerca con que los jardines guardan las plantas.

ALBO-BA. adj. Poet. Blanco.

ALBOGUE. m. Instrumento músico pastoril de viento.

ALBOHOL. m. Correhuela.

ALBOLLÓN. m. Desaguadero de estanques, corrales, etc.

ALBÓNDIGA. f. Bola de carne o de pescado picado, aderezado y rebozado.

ALBONDIGUILLA. f. Albóndiga.

ALBOR. m. Luz del alba. Albura. Principio de alguna cosa.

ALBORADA. f. Tiempo de amanecer.

ALBOREAR. intr. Amanecer, rayar el alba.

ALBORGA. f. Calzado rústico de esparto de forma de alpargata.

ALBORNOZ. m. Capote o capa de capucha. Tela de estambre.

ALBOROQUE. m. Agasajo hecho a los que intervienen en una venta.

ALBOROTADIZO-ZA. adj. Que por ligero motivo se alborota o inquieta.

ALBOROTADO-DA. adj. Que obra sin reflexión y precipitadamente.

ALBOROTADOR-RA. adj. Que alborota.

ALBOROTAR. tr. r. Causar alboroto, inquietar, perturbar.

ALBOROTO. m. Vocerío, tumulto, desorden.

ALBOROZAR. tr. r. Causar gran regocijo, alegría, placer.

ALBOROZO. m. Regocijo, placer extraordinario.

ALBRICIAR. tr. Dar una noticia agradable.

ALBRICIAS. f. pl. Regalo por alguna nueva.

ALBUFERA. f. Lago que comunica con el mar.

ALBUGO. m. Med. Mancha blanca de la córnea y uñas.

ÁLBUM. m. Libro en blanco que se llena de firmas, fotografías, sellos, etc.

ALBUMEN. m. Bot. Envoltura que cubre el embrión de algunas plantas.

ALBÚMINA.. f. Quím. Fluido viscoso, compuesto de ázoe, hidrógeno y carbono.

ALBUMINARIA. f. Med. Exceso de albúmina en la orina.

ALBUR. f. Pez de río. Contingencia a la que se fía el resultado de una empresa. Azar.

ALBURA. f. Blancura perfecta.

ALBUERENTE. adj. Dícese de la madera de tejido blanco y fofo.

ALCABALA. f. Tributo sobre traspaso de bienes.

ALCABALERO. m. Arrendador, administrador o cobrador de alcabalas.

ALCACER. m. Cebada verde y en hierba.

ALCACHOFA. f. Planta cuyas cabezuelas son comestibles.

ALCACHOFERO-RA. s. Que vende alcachofas. Planta de alcachofas.

ALCAHAZ. m. Jaula grande para encerrar aves.

ALCAHAZAR. tr. Guardar aves en alcahaz.

ALCAHUETE-TA. adj. s. Persona que encubre o permite tratos ilícitos.

ALCAHUETEAR. tr. Indicar a una mujer para trato lascivo con un hombre.

ALCAICERÍA. f. Aduana donde se presentaba la seda para pagar los derechos establecidos por los reyes moros.

ALCAIDE. m. El que guardaba o defendía un castillo o cárcel.

ALCALDADA. f. Imprudencia cometida por un alcalde.

ALCALDE. m. Presidente del Ayuntamiento.

ALCALDESA. f. Mujer del alcalde.

ALCALDÍA. f. Cargo u oficio de alcalde, territorio del alcalde.

ALCALI. m. Quím. Óxidos metálicos que sirven como bases.

ALCALIMETRO. m. Quím. Instrumento para medir el álcali.

ALCALINIDAD. f. Calidad de alcalino.

ALCALINO-NA. adj. De álcali.

ALCALIZACIÓN. f. Acción y efecto de alcalizar.

ALCALOIDE. m. Quím. Bases vegetales que contiene hidrógeno.

ALCALLERÍA. f. Conjunto de vasijas de barro.

ALCANA. f. Calle o sitio en que estaban las tiendas de los mercaderes.

ALCANCE. m. Acto de alcanzar. Distancia a que llega una cosa. Saldo. Capacidad, talento.

ALCANCÍA. f. Vasija de barro con hendidura para guardar dinero. Hucha.

ALCÁNDARA. f. cetr. Percha o varal para llevar las aves de cetrería.

ALCANDORA. f. Hoguera o fuego para hacer señales.

ALCANFOR. m. Substancia cristalina, muy olorosa, que se extrae de algunas plantas lauráceas.

ALCANFORERO. m. Árbol del que se extrae alcanfor.

ALCANTARILLA. f. Sumidero. Acueducto subterráneo.

ALCANTARILLADO. m. Conjunto de alcantarillas.

ALCANTARILLAR. tr. Hacer alcantarillas.

ALCANZADO - DA. adj. Empeñado, adeudado, escaso, necesitado.

ALCANZADURA. f. Vet. Contusión que las caballerías se hacen al andar.

ALCANZAR. tr. Unirse o juntarse a lo que va delante. Coger alargando la mano.

ALCAPARRA. f. Arbusto de las caparídeas, espinoso.

ALCAPARRÓN. m. Fruto en forma de baya de la alcaparra usado como condimento.

ALCARACEÑO-ÑA. adj. Natural de Alcaraz.

ALCARAVÁN. m. Ave zancuda de cuello muy largo.

ALCARAVEA. f. Planta umbelífera. Condimento. Semilla de la misma.

ALCARRAZA. f. Vasija porosa para guardar fresca el agua.

ALCARREÑO-ÑA. adj. Natural de la Alcarria.

ALCARRIA. f. Terreno alto y raso, comúnmente.

ALCATIFA. f. Tapete o alfombra fina.

ALCATRAZ. m. Cucurucho. Pelícano americano.

ALCAUCIL. m. Alcachofa silvestre.

ALCAUDÓN. m. Ave carnívora que fue de cetrería de alas y cola negra con manchas blancas.

ALCAYATA. f. Clavo torcido de ángulo recto. Escarpia.

ALCAZABA. f. Recinto fortificado.

ALCÁZAR. m. Fortaleza. Casa o palacio real.

ALCAZAREÑO-ÑA. adj. Natural de Alcázar.

ALCE. m. Ante. Rumiante de gran talla.

ALCIÓN. m. Zool. Martín pescador.

ALCIREÑO-ÑA. adj. Natural de Alcira.

ALCISTA. Com. Jugador a la alza de valores cotizables.

ALCOBA. f. Aposento para dormir.

ALCOCARRA. f. Gesto, coco, mueca.

ALCOFA. f. Espuerta o capacho grande.

ALCOHOL. m. Líquido espirituoso, sacado de la destilación del vino u otras sustancias orgánicas.

ALCOHOLAR. tr. Quím. Obtener alcohol por destilación.

ALCOHÓLICO-CA. adj. Que tiene alcohol. Alcoholizado.

ALCOHOLÍMETRO. m. Aparato para apreciar la cantidad de alcohol en un líquido.

ALCOHOLISMO. m. Enfermedad causada por abuso de bebidas espirituosas.

ALCOHOLIZACIÓN. f. Quím. Acción y efecto de alcoholizar.

ALCOHOLIZAR. tr. Alcoholar. Echar alcohol en otro líquido.

ALCONCILLA. f. Color arrebol usado por las mujeres como afeite.

ALCORÁN. m. Libro en que se contiene la religión de Mahoma.

ALCORANISTA. m. Doctor o expositor del alcorán o ley de Mahoma.

ALCORCÍ. m. Especie de joya.

ALCORNOQUE. m. Árbol cupulífero de fofa corteza que es corcho.

ALCORNOQUEÑO-ÑA. adj. Perteneciente a alcornoque.

ALCORQUE. m. Chanclo con suela de corcho.

ALCORZA. f. Pasta de azúcar y almidón. Pieza o pedazo de esta pasta.

ALCOTÁN. m. Ave rapaz.

ALCOTANA. f. Herramienta de albañíl.

ALCOYANO-NA. adj. Natural de Alcoy.

ALCUCERO-RA. adj. Goloso. s. Quien vende alcuzas.

ALCURNIA. f. Ascendencia, linaje.

ALCUZA. f. Vasija cónica para el aceite.

ALCUZCUZ. m. Pasta de harina y miel.

ALDABA. f. Pieza de hierro para llamar.

ALDABADA. f. Golpe que se da en la puerta con la aldaba.

ALDABAZO. m. Golpe fuerte de aldaba.

ALDABÍA. f. Cada uno de los maderos que sostienen el armazón de un tabique colgado.

ALDABÓN. m. aum. de Aldaba.

ALDABONAZO. m. Golpe de aldabón. Aldabonazo.

ALDEA. f. Pueblo pequeño sin jurisdicción propia.

ALDEANO-NA. adj. Natural de aldea.

ALDERABÁN. m. Astr. Estrella de la constelación de Tauro.

ALDEHIDRO. m. Quím. Compuesto de carbono, hidrógeno y oxígeno derivado de alcoholes.

ALEACIÓN. f. Acto de alear. Mezcla de metales.

ALEAR. intr. Mover las alas. tr. Mezclar dos o más metales fundiéndoles.

ALEATORIO-RIA. adj. Incierto. Dependiente de algo fortuito.

ALEBRARSE. d. Echarse al suelo como la liebre.

ALECCIONAR. tr. Dar lecciones, enseñar, instruir.

ALDAÑO-ÑA. adj. Confinante. Lindante.

ALEGACIÓN. f. Acción de alegar. Alegato.

ALEGAR. tr. Citar. Defenderse con razones.

ALEGATO. m. Form. Escrito donde expone el abogado las razones de una defensa.

ALEGORÍA. f. ret. Figura retórica que da a entender una cosa expresando otra.

ALEGORIZAR. tr. Interpretar alegóricamente alguna cosa.

ALEGRAR. tr. Causar alegría. Avivar, hermosear.

ALEGRE. adj. Lleno de alegría y gozo.

ALEGRETO. adv. Mús. Movimiento menos vivo que el alegro.

ALEGRÍA. f. Júbilo. Ajonjolí.

ALEGRO. m. Mús. Aire moderadamente vivo.

ALEGRÓN. m. Alegría repentina e intensa de poca duración.

ALEJAMIENTO. m. Acto de alejar.

ALEJAR. tr. Poner lejos o más lejos.

ALELAR. tr. Poner lelo.

ALELUYA. f. Canto religioso de júbilo, especialmente en tiempo pascual.

ALEMA. f. Porción de agua de regadío que se reparte por turno.

ALENTADA. f. Respiración continuada, no interrumpida.

ALENTADO-DA. adj. Animoso, valiente, resistente.

ALENTADOR-RA. adj. s. Que alienta.

ALENTAR. intr. Respirar. tr. r. Animar, infundir, aliento.

ALEPÍN. m. Tela muy fina de lana.

ALERCE. m. Arbol conífero de gran altura y fruto menor que la piña de pino.

ALERGIA. f. Fisiol. Conjunto de fenómenos de carácter respiratorio, nervioso o eruptivo, producido por la absorción de sustancias que dan al organismo una sensibilidad especial.

ALERO. m. Parte saliente del tejado.

ALERTA. adv. Con atención. Velar.

ALESNADO-DA. adj. Puntiagudo, a modo de lesna.

ALETA. f. Membrana externa a modo de ala que tienen los peces. Pieza que cubre la rueda de un vehículo.

ALETADA. f. Movimiento de las alas.

ALETARGAR. r. Padecer letargo.

ALETAZO. m. Golpe de ala o aleta.

ALETEAR. intr. Mover las alas sin echar a volar.

ALETEO. m. Acción de aletear o palpitar.

ALEURONA. f. Sustancia nitrogenada en granos vegetales maduros.

ALEVE. adj. Alevoso.

ALEVOSIA. f. Traición, perfidia.

ALEVOSO-SA. adj. Que comete alevosía.

ALFA. f. Primera letra del alfabeto griego.

ALFABÉTICO-CA. adj. Relativo al alfabeto.

ALFAGUARA. f. Manantial copioso.

ALFAJÍA. f. Carp. Aljarfía.

ALFALFA. f. Planta herbácea leguminosa usada como forraje.

ALFALFAL, o ALFALFAR. m. Tierra sembrada de alfalfa.

ALFANEQUE. m. Variedad de halcón. Ave de rapiña, de Africa.

ALFANJE. m. Sable corvo con filo solo por un lado y por los dos en la punta.

ALFAQUE. m. Banco de arena comunmente en la desembocadura de un río.

ALFAQUÍ. m. Doctor o sabio musulmán.

ALFAR. m. Obrador alfarero.

ALFARAZ. m. Caballo que usaban los árabes para las tropas ligeras.

ALFARDILLA. f. Esterilla, pleita de paja.

ALFARDÓN. m. Azulejo de seis lados. Su forma es de rectángulo al que se le han añadido en sus lados menores dos triángulos rectángulos.

ALFAREME. m. Toca semejante al almaizar, usada por los árabes.

ALFARERIA. f. Arte de fabricar vasijas de barro.

ALFARERO. m. Fabricante de vasijas de barro.

ALFARGO. m. Viga del molino de aceite con la que se exprime la aceituna.

ALFARJE. m. Piedra inferior del molino de aceite.

ALFARJIA. f. Carp. Madero de marcos y largueros en puertas.

ALFAYATE. m. Sastre.

ALFÉIZAR. m. Arq. Vuelta de la pared en el corte de una puerta o ventana.

ALFEÑIQUE. m. Pasta de azúcar cocida y hecha barras.

ALFERECÍA. f. Epilepsia infantil.

ALFÉREZ. m. Mil. Oficial segundo teniente del Ejército.

ALFIL. m. Pieza grande del juego de ajedrez que se mueve en diagonal.

ALFILER. m. Clavillo de metal que sirve para sujetar.

ALFILERAZO. m. Punzada de alfiler.

ALFILETERO. m. Canuto que sirve para guardar alfileres y agujas.

ALFOLÍ. m. Granero. Almacén de sal. Pósito.

ALFOMBRA. f. Tejido de lana u otra materia para cubrir el piso de las habitaciones.

ALFOMBRAR. tr. Cubrir el suelo con alfombras.

ALFOMBRILLA. f. Med. Erupción cutánea infantil.

ALFÓNCIGO. m. Árbol resinoso del que fluye la almáciga.

ALFORFÓN. m. Planta de la que se hace pan.

ALFORJA. f. Talega abierta con dos bolsas grandes.

ALFORZA. f. Pliegue o doblez de la parte inferior de un vestido.

ALFOZ. m. amb. Arrabal, término o paga de algún distrito.

ALGA. f. Bot. Planta acuática, celular.

ALGABA. f. Bosque, selva.

ALGAIDA. f. Bosque de matorral espeso.

ALGALIA. f. Cir. Sonda.

ALGARA. f. Tropa a caballo para asolar la tierra enemiga.

ALGARABÍA. f. Lengua árabe. fam. Gritería confusa.

ALGARADA. f. Vocerío grande. Máquina de guerra.

ALGARRADA. f. Encierro de los toros en el toril. Novillada, lidia de novillo.

ALGARROBA. f. Fruto comestible del algarrobo.

ALGARROBO. m. Árbol leguminoso que da algarroba.

ALGAZARA. f. Vocerío de los moros al acometer. Vocerío.

ALGAZUL. f. Planta ficoidea, común en las playas.

ÁLGEBRA. f. Parte de las matemáticas que trata de la cantidad en general.

ALGEBRAICO-CA. adj. Relativo al álgebra.

ALGENTE. adj. Poét. Frío.

ALGIDEZ. f. Med. Frialdad glacial del cuerpo.

ÁLGIDO-DA. adj. Med. Acompañado de algidez.

ALGO. pron. Alguna cosa. adv. Un poco.

ALGODÓN. m. Planta malvácea. Borra blanca que envuelve el fruto de esta planta.

ALGODONAL. m. Terreno poblado de plantas de algodón.

ALGODONERO-RA. adj. s. Relativo al algodón. Persona que trata en él.

ALGORFA. f. Sobrado o cámara alta para guardar y conservar granos.

ALGORÍN. m. Lugar donde se conserva la aceituna.

ALGORITMIA. f. Ciencia que estudia el cálculo aritmético y algebraico.

ALGORITMO. m. Método y notación del cálculo.

ALGUACIL. m. Oficial inferior de justicia.

ALGUIEN. pron. Alguno.

ALGÚN. adj. Alguno.

ALGUNO-NA. adj. Aplicado indeterminadamente a persona o cosa.

ALHAJA. f. Pieza o joya de mucho valor.

ALHAJAR. tr. Adornar con alhajas. Amueblar.

ALHARACA. f. Demostración vehemente de afecto por motivo ligero.

ALHARMA. f. Planta rutánea de flores blancas. Condimento.

ALHELÍ. m. Planta crucífera de adorno.

ALHEMA. f. Arbusto oleáceo de flores blancas.

ALHÓNDIGA. f. Casa pública destinada para la compra y venta de grano.

ALHUCEMAS. f. Espliego.

ALHUMAJO. m. Hojas de pino.

ALIÁCEO-CEA. adj. Relativo al ajo o que tiene su sabor u olor.

ALIADO-DA. adj. Coaligado, unido.

ALIAGA. f. Argoma, tojo, planta leguminosa.

ALIAGAR. m. Aulagar.

ALIANZA. f. Acción de aliarse. Unión entre naciones.

ALIAR. tr. Ponerse de acuerdo para un fin común.

ALIAS. adv. lat. De otro modo, por otro nombre.

ALIBLE. adj. Capaz de nutrir.

ALICAÍDO-DA. adj. Caído de alas. Débil de fuerzas.

ALCANTINA. f. fam. Treta con que se trata de engañar.

ALICATADO. m. Obra de azulejos generalmente de estilo árabe.

ALICIENTE. m. Atractivo, incentivo.

ALICUOTA. adj. Proporcional. Dícese de cada uno de las partes iguales de un todo.

ALIDADA. f. Regla para dirigir visuales.

ALIENABLE. adj. Enajenable.

ALIENADO-DA. adj. Loco, demente.

ALIENISTA. m. Especialista de enfermedades mentales.

ALIENTO. m. Acción de alentar. Aire que se aspira.

ALIFAFE. m. Vet. Tumor acuoso de los corvejones de las caballerías.

ALIGACIÓN. f. Aligar, trabazón.

ALIGERAR. tr. r. Hacer ligero o menos pesado. Abreviar. Acelerar.

ALIGERO-RA. adj. Poét. Alado. Rápido, veloz.

ALIJADOR-RA. adj. Que alija. Lanchón. Barcaza.

ALIJAR. tr. Aliviar la carga de la embarcación. Terreno inculto. Separar la borra del algodón.

ALIJO. m. Acto de alijar. Contrabando.

ALIMAÑA. f. Animal, en especial el que perjudica a la caza menor.

ALIMAÑERO. m. Guarda de caza empleado en destruir alimañas.

ALIMENTACIÓN. f. Acto de alimentar.

ALIMENTAR. tr. r. Dar alimento, sustentar.

ALIMENTICIO-A. adj. Lo que alimenta.

ALIMENTO. m. Sustancia que sirve para nutrir.

ALINDAR. tr. Señalar los lindes. intr. Lindar.

ALINEACIÓN. f. Acto de alinear o alinearse.

ALINEAR. tr. r. Poner en línea recta.

ALIÑADOR-RA. adj. Que aliña.

ALIÑAR. tr. r. Adornar, componer.

ALIOLI. m. Ajiaceite.

ALIQUEBRAR. tr. Quebrar las alas.

ALISADOR-RA. adj. Que alisa.

ALISADURA. f. Acción y efecto de alisarse.

ALISAR. m. Sitio poblado de alisos. tr. r. Poner lisa una cosa.

ALISIOS. adj. pl. Viento que sopla en la zona tórrida.

ALISMA. f. Planta de terrenos pantanosos cuya madera se usa para instrumentos de música.

ALISO. m. Árbol betuláceo de madera dura empleado en la construcción de instrumentos de música.

ALISTAMIENTO. m. Acto de alistar.

ALISTAR. tr. Inscribir en lista. Sentar plaza en la milicia.

ALITERACIÓN. f. Ret. Figura que consiste en repetir una misma letra.

ALIVIADERO. m. Vertedero de aguas sobrantes embalsadas o canalizadas.

ALIVIAR. tr. r. Aligerar en carga.

ALIVIO. m. Acto de aliviar.

ALIZAR. m. Friso o cinta de azulejos.

ALJABA. f. Caja de flechas.

ALJAMA. f. Junta de moros o judíos. Sinagoga. Mezquita.

ALJAMÍA. f. Nombre dado por los moros a la lengua castellana.

ALJAMIADO-DA. adj. Escrito en aljamía.

ALJEZ. m. Mineral de yeso.

ALJIBE. m. Cisterna. Mar. Barco destinado a llevar agua dulce.

ALJIBERO. m. Que cuida de los aljibes.

ALJÓFAR. m. Perla irregular y pequeña.

ALJOFIFA. f. Paño ordinario para fregar el suelo.

ALJOFIFAR. tr. Fregar con aljofifa.

ALJUBA. f. Gabán morisco de mangas cortas.

ALMA. f. Sustancia espiritual e inmortal que informa al cuerpo humano y que con él constituye la esencia del hombre.

ALMACÉN. m. Casa donde se guardan mercancías.

ALMACENAJE. m. Derecho pagado por almacenar.

ALMACENISTA. m. Dueño de un almacén.

ALMÁCIGA. f. Resina de lentisco. Semillero de plantas.

ALMÁDENA. f. Mazo de hierro de picapedrero.

ALMADÍA. f. Canoa india. Balsa de maderos.

ALMADIERO. m. El que conduce la almadía.

ALMADRABA. f. Lugar o red para pescar atunes.

ALMADREÑA. f. Zueco.

ALMAGESTO. m. Libro de Astronomía.

ALMAGRAL. m. Terreno donde abunda el almagre.

ALMAGRE. m. Óxido rojo de hierro.

ALMAJARA. f. Terreno abonado de estiércol para que germinen rápidamente las semillas.

ALMALFA. f. Vestidura moruna que cubre todo el cuerpo hasta los pies.

ALMANAQUE. m. Registro de todos los días del año.

ALMANAQUERO-RA. m. y f. Persona que hace o vende almanaques.

ALMANTA. f. Enteliño. Porción de tierra que se señala con dos surcos grandes para dirigir la siembra.

ALMARADA. f. Puñal agudo de tres aristas.

ALMARBATAR. tr. Ensamblar las piezas de madera.

ALMARCHA. f. Población situada en vega o tierra baja.

ALMARJAL. m. Terreno poblado de almarjo. Terreno pantanoso.

ALMARJO. m. Planta que da barrilla.

ALMARRAJA. f. Vasija de vidrio para regar.

ALMÁRTAGA. f. Quím. Litargirio. Cabezada puesta sobre el freno.

ALMARTIGÓN. m. Almártiga que sirve para atar las bestias al pesebre.

ALMATROQUE. m. Red parecida al sabogal, usada antiguamente.

ALMAZARA. f. Molino de aceite.

ALMAZARERO. m. El que tiene a su cargo una almazara.

ALMEA. f. Azumbar. Corteza seca de estaroque.

ALMEJA. f. Molusco acéfalo comestible.

ALMEJÍA. f. Manto pequeño usado por los moros de España.

ALMENA. f. Prisma rectangular que corona el muro de las antiguas fortalezas.

ALMENADO-DA. adj. Coronado de almenas.

ALMENAR. tr. Guarnecer de almenas. Pie de hierro para colocar teas.

ALMENARA. f. Fuego en atalayas como aviso. Candelero.

ALMENDRA. f. Fruto del almendro, es una drupa oblonga.

ALMENDRADA. f. Bebida de leche de almendras y de azúcar.

ALMENDRAL. m. Sitio poblado de almendros.

ALMENDRO. Árbol rosáceo de madera dura.

ALMENDRUGO. m. Fruto del almendro con su primera cubierta verde todavía.

ALMETE. m. Pieza de la armadura antigua que cubría la cabeza.

ALMEZ. m. Árbol celtídeo de corteza negruzca y copa ancha.

ALMEZA. f. Frito del almez. Drupa comestible.

ALMIAR. m. Montón de paja, alrededor de un palo al descubierto.

ALMÍBAR. m. Azúcar disuelto en agua y cocido. Jarabe.

ALMIBARADO-DA. adj. Meloso, dulce.

ALMIBARAR. tr. Cubrir con almíbar. Suavizar las palabras.

ALMICARAT. f. Cada uno de los círculos paralelos al horizonte que se suponen descritos en la esfera terrestre para determinar la altura de los astros.

ALMIDÓN. m. Fécula blanca sacada de semillas de cereales.

ALMIDONAR. tr. Mojar la ropa con almidón disuelto en agua.

ALMILLA. f. Jubón ajustado al cuerpo.

ALMIMBAR. m. Púlpito de las mezquitas.

ALMINAR. f. Torre de la mezquita, desde donde convoca el almuédano a la oración.

ALMIRANTAZGO. m. Alto tribunal de la armada.

ALMIRANTE. m. Jefe de la armada que equivale a Teniente General en los ejércitos de tierra.

ALMIREZ. m. Mortero de metal.

ALMIZCATE. m. Substancia odorífera, de sabor amargo y color pardo. Se saca del almizclero.

ALMIZCLEÑO-ÑA. adj. Que huele a almizcle.

ALMIZCLERO-RA. adj. Almizcleño.

ALMOCADÉN. m. Caudillo antiguo de tropa a pie.

ALMOCAFRE. m. Instrumento corvo de jardín para escardar y limpiar.

ALMOCRÍ. m. Lector del Corán en las mezquitas.

ALMODROTE. m. Salsa de aceite, ajos, queso y otras cosas. Mezcla confusa de cosas.

ALMÓFAR. m. Cofia de malla de la armadura.

ALMOGÁVAR. m. Soldado especial para correrías en tierras enemigas.

ALMOHADA. f. Cojín alargado para apoyar la cabeza.

ALMOHADES. s. m. pl. Moros de la secta que arruinó a los almoravides.

ALMOHADILLA. f. Cojín pequeño.

ALMOHADÓN. m. Almohada grande.

ALMOHAZA. f. Útil para limpiar caballos y vacas.

ALMOJARIFAZGO. m. Derecho de entrada y salida de mercancías.

ALMOJARIFE. m. Administrador o recaudador de rentas y derechos del rey.

ALMONA. f. Donde se pescan los sábalos.

ALMÓNDIGA. f. Albóndiga.

ALMONEDA. f. Subasta de bienes muebles y géneros.

ALMORAVIDES. adj. Tribu de Atlas.

ALMOREJO. m. Planta gramínea, de flores en espiga.

ALMORRANAS. f. pl. Tumores sanguíneos en el ano.

ALMORTA. f. Planta leguminosa con cuatro semillas farináceas.

ALMORZADA. f. Lo que cabe en el hueco de las dos manos juntas.

ALMORZAR. intr. Tomar el almuerzo. tr. Comer en el almuerzo.

ALMOTACÉN. m. Persona que registra las pesas y medidas.

ALMUD. m. Medida de áridos.

ALMUDÍ. m. Alhóndiga.

ALMUÉDANO. m. Musulmán que llama al pueblo a la oración.

ALMUERZO. m. Comida de la mañana.

ALMUNIA. f. Huerta, granja.

ALNADO-DA. adj. Hijastro, hijastra.

ALOCADO-DA. adj. Que parece loco.

ALOCUCIÓN. f. Discurso breve. Arenga.

ALODIAL. adj. For. Libre de derechos y cargas.

ALODIO. m. Heredad alodial.

ÁLOE. m. Planta perenne liliácea, de jugo amargo.

ALOJA. f. Bebida hecha de agua, miel y especias.

ALOJAMIENTO. m. Acto de alojar. Lugar donde se aloja.

ALOJAR. tr. Hospedar, aposentar.

ALOJERÍA. f. Tienda donde se hace y vende aloja.

ALOJERO-RA. adj. Persona que hace o vende aloja.

ALOMAR. tr. Agric. Arar la tierra formando lomos.

ALÓN. m. Ala sin pluma de un ave.

ALONDRA. f. Pájaro de color pardo, con collar negro.

ALONSO. adj. Dícese del trigo fanfarrón de espiga ancha.

ALÓPATA. adj. s. Relativo a la alopatía.

ALOPATÍA. f. Sistema terapéutico por antídotos.

ALOPECIA. Med. Caída o pérdida del pelo.

ALOQUE. adj. Dícese del vino tinto claro.

ALOSA. f. Sábalo.

ALOTROPÍA. f. Quím. Diferentes estados de un mismo cuerpo.

ALOTRÓPICO-CA. Adj. Relativo a la alotropía.

ALPACA. f. Aleación de cobre, cinc y níquel.

ALPACA. f. Rumiante de América, se aprovecha como la llama.

ALPARGATA. f. Calzado de cáñamo.

ALPARGATERÍA. f. Tienda de alpargatero.

ALPARGATERO-RA. s. Quien hace o vende alpargatas.

ALPECHÍN. m. Aguaza fétida que despiden las aceitunas apiladas.

ALPENDE. m. Casilla para custodiar enseres en minas y obras.

ALPINISMO. m. Deporte que consiste en subir a las montañas.

ALPINISTA. m. Quien practica el alpinismo.

ALPINO-NA. adj. Dícese de los Alpes.

ALPISTE. m. Planta gramínácea cuya semilla comen los pájaros.

ALPISTERO. m. Aparato para limpiar el alpiste.

ALQUEQUENJE. m. Planta solanácea. Su fruto es rojo.

ALQUERÍA. f. Casa de labranza en el campo.

ALQUERMÉS. m. Licor de nuez muy excitante.

ALQUEZ. m. Medida de vino de doce cántaras.

ALQUIBLA. f. Lugar hacia donde mira el musulmán cuando reza.

ALQUICEL. m. Vestidura mora de lana blanca.

ALQUILA. f. Banderita de los coches de alquiler, para indicar que están libres.

ALQUILAR. tr. Dar o tomar algo en uso temporal mediante un precio.

ALQUILER. m. Acto de alquilar.

ALQUIMIA. f. Arte que trataba de adquirir por medios químicos la piedra filosofal, y la panacea universal.

ALQUIMISTA. m. Que profesaba la alquimia.

ALQUINAL. m. Velo que usaban como adorno las mujeres.

ALQUITARA. f. Alambique.

ALQUITARAR. tr. Destilar en alambique.

ALQUITRÁN. m. Substancia untuosa, obscura, destilada de la hulla y del pino.

ALQUITRANAR. tr. Dar alquitrán para sentar firmes.

ALREDEDOR. adv. En círculo. m. pl. Contorno.

ALROTA. f. Estopa que cae del lino al tiempo de espadarlo.

ALSINE. f. Planta cariofilácea, medicinal, de flores blancas.

ALTA. f. Orden de salida del hospital. Ingreso en un cuerpo.

ALTABAQUE. m. Tabaque, canastillo de mimbres.

ALTANERÍA. f. Altivez. soberbia. Caza con aves de alto vuelo.

ALTANERO-RA. adj. Ave de vuelo alto. Altivo.

ALTAR. m. Ara para sacrificios. Mesa para celebrar la misa.

ALTARICÓN-NA. adj. fam. Hombre o mujer de gran estatura.

ALTAVOZ. m. Aparato para reproducir los sonidos en voz alta, transmitido por medio de la electricidad.

ALTEA. f. Malvavisco.

ALTERABLE. adj. Que puede alterarse.

ALTERACIÓN. f. Acto de alterar.

ALTERANTE. p. a. de Alterar. Que altera.

ALTERAR. tr. Cambiar la esencia de una cosa.

ALTERCACIÓN. f. Acción de altercar.

ALTERCAR. intr. Disputar, porfiar.

ALTERNACIÓN. f. Acción de alternar.

ALTERNANTE. p. a. de Alternar. Que alterna.

ALTERNAR. tr. Variar o suceder por turno.

ALTERNATIVA. f. Servicio o derecho de alternar. Opción entre dos cosas.

ALTERNATIVO-VA. adj. Alterno.

ALTERNO-NA. adj. Que se dice o sucede con alternación.

ALTEZA. f. Altura, elevación, sublimidad. Tratamiento.

ALTIBAJO. m. Terciopelo labrado. Desigualdad de un terreno.

ALTILOCUENCIA. f. Barbarismo por altielocuencia.

ALTILLO. m. Cerrillo o lugar elevado.

ALTIMETRÍA. f. Topog. Arte de medir alturas.

ALTÍMETRO-TRA. adj. Perteneciente o relativo a la altimetría. m. Aparato muy sensible parecido al barómetro, para medir alturas.

ALTIPLANICIE. f. Meseta de gran extensión y a gran altitud.

ALTÍSIMO-MA. adj. sup. de alto. Altísimo. Dios.

ALTISONANCIA. f. Calidad de altisonante.

ALTISONANTE. adj. Altísono.

ALTÍSONO-NA. adj. Altamente sonoro. Estilo elevado.

ALTITUD. f. Altura. Geogr. Altura sobre el nivel del mar.

ALTIVECER. tr. Causar altivez.

ALTIVEZ. f. Orgullo, soberbia.

ALTIVO-VA. adj. Orgulloso, soberbio.

ALTO-TA. adj. Elevado. De gran estatura.

ALTOR. m. Altura, dimensión.

ALTOZANO. m. Cerro de poca altura en terreno llano.

ALTRAMUCERO-RA. adj. m. y f. Persona que vende altramuces.

ALTRAMUZ. m. Planta leguminosa de flores blancas. Comestible. Su fruto.

ALTRUISMO. m. Espíritu de sacrificio en el bien ajeno.

ALTRUISTA. adj. Relativo al altruismo. Que lo practica.

ALTURA. f. Elevación. Dimensión. Cumbre.

ALUBIA. f. Judía, habichuela.

ALUCIAR. tr. Dar lustre, abrillantar. Acicalar.

ALUCINACIÓN. f. Acción de alucinar.

ALUCINAR. tr. r. Perturbar, desvariar la razón, ofuscar, confundir.

ALUCÓN. m. Ciabo, antillo.

ALUD. m. Masa de nieve derrumbada de un monte.

ALUDA. f. Hormiga con alas.

ALUDEL. m. Caño de barro cocido para condensar el vapor del mercurio.

ALUDIR. intr. Hacer referencia.

ALUDO-DA. adj. De grandes alas.

ALUMBRADO-DA. adj. Que tiene alumbre. m. Procedimiento de iluminación.

ALUMBRADOR-RA. adj. Que alumbra o llena de luz.

ALUMBRAMIENTO. m. Acto de alumbrar. Parto.

ALUMBRAR. tr. Dar luz, iluminar. Dar a luz. Enseñar.

ALUMBRE. m. Sulfato doble de alúmina y potasa, sirve de mordiente en tintorería y de cáustico en medicina después de calcinado.

ALÚMINA. f. Quím. Óxido de aluminio.

ALUMÍNICO-CA. adj. Que tiene alúmina.

ALUMINÍFERO-RA. adj. Que contiene alúmina o alumbre.

ALUMINIO. m. Metal maleable ligero, parecido a la plata.

ALUMNO-NA. m. y f. Discípulo. Persona educada desde su niñez por algu-no, respecto de éste.

ALUNADO-DA. adj. Lunático.

ALUNARSE. r. Corromperse o pudrirse el tocino sin criar gusanos.

ALUSIÓN. f. Acto de aludir.

ALUSIVO-VA. adj. Que alude o implica alusión.

ALUVIAL. adj. De aluvión.

ALUVIÓN. m. Avenida fuerte de agua. Inundación.

ÁLVEO. m. Madre o lecho de un río.

ALVEOLAR. adj. Zool. Relativo a los alvéolos.

ALVÉOLO. m. Celdilla del panal. Cavidad del diente.

ALVINO-NA. adj. Zool. Relativo al bajo vientre.

ALZA. f. Aumento de precio. Regla para precisar la puntería. Portillo de una presa.

ALZACUELLO. m. Prenda del traje eclesiástico, especie de corbatín.

ALZADA. f. Estatura de las caballerías. For. Apelación.

ALZADERA. f. Especie de contrapeso que servía para saltar.

ALZADO-DA. adj. Aplícase a la persona que quiebra maliciosamente. Ajuste o precio fijo en determinada cantidad.

ALZADOR. m. Impr. Pieza o sitio destinado para alzar los impresos. Operario encargado de esta operación.

ALZADURA. f. Alzamiento, acción y efecto de alzar.

ALZAFUELLES. con. fig. Persona aduladora o lisonjera.

ALZAMIENTO. m. Acto de alzar.

ALZAPAÑO. m. Hierro para recoger la cortina o tela.

ALZAPIE. m. Lazo para prender y cazar por el pie cuadrúpedos o aves.

ALZAPRIMA. f. Palanca para alzar alguna cosa.

ALZAPUERTAS. m. Comparsa o criado en el teatro.

ALZAR. tr. Levantar. Elevar el cáliz y la hostia en la misa. r. Rebelarse.

ALLÁ. adv. En aquel lugar. En otro tiempo.

ALLANADOR-RA. adj. Que allana.

ALLANAMIENTO. m. Acto de allanar. For. Aceptar decisión judicial.

ALLANAR. tr. Poner llano. Pacificar.

ALLEGADO-DA. adj. Cercano, próximo. Pariente.

ALLEGAR. tr. Recoger, juntar. Arrimar o acercar una cosa a otra.

ALLENDE. adv. De la parte de allá. Además.

ALLÍ. adv. En aquel lugar. Entonces.

ALLOZO. m. Almendro silvestre.

AMA. f. Señora de la casa. Dueña. Nodriza.

AMABILIDAD.. f. Calidad de amable.

AMABLE. adj. Digno de ser amado.

AMACIGADO-DA. adj. De color amarillo o de almáciga.

AMACHAMBRAR. tr. Machihembrar. Encajar una pieza en otra.

AMACHETEAR. tr. Dar machetazos.

AMADAMADO-DA. adj. Afeminado.

AMADO-DA. adj. Persona amada.

AMADOR-RA. adj. Que ama.

AMADRIGAR. r. Meterse en la madriguera.

AMADRINAR. tr. Ser madrina de uno.

AMADROÑADO-DA. adj. Parecido al madroño.

AMAESTRAR. tr. Enseñar, adiestrar.

AMAGAR. tr. Hacer ademán de favorecer o dañar. Ocultarse.

AMAGO. m. Acción de amagar.

AMAINAR. tr. Mar. Recoger las velas. intr. Aflojar el viento.

AMALGAMA. f. Combinación del mercurio con otro metal.

AMALGAMAR. tr. Quím. Combinar el mercurio con un metal.

AMAMANTAMIENTO. m. Acto de amamantar.

AMAMANTAR. tr. Dar de mamar.

AMÁN. m. Paz o amnistía que piden los moros que se someten.

AMANCEBAMIENTO. m. Trato ilícito y habitual del hombre y mujer.

AMANCEBARSE. r. Unirse en amancebamiento.

AMANCILLAR. tr. Manchar, deslucir, afear.

AMANECER. intr. Aparecer la luz del día.

AMANECIDA. f. Amanecer. Tiempo en que amanece.

AMANERADO-DA. adj. Que adolece de amaneramiento.

AMANERARSE. r. Adquirir modales afectados. Uniformidad, monotonía.

AMANOJAR. tr. Juntar en manojos.

AMANSADOR-RA. adj. Que amansa.

AMANSAMIENTO. m. Acción y efecto de amansar o amansarse.

AMANSAR. tr. r. Domesticar, hacer manso.

AMANTE. p. a. de Amar. Que ama.

AMANTILLO. m. Mar. Cabo que va desde la cabeza de un palo hasta el extremo de la verga.

AMANUENSE. com. Que escribe al dictado.

AMAÑADO-DA. adj. Hecho con maña.

AMAÑAR. tr. Componer con maña. r. Darse maña.

AMAÑO. m. Destreza.

AMAPOLA. f. Planta anual papaverácea, flor roja.

AMAR. tr. Tener amor a personas o cosas.

AMARAJE. m. Acción de amarar.

AMARANTO. m. Planta anual de jardinería.

AMARAR. tr. Intr. Posarse un avión sobre el agua.

AMARGAR. intr. Tener sabor amargo. Causar aflicción o disgusto.

AMARGO-GA. adj. Gusto desagradable. Que causa aflicción o disgusto.

AMARGOR. m. Sabor o gusto amargo.

AMARGUILLO. m. Amargo, dulce de almendras amargas.

AMARGURA. f. Amargor, aflicción, disgusto.

AMARICADO. adj. Afeminado.

AMARILIS. f. Bot. Planta bulbosa, amirílida.

AMARILLA. f. Vet. Enfermedad del ganado lanar.

AMARILLEAR. intr. Tirar a amarillo. Palidecer.

AMARILLENTO-TA. adj. Que tira a amarillo.

AMARILLO-LLA. adj. De color semejante al oro o limón.

AMARIPOSADO-DA. adj. De figura semejante a la mariposa.

AMARRA. f. Mar. Cabo para asegurar la embarcación donde fondea.

AMARRACO. m. Tanteo de cinco puntos en el juego del mus.

AMARRADERO. m. Lugar donde se amarra.

AMARRAJE. m. Impuesto que se paga por el amarre de las naves en un puerto.

AMARRAR. tr. Sujetar con amarra.

AMARRIDO-DA. tr. r. Afligido, triste.

AMARTELAR. tr. r. Enamorar, galantear.

AMARTILLAR. tr. Martillar. Poner un arma en el disparador.

AMASADERA. f. Artesa en que se amasa.

AMASADURA. f. Acción de amasar. Amasijo, harina amasada.

AMASAR. tr. Formar o hacer masa.

AMASIJO. m. Masa. Obra o tarea. Mezcla o unión de ideas diferentes.

AMATISTA. f. Cuarzo transparente de color violeta.

AMATORIO-A. adj. Relativo al amor o induce a él.

AMAUROSIS. f. Ceguera causada por lesión de la retina.

AMAURÓTICO-CA. adj. s. Relativo a la amaurosis.

AMAUTA. m. Sabio entre los antiguos peruanos.

AMAYUELA. f. Almeja de mar.

AMAZACOTADO-DA. adj. Pesado, grosero a modo de mazacote.

AMAZONA. f. Mujer de una supuesta raza guerrera antigua.

AMBAGES. m. Rodeos de palabras por afectación o temor a ser claros.

AMBAR. m. Resina fósil, amarilla, electrizable.

AMBARINO-NA. adj. Perteneciente al ámbar.

AMBICIÓN. f. Pasión por alcanzar algo.

AMBICIONAR. tr. Desear algo con ansia.

AMBICIOSO-SA. adj. Que tiene ambición.

AMBIDEXTRO-A. adj. Que usa igual ambas manos.

AMBIENTE. m. Aire suave que rodea los cuerpos.

AMBIGÚ. m. En los locales para fiestas, lugar donde se sirven manjares.

AMBIGÜEDAD. f. Calidad de ambiguo.

AMBIGUO-A. adj. Que admite interpretación distinta.

ÁMBITO. m. Espacio limitado.

AMBLADURA. f. Acción y efecto de amblar.

AMBLAR. intr. Andar un animal moviendo al mismo tiempo el pie y la mano de un mismo lado. Como la jirafa.

AMBLEO. m. Cirio de kilogramo y medio de peso.

AMBLIGONIO. adj. Geom. Dícese del triángulo que tiene obtuso uno de sus ángulos.

AMBLIOPÍA. f. Med. Debilidad de la vista, sin lesión.

AMBO. m. En la lotería casera, dos números contiguos en el cartón.

AMBÓN. m. Púlpito a ambos lados del altar mayor.

AMBOS-AS. adj. pl. El uno y el otro, los dos.

AMBROSÍA. f. Mit. Manjar de los dioses.

AMBULACIÓN. f. Acción de ambular.

AMBULANCIA. f. Hospital transportable en el campo de batalla. Vehículo para transportar heridos.

AMBULANTE. adj. Quien va de un lugar a otro.

AMBULAR. tr. Andar de una parte a otra.

AMBULATORIO. m. Clínica donde se visita y hacen curas. adj. Que sirve para andar.

AMECHAR. tr. Poner mecha a los velones, candiles, etc.

AMEDRENTAR. tr. r. Atemorizar, infundir miedo.

AMELAR. intr. Fabricar las abejas la miel.

AMELGA. f. Faja de tierra para sembrar con igualdad.

AMELGAR. tr. Agron. Hacer surcos en la tierra para sembrar con igualdad.

AMELONADO-DA. adj. De figura de melón.

AMEMBRILLADO-DA. adj. Que se parece en algo al membrillo.

AMÉN. Voz al fin de una oración.

AMENAMENTE. adv. m. Con amenidad.

AMENAZA. f. Acto de amenazar.

AMENAZAR. tr. Dar a entender que se quiere hacer daño.

AMENGUAMIENTO. m. Acto de amenguar.

AMENGUAR. tr. r. Disminuir, infamar, menoscabar.

AMENIDAD. f. Calidad de ameno.

AMENIZAR. tr. Hacer ameno algo.

AMENO-NA. adj. Grato, frondoso, distraído, deleitable.

AMENORREA. f. Supresión por enfermedad de la regla en las mujeres.

AMENTO. m. Bot. Espiga compuesta de flores del mismo sexo.

AMERENGADO-DA. adj. Semejante al merengue. Empalagoso.

AMERICANA. f. Chaqueta larga que baja hasta los muslos.

AMERICANISTA. com. Persona que estudia las lenguas y las antigüedades de América.

AMETRALLADORA. f. Máquina de guerra que hace fuego rápidamente.

AMETRALLAR. tr. Disparar metralla.

AMIA. f. Lama, tiburón.

AMIANTO. m. Mineral del cual se hacen tejidos incombustibles.

AMIBA. f. Zool. Protozario unicelular de las aguas dulces y saladas caracterizado por la mutabilidad de su aspecto.

AMIGA. f. Manceba.

AMIGABLE. adj. Que convida a la amistad.

AMÍGDALAS. f. Zool. Glándulas situadas a la entrada del esófago.

AMIGDALITIS. f. Med. Inflamación de las amígdalas.

AMIGO-GA. adj. Que tiene amistad. Amistoso.

AMILÁCEO-A. adj. Que tiene almidón.

AMILANADO-DA. adj. Cobarde.

AMILANAR. tr. Aturdir por el miedo. Abatirse.

AMÍLICO-CA. adj. Alcohol amílico.

AMILLARAR. tr. Repartir las contribuciones según el haber del contribuyente.

AMINORAR. tr. Disminuir, reducir a menos.

AMIR. m. Príncipe o caudillo árabe.

AMISTAD. f. Afecto personal desinteresado. Favor.

AMISTARSE. r. Contraer amistosas relaciones.

AMISTOSO-SA. adj. Relativo a la amistad.

AMITO. m. Lienzo cuadrado con una cruz, que usa el sacerdote bajo el alba, sobre la espalda.

AMITOSIS. f. División celular.

AMNESIA. f. Pérdida de la memoria.

AMNIOS. f. Zool. Membrana interna del feto.

AMNIÓTICO-CA. adj. Perteneciente o relativo al amnios.

AMNISTÍA. f. Perdón general.

AMNISTIAR. tr. Conceder amnistía.

AMO. m. Señor de la casa o familia. Dueño.

AMOBLAR. tr. Amueblar.

AMODORRARSE. r. Caer en modorra.

AMOHINAR. tr. r. Causar mohina.

AMOJAMAR. r. Hacer mojama.

AMOJONAR. tr. Señalar una heredad con mojones.

AMOLADERA. f. Piedra de amolar.

AMOLADURA. f. Acción de amolar.

AMOLAR. tr. Afilar con la muela. fig. Molestar.

AMOLDAR. tr. r. Ajustar una cosa al molde.

AMOLLAR. intr. Ceder, aflojar, desistir.

AMONDONGADO-DA. adj. fam. Aplícase a la persona tosca, gorda y desmanejada.

AMONEDACIÓN. f. Acción y efecto de amonedar.

AMONEDAR. tr. Hacer moneda de metal.

AMONESTACIÓN. f. Acto de amonestar.

AMONESTAR. tr. Advertir. Prevenir.

AMONIACAL. adj. Relativo al amoníaco.

AMONÍACO. m. Quím. Gas de ázoe e hidrógeno.

AMONITA. f. Concha fósil espiral de un molusco. Pólvora rompedora para minas.

AMONTILLADO. adj. s. Un tipo de vino generoso.

AMONTONAR. tr. Juntar cosas sin orden. r. Amancebarse.

AMOR. m. Afecto en el que se busca el verdadero o imaginado bien. Pasión que atrae un sexo hacia otro.

AMORAL. adj. Desprovisto de sentido moral. Aplícase a las obras de arte en las que a propósito se prescinde del fin moral.

AMORALIDAD. f. Calidad de amoral.

AMORALISMO. m. Sistema filosófico que cifra la norma de la conducta humana en algo independiente del bien y del mal moral y niega toda obligación y toda sensación.

AMORATADO-DA. adj. Que tira a morado.

AMORATARSE. r. Ponerse morado.

AMORDAZAR. tr. Poner mordaza.

AMORFO-FA. adj. Sin forma determinada.

AMORICONES. m. pl. fam. Ademanes con que se manifiesta amor a una persona.

AMORÍO. m. Enamoramiento.

AMORMÍO. m. Planta perenne amarillídea, de flores blancas.

AMOROSO-SA. adj. Que siente amor. Suave.

AMORRAR. intr. Inclinar la cabeza. Hacer calar de proa un buque.

AMORTAJAR. tr. Poner la mortaja al difunto.

AMORTECER. tr. Amortiguar. Hacer menos vivo.

AMORTIGUADOR-RA. adj. Que amortigua.

AMORTIGUAR. tr. r. Dejar como muerto. Mitigar, templar.

AMORTIZABLE. adj. Que puede ser amortizado.

AMORTIZACIÓN. f. Acto de amortizar.

AMORTIZAR. tr. Redimir o extinguir el capital de un censo o deuda.

AMOSCARSE. r. Enfadarse.

AMOSTAZAR. tr. r. Enojar, irritar.

AMOTINAR. tr. r. Alzar en motín. Turbar las potencias del alma.

AMOVER. tr. Remover, mover.

AMOVIBLE. adj. No fijo.

AMOVILIDAD. f. Calidad de amovible.

AMPARAR. tr. r. Favorecer, proteger.

AMPARO. m. Acto de amparar. Abrigo, defensa.

AMPELITA. f. Pizarra blanda que se usa para hacer lápices de carpintero.

AMPELOGRAFÍA. f. Tratado de la vida y sus especies.

AMPERIMETRO. m. Aparato para medir los amperios.

AMPERIO. m. Unidad de medida de corriente eléctrica.

AMPLIACIÓN. f. Acción de ampliar.

AMPLIAMENTE. adv. m. Con amplitud.

AMPLIAR. tr. Extender, dilatar. Reproducir en mayor tamaño.

AMPLIFICACIÓN. f. Acto de amplificar.

AMPLIFICADOR-RA. adj. Que amplifica.

AMPLIFICAR. tr. Ampliar. Dilatar.

AMPLIO-A. adj. Extenso, dilatado.

AMPLITUD. f. Extensión, dilatación.

AMPO. m. Blancura, resplandeciente. Copo de nieve.

AMPOLLA. f. Vejiga de la epidermis. Vasija de vidrio.

AMPOLLAR. tr. Hacer ampollas.

AMPOLLETA. f. Reloj de arena.

AMPÓN-NA. adj. Amplio, repolludo.

AMPULOSIDAD. f. Calidad de ampuloso.

AMPULOSO-SA. adj. Hinchado, redundante.

AMPUTACIÓN. f. Cir. Acto de amputar.

AMPUTAR. tr. Cir. Separar un miembro del cuerpo.

AMUCHACHADO-DA. adj. Parecido a los muchachos.

AMUEBLAR. tr. Dotar de muebles.

AMUELAR. tr. Recoger el trigo de la era formando el muelo.

AMUGRONAR. tr. Agr. Acodar un sarmiento.

AMUJERADO-DA. adj. Afeminado.

AMULAR. intr. Ser estéril.

AMULATADO-DA. adj. Parecido al mulato.

AMULETO. m. Objeto portátil al que supersticiosamente se atribuye virtud sobrenatural.

AMUNICIONAR. tr. Proveer de municiones.

AMURA. f. Costado del buque donde empieza a estrecharse para formar la proa.

AMURALLAR. tr. r. Murar, fortificar.

AMURAR. tr. Mar. Tirar de la amura o sujetar con ella.

AMURCO. m. Golpe del toro con las astas.

AMURRIÑARSE. r. Contraer un animal la morriña o comalia.

AMUSGAR. tr. Echar hacia atrás las orejas un animal.

AMUSO. m. Losa o mármol con una rosa de los vientos trazada en su superficie.

ANA. f. Medida de longitud en algunas partes más o menos corta que el metro.

ANABAPTISMO. m. Secta de los anabaptistas.

ANABAPTISTA. m. Hereje que sostiene que los niños no deben ser bautizados hasta el uso de razón.

ANÁBASIS. f. Med. Aumento, crecimiento.

ANACARADO-DA. adj. Parecido al nácar.

ANACARDO. m. Árbol terebintáceo y su fruto.

ANACO. m. Tela que rodean a la cintura las indias del Perú y del Ecuador.

ANACONDA. f. Serpiente acuática americana.

ANACORETA. com. Penitente solitario.

ANACREÓNTICO-CA. adj. Propio de Anacreonte.

ANACRONICAMENTE. adv. m. Con anacronismo.

ANACRÓNICO-CA. adj. Que padece anacronismo.

ANACRONISMO. m. Error de época.

ÁNADE. amb. Pato.

ANADIPLOSIS. f. Ret. Repetición de una voz al principio, medio o fin de un período.

ANADÓN. m. Pollo del ánade.

ANAEROBIO-BIA. adj. Seres a cuya vida no es necesario el oxígeno.

ANAFE. f. Hornillo portátil.

ANÁFORA. f. Ret. Repetición.

ANAFRODISIA. f. Disminución o falta del apetito venéreo.

ANAFRODITA. adj. El que se abstiene de placeres sensuales.

ANÁGLIFO. m. Vaso u obra tallada de relieve tosco.

ANAGOGÍA. f. Sentido místico de la Sagrada Escritura, encaminado a dar idea de la bienaventuranza eterna.

ANAGRAMA. f. Transposición de letras de una voz para formar otra.

ANAL. adj. Relativo al ano.

ANALÉPTICO-CA. adj. Med. Régimen alimenticio que tiene por fin restablecer las fuerzas.

ANALES. m. pl. Sucesos escritos cada año.

ANALFABETISMO. m. Falta de instrucción elemental.

ANALFABETO-TA. adj. Que no sabe leer.

ANALGESIA. f. Pérdida de la sensibilidad del dolor.

ANÁLISIS. m. Distinción de las partes de un todo.

ANALISTA. com. Autor de anales. El que estudia análisis.

ANALÍSTICO-CA. adj. Perteneciente o relativo a los anales.

ANALÍTICO-CA. adj. Relativo al análisis.

ANALIZAR. tr. r. Hacer análisis de algo.

ANALOGÍA f. Relación de semejanza entre cosas distintas.

ANÁLOGO-GA. adj. Que tiene analogía.

ANAMORFOSIS. f. Pintura cuya imagen varía según el punto de vista.

ANANAS. f. pl. Planta anual bromiliácea.

ANAPÉSTICO-CA. adj. Perteneciente o relativo al anapesto.

ANAPESTO. m. Pie de las métricas griegas y latinas que lo forman tres sílabas.

ANAQUEL. m. Tabla de alacena o estante.

ANAQUELERÍA. f. Conjunto de anaqueles.

ANARANJADO-DA. adj. De color de naranja. Segundo color del espectro solar.

ANARQUÍA. f. Falta de gobierno. Desorden.

ANARQUICO-CA. adj. Relativo a la anarquía.

ANARQUISMO. m. Doctrina de los anarquistas.

ANARQUISTA. com. Partidario de la anarquía.

ANARQUIZAR. tr. Causar o introducir anarquismo.

ANASARCA. f. Med. Hidropesía general del tejido celular.

ANASCOTE. m. Tela delgada de lana, asargada por los dos lados.

ANASTROFE. f. Gram. Inversión de las palabras de una oración.

ANATA. f. Renta anual de un empleo o beneficio.

ANATEMA. amb. Excomunión. maldición, imprecación.

ANATEMATIZAR. tr Imponer el anatema.

ANATIVITATE. expr. adv. lat. De nacimiento.

ANATOMÍA. f. Ciencia que estudia los cuerpos orgánicos.

ANATÓMICO-CA. adj. Relativo a la anatomía.

ANATOMISTA. com. Profesor de anatomía.

ANCA. f. Cuarto trasero de un animal. Nalga.

ANCESTRAL. adj. Perteneciente o relativo a los antepasados.

ANCIANIDAD. f. Último período de la vida ordinaria del hombre.

ANCIANO-NA. adj. Persona que tiene muchos años.

ANCLA. f. Instrumento de hierro con arpón para fijar la nave.

ANCLADERO. m. Fondeadero.

ANCLAJE. m. Acción de anclar la nave.

ANCLAR. tr. Mar. Sujetar la nave al fondo con el ancla.

ANCLÓN. m. Ensenada pequeña en la que se puede fondear.

ANCONADA. f. Ensenada.

ANCORA. f. Ancla. Lo que sirve de amparo.

ANCORAR. intr. Mar. Anclar.

ANCORCA. f. Ocre, el usado para pintar.

ANCUDO-DA. adj. De grandes ancas.

ANCUVIÑA. f. Sepultura de los indígenas chilenos.

ANCHETA. f. Pacotilla de venta, en la América española. Beneficio de un trato. Negocio pequeño, o malo.

ANCHO-CHA. adj. Que tiene anchura. Holgado.

ANCHOA. f. Boquerón.

ANCHURA. f. Latitud, libertad, soltura, desahogo.

ANCHUROSO-SA. adj. Espacioso.

ANDADA. f. Pan muy delgado y llano.

ANDADERAS. f. pl. Aparato para aprende: a andar los niños.

ANDADOR-RA. adj. s. Que anda mucho.

ANDADURA. f. Acción de andar.

ANDALUCISMO. m. Modo de hablar los andaluces.

ANDALUZADA. f. fam. Exageración.

ANDAMIADA. f. Conjunto de andamios.

ANDAMIO. m. Armazón de tablones para trabajar en edificios.

ANDANA. f. Orden de cosas alineadas.

ANDANADA. f. Descarga de toda la batería de un buque.

ANDANIÑO. m. Pollera, andaderas.

ANDANTE. m. Mús. Con movimiento reposado.

ANDANTESCO-CA. Perteneciente a la caballería o a los caballeros andantes.

ANDANTINO. adv. m. Mús. Con movimiento algo más vivo que el andante.

ANDANZA. f. Caso, lance, suceso.

ANDAR. intr. Ir dando pasos. Moverse. tr. Recorrer.

ANDARAJE. m. Rueda de noria.

ANDARIEGO-GA. adj. Andador.

ANDARÍN-NA. adj. Que anda mucho.

ANDARIVEL. m. Maroma entre dos orillas, para dirigir el paso de las embarcaciones.

ANDAS. f. pl. Tablero para llevar algo a hombros.

ANDÉN. m. Sitio destinado a andar. Acera paralela a lo largo de la vía férrea en la estación.

ANDINO-NA. adj. Natural de los Andes. Perteneciente a esta aldea de la antigüedad cercana a Mantua.

ANDINO-NA. adj. Perteneciente o relativo a la cordillera de los Andes.

ÁNDITO. m. Corredor o andén que rodea exteriormente un edificio. Acera de una calle.

ANDOLA. f. Cancioncilla popular del siglo XVII.

ANDORGA. f. fam. Barriga, vientre.

ANDORRERO-RA. adj. Que todo lo anda, amigo de callejear.

ANDOSCO-CA. adj. Se dice de la res de ganado menor que tiene dos años.

ANDRAJO. m. Pedazo de ropa muy usada. Persona despreciable.

ANDRAJOSAMENTE. adv. m. Con andrajos.

ANDRAJOSO-SA. adj. Lleno de andrajos.

ANDROCEO. m. Bot. Tercer verticilo de la flor, formado por los estambres.

ANDRÓGINO-NA. adj. Bot. Monoico.

ANDROIDE. m. Autómata de figura de hombre.

ANDRÓMEDA. f. Astrn. Constelación septentrional.

ANDRÓMINA. f. fam. Embuste, enredo.

ANDULARIO. m. Faldulario.

ANDURRIALES. m. pl. Paraje extraviado.

ANEA. f. Hierba tifácea.

ANEAR. tr. Medir por anas. Mecer al niño en la cuna.

ANEBLAR. tr. Cubrir de niebla.

ANÉCDOTA. f. Relación breve de un suceso.

ANECDOTARIO. m. Colección de anécdotas.

ANECDÓTICO-CA. adj. Relativo a la anécdota.

ANECDOTISTA. com. Persona que escribe o refiere anécdotas.

ANEGABLE. adj. Que puede ser anegado.

ANEGADIZO. adj. Que se anega frecuentemente.

ANEGAR. tr. r. Inundar, ahogar. Naufragar.

ANEJIR. m. Refrán popular puesto en verso y cantable.

ANEJO-JA. adj. Anexo, unido, agregado.

ANÉLIDO. m. Zool. Animales vermiformes con anillos.

ANEMIA. f. Med. Empobrecimiento de la sangre.

ANÉMICO-CA. adj. Relativo a la anemia. Que la padece.

ANEMÓMETRO. m. Instrumento para medir la velocidad del aire.

ANEMOSCOPIO. m. Instrumento para indicar los cambios de dirección del viento.

ANEROIDE. adj. s. Barómetro metálico.

ANESTESIA. f. Pérdida de la sensibilidad.

ANESTESIAR. tr. Privar total o parcialmente de la sensibilidad por medio de la anestesia.

ANESTÉSICO-CA. adj. Med. Que produce anestesia.

ANEURISMA. f. Cir. Tumor sanguíneo debido a una dilatación arterial.

ANEXAR. tr. Agregar una cosa a otra con dependencia de ella.

ANEXIÓN. f. Unión.

ANEXO-XA. adj. Unido con otra cosa con dependencia de ella.

ANFI. prep. inseparable que significa alrededor.

ANFIBIO-A. adj. s. Animales o plantas que viven en agua o tierra. Batracio.

ANFIBOL. m. Mineral compuesto de sílice, magnesio, cal y óxido ferroso de color verde o negro.

ANFIBOLOGÍA. f. Doble sentido de la palabra.

ANFIBRACO. m. Pie de la poesía griega y latina, que consta de una sílaba larga entre dos breves.

ANFICTIÓN. m. Cada uno de los diputados de la anfictionía.

ANFICTONÍA. f. Confederación de las antiguas ciudades griegas. Asamblea de los anfictiones.

ANFÍMACRO. m. Pie de la poesía griega y latina, que consta de una sílaba breve entre dos largas.

ANFIÓN. m. Opio.

ANFISBENA. f. Reptil fabuloso del que los antiguos contaban prodigios.

ANFITEATRO. m. Edificio redondo u oval con gradas alrededor.

ANFITRIÓN. m. Quien combida a su mesa.

ÁNFORA. f. Cántaro de dos asas, pl. Jarras para consagrar los óleos.

ANFRACTUOSIDAD. f. Calidad de anfractuoso.

ANFRACTUOSO-SA. adj. Sinuoso, quebrado, desigual.

ANGARIA. f. Antigua servidumbre o prestación personal.

ANGARILLAR. tr. Poner angarillas a una cabalgadura.

ANGARILLAS. f. pl. Andas para llevar material.

ANGARIPOLA. f. Lienzo ordinario que usaron las mujeres del siglo VII para hacerse guardapiés.

ANGARO. m. Almenara, fuego que se hace en las atalayas.

ANGAZO. m. Instrumento para pescar mariscos.

ÁNGEL. m. Espíritu celeste. Art. Planaquetas.

ANGÉLICA. f. Planta umbelífera medicinal.

ANGELICAL. adj. Parecido a los ángeles, por su hermosura.

ANGÉLICO-CA. m. d. de Angel. Niño de poca edad.

ANGELOTE. m. aum. Figura grande de ángel. Niño apacible.

ÁNGELUS. m. Oración en honor del misterio de la Encarnación.

ANGINA. f. Inflamación de la faringe.

ANGINOSO-SA. adj. Perteneciente o relativo a la angina.

ANGIOMA. m. Med. Antojo, lunar o tumorcito.

ANGLA. f. Cabo, punta, lengua de tierra que avanza en el mar.

ANGLESITA. f. Sulfato de plomo natural.

ANGLICANISMO. m. Doctrina de la religión reformada predominante en Inglaterra.

ANGLICANO-NA. adj. Que profesa el anglicanismo.

ANGLICISMO. m. Giro propio del inglés.

ANGLOAMERICANO-NA. adj. Perteneciente a ingleses y americanos. Individuo de origen inglés nacido en América.

ANGLÓFILO-LA. adj. Que simpatiza con los ingleses.

ANGLOMANÍA. f. Afectación en imitar las costumbres inglesas.

ANGLOMANO-NA. adj. Que adolece de anglomanía.

ANGLOSAJÓN-NA. adj. Dícese del individuo procedente de los pueblos germanos que invadieron Inglaterra en el siglo V.

ANGOLAN. m. Arbol alangieo de la India. El fruto es comestible y la raíz purgante.

ANGORRA. f. Pieza de cuero y tela

fuerte destinada a defender las partes del cuerpo expuestas a rozamientos y quemaduras.

ANGOSTAR. tr. Hacer angosto, estrechar.

ANGOSTO-TA. adj. Estrecho, reducido.

ANGOSTURA. f. Calidad de angosto. Paso estrecho, estrechura.

ANGRA. f. Ensenada.

ANGRALADO-DA. adj. Piezas de heráldica de las monedas y de los adornos de arquitectura rematados en picos o dientes menudos.

ANGUARINA. f. Gabán sin mangas.

ANGUILA. f. Pez fisóstomo de agua dulce.

ANGUILERO-RA. adj. Aplícase al cesto que sirve para llevar anguilas.

ANGUILLA. f. Anguila, pez.

ANGUINA. f. Vet. Vena de ingles.

ANGULA. f. Cría de la anguila.

ANGULAR. adj. Relativo al ángulo, de figura de ángulo.

ANGULEMA. f. Lienzo de cáñamo y estopa.

ÁNGULO. m. Geom. Abertura de dos líneas que se cortan, en un punto llamado vértice.

ANGULOSO-SA. adj. Que tiene ángulos o esquinas.

ANGUSTIA. f. Congoja, aflicción. Ger. m. Cárcel.

ANGUSTIADO-DA. adj. Que implica o expresa angustia.

ANGUSTIAR. tr. r. Acongojar, aflicción.

ANGUSTIOSO-SA. adj. Que padece angustia.

ANHELACIÓN. f. Acción o efecto de anhelar o respirar dificultosamente.

ANHELAR. intr. Respirar con dificultad, tener ansia.

ANHÉLITO. m. Respiración fatigosa y corta.

ANHELO. m. Deseo vehemente.

ANHELOSO-SA. adj. Respiración fatigosa.

ANHÍDRIDO. m. Quím. Cuerpo que procede de la deshidratación.

ANHIDRITA. f. Roca más densa que el yeso formada por un sulfato de cal anhidro.

ANHIDRO-DRA. adj. Quím. Cuerpo sin agua en su formación o que la perdieron.

ANIDAR. intr. Hacer nido.

ANIEBLAR. tr. Aneblar.

ANILINA. f. Quím. Alcaloide líquido artificial usado en tintorería.

ANILLA. f. Argolla de colgadura, cortinas, etc.

ANILLADO-DA. adj. Ensortijado. Zool. Dícese de los animales cuyo cuerpo imita una serie de anillos.

ANILLAR. tr. Dar forma de anillo. Sujetar con anillos.

ANILLO. m. Aro pequeño.

ANIMA. f. Alma. Art. Hueco de las piezas de artillería.

ANIMACIÓN. f. Acto de animar. Viveza.

ANIMADOR-RA. adj. Que anima.

ANIMADVERSIÓN. f. Enemistad, crítica.

ANIMAL. s. Ser orgánico que vive por su propio impulso.

ANIMALADA. f. fig. Acción brutal. Barbaridad.

ANIMALEJO. m. d. de animal.

ANIMÁCULO. m. Animal microscópico.

ANIMALIDAD. f. Calidad de animal.

ANIMALIZACIÓN. f. Acto de animalizar o animalizarse.

ANIMALIZAR. tr. Convertir los alimentos, particularmente los vegetales, en materia apta para la nutrición.

ANIMALUCHO. m. Animal desagradable.

ANIMAR. tr. Infundir ánimo, vigor, dar vida.

ANIMERO. m. El que pide limosna para sufragio de las ánimas del purgatorio.

ANÍMICO-CA. adj. Psíquico.

ANIMISMO. m. Doctrina que considera al alma principio vital.

ÁNIMO. m. Alma, espíritu, valor. Voluntad.

ANIMOSIDAD. f. Ánimo, valor. Ojeriza.

ANIMOSO-SA. adj. Valeroso.

ANISADO-DA. adj. Que tiene aspecto de niño.

ANIÑARSE. r. Hacerse niño sin serlo.

ANIQUILABLE. adj. Que se puede aniquilar.

ANIQUILACIÓN. f. Acto de aniquilar.

ANIQUILADOR-RA. adj. Que aniquila.

ANIQUILAMIENTO. m. Aniquilación.

ANIQUILAR. tr. Reducir a la nada.

ANÍS. m. Planta anual umbelífera. Semilla de la misma.

ANISADO-DA. adj. Aguardiente anisado.

ANISAR. m. Tierra sembrada de anís.

tr. Echar anís o espíritu de anís a una cosa.

ANISETE. m. Licor de aguardiente, azúcar y anís.

ANISODONTE. adj. Zool. De dientes desiguales.

ANISÓFILO-LA. adj. Bot. De hojas desiguales.

ANISÓMERO-A. adj. Hist. Nat. Formado de partes desiguales e irregulares.

ANISOPÉTALO. adj. Bot. De pétalos desiguales.

ANIVERSARIO. adj. Anual. Oficio y misa al año del fallecimiento. Cumpleaños.

ANJEO. m. Lienzo basto.

ANNATAS. f. pl. Contribución para la cámara apostólica.

ANO. m. Orificio final del conducto digestivo por donde se expelen los excrementos.

ANOA. f. Especie de búfalo que vive en las islas Célebes.

ANOCHE. adv. En la noche última.

ANOCHECER. intr. Venir la noche.

ANOCHECIDA. f. Anochecer. Tiempo en que anochece.

ANODINIA. f. Med. Falta de dolor.

ANODINO-NA. adj. s. Que calma el dolor. Insustancial.

ÁNODO. m. Fís. Polo positivo en la electricidad.

ANOFELES. m. Mosquito que propaga las fiebres palúdicas.

ANOMALÍA. f. Irregularidad.

ANOMALÍSTICO. adj. Dícese del año solar.

ANÓMALO-LA. adj. Irregular, extraño.

ANOMA. f. Arbolito tropical. Provisión de víveres.

ANONADAR. tr. Aniquilar. Humillar.

ANÓNIMAMENTE. adv. m. De modo anónimo.

ANÓNIMO-MA. adj. Obra sin nombre del autor. Autor de nombre desconocido.

ANOPLURO-RA. adj. Zool. Dícese de los insectos chupadores parásitos, como el piojo.

ANOREXIA. f. Med. Falta de apetito.

ANORMAL. adj. Persona con desarrollo deficiente de alguno de los sentidos.

ANORMALIDAD. f. Calidad de anormal.

ANOSMIA. f. Med. Disminución o pérdida del olfato.

ANOTACIÓN. f. Acto de anotar.

ANOTADOR-RA. adj. Que anota.

ANOTAR. tr. Poner notas en un escrito. Apuntar.

ANQUEADOR-RA. adj. Que anquea.

ANQUETA. f. Anca.

ANQUIALMENDRADO-DA. adj. Que tiene las ancas muy estrechas de modo que la grupa va en punta hacia la cola.

ANQUIBOYUNO-NA. adj. Que tiene muy salientes los extremos anteriores de las ancas.

ANQUIRREDONDO-DA. adj. Que tiene las ancas muy carnosas y convexas.

ANQUILOSAR. tr .r. Causar anquilosis.

ANQUILOSIS. f. Disminución o imposibilidad del movimiento en las articulaciones.

ANQUISECO-CA. adj. Que tiene las ancas descarnadas.

ANSAR. m. Ave palmípeda de pico fuerte.

ANSARERÍA. f. Lugar donde se crían los ansares.

ANSARINO-NA. adj. Del ansar. Cría del ansar.

ANSARÓN. m. Ánsar, pollo del ansar.

ANSIA. f. Congoja, fatiga angustiosa, aflicción de ánimo. pl. Náuseas.

ANSIAR. tr. Desear con ansia.

ANSIEDAD. f. Ansia. Estado de inquietud del ánimo.

ANSIOSAMENTE. adv. m. Con ansia.

ANSIOSO-SA. adj. Que tiene ansia.

ANTA. f. Rumiante corpulento de astas en forma de pala, parecido al ciervo.

ANTAGÓNICO. m. Contrariedad u oposición.

ANTAGONISMO. m. Contrariedad u oposición sustancial o habitual en doctrinas y opiniones.

ANTAGONISTA. com. Persona o cosa opuesta a otra.

ANTAÑO. adv. t. En tiempo antiguo.

ANTAÑONA. f. Muy vieja.

ANTÁRTICO-CA. adj. Geog. Relativo al Polo Antártico.

ANTE. m. Piel de ante curtida. Cuadrúpedo.

ANTE. prep. Delante o en presencia de.

ANTEANOCHE. adv. t. En la noche de anteayer.

ANTEAYER. adv. t. Dos días antes al de hoy.

ANTEBRAZO. m. Anat. Parte del brazo del codo a la muñeca.

ANTECAMA. f. Especie de tapete para ponerlo delante de la cama.

ANTECÁMARA. f. Cuarto delante de la sala.

ANTECEDENTE. m. Anteceder. Que antecede.

ANTECEDER. tr. Preceder.

ANTECESOR-RA. m. y f. Persona que precedió en algo a otra.

ANTECO-CA. adj. Los que habitan lugares en el mismo meridiano, pero en hemisferio opuesto.

ANTECOGER. tr. Coger a una persona o cosa llevándola por delante.

ANTECORO. m. Pieza que da ingreso al coro.

ANTECRISTO. m. Anticristo.

ANTEDATA. f. En un documento, fecha falsa anterior a la verdadera.

ANTEDATAR. tr. Predecir.

ANTEDÍA. f. Antes de un día determinado. En el día precedente o pocos días antes.

ANTEDICHO-CHA. p. p. irregular de Antedecir. adj. En los libros escritos, dicho antes o con anterioridad.

ANTE DÍEM. expr. lat. Ante día. Cédula de citación ante diem.

ANTEDILUVIANA. adj. Anterior al diluvio.

ANTEFIRMA. f. Fórmula que precede a la firma.

ANTEIGLESIA. f. Atrio, pórtico de una iglesia.

ANTEJUICIO. Trámite previo en causa contra jueces y magistrados.

ANTELACIÓN. f. Anticipación de una cosa respecto a otra.

ANTEMANO. (DE) adj. Anteriormente.

ANTEMERIDIANO-NA. adj. Anterior al medio día.

ANTE MERIDIEM. exp. lat. Antes del medio día.

ANTEMURAL. m. Fortaleza. Defensa.

ANTENA. f. Entena. Zool. Cuerpo de los insectos. Elemento importante de la radio.

ANTENACIDO-DA. adj. Nacido antes de tiempo.

ANTENOCHE. adv. Anteanoche. Antes de anochecer.

ANTENOMBRE. m. Calificativo que antecede al nombre.

ANTENUPCIAL. adj. Anterior a las nupcias.

ANTEOJERA. f. Caja para guardar los anteojos.

ANTEOJERO. m. El que hace o vende anteojos.

ANTEOJO. m. Instrumento óptico para ver objetos lejanos.

ANTEPAGAR. tr. Pagar con anticipación.

ANTEPASADO-DA. adj. Tiempo anterior. m. pl. Abuelos o ascendientes.

ANTEPECHO. m. Pretil en parajes altos.

ANTEPENÚLTIMO-MA. adj. Inmediato anterior al último.

ANTEPONER. tr. r. Poner delante, preferir.

ANTEPORTADA. f. Hoja que precede a la portada de un libro.

ANTEPOSICIÓN. f. Acción de anteponer.

ANTEPROYECTO. m. Trabajos preliminares para redactar un proyecto.

ANTEPUERTA. f. Cortina que cubre la puerta.

ANTEPUERTO. m. Mar. Parte avanzada de un puerto artificial.

ANTEPUESTO-TA. p. p. irreg. de Anteponer.

ANTERA. f. Bot. Parte del estambre que contiene el polen.

ANTERIOR. adj. Que precede en lugar o tiempo.

ANTERIORIDAD. f. Precedencia temporal.

ANTERIORMENTE. adv. m. Con anterioridad.

ANTES. adv. t. y l. Que denota prioridad.

ANTESACRISTÍA. f. Espacio o pieza que da entrada a la sacristía.

ANTESALA. f. Pieza delante de la sala.

ANTESTATURA. f. For. Trinchera improvisada.

ANTETEMPLO. m. Pórtico de un templo.

ANTEVENIR. intr. Venir antes o preceder.

ANTEVER. tr. Prever.

ANTEVÍSPERA. f. Día inmediatamente anterior al de la víspera.

ANTI. prep. insep. Que denota oposición o contrariedad.

ANTIÁCIDO-DA. adj. Que neutraliza el exceso de acidez anormal en ciertas partes del organismo.

ANTIAÉREO-A. adj. Perteneciente o relativo a la defensa contra aviones militares.

ANTIAFRODISÍACO-CA. Dícese de la substancia que modera o anula el apetito venéreo.

ANTIALCOHÓLICO-CA. adj. Que combate el alcoholismo.

ANTIBAQUIO. m. Pie de las métricas griega y latina, que consta de dos sílabas largas seguidas de una breve.

ANTIBIÓTICO. m. Med. Cuerpo que destruye la actividad de ciertos microbios.

ANTICANÓNICO-CA. adj. Contrario al catolicismo.

ANTICICLÓN. m. Área de presión barométrica alta.

ANTICIPACIÓN. f. Acto de anticipar.

ANTICIPAR. tr. r. Adelantar. Hacer que ocurra antes del tiempo señalado.

ANTICIPO. m. Anticipación. Dinero anticipado.

ANTICLERICAL. adj. Contrario al clero.

ANTICLERICALISMO. m. Procedimiento contrario al clericalismo.

ANTICONSTITUCIONAL. adj. Contrario a la Constitución o ley fundamental de un estado.

ANTICRESIS. f. Contrato por el que se consiente al acreedor usufructuar la finca hasta el pago de la deuda.

ANTICRISTO. m. Contrario al Cristo.

ANTICRÍTICO. m. El opuesto o contrario al crítico.

ANTICUADO-DA. adj. Que ya no está en uso.

ANTICUAR. tr. Graduar de antigua una cosa.

ANTICUARIO-RIA. s. El que estudia lo antiguo. Quien vende o colecciona antigüedades.

ANTICUERPO. m. Substancia de defensa en la sangre.

ANTIDINÁSTICO-CA. adj. Contrario a la dinastía reinante.

ANTÍDOTO. m. Contraveneno.

ANTIESPASMÓDICO-CA. adj. Med. Que calma los espasmos.

ANTIESTÉTICO-CA. Contrario a la estética.

ANTIFAZ. m. Máscara. Velo que cubre la cara.

ANTIFROGÍSTICO-CA. adj. Que calma la inflamación.

ANTÍFONA. f. Breve pasaje bíblico rezado o cantado, en el Oficio Divino.

ANTÍFRASIS. f. Ret. Figura que expresa una cosa para significar otra contraria.

ANTIGUALLA. f. Cosa antigua.

ANTIGUAMENTE. adv. En lo antiguo.

ANTIGÜEDAD. f. Calidad de antiguo.

ANTIGUO-A. adj. Que existió hace mucho tiempo.

ANTIHIGIÉNICO-CA. adj. Contrario a la higiene.

ANTIJURÍDICO-CA. adj. Que es contra en derecho.

ANTILOGÍA. f. Contradicción entre dos textos o expresiones.

ANTILÓGICO-CA. adj. Perteneciente o relativo a la antilogía.

ANTÍLOPE. m. Rumiante cuadrúpedo, de cornamenta persistente.

ANTILLA. f. Cada isla del mar Caribe.

ANTILLANO-NA. adj. Natural de cualquiera de las Antillas.

ANTIMILITARISMO. m. Oposición a lo militar.

ANTIMILITARISTA. adj. s. Partidario del antimilitarismo.

ANTIMONIO. m. Metal blanco-azulado brillante.

ANTIMORAL. adj. Contrario a la moral.

ANTINATURAL. adj. Contrario a la naturaleza.

ANTIMONIA. f. For. Contradicción entre dos textos legales.

ANTIPAPA. Papa no elegido canónicamente.

ANTIPARA. f. Biombo. Polaina.

ANTIPARERO. m. Soldado que usaba polaina llamada antipara.

ANTIPARRAS. f. pl. Fam. Anteojos.

ANTIPATÍA. f. Repugnancia u oposición a una cosa.

ANTIPÁTICO-CA. adj. Que causa antipatía.

ANTIPENDIO. m. Velo o tapiz rico usado para el altar.

ANTIPERISTÁLTICO. adj. Zool. Movimiento de contracción del estómago contrario al peristáltico.

ANTIPIRÉTICO-CA. adj. Lo que rebaja la fiebre.

ANTIPIRINA. f. Sustancia febrífuga, analgésica y calmante.

ANTÍPODA. adj. Habitantes de lugares

diamétricamente opuestos de la tierra.

ANTIPUTRIDOR-RA. adj. Med. Que sirve para impedir la putrefacción.

ANTIQUÍSIMO-MA. adj. Muy antiguo.

ANTIQUISMO. m. Arcaismo.

ANTIRRÁBICO-CA. adj. Que combate la hidrofobia.

ANTIRRELIGIOSO-SA. adj. Irreligioso.

ANTISCIO. adj. Dícese de cada uno de los habitantes de las dos zonas templadas que proyectan al mediodía la sombra en dirección distinta por estar en el mismo meridiano pero en hemisferios opuestos.

ANTISEMITA. adj. s. Enemigo de la raza judía.

ANTISEPSIA. f. Med. Desinfección.

ANTISOCIAL. adj. Contrario al orden social.

ANTIPASTO. m. Pie de las métricas griega y latina, compuesto de un yambo y un troqueo.

ANTÍSTROFA. f. Poet. Segunda parte del canto lírico griego.

ANTÍTESIS. f. Fil. Oposición de dos juicios.

ANTITÓXICO. m. Med. Contraveneno.

ANTITOXINA. f. Med. Anticuerpos que destruyen los efectos de las toxinas.

ANTITRAGO. m. Prominencia de la oreja situada en la parte inferior del pabellón.

ANTOCIANINA. f. Colorante azul, sacado de las flores.

ANTÓFAGO-GA. Zool. Que se alimenta de flores.

ANTOJADIZO-ZA. adj. Que tiene anteojos.

ANTOJARSE. r. Ser objeto de un deseo vehemente.

ANTOJO. m. Deseo vivo. Capricho.

ANTOLOGÍA. f. Florilegio. Recopilación.

ANTONOMASIA. f. Sinécdoque consistente en poner el nombre apelativo por el propio.

ANTOR. m. For. Vendedor de cosas que compró sin saber que eran robadas.

ANTORCHA. f. Hacha para alumbrar, de madera resinosa, cera, etc.

ANTOZOARIO. m. Zool. Cualquiera de los pólipos que forman los corales.

ANTRACENO. m. Hidr. carburo destilado del alquitrán de hulla.

ANTRACITA. f. Carbón fósil de gran poder calorífico.

ANTRAX. m. Grupo de diviesos.

ANTRO. m. Caverna, cueva, gruta.

ANTROPOFAGIA. f. Costumbre salvaje de comer carne humana.

ANTROPÓFAGO-GA. adj. s. El que practica la antropofagia.

ANTROPOIDE. m. Grandes monos sin cola.

ANTROPOLOGIA. f. Cienccia que trata del hombre.

ANTROPOMETRÍA. f. Tratado de las divisiones del cuerpo humano.

ANTROPOMORFO-FA. Dícese de los monos parecidos al hombre.

ANTRUEJO. m. Los tres días de carnaval.

ANTUVIÓN. m. Golpe repentino.

ANUAL. adj. Cada año.

ANUALIDAD. f. Calidad de anual. Anata.

ANUARIO-A. adj. Anual. Libro que se publica cada año.

ANUBARRADO-DA. adj. Cubierto de nubes.

ANUBLAR. tr. r. Ocultar las nubes el cielo. Obscurecer.

ANUDADOR-RA. adj. Que anuda.

ANUDAR. tr. Hacer nudos.

ANUENCIA. f. Consentimiento.

ANULACIÓN. Acto de anular.

ANULAR. adj. Relativo al anillo. tr. Dar por nulo.

ANULATIVO-VA. adj. Dícese de lo que tiene fuerza para anular.

ANUNCIACIÓN. f. Acción de anunciar.

ANUNCIAR. tr. Dar noticia de algo. Publicar.

ANUNCIO. m. Acto de anunciar. Pronóstico. Presagio.

ANURIA. f. Med. Supresión de la orina.

ANURO-RA. adj. Zool. Batracios sin cola.

ANÚTEBA. f. Llamamiento a la guerra.

ANVERSO. m. Cara principal de un objeto.

ANZUELO. m. Garfio pequeño para pescar.

AÑADA. f. Temporal bueno o malo que hace durante un año.

AÑADIDO-DA. adj. Postizo.

AÑADIDURA. f. Lo que se añade.

AÑADIR. tr. Agregar, adicionar. Aumentar.

AÑAFIL. m. Trompeta recta morisca.

AÑAGAZA. f. Señuelo para cazar aves. Recurso para atraer con engaño.

AÑAL. adj. Se dice del cordero, becerro, o macho cabrío que tiene un año cumplido.

AÑALEJO. m. Calendario eclesiástico.

AÑASCO. m. Enredo, embrollo.

AÑEJAR. tr. Hacer añeja una cosa.

AÑEJEZ. f. Calidad de añejo.

AÑEJO-JA. adj. De uno o más años.

AÑICOS. m. pl. Trozos pequeños de un objeto roto.

AÑIL. m. Pasta colorante azul obscura extraída de este arbusto perenne leguminoso.

AÑINO. adj. Cordero de un año.

AÑO. m. Tiempo que emplea la Tierra para recorrer su órbita. Doce meses.

AÑOJAL. m. Pedazo de tierra que se deja erial por más o menos tiempo.

AÑOJO-JA. s. Becerro de un año.

AÑORANZA. f. Melancolía por la falta o pérdida de algo.

AÑORAR. tr. Recordar con añoranza.

AÑOSO-SA. adj. De muchos años.

AOJAR. tr. Hacer mal de ojo. Ojear.

AOJO. m. Acción de aojar.

AONIDES. f. pl. Las musas.

AONIO-A. adj. Relativo a las musas.

AORISTO. m. Pretérito indefinido de la conjugación griega.

AORTA. f. Arteria que sale del ventrículo izquierdo del corazón.

AÓRTICO. adj. Relativo a la aorta.

AORTITIS. f. Inflamación de la aorta.

AOVADO-DA. adj. De forma de huevo.

AOVAR. intr. Poner huevos.

APABULLAR. tr. fam. Aplastar.

APACENTAR. tr. Dar pasto al ganado.

APACIBILIDAD. f. Calidad de apacible.

APACIBLE. adj. De genio tranquilo. Agradable. Dulce.

APACIGUAR. tr. r. Poner en paz, sosegar.

APACHE. s. Bandido. Tribu india sanguinaria.

APADRINAR. tr. Hacer oficio de padrino.

APAGABLE. adj. Que se puede apagar.

APAGADO-DA. adj. Sosegado. Lánguido, melancólico.

APAGADOR-RA. adj. Que apaga.

APAGAMIENTO. m. Acción de apagar o apagarse.

APAGAR. tr. r. Extinguir el fuego. Aplacar, disipar.

APAISADO-DA. adj. De figura rectangular, con la base mayor que la altura.

APALABRAR. tr. Tratar de palabra algún negocio o convenio.

APALANCAR. tr. Hacer fuerza con palanca.

APALEADOR-RA. adj. Que apalea.

APALEAR. tr. Dar golpes con palo. Aventar con pala.

APALEO. m. Acto de aventar con pala.

APALMADA. adj. Blas. Dícese de la mano abierta cuando se ve la palma.

APANALADO. adj. Que forma celdillas como el panal.

APANDAR. tr. Atrapar, pillar.

APANDILLAR. tr. r. Hacer pandilla.

APANOJADO-DA. adj. Bot. Dícese del tallo y de la flor dispuestos en forma de panoja.

APANTANAR. tr. Llenar de agua algún terreno.

APANTUFLADO-DA. adj. De hechura de pantuflo.

APAÑADO-DA. adj. Semejante al paño. Hábil, mañoso.

APAÑADOR-RA. adj. Que apaña. m. El que congrega gente para que escuche su predicación.

APAÑADURA. f. Acción de apañar o apañarse.

APAÑAMIENTO. m. Apañadura, acción de apañar.

APAÑAR. tr. Asir. Componer, reparar. Arreglar. Darse maña.

APAÑO. m. Apañadura. Compostura.

APARADOR-RA. adj. Que apara. m. Mueble para el servicio de la mesa. Taller de artífice.

APARAR. tr. Coser las piezas del zapato. Aparejar.

APARARSE. r. Prepararse, disponerse.

APARATO. m. Prevención, apresto. Utensilio destinado a un fin.

APARATOSO-SA. adj. Que tiene mucho aparato.

APARCAR. tr. Colocar convenientemente los carruajes.

APARCERÍA. f. Convenio de los que van a la parte en un negocio.

APARCERO-RA. adj. s. Que tiene aparcería.

APAREAR. tr. Ajustar. Juntar las hembras y machos para que críen.

APARECER. intr. r. Dejarse ver, encontrarse.

APARECIDO. m. Espectro de un difunto.

APAREJADO-DA. adj. Apto, idóneo.

APAREJADOR-RA. adj. Que apareja. m. Oficial que prepara y dispone los materiales que han de entrar en una obra.

APAREJAR. tr. Poner los aparejos. Preparar.

APAREJO. Mar. Conjunto de jarcias y velas de un barco.

APARENTAR. tr. Manifestar lo que no es.

APARENTE. adj. Que parece y no es.

APARI. exp. lat. Equivalente a la loc. a símil.

APARICIÓN. f. Acto de aparecer. Fantasma.

APARIENCIA. f. Aspecto exterior. Probabilidad.

APARRADO-DA. adj. Dícese de los árboles cuyas ramas se extienden horizontalmente.

APARRAR. tr. Hacer que un árbol extienda sus ramas en dirección horizontal.

APARROQUIAR. tr. Procurar parroquianos a los tenderos o a los que ejercen ciertas profesiones.

APARTADERO. m. Lugar para apartarse en los caminos.

APARTADIZO-ZA. adj. Que se aparta o huye de la comunicación y del trato de la gente.

APARTADO-DA. adj. Que aparta o separa una cosa de otra.

APARTAMIENTO. m. Acción y efecto de apartar o apartarse.

APARTAR. tr. Separar. Retirar. Disuadir.

APARTE. adv. l. En otro lugar. adv. m. A un lado.

APARTIDAR. tr. Alzar o formar partido. r. Adherirse a una parcialidad.

APARVAR. tr. Hacer parva.

APASIONADO-DA. adj. Poseído de alguna pasión.

APASIONAR. tr. r. Causar pasión.

APATANADO-DA. adj. Rústico, tosco.

APATÍA. f. Indolencia, dejadez, pereza.

APÁTICO. adj. Que adolece de apatía.

APEA. f. Soga con un palo de figura de muletilla a una punta y un ojal en otra, que sirve para maniatar las caballerías.

APEADERO. m. Estación de ferrocarril sin accesorios.

APEADOR-RA. adj. Que apea.

APEAR. tr. r. Desmontar. Deslindar tierras. Calzar un carro.

APECHUGAR. intr. Dar con el pecho.

APEDAZAR. tr. Remendar.

APEDRADO-DA. adj. Manchado o salpicado de varios colores.

APEDRAMIENTO. m. Acción de apedrear o apedrearse.

APEDREAR. tr. Tirar piedras. Lapidar. imp. Granizar.

APEGARSE. r. Cobrar apego.

APEGO. m. Afición, inclinación.

APELABLE. adj. Que admite apelación.

APELACIÓN. f. For. Acción de apelar.

APELADO-DA. adj. For. Dícese del litigante que ha obtenido sentencia favorable contra la cual se apela.

APELAMBRAR. tr. Meter los cueros en pelambre para que pierdan el pelo.

APELANTE. m. El que apela en juicio.

APELAR. intr. For. Recurrir contra una sentencia.

APELATIVO-VA. adj. Gram. Dícese del nombre común.

APELDE. m. En la orden de San Francisco toque de campana al alba.

APELMAZAR. tr. r. Poner muy espeso algo.

APELOTONAR. tr. r. Formar pelotones.

APELLAR. tr. Adobar la piel sobándola.

APELLIDAR. tr. r. Nombrar a alguien por su apellido.

APELLIDERO. m. Hombre de guerra que formaba parte de una fuerza reunida por apellidos.

APELLIDO. m. Nombre de familia para distinguir las personas.

APENAR. tr. Causar pena.

APENAS. adv. Con dificultad. Casi no. Luego que.

APENCAR. intr. fam. Apechugar.

APÉNDICE. m. Cosa añadida a otra. Med. Prolongación del intestino ciego.

APENDICITIS. f. med. Inflamación del apéndice.

APENDICULAR. adj. Hist. Nat. Perteneciente o relativo al apéndice.

APEO. m. Acto de apear. Puntal, sostén.

APEONAR. intr. Andar a pie o aceleradamente por lo común.

APEPSIA. f. Med. Falta de digestión.

APERADOR. m. El que tiene por oficio aperar.

APERAR. tr. Componer carros y aparejos.

APERCIBIMIENTO. m. Acción de aper-

cibir o apercibirse. For. Corrección disciplinaria.

APERCIBIR. tr. Prevenir, disponer amonestar.

APERCOLLAR. tr. fem. Coger o asir por el cuello a alguno.

APEREA. m. Roedor de la Argentina, parecido al conejo.

APERGAMINADO-DA. adj. Semejante al pergamino.

APERGAMINARSE. r. Acartonarse.

APERITIVO-VA. adj. Que sirve para abrir el apetito.

APERO. m. Conjunto de instrumentos para la labranza.

APERREADO. adj. Trabajoso, molesto.

APERREAR. tr. r. Azuzar los perros.

APERREO. m. fig. Acción y efecto de aperrear o fatigarse.

APERSOGAR. tr. Atar un animal, especialmente del cuello para que no huya.

APERSONADO-DA. adj. Bien o mal apersonado loc. De buena o mala presencia.

APERSONARSE. r. Personarse.

APERTURA. f. Acto de abrir. Acto de dar principio una reunión.

APESADUMBRAR. tr. r. Causar pesadumbre, afligir.

APESARADAMENTE. adv. m. Con pesar.

APESGAMIENTO. m. Acción y efecto de apesgar o apesgarse.

APESGAR. tr. Hacer peso, agobiar. r. Agravarse, ponerse muy pesado.

APESTAR. tr. Comunicar la peste. Despedir mal olor.

APESTILLAR. tr. Asir alguna cosa de modo que no pueda escaparse.

APESTOSO-SA. adj. Que apesta.

APÉTALA. adj. Que carece de pétalos.

APETECER. tr. Desear alguna cosa.

APETECIBLE. adj. Digno de apetecerse.

APETENCIA. f. Gana de comer. Deseo de alguna cosa.

APETITE. m. Salsa para excitar el apetito.

APETITIVO. m. Gana de comer.

APETITOSO-SA. adj. Que excita el apetito. Sabroso.

APEX. m. Astr. Punto de la esfera terrestre hacia la cual se dirige el sol arrastrando los planetas.

APEZUÑAR. intr. Hincar los animales en el suelo las pezuñas o los cascos.

APIADAR. tr. Causar piedad. r. Tener piedad.

APICARARSE. r. Adquirir modales de pícaro.

ÁPICE. m. Extremo de una cosa. Parte mínima.

APÍCOLA. adj. Perteneciente o relativo a la apicultura.

APÍCULO. m. Bot. Punta aguda, corta, poco resistentes.

APICULTOR-RA. m. y f. Persona que se dedica a la apicultura.

APICULTURA. f. Arte de la cría de abejas.

APILAR. tr. Amontonar, poner una cosa sobre otra.

APIMPOLLARSE. r. Echar pimpollos las plantas.

APINTO. m. Especie de agave, cuya raíz se usa como jabón, para lavar la ropa.

APIÑAR. tr. r. Agrupar estrechamente personas o cosas.

APIÑONADO-DA. adj. De color de piñón.

APIO. m. Planta umbífera comestible.

APIOLAR. tr. Poner pihuela. Prender. Mtar.

APIPARSE. r. fam. Atracarse de comida o bebida.

APIRÉTICO-CA. adj. Med. Perteneciente o relativo a la apirexia.

APIREXIA. f. Med. Falta de fiebre.

APIS. m. Mit. Divinidad egipcia.

APISONAMIENTO. m. Acción y efecto de apisonar.

APISONAR. tr. Apretar con pisón la tierra.

APITONADO-DA. adj. Quisquilloso, puntilloso.

APITONAR. intr. Echar pitones los animales que crían cuernos. Empezar los árboles a brotar.

APIZARRADO-DA. adj. De color negro azulado.

APLACABLE. adj. Fácil de aplacar.

APLACAMIENTO. m. Acción y efecto de aplacar.

APLACAR. tr. r. Amansar, suavizar, mitigar.

APLACER. intr. Agradar, contentar.

APLACERADO-DA. adj. Mar. Dícese del fondo del mar, llano y poco profundo.

APLACIBLE. adj. Agradable.

APLACIMIENTO. m. Complacencia, gusto.

APLANADERA. f. Útil para aplanar el suelo.

APLANAMIENTO. m. Acción y efecto de aplanar y aplanarse.

APLANAR. tr. r. Allanar. fig. Dejar pasmado.

APLANTILLAR. tr. Labrar piedra en otro material con arreglo a plantilla.

APLASTAMIENTO. m. Acción y efecto de aplastar o aplastarse.

APLASTAR. tr. r. Deformar por presión o golpe.

APLAUDIR. tr. Palmotear en señal de aprobación.

APLAUSO. m. Acto de aplaudir.

APLAYAR. intr. Salir el río de madre.

APLAZABLE. adj. Que puede aplazarse.

APLAZAR. tr. r. Diferir, retardar.

APLEBEYAR. tr. Envilecer los ánimos o los modales.

APLICACIÓN. f. Acto de aplicarse. Esmero.

APLICADO-DA. adj. Que tiene aplicación.

APLICAR. tr. r. Adaptar. Apropiar, acomodar.

APLICATIVO-VA. adj. Que sirve para aplicar alguna cosa.

APLOMADO-DA. adj. Que tiene aplomo. De color de plomo.

APLOMAR. intr. Albañ. Juzgar de la verticalidad de una pared con la plomada.

APLOMO. m. Gravedad, serenidad.

APNEA. f. Med. Asfixia.

APOASTRO. m. Astron. Punto en que un astro secundario se halla a mayor distancia de su principal.

APOCADAMENTE. adv. m. Con poquedad. fig. Con bajeza de ánimo.

APOCADO-DA. adj. fig. De poco ánimo.

APOCALIPSIS. adj. Último libro del Nuevo Testamento.

APOCALÍPTICO. adj. Relativo a la Apocalipsis.

APOCAMIENTO. m. fig. Cortedad de ánimo.

APOCAR. tr. Minorar, reducir a poco. Limitar.

APOCOPAR. tr. Gram. Cometer apócope.

APÓCOPE. f. Gram. Supresión de alguna letra o sílaba al fin de una palabra.

APÓCRIFO-FA. adj. Fabuloso, supuesto o fingido.

APOCRISARIO. m. Embajador del imperio griego.

APODADOR-RA. adj. Que acostumbra a poner o decir apodos.

APODAR. tr. Poner o decir apodos.

APODENCADO-DA. adj. Semejante al podenco.

APODERADO-DA. adj. s. Que tiene poder de otro.

APODERAR. tr. Dar poderes. r. Hacerse dueño de una cosa.

APODIA. f. Monstruosidad característica por la falta congénita de los pies.

APODÍCTICO-CA. adj. Lóg. Demostrativo, convincente.

APODO. m. Sobrenombre, mote.

APODO. adj. Zool. Falto de pies.

APÓDOSIS. f. Ret. Segunda parte del período.

APOFIGE. f. Arq. Partes curvas que enlazan las extremidades del fuste de la columna con su base o capitel.

APOGEO. m. Astr. Punto en que la Luna dista más de la Tierra.

APOLILLADURA. f. Agujero que la polilla hace en las ropas y otras cosas.

APOLILLAR. tr. r. Roer la polilla.

APOLINARISMO. m. Herejía de los apolinaristas.

APOLINARISTA. adj. Sectario de Apolinar, hereje que decía que Jesucristo no había recibido un cuerpo y un alma semejante a la nuestra.

APOLÍNEO-A. adj. Relativo a Apolo.

APOLÍTICO-CA. adj. Ajeno a la política.

APOLOGÉTICA. f. Ciencia que expone las pruebas y fundamentos de la verdad de la religión católica.

APOLOGÉTICO-CA. adj. Relativo a la apología.

APOLOGÍA. f. Discurso, oral o escrito, en defensa de personas o cosas.

APOLOGISTA. com. Persona que hace alguna apología.

APÓLOGO. m. Fábula.

APOLTRONARSE. r. Hacerse poltrón.

APOMAZAR. tr. Alisar una superficie con piedra pomez.

APONEUROSIS. f. Zool. Membrana que cubre los músculos.

APONTOCAR. tr. Sostener una cosa o darse apoyo con otra.

APOPLEJÍA. f. Acúmulo o derrame de sangre o linfa en el cerebro.

APOPLÉTICO-CA. adj. Relativo a la apoplejía.

APORCAR. tr. Cubrir las hortalizas de tierra para que se pongan más tiernas y blancas.

APORISMA. m. Cir. Tumor que se forma entre cuero y carne por derrame de sangre.

APORRAR. intr. fam. Quedarse sin poder responder ni hablar en ocasión en que debía hacerlo.

APORRARSE. r. fam. Hacerse pesado o molesto.

APORREAR. tr. Dar porrazos o golpear con porra.

APORREO. m. Acción de aporrear o aporrearse.

APORRILLARSE. Hincharse las articulaciones con abscesos que dificultan el movimiento.

APORTACIÓN. f. Acto de aportar.

APORTADERO. m. Paraje donde se puede aportar, o tomar puerto.

APORTAR. intr. Tomar puerto o arribar a él.

APORTELLADO. m. Magistrado municipal que administraba justicia en las puertas de los pueblos.

APORTILLAR. tr. Romper o abrir cualquier cosa unida. Caerse alguna parte del muro o pared.

APOSENTADOR-RA. adj. Que aposenta. m. El que tiene por oficio aposentar.

APOSENTAMIENTO. m. Acción de aposentar o aposentarse. Cuarto, aposento, posada.

APOSENTAR. tr. Dar habitación y hospedaje.

APOSENTO. m. Cualquiera pieza de una casa. Posada.

APOSICIÓN. f. Gram. Acción de poner afijos.

APOSITIVO-VA. adj. Gram. Concerniente a la aposición.

APÓSITO. m. Med. Remedio aplicado exteriormente.

APOSTA. adv. m. Adrede.

APOSTADERO. m. Paraje donde hay gente apostada.

APOSTAR. tr. r. Hacer apuesta. s. Poner a uno en un sitio para algo.

APOSTASÍA. f. Acto de apostatar.

APÓSTATA. m. Quien comete apostasía.

APOSTATAR. intr. Negar la fe de Cristo.

APOSTEMA. f. Postema.

A POSTERIORI. m. adv. lat. Que indica la demostración que consiste en ascender del efecto a la causa, o de las propiedades de una cosa a su esencia.

APOSTILLA. f. Glosa, nota o adición al margen de un escrito.

APOSTILLAR. tr. Poner apostillas.

APÓSTOL. m. Cada uno de los trece principales discípulos de Cristo. Propagador de una doctrina.

APOSTOLADO. m. Oficio de apóstol.

APOSTÓLICAMENTE. adv. Según las reglas y prácticas apostólicas.

APOSTÓLICO-CA. adj. De los apóstoles o del Papa.

APOSTROFAR. tr. r. Dirigir apóstrofes.

APÓSTROFE. f. Ret. Interpelación violenta.

APÓSTROFO. m. Signo ortográfico que indica la elisión de una vocal.

APOSTURA. f. Gentileza.

APOTEGMA. m. Dicho sentencioso o feliz.

APOTEMA. f. Geom. Perpendicular desde el centro de un polígono regular al centro de uno de sus lados.

APOTEOSIS. f. Deificación. Ensalzamiento de una persona.

APOTEÓTICO-CA. adj. Perteneciente a la apoteosis.

APOYAR. tr. r. Hacer descansar una cosa sobre otra.

APOYADURA. f. Mus. Nota de adorno, cuyo valor se toma del signo siguiente para no alterar.

APOYO. m. Lo que sostiene. Protección.

APRECIABLE. adj. Digno de aprecio.

APRECIACIÓN. f. Acto de apreciar.

APRECIADAMENTE. adv. m. Con aprecio.

APRECIAR. tr. Poner precio. Estimar.

APRECIATIVO-VA. adj. Perteneciente al aprecio o estimación que se hace de alguna persona o cosa.

APRECIO. m. Apreciación estimación.

APREHENDER. tr. Coger. Concebir sin enjuiciar.

APREHENDIENTE. p. a. de aprehender. Que aprehende.

APREHENSIÓN. f. Acto de aprehender.

APREHENSIVO-VA. adj. Perteneciente a la facultad mental de aprehender.

APREHENSOR-RA. adj. Que aprehende.

APREMIADAMENTE. adv. m. Con apremio.

APREMIANTE. p. a. de Apremiar. Que apremia.

APREMIAR. tr. r. Dar prisa, apretar, oprimir.

APREMIO. m. Acto de apremiar.

APRENDER. tr. Arquirir conocimiento por el estudio.

APRENDIZ-ZA. adj. s. Que aprende un arte u oficio.

APRENDIZAJE. m. Acción de aprender.

APRENSAR. tr. Prensar. fig. Oprimir, Angustiar.

APRENSIÓN. f. Idea falsa, escrúpulo.

APRENSIVO-VA. adj. Que tiene aprensión.

APRESAMIENTO. m. Acción y efecto de apresar.

APRESAR. tr. Asir. Tomar por fuerza.

APRESO-SA. adj. Árbol plantado que ha prendido.

APRESTAR. tr. r. Aparejar, preparar, disponer lo necesario.

APRESTO. m. Prevención, disposición, preparación.

APRESURADAMENTE. adv. m. Con apresuramiento.

APRESURAMIENTO. m. Acto de apresurar.

APRESURAR. tr. r. Dar prisa, acelerar.

APRETADAMENTE. adv. m. Que aprieta u oprime con fuerza, estrechamente. Con asistencia.

APRETADERA. f. Cuerda o cinta que sirve para apretar alguna cosa.

APRETADIZO-ZA. adj. Que por su calidad se aprieta o comprime con facilidad.

APRETADO-DA. adj. fam. Mezquino.

APRETADOR-RA. adj. Que aprieta. m. Instrumento que sirve para apretar.

APRETADURA. f. Acción y efecto de apretar.

APRETANTE. p. a. de apretar. Que aprieta.

APRETAR. tr. r. Estrechar con fuerza, comprimir. Acosar.

APRETÓN. m. Apretadura muy fuerte y rápida. Ahogo.

APRETUJAR. tr. fam. Apretar mucho. r. Oprimirse varias personas en un recinto demasiado pequeño.

APRETUJÓN. m. fam. Acción y efecto de apretujar.

APRETURA. f. Opresión de la muchedumbre. Sitio estrecho.

APRIETO. m. Apretura. Apuro.

APRIMAR. tr. Afinar, intensar, perfeccionar.

A PRIORI. m. adv. lat. Que indica la demostración que consiste en descender de la causa al efecto, o de la esencia de una cosa a sus propiedades.

APRIORISMO. m. Método en que se emplea sistemáticamente el razonamiento a priori.

APRIORÍSTICO-CA. adj. Perteneciente o relativo al apriorismo.

APRISA. adv. Con celeridad.

APRISCAR. tr. Recoger el ganado en el aprisco.

APRISCO. m. Sitio donde se recoge el ganado.

APRISIONAR. tr. Poner en prisión. Atar.

APROAR. int. Mar. Volver el buque la proa a alguna parte.

APROBACIÓN. f. Acto de aprobar.

APROBADO. m. En exámenes, nota de aptitud o idoneidad en una materia.

APROBANTE. p. a. de aprobar. Que aprueba.

APROBAR. tr. Dar por bueno.

APROBATORIO-RIA. adj. Que aprueba o implica aprobación.

APROCHES. pl. Mil. Trabajos de los sitiadores para acercarse a una plaza.

APRONTAR. tr. Disponer con prontitud.

APROPIABLE. adj. Que puede ser apropiado o hecho propio de uno.

APROPIACIÓN. f. Acción y efecto de apropiar o apropiarse.

APROPIADAMENTE. adv. m. Con propiedad.

APROPIADO-DA. adj. Proporcionado al fin.

APROPIAR. tr. r. Hacer propia de alguno cualquier cosa.

APROPINCUACIÓN. f. Acción y efecto de apropincuarse.

APROMPICUARSE. r. Acertar, aproximar.

APROVECHABLE. adj. Que se puede aprovechar.

APROVECHADO-DA. adj. Dícese del que saca provecho de todo y más aún del que utiliza lo que otros desperdician.

APROVECHAMIENTO. m. Acto de aprovechar.

APROVECHAR. intr. Servir de provecho. Progresar.

APROVISIONADOR. m. Abastecedor.

APROVISIONAR. tr. Abastecer.

APROXIMACIÓN. f. Acción de aproximar.

APROXIMADO-DA. adj. Aproximativo. Que se acerca más o menos to exacto.

APROXIMAR. tr. r. Arrimar, acercar.

ÁPSIDE. m. Astro. Los dos puntos de la órbita elíptica en que un cuerpo celeste dista más o menos del que le sirve de centro.

APSIQUIA. f. Pat. Pérdida del conocimiento.

ÁPTERO-RA. adj. Que carece de alas.

APTITUD. f. Suficiencia, capacidad.

APTO-TA. adj. Idóneo, capaz.

APUESTA. f. Acto de apostar. Cosa apostada.

APUESTO-TA. adj. Ataviado, gallardo.

APULGARAR. intr. Hacer fuerza con el dedo pulgar.

APULGARARSE. r. Llenarse la ropa blanca de manchas menudas parecidas a las dejadas por las pulgas.

APULSO. m. Astr. Contacto del borde de un astro con el hilo vertical del retículo del anteojo con que se observa.

APUNCHAR. tr. Abrir las púas del peine.

APUNTACIÓN. f. Apuntamiento, notación.

APUNTADO-DA. adj. Que hace puntas por las extremidades.

APUNTADOR-RA. adj. Que apunta. Transpunte.

APUNTALAMIENTO. m. Acción y efecto de apuntalar.

APUNTALAR. tr. Poner puntales.

APUNTAMIENTO. m. Acto de apuntar.

APUNTAR. tr. Asestar un arma. Señalar. Anotar. Insinuar.

APUNTE. m. Apuntamiento. Asiento. Nota.

APUNTILLAR. tr. Rematar con puntilla.

APUSALADO-DA. adj. De figura parecida a la hoja de un puñal.

APUÑALAR. tr. Dar puñaladas.

APUÑAR. tr. Abrir o coger con la mano, cerrándola.

APUÑEAR. tr. fam. Dar de puñadas.

APURACABOS. m. Pieza cilíndrica con una púa para asegurar los cabos de vela para que ardan hasta que se consuman.

APURACIÓN. f. Acción y efecto de apurar una noticia, cuento, etc.

APURADAMENTE. adv. m. fam. En el crítico momento, tasadamente.

APURADO-DA. adj. Pobre, falto de caudal y de lo necesario. Angustioso, dificultoso.

APURAR. tr. Purificar, agotar, apremiar.

APURO. m. Escasez. Aprieto. Aflicción.

AQUEJAR. tr. Acongojar. Afligir.

AQUEL-LLA-LLO. pron. demostr. Que designa lo que está lejos del que habla y de la persona con quien se habla.

AQUELARRE. m. Reunión de brujas.

AQUENDE. adv. l. De la parte de acá.

AQUEO. adj. Natural de Acaya, región de Grecia.

AQUERENCIARSE. r. Tomar querencia a un lugar. Dícese principalmente de los animales.

AQUESE-SA-SO. pron. dem. Ese. Solo se usa en poesía.

AQUESTE-TA-TO. pron. dem. Este. Sólo se usa en poesía.

AQUÍ. adv. En este lugar.

AQUIESCENCIA. f. Asenso, consentimiento.

AQUIETAMIENTO. m. Acción y efecto de aquietar o aquietarse.

AQUIETAR. tr. Apaciguar, sosegar.

AQUILATAMIENTO. m. Acto de aquilatar.

AQUILATAR. tr. r. Graduar los quilates del oro.

AQUILÍFERO. m. El que llevaba la insignia del águila en las antiguas legiones romanas.

AQUILINO-NA. adj. Aguileño.

AQUILÓN. m. Viento del norte.

AQUILONAR. adj. Relativo al aquilón.

AQUILLADO-DA. adj. En forma de quilla.

AQUISTAR. tr. Conseguir, adquirir, conquistar.

AQUITÁNICO-CA. adj. Perteneciente a Aquitania, región de Francia antigua.

AQUITANO-NA. adj. Natural de Aquitania.

ARA. f. Altar. Piedra consagrada.

ARABE. adj. s. De Arabia.

ARABESCO-CA. adj. Arábigo. m. Adorno caprichoso.

ARÁBIGO-GA. adj. Arabe.

ARABISMO. m. Vocablo o giro árabe empleado en otro.

ARABISTA. m. Giro propio de la lengua árabe. Quien la cultiva.

ARABIZAR. int. Imitar la lengua, estilo o costumbres árabes.

ARABLE. adj. Que se puede arar.

ARÁCNIDO. adj. s. zool. Artrópodos sin antenas, de cuatro pares de patas y abdomen confundido a veces.

ARACNOIDES. adj. s. Anat. Membrana media que cubre el encéfalo.

ARACNOLOGIA. f. Parte de la Historia Natural que trata de los arácnidos.

ARACNOLÓGICO-CA. adj. Perteneciente a la aracnología.

ARACNÓLOGO. m. El que estudia o profesa la aracnología.

ARADA. f. Labor del campo.

ARADO. m. Instrumento para labrar la tierra.

ARADOR-RA. adj. Que ara. Arácnido parásito que produce la sarna.

ARADURA. f. Acción y efecto de arar.

ARAGONES-SA. adj. s. De Aragón.

ARAGONITO. m. Carbonato de cal, que cristaliza en prismas exagonales.

ARAGUATO. m. Mono americano, de color leonado, pelo hirtuoso en la cabeza y barba grande.

ARAGUIRÁ. m. Pájaro de la Argentina de hermoso color rojo.

ARALIA. f. Arbusto araliáceo de flores pequeñas y fruto negruzco.

ARAMBEL. m. Andrajo que cuelga del vestido.

ARAMEO-A. adj. Descendiente de Aram hijo de Sem. Lengua aramea.

ARAMIO. m. Campo que se deja de barbecho.

ARANA. f. Embuste, estafa.

ARANCEL. m. Tarifa de derechos de aduanas, ferrocarriles, etc.

ARANCELARIO-RIA. adj. Relativo al arancel.

ARANDANEDO. m. Terreno poblado de arándanos.

ARÁNDANO. m. Planta aricácea, comestible. Su fruto.

ARANDELA. f. Chapa para evitar los roces de las máquinas.

ARANDILLO. m. Pájaro dentirrostro túrdido.

ARANDINO-NA. adj. Natural de Aranda de Duero.

ARANERO-RA. adj. Embustero. Estafador.

ARANIEGO. adj. Dícese del gavilán que se caza con la red, llamada arañuela.

ARANZADA. f. Medida agraria antigua.

ARAÑA. f. Arácnido pulmorado.

ARAÑADOR-RA. adj. Que araña.

ARAÑAMIENTO. Acción y efecto de arañar o arañarse.

ARAÑAR. tr. r. Herir ligeramente con las uñas.

ARAÑAZO. m. Rasguño.

ARAÑIL. adj. Propio de la araña y perteneciente a ella.

ARASÓN. m. Andrino.

ARAÑUELA. f. Planta de jardinería.

ARAÑUELO. f. Insecto dañino.

ARAPENDE. m. Medida de superficie usada por los españoles antiguamente.

ARAR. tr. Labrar la tierra con el arado.

ARATE. f. Pesadez, tontería.

ARAUCANOS. m. Indios aborígenes de Chile y Argentina.

ARAUCARIA. f. Árbol conífero.

ARAUJA. Planta esclepiádea y trepadora de flores blancas y olorosas.

ARBITRAJE. m. Acto de arbitrar. Juicio arbitral.

ARBITRAL. adj. Relativo al árbitro.

ARBITRAMENTO. m. For. Acción o facultad de dar sentencia arbitral.

ARBITRAR. tr. Obrar ligeramente. Juzgar como árbitro.

ARBITRARIAMENTE. adv. m. Por arbitrio o al arbitrio. Con arbitrariedad.

ARBITRARIEDAD. f. Acto contrario a la justicia.

ARBITRARIO-A. adj. Con arbitrariedad.

ARBITRIO. m. Libre voluntad. Juicio, sentencia.

ARBITRISTA. com. Persona que inventa planes para remediar males políticos.

ÁRBITRO. adj. s. Que obra con independencia.

ÁRBOL. m. Planta perenne de tronco leñoso.

ARBOLADO-DA. adj. Poblado de árboles.

ARBOLADURA. f. Mar. Conjunto de palos de un barco.

ARBOLAR. tr. Enarbolar. Mar Poner mástiles.

ARBOLEDA. f. Sitio poblado de árboles. Soto.

ARBOLISTA. com. Persona que cultiva árboles.

ARBOLLÓN. m. Desaguadero.

ARBÓREO-A. adj. Relativo o semejante al árbol.

ARBORESCENCIA. f. Crecimiento de los árboles. Calidad de arborescente.

ARBORESCENTE. adj. Que tiene caracteres de árbol.

ARBORICULTOR-RA. adj. Dedicado a la arboricultura.

ARBORICULTURA. f. Cultivo de los árboles.

ARBORIFORME. adj. De figura de árbol.

ARBOTANTE. m. Arq. Arco que contrarresta el empuje de una bóveda.

ARBUSTO. m. Planta perenne leñosa, menor que el árbol.

ARCA. f. Caja grande con tapa llana y cerradura.

ARCABUCEAR. tr. Tirar con arcabuz.

ARCABUCERIA. f. Tropa armada con arcabuces. Fuego de arcabuces.

ARCABUCERO. m. Soldado armado de arcabuz.

ARCABUZ. m. Arma de fuego portátil, de menor calibre que el mosquete.

ARCACIL. m. Alcacil.

ARCADA. f. Movimiento del estómago, que excita a vómito. Serie de arcos en los puentes.

ARCADUZ. m. Caño para conducir agua. Canjilón.

ARCAICO-CA. adj. Relativo al arcaísmo.

ARCAISMO. m. Voz o frase anticuada. Su empleo.

ARCAISTA. com. Persona que emplea arcaísmos.

ARCANAMENTE. adv. m. Con arcano, misteriosamente.

ARCÁNGEL. m. Espíritu bienaventurado.

ARCANGÉLICO-CA. adj. Perteneciente a los arcángeles.

ARCANO-NA. adj. Secreto, recóndito. m. Misterio muy reservado.

ARCAR. tr. Dar figura de arco.

ARCE. m. Árbol aceríneo de madera dura.

ARCEDIANO. m. Dignidad de arcediano.

ARCÉN. m. Margen u orilla. Brocal de un pozo.

ARCILLA. f. Silicato alumínico hidratado, plástico con el agua.

ARCILLAR. tr. Mejorar las tierras silíceas con arcillas.

ARCILLOSO-SA. adj. Que tiene arcilla o que se parece a ella.

ARCIÓN. m. Arq. Dibujo que se empleaba en la ornamentación arquitectónica de la Edad Media.

ARCIPRESTAZGO. m. Dignidad del arcipreste.

ARCIPRESTE. m. Dignidad en las catedrales.

ARCO. m. Geom. Porción de curva. Arma para disparar flechas.

ARCÓN. m. aum. de arca.

ARCONTE. m. Magistrado de Atenas.

ARCOSA. f. Arenisca empleada como piedra de construcción.

ARCHI. Prefijo que indica superioridad.

ARCHIBRIBÓN-NA. Muy bribón.

ARCHICOFRADE. com. Individuo de una archicofradía.

ARCHIDIÁCONO. m. Arcediano.

ARCHIDIÓCESIS. f. Arquidiócesis.

ARCHIDUCAL. adj. Relativo al archiduque o al archiducado.

ARCHIDUQUE. m. Título de los príncipes de la casa de Austria.

ARCHIMANDRITA. m. Dignidad de la iglesia griega.

ARCHIPÁMPANO. m. fam. Persona de gran dignidad imaginaria.

ARCHIPIÉLAGO. m. Parte del mar poblado de islas.

ARCHITRICLINIO. m. Persona que ordenaba y dirigía el servicio de la mesa en los banquetes entre griegos y romanos.

ARCHIVAR. tr. Poner y guardar en archivos.

ARCHIVERO-RA. adj. Quien guarda un archivo.

ARCHIVO. m. Local para custodiar documentos.

ARCHIVOLTA. f. Arq. Molduras que decoran un arco.

ARTANO. adj. Dícese del clérigo que tiene tiempo limitado para ordenarse.

ARCUACIÓN. f. Curvatura de un arco.

ARDER. intr. Estar encendido algo.

ARDERO-RA. adj. Dícese del perro que caza ardillas.

ARDID. m. Astucia, arte, maña para conseguir algo.

ARDIDO-DA. adj. Valiente, intrépido.

ARDIDOSO-SA. adj. Mañoso, astuto.

ARDIENTE. adj. Que causa ardor.

ARDILLA. f. Mamífero roedor.

ARDIMIENTO. m. Valor, denuedo. Acto de arder.

ARDÍNCULO. m. Vet. Absceso en las heridas, de las caballerías cuando se declara la gangrena.

ARDITE. f. Moneda antigua de poco valor.

ARDOR. m. Calor grande. Valentía, ansia.

ARDORADA. f. Rubor que pone encendido el rostro.

ARDOROSO-SA. adj. Que tiene ardor. Vigoroso.

ARDUAMENTE. adv. m. Con gran dificultad.

ARDUO. a. adj. Muy difícil.

ARDURÁN. m. Variedad de la Zahína de Berbería.

ÁREA. f. Mat. Espacio comprendido dentro de un perímetro. Medida de superficie que es un cuadrado de 10 metros de lado.

ARECA. f. Planta cuyo fruto se usa en tintorería.

AREFACCIÓN. f. Acción y efecto de secar o secarse.

AREL. m. Criba grande para limpiar el trigo en la era.

ARELAR. tr. Limpiar el trigo en la era.

ARENA. f. Conjunto de partículas sueltas de piedra o metal.

ARENACIÓN. f. Med. Operación que consiste en cubrir con arena caliente el cuerpo de un enfermo.

ARENAL. m. Terreno cubierto de arena.

ARENCAR. tr. Lavar y secar sardinas al modo de los arenques.

ARENERO-RA. adj. s. Que conduce arena o la vende.

ARENGA. f. Discurso para enardecer los ánimos.

ARENGAR. intr. Decir una arenga en público.

ARENILLA. f. Arena menuda.

ARENISCO-CA. adj. Dícese del terreno de mucha arena.

ARENOSO-SA. adj. Que se compone de arena.

ARENQUE. m. Pez melacopterigio comestible.

ARÉOLA. f. Círculo que rodea al pezón o las pústulas.

AREÓMETRO. m. Instrumento para medir la densidad de los líquidos.

AREOPAGITA. m. Juez del Areópago.

AREÓPAGO. m. Tribunal superior de la antigua Atenas.

ARESTIL. m. Arestín, enfermedad de las caballerías.

ARESTÍN. m. Planta umbelífera. Veter. Escoriación de las caballerías.

ARETE. m. Pendiente en forma de aro.

ARÉVAGO-GA. adj. De una región de la España tarraconense.

ARFADA. f. Mar. Acción de arfar.

ARFAR. intr. Cabecear el buque.

ARFIL. m. Alfil.

ARGADO. m. Enredo, travesura.

ARGALIA. f. Algalla, especie de tienta.

ARGALLERÍA. f. Carp. Instrumento para hacer surcos en la madera.

ARGAMANDEL. m. Andrajo, jirón de ropa.

ARGAMANDIJO. m. fam. Conjunto de cosas menudas.

ARGAMASA. f. Albañ. Mezcla de cal, arena y agua.

ARGAMASAR. tr. Hacer argamasa. Unir con argamasa los materiales de construcción.

ARGANA. f. Grúa. pl. Angarillas de varas en arco.

ARGANEL. m. Círculo pequeño de metal, parte del astrolabio.

ARGANEO. m. Argolla al extremo de la caña del ancla.

ARGAVIESO. m. Turbión, aguadero fuerte.

ARGAYO. m. Alud.

ARGAYO. adj. Abrigo burdo que usaban los dominicos.

ARGEL. adj. Caballo o yegua que solamente tiene blanco el pie derecho.

ARGEMA. f. Pat. Úlcera de la córnea.

ARGÉMONE. f. Planta papaverácea, cuyo jugo sirve de antidolor.

ARGEN. m. Blas. Color blanco o de plata.

ARGENTADO-DA. adj. Plateado.

ARGENTAR. tr. Platear.

ARGENTÍFERO-RA. adj. Que tiene plata.

ARGIVO-VA. adj. s. Natural de Argos.

ARGO. m. Cuerpo simple gaseoso, inerte para las combinaciones.

ARGOLLA. f. Aro metálico grueso. Gargantilla.

ARGOMA. f. Aliaga, aulaga.

ARGÓN. m. Quím. Cuerpo gaseoso inerte, existente en el aire.

ARGONAUTAS. m. pl. Cada uno de los griegos que fueron en busca del vellocino de oro.

ARGOS. m. Persona muy vigilante.

ARGOT. m. Germanía. Lenguaje especial de personas que tienen el mismo oficio.

ARGUCIA. f. Argumento falaz, sutileza.

ARGUELLARSE. r. Desmedrarse, desmejorarse.

ARGÜIR. intr. Poner argumentos en contra.

ARGÜITIVO-VA. adj. Que arguye o contradice.

ARGUMENTACIÓN. f. Acto de argumentar. Argumento, razonamiento.

ARGUMENTADOR-RA. adj. Que argumenta.

ARGUMENTAR. intr. Arguir.

ARGUMENTO. m. Razonamiento para probar algo. Asunto de que se trata en una obra.

ARIA. f. Composición musical para una voz.

ARICAR. tr. Arar muy superficialmente.

ARIDEZ. f. Calidad de árido.

ÁRIDO-DA. adj. Seco, estéril, falto de amenidad.

ARIENZO. m. Moneda antigua de Castilla.

ARIES. m. Signo del Zodíaco. Astr. Constelación zodiacal.

ARIETE. m. Mil. Máquina para batir murallas.

ARIETINO-NA. adj. Semejante a la cabeza del carnero.

ARIJO-JA. adj. Dícese de la tierra fácil de cultivar.

ARIO. a. adj. Raza que habita en el centro de Asia.

ARISARO. m. Planta aroidea, de cuya raíz se hace pan.

ARISCARSE. r. Enojarse, ponerse arisco.

ARISCO-CA. adj. Áspero, intratable.

ARISTA. f. Geom. Recta de intersección de dos planos.

ARISTADO-DA. adj. Que tiene aristas.

ARISTARGO. m. fig. Crítico entendido y severo.

ARISTOCRACIA. f. Gobierno de los mejores.

ARISTÓCRATA. com. Individuo de la aristocracia.

ARISTOCRATICAMENTE. adv. m. De modo aristocrático.

ARISTOCRÁTICO-CA. adj. Perteneciente c relativo a la aristocracia. Fino. distinguido.

ARISTOLOQUIA. f. Planta aristoloquiácea de raíz fibrosa, flores amarillas y fruto esférico.

ARISTOFÁNICO - CA. Características del poeta griego Aristófanes.

ARISTÓN. m. Esquina de una obra de fábrica.

ARISTOTÉLICO-CA. adj. Relativo a Aristóteles. Conforme con la doctrina de Aristóteles.

ARITMÉTICA. f. Ciencia de los números.

ARLEQUIN. m. Personaje cómico de la farsa italiana. Figuradamente persona ridícula.

ARLOTE. m. Holgazán, desidioso.

ARMA. f. Instrumento de ataque y defensa. pl. Cada una de las agrupaciones que forman un ejército.

ARMADA. f. Escuadra. Marina de guerra de una nación.

ARMADIA. f. Balsa hecha con maderos.

ARMADIJO. m. Trampa para cazar.

ARMADILLO. m. Mamífero desdentado cubierto de escamas córneas.

ARMADO. m. Hombre vestido como los soldados romanos.

ARMADOR. m. El que arma una nave.

ARMADURA. f. Vestidura férrea de guerrero. Armazón.

ARMAMENTO. m. Prevención para la guerra. Conjunto de armas.

ARMAR. tr. r. Proveer de armas. Concertar, fraguar. Mar. Aprestar una embarcación.

ARMARIO. m. Mueble en forma de alacena.

ARMATOSTE. m. Máquina o mueble tosco.

ARMAZÓN. m. Conjunto de piezas sobre las que se arma algo. Esqueleto.

ARMELINA. f. Piel blanca de origen lapón.

ARMELLA. f. Anillo metálico con espigas para fijarlo.

ARMENIO-A. adj. Natural de Armenia.

ARMERÍA. f. Edificio donde se guardan armas. Arte de fabricarlas.

ARMERO-RA. as. Fabricante de armas. Quien las guarda o donde se tienen.

ARMILLAR. adj. Esfera movible que representa los círculos siderales.

ARMILLA. Astrálago de los cañones. Espiral de la columna.

ARMIÑO. m. Mamífero de piel parda en verano y blanca en invierno.

ARMISTICIO. m. Suspensión de hostilidades.

ARMÓN. m. Juego delantero de una cureña.

ARMONIA. Combinación de sonidos acordes. Conveniencia. Amistad.

ARMIPOTENTE. adj. pot. Poseroso en armas.

ARMISONANTE. adj. poét. Que lleva armas que suenan al chocar unas con otras.

ARMÓNICA. f. Instrumento musical compuesto de lengüetas de distinta longitud.

ARMÓNICO-CA. adj. Relativo a la armonía.

ARMONIO. m. Órgano pequeño que se mueve con los pies el fuelle que da el aire.

ARMONIOSO-SA. adj. Agradable al oído. Que tiene armonía.

ARMONIZACIÓN. f. Mús. Acción y efecto de armonizar.

ARMONIZAR. tr. r. Poner en armonía. Mús. Acompasar.

ARMUELLE. m. Planta salsonácea de semilla negra y dura.

ARNA. f. Vaso de colmena.

ARNÉS. m. Conjunto de armas defensivas. pl. Guarnición de las caballerías.

ÁRNICA. f. Planta perenne compuesta medicinal.

ARNILLO. m. Pez acantoterigio del mar de las Antillas.

ARO. m. Cerco de madera, hierro, etc. Argolla.

AROCA. f. Lienzo de Aronca, villa de Portugal.

AROIDEO. adj. Plantas monocotiledóneas con flores en espádice y fruto en baya.

AROMA. f. Flor del aromo, de olor agradable. m. Perfume, olor agradable.

AROMAR. tr. Aromatizar.

AROMATICIDAD. f. Calidad de aromático.

AROMATICO-CA. adj. Que tiene aroma u olor agradable.

AROMATIZACIÓN. f. Acción de aromatizar.

AROMATIZAR. tr. r. Dar aroma a alguna cosa.

AROMO. m. Árbol leguminoso, especie de acacia, con flores aromáticas.

ARÓN. m. Aro. Planta aroidea.

ARPA. f. Mús. Instrumento de cuerdas verticales que se toca con ambas manos.

ARPADO-DA. adj. Que remata en dientes como de sierra.

ARPADURA. f. Rasguño, arañazo.

ARPAR. tr. Arañar, rasgar.

ARPEGIO. m. Mús. Sucesión de los sonidos de un acorde.

ARPELLA. f. Ave rapaz de color pardo, con vientre, collar y moño amarillentos.

ARPÍA. f. Ave fabulosa. Mujer mala y fea.

ARPILLERA. f. Tela de hilo basto, de yute o estopa, para embalajes.

ARPISTA. com. Que toca el arpa.

ARPÓN. m. Astil arrojadizo con tres puntas, para pescar.

ARPONAR. tr. Pescar con arpón.

ARPONEAR. tr. Cazar o pescar con arpón.

ARPONERO-RA. s. Quien fabrica arpones o pesca con ellos.

ARQUEADA. m. En los instrumentos musicales de arco, golpe o movimiento de éste, cada vez que cambia de dirección al herir las cuerdas.

ARQUEADOR. m. Perito que mide la capacidad de las embarcaciones.

ARQUEAJE. m. Arqueo de las embarcaciones.

ARQUEAR. tr. Dar figura de arco. Sacudir lana. Medir la capacidad de un buque.

ARQUEGONIO. m. órgano femenino de los musgos.

ARQUEO. m. Acto de arquear. Cabida de un buque. Reconocimiento de caudales.

ARQUEOLOGÍA. f. Estudio de los monumentos y cosas de la antigüedad.

ARQUEOLÓGICO-CA. adj. Perteneciente o relativo a la arqueología.

ARQUEÓLOGO. m. El que profesa la arqueología.

ARQUERÍA. f. Serie de arcos.

ARQUERO. m. El que hace arcos o soldado que lo manejaba.

ARQUETA. f. de arca.

ARQUETIPO. m. Tipo que sirve de ejemplo. Modelo, dechado de ejemplar.

ARQUETÓN. aum. de Arqueta.

ARQUIBANCO. m. Banco grande con cajones a modo de arca cuyas tapas sirven de asiento.

ARQUIDIÓCESIS. f. Diócesis arzobispal.

ARQUILLO. m. Arco de los instrumentos musicales.

ARQUIMESA. f. Mueble con tablero de mesa y varios cajones.

ARQUISIMAGOGO. m. El principal de la sinagoga.

ARQUITECTO. m. El que profesa la arquitectura.

ARQUITECTÓNICO-CA. adj. Relativo a la arquitectura.

ARQUITECTURA. f. Arte de proyectar y construir edificios.

ARQUITRABE. f. Arq. Parte de la cornisa que descansa sobre el capitel.

ARRABÁ. m. Arq. Adorno de forma rectangular que suele circunscribir el arca de estilo árabe.

ARRABAL. m. Barrio exterior de la población. Población anexa.

ARRABALERO-RA. adj. Habitante de un arrabal.

ARRABIO. m. Metal. Hierro colado.

ARRACACHA. f. Planta umbilífera de América, semejante a la chirivía.

ARRACADA. f. Arete con adorno colgando.

ARRACIMADO-DA. adj. El racimo.

ARRACIMARSE. r. Unirse en forma de racimo.

ARRACLÁN. m. Árbol ránneo, de madera flexible, que da un carbón muy ligero.

ARRAEZ. m. Caudillo árabe. Patrón de un barco.

ARRAIGADAMENTE. adv. m. Fijamente, con permanencia.

ARRAIGADO-DA. adj. Que posee buenas raíces. Mar. Amarradura de un cabo o cadena.

ARRAIGAR. intr. r. Echar raíces. Hacerse muy firme.

ARRAIGO. m. Acto de arraigar.

ARRAMBLAR. tr. Formar rambla. Arrastrar.

ARRANADO-DA. Dícese de lo que es de forma plana y baja como la rana.

ARRANCADA. f. Salida o empuje violento.

ARRANCADERA. f. Esquila grande que llevan los mansos.

ARRANCADERO. m. Punto desde donde se echa a correr.

ARRANCADO-DA. fig. y fam. Arruinado, pobre.

ARRANCADOR-RA. adj. Que arranca. f. Máquina agrícola para arrancar raíces.

ARRANCAPINOS. m. fig. y fam. Hombre de pequeño cuerpo.

ARRANCAR. tr. Sacar de raíz. Sacar con violencia. Acometer.

ARRANCASIEGA. f. Acción de arrancar las mieses y segar a la vez.

ARRANQUE. m. Acto de arrancar. Ímpetu. Ocurrencia inesperada.

ARRAPAR. tr. Arrebatar. Quitar con violencia.

ARRAPIEZO. m. Harapo. Persona pequeña, humilde.

ARRAPO. m. Arrapiezo, harapo.

ARRAS. pl. Prenda o señal de un contrato. Las trece monedas que simbolizan un matrimonio.

ARRASADO-DA. adj. De la calidad de raso o parecido a él.

ARRASAMIENTO. m. Acción y efecto de arrasar.

ARRASAR. tr. Allanar. Destruir. Llenar hasta el borde.

ARRASTRÁCULO. m. Mar. Vela pequeña que se largaba debajo de la botavara.

ARRASTRADAMENTE. adv. m. fig. Imperfecta o defectuosamente. Con trabajo o escasez.

ARRASTRADERA. f. Mar. Ala del trinquete.

ARRASTRADERO. m. Camino en el monte por donde se arrastra la madera. Lugar por donde se sacan de la plaza las reses muertas.

ARRASTRADO-DA. fig. y fam. Desastroso y azaroso; afligido de privaciones. Dícese del juego de naipes en que es obligatorio asistir a la carta jugada.

ARRASTRAMIENTO. m. Acto de arrastrar.

ARRASTRAPIES. m. Acción de ir arrastrando los pies por el suelo.

ARRASTRAR. tr. Llevar por el suelo. Lleva tras sí. r. Humillarse.

ARRASTRE. m. Acto de arrastrar.

ARRATE. m. Libra de dieciseis onzas.

ARRATONADO-DA. adj. Comido o roído de ratones.

ARRAYÁN. m. Arbusto de las mirtáceas, de flores pequeñas y blancas y bayas de color negro y azulado.

¡ARRE! interj. Para arrear a las bestias.

ARREAR. tr. Estimular a las bestias con la voz, espuela o golpes.

ARREBAÑADERAS. pl. Ganchos de hierro para sacar objetos que caen en los pozos.

ARRABAÑADOR-RA. adj. Que arrebaña.

ARREBAÑADURA. f. fam. Acción de arrebañar. pl. Residuos de algunas cosas.

ARREBAÑAR. tr. Juntar y recoger algo sin dejar nada.

ARREBATADAMENTE. adv. m. Precipitadamente o impetuosamente.

ARREBATADO-DA. adj. Impetuoso, muy encendido.

ARREBATADOR-RA. adj. Que arrebata.

ARREBATAMIENTO. m. Acto de arrebatar. Furor.

ARREBATAR. tr. Quitar con violencia. r. Enfurecerse.

ARREBATIÑA. f. Acto de recoger algo entre muchos apresuradamente o con disputa.

ARREBATO. m. Arrebatamiento. Extasis.

ARREBOL. m. Color rojo de las nubes.

ARREBOLADA. f. Conjunto de nubes enrojecidas por el sol.

ARREBOLAR. tr. r. Poner de color de arrebol.

ARREBOLERA. f. Solserilla donde se ponía el arrebol.

ARREBOZAR. tr. Rebozar..

ARREBUJADAMENTE. adv. m. fig. Confusa o embozadamente.

ARREBUJAR. tr. Coger mal y sin orden.

ARRECIAR. intr. Ir haciéndose más fuerte.

ARRECIDO-DA. adj. Quien se **hiela** o muere de frío.

ARRECIFE. m. Camino empedrado. Escollo en el mar.

ARRECIRSE. r. Entumecerse por el frío.

ARRECHUCHO. m. Arranque. fam. Indisposición pasajera.

ARREDRAMIENTO. m. Acción y efecto de arredrar.

ARREDRAR. tr. Separar. r. Retraer.

ARREDRO. m. adv. l. Atrás o hacia atrás.

ARREGAZAR. tr. r. Recoger las faldas.

ARREGLADAMENTE. adv. m. Con sujeción a regla.

ARREGLAR. tr. Sujetar a regla. Componer.

ARREGLO. m. Acto de arreglar. Orden avenencia.

ARREGOSTARSE. r. fam. Aficionarse, angolosinarse.

ARREGOSTO. m. fam. Gusto que se toma ya una cosa, hecho ya de costumbre.

ARREJADA. f. Pieza de hierro para limpiar el ganado.

ARREJAQUE. m. Garfio de hierro de tres puntas que se usa para pescar.

ARREJERAR. tr. Mar. Sujetar las embarcaciones con dos anclas por la proa y una por la popa.

ARREJONADO-DA. adj. Bot. Dícese de la hoja en forma de rejón.

ARRELLANARSE. r. Extenderse en el asiento con comodidad.

ARREMANGADO-DA. adj. fig. Levantado o vuelto hacia arriba.

ARREMANGAR. tr. r. Levantar las mangas o ropa.

ARREMANGO. m. Acción y efecto de arremangar.

ARREMETEDERO. m. Mil. Paraje por donde puede atacarse un lugar fuerte.

ARREMETEDOR-RA. adj. Que arremete.

ARREMETER. tr. Acometer con furia.

ARREMETIDA. f. Acto de arremeter. Arranque del caballo.

ARREMOLINARSE. r. Remolinarse.

ARREMUECO. m. Arremuesco o arrumaco.

ARRENDABLE. adj. Que se puede arrendar.

ARRENDADERO. m. Anillo sujeto a la pared para caballerías.

ARRENDAJO. m. Pájaro parecido al cuervo.

ARRENDAMIENTO. m. Acto de arrendar. Contrato o precio que se arrienda.

ARRENDAR. tr. Dar y tomar el goce temporal de una cosa por precio. Asegurar por riendas.

ARRENDATARIO-A. adj. Que toma algo en arriendo.

ARRENQUÍN. m. Cuba y Chile. Caballería que sirve de guía a las demás. Ayudante de viajeros, carreteros.

ARREO. m. Atavío. pl. Guarniciones de las caballerías.

ARREPENTIMIENTO. m. Pesar por haber hecho algo.

ARREPENTIRSE. r. Sentir arrepentimiento.

ARREPOLLAR. intr. Muy vulgar, debe decirse repollar.

ARREPTICIO-CIA. adj. Endemoniado o espiritado.

ARRESQUIVE. m. Labor o guarnición que se ponía en el borde del vestido. Adornos o atavíos.

ARRESTADO-DA. adj. Audaz, arrojado. Reclusión por poco tiempo.

ARRESTAR. tr. Poner preso.

ARRESTO. m. Acto de arrestar. Arrojo.

ARREZAFE. m. Cardo borriqueño.

ARREZAGAR. tr. Arremangar. Alzar, mover de abajo arriba.

ARRIANISMO. m. Herejía de Arrio.

ARRIANO-NA. adj. Sectario de la herejía de Arrio.

ARRIAR. tr. Mar. Bajar las velas o banderas.

ARRIATE. m. Espacio alrededor de una pared, sembrado de flores.

ARRIAZ. m. Puño de espada.

ARRIBA. adv. l. En parte superior o anterior.

ARRIBADA. f. Acto de arribar. Mar. Bordada que da un buque dejándose ir con el viento.

ARRIBAR. int. Llegar la nave al puerto. Convalecer.

ARRIBO. m. Llegada.

ARRICES. m. Hebilla con que se sujetan las aciones a la silla de montar.

ARRIENDO. m. Arrendamiento.

ARRIERÍA. f. Oficio de arriero.

ARRIERO. m. Quien conduce bestias de carga.

ARRIESGADO-DA. adj. Aventurado, osado.

ARRIESGAR. tr. r. Ponerse a riesgo.

ARRIMADERO. m. Cosa para subirse a

ella, que puede arrimarse a alguna parte.

ARRIMADILLO. m. Friso arrimado a la pared.

ARRIMADIZO-ZA. adj. Propio para arrimar. Pegadizo.

ARRIMAR. tr. r. Acercar.

ARRIMO. m. Acción de arrimar.

ARRINCONAR. tr. Poner en un rincón.

ARRINCONADO-DA. p. p. de arrinconar.

ARRIÑONADO. adj. De figura de riñón.

ARRISCADO-DA. adj. Resuelto, ágil, gallardo.

ARRISCADOR-RA. m. y f. La persona que recoge la aceituna al varearla.

ARRISCAR. tr. r. Arriesgar, engreirse.

ARRISCO. m. Riesgo.

ARRITMIA. f. Que no tiene ritmo regular, el corazón.

ARRÍTMICO-CA. adj. Med. Dícese del pulso anormal en su ritmo.

ARRIVISTA. m. Galicismo por advenedizo.

ARROAZ. m. Delfín, cetáceo.

ARROBA. f. Peso equivalente a 11 kilos 502 gramos.

ARROBAMIENTO. m. Acto de arrobar. Extasis.

ARROBARSE. r. Elevarse, enajenarse.

ARROCERO-RA. adj. Relativo al arroz. Quien lo cultiva.

ARROGABE. m. Maderamen para ligar los muros de un edificio.

ARRODILLAR. tr. r. Poner de rodillas.

ARRODRIGAR. tr. Arrodrigonar.

ARRODRIGONAR. tr. Poner rodrigones a las vides.

ARROGACIÓN. f. Acto de arrogar.

ARROGANCIA. f. Calidad de arrogante.

ARROGANTE. m. Altanero, valiente, gallardo.

ARROGAR. For. Adoptar como hijo a alguien.

ARROJADIZO-ZA. adj. Que puede arrojarse.

ARROJADO-DA. adj. Resuelto, intrépido.

ARROJAR. tr. Despedir con violencia. Impeler.

ARROJE. m. Cada uno de los hombres que en los teatros se arrojaban desde el telar para que con el peso de su cuerpo subiese el telón, a cuyas cuerdas iban asidos.

ARROJO. m. Osadía. Imtrepidez.

ARROLLAR. tr. r. Envolver en forma de rollo. Atropellar.

ARROPAR. tr. r. Cubrir con roja. tr. Echar arrope al vino.

ARROPE. m. Mosto cocido hasta la consistencia de jarabe.

ARROPIA. f. Miel.

ARROSTRAR. intr. y fig. Inclinarse. tr. Resistir.

ARROTO-TA. Valle o un surco de un arroyo.

ARROYO. m. Caudal corto de agua. Sitio por donde corre.

ARROZ. m. Planta anual gramínea de terrenos húmedos. Su fruto.

ARROZAL. m. Tierra sembrada de arroz.

ARRUAR. intr. Gruñido del jabalí en su huída.

ARRUFAR. tr. Gruñir el perro enseñando los dientes.

ARRUFADURA. Mar. Curvatura que hacen las cubiertas, galones y boidas de los buques.

ARRUGA. f. Pliegue de la piel o de una cosa flexible.

ARRUGAR. tr. r. Hacer arrugas.

ARRUGIA. f. Excavación subterránea que hacían antiguamente los mineros.

ARRUINAR. tr. r. Causa ruina. Destruir.

ARRULLAR. tr. Enamorar con arrullos las aves. Enamorar con palabras dulces.

ARRULLO. m. Canto de ciertas aves. Halago, requiebro.

ARRUMACOS. m. pl. Demostración de cariño.

ARRUMAR. tr. Distribuir la carga de un buque.

ARRUMBAR. tr. Dejar aparte como inútil. Colocar en hileras en las bodegas.

ARRUMI. m. Alcarabán.

ARSENAL. m. Lugar donde se fabrican, reparan y se conservan buques y sus pertrechos.

ARSENIATO. m. Quím. Sal formada del ácido arsénico y una base.

ARSENICAL. adj. Quím. Relativo al arsénico.

ARSÉNICO. m. Metaloide sólido venenoso.

ARSENIURO. m. Quím. Combinación del arsénico con otro cuerpo.

ARTA. f. Zaragatoria de monte.

ARTABRO-BRA. adj. Habitante de una antigua región galaica.

ARTE. amb. Maña. Habilidad. Cautela, astucia.

ARTEFACTO. m. Obra de arte mecánica.

ARTEMISA. f. Planta medicinal de flores blancas y tallo herbáceo.

ARTEJO. m. Nudillo, articulación.

ARTERA. f. Hierro para marcar el pan antes de meterlo en el horno.

ARTERIA. f. Vaso que lleva la sangre del corazón a las partes del cuerpo.

ARTERIAL. adj. Relativo a las arterias.

ARTERIOLA. f. Arteria pequeña.

ARTERIOESCLEROSIS. f. Med. Endurecimiento de las arterias.

ARTERITIS. f. Med. Inflamación de las arterias.

ARTERO-RA. adj. Astuto, mañoso.

ARTESA. f. Cajón para amasar el pan, para lavar, etc.

ARTESANÍA. f. Obra hecha por los artesianos.

ARTESANO-NA. s. Quien ejerce un arte u oficio.

ARTESIANO. m. Dícese del pozo profundo del que brota agua.

ARTESÓN. f. Artesa para fregar.

ARTESONADO-DA. adj. Arq. Adornado con artesones.

ARTESONAR. tr. Adornar con artesones.

ARTÉTICO-CA. adj. Que tiene dolores en las articulaciones.

ÁRTICO-CA. adj. Geog. Septentrional.

ARTICULACIÓN. f. Acto de articular. Pronunciación clara.

ARTICULADO-DA. adj. Que tiene articulaciones.

ARTICULAR. adj. Relativo a las articulaciones. tr. Unir, enlazar, pronunciar claramente.

ARTICULISTA. com. Quien escribe artículos.

ARTÍCULO. m. Parte de un escrito. Cada disposición de una ley. Parte de la oración.

ARTÍFICE. com. Artista, autor.

ARTIFICIAL. adj. Hecho por arte del hombre.

ARTIFICIO. m. Arte, primor. Industria. Disimulo.

ARTIFICIOSO-SA. adj. Hecho con artificio. Astuto.

ARTILUGIO. m. Mecanismo de escasa importancia.

ARTILLADO-DA. adj. Cubierto de artillería.

ARTILLAR. tr. Armar de artillería.

ARTILLERÍA. f. Arte de construir y usar armas de guerra.

ARTILLERO. m. El que profesa la artillería. Soldado de dicha arma.

ARTIMAÑA. f. Trampa para cazar. fam. Artificio o astucia. •

ARTIMÓN. m. Mar. Vela que antiguamente usaban las galeras.

ARTIODÁCTILO-LA. adj. Zool. Animal que tiene dedos en número par. m. pl. Orden de mamíferos que tienen este carácter.

ARTISTA. adj. s. Que ejerce un arte liberal.

ARTÍSTICO-CA. adj. Relativo a las artes.

ARTOCARREO-A. adj. Bot. Árboles o arbustos dicotiledóneos.

ARTOLAS. pl. Aparejo de dos asientos para cabalgar dos personas.

ARTRÍTICO-CA. adj. Relativo a la artritis.

ARTRITIS. f. Med. Inflamación de las articulaciones.

ARTRITISMO. m. Diatesis artrítica.

ARTRÓPODO-DA. adj. s. Animal de cuerpo anillado con tres o más partes de patas articuladas.

ARTURO. m. Astrón. Estrella de la constelación de Bootes.

ARÚSPICE. m. Agorero.

ARVEJA. f. Algarroba.

ARVENSE. adj. Toda planta que crece en los sembrados.

ARZOBISPADO. m. Dignidad de Arzobispo.

ARZOBISPO. m. Obispo de una iglesia metropolitana.

ARZOLLA. m. Bot. Planta compuesta, matagallegos.

ARZOLLO. m. Alimento silvestre.

ARZÓN. m. Fuste delantero o trasero de la silla de montar.

AS. m. Moneda de cobre romana. Carta de la baraja o de dado.

ASA. f. Parte que sobresale en vasijas, cestas, etc., para asirlas. Asidero.

ASADOR. m. Varilla de hierro en que se clava algo para asar.

ASADURA. f. Entrañas del animal.

ASAETAR. tr. Disparar saetas. Herir o matar con ellas.

ASALARIADO-DA. adj. Persona que presta un servicio mediante un jornal o salario.

ASALARIAR. tr. r. Señalar salario a una persona.

ASALTAR. tr. Acometer con ímpetu.

ASALMONADO-DA. adj. De color de rosa pálido.

ASALTO. m. Acto de asaltar. Esgr. Simulacro de pelea.

ASAMBLEA. f. Junta de personas numerosa para algo.

ASAR. tr. Poner al fuego algo para ponerlo comestible.

ASARO. m. Planta perenne de olor nauseabundo.

ASATIVO-VA. adj. Cocimiento de una cosa con su propio zumo.

ASAZ. adv. Bastante, harto.

ASBESTO. m. Mineral parecido al amianto.

ASCAR. m. En Marruecos, ejército.

ASCARI. m. Soldado de infantería marroquí.

ASCARIDE. f. Lombriz intestinal.

ASCENDENCIA. f. Serie de ascendentes.

ASCENDER. intr. Subir. Adelantar en un empleo.

ASCENDIENTE. f. Antepasado. m. Predominio.

ASCENSIÓN. f. Acción de ascender. Exaltación de una dignidad.

ASCENSO. m. Subida, elevación. Promoción a mayor empleo.

ASCENSOR. m. Aparato para subir personas o cosas.

ASCETA. com. Persona que hace vida ascética.

ASCETISMO. m. Doctrina o profesión de la vida cristiana perfecta.

ASCITIS. f. Med. Hidropesía del vientre.

ASCO. m. Alteración del estómago por repugnancia.

ASCOMICETO. adj. Hongos que tienen los esporidios encerrados en bolsas.

ASCUA. f. Cualquier materia encendida.

ASEADO-DA. adj. Limpio, curioso.

ASEAR. tr. r. Poner limpio, aseado. Componer.

ASECHANZA. f. Engaño o artificio para hacer daño.

ASECHO. m. Asechanza.

ASEDAR. tr. Poner suave como la seda.

ASEDIAR. tr. Bloquear, fig. Importunar.

ASEDIO. m. Bloqueo.

ASEGURAR. tr. Dar firmeza a una cosa. Poner en lugar seguro.

ASEGURO. m. Barbarismo por seguro.

ASEIDAD. f. Atributo divino de existir por sí mismo.

ASEMEJAR. tr. r. Hacer algo semejante a otro.

ASENDEREADO-DA. adj. Agobiado de trabajos. Perseguido.

ASENDEREAR. tr. Hacer sendas. Perseguir a uno.

ASENSO. m. Acto de asentir.

ASENTADERAS. f. pl. Nalgas.

ASENTAR. tr. r. Poner en un asiento. Fundar. Alisar.

ASENTIMIENTO. m. Asenso.

ASENTIR. tr. Convenir con otro en el juicio.

ASENTISTA. m. Contratista de suministros.

ASEO. m. Limpieza.

ASÉPALO-LA. adj. Bot. Que carece de sépalos.

ASEPSIA. f. Método terapéutico para evitar infecciones.

ASÉPTICO-CA. adj. Relativo a la asepsia.

ASEQUIBLE. adj. Que puede alcanzarse.

ASERCIÓN. m. Acto de afirmar. Proposición en que se afirma.

ASERRADERO. m. Paraje donde se asierra.

ASERRAR. tr. Cortar o dividir con sierra.

ASERRÍN. m. Polvo de madera aserrada.

ASERTO. m. Aserción.

ASESAR. tr. Hacer, adquirir cordura.

ASESINAR. tr. Matar con alevosía.

ASESINATO. m. Acto de asesinar.

ASESINO-NA. adj. s. El que asesina.

ASESOR-RA. adj. Que asesora.

ASESORAR. tr. r. Dar consejo, parecer. Tomar asesor.

ASESTAR. tr. Dirigir un arma hacia lo que se amenaza. Descargar un golpe.

ASEVERACIÓN. f. Acto de aseverar.

ASEVERAR. tr. Afirmar o asegurar lo que se dice.

ASEXUAL. adj. Que carece de sexo.

ASFALTAR. tr. Revestir de asfalto.

ASFALTO. m. Betún mezclado con arena. Se usa para pavimento.

ASFIXIA. f. Suspensión de la respiración.

ASFIXIADOR-RA. adj. Que asfixia.

ASFIXIAR. tr. Producir asfixia.

ASÍ. adv. m. De esta suerte o de esta manera.

ASIALIA. f. Med. Disminución de la saliva.

ASIDERO. m. Parte por donde se ase. Ocasión.

ASIDUAMENTE. adv. m. Con asiduidad.

ASIDUIDAD. f. Calidad de asiduo.

ASIDUO-A. adj. Frecuente, puntual, perseverante.

ASIENTO. m. Silla. Taburete. Anotación. Estabilidad.

ASIGNABLE. adj. Que se puede asignar.

ASIGNACIÓN. f. Acción de asignar. Cantidad señalada por un concepto.

ASIGNAR. tr. Señalar.

ASIGNATURA. f. Materia explicada por el catedrático durante el curso académico.

ASILAR. tr. Dar asilo, albergar.

ASILADO-DA. adj. Acogido.

ASILO. m. Lugar de refugio.

ASIMIENTO. m. Acción de asir.

ASIMÉTRICO-CA. adj. Sin simetría.

ASIMILACIÓN. f. Acto de asimilar.

ASIMILAR. tr. r. Asemejar. Comparar.

ASIMISMO. adv. De este o del mismo modo.

ASINDETÓN. m. Ret. Figura que consiste en omitir las conjunciones para dar viveza.

ASÍNTOTA. f. Geom. Línea que se acerca a una curva sin encontrarla.

ASIR. tr. Tomar, coger con la mano. Agarrase de algo.

ASISTENCIA. f. Acto de asistir. Recompensa.

ASISTENTA. f. Criada interina. Mujer del asistente.

ASISTENTE. adj. Que asiste. Soldado que sirve a un oficial.

ASISTIR. intr. Estar presente. Cuidar de un enfermo.

ASISTOLIA. f. Med. Enfermedad de la sístola cardíaca.

ASMA. f. Enfermedad de los pulmones.

ASMÁTICO-CA. adj. Que padece asma o relativo a ella.

ASNA. f. Hembra del asno.

ASNAL. adj. Relativo al asno.

ASNO. m. Solípedo empleado como bestia de carga.

ASOBINARSE. r. Quedar una bestia tendida en forma tal que por sí no pueda levantarse.

ASOCIACIÓN. f. Acto de asociarse. Conjunto de asociados.

ASOCIADO-DA. adj. Persona que acompaña a otra en alguna comisión, encargo. Persona que forma parte de una asociación.

ASOLADOR-RA. adj. Que asuela o pone por el suelo.

ASOLAMIENTO. m. Acción de asolar.

ASOLANAR. Daño del viento solano.

ASOLAR. tr. Poner por el suelo. Arrasar.

ASOLDAR. tr. Tomar sueldo, asalariar.

ASOLEAR. tr. Tener una cosa al sol.

ASOMADA. f. Acción de manifestar por poco tiempo.

ASOMAR. intr. Empezar a mostrarse algo. Sacar o mostrar algo por una abertura.

ASOMBRADIZO-ZA. adj. Espantadizo.

ASOMBRAR. tr. r. Hacer sombra. Asustar. Causar admiración.

ASOMBRO. m. Susto, espanto. Gran admiración.

ASOMO. m. Indicio o señal de algo. Sospecha.

ASONADA. f. Reunión tumultuosa y violenta.

ASONANCIA. f. Correspondencia de dos sonidos o cosas.

ASONANTE. adj. Que suena.

ASONAR. intr. Hacer sonancias.

ASORDAR. Ensordecer con ruidos o voces.

ASPA. f. Cruz en forma de X. Útil del molino de viento.

ASPAR. tr. Hacer madeja de hilo en el aspa. Mortificar.

ASPAVIENTO. m. Demostración afectada de espanto, admiración o sentimiento.

ASPECTO. m. Apariencia.

ASPERAMENTE. adv. m. Con aspereza.

ASPEREZA. f. Calidad de áspero.

ASPERGES. m. Rociadura o aspersión.

ASPERIDAD. f. Aspereza.

ASPERJAR. tr. Rociar.

ÁSPERO-RA. adj. Desapacible al tacto.

ASPERÓN. m. Roca arenisca.

ASPERSIÓN. f. Acto de asperjar.

ASPERSORIO. m. Instrumento con que se asperja.

ASPID. m. Víbora muy venenosa.

ASPILLA. f. Regla para conocer el líquido de un recipiente.

ASPILLERA. f. Abertura en la pared para disparar.

ASPILLERAR. tr. Hacer aspilleras.

ASPIRACIÓN. f. Acto de aspirar.

ASPIRADORA. f. Que aspira.

ASPIRANTE. m. Empleado sin sueldo.

ASPIRAR. tr. Atraer el aire exterior a los pulmones. Pretender.

ASPIRINA. f. Remedio antirreumático, analgésico y febrífugo.

ASQUEROSAMENTE. adv. m. Puerca o suciamente.

ASQUEROSIDAD. f. Suciedad que mueve a asco.

ASTA. f. Lanza, cuerno. Palo de madera.

ASTACO. m. Cangrejo de agua dulce.

ASTENIA. f. Med. Falta de fuerzas.

ASTÉNICO-CA. adj. Que padece astenia.

ASTER. m. Planta compuesta famosa por sus flores.

ASTERISCO. m. Signo ortográfico en forma de estrella.

ASTEROIDE. m. Planeta telescópico. adj. De figura de estrella.

ASTIFINO. adj. Dícese del toro de astas delgadas y finas.

ASTIGMÁTICO-CA. adj. Que padece astigmatismo.

ASTIGMATISMO. m. Med. Defecto en el ojo o lente que impide la visión directa.

ASTIL. m. Vara de las saetas. Mango.

ASTILLA. f. Fragmento irregular de la madera al romperse.

ASTILLAR. tr. Hacer astillas.

ASTILLEJOS. m. Astrón. Castor y Pólux de la constelación de Géminis.

ASTILLERO. m. Percha donde se ponen las lanzas. Donde se construyen buques.

ASTILLOSO-SA. adj. Lo que se rompe formando astillas.

ASTOMIA. f. Falta de boca.

ASTRACÁN. m. Piel muy rizada de cordero, caracol o tejido que la imita.

ASTRÁGALO. m. Uno de los huesos del talón.

ASTRAL. adj. Relativo a los astros.

ASTRICCIÓN. f. Acto de astringir.

ASTRINGIR. tr. Apretar, estrechar.

ASTRO. m. Cualquiera de los cuerpos celestes del firmamento.

ASTROLABIO. m. Instrumento usado para observar la altura, lugar y movimiento de los astros.

ASTROLITO. m. Aerolito.

ASTROLOGÍA. f. Ciencia adivinatoria.

ASTRÓLOGO. m. Que profesa la astronomía.

ASTRONOMÍA. f. Ciencia de los astros.

ASTRÓNOMO. m. El que profesa la astronomía.

ASTROSO-SA. adj. Desastrado. Vil, despreciable.

ASTUCIA. f. Cualidad de astuto. Ardid.

ASTUR. adj. Asturiano, de Asturias.

ASTURIÓN. m. Esturión. Jaca, caballo pequeño.

ASTUTO-TA. adj. Agudo, hábil.

ASUBIAR. intr. Protegerse de la lluvia.

ASUETO. m. Vacación por un día o tarde.

ASUMIR. tr. Atraer a sí, tomar para sí.

ASUNCIÓN. f. Acto de asumir. Elevación de la Virgen al cielo.

ASUNTO. m. Materia de que se trata. Tema.

ASURAMIENTO. m. Acción y efecto de asurar o asurarse.

ASURAR. tr. Requemar los guisados en la vasija donde se cuecen, por falta de jugo o de humedad.

ASURCADO-DA. adj. Que tiene surcos o hendiduras.

ASURCANO-NA. adj. Dícese de las labores o tierras contiguas, y de los dueños de ellas.

ASUSTADIZO-ZA. adj. Que se asusta con facilidad.

ASUSO. adv. l. Arriba.

ASUSTAR. tr. Dar o causar susto.

ATABACADO-DA. adj. De color de tabaco.

ATABAL. m. Timbal. Tamborcillo.

ATABALERO. m. El que toca el atabal.

ATABANADO-DA. adj. Dícese del caballo o yegua de pelo obscuro, con pintas blancas en los ijares y en el cuello.

ATABE. m. Abertura en las cañerías de agua para reconocer hasta dónde llega.

ATABERNADO. adj. Dícese del vino vendido por menor.

ATABLADERA. f. Tabla que sirve para atablar.

ATABLAR. tr. Allanar con la atabladera la tierra ya sembrada.

ATACADERA. f. Barra para atacar la carga de los barrenos.

ATACADOR-RA. adj. Que ataca o acomete.

ATACAR. tr. Acometer, embestir.

ATACIR. m. Astrol. División por medio de meridianos de la bóveda celeste en doce partes iguales.

ATADERO. m. Lo que sirve para atar.

ATADIJO. m. Lío pequeño y mal hecho.

ATADURA. f. Acto de atar. Cosa con que se ata. Unión.

ATAFEA. f. Hartazgo.

ATAGALLAR. intr. Mar. Navegar un buque muy forzado de vela.

ATAHARRE. m. Cincha que rodea las ancas de la caballería, para que no se corra el aparejo.

ATAIFOR. m. Mesa redonda y pequeña usada por los musulmanes.

ATAIRE. m. Moldura en las escuadras y tableros de puertas y ventanas.

ATAJADERO. m. Caballón, para la distribución de agua.

ATAJADIZO. m. Tabique u otra cosa con que se ataja un sitio o terreno.

ATAJAR. tr. Ir por el atajo. Salir al encuentro.

ATAJASOLACES. m. Espanta gustos.

ATAJO. m. Camino más corto.

ATALAYA. f. Torre para descubrir y dar avisos.

ATALAYAR. tr. Vigilar desde la atalaya. Espiar.

ATANOR. m. Cañería para conducir agua.

ATAÑER. intr. Tocar, pertenecer, incumbir.

ATAQUE. m. Acto de atacar.

ATAR. tr. Unir, juntar, enlazar.

ATARANTADO-DA. adj. Picado por la tarántula. Inquieto.

ATARANTAR. tr. r. Aturdir.

ATARAZANA. f. Arsenal. Cobertizo en que trabajan los cordeleros.

ATARAZAR. tr. Morder.

ATARDECER. m. Último período de la tarde.

ATAREAR. tr. Señalar tarea.

ATARJEA. f. Caja de ladrillo para cubrir cañerías.

ATARQUINAR. tr. r. Llenar de tarquín.

ATARRAGAR. tr. Entre herradores, dar con el martillo la forma conveniente a la herradura y a los clavos.

ATARUGAR. tr. Asegurar con tarugos. Turbarse.

ATASAJAR. tr. Hacer tasajos de carne.

ATASCADERO. m. Lozadal donde se atascan los vehículos.

ATASCAR. tr. r. Obstruir. Quedarse detenido.

ATASCO. m. Impedimento.

ATAÚD. m. Caja para meter el cadáver.

ATAUDADO-DA. adj. De forma de ataúd.

ATAUJIA. f. Taracea morisca obrada en metales.

ATAURIQUE. m. Labor de hojas y flores hechas en yeso.

ATAVIAR. tr. r. Componer, adornar.

ATÁVICO-CA. adj. Relativo al atavismo.

ATAVÍO. m. Compostura, aseo.

ATAVISMO. m. Semejanza con los antepasados.

ATAXIA. f. Med. Perturbación de las funciones del sistema nervioso.

ATÁXICO-CA. adj. Reltaivo a la ataxia. Que la padece.

ATEDIANTE. ad. Tedioso.

ATEÍSMO. m. Opinión de ateo.

ATELAJE. m. Conjunto de caballerías que tiran de un carruaje.

ATELES. m. Mono americano, también llamado mono araña.

ATEMORIZAR. tr. r. Causar temor.

ATEMPERAR. tr. Moderar. Reducir a su temperamento.

ATENACEAR. tr. Arrancar con tenazas.

ATENAZAR. tr. Atenacear. Apretar los dientes.

ATENCIÓN. f. Acto de atender. Cortesía.

ATENDER. intr. tr. Aplicar el entendimiento a algo. Tener en cuenta. Cuidar de algo.

ATENDIBLE. adj. Digno de atención.

ATENEO. m. Corporación científica o literaria.

ATENERSE. r. Arrimarse.

ATENORADO-DA. adj. Voz parecida a la del tenor y de los instrumentos cuyo sonido tiene parecido timbre.

ATENTAMENTE. adv. m. Con atención o respeto.

ATENTAR. tr. Cometer un delito. Irse con tiento.

ATENTATORIO-RIA. adj. Que incluye atentado.

ATENTO-TA. adj. Que fija la atención.

ATENUACIÓN. f. Acto de atenuar.

ATENUANTE. f. Circunstancia que reduce la pena.

ATENUAR. tr. Poner sutil. Disminuir algo.

ATEO-A. adj. Que niega la existencia de Dios.

ATERCIOPELADO-DA. adj. Semejante al terciopelo.

ATERECERSE. r. Aterirse.

ATERIRSE. r. Pasmarse de frío.

ATÉRMANO-NA. adj. Fís. Que no da paso al calor.

ATERRADOR-RA. adj. Que aterra.

ATERRAJAR. tr. Labrar con terraja las roscas.

ATERRAR. tr. Echar por tierra. Causar terror.

ATERRIZAJE. intr. Descender a tierra el aviador con el aparato.

ATERRIZAR. intr. Tomar tierra un avión.

ATERRONAR. tr. r. Hacer terrones.

ATERRORIZAR. tr. r. Causar terror, sentirlo.

ATES. m. Especie de chirimoya, que se cultiva en Filipinas.

ATESORAR. tr. Guardar dinero o cosas de valor.

ATESTADO-DA. adj. Testarudo. m. Instrumento que da fe de algo por autoridad competente.

ATESTAR. tr. Henchir. Rellenar. For. Testificar.

ATESTIGUAR. tr. Declarar como testigo.

ATEZADO-DA. adj. De color negro.

ATEZAR. tr. r. Ennegrecer.

ATIBAR. tr. Min. Rellenar las excavaciones de una mina que no conviene dejar abierta.

ATIBORRAR. tr. Llenar de borra. fig. Atracarse.

ATICISMO. m. Delicadeza de los oradores atenienses.

ÁTICO-CA. m. Último piso de un edificio. Agudo, atildado.

ATIFLE. m. Útil de alfarero para separar las piezas en el horno.

ATIGRADO-DA. adj. Parecido a la piel del tigre.

ATILDAR. tr. Poner tildes a las letras. Reparar.

ATINADAMENTE. adv. m. Con tino.

ATINAR. tr. Acertar en el blanco.

ATIPARSE. r. Atracarse, hartarse.

ATIPLAR. tr. Alzar el tono de un instrumento hasta el tiple.

ATIRANTAR. tr. Poner tirante o asegurar piezas.

ATISBAR. tr. Mirar recatadamente.

ATIZADOR-RA. adj. Que atiza. m. Instrumento que sirve para atizar.

ATIZAR. tr. Remover o añadir combustible al fuego.

ATLANTE. m. Arq. Estatuas de hombres que sostienen sobre sus cabezas u hombros los arquitrabes de las obras. fig. Persona que ayuda o sostiene de algo pesado.

ATLÁNTICO-CA. adj. Perteneciente al monte Atlas. Dícese del Océano situado entre Europa y África y América.

ATLAS. m. Colección de mapas o de láminas de una obra.

ATLETA. m. Luchador. Hombre corpulento.

ATLÉTICO-CA. adj. Relativo al atleta.

ATLETISMO. m. Doctrina y práctica de los ejercicios atléticos.

ATMÓSFERA. f. Masa de aire que rodea la tierra. Unidad de presión.

ATMOSFÉRICO-CA. adj. Relativo a la atmósfera.

ATOAR. tr. Mar. Llevar a remolque una nave.

ATOBA. f. Adobe.

ATOCIA. f. Med. Esterilidad en la mujer.

ATOCHA. f. Planta que produce el esparto.

ATOCHAL. m. Espartizal.

ATOLONDRADO-DA. adj. Que procede sin reflexión.

ATOLONDRAR. tr. r. Aturdir.

ATOLLADERO. m. Atascadero. Dificultad grande.

ATOLLAR. intr. r. Dar en un atolladero. Atascarse.

ATOMICIDAD. f. Capacidad de los átomos para combinarse.

ATÓMICO-CA. adj. Quím. Relativo al átomo.

ATOMISMO. m. Doctrina de la formación del mundo por el concurso fortuito de los átomos.

ATOMISTA. com. Partidario del atomismo.

ÁTOMO. m. Elemento material de pequeñez extremada.

ATONAL. adj. Mús. Música sin tonalidad determinada.

ATONÍA. f. Med. Debilidad, falta de vigor.

ATÓNITO-TA. adj. Pasmado.

ÁTONO-NA. adj. Carente de acento prosódico.

ATONTAR. tr. r. Aturdir, volver tonto.

ATORAR. tr. Atascar, obstruir.

ATORMENTADOR-RA. adj. Que atormenta.

ATORMENTAR. tr. Causar dolor o aflicción.

ATORNILLAR. tr. Introducir tornillos. Sujetar con tornillos.

ATOROZONARSE. r. Padecer torozón las caballerías.

ATORTORAR. tr. Mar. Fortalecer con tortores.

ATORTUJAR. tr. Aplastar alguna cosa apretándola.

ATOSIGAMIENTO. m. Acción de atosigar o atosigarse.

ATOSIGAR. tr. Emponzoñar con tósigo.

ATÓXICO. adj. No venenoso.

ATRABILIARIO-A. adj. De genio destemplado. Relativo a la atrabilis.

ATRABILIS. f. Med. Cólera negra y acre.

ATRACADERO. m. Lugar para atracar.

ATRACADOR. m. Salteador.

ATRACAR. intr. Mar. Arrimar un buque a tierra o a otro buque. tr. r. Hurtar. Saltear.

ATRACCIÓN. f. Acción de atraer. Fuerza que atrae.

ATRACO. m. Acción de atracar.

ATRACÓN. m. Hartazgo.

ATRACTIVO-VA. adj. Que atrae. Incentivo.

ATRAER. tr. Traer hacia sí. Captar la voluntad.

ATRAFAGAR. intr. Fatigarse o afanarse.

ATRAGANTAR. tr. r. No poder tragar. fig. Turbarse.

ATRAIBLE. adj. Que se puede atraer.

ATRAILLAR. tr. Sujetar con trailla.

ATRAMENTO. m. Color negro.

ATRANCAR. tr. r. Asegurar con tranca. Atascar.

ATRANCO. m. Atranque. Atascadero.

ATRAPAR. tr. Coger una cosa. Conseguir.

ATRÁS. adv. l. En la parte posterior. En tiempo pasado.

ATRASADO-DA. adj. Alcanzado, empeñado.

ATRASAR. tr. r. Retardar. Quedar atrás.

ATRASO. m. Efecto de atraerse o atrasar.

ATRAVESAR. tr. r. Poner algo para estorbar el paso. Pasar algo. Interponerse.

ATRAYENTE. p. a. Que atrae.

ATREVERSE. r. Determinarse, aventurarse.

ATREVIDO-DA. adj. Que se atreve. Osado.

ATREVIMIENTO. m. Acción de atreverse.

ATRIBUCIÓN. f. Acto de atribuir. Facultad por razón del cargo.

ATRIBUIR. tr. Aplicar. Imputar, achacar.

ATRIBULAR. tr. Causar o padecer tribulación.

ATRIBUTIVO-VA. adj. Que indica cualidad.

ATRIBUTO. m. Propiedad de un ser. Insignias de un cargo.

ATRICCIÓN. f. Dolor de haber ofendido a Dios por miedo al castigo.

ATRIL. m. Mueble para sostener libros abiertos.

ATRILERA. f. Cubierta que en las iglesias se pone al atril o fascistol.

ATRINCHERAR. tr. Fortificar con trincheras.

ATRIO. m. Arq. Espacio cubierto a la entrada de un edificio.

ATRIRROSTRO-TRA. adj. Zool. Las aves que tienen negro el pico.

ATROCIDAD. f. Crueldad. Dicho o hecho necio.

ATROFIA. f. Disminución del volumen de un órgano.

ATROFIARSE. r. Padecer atrofia.

ATROMPETADO-DA. adj. Abocardado. Dícese de las escopetas y de las narices gordas o torcidas.

ATRONAR. tr. Asordar con ruido. Aturdir.

ATROPAR. tr. Juntar gente en tropas o cuadrilla. Juntar, reunir.

ATROPELLAR. tr. Pasar por encima. Derribar.

ATROPELLO. m. Acto de atropellar. Tropelía.

ATROPINA. f. Alcaloide venenoso de algunas solanáceas.

ATROZ. adj. Inhumano. Enorme.

ATRUCHADO-DA. adj. Se dice del hierro colado cuyo grano semeja las pintas de las truchas.

ATUENDO. m. Aparato, atavío.

ATUFAR. t. Enfadar. Recibir o tomar tufo.

ATUFO. m. Enfado o enojo.

ATÚN. m. Pez acantopterigio, comestible.

ATUNERA. f. Anzuelo para pescar atunes.

ATURAR. tr. fam. Tapar muy apretadamente alguna cosa.

ATURDIDAMENTE. adv. m. Con aturdimiento.

ATURDIDO-DA. adj. Que obra sin reflexión.

ATURDIDOR-RA. adj. Que aturde.

ATURDIMIENTO. m. Perturbación de los sentidos a causa de un golpe, o ruido extraordinario. Falta de serenidad.

ATURDIR. tr. Causar aturdimiento.

ATURQUESADO-DA. adj. De color azul turquí.

ATURULLAR. tr. fam. Confundir a uno, turbarle, aturdirle.

ATURULLAMIENTO. m. Atolondramiento.

ATUSADOR-RA. adj. Que atusa.

ATUSAR. tr. Recortar o alisar el pelo. Componerse.

ATUTÍA. f. Óxido de cinc que se adhiere a los conductos y chimeneas de los hornos donde se tratan minerales de cinc.

AUCA. f. Oca, ansar y juego.

AUDACIA. f. Osadía, atrevimiento.

AUDAZ. adj. Osado, atrevido.

AUDIBLE. adj. Que puede ser oído.

AUDICIÓN. f. Acción de oír o de hacerse oír. Acto musical.

AUDIENCIA. f. Tribunal de justicia y edificio en que se reúne.

AUDÍFONO. m. Aparato para que los sordos puedan oír.

AUDIÓN. m. Lámpara amplificadora en radiotelegrafía.

AUDITIVO-VA. adj. Que tiene virtud para oír. Relativo al órgano del oído.

AUDITOR. m. ant. Oyente. De guerra. Funcionario del cuerpo jurídico militar.

AUDITORÍA. f. Empleo o tribunal del auditor.

AUDITORIO. m. Concurso de oyentes.

AUGE. m. Elevación grande en dignidad o fortuna.

AUGITA. f. Mineral, formado por silicato doble de cal y magnesia, de color verde obscuro.

AUGUR. m. Sacerdote de la antigua Roma que practicaba la auguración.

AUGURACIÓN. f. Adivinación por el vuelo y el canto de las aves.

AUGURAR. tr. Agorar, pronosticar.

AUGURIO. m. Agüero.

AUGUSTAMENTE. adv. m. Excelente, ilustre o eminentemente.

AUGUSTO-TA. adj. Respetable, majestuoso.

AULA. f. Sala donde se enseñan un arte o facultad.

AULAGA. f. Bot. Planta leguminosa usada como pienso.

ÁULICO-CA. adj. Perteneciente a la corte.

AULLADERO. m. Mont. Sitio donde se juntan y aúllan los lobos.

AULLADOR-RA. adj. Que aulla.

AULLAR. intr. Dar aullidos.

AULLIDO. m. Voz triste y prolongada del lobo, perro y otros animales.

AUMENTABLE. adj. Que se puede aumentar.

AUMENTADOR-RA. adj. Que aumenta alguna cosa.

AUMENTAR. tr. Dar mayor tamaño.

AUMENTATIVO-VA. adj. Gram. Vocablo que aumenta el significado de los positivos.

AUMENTO. m. Acrecentamiento.

AÚN. adv. t. m. Todavía.

AUNAR. tr. Unir, confederar.

AUNQUE. conj. advers. No obstante. A pesar de.

¡AÚPA! f. interj. Para estimular.

AUPAR. tr. fam. Levantar, ensalzar.

AURA. f. Viento suave. fig. Aceptación.

AURANCIACEO. Bot. Arbustos y árboles dicotiledóneos siempre verdes.

ÁUREO-A. adj. De oro, dorado.

AUREOLA. f. Círculo luminoso detrás de las cabezas de las imágenes.

AUREOLAR. tr. Adornar como con aureola.

AÚRICO-CA. adj. De oro.

AURÍCULA. f. Zool. Cavidades superiores del corazón. Pabellón de la oreja.

AURICULAR. adj. Relativo al oído. m.

Dedo auricular. En los aparatos telefónicos, la parte que se aplica al oído.

AURÍFERO-RA. adj. Que lleva oro.

AURIGA. m. poét. El que dirige las caballerías que tiran de un carruaje.

AURÍVORO RA. adj. Codicioso de oro.

AURORA. f. Luz que precede a la salida del sol.

AURRAGADO-DA. adj. Aplícase a la tierra mal labrada.

AUSCULTACIÓN. f. Med. Acción de auscultar.

AUSCULTAR. tr. Med. Escuchar los sonidos del cuerpo.

AUSENCIA. f. Acción de ausentarse. Tiempo en que alguno está ausente.

AUSENTAR. tr. Hacer que alguno se aleje de un lugar.

AUSENTARSE. r. Alejarse de un lugar.

AUSENTE. adj. Separado de una persona o lugar.

AUSPICIO. m. Agüero. Protección, favor.

AUSTERAMENTE. adv. m. Con austeridad.

AUSTERIDAD. f. Calidad de austero.

AUSTERO-RA. adj. Agrio, áspero. Mortificado, severo.

AUSTRAL. adj. Perteneciente al austro, y en general al polo.

AUSTRALIANO-NA. adj. Natural de Australia.

AUSTRÍACO-CA. adj. Natural de Austria.

AUSTRO. m. Viento que sopla de la parte del Sur.

AUTARQUÍA. f. Condición de un ser que no necesita de otro para subsistir.

AUTÉNTICA. f. Certificación con que se testifica la identidad y verdad de alguna cosa.

AUTENTICACIÓN. f. Acción y efecto de autenticar.

AUTENTICAR. tr. Autorizar, legalizar algo. Acreditar.

AUTENTICIDAD. f. Calidad de auténtico.

AUTÉNTICO-CA. adj. Acreditado de cierto y positivo, por los caracteres o circunstancias que en ello concurren.

AUTILLO. m. Ave rapaz, nocturna.

AUTO. m. For. Una de las formas de resolución judicial.

AUTO. Prefijo que significa "uno mismo, por sí mismo".

AUTOBIOGRAFÍA. f. Biografía de una persona escrita por ella misma.

AUTOBIOGRÁFICO-CA. adj. Perteneciente o relativo a la autobiografía.

AUTOBOMBO. m. Elogio que hace uno mismo de sí mismo.

AUTOBÚS. m. ómnibus automóvil.

AUTOCAMIÓN. m. Camión automóvil.

AUTOCLAVE. m. Aparato para desinfectar a altas temperaturas.

AUTOCOPIA. f. Copia obtenida autobiográficamente.

AUTOCOPIAR. tr. Copiar autobiografía.

AUTOCOPISTA. m. Aparato autográfico para obtener autocopias.

AUTOCRACIA. f. Gobierno de un déspota absolutista.

AUTÓCRATA. com. Persona que ejerce por sí sola la autoridad.

AUTOCRÁTICO-CA. adj. Relativo al autócrata o a la autocracia.

AUTOCTONÍA. f. Calidad de autóctono.

AUTÓCTONO-NA. adj. Originario del país en que vive.

AUTODIDACTO-TA. adj. Que se instruye por sí mismo.

AUTÓDROMO. m. Pista para automóviles.

AUTÓGENO-NA. adj. Soldadura metálica por fundido de las partes que se han de unir.

AUTOGIRO. m. Avión con palas horizontales de sustentación, articuladas en un eje vertical y dispuestas para ser accionadas en su avance por el aire y que permiten que el aparato tome tierra casi verticalmente.

AUTOGRAFÍA. f. Reproducción litográfica de un escrito.

AUTOGRAFIAR. tr. Reproducir un escrito por medio de la autografía.

AUTÓGRAFO-FA. adj. Escrito de mano de su mismo autor.

AUTOINTOXICACIÓN. f. Intoxicación del organismo por productos que él elabora y que no eliminó.

AUTÓMATA. m. Máquina que se mueve por sí misma.

AUTOMÁTICO-CA. adj. Relativo al autómata. Maquinal.

AUTOMATISMO. m. Med. Ejecución de actos sin participación de la voluntad.

AUTOMEDONTE. m. Auriga, cochero.

AUTOMOTOR-RA. adj. Aparato que se mueve por sí.

AUTOMOTRIZ. adj. Automotora.

AUTOMÓVIL. adj. Que se mueve por sí mismo. m. Carruaje de motor mecánico.

AUTOMOVILISMO. m. Lo que es relativo al automovilismo.

AUTOMOVILISTA. com. Persona aficionada al automovilismo.

AUTONOMÍA. f. Estado y condición del pueblo que goza de independencia política.

AUTONÓMICAMENTE. adv. m. De manera autónoma.

AUTONOMISTA. adj. Partidario de la autonomía política o que la defiende.

AUTÓNOMO-MA. adj. Que goza de autonomía.

AUTOPIANO. m. Piano automático. Pianola.

AUTOPISTA. f. Calzada especial para automóviles.

AUTOPSIA. f. Med. Disección de un cadáver.

AUTÓPSIDO-DA. adj. Minerales que tienen aspecto metálico.

AUTOR-RA. m. y f. El que es causa de alguna cosa. Persona que ha hecho alguna obra literaria, artística o científica.

AUTORÍA. f. Empleo de autor de las antiguas compañías cómicas.

AUTORIDAD. f. Potestad, facultad. Poder que tiene una persona sobre otra que le está subordinada. Persona revestida de algún poder.

AUTORITARIO-RIA. adj. Que se funda en la autoridad. Persona que abusa de la autoridad.

AUTORITARISMO. m. Sistema fundado en la sumisión incondicional a la autoridad.

AUTORITATIVO-VA. adj. Que incluye o supone autoridad.

AUTORIZABLE. adj. Que se puede autorizar.

AUTORIZACIÓN. f. Acto de autorizar.

AUTORIZADO-DA. adj. Persona digna de respeto por sus cualidades.

AUTORIZAR. tr. Dar facultad para hacer algo.

AUTORRETRATO. m. Retrato de una persona hecho por ella misma.

AUTOSUGESTIÓN. f. Med. Sugestión que nace espontáneamente en una persona.

AUTUMNAL. adj. Otoñal.

AUXILIADOR-RA. adj. Que auxilia.

AUXILIAR. m. Funcionario técnico, subalterno. Profesor que substituye a un catedrático. tr. Dar auxilio.

AUXILIARÍA. f. Empleo de auxiliar.

AUXILIO. m. Ayuda, socorro, amparo.

AVACADO-DA. adj. Se dice de la caballería de mucho vientre y poco brío, como las vacas.

AVADAR. intr. Menguar los ríos y arroyos tanto, que se pueden vadear.

AVAL. m. Firma que garantiza un instrumento de crédito.

AVALANCHA. f. Alud.

AVALAR. tr. Garantizar.

AVALISTA. m. El que da su firma como aval.

AVALORAR. tr. Dar valor a una cosa.

AVALUACIÓN. f. Valoración.

AVALUAR. tr. Valuar.

AVALÚO. m. Valuación.

AVALLAR. tr. Cerrar con valla.

AVAMBRAZO. m. Pieza del arnés para cubrir y defender el antebrazo.

AVANCE. m. Acción de avanzar. Anticipo.

AVANTE. adv. Mar. Adelante.

AVANTRÉN. m. Juego delantero del carruaje de artillería.

AVANZADA. f. Partida de soldados que se adelantan al grueso de las fuerzas.

AVANZAR. tr. Adelante. Pasar adelante.

AVANZO. m. Presupuesto del coste de una obra.

AVARAMENTE. adv. m. Avariciosamente.

AVARICIA. f. Afán de adquirir y atesorar riquezas.

AVARICIOSO-SA. adj. Avariento.

AVARIENTO-TA. adj. Que tiene avaricia.

AVARO-RA. adj. Avariento.

AVASALLAMIENTO. m. Acción de avasallar o avasallarse.

AVASALLAR. tr. Sujetar o someter a obediencia.

AVE. m. Vertebrado ovíparo, sangre caliente, circulación doble y completa, con plumas.

AVECILLA. f. Ave de las nieves.

AVECINAR. tr. Acercar, avecindar.

AVECINDAR. tr. Establecerse en un pueblo en calidad de vecino.

AVECHUCHO. m. Ave desagradable. fam. Sujeto despreciable.

AVEFRÍA. f. Zancuda,, con moño eréctil.

AVEJENTAR. tr. Ponerse viejo antes de serlo.

AVEJIGAR. tr. Hacer vejigas o ampollas.

AVELLANA. f. Fruto del avellano.

AVELLANADOR. m. Barrena para avellanar.

AVELLANAR. tr. Ensanchar el hueco de los tornillos. Sitio poblado de avellanos.

AVELLANEDA. f. Avellanar. Sitio poblado de avellanos.

AVELLANO. m. Arbusto de madera fuerte y flexible.

AVEMARÍA. f. Oración a .la Virgen Cuenta del rosario.

AVENA. f. Planta gramínácea. Su grano, usado como pienso.

AVENADO-DA. adj. Que tiene vena de loco.

AVENAMIENTO. m. Acción y efecto de avenar.

AVENAR. tr. Sanear una tierra por medio de zanjas.

AVENENCIA. f. Convenio, conformidad.

AVENIBLE. adj. Fácil de avenirse o concertarse.

AVENIDA. f. Crecida de un río. Vía ancha con árboles.

AVENIDO-DA. adj. Con los advs. bien o mal conforme con personas o cosas, o al contrario.

AVENIMIENTO. m. Acción de avenir o avenirse.

AVENIR. tr. Conciliar. r. Entenderse con alguna persona.

AVENTADOR-RA. adj. El que avienta los granos.

AVENTADURA. f. Especie de hinchazón y tumor que padecen las caballerías.

AVENTAJADAMENTE. adv. m. Con ventaja.

AVENTAJADO-DA. adj. Que aventaja.

AVENTAJAR. tr. Conceder ventaja. Antepone, preferir.

AVENTAMIENTO. m. Acción de aventar.

AVENTAR. tr. Echar aire. Limpiar los cereales en la era.

AVENTURA. f. Suceso extraño. Casualidad, contingencia.

AVENTURADO-DA. adj. Arriesgado, atrevido, inseguro.

AVENTURAR. tr. Arriesgar, **poner en** peligro.

AVENTURADAMENTE. adv. m. A la buena ventura.

AVENTURERO-RA. adj. Que busca aventuras. Vagabundo.

AVERAR. tr. Conducir el ganado por la vera de los sembrados.

AVERGONZAR. tr. Causar vergüenza.

AVERÍA. f. Daño que padecen las mercancías.

AVERIAR. tr. Causar averías. r. Estropearse.

AVERIARSE. r. Echarse a perder alguna cosa. Comunmente las mercancías.

AVERIGUABLE. adj. Que se puede averiguar.

AVERIGUACIÓN. f. Acción de averiguar.

AVERIGUADOR-RA. adj. Que averigua.

AVERIGUAR. tr. Descubrir la verdad. Inquirir.

AVERÍO. m. Copia o conjunto de muchas aves.

AVERNO. m. poét. Infierno.

AVERROÍSMO. m. Doctrina árabe de Averroes.

AVERRUGADO-DA. adj. Que tiene muchas verrugas.

AVERSIÓN. f. Repugnancia, odio, animosidad.

AVESTA. m. Conjunto de libros sagrados de los antiguos persas.

AVESTRUZ. m. Ave corredora de gran tamaño.

AVETADO-DA. adj. Que tiene vetas.

AVEZAR. tr. Acostumbrar.

AVIACIÓN. f. Navegación aérea por medio de aparatos más pesados que el aire. Cuerpo militar que utiliza los aviones para la guerra.

AVIADOR-RA. adj. Que tripula o gobierna un aparato de aviación.

AVIAR. tr. Disponer para el camino. fam. Alistar.

AVÍCOLA. adj. Perteneciente o relativo a la avicultura.

AVICULTOR-RA. m. y f. Persona que se dedica a criar aves.

AVICULTURA. f. Arte de criar y fomentar la producción de las aves.

AVIDAMENTE. adv. m. Con avidez.

AVIDEZ. f. Ansia, codicia.

ÁVIDO-DA. adj. Ansioso, codicioso.

AVIENTA. f. Aventamiento del grano.

AVIENTE. m. Bieldo.

AVIESAMENTE. adv. m. Siniestra o malamente.

AVIESO-SA. adj. Torcido, perverso.

AVILANTARSE. r. Insolentarse.

AVILANTEZ. f. Audacia, insolencia, vileza.

AVILLANADO-DA. adj. Que parece villano.

AVILLANAR. tr. Hacer que uno proceda como villano.

AVINAGRADAMENTE. adv. m. fig. y fam. Agriamente, ásperamente.

AVINAGRADO-DA. adj. fam. De condición áspera y acre.

AVINAGRAR. tr. Poner agrio.

AVÍO. m. Apresto, prevención.

AVIÓN. m. Aeroplano. Pájaro especie de vencejo.

AVIONETA. f. Avión pequeño.

AVISADO-DA. adj. Prudente, sagaz.

AVISADOR-DA. adj. Que avisa. m. Persona que lleva avisos.

AVISAR. tr. Dar noticias, advertir, aconsejar.

AVISO. m. Acto de avisar. Con lo que se avisa.

AVISPA. f. Insecto himenóptero, con un aguijón.

AVISPADO-DA. adj. Vivo, astuto.

AVISPAR. tr. Avivar con látigo a las caballerías.

AVISPERO. m. Papel, conjunto de avispas.

AVISPÓN. m. aum. De avispa. Avispa mayor que la común.

AVISTAR. tr. Alcanzar con la vista.

AVITAMINOSIS. f. Med. Falta de vitaminas.

AVITELADO-DA. adj. Semejante a la vitela.

AVITUALLAR. tr. Proveer de vituallas.

AVIVADOR-RA. adj. Que aviva.

AVIVAMIENTO. m. Acción y efecto de avivar o avivarse.

AVIVAR. tr. Dar vigor. Excitar.

AVIZOR. m. Quien acecha.

AVIZORAR. tr. Acechar.

AVO-VA. Mat. Terminación de los números fraccionarios.

AVOCACIÓN. f. For. Acción de avocar.

AVOCAR. tr. For. Reclamar un juez para sí una causa.

AVOCETA. f. Ave zancuda de pico largo.

AVUGO. m. Fruta del avuguero.

AVUGUERO. m. Peral temprano que da el avugo.

AVULSIÓN. f. Cir. Extirpación.

AVUTARDA. f. Ave zancuda.

¡AX! interrj. De dolor.

AXIL. adj. Perteneciente al eje.

AXILA. f. Sobaco.

AXILAR. adj. Relativo a la axila.

AXINITA. f. Mineral azul, gris o violado con brillo metálico.

AXIOMA. m. Proposición evidente.

AXIOMÁTICO-CA. adj. Incontrovertible, evidente.

AXIÓMETRO. m. Mar. Aparato que da a conocer sobre cubierta la dirección de la caña del timón.

AXIS. m. Segunda vértebra del cuello, sobre la cual rota la cabeza.

¡AY! interj. Que expresa dolor o pena.

AYEAR. intr. p. us. Repetir ayes en manifestación de pena o dolor.

AYER. adv. t. En el día anterior al de hoy.

AYERMAR. tr. Convertir en yermo.

AYO-YA. m. y f. Persona que custodia o cría a un niño.

AYUDA. f. Acto de ayudar. Socorro. Subalterno.

AYUDADOR-RA. adj. Que ayuda.

AYUDANTE. m. Oficial o profesor subalterno.

AYUDANTÍA. f. Empleo u oficina de ayudante.

AYUDAR. tr. Prestar cooperación. Auxiliar, socorrer.

AYUGA. f. Planta salsolácea.

AYUNADOR-DA. adj. Que ayuna.

AYUNANTE. p. a. De ayunar. Que ayuna.

AYUNAR. intr. Abstenerse de comer y beber.

AYUNO. m. Acción de ayunar. Abstinencia.

AYUNTADOR-RA. adj. Que ayunta.

AYUNTAMIENTO. m. Ayuntar. Corporación administrativa de un municipio. Casa consistorial. Coito.

AYUSO. adv. l. Abajo.

AYUSTE. m. Mar. Acción de ayustar. Costura o unión de dos cabos.

AZABACHADO-DA. adj. Semejante al azabache por el color.

AZABACHE. m. Lignito negro y lustroso.

AZACÁN-NA. adj. Que hace trabajos penosos.

AZACANARSE. r. Afanarse.

AZADA. f. Instrumento para cavar la tierra.

AZADADA. f. Golpe dado con azada.

AZADILLA. f. Almocafre.

AZADÓN. m. Azada de pala larga.

AZADONADA. f. Golpe dado con azadón.

AZADONAR. tr. Cavar con el azadón.

AZADONERO. m. El que trabaja con azadón.

AZAFATA. f. Dama de la reina. Señorita que presta servicio en un avión en vuelo.

AZAFATE. m. Canastilla llana, de mimbres.

AZAFRÁN. m. Planta iridiácea, usada como condimento.

AZAFRANADO-DA. adj. De color de azafrán.

AZAFRANAL. m. Sembrado de azafrán.

AZAFRANERO-RA. m. y f. Persona que cultiva o vende azafrán.

AZAGADOR. m. Vereda o paso del ganado.

AZAGAYA. f. Dardo pequeño arrojadizo.

AZAHAR. m. Flor del naranjo, del limonero y del cidro, usada en medicina y perfumería.

AZALÁ. m. Entre los mahometanos, oración o súplica.

AZALEA. f. Arbolillo ericáceo de adorno.

AZAMBOA. f. Fruto del azamboero.

AZAMBOERO. m. Variedad del cidro.

AZAMBOO. m. Azamboero.

AZANCA. f. Min. Manantial de agua subterránea.

AZAR. m. Suceso inesperado. Casualidad.

AZARAMIENTO. m. Barbarismo por azoramiento.

AZARAR. tr. Hacer o causar azar. Alarmarse.

AZARARSE. r. Torcerse un asunto por algo imprevisto. Alarmarse.

AZARBE. m. Cauce a donde van a parar los sobrantes de los riegos.

AZARBETA. f. Pequeño cauce por el cual los sobrantes de los riesgos van al azarbe.

AZARJA. f. Instrumento para coger la seda cruda.

AZAROSAMENTE. adv. m. Con azar o desgracia.

AZAROSO-SA. adj. Que tiene azar. Funesto.

AZCONA. f. Arma arrojadiza.

AZEMAR. tr. Sentar, alisar.

ÁZIMO-MA. Dícese del pan sin levadura.

AZIMUT. m. Astron. Acimut.

AZNACHO. m. Pino rodeno. Madera de este árbol.

AZOADO-DA. adj. Que tiene ázoe.

AZOAR. tr. Quím. Impregnar de nitrógeno.

AZOATO. m. Quím. Nitrato.

ÁZOE. m. Quím. Nitrógeno.

AZÓFAR. m. Latón, aleación de cobre y cinc.

AZOGADAMENTE. adv. m. fam. Con mucha celeridad y agitación.

AZOGAR. tr. Cubrir con azogue.

AZOGUE. m. Metal blanco y brillante como la plata y líquido a la temperatura ordinaria.

AZOGUERÍA. f. Min. Oficina donde se hace la amalgamación.

AZOICO. adj. Quím. Nítrico.

AZOLAR. tr. Desbastar la madera con azuela.

AZOLVAR. tr. Cegar con alguna cosa un conducto.

AZOLVE. m. Lodo que obstruye un conducto de agua.

AZOR. m. Ave rapaz falcónida.

AZORAMIENTO. m. Acción y efecto de azorar.

AZORAR. tr. Conturbar, sobresaltar, irritar.

AZORRAMIENTO. m. Efecto de azorrarse.

AZORRARSE. r. Quedarse adormecido por tener cargazón de cabeza.

AZOTABLE. adj. Que merece ser azotado.

AZOTACALLES. com. Persona que callejea.

AZOTADOR-RA. adj. Que azota.

AZOTAINA. f. fam. Zurra de azotes.

AZOTAMIENTO. m. Acción y efecto de azotar.

AZOTAR. tr. Dar azotes.

AZOTAZO. m. Golpe grande dado con el azote.

AZOTE. m. Instrumento de cuerdas para castigar. Golpe dado con él.

AZOTEA. f. Cubierta llana de un edificio.

AZTECA. adj. Antiguo habitante de Méjico.

AZÚCAR. amb. Sustancia blanca y dulce sacada de la caña de azúcar o de la remolacha.

AZUCARAR. tr. Poner azúcar. Endulzar con azúcar.

AZUCARERA. f. Fábrica de azúcar. Vasija para poner azúcar en la mesa.

AZUCARERO-RA. adj. Relativo al azúcar.

AZUCARILLO. m. Masa esponjosa para endulzar líquidos.

AZUCENA. f. Planta liliácea de flor blanca y olorosa.

AZUD. f. Máquina para sacar agua del río.

AZUELA. f. Carp. Herramienta para desbastar la madera.

AZUFAIFA. f. Fruto del azufaifo, en drupa, encarnada por fuera y amarilla por dentro.

AZUFALIFO. m. Árbol rámneo de hojas alternas y flor amarilla.

AZUFRADO-DA. adj. Sulfuroso. Parecido en el color al azufre.

AZUFRAMIENTO. m. Acción o efecto de azufrar.

AZUFRAR. tr. Sahumar con azufre.

AZUFRE. m. Metaloide amarillo combustible.

AZUFRERA. f. Mina de azufre.

AZUFRÓN. m. Mineral piritoso en estado pulverulento.

AZUL. adj. Color de cielo. Quinto color del espectro solar.

AZULADO-DA. adj. De color azul o que tira a él.

AZULAR. tr. Dar o teñir de azul.

AZULEAR. intr. Tirar a azul.

AZULEJAR. tr. Revestir de azulejos.

AZULEJERÍA. f. Oficio de azulejero.

AZULEJO. m. Ladrillo pequeño vidriado de colores varios.

AZULETE. m. Viso azul dado a las ropas.

AZULINO-NA. adj. Que tira a azul.

AZUMAR. tr. Teñir los cabellos con algún zumo que les de color o lustre.

AZÚMBAR. m. Planta alismácea de flores blancas y fruto en forma de estrella de seis puntas.

AZUMBRADO-DA. adj. Medido por azumbres. Fig. Borracho.

AZUMBRE. f. Medida de capacidad para líquidos.

AZUR. adj. Blas. Azul obscuro.

AZURITA. f. Malaquita azul.

AZURRONARSE. r. Dícese de la espiga del trigo cuando no puede salir del zurrón.

AZUZADOR-RA. adj. Que azuza.

AZUZAR. tr. Incitar al perro. Irritar.

B. Be. Segunda letra del abecedario español y primera de sus consonantes.

BABA. f. Saliva que fluye de la boca.

BABADA. f. Región de las extremidades de los animales.

BABADOR. m. Lienzo para evitar a los niños la humedad de la baba.

ABANCA. Sal. Boba.

BABAZA. f. Baba de ciertos animales.

BABEAR. tr. Expeler la baba.

BABEL. amb. Lugar donde hay desorden y confusión.

BABEO. m. Acción de babear.

BABERO. m. Babador.

BABERA. Pieza de la armadura antigua.

BABIA. (estar en) Expres. fam. Estar distraído.

BABIECA. con. adj. Persona floja y boba.

BABILONIA. f. fam. De Babel.

BABILLA. f. Región de las extremidades posteriores de los cuadrúpedos.

BABLE. m. Dialecto asturiano.

BABOR. m. Costado izquierdo del buque de popa a proa.

BABOSA. f. Molusco gasterópodo sin concha.

BABOSEAR. tr. Llenar de babas.

BABOSO-SA. adj. Que echa mucha baba.

BABOYANA. f. Lagarto pequeño.

BABUCHA. f. Chinela o zapatilla morisca.

BACA. f. Cubierta de la diligencia.

BACALADA. f. Bacalao curado.

BACALAO. m. Pez comestible de Escocia.

BACALLAR. m. Hombre rústico.

BACANAL. adj. De Baco. f Orgía tumultuosa.

BACANTE. f. Sacerdotisa de Baco.

BACARÁ. m. Juego de paipes.

BÁCARIS. f. Bácara. Amaro.

BACETA. f. Naipes que quedan fuera de juego.

BACÍA. f. Vasija poco honda de borde ancho.

BACILAR. adj. Relativo al bacilo. Causado por ellos.

BACILO. m. Bacteria en forma de bastoncillo.

BACIN. Orignal alto cilíndrico. Hombre despreciable.

BACINA. f. Caja para recoger las limosnas.

BACINADA. f. Inmundicia arrojada del bacín.

BACINERO. Que usa la bacina.

BACINETE. m. Pieza que cubría la cabeza en la armadura.

BACINILLA. f. Bacina pequeña.

BACISCO. m. Barro para moldear los adobes.

BACTERIA. f. Microorganismo esquizomiceto unicelular.

BACTERICIDA. adj. s. Que mata las bacterias.

BACTERIOLOGÍA. f. Rama de la microbiología que estudia las bacterias.

BACTERIÓLOGO-GA. s. Persona versada en bacteriología.

BACTERIOTERAPIA. Tratamiento por medio de microbios.

BÁCULO. m. Cayado. Bastón de oro o plata. Signo de dignidad espiscopal.

BACHE. m. Hoyo de un camino.

BACHEAR. tr. Tapar los baches.

BACHILLER-RA. adj. s. Que habla mucho e insustancialmente.

BACHILLERATO. m. Primer grado académico. Enseñanza media.

BADAJEAR. fig. Hablar neciamente.

BADAJO. m. Pieza colgada en el interior de una campana.

BADAL. m. Acial. (Persona necia y habladora).

BADANA. f. Piel de carnero curtida.

BADEA. f. Sandía de mala calidad.

BADÉN. m. Zanja de las aguas llovedizas. Paso descubierto de las aguas en un camino.

BADERNA. f. Mar. Cabo trenzado.

BADIL. m. Paleta para remover la lumbre.

BADILA. f. Badil.

BADULAQUE. m. adj. Persona de escaso juicio. Embustero.

BAGAJE. m. Equipaje militar. Bestia de carga. Recua.

BAGAJERO. m. Quien conduce el bagaje.

BAGARINO. Remero asalariado.

BAGATELA. f. Cosa de poco valor.

BAGAZO. m. Residuos de cosas exprimidas.

BAGO. m. Grano de uvas.

BAGRE. m. Pez fluvial sin escamas, de carne gustosa.

BAGULLO. m. Hollejo de la uva.

¡BAH! interj. Que denota desdén o incredulidad.

BAHÍA. f. Entrada grande de mar en la costa.

BAHUNO. adj. Bajuno.

BAILABLE. m. Que puede bailarse. m. Mús. Danza de un espectáculo.

BAILAR. tr. e intr. Mover el cuerpo a compás. Agitarse una cosa. Retozar.

BAILARÍN-NA. adj. s. Que baila.

BAILE. m. Acción o arte de bailar. Cualquier danza.

BAILÍA. f. Territorio de alguna encomienda de la orden de San Juan.

BAILIAJE. m. Encomienda de la orden de San Juan.

BAILÍO. m. Caballero que tiene bailiaje.

BAILOTEAR. intr. Bailar sin gracia.

BAIVEL. m. Escuadra falsa de los canteros.

BAJA. f. Disminución del precio. Mil. Pérdida de un individuo.

BAJÁ. m. Título de honor turco.

BAJACA. f. Cinta que las mujeres llevan en el pelo.

BAJADA. f. Acción de bajar. Camino por donde se baja.

BAJALATO. Territorio al mando del Bajá.

BAJAMAR. f. Término del reflujo del mar.

BAJAR. intr. r. Ir a un lugar más bajo. Disminuir. Apear.

BAJEL. m. Buque, embarcación, barco.

BAJETE. m. Barítono.

BAJEZA. f. Hecho vil. Calidad de bajo.

BAJÍO. m. Mar. Banco de arena.

BAJISTA. m. Quien juega a la baja. Quien toca el contrabajo.

BAJO-JA. adj. De poca altura. Inclinado hacia abajo. Humilde. m. Lugar hondo.

BAJÓN. m. Instrumento de sonidos graves.

BAJONAZO. m. Golletazo.

BAJUNO-NA. adj. Bajo, soez.

BAJURA. Poco elevado.

BALA. f. Proyectil de armas de fuego. Fardo. Diez resmas de papel.

BALADA. f. Composición poética de género sentimental.

BALADÍ. adj. Frívolo, de poca sustancia y aprecio.

BALADRO. m. Voz espantosa.

BALADRÓN-NA. adj. Fanfarrón.

BALADRONADA. f. Dicho o hecho de baladrón.

BALAGAR. Montón de heno para alimentar el ganado en invierno.

BÁLAGO. m. Paja entera de los cereales.

BALAJE. m. Rubí de color morado.

BALALAIKA. f. Mús. Instrumento de cuerda ruso.

BALANCE. m. Movimiento pendular de un cuerpo. Vacilación.

BALANCEAR. intr. r. Dar balances. tr. Equilibrar.

BALANCEO. m. Acción de balancear o balancearse.

BALANCÍN. m. Madero paralelo al eje de las ruedas de un carruaje. Volante. Contrapeso del volatinero.

BALANDRA. f. Embarcación de un palo, con cangreja y foque.

BALANDRÁN. m. Traje talar.

BALANDRO. m. Balandra pequeña.

BÁLANO. m. Anat. Parte extrema del pene. Percebe.

BALANÓFAGO. adj. Zod. Que se alimenta de bellotas.

BALANZA. f. Instrumento para pesar equilibrando.

BALAR. intr. Dar balidos.

BALASTAR. tr. Echar balasto.

BALASTO. m. Grava para sujetar las traviesas de una vía.

BALATA. f. Composición poética.

BALAUSTRADA. f. Serie de balaustres.

BALAUSTRAR. tr. Poner balaustres.

BALAUSTRE. m. Columnita de una barandilla.

BALAYÓN. m. Árbol de Filipinas.

BALAZO. m. Golpe o herida de bala.

BALBOA. Moneda de oro de Panamá.

BALBUCEAR. intr. Hablar vacilando.

BALCÓN. m. Ventana abierta hasta el suelo con saliente y barandillas.

BALCONCILLO. m. Localidad sobre el toril, en las plazas de toros.

BALDA. f. Anaquel de armario.

BALDADURA. f. Acción de baldar.

BALDAQUÍN. m. Dosel de tela de seda. Pabellón de un altar.

BALDAR. tr. r. Privar por accidente o enfermedad el uso de un miembro.

BALDE. m. Cubo.

BALDE (DE). adv. Gratis.

BALDE (EN). adv. En vano, inútilmente.

BALDEAR. tr. Regar con baldes.

BALDEO. m. Acción de baldear.

BALDÉS. m. Badana suave. Piel de oveja curtida.

BALDÍO-A. adj. s. Terreno sin labrar.

BALDÓN. m. Oprobio, afrenta.

BALDOSA. f. Ladrillo para solar.

BALDOSÍN. m. Pequeña plaza de barro.

BALDRAGAS. Hombre sin energías.

BALDUQUE. m. Cinta para atar legajos, que se usa en las oficinas.

BALEA. f. Escoba para barrer las eras.

BALEAR. adj. s. De las Islas Baleares.

BALÉNIDOS. m. Zool. Familia de los cetáceos. La ballena.

BALIDO. m. Voz del ganado lanar.

BALÍN. dim. de bala. Bala pequeña.

BALISTA. f. Máquina de guerra para arrojar piedras.

BALÍSTICA. f. Ciencia que estudia el alcance y dirección de los proyectiles.

BALITA. f. Medida filipina.

BALITADERA. Instrumento para imitar la voz del gamo nuevo.

BALIZA. Señar para indicar bajíos, o puntos de regatas.

BALNEARIO-RIA. adj. Relativo a los baños públicos. m. Establecimiento de baños.

BALNEOGRAFIA. Ciencia que estudia los baños como higiene y curativos.

BALÓN. m. Pelota grande de viento. Recipiente de cuerpos gaseosos.

BALONCESTO. m. Juego de equipo que consiste en meter el balón en un cesto.

BALON-MANO. m. Juego de equipo, en que la pelota no se impulsa con el pie.

BALOTA. f. Bolilla para votar.

BALOTADA. Equit. Salto de caballo en que enseña las herraduras.

BALOTAR intr. Votar con balotas.

BALSA. f. Charca. Maderos unidos para navegar.

BALSAMERA. f. Vaso para el bálsamo.

BALSAMINA. f. Planta anual cucurbitácea trepadora.

BALSAMITA. f. Berro.

BÁLSAMO. m. Líquido aromático resinoso. Medicamento de sustancias aromáticas.

BALSO. m. Mar. Lazo para elevar a los marineros hasta los palos.

BÁLTICO. m. Dícese del mar entre Dinamarca y Finlandia.

BALTO. adj. Título de nobleza godo.

BALUARTE. m. fort. Obra poligonal de defensa. Protección.

BALUMBA. f. Bulto de un conjunto de cosas.

BALLENA. f. Mamífero cetáceo de gran tamaño.

BALLENATO. m. Cria de ballena.

BALLENERA. f. Embarcación para la pesca de ballena.

BALLESTA. f. Máquina de guerra antigua para arrojar saetas y piedras. Muelle de la caja de un coche.

BALLESTERÍA. Caza mayor.

BALLESTERO. m. El que usa o hace ballestas.

BALLESTILLA. f. Balancín en el coche. tr. Instrumento para tomar la altura de los astros.

BALLET. m. Baile escénico.

BALLUECA. f. Especie de avena. Crece entre el trigo.

BAMBALINA. f. Lienzo pintado, que cuelga del telar de un teatro.

BAMBOCHE. m. Persona gorda y baja, de cara encendida.

BAMBOLEAR. intr. Moverse de un lado a otro, en el mismo lugar.

BAMBOLEO. m. Acción de bambolear o bambolearse.

BAMBOLLA. f. fam. Fausto, aparente.

BAMBÚ. m. Planta gramínácea de caña leñosa de origen indio.

BANAL. adj. Galicismo por trivial.

BANANA. f. Fruta del banano.

BANANO. m. Plátano.

BANAS. f. pl. Amonestaciones matrimoniales.

BANASTA. f. Cesta grande de mimbres.

BANASTO. m. Banasta redonda.

BANCA. f. Asiento sin respaldo. com. Comercio de giro, operaciones de crédito, compra y venta de valores, etc.

BANCADA. f. Banco para sentarse los remeros.

BANCAL. m. Rellano de tierra para cultivar. Tapete de un banco.

BANCARIO-RIA. adj. Relativo a la Banca.

BANCARROTA. f. Quiebra, desastre.

BANCE. m. Palo que con otros forma las portillas de las fincas.

BANCO. m. Asiento para varias personas. Establecimiento de crédito. Bajío. Conjunto de peces. Estrato.

BANDA. f. Faja que cruza el pecho. Insignia. Lado. Baranda. Costado de una nave. Facción.

BANDADA. f. Conjunto de aves que vuelan juntas.

BANDAZO. m. Mar. Inclinación violenta del buque sobre una banda.

BANDEAR. tr. r. Mover a una y otra banda. Ingeniarse para vivir.

BANDEJA. f. Plato más largo que ancho.

BANDERA. f. Lienzo sujeto a un asta que sirve de insignia.

BANDERÍA. f. Bando, parcialidad.

BANDERILLA. f. Taurom. Dardo delgado para clavar al toro.

BANDERILLEAR. tr. Clavar banderillas.

BANDERILLERO. m. Torero que pone banderillas.

BANDERÍN. m. Bandera pequeña. Soldado que la lleva en el fusil. Lugar de enganche.

BANDEROLA. f. Bandera pequeña.

BANDIDAJE. m. Bandolerismo.

BANDIDO. m. Bandolero.

BANDÍN. m. Mar. Asiento en las galeras.

BANDO. m. Edicto. Facción, partido.

BANDOLA. f. Banda de cuero del soldado de a caballo para colgar la carabina.

BANDOLERISMO. m. Acto de los bandoleros.

BANDOLERO. m. Salteador de caminos.

BANDOLÍN. m. dim. de Bandola.

BANDOLINA. f. Mucílago para fijar el pelo.

BANDUJO. m. Tripa de cerdo, carnero o vaca llena de carne picada.

BANDULLO. m. Conjunto de tripas.

BANDURRIA. f. mús. Instrumento de doce cuerdas menor que la guitarra.

BANJO. m. Instrumento parecido a la guitarra.

BANQUEO. Escalonamiento en planos de un terreno.

BANQUERA. f. Sitio para poner las colmenas pequeñas sin cera.

BANQUERO. m. Quien hace operaciones bancarias.

BANQUETA. f. Asiento pequeño sin respaldo. Banco corrido.

BANQUETE. m. Comida espléndida.

BANQUILLO. m. Asiento que ocupa el procesado.

BANZO. m. Listón de un bastidor.

BAÑAR. tr. r. Sumergir en un líquido. Humedecer. Colmar.

BAÑERA. f. Pila para bañarse.

BAÑISTA. com. El que toma baños.

BAÑO. m. Acción de bañarse. Capa de otra materia.

BAO. Mar. Pieza de armazón del barco que sostiene la cubierta.

BAOBAB. m. Árbol baombáceo tropical.

BAPTISTERIO. m. Lugar donde está la pila bautismal.

BAQUEAR. intr. Dejarse llevar de la corriente.

BAQUELITA. f. Resina sintética, incombustible y aislante.

BAQUETA. f. Varilla para atacar las armas de fuego. pl. Palillos del tambor..

BAQUETAZO. m. Golpe.

BAQUETEAR. tr. Castigar con baqueta. Incomodar mucho.

BÁQUICO-CA. adj. De Baco.

BAQUIO. m. Pie de las métricas griegolatinas formado por una sílaba breve seguida de dos largas.

BAR. m. Tienda de bebidas alcohólicas.

BARAHÚNDA. f. Gran confusión y ruido.

BARAJA. f. Conjunto de naipes.

BARAJAR. tr. Mezclar los naipes antes de repartirlos. Mezclar, revolver.

BARANDA. f. Antepecho con balaustres. Borde de la mesa de billar.

BARANDAL. m. Listón en que se sujetan los balaustres. Barandilla.

BARANDILLA. f. Baranda.

BARANGAY. m. Embarcación filipina.

BARAÑO. m. Heno recién segado.

BARATERÍA. f. Engaño, fraude.

BARATERO-RA. adj. s. El que vende barato. El que cobra el barato.

BARATIJA. f. Cosa de poco valor.

BARATILLERO-RA. m. y f. Persona que tiene baratillo.

BARATILLO. m. Conjunto de cosas de poco precio. Donde se venden.

BARATO-TA. adj. Comprado o vendido a bajo precio.

BÁRATRO. m. Poét. Infierno.

BARATURA. f. Bajo precio.

BARAÚNDA. f. Barahúnda.

BARAUSTAR. tr. Asestar, apuntar. Desviar el golpe de un arma.

BARBA. f. Parte de la cara debajo de la boca. Pelo de esta parte. Carpúnculas de algunas aves.

BARBACANA. f. Fort. Obra aislada de defensa.

BARBADO-DA. adj. s. Que tiene barbas.

BARBARIDAD. f. Calidad de bárbaro. Crueldad.

BARBARIE. f. Rusticidad, crueldad.

BARBARIJA. f. Arbusto.

BARBARISMO. m. Vicio contra la pureza del lenguaje.

BARBARIZAR. inst. Decir o cometer barbarismos.

BÁRBARO-RA. adj. Cruel. Inculto, grosero.

BARBASTRINO-NA. adj. Natural de Barbastro.

BARBEAR. tr. Llegar a tocar con la barba.

BARBECHAR. tr. Arar la tierra para la siembra.

BARBECHERA. f. Conjunto de varios barbechos.

BARBECHO. m. Tierra labrada que se deja descansar sin sembrar.

BARBERÍA. f. Tienda y oficio del barbero.

BARBERIL. adj. Propio de barberos.

BARBERO. m. Quien tiene por oficio, afeitar la barba.

BARBETA. f. Trozo de parapeto para que tire la artillería a descubierto.

BARBIAN-NA. adj. Gallardo, apuesto.

BARBILAMPIÑO-ÑA. adj. De poca o ninguna barba.

BARBILINDO-DA. adj. Galancete preciado de lindo.

BARBILUENGO. adj. De barba larga.

BARBILLA. f. Punta de la barba.

BARBIPONIENTE. adj. Jóven a quien empieza a salir la barba.

BARBIQUEJO. m. Mar. Cabo con que se sujeta el bauprés.

BARBIRRUCIO. adj. Barba blanca y negra.

BARBITÓRICO. adj. Medicamento de propiedades hipnóticas.

BARBO. m. Pez fluvial malacopterigio.

BARBOQUEJO. m. Cinta para sujetar el sombrero por bajo de la barba.

BARBOTAR. intr. Barbullar, mascullar.

BARBOTE. m. Babera de armadura antigua.

BARBUDO-DA. adj. Que tiene mucha barba.

BARBULLA. f. Vocería atropellada.

BARBULLAR. intr. Hablar atropelladamente.

BARCA. f. Embarcación pequeña, para pesca y paseo.

BARCAL. m. Cajón para recoger el vino.

BARCAROLA. f. Canción popular de los barqueros italianos.

BARCAZA. f. Lanchón para cargar los buques.

BARCIA. f. Ahechaduras que se sacan al limpiar el grano.

BARCO. m. Construcción de madera y hierro para navegar.

BARCOLONGO. m. Embarcación larga y estrecha.

BARDA. f. Mil. Armadura del caballo. Cubierta de una tapia.

BARDAGUERA. f. Arbusto salicíneo para hacer cestas, etc.

BARDAL. m. Vallado de tierra cubierto con barda.

BARDANA. f. Lampazo.

BARDANZA. fam. Andar de un lado para otro.

BARDAR. tr. Poner bardas en una tapia.

BARDO. m. Antiguo poeta celta. Poeta heroico.

BAREMO. m. Libro de cuentas ajustadas.

BARGUEÑO. m. Mueble de madera con muchos cajones, adornado con talla.

BARICÉNTRICO-CA. adj. Relativo al centro de gravedad.

BARIO. m. Metal alcalinotérreo amarillento.

BARITA. f. Óxido de bario.

BARITINA. f. Sulfato de barita.

BARÍTONO. m. Voz entre tenor y bajo. Persona que la tiene.

BARJULETA. f. Bolsa de los caminantes.

BARLOA. f. Mar. Cable para atracar.

BARVOLENTO. m. Mar. De donde sopla el viento.

BARNACIA. m. Pato marino de Hibernia.

BARNIZ. m. Resina disuelta en aceite para dar lustre. Conocimiento superficial.

BARNIZADOR-RA. adj. Que barniza.

BARNIZAR. tr. Dar barniz.

BAROMÉTRICO-CA. adj. Relativo al barómetro.

BARÓMETRO. m. Aparato para determinar la presión atmosférica.

BARÓN. m. Título nobiliario.

BARONESA. f. Mujer del barón.

BARONÍA. f. Territorio o dignidad del barón.

BAROSCOPIO. m. Balanza para demostrar la pérdida de peso, de los cuerpos en el aire.

BAROTERMÓGRAFO. m. Aparato para registrar la presión y temperatura.

BARQUEAR. tr. Atravesar en barca un río o lago.

BARQUERO-RA. s. Quien gobierna la barca.

BARQUILLA. f. Cesto pendiente del globo.

BARQUILLERO-RA. s. Quien hace o vende barquillos.

BARQUILLO. m. Masa en forma de canuto, de harina y azúcar.

BARQUÍN. m. Fuelle que se usa en las herrerías.

BARRA. f. Palanca de hierro. Mostrador de un bar. Mar. Bajío en la desembocadura de un río o entrada de un puerto.

BARRABÁS. m. fig. fam. Persona mala, traviesa.

BARRABASADA. f. fam. Travesura grave, enredo.

BARRACA. f. Choza o habitación rústica.

BARRACÓN. m. Garita de feriante.

BARRADO. adj. Tejido con faltas en el color.

BARRAGÁN. m. Tela de la lana . Impermeable. Abrigo de ésta.

BARRAGANA. f. Concubina.

BARRAGANERÍA. f. Concubinato.

BARRAL. m. Redoma grande.

BARRANCA. f. Barranco.

BARRANCO. m. Quiebra profunda del terreno.

BARRAQUERO-RA. adj. Relativo a la barraca.

BARRAQUILLO. m. Pieza pequeña antigua de artillería.

BARREDURA. f. Acción de barrer. f. pl. Residuos.

BARRENA. f. Útil para taladrar.

BARRENAR. tr. Taladrar. Desbaratar.

BARRENDERO-RA. s. Quien barre por oficio.

BARRENILLO. m. Larva que horada la corteza de los árboles.

BARRENO. m. Barrena grande. Agujero hecho con barrena. Explosivo que dentro de él explota.

BARREÑO. m. Vasija grande de barro.

BARRER. tr. Limpiar con escoba. Desembarazar.

BARRERA. f. Valla de madera. Obstáculo. Parapeto.

BARRERO. m. Alfarero. De donde se saca barro.

BARRETINA. f. Gorro catalán.

BARRIADA. f. Barrio. Parte de él.

BARRICA. f. Tonel mediano.

BARRICADA. f. Parapeto improvisado.

BARRIDO. m. Acción de barrer.

BARRIGA. f. Vientre.

BARRIGUDO-DA. adj. De gran barriga.

BARRIGUERA. f. Correa que ciñe la barriga en las caballerías de tiro.

BARRIL. m. Vasija de madera o barro para transportar líquidos.

BARRILETE. m. Instrumento de carpintería.

BARRILLA. f. Planta cuyas cenizas contienen sosa.

BARRILLO. m. Barro granillo rojizo.

BARRIO. m. Parte de un pueblo. Arrabal.

BARRIZAL. m. Terreno lleno de barro.

BARRO. m. Mezcla de tierra y agua. Búcaro. Ciertos granitos en el rostro.

BARROCO. adj. Estilo con profusión de adornos.

BARROSO-SA. adj. Que tiene barro o barros. De color de barro.

BARROTE. m. Barra para asegurar.

BARRUECO. m. Perla irregular.

BARRUNTAR. tr. Preveer, conjeturar, presentir algo.

BARRUNTE. m. Indicio, noticia.

BARTOLA (A LA). adv. Sin ningún cuidado.

BARTOLILLO. m. Pastel relleno de crema o carne.

BÁRTULOS. m. pl. Enseres de uso corriente.

BARULLO. m. Confusión, desorden.

BASA. f. Base. Asiento de columna o estatua.

BASADA. f. Aparato puesto en la grada de un astillero para botar los buques.

BASALTO. m. Roca volcánica negra, compuesta de feldespato y augita.

BASAMENTO. m. Arq. Conjunto de la base del pedestal y de la columna.

BASAR. tr. r. Asentar. Fundar sobre base.

BASCA. f. Ansia en el estómago.

BASCOSIDAD. f. Suciedad.

BÁSCULA. f. Balanza para grandes pesos.

BASCULAR. adj. Relativo a la báscula.

BASCUÑADA. f. Variedad de trigo fanfarrón.

BASE. f. Fundamento. Mil. Lugar donde se prepara una fuerza. Quím. Cuerpo que forma sales con los ácidos.

BASICIDAD. f. Quím. Propiedad que tiene un cuerpo de poder ser base de una combinación.

BÁSICO. adj. Quím. Sal en que predomina la base.

BASÍLICA. f. Iglesia notable.

BASÍLICAS. f. Leyes promulgadas por Basilio en Bizancio.

BASILICÓN. m. s. Ungüento de cera, colofonia, resina y sebo.

BASILISCO. m. Animal fabuloso que mataba con la vista.

BASQUILLA. f. Enfermedad del ganado lanar por abundancia de sangre.

BASQUIÑA. f. Saya exterior.

BASSET. m. Perro de rastreo.

BASTA. f. Hilván. Puntadas del colchón.

BASTANTE. tr. Que basta. adv. Ni poco ni mucho.

BASTANTEAR. tr. Declarar suficiente un poder.

BASTANTEMENTE. adv. Suficiente y cumplidamente.

BASTAR. tr. Ser suficiente.

BASTARDA. f. Lima fina de cerrajero. Culebrina.

BASTARDEAR. intr. Degenerar.

BASTARDÍA. f. Calidad de bastardo. Proceder indigno.

BASTARDILLO-LLA. adj. s. Impr. Dícese de la letra cursiva.

BASTARDO-DA. adj. s. Degenerado en su origen. s. Hijo natural.

BASTE. m. Hilván. Almohadillado de la silla de montar.

BASTERO. m. El que hace o vende albardas.

BASTEZA. f. Grosura, tosquedad.

BASTIDOR. m. Armazón para fijar, lienzos, vidrios, etc. Decoración del teatro.

BASTILLA. f. Doblez que se hace en los extremos de la tela para que no se deshile.

BASTIMENTO. m. Provisión. Barco.

BASTIÓN. m. Fort. Baluarte.

BASTO. m. Especie de albarda. m. pl. Palo de la baraja española.

BASTO-TA. adj. Tosco, grosero.

BASTÓN. m. Palo para apoyarse. Insignia de una autoridad.

BASTONAZO. m. Golpe dado con el bastón.

BASTONCILLO. m. Galón angosto que sirve para guarnecer.

BASTONERO-RA. s. Quien hace o vende bastones. Quien dirige ciertos bailes.

BASURA. f. Inmundicia, estiércol.

BASURERO. m. El que recoge basura y sitio donde se deposita.

BATA. f. Vestido casero.

BATACAZO. m. Golpe ruidoso que da uno al caer.

BATAHOLA. f. Bulla, algazara.

BATALLA. f. Combate, encuentro entre dos ejércitos enemigos.

BATALLAR. intr. Reñir con armas. Altercar, disputar.

BATALLOLA. f. Mar. Batayola. Barandilla de los barcos.

BATALLÓN. m. Unidad táctica de infantería.

BATÁN. m. Máquina con mazos de madera para desengrasar paños.

BATANEAR. tr. Sacudir o dar golpes a alguien.

BATATA. f. Planta de tubérculo feculento comestible. Su tubérculo.

BATEA. f. Bandeja. Barco pequeño. Azafate.

BATEL. m. Mar. Bote pequeño.

BATELERO-RA. m. y f. Quien gobierno el batel.

BATEO. m. Bautizo.

BATERÍA. f. Conjunto de cañones, utensilios de cocina, las eléctricas puestas en comunicación.

BATERO-RA. m. y f. Persona cuyo oficio es hacer batas.

BATICOLA. f. Correa del aparejo que pasa por debajo de la cola.

BATIDA. f. Acción de levantar la caza. Reconocimiento de un paraje.

BATIDERA. f. Azada para mezclar la cal y arena con agua.

BATIDOR-RA. adj. Que bate. m. Peine para el cabello. Explorador.

BATIENTE. adj. Que bate. m. Parte del marco donde baten las hojas de puertas y ventanas.

BATIMETRÍA. f. Medición de las profundidades marinas.

BATÍN. m. Bata para estar en casa.

BATINTÍN. m. Mús. Disco de metal tocado con un macillo.

BATIR. tr. r. Golpear. Martillar. Arruinar. Agitar una cosa. Combatir.

BATISCAFO. m. Aparato de exploración submarina.

BATISTA. f. Lienzo fino.

BATO. m. Hombre tonto, de pocos alcances.

BATOJAR. tr. Varear los frutos de los árboles.

BATRACIO. adj. s. Zool. Animales de sangre fría. Respiración branquial, primeramente; pulmonar después y a veces con ambas.

BATUDA. f. Saltos gimnásticos.

BATUECA. m. p. fig. Estar en las Batuecas.

BATURRILLO. m. Mezcla incoherente.

BATURRO-RRA. adj. s. Rústico aragonés.

BATUTA. f. Varita del director de orquesta.

BAÚL. m. Cofre, especie de arca.

BAULERO. m. Constructor de baúles o quien los vende.

BAUPRÉS. m. Mar. Palo horizontal de la proa.

BAUTISMAL. adj. Relativo al bautismo.

BAUTISMO. m. Primer Sacramento de la Iglesia. Acto de bautizar.

BAUTISTA. m. El que bautiza.

BAUTIZAR. tr. Administrar el bautismo. Dar nombre.

BAUTIZO. m. Acto de bautizar.

BAUZA. f. Madero de unos tres metros de longitud.

BÁVARO-RA. adj. De Babiera.

BAYA. f. Fruto jugoso y carnoso.

BAYAL. m. Lino de hilaza más blanco y fino que el común.

BAYADERA. f. Bailarina y cantora india.

BAYETA. f. Tela de lana floja y rala.

BAYETÓN. m. Tela de lana de pelo abundante.

BAYO-YA. adj. De color blanco amarillento.

BAYONETA. f. Cuchillo que se fija en la boca del fusil.

BAYONETAZO. m. Golpe o herida de bayoneta.

BAYOQUE. m. Bacoyo, moneda.

BAYOSA. f. Arma blanca.

BAZA. m. Número de naipes que coge el que gana.

BAZAR. m. Tienda de objetos diversos.

BAZO. m. Víscera en el hipocondrio izquierdo.

BAZOFIA. f. Sobra de comida. Cosa despreciable.

BAZÚCAR. tr. Agitar un líquido.

BE. f. Nombre de la letra "B". Balido.

BEATA. f. Mujer que viste hábito sin ser monja. La que frecuenta mucho las iglesias.

BEATARIO. m. Casa donde viven beatas en comunidad.

BEATIFICAR. tr. Declarar el Papa que un siervo es bienaventurado y se le puede dar culto.

BEATILLA. f. Especie de lienzo delgado y ralo.

BEATITUD. f. Bienaventuranza.

BEATO-TA. adj. Bienaventurado. Que obra con virtud.

BEBÉ. m. Galicismo por nene o rorró.

BEBEDERO-RA. adj. Que puede beberse. Sitio donde beben los pájaros.

BEBEDIZO. m. adj. Potable. Filtro, elixir de amor.

BEBER. tr. r. Pasar un líquido de la boca al estómago.

BEBESTIBLE. adj. Que se puede beber.

BEBIDA. f. Líquido que se bebe.

BEBIDO-DA. adj. Que está casi embriagado.

BEBISTRAJO. m. Bebida desagradable.

BECA. f. Plaza, prebenda. Insignia del colegial.

BECABUNGA. f. Planta. Verónica.

BECADA. f. Concha.

BECERRA. f. Vaca que deja de mamar, hasta un año.

BECERRADA. f. Lidia de becerros.

BECERRERO. m. Peón que en los hatos cuida de los becerros.

BECERRO-RRA. s. Toro o vaca menor de un año. Su piel curtida.

BECUADRO. m. Mús. Signo que hace que una nota recobre el sonido natural.

BECHE. m. Macho cobrío.

BEDEL. m. Celador en centros docentes.

BEDUINO-NA. adj. Dícese de los nómadas árabes.

BEFA. f. Expresión de desprecio.

BEFAR. intr. Mover los caballos el befo. tr. Mofar.

BEFO-FA. adj. Que tiene más grueso el labio inferior.

BEGARDO. m. y f. Hereje que defendía el alma ante la visión directa de Dios.

BEGONIA. f. Planta perenne begoniácea.

BEHETRÍA. f. Población cuyos vecinos tomaban por señor a quien querían.

BEJÍN. m. Hongo como una bola. Persona que se enfada por poca cosa.

BEJUCAL. m. Donde se crían bejucos.

BEJUCO. m. Planta tropical sarmentosa y textil.

BELDAD. f. Hermosura, belleza. Mujer muy hermosa.

BELDAR. tr. Aventar en el bieldo para separar el grano de la paja.

BELEMNITA. m. Fósil cónico jurásico de cefalópodos.

BELÉN. m. Representación del nacimiento de Jesús con figuras. Ruido, algazara.

BELEÑO. m. Planta solanácea, de fruto capsular. Narcótica.

BELESA. f. Planta de flores purpúreas, dispuestas en espiga.

BELEZ. m. Vasija. Parte del menaje de casa.

BELFO. m. Befo, labio.

BÉLICO-CA. adj. Relativo a la guerra.

BELICOSO-SA. adj. Agresivo, marcial.

BELIGERANTE. adj. s. Que está en guerra.

BELÍGERO-RA. adj. poét. Dado a la guerra, belicoso.

BELITRE. adj. s. m. Pícaro, ruín.

BELORTA. f. Abrazadera de hierro que asegura el arado.

BELLACO-CA. adj. s. Pícaro, ruín, astuto.

BELLADONA. f. Planta solanácea narcótica.

BELLAMENTE. adv. Con perfección.

BELLAQUERÍA. f. Acción o dicho bellaco.

BELLEZA. f. Propiedad que hace amable una cosa.

BELLO. adj. Que tiene belleza.

BELLOTA. f. Fruto de la encina o roble.

BELLOTEAR. intr. Comer las bellotas los cerdos.

BEMOL. adj. s. Mús. Alteración que hace bajar la nota un semitono.

BEMOLADO-A. adj. Con bemoles.

BEN. m. Árbol de cuyo fruto se obtiene aceite para relojería y perfumería.

BENCENO. m. Quím. Hidrocarburo inflamable.

BENCINA. f. Quím. Hidrocarburos obtenidos de la destilación del petróleo.

BENDECIR. tr. Consagrar al culto. Hacer la cruz sobre algo. Alabar.

BENDICIÓN. f. Acción de bendecir.

BENDITO. adj. Bienaventurado.

BENEFICENCIA. f. Virtud que hace el bien al prójimo.

BENEFICIADO. m. Quien goza algún beneficio eclesiástico.

BENEFICIAR. tr. Hacer el bien. Mejorar algo para que de fruto. r. Sacar beneficio de algo.

BENEFICIAL. adj. Perteneciente a beneficios eclesiásticos.

BENEFICIARIO. m. Quien goza de un beneficio.

BENEFICIO. m. Bien que se hace o recibe. Utilidad.

BENÉFICO-CA. adj. Que hace bien.

BENEMÉRITO-TA. adj. Digno de galardón, de recompensa, de empleo.

BENEPLÁCITO. m. Aprobación, permiso.

BENEVOLENCIA. f. Buena voluntad, simpatía.

BENÉVOLO-LA. adj. Que tiene buena voluntad a otro.

BENGALA. f. Luz pirotécnica.

BENGALÍ. m. Lengua derivada del sánscrito y que se habla en Bengala.

BENIGNIDAD. f. Calidad de benigno. Agrado.

BENIGNO-NA. adj. Afable. fig. Templado.

BENIMERÍN. m. Tribu belicosa de Marruecos.

BENITO-TA. adj. Benedictino.

BENJAMÍN. m. fig. El hijo menor y más querido.

BENJAMITA. adj. Descendiente de Benjamín.

BENJUÍ. m. Bálsamo aromático sacado de la corteza de un árbol.

BENZOATO. m. Quím. Sal de ácido benzoico.

BENZOICO-CA. adj. Ácido obtenido de la destilación del benzol.

BENZOL. m. Producto obtenido de la destilación de la hulla.

BEODO-DA. adj. Borracho, ebrio.

BERBERECHO. m. Molusco comestible.

BERBERISCO-CA. adj. De Berbería.

BERBIQUÍ. m. Útil manual para taladrar.

BEREBER. adj. Berberisco.

BERENGARIO. adj. Sectario que niega la presencia real de Jesucristo en la Eucaristía.

BERENJENA. f. Planta solanácea de fruto comestible, morada. Su fruto.

BERENJENAL. m. Plantío de berenjenas. Asunto enredado.

BERGAMOTA. f. Lima muy aromática. Pera.

BERGAMOTO. m. Árbol que produce la bergamota.

BERGANTE. m. Pícaro.

BERGANTÍN. m. Mar. Buque de dos palos y bauprés, con velas cuadradas.

BERIBERI. m. Enfermedad oriental que se manifiesta por parálisis y además, producida por falta de vitaminas.

BERILIO. m. Elemento químico de propiédades metálicas.

BERILO. m. Silicato de alúmina y berilio. Esmeralda.

BERLANGA. f. Juego de naipes.

BERLINA. f. Coche cerrado de dos asientos y cuatro ruedas.

BERLINGA. f. Pértiga de madera verde para remover la masa fundida de los hornos metalúrgicos.

BERMEJAR. intr. Parecer bermejo.

BERMEJIZO-ZA. adj. Que tira a bermejo.

BERMEJO-JA. adj. Rojo muy encendido. Rubio rojizo.

BERMELLÓN. m. Polvo de cinabrio rojo.

BERMEJUELA. f. Pez melacopterigio de algunos ríos españoles.

BERREAR. intr. Dar berridos.

BERRENCHÍN. m. Vaho del jabalí furioso. Berrinche.

BERRENDEARSE. r. Pintarse el trigo.

BERRENDO-DA. adj. Manchado de dos colores. Toros con blanco y otro color.

BERRERA. f. Planta umbelífera.

BERRIDO. m. Voz de algunos animales. Grito desaforado.

BERRINCHE. m. Enfado grande.

BERRO. m. Planta crucífera, cuyas hojas se comen en ensalada.

BERROCAL. m. Terreno lleno de berruecos.

BERROQUEÑA. adj. s. Piedra de granito.

BERTA. f. Encaje con que se adorna el escote de la mujer.

BERZA. f. Col.

BERZAL. m. Campo plantado de berzas.

BESALAMANO. m. Esquela encabezada con la abreviatura B. L. M.

BESAMANOS. m. pl. Recepción en que se besa la mano al rey o se felicita a la autoridad.

BESANA. f. Labor de surcos paralelos. Primer surco hecho al empezar a arar.

BESANTE. m. Moneda bizantina.

BESAR. tr. Tocar algo con los labios.

BESO. m. Acción de besar.

BESTEZUELA. f. dim. De bestia.

BESTIA. f. Cuadrúpedo. Ignorante.

BESTIAJE. m. Conjunto de bestias de carga.

BESTIALIDAD. f. Brutalidad.

BESTIARIO. m. El que luchaba con las fieras en los circulos romanos.

BESUGADA. f. Comilona de besugo.

BESUGO. m. Pez acantopterigio marino.

BESUGUERA. f. Mujer que vende besugos. Cazuela para guisarlo.

BESUQUEAR. tr. Besar mucho.

BETA. f. Segunda letra del alfabeto griego. Cabo de aparejo.

BETARRAGA. f. Remolacha.

BÉTICO-CA. adj. s. De la Bética.

BETIJO. m. Palo que se pone en la boca de los chivos para impedirles mamar.

BETIS. m. Antiguo nombre del Guadalquivir.

BETÚN. m. Substancia inflamable. Pasta para lustrar calzado. Zulaque.

BETLEMITA. adj. Natural de Belén.

BEY. m. Gobernador turco.

BEZO. m. Labio grueso.

BEZOAR. m. Piedra hallada en el estómago de algunos rumiantes.

BEZOÁRICO-CA. adj. Que contiene bezoar.

BEZOTE. m. Adorno que usaban los indios en América en el labio inferior.

BEZUDO-DA. adj. De labios gruesos.

BIARCA. m. Oficial romano encargado de pagar y de los víveres.

BIBÁSICO. adj. Quím. Ácido con dos átomos de hidrógeno reemplazables por átomos metálicos.

BIBELOT. m. Galicismo por cosa preciosa.

BIBERÓN. m. Útil para lactancia artificial.

BIBLIA. f. Conjunto de libros del Antiguo y Nuevo Testamento.

BIBLIÓFILO-LA. m. Persona aficionada a los libros.

BIBLIOGRAFÍA. f. Descripción de libros.

BIBLIOLOGÍA. f. Estudio técnico del libro.

BIBLIOMANÍA. f. Manía de poseer libros.

BIBLIOTAFO. m. El que no quiere que lea nadie el libro que posee.

BIBLIOTECA. f. Lugar donde se tiene libros ordenados.

BIBLIOTECARIO-A. s. Quien cuida una biblioteca.

BICAL. m. Salmón macho.

BICARBONATO. m. Sal del ácido carbónico, con hidrógeno substituible.

BICÉFALO-LA. adj. Que tiene dos cabezas.

BÍCEPS. adj. Dícese del músculo flexor del brazo.

BICERRA. f. Cabra montés.

BICICLETA. f. Velocípedo de dos ruedas, en que la trasera es motriz.

BICICLO. m. Velocípedo de dos ruedas en que la delantera es motriz.

BICIPITE. adj. Que tiene dos cabezas.

BICOCA. f. Cosa de poco aprecio.

BICOLOR. adj. De dos colores.

BICONVEXO-XA. adj. Geom. El cuerpo que tiene dos superficies convexas opuestas.

BICORNE. adj. De dos cuernos.

BICHARRACO. m. Bicho repugnante.

BICHERO. m. Mar. Percha para atracar o desatracar.

BICHO. m. Animal pequeño. Toro de lidia.

BIDÉ. m. Cubeta con soporte para lavatorios.

BIDENTE. adj. De dos dientes.

BIDÓN. m. Envase de hojadelata.

BIELA. f. Mec. Barra para transformar el movimiento de vaivén en de rotación.

BIELDA. f. Bieldo que sirve para recoger, cargar y encerrar la paja.

BIELDO. m. Instrumento para aventar.

BIEN. m. Idea de lo bueno, bello y justo. Utilidad.

BIENAL. adj. Que dura un bienio. Que se repite cada dos años.

BIENALMENTE. adv. Cada dos años.

BIENANDANZA. f. Fortuna, buena suerte.

BIENAVENTURANZA. f. Goce de Dios. Prosperidad.

BIENFORTUNADO-DA. adj. Con buena fortuna.

BIENESTAR. m. Comodidad.

BIENHADADO. adj. Afortunado.

BIENHECHOR-RA. adj. s. Que hace bien a otro.

BIENIO. m. Período de dos años.

BIENMANDADO-DA. Obediente a sus superiores.

BIENQUERER. m. Bienquerencia. tr. Estimar.

BIENQUISTAR. tr. r. Poner bien entre sí a varios.

BIENVENIDA. f. Parabién al que llega con felicidad.

BIES. m. Galicismo por sesgo.

BIEZO. m. Abedul.

BIFÁSICO-CA. adj. Fis. Corriente alterna del mismo generador.

BÍFIDO-DA. adj. Bot. Hundido en dos partes.

BIFTEC. m. Bistec.

BIFRONTE. adj. De dos frente o dos caras.

BIFURCACIÓN. f. Acción y efecto de bifurcarse.

BIFURCADO-DA. adj. En forma de orquilla.

BIFURCARSE. r. Separarse en dos ramas.

BIGA. f. Carro romano de dos caballos.

BIGAMIA. f. For. Estado del casado a un tiempo con dos personas.

BIGARDIA. f. Burla, Fingimiento.

BIGARDO-DA. adj. Vago. Vicioso.

BIGARDÓN-NA. adj. El que es muy alto en proporción con la edad.

BÍGARO. m. Caracol marino.

BIGORNIA. f. Yunque de dos puntas.

BIGOTE. m. Pelo del labio superior. Impr. Línea horizontal.

BIGOTERA. f. Tira de gamuza o red para sujetar el bigote.

BIGUA. f. Ave palpímeda.

BILATERAL. adj. Dícese del contrato entre dos.

BILBILITANO-NA. adj. s. de Calatayud.

BILDA. f. Bielda.

BILIAR. adj. Relativo a la bilis.

BILINGÜE. adj. Que habla o está escrito en dos lenguas.

BILIOSO-SA. adj. Que tiene mucha bilis. fgr. Colérico, irritable.

BILIS. f. Secreción del hígado.

BILÍTERO-RA. adj. De dos letras.

BILIVERDINA. f. Pigmento verde de la bilis.

BILLAR. m. Juego con bolas de marfil y tacos.

BILLETADO-DA. adj. Bls. Cartelado.

BILLETAJE. m. Conjunto de billetes.

BILLETE. m. Carta breve. Cédula de acceso en espectáculos y vehículos. Participación en rifas de Lotería.

BILLÓN. m. Un millón de millones.

BIMANO. adj. Zool. Que tiene dos manos. Solo el hombre.

BIMBA. f. Sombrero de copa alta. Chistera.

BIMENSUAL. adj. Que se hace dos veces al mes.

BINA. f. Acción de binar tierras o viñas.

BINADERA. f. Instrumento para binar.

BINAR. tr. Dar segunda labor a las tierras.

BINARIO-A. adj. Compuesto de dos elementos.

BINOCULO. m. Anteojo doble.

BINOMIO. m. Mat. Suma algebraica de dos términos.

BINZA. f. Película interna de la cáscara del huevo.

BIODINÁMICA. f. Ciencia de la fuerza vital.

BIOGRAFÍA. f. Historia de la vida de una persona.

BIÓGRAFO-FA. s. Quien escribe una biografía.

BIOLOGÍA. f. Ciencia de la vida y de los seres vivos.

BIÓLOGO-GA. m. Quien se dedica a la biología.

BIOMBO. m. Mampara plegable.

BIOMECÁNICA. f. Estudio de la fuerza de los seres vivos.

BIOTITA. f. Mica negra o verde.

BIÓXIDO. m. Combinación de dos átomos de oxígeno.

BÍPEDO-DA. adj. De dos pies.

BIPLANO. m. Aeroplano con dos planos superpuestos paralelos por dos alas.

BIPOLAR. adj. Que tiene dos polos.

BIRICÚ. m. Correas para enganchar el sable, espadín, etc.

BIRLAR. tr. fig. Quitar algo por intriga.

BIRLIBIRLOQUE. expr. Por medios ocultos.

BIRLOCHA. f. Cometa, juguete.

BIRLOCHO. m. Coche de cuatro ruedas descubierto.

BIRREME. adj. s. Que tiene dos filas de remos.

BIRRETA. f. Solideo rojo de los Cardenales.

BIRRETE. m. Birreta, bonete.

BIRRETINA. f. Gorro de pelo de los húsares.

BIRRIA. f. Cosa ridícula.

BIS. adv. c. Indica repetición.

BISABUELO-LA. s. Padre o madre del abuelo, la, respecto a uno.

BISAGRA. f. Gozne pequeño.

BISALTO. m. Guisante.

BISAR. tr. Repetir algo.

BISBIS. m. Juego parecido a la ruleta.

BISECAR. tr. Geom. Dividir en dos partes iguales.

BISECCIÓN. f. Acción y efecto de bisecar.

BISECTOR-TRIZ. adj. s. Geom. Que divide en dos partes.

BISEL. m. Corte oblicuo en el borde.

BISELADOR. m. El que bisela.

BISIESTO. adj. s. Dícese del año de 366 días.

BISÍLABO-BA. adj. Que tiene dos sílabas.

BISMUTO. m. Sal que se emplea en medicina.

BISNIETO-TA. m. y f. Hijo o hija de nieto o nieta.

BISOJO-JA. adj. s. Que padece estrabismo.

BISONTE. m. Rumiante bóbido con una gran jiba.

BISOÑÉ. m. Peluca.

BISOÑO-ÑA. adj. s. Nuevo, inesperto.

BISTEC. m. Trozo de carne asada.

BISTRAES. tr. Dar dinero de antemano.

BISTRE. m. Color preparado con hollín.

BISTURÍ. m. Cir. Instrumento para hacer incisiones.

BISULFITO. m. Quím. Sal derivada del ácido sulfúrico.

BISULFURO. m. Unión de dos átomos de azufre con un radical.

BISUTERÍA. f. Joyería o quincallería.

BITA. f. Poste que sirve para dar vuelta al cable del ancla.

BITÁCORA. f. Mar. Caja para la brújula junto al timón.

BITOQUE. m. Tarugo para cerrar el respiradero del tonel.

BITUMINOSO-SA. adj. Que tiene o parece betún.

BIVALVO-VA. adj. De dos valvas.

BIZA. f. Bonito, pez acantopterigio.

BIZANTINO-NA. adj. De Bizancio.

BIZARRÍA. f. Gallardía. Esplendor.

BIZARRO-RRA. adj. Valiente, generoso.

BIZAZA. f. Alforja de cuero.

BIZCO-CA. adj. Bisojo. Que padece estrabismo.

BIZCOCHADA. s. Sopa de bizcochos. Pastel de bizcocho.

BIZCOCHO. m. Pan recocido. Masa flor de harina, huevos y azúcar.

BIZMA. f. Emplasto.

BIZNA. f. Telilla interior de la nuez.

BLANCO-CA. adj. De color de nieve. Espacio en un escrito que se deja sin llenar.

BLANCURA. f. Calidad de blanco.

BLANDEAR. intr. Aflojar, ceder. Blandir.

BLANDICIA. f. Adulación, halago.

BLANDIR. tr. Mover algo con aire amenazador.

BLANDO-DA. adj. Tierno, suave a la presión.

BLANDÓN. m. Hacha de cera de un pabilo.

BLANDURA. f. Calidad de blando. Regalo, deleite.

BLANDURILLA. f. Pomada de manteca de cerdo y esencias de plantas.

BLANQUEAR. tr. r. Poner blanco. Dar manos de cal o yeso diluídos en agua. Tirar a blanco.

BLANQUECINO-NA. adj. Que tira a blanco.

BLANQUEO. m. Acción o efecto de blanquear.

BLANQUERO. m. Curtidor.

BLANQUETE. m. Afeite mujeril.

BLASFEMABLE. adj. Vituperable.

BLASFEMAR. intr. Decir blasfemias. Maldecir, vituperar.

BLASFEMIA. f. Palabra injuriosa contra Dios o las personas o cosas sagradas.

BLASÓN. m. Arte de explicar los escudos de armas. Escudo de armas. Honor o gloria.

BLASONAR. tr. Disponer el escudo según las reglas del blasón.

BLASTEMA. m. Aglomeración celular de que nacen los elementos anatómicos de los cuerpos orgánicos.

BLASTODERMO. m. Zool. Membrana situada debajo del corión.

BLATA. f. Cucaracha.

BLEDO. m. Planta salsolácea. Cosa poco importante.

BLEFARITIS. f. Inflamación del párpado.

BLENDA. f. Sulturo de cinc.

BLENIA. f. Género de peces marinos.

BLENORRAGIA. f. Med. Irritación de la ureta. Gonorrea.

BLIMA. f. Sauce.

BLINDAJE. m. Mar. y Mil. Planchas usadas para blindar.

BLINADAR. tr. Proteger con planchas de acero o hierro.

BLOCAO. m. Fort. Fortín.

BLONDA. f. Encaje de seda.

BLONDINA. f. Blonda angosta.

BLONDO-DA. adj. Rubio.

BLOQUE. m. Trozo grande de cualquier materia sin labrar.

BLOQUEAR. tr. Cortar las comunicaciones. Inmovilizar.

BLUSA. f. Túnica holgada, corta o larga, ceñida al talle o suelta.

BLUSÓN. m. Blusa que llega más abajo de las rodillas.

BOA. f. Serpiente gigante, no venenosa.

BOARDILLA. f. Buharda.

BOATO. m. Ostentación en el porte exterior.

BOBADA. f. Bobería.

BOBALICÓN-NA. adj. s. Simple, tonto.

BOBERÍA. f. Dicho o hecho necio.

BOBILIS, BOBILIS (DE). De balde.

BOBINA. f. Carrete.

BOBO-BA. adj. s. Necio, tonto, alelado.

BOCA. f. Abertura por donde se toman los alimentos. Fig. Entrada, abertura. Gusto, sabor.

BOCACALLE. f. Entrada de una calle.

BOCADEAR. tr. Partir en bocados una cosa.

BOCADILLO. m. Lienzo delgado, poco fino. Panecillo relleno con algo. Dulce de guayaba.

BOCADO. m. Porción de alimento que cabe en la boca. Mordedura. Freno de la boca de la caballería.

BOCAL. m. Jarro de boca estrecha. Entrada de un canal.

BOCALLAVE. m. Parte de la cerradura por la cual se mete la llave.

BOCAMANGA. f. Parte de la manga junto a la muñeca.

BOCANADA. f. Cantidad de líquido que cabe en la boca. Porción de humo despedido por el fumador.

BOCARTE. m. Trituradora para deshacer piedras y mineral.

BOCAZA. f. El que habla más de lo prudente.

BOCEL. m. Moldura en forma de medio cilindro.

BOCELAR. tr. Formar bocel.

BOCERA. f. Lo que queda pegado a los labios después de comer o beber.

BOCETO. m. Bosquejo previo de un cuadro.

BOCEZAR. intr. Mover los labios las bestias hacia los lados.

BOCINA. f. Caracola. Trompeta para hablar de lejos.

BOCIO. m. Papera. Tumor del tiroides.

BOCK. m. Vaso de cerveza de cuarto de litro.

BOCOY. m. Pipa o tonel grande.

BOCHA. f. Bola de madera para el juego de bochas.

BOCHE. m. Hoyo pequeño que hacen en el suelo los chicos para jugar.

BOCHINCHE. m. Tumulto, barullo, pendencia.

BOCHORNO. m. Aire caliente. Calor sofocante. Encendimiento. Rubor.

BODA. f. Casamiento. Fiesta con que se solemniza.

BODE. m. Macho cabrío.

BODEGA. f. Lugar donde se guarda y cría el vino. Despensa.

BODEGÓN. m. Tienda de comidas. Taberna. Cuadro que representa cosas comestibles.

BÓDIGO. m. Panecillo que se ofrenta.

BODIJO. m. Boda desigual o sin aparato.

BOCOCAL. adj. Uva negra de grano gordo. Vid que la produce.

BODÓN. m. Charca que se seca en verano.

BODONAL. m. Terreno cenagoso.

BODOQUE. m. Pelota de barro arrojada con ballesta. Persona tonta.

BODRIO. m. Guiso mal aderezado.

BOFE. m. Pulmón. Parte de la asadura que atrae y despide el aire.

BOFETA. f. Tela de algodón delgada.

BOFETADA. f. Golpe dado con la mano abierta, en el carrillo.

BOFETÓN. m. Bofetada grande.

BOGA. f. Pez acantepterigio de río o mar, comestible.

BOGAR. intr. Mar. Remar.

BOGADOR. m. y f. Persona que boga.

BOGAVANTE. m. Primer remero del banco de la galera. Zool. Crustáceo marino parecido a la langosta.

BOHEMIA. f. Vida de bohemio.

BOHEMIO-A. adj. s. De Bohemia. Gitano. Persona de costumbres desordenadas.

BOHENA. Longaniza de bofer de puerco.

BOHÍO. m. Choza grande.

BOHORDO. m. Junco de espadaña. Lanza arrojadiza.

BOICOT. m. Boicoteo.

BOICOTEAR. tr. Excluir de todo trato a una persona para obligarla a ceder en lo que se exige.

BOICOTEO. m. Acción de boicotear.

BOINA. f. Gorra sin visera y chata.

BOIRA. f. Niebla.

BOJ. m. Arbusto euforbiacero, de madera dura.

BOJA. f. Abrótano.

BOJAR. tr. intr. Mar. Medir la longitud de una porción de costa.

BOJE. m. Arbusto euforbiáceo.

BOL. m. Ponchera. Redada.

BOLA. f. Cuerpo esférico. fam. Mentira.

BOLADA. f. Tiro que se hace con la bola.

BOLADO. m. Azucarillo.

BOLAZO. m. Golpe de bola.

BOLCHEVIQUE. adj. s. Partidario del bolcheviquismo.

BALDINA. f. Alcaloide amargo del boldo.

BOLDO. m. Arbusto nictagineo. La infusión de sus hojas cura las enfermedades del estómago e hígado.

BOLEA. f. Golpe a la pelota antes de que llegue al suelo.

BOLERO-RA. adj. s. Que hace bolas. Que miente mucho. Baile popular. Su música.

BOLETA. f. Cédula para entrar en algún sitio.

BOLETERO. m. Persona que hace o vende boletas de alojamiento.

BOLETÍN. m. Periódico sobre una materia. Libranza.

BOLETO. m. Billete.

BOLICHE. m. Bola pequeña del juego de bochas. Juego de bolos.

BOLICHE. m. Pescado pequeño.

BÓLIDO. m. Aerolito inflamado que cruza la atmósfera.

BOLILLO. m. Palillo para hacer encaje.

BOLINA. f. Sonda con un peso de plomo.

BOLISA. f. Pavesa.

BOLÍVAR. m. Moneda venezolana.

BOLO. m. Palo torneado que se tiene en pie. Bola.

BOLONIO-A. adj. Ignorante, necio.

BOLSA. f. Saquete para guardar algo. Reunión de bolsistas. Cavidad del cuerpo.

BOLSERA. f. Bolsa para el pelo.

BOLSERÍA. f. Oficio de bolsero. Su establecimiento.

BOLSILLO. m. Bolsa. Hueco en un traje para guardar algo.

BOLSÍN. m. Reunión de bolsistas fuera de la hora o lugar reglamentario.

BOLSISTA. m. Quien compra o vende valores mobiliarios.

BOLSO. m. Bolsa. Mar. Concavidad en las velas.

BOLLAR. tr. Sello de las fábricas de tejidos.

BOLLO. m. Panecillo amasado con leche, huevo, etc. Abolladura. fig. Chichón.

BOLLÓN. m. Clavo de adorno.

BOLLONADO-DA. adj. Adorno con Bollones.

BOMBA. f. Máquina para elevar, trasegar líquidos o para comprimir fluidos. Proyectil explosivo.

BOMBACHO. adj. Dícese del pantalón con perneras sujetas a la pierna.

BOMBARDA. f. Cañón antiguo que lanzaba piedras.

BOMBARDEAR. tr. Atacar con bombas.

BOMBARDEO. m. Acto de bombardear.

BOMBARDINO. m. Mús. Instrumento metálico de viento con tres pistones.

BOMBARDÓN. m. Instrumento músico.

BOMBÉ. m. Coche de dos ruedas, abierto por delante, con dos asientos.

BOMBERO. m. Quien maneja la bomba de incendios.

BOMBILLA. f. Lámpara eléctrica. Bombillo.

BOMBILLO. m. Tubo para sacar líquidos. Mar. Bomba pequeña.

BOMBÍN. m. fam. Sombrero hongo.

BOMBO. m. Mús. Tambor grande. Elogio exagerado. Caja giratoria que contiene las bolas de un sorteo.

BOMBÓN. m. Trozo de chocolate o azúcar.

BOMBONA. f. Vasija de vidrio o loza.

BOMBONERA. f. Caja para bombones.

BONACHÓN-NA. adj. s. De genio amable.

BONANCIBLE. adj. Sereno, tranquilo.

BONANZA. f. Tiempo sereno en el mar. Prosperidad.

BONDAD. f. Calidad de bueno.

BONDADOSO-SA. adj. Que es bueno.

BONETA. f. Mar. Añadido de alguna vela.

BONETADA. f. Cortesía con el bonete.

BONETE. m. Gorro eclesiástico de picos. Zool. Redecilla de rumiantes.

BONETILLO. m. Adorno de las mujeres en el tocado.

BONIATO. m. Planta convolvulácea. Su tubérculo es comestible.

BONICO-CA. adj. De bueno.

BONIFICAR. tr. r. Mejorar. Abonar. Descontar.

BONITO-TA. adj. Lindo, bien parecido. Pez acantopterigio comestible.

BONIZO. m. Especie de panizo bajo y de granos pequeños.

BONO. m. Vale canjeable por artículos de primera necesidad dado como limosna. Título de deuda.

BONZO. m. Monje budista.

BOÑIGA. f. Excremento de algún ganado.

BOÑIGAR. adj. s. Higo blanco, más ancho que alto.

BOOTES. m. Astron. Constelación próxima a la Osa Mayor.

BOQUEADA. f. Acto de boquear.

BOQUEAR. intr. Abrir la boca. Estar expirando.

BOQUERÓN. m. Abertura grande. Pez malacopterigio comestible.

BOQUETE. m. Entrada o paso angosto. Brecha.

BOQUIABIERTO-TA. adj. Con la boca abierta. El que mira embobado.

BOQUIHUNDIDO-DA. adj. Caballería que tiene muy altas las comisuras de los labios.

BOQUILLA. f. Tubito para fumar cigarrillos. Pieza adaptable a algunos instrumentos de viento.

BOQUÍN. m. Bayeta tosca.

BORATO. m. Quím. Sal o éster del ácido bórico.

BÓRAX. m. Quím. Tetraborato sódico.

BORBOLLÓN. m. Movimiento ascendente y violento del agua.

BORBÓNICO-CA. adj. Perteneciente a los Borbones.

BORBORIGMO. m. Ruido intestinal.

BORBOTAR. intr. Manar o hervir a borbotones, un líquido.

BORBOTÓN. m. Borbollón.

BORCEGUÍ. m. Calzado hasta media pierna ajustado con cordones.

BORDA. f. Mar. Borde superior del costado de un buque.

BORDADA. f. Mar. Camino, recorrido entre dos viradas.

BORDADO. m. Acción de bordar. Bordadura.

BORDADOR-RA. m. y f. Persona que borda.

BORDADURA. f. Labor de relieve hecha con aguja.

BORDAR. tr. Labrar una bordadura. Ejecutar algo con primor.

BORDE. m. Extremo, orilla. adj. s. El nacido fuera del matrimonio. Bot. Plantas no cultivadas.

BORDEAR. intr. Andar por el borde. Mar. Dar bordadas.

BORDILLO. m. Borde de la acera, andén.

BORDO. m. Mar. Costado exterior del buque fuera del agua.

BORDÓN. m. Bastón alto. Mús. Cuerda gruesa.

BORDONCILLO. m. Bordón, voz que se repite viciosamente.

BOREAL. adj. Septentrional.

BÓREAS. m. Viento del Norte.

BORGOÑOTA. adj. Pieza de la armadura antigua.

BÓRICO. adj. Quím. Ácido compuesto de boro, oxígeno o hidrógeno.

BORLA. f. Conjunto de hebras unido por un extremo.

BORLÓN. m. Tela de lino y algodón con borlas.

BORNE. m. Extremo de la lanza de torneo. Botón de metal al que se une un conductor eléctrico.

BORNEAR. tr. Arq. Ver si varios cuerpos están en línea.

BORNARO-RA. adj. Trigo negro. Muela negra del molino.

BORO. m. Quím. Metaloide semejante al carbono.

BORONA. f. Mijo. Maíz. Pan de maíz.

BORRA. f. Cordera de un año. Parte más grosera de la lana. Pelusa de la cápsula del algodón.

BORRACHERA. f. Acción de emborracharse. Embriaguez. Exaltación. Disparate.

BORRACHEZ. f. Embriaguez. fig. Turbación del juicio.

BORRACHO-CHA. adj. s. Ebrio. Bot. De color morado.

BORRACHUELA. f. Cizaña.

BORRADOR. m. Escrito previo. Libro de apuntes comerciales. Goma de borrar.

BORRAJA. f. Planta borragínea anual, comestible y de flor sudorífera.

BORRAJEAR. tr. Escribir salga lo que saliere.

BORRAR. tr. Tachar, desfigurar, hacer desaparecer lo representado.

BORRASCA. f. Tempestad muy fuerte.

BORREGO-GA. m. y f. Cordero o cordera de uno o dos años. Persona ignorante.

BORRÉN. m. En las sillas de montar encuentro del arzón y las almohadillas.

BORRICA. f. Asna. fig. Mujer necia.

BORRICADA. f. Conjunto de borricos.

BORRICO. m. Asno. Carp. Armadura donde se apoya la madera para labrarla.

BORRICÓN. m. fig. Hombre sufrido.

BORRINA. f. Astrn. Niebla densa.

BORRIQUEÑO-ÑA. adj. Propio del borrico.

BORRIQUERO. m. Conductor de una borricada.

BORRIQUETE. m. Vela de buque.

BORRO. m. Cordero que pasa de un año y que no llega a dos.

BORRÓN. m. Mancha de tinta en el papel. Acción deshonrosa.

BORRONEAR. fr. Borrajear.

BORROSO-SA. adj. Lleno de borra. Confuso.

BOSCAJE. m. Bosque de corta extensión.

BÓSFORO. m. Canal entre dos mares.

BOSQUE. m. Terreno poblado de árboles y matorrales.

BOSQUEJAR. tr. Hacer un bosquejo. fig. Indicar con vaguedad.

BOSQUEJO. m. Acción de bosquejar. Idea vaga de algo.

BOSQUETE. m. Bosque artificial y de recreo.

BOSTA. f. Excremento del ganado vacuno o caballar.

BOSTEZAR. intr. Abrir la boca con un movimiento espasmódico.

BOSTEZO. m. Acto de bostezar.

BOTA. f. Odre pequeño. Cuba para líquidos. Calzado que llega más arriba del tobillo.

BOTADURA. f. Acción de botar un barco al agua.

BOTAFUEGO. m. Artill. Palo para aplicar la mecha encendida a la pieza.

BOTAFUMEIRO. m. Incensario de gran tamaño.

BOTAGUEÑA. f. Longaniza de asadura de cerdo.

BOTALOMO. m. Instrumento para formar la pestaña en el lomo de los libros.

BOTALÓN. m. Mar. Palo largo que sale fuera de la embarcación.

BOTAMEN. m. Conjunto de botes de una farmacia.

BOTANA. f. Remiendo que tapa los agujeros de los odres de vino. Parche, cicatriz de una herida.

BOTÁNICA. f. Ciencia que trata de las plantas.

BOTÁNICO-CA. adj. Relativo a la Botánica.

BOTAR. tr. Echar fuera con violencia. Lanzar al agua un buque.

BOTARATADA. f. fam. Dicho o hecho propio de un botarate.

BOTARATE. m. Hombre de poco juicio.

BOTARGA. m. Vestido ridículo. El que lo lleva.

BOTASILLA. f. Mil. Toque de clarín para ensillar los caballos.

BOTAVANTE. m. Asta larga usada como defensa contra el abordaje.

BOTAVARA. f. Mar. Palo horizontal para cazar la vela cangreja.

BOTE. m. Golpe. Salto del caballo, pelota o una persona. Boche. Vasija pequeña.

BOTELLA. f. Redoma de vidrio. Líquido que cabe en ella.

BOTELLAZO. m. Golpe dado con una botella.

BOTELLERA. f. Nenúfar. Planta ninfácea.

BOTELLERÍA. f. Fábrica de botellas, o tienda donde se venden.

BOTERÍA. f. Taller o tienda del botero.

BOTERO. m. Quien hace o vende botas, pellejos, etc. Mar. Patrón de un bote.

BOTICA. f. Tienda de boticario.

BOTICARIA. f. Mujer del boticario.

BOTICARIO. m. Quien prepara o vende medicinas.

BOTIJA. f. Vasija de barro redonda o de cuello estrecho y corta.

BOTIJERO-RA. m. y f. Quien hace o vende botijos.

BOTIJO. m. Vasija de barro, ventruda, con asa, boca y pitorro.

BOTILLA. f. Borceguí.

BOTILLERÍA. f. Donde se hacen o venden bebidas.

BOTILLERO. m. El que hace o vende bebidas heladas.

BOTILLO. m. Pellejo pequeño para llevar vino.

BOTÍN. m. Calzado que cubre hasta parte de la pierna. Despojo del enemigo.

BOTINA. f. Calzado alto.

BOTINERÍA. f. Lugar donde se hacen o venden botines.

BOTINERO. m. El que hace o vende botines. Res vacuna con las extremidades negras.

BOTIQUÍN. m. Mueble portátil para guardar medicinas.

BOTO-TA. adj. Romo. fig. Rudo, torde. m. Pellejo para vino. Aceite, etc.

BOTÓN. m. Yema del vegetal. Flor aun cerrada, capullo. Pieza para abrochar. Pulsador. Tirador.

BOTONADURA. f. Juego de botones para el vestido o prenda.

BOTONAZO. m. Esgr. Golpe dado con el botón.

BOTONES. m. Muchacho para hacer recados.

BOTOTO. m. Calabaza para llevar agua.

BOU. m. Pesca entre dos barcas que tiran de la red arrastrándola por el fondo.

BÓVEDA. f. Cripta. Obra de fábrica que cubre formando concavidad.

BOVEDILLA. f. Espacio abovedado, entre viga y viga, en los techos.

BÓVIDO. adj. Mamíferos rumiantes con cuernos óseos.

BOVINO-NA. adj. Relativo al ganado vacuno.

BOXEADOR-RA. adj. Que boxea.

BOXEAR. intr. Luchar a puñetazos.

BOXEO. m. Acción de boxear.

BOYA. f. Cuerpo flotante colocado como señal de peligro en el mar.

BOYADA. f. Manada de bueyes.

BOYAL. adj. Relativo al ganado vacuno.

BOYANTE. adj. Que navega con viento favorable. fig. Afortunado.

BOYAR. intr. Mar. Volver a flotar la embarcación que ha estado en seco.

BOYARDA. f. Mujer del boyardo.

BOYARDO. m. Señor feudal de Rusia.

BOYAZO. m. aum. de Buey.

BOYERO. m. Quien guarda o conduce bueyes.

BOZA. f. Mar. Cabo para amarrar embarcaciones.

BOZAL. adj. s. Negro, recién sacado de su país. Esportillos puestos en la boca de las bestias.

BOZO. m. Bozal. Vello sobre el labio superior.

BRABANTE. m. Lienzo fabricado en dicho territorio.

BRACAMARTE. m. Espada antigua de un solo filo.

BRACEAR. intr. Mover los brazos. Nadar volteando los brazos fuera del agua. Medir con la braza.

BRACEO. m. Acto de bracear.

BRACERO-RA. adj. Peón. Arma arrojada con el brazo. Quien da el brazo a otro.

BRACILLO. m. Pieza del freno de los caballos.

BRACMAN. m. Brahman.

BRACO-CA. adj. Perro perdiguero.

BRÁCTEA. f. Hoja de cuya axila nace una flor.

BRADICARDIA. f. Lentitud anormal del pulso.

BRADIPEPSIA. f. Med. Digestión lenta.

BRAGA. f. Calzón. Pañal de los niños.

BRAGADO-DA. adj. Animales que tienen la bragadura de distinto color que el resto del cuerpo.

BRAGADURA. f. Entrepiernas del hombre o del animal.

BRAGAS. f. Calzón ancho.

BRAGAZAS. adj. s. Hombre que se deja dominar fácilmente.

BRAGUERO. m. Aparato o vendaje para contener la hernia.

BRAGUETA. f. Abertura delantera del pantalón o calzón.

BRAGUILLAS. m. fig. Niño que empieza a usar calzones.

BRAHAM. m. Individuo de la primera de las cuatro castas indias. Sacerdote indio.

BRAHAMANISMO. m. Religión india que adora a Brahama.

BRAMANTE. m. Cordel delgado.

BRAMAR. intr. Dar bramidos.

BRAMIDO. m. Voz del toro y otros animales. Grito del hombre furioso.

BRAMURAS. s. pl. Bravatas.

BRANQUIA. f. Órgano del animal acuático.

BRANQUIAL. adj. Relativo a las branquias.

BRANZA. f. Argolla de los forzados a galeras.

BRAÑA. f. Pasto de verano.

BRAQUICÉFALO-LA. adj. Persona cuyo cráneo es casi redondo.

BRASA. f. Carbón encendido.

BRASCA. Mezcla de polvo de carbón y arcilla.

BRASERO. m. Vasija de metal para poner lumbre.

BRASILETE. m. Árbol leguminoso.

BRAVATA. f. Amenaza arrogante, baladronada.

BRAVEAR. intr. Echar bravatas.

BRAVEZA. f. Bravura. Valor. Ímpetu de los elementos.

BRAVÍO-A. adj. Feroz, indómito. Silvestre. Rústico.

BRAVO-A. adj. Valiente.

BRAVOSIDAD. f. Gallardía, gentileza.

BRAVUCÓN-NA. adj. fam. Quien presume de esforzado.

BRAVURA. f. Fiereza, valentía. Bravata.

BRAZA. f. Medida de longitud equivalente a 1'6718 metros.

BRAZADA. f. Movimiento de los brazos. Brazado.

BRAZADO. m. Lo que se abarca con los brazos.

BRAZAL. m. Pieza de la armadura que cubría el brazo. Cauce para regar.

BRAZALETE. m. Adorno femenino para el brazo. Brazalete.

BRAZO. m. Miembro del cuerpo desde el hombro al codo. Parte de la palanca.

BRAZOLA. f. Mar. Refuerzo de las escotillas.

BRAZUELO. m. Parte de los brazos de los cuadrúpedos entre el codo y rodilla.

BREA. f. Residuo viscoso de la destilación de madera y carbón.

BREAK. m. Coche inglés de cuatro ruedas, abierto, ligero.

BREAR. fig. Chasquear, maltratar.

BREBAJE. m. Bebida desagradable.

BREBAJO. m. Refresco salado que se dá al ganado.

BRECA. f. Pez melacopterigio.

BRÉCOL. m. Col cuyas hojas no se apiñan.

BRECHA. f. Rotura hecha en el muro para atravesarlo. fig. Impresión.

BREGA. f. Acto de bregar. Riña.

BREGAR. intr. Reñir, agitarse.

BREN. m. Salvado.

BREÑA. f. Tierra quebrada, poblada de maleza.

BRESCA. f. Panal de miel.

BRETE. m. Cepo puesto a los reos. Aprieto sin evasivas.

BREVA. f. Primer fruto de la higuera.

BREVAL. adj. Higuera que da brevas e higos.

BREVE. adj. De corta extensión o duración. Buleto apostólico. Sílaba o vocal.

BREVEDAD. f. Calidad de breve. Prontitud. Laconismo.

BREVEMENTE. adv. m. Con brevedad.

BREVIARIO. m. Libro con el rezo eclesiástico. Compendio.

BREVIPENSE. adj. Zool. Aves corredoras.

BREZAL. m. Sitio poblado de brezos.

BREZO. m. Arbusto oricáceo del que se hace carbón de fragua.

BRIAGA. f. Maroma gruesa de esparto.

BRIAL. m. Vestido rico de mujer.

BRIBA. f. Holgazanería de los pícaros.

BRIBÓN-NA. adj. Dado a la briva. Haragán, bellaco.

BRIBONADA. f. Picardía.

BRICBARCA. m. Bergantín de tres palos.

BRIDA. f. Freno del caballo.

BRIDGE. m. Juego de cartas.

BRIDÓN-NA. m. Brida pequeña. Caballo brioso.

BRIGADA. f. Mil. Agrupación de cuatro o seis batallones o escuadrones. Grupo de obreros que rige un capataz.

BRIGADIER. m. General de brigada.

BRIGADIERA. f. Mujer del brigadier.

BRIGANTINA. f. Coraza recubierta de láminas metálicas.

BRIGANTINO-NA. adj. Propio de La Coruña.

BRIGOLA. f. Mil. Máquina antigua para batir muros.

BRILLANTE. adj. Admirable. Diamante tallado.

BRILLANTEZ. f. Brillo. Acción de brillar.

BRILLANTINA. f. Cosmético para dar brillo al pelo.

BRILLAR. intr. Despedir rayos de luz. Resplandecer, sobresalir.

BRILLO. m. Lustre. Resplandor. Lucimiento.

BRINCAR. intr. Dar brincos.

BRINCO. m. Movimiento que se hace alzando los pies del suelo con ligereza. Joyel femenino.

BRINDAR. intr. Manifestar al beber el deseo de un bien para alguien o algo. Ofrecer algo.

BRINDIS. m. Acto de brindar. Manifestación hecha al brindar.

BRIÑÓN. m. Griñón, melocotón.

BRÍO. m. Pujanza. Valor. Garbo.

BRIOCHE. m. Pasta de harina, huevos y mantequilla.

BRIOSO-SA. adj. Que tiene brío.

BRIQUETA. f. Colglomerado de carbón, en forma de ladrillo.

BRISA. f. Viento del Noroeste.

BRISCA. f. Juego de naipes.

BRISCADO-DA. Hilo de oro o plata para tejer.

BRITANICO-CA. adj. De la Gran Bretaña.

BRIZA. f. Pasto gramíneo muy estimado.

BRIZNA. f. Filamento delgado de las vainas de las legumbres.

BROA. f. Especie de galleta. Ensenada rocosa.

BROCA. f. Barrena de los taladros de boca cónica.

BROCADO. m. Tela de seda tejida con oro o plata.

BROCAL. m. Antepecho de la boca del pozo.

BROCATEL. adj. Tejido a modo de damasco. Mármol con vetas de colores.

BROCINO. m. Porcino.

BROCULA. f. Taladro.

BROCHA. f. Escobilla de cerda para pintar o afeitarse.

BROCHADO-DA. adj. Dícese del tejido con labor de oro o plata. f. Golpe de brocha.

BROCHAZO. m. Brochada.

BROCHE. m. Juego de dos piezas para abrochar.

BROCHINA. f. Vientecillo frío del Moncayo.

BROMA. f. Burla, chanza.

BROMATOLOGÍA. f. Tratado de los alimentos.

BROMAZO. m. Broma pesada.

BROMEAR. intr. r. Usar bromas.

BROMHIDROSIS. f. Med. Secreción abundante de sudor fétido.

BROMISTA. adj. com. Aficionado a dar bromas.

BROMO. m. Metaloide líquido venenoso. Especie de grama.

BROMURO. m. Quím. Combinación del bromo con otro elemento o un radical.

BRONCA. f. Fam. Riña, disputa.

BRONCE. m. Aleación de cobre y estaño.

BRONCEADO-DA. adj. De color de bronce.

BRONCINERO-A. adj. De bronce o parecido a él.

BRONCISTA. com. Quien trabaja en él.

BRONCO-CA. adj. Tosco. De genio áspero. Grosero.

BRONCONEUMONÍA. f. Med. Inflamación de los bronquios.

BRONCOSTENOSIS. f. Med. Estrechez de los bronquios.

BRONCHA. f. Puñal antiguo.

BRONQUEDAD. f. Calidad de bronco.

BRONQUIAL. adj. Relativo a los bronquios.

BRONQUIO. m. Cada una de las ramas de la traquearteria.

BRONQUIOLO. m. Cada una de las últimas ramificaciones de los bronquios.

BRONQUITIS. f. Inflamación de la membrana mucosa de los bronquios.

BROQUEL. m. Escudo pequeño. Defensa o amparo.

BROQUETA. Estaca para insertar pájaros.

BROTA. f. Renuevo que empieza a desarrollarse.

BROTAR. intr. Nacer o salir la planta de la tierra. Manar el agua del manantial.

BROTE. m. Yema, pimpollo, renuevo de las plantas.

BROTULA. f. Pez de los mares americanos.

BROZA. f. Despojo, ripio. Maleza, espesura.

BRUCES (DE). loc. adv. Boca abajo.

BRUGO. m. Larva que devora las hojas de los encinares y robledales.

BRUJERÍA. f. Superstición, engaño de brujas.

BRUJILLA. f. Muñeco que siempre queda en pie.

BRUJO-JA. m. Hombre o mujer que según la superstición popular tiene poder sobrenatural por pacto con el diablo.

BRÚJULA. f. Mar. Aguja magnética para determinar el rumbo de la nave.

BRUJULEAR. tr. Adivinar, conjeturar.

BRULOTE. m. Barco cargado de materias inflamables para incendiar buques enemigos.

BRUMA. f. Niebla en el mar o tierra.

BRUMAR. tr. Abrumar, quebrantar.

BRUMARIO. Segundo mes del calendario republicano francés.

BRUMAZÓN. f. Niebla espesa y grande.

BRUMO. m. Cera blanca con que se da el último baño a los cirios.

BRUMOSO-SA. adj. Nebuloso.

BRUNO-NA. adj. De color oscuro.

BRUSIDERA. f. Tabla para bruñir la cera.

BRUSIR. tr. Sacar lustre o brillo.

BRUSO. m. Bruno, ciruelo.

BRUSCO-CA. adj. Áspero, desapacible.

BRUSELA. f. Hierba, doncella.

BRUSQUEDAD. f. Calidad de brusco.

BRUTAL. adj. Que parece a los brutos.

BRUTALIDAD. f. Calidad de bruto. Acto cruel.

BRUTO-TA. adj. Necio, grosero, desenfrenado.

BRUZA. f. Cepillo para limpiar caballerías, moldes de imprenta.

BUBA. f. Postilla. Tumor blando.

BÚFALO-LA. m. y f. Especie de antílope de gran tamaño.

BUDÓN. m. Tumor grande y purulento.

BUCAL. adj. Relativo a la boca.

BUCANERO. m. Corsario.

BÚCARO. m. Arcilla para mascar.

BUCEAR. intr. Nadar manteniéndose bajo el agua.

BUCLE. m. Rizo del cabello en forma de hélice.

BUCÓLICA. adj. Género poético que trata del campo.

BUCHE. m. Bolsa del esófago de las aves donde almacenan los alimentos.

BUCHÓN-NA. adj. Paloma que infla mucho el buche.

BUDÍN. m. Plato de dulce.

BUDIÓN. m. Pez acantopterigio.

BUDISMO. m. Religión de Buda.

BUDISTA. adj. Relativo al budismo. com. Quien lo profesa.

BUEGA. f. Mojón que separa dos heredades.

BUEN. Apócope de bueno.

BUENAVENTURA. f. Buena suerte. Adivinación gitana.

BUENAZO-ZA. adj. Que tiene bondad. Útil, agradable.

BUEY. m. Toro castrado.

¡BUF! interj. ¡Puf!

BUFA. f. Burla, bufonada.

BÚFALO. s. Rumiante bóvido de pelo ralo y fuerte.

BUFANDA. f. Prenda de lana o seda que se lía al cuello.

BUFAR. intr. Resoplar con ira. Manifestar enojo.

BUFETE. m. Mesa de escritorio. Despacho de abogado.

BUFIDO. m. Voz del que bufa. Demostración de enojo.

BUFO-FA. adj. Cómico. s. Gracioso en la ópera italiana.

BUFÓN-NA. adj. Chocarrero. s. Truhán.

BUFONADA. f. Dicho o hecho propio del bufón.

BUGALLA. f. Agalla del roble.

BUGLE. m. Instrumento, musical, de viento y con pistones.

BUHARDA. f. Buhardilla.

BUHARDILLA. f. Guardilla.

BUHARRO. m. Ave rapaz.

BUHEDERA. f. Tronera, agujero.

BÚHO. m. Ave rapaz nocturna.

BUHONERO. m. Quien lleva buhonería.

BUITRE. m. Ave rapaz que se alimenta de carroña.

BUITRÓN. m. Cesto para pescar. Red para cazar perdices.

BUJE. m. Pieza que guarnece el cubo de las ruedas de los vehículos.

BUJETA. f. Caja de madera. Pomo para perfumes.

BUJÍA. f. Vela de cera o esperma. Unidad de intensidad luminosa.

BULA. f. Documento apostólico concediendo un privilegio.

BULBO. m. Órgano vegetal subterráneo, con substancias de reserva.

BULDOG. m. Perro de presa.

BULERÍAS. f. pl. Cante popular andaluz. Baile ejecutado con este cante.

BULETO. m. Breve.

BULEVAR. m. Paseo con árboles.

BULIMIA. f. Hambre canina.

BULO. m. Noticia falsa.

BULTO. m. Tamaño de una cosa. Cuerpo impreciso. Fardo.

BULLA. f. Gritería. Concurrencia grande.

BULLAJE. m. Confusión de gente.

BULLANGA. f. Tumulto.

BULLANGUERO-RA. adj. Alborotador.

BULLICIO. m. Alboroto. Ruido de mucha gente.

BULLIR. intr. Hervir un líquido. Agitarse.

BULLÓN. m. Clavo de adorno para guarnecer las cubiertas de los libros grandes.

BUMERANG. m. Arma curva de madera, de los indígenas australianos.

BUNIATO. m. Boniato.

BUNIO. m. Nabo que se deja para semilla.

BUÑOLERÍA. f. Tienda del buñolero.

BUÑOLERO-RA. s. Quien hace o vende buñuelos.

BUÑUELO. m. Fruta de sartén hecha de masa de harina, batida. fam. Lo hecho atropelladamente.

BUPRESTO. m. Insecto coleóptero.

BUCHE. m. Cabida. Casco de nave. Barco con cubierta.

BURBUJA. f. Ampolla gaseosa que sube a la superficie de un líquido.

BURBUJEAR. intr. Hacer burbujas.

BURCHE. f. Torre para defender una plaza.

BURDÉGANO. m. Hijo de caballo y burra.

BURDEL. m. Mancebía.

BURDO-DA. adj. Tosco.

BUREO. m. Diversión, entretenimiento.

BURETA. f. Quím. Tubo de cristal dispuesto para verter gota a gota.

BURGA. f. Manantial de agua caliente.

BURGOMAESTRE. m. Alcalde de algunas ciudades.

BURGRAVE. m. Señor de una ciudad. Título alemán.

BURGUÉS-SA. adj. Habitante de un burgo. Relativo al burgo.

BURGUESÍA. f. Conjunto de burgueses.

BURIEL. adj. De color rojo, entre negro y leonado. Paño pardo.

BURIL. m. Útil de acero para grabar los metales.

BURJACA. f. Bolsa de cuero de los peregrinos.

BURLA. f. Chanza. Engaño. Mofa o desprecio.

BURLADERO. m. Trozo de valla puesta ante la barrera, para refugio de los toreros.

BURLAR. intr. Chasquear, zumbar. tr. Hacer burlas. Engañar.

BURLESCO-CA. adj. Festivo, jocoso.

BURLETE. m. Tira de tela del canto de una puerta o ventana para que no entre el aire.

BURLÓN-NA. adj. s. Inclinado a decir o hacer burlas.

BURÓ. m. Galicismo por escritorio con tablero para escribir.

BUROCRACIA. f. Clase social que forman los empleados públicos.

BURRA. f. Asna. Mujer necia e ignorante.

BURRADA. f. Manada de burros. Necedad.

BURRAJO. m. Estiércol seco de las caballerizas.

BURREÑO. m. Burdégano.

BURRERO. m. Quien tiene burras de leche.

BURRICIEGO-GA. adj. Que ve poco.

BURRO. s. Asno. Hombre de mucho aguante. Juego de naipes.

BURSÁTIL. adj. Relativo a operaciones de bolsa.

BUSA. f. Fuelle grande.

BUSCA. f. Acción de buscar.

BUSCAPIÉ. m. fig. Especie que se suelta para investigar.

BUSCAPLEITOS. con. Buscarruidos.

BUSCAR. tr. Inquirir. Hacer diligencias para encontrar algo.

BUSCAVIDAS. com. Quien se interesa en vidas ajenas.

BUSCO. m. Umbral de una puerta de esclusa.

BUSCÓN-NA. adj. s. Que busca. Ratero.

BUSILIS. m. fam. Punto donde estriba la dificultad.

BÚSQUEDA. f. Acción de buscar.

BUSTO. m. Escultura de medio cuerpo humano sin brazos.

BUTACA. f. Silla de brazos y respaldo.

BUTANO. m. Gas natural combustible.

BUTIFARRA. f. Longaniza catalana.

BUTILENO. m. Quím. Hidrocarburo descubierto por Faraday.

BUTIRINA. f. Sustancia componente de la manteca.

BUTIRO. m. Manteca de vaca.

BUZ. m. Beso de reconocimiento.

BUZO. m. Quien trabaja sumergido en el agua.

BUZÓN. m. Agujero por donde se echan las cartas. Tapón para dar entrada o salida a un líquido.

C. f. Letra consonante, tercera del alfabeto.

¡CA! interj. fam. ¡Quia!

CABAL. adj. Ajustado a peso o medida. Completo.

CÁBALA. f. Arte de adivinar. Intriga.

CABALERO. adj. Hijo que no es el heredero.

CABALGADA. f. Tropa de gente a caballo.

CABALGADURA. f. Bestia de carga y para cabalgar.

CABALGAR. intr. Andar o montar a caballo.

CABALGATA. f. Comparsa de jinetes. Reunión de personas que van cabalgando.

CABALISTA. com. Persona que profesa la cábala.

CABALMENTE. adv. m. Justa, perfectamente.

CABALLA. f. Pez de carne roja y poco estimada.

CABALLADA. f. Manada de caballos.

CABALLERATO. m. Pensión eclesiástica.

CABALLERESCO-CA. adj. Propio de caballero.

CABALLERETE. m. Joven presumido.

CABALLERÍA. f. Solípedo en que se cabalga.

CABALLERIZA. f. Lugar destinado a guardar caballos.

CABALLERO-RA. adj. Que cabalga. Hidalgo, noble.

CABALLEROSIDAD. f. Calidad de caballero.

CABALLETA. f. Saltamontes.

CABALLETE. m. Lomo de tejado. Trípode.

CABALLISTA. El que cuida de los caballos o monta bien.

CABALLITO. Coleóptero de hermosos colores.

CABALLO. m. Mamífero solípedo equino. Pieza de ajedrez.

CABALLÓN. m. Lomo de tierra entre surco y surco.

CABAÑA. f. Casilla rústica. Rebaño. Recua.

CABAS. m. Maletín o cesto pequeño.

CABE. prep. Cerda de. junto a.

CABECEADO. m. Grueso del palo de algunas letras.

CABECEAR. intr. Dar cabezadas.

CABECERA. f. Lugar preferente.

CABECILLA. m. Jefe de rebeldes.

CABELLERA. f. Conjunto de cabellos.

CABELLO. m. Pelo sobre el cráneo.

CABER. intr. Ser posible. Contener una cosa dentro de otra.

CABESTRAJE. m. Conjunto de cabestros.

CABESTRILLO. m. Aparato para sostener el brazo lastimado.

CABESTRO. m. Ramal atado a la cabeza de la caballería.

CABEZA. f. Parte superior del cuerpo humano o animal.

CABEZADA. f. Correaje que sujeta la cabeza de una cabalgadura.

CABEZAL. m. Especie de almohada.

CABEZALERO-RA. m. y f. Testamentario, ria.

CABEZO. m. Cerro alto, o cumbre de una montaña.

CABEZÓN-NA. adj. y s. Cabezudo.

CABEZONADA. f. Acción de persona terca.

CABEZUDO-DA. adj. Que tiene mucha cabeza.

CABEZUELA. f. Planta compuesta para hacer escobas.

CABIDA. f. Capacidad y valimiento.

CÁBILA. f. Cada una de las tribus de Berbería que habitan en el Atlas.

CABILDADA. f. Resolución imprudente.

CABILDO. m. Comunidad de capitulares de una catedral.

CABILLA. f. Mar. Barra para manejar el timón.

CABILLO. m. Flor o fruto de las plantas.

CABINA. f. Departamento a modo de camarote.

CABIO. m. Lintón para formar suelos y techos.

CABIZBAJO-JA. adj. Que tiene la cabeza baja.

CABLE. m. Mar. Maroma. Medida de 120 brazas.

CABLEGRAFIAR. tr. Enviar un cablegrama.

CABLEGRAMA. m. Telegrama por cable submarino.

CABO. m. Extremo de una cosa. Punta de tierra que avanza en el mar.

CABOTAJE. m. Comercio marino a lo largo de una costa de una misma nación.

CABRA. f. Rumiante doméstico, con cuernos.

CABRACOJA. m. Higuera silvestre. Su fruto.

CABREAR. r. fam. Recelar.

CABRERO-RA. s. Pastor o pastora de cabras.

CABRERIZA. f. Choza en que se guarda el hato. Mujer del cabrero.

CABRESTANTE. m. Torno vertical para mover grandes pesos.

CABRIA. f. Máquina para levantar grandes pesos.

CABRILLA. f. Pez acantopterigio.

CABRILLEAR. tr. Formarse olas blancas y continuas en el mar.

CABRÍO-A. adj. Relativo a las cabras.

CABRIOLA. f. Brinco, salto corvo del caballo.

CABRIOLAR. intr. Dar o hacer cabriolas.

CABRIOLÉ. m. Cochecillo de dos ruedas.

CABRITILLA. f. Piel de animal pequeño curtida.

CABRITO. m. Cría de la cabra.

CABRÓN. m. Macho cabrío. El que consiente el adulterio de su mujer.

CABRUÑAR. tr. Renovar el corte a la guadaña.

CABUJÓN. m. Rubí sin labrar.

CABULLA. f. Pita. Su fibra.

CACA. f. Excremento del niño.

CACAHUAL. m. Sitio plantado de cacao.

CACAHUETE. m. Planta anual leguminosa. Su fruto.

CACALOTE. m. Cuervo mejicano.

CACAO. m. Árbol malváceo de cuyo fruto se elabora el chocolate.

CACARAÑA. f. Hoyos o señales en el rostro de una persona.

CACAREAR. intr. Dar gritos repetidos el gallo o la gallina.

CACAREO. m. Acto de cacarear.

CACARRO. m. Al Agalla del roble.

CACATÚA. f. Ave trepadora de gran moño.

CACEAR. tr. Revolver con el cazo. Mover el anzuelo.

CACERA. f. Zanja de riego.

CACEREÑO-ÑA. Que pertenece a la ciudad de Cáceres.

CACERÍA. f. Partida de caza.

CACERINA. f. Bolsa para llevar municiones.

CACEROLA. f. Cazuela, con mango.

CACETA. f. Cazo de boticario.

CACILLO. m. Cazo pequeño.

CACIQUE. m. Señor de vasallos o de un pueblo indio. fig. Persona que maneja la administración de un pueblo.

CACO. m. Ladrón. Hombre tímido.

CACODILO. m. Arseniuro de metilo.

CACOFONÍA. f. Vicio del lenguaje que repite letras o sílabas.

CACOGRAFÍA. f. Escritura defectuosa.

CACÓGRAFO. m. El que escribe sin ortografía.

CACONIQUIA. f. Cir. Deformidad de las uñas.

CACOQUIMIA. f. Med. Mala elaboración del quimo.

CACOTIMIA. f. Desarreglo de la imaginación.

CACTO. m. Nombre de diversas plantas vasculares perennes.

CACUMEN. m. fam. Cabeza.

CACHA. f. Pieza del mango de la navaja.

CACHALOTE. m. Cetáceo odontoceto.

CACHAR. tr. Hacer pedazos.

CACHARRERÍA. f. Tienda de loza ordinaria.

CACHARRERO-RA. Nombre del que vende cacharros o loza ordinaria.

CACHARRO. m. Vasija tosca.

CACHAVA. f. Juego de niños. Cayado.

CACHAZA. f. fam. Lentitud en el modo de obrar.

CACHAZUDO-DA. adj. Que tiene cachaza.

CACHEAR. tr. Registrar.

CACHELOS. m. pl. Guiso gallego.

CACHEMIRA. m. Tejido de la India.

CACHEO. m. Se dice de la acción de cachear.

CACHERA. f. Ropa de lana tosca.

CACHETE. m. Carrillo. Puñetazo.

CACHETERO. m. Puñal corto. Puntillero.

CACHETINA. f. Pelea a cachetes.

CACHETUDO-DA. adj. Carrilludo.

CACHIDIABLO. m. El que se viste de botarga.

CACHIPORRA. f. Palo con una bola en el extremo.

CACHICÁN. m. Capataz de hacienda campera.

CACHIMBA. f. Pipa para fumar.

CACHIRULO. m. Vasija para los licores.

CACHIVACHE. m. Pedazo de vasija quebrada. Trasto viejo.

CACHIZO. adj. Madero grueso para aserrar.

CACHO-CHA. adj. Gacho. Pedazo pequeño.

CACHÓN. m. Ola del mar que rompe en la playa y hace espuma.

CACHONDEARSE. vulg. Burlarse, guasarse.

CACHONDO-DA. adj. En celo.

CACHORRILLO. m. Pistola pequeña.

CACHORRO-RRA. s. Animal de poco tiempo.

CACHUCHA. f. Bote o lancha. Especie de gorro.

CACHUCHO. m. Medida de aceite. Alfiletero.

CACHUELA. f. Guisado extremeño.

CACHUPÍN-NA. m. Español establecido en América.

CACHUPINADA. f. Convite casero.

CADA. adj. Que designa una o varias cosas o personas separadamente.

CADALECHO. m. Cama tejida de ramas.

CADALSO. m. Patíbulo. Tablado para un acto solemne.

CADAPANO. m. Níspero.

CADARZO. m. Seda basta. Camisa del capullo.

CADÁVER. m. Cuerpo muerto.

CADEJO. m. Parte del cabello muy enredada. Madeja pequeña.

CADENA. f. Conjunto de eslabones enlazados entre sí.

CADENCIA. f. Mús. y Poé. Repetición regular de sonidos.

CADENERO. m. El encargado de la cadena de agrimensor.

CADENETA. f. Labor en figura de cadena.

CADENTE. adj. Que amenaza ruina. Que tiene cadencia.

CADERA. f. Salientes del abdomen producidos por los huesos de la pelvis.

CADETADA. f. Acción irreflexiva.

CADETE. m. Alumno de una Academia Militar.

CADI. m. Juez turco.

CADILLO. m. Cachorro.

CADMIA. f. Óxido de cinc sublimado.

CADMIO. m. Metal blanco, dúctil y maleable.

CADOSO o **CADOZO.** m. Lugar profundo de un río, remanso.

CADUCAR. intr. Chochear. fig. Perder fuerza.

CADUCEO. m. Atributo de Mercurio.

CADUCO-CA. adj. Descrédito. Poco durable.

CAEDIZO-ZA. adj. Que cae fácilmente.

CAER. intr. y r. Venir un cuerpo de arriba abajo.

CAFÉ. m. Cafeto. Su simiente.

CAFEÍNA. f. Principio activo del **café.** Alcaloide medicinal.

CAFETAL. m. Lugar poblado de cafetos.

CAFETERA. f. Vasija para hacer o servir café.

CAFETO. m. Árbol rubiáceo, fruto con baya roja.

CÁFILA. f. Caravana en el Mogol. Multitud de seres.

CAFRE. adj. s. De cafrería. Bárbaro, rústico.

CAFTÁN. m. Túnica turca.

CAGAACEITE. m. Pájaro insectívoro dentirrostro.

CAGACHÍN. m. Pájaro diminuto. Mosquito de color rojo.

CAGAFIERRO. m. Escoria de hierro.

CAGAJÓN. m. Estiércol de las caballerías.

CAHIZ. m. Medida de áridos de distinta cabida según las regiones.

CAIBLE. adj. Que puede caer.

CAID. m. Juez musulmán.

CAÍDA. f. Acción de caer. Cosa que cuelga.

CAIMACÁN. m. Lugarteniente del Gran Visir.

CAIMÁN. m. Reptil saurio de América.

CAIQUE. m. Barca ligera. Lancha de los cosacos.

CAIREL. m. Cerco de cabellera postiza.

CAJA. f. Recipiente para guardar algo. Tambor.

CAJEL. adj. Naranja producida por injerto.

CAJERO-RA. s. Quien hace cajas.

CAJETA. f. adj. Caja para recoger limosnas.

CAJETE. m. Cazuela semiesférica.

CAJETILLA. f. Paquete de tabaco.

CAJETÍN. m. Sello de mano para estampar en títulos o valores.

CAJISTA. com. Impr. Quien compone los moldes.

CAJO. m. Reborde para la encuadernación.

CAJÓN. m. Caja de madera de forma prismática.

CAJONERA. f. Caja para criar plantas. Donde se guardan las ropas sagradas.

CAJUIL. m. Anacardo.

CAL. f. Óxido de calcio.

CALA. f. Ensenada pequeña.

CALABACEAR. tr. Dar calabazas.

CALABACIN. m. Especie de calabaza pequeña.

CALABAZA. f. Fruto de la calabacera. Desaire.

CALABOCERO. m. El que guarda los presos en el calabozo.

CALA BOBOS. m. Lluvia menuda.

CALABOZO. m. Lugar seguro para guardar presos.

CALABRÉS-SA. adj. Natural de Calabria.

CALABRIADA. f. Mezcla de cosas.

CALABROTE. m. Mar. Cabo grueso.

CALACUERDA. f. Mil. Toque antiguo de ataque.

CALADA. f. Acción y efecto de calar.

CALADO. m. Labor que se hace con aguja sacando o juntando hilos.

CALADOR. m. El que cala. Hierro de los calafates.

CALADRE. f. Alondra.

CALADURA. f. Cala.

CALAFATE. m. Quien calafatea.

CALAFATEAR. tr. Cerrar las junturas de una nave con estopa y brea.

CALAGOZO. m. Instrumento para podar.

CALAGRAÑA. f. Variedad de uva de mala calidad.

CALAGURRITANO-NA. adj. De Calahorra.

CALAMACO. m. Tejido de lana fina.

CALAMAR. m. Molusco cefalópodo.

CALAMBRE. m. Contracción espasmódica de los músculos.

CALAMBUCO. m. Árbol gutífero resinoso de América.

CALAMENTO. m. Planta labiada perenne medicinal.

CALAMIDAD. f. Desgracia, infortunio.

CALAMIFORME. adj. Animales o vegetales que tienen figura de cañón de pluma.

CALAMINA. f. Carbonato de cinc anhidro, pétreo, blanco o amarillento o rojizo cuando le tiñe el hierro.

CALAMITA. f. Piedra imán.

CALAMITE. s. Sapo pequeño.

CALAMITOSO-SA. adj. Que causa calamidades.

CÁLAMO. m. Flauta antigua. Pluma. Caña.

CALAMOCANO. m. Semiborracho.

CALAMOCHA. f. Ocre amarillo de color muy bajo.

CALAMÓN. m. Ave zancuda. Clavo de cabeza redonda.

CALANDRAJO. m. Trapo viejo. Persona ridícula.

CALANDRAR. Satinar el papel o la tela.

CALANDRIA. f. Alondra. Prensa de telas o papeles.

CALAÑA. f. Modelo. Calidad.

CALAR. tr. Penetrar un líquido en cuerpo permeable. Atravesar de parte a parte.

CALASANCIO. adj. Escolapio.

CALAVERA. f. Armazón de los huesos de la cabeza.

CALAVERADA. f. Acción propia de personas de poco juicio.

CALAVEREAR. intr. fam. Hacer calaveradas.

CALAVERNARIO. m. Osario.

CALCÁNEO. m. Zool. Hueso del tarso que forma el talón.

CALCAÑAR. tr. Extremo posterior de la parte del pie.

CALCAR. tr. Sacar copia por contacto con el original.

CALCÁREO-A. adj. Que tiene cal.

CALCE. m. Llanta de la rueda. Cuña o alza.

CALCEDONIA. f. Ágata translúcida.

CALCETA. f. Media de punto. Grillete.

CALCETÍN. m. Media que llega a la mitad de la pantorrilla.

CALCÍMETRO. m. Aparato para determinar la cal contenida en las tierras.

CALCINACIÓN. f. Acto de calcinar.

CALCINAR. tr. y r. Quím. Someter a calor muy elevado los minerales.

CALCIO. m. Metal alcalinotérreo.

CALCITA. f. Carbonato de cal cristalizado.

CALCO. m. Copia obtenida calcando.

CALCOGRAFÍA. f. Arte o taller de estampar láminas.

CALCOMANÍA. f. Pasatiempo que consiste en pasar grabados coloridos a objetos diversos.

CALCOPIRITA. f. Pirita de cobre.

CALCULADOR-RA. adj. s. Que calcula.

CALCULAR. tr. Hacer cálculos. Meditar. Evaluar.

CÁLCULO. m. Cuenta matemtáica. Med. Piedra en vejiga.

CALDEAR. tr. r. Calentar mucho. Hacer ascua un metal.

CALDERA. f. Vasija metálica grande y redonda.

CALDERETA. f. Guisado de pescado, cebolla, sal, aceite y vinagre.

CALDERILLA. f. Toda moneda.

CALDERO. m. Caldera pequeña.

CALDERÓN. m. Signo de millar. Mús. Signo que indica la suspensión del compás.

CALDERONIANO-NA. adj. Propio o característico de don Pedro Calderón de la Barca como escritor.

CALDERUELA. f. Vasija de cazadores nocturnos para deslumbrar a las perdices.

CALDO. m. Líquido en que se coció vianda. Vino.

CALÉ. f. Aballudo, manotada.

CALEFACCIÓN. f. Acción y efecto de calentar.

CALEIDOSCOPIO. m. Tubo con dos o tres espejos que multiplican las imágenes simétricamente.

CALENDA. f. Lección del martirologio con las fiestas del día.

CALENDARIO. m. Almanaque.

CALENDARISTA. com. Persona que compone calendarios.

CALENDAS. f. pl. Período, tiempo, época.

CALÉNDULA. f. Planta herbácea compuesta, medicinal.

CALENTADOR-RA. adj. Que calienta.

CALENTAR. tr. Comunicar el calor.

CALENTURA. f. Fiebre.

CALEPINO. m. Diccionario latino.

CALERA. f. Horno o cantera de cal.

CALESA. f. Especie de coche de dos ruedas.

CALESERA. f. Chaqueta con adornos, andaluza.

CALESERO. m. Quien conduce calesas.

CALESÍN. m. Calesa ligera.

CALETA. f. Cala pequeña.

CALETRE. fam. m. Discernimiento. Tino. Juicio, seso.

CALIBRAR. tr. Medir con el calibre.

CALIBRE. m. art. Aparato de precisión para medir.

CALICANTO. m. Mampostería.

CALICATA. f. Min. Reconocimiento de un terreno.

CALICIFORME. adj. Bot. Dícese del perigonio en forma de cáliz.

CALICILLO. m. Bot. Vertilicio de apéndices foliáceos.

CALICÓ. m. Tela fina de algodón.

CALÍCULO. m. Bot. Vertilicio de brácteas que rodean el cáliz.

CALIDAD. f. Propiedad de una cosa.

CÁLIDO-DA. adj. Que da calor.

CALIDOSCOPIO. m. Caleidoscopio.

CALIENTAPIES. m. Braserillo.

CALIENTE. adj. Acalorado, que tiene calor.

CALIFA. m. Príncipe sucesor de Mahoma.

CALIFATO. m. Territorio gobernado por el Califa.

CALIFICACIÓN. f. Acto de calificar.

CALIFICADOR. m. El que califica.

CALIFICAR. tr. Apreciar la calidad. Acreditar.

CÁLIGA. f. Sandalia militar romana.

CALIGINE. f. Niebla, obscuridad.

CALIGRAFÍA. f. Arte de escribir con buena letra formada correctamente.

CALIGRAFIAR. f. Arte de escribir con buena letra.

CALÍGRAFO. m. Perito en caligrafía.

CALINA. f. Niebla ligera en tiempo muy caluroso.

CALÍOPE. f. Mit. Musa de la poesía narrativa.

CALIPEDIA. f. Arte quimérico de criar hijos hermosos.

CALISAYA. f. Quina muy estimada.

CALISTENIA. f. Gimnasia para embellecer.

CÁLIZ. m. Vaso sagrado para consagrar. Bot. Cubierta externa de la flor completa.

CALIZA. f. Roca formada de carbonato de cal.

CALMA. f. Falta de viento.

CALMADO-DA. adj. Sal. Sudoroso, fatigado.

CALMANTE. p. a. De calmar. Que calma.

CALMAR. intr. Estar en calma. tr. r. Sosegar, adormecer.

CALMAZO. m. Calma chicha.

CALMO. adj. Terreno erial, sin vegetación.

CALMOSO-SA. adj. Persona indolente, perezosa.

CALÓ. m. Jerga de los gitanos.

CALOBIÓTICA. f. Arte de vivir bien.

CALOCÉFALO. adj. Zool. Que tiene hermosa cabeza.

CALÓFILO-LA. adj. Bot. Que tiene hermosas hojas.

CALOFRÍO. m. Escalofrío.

CALOLOGÍA. f. Estética.

CALOMELANOS. m. pl. Cloruro mercurioso, purgante.

CALÓN. m. Pértiga para medir lo profundo de un río.

CALOPTERO-RA. adj. Zool. Con hermosas alas.

CALOR. m. Elevación de la temperatura, Ardimiento.

CALORÍA. f. Fís. Unidad térmica.

CALORIAMPERÍMETRO. m. Aparato para medir una corriente eléctrica por el calor.

CALÓRICO. m. Fís. Principio de los fenómenos del calor.

CALORÍFERO-RA. adj. Que propaga el calor.

CALORÍFUGO. adj. Que no transmite el calor.

CALORÍMETRO. m. Instrumento para medir el calor.

CALOSTRO. m. Primera leche de la hembra después de parida.

CALOYO. m. Cabrito recién nacido.

CALSECO-CA. adj. Curado con cal.

CALUMNIA. f. Acusación falsa.

CALUMNIAR. tr. Acusar falsamente.

CALUROSO-SA. adj. Que tiene calor.

CALVA. f. Parte de la cabeza donde se ha caído el pelo.

CALVARIO. m. Vía crucis.

CALVERO. m. Calva de un bosque.

CALVICIE. f. Falta de pelo en la cabeza.

CALVINISMO. m. Secta de Calvino.

CALZA. f. Vestidura que cubría el muslo y la pierna.

CALZADA. f. Camino real empedrado.

CALZADOR. m. Útil para calzar.

CALZAR. tr. r. Poner el calzado, guantes, espuertas, etc.

CALZÓN. m. Pantalón hasta la rodilla.

CALZONAZOS. m. fig. y fam. Hombre muy flojo y condescendiente.

CALZONCILLOS. m. Ropa interior.

CALLADO-DA. adj. Silencioso, reservado.

CALLAR. intr. r. Guardar silencio. No hablar.

CALLE. f. Espacio entre dos filas de casas.

CALLEJA. f. Calle angosta.

CALLEJEAR. intr. Andar de calle en calle, sin necesidad.

CALLEJÓN. m. Lugar estrecho entre dos paredes.

CALLICIDA. adj. y s. Que estirpa los callos.

CALLISTA. m. Quien extirpa los callos o los cura.

CALLO. m. Dureza en la piel por roce.

CALLOSIDAD. f. Dureza de más extensión y menos profundidad que el callo.

CAMA. f. Mueble para acostarse. Sitio donde se echan los animales.

CAMADA. f. Los hijuelos de la coneja, loba y otros animales.

CAMAFEO. m. Figura de relieve en piedra preciosa.

CAMALEÓN. m. Saurio de cola prensil que cambia de color.

CAMAMILA. f. Manzanilla.

CAMÁNDULA. f. Orden benedictina reformada.

CAMANDULEAR. tr. Ostentar falsa devoción.

CÁMARA. f. Sala de una casa o buque. Cuerpo legislador.

CAMARADA. m. Compañero.

CAMARANCHÓN. m. Desván.

CAMARERA. f. Criada principal.

CAMARILLA. f. Conjunto de palaciegos influyentes.

CAMARÍN. m. Pieza detrás de un altar. Tocador.

CAMARLENGO. m. Título de cardenal que preside la Cámara Apostólica. .

CAMARÓ o CAMARÓN. m. Crustáceo marino.

CAMARONERO-RA. s. Quien vende camarones.

CAMAROTE. m. Aposento para poner la cama en los buques.

CAMARROYA. f. Achicoria silvestre.

CAMASTRO. m. Lecho poche y sin aliño.

CAMBALACHE. m. Cambio de poco valor.

CAMBALACHEAR. tr. Cambiar.

CAMBALEO. m. Grupo de cómicos ambulantes.

CÁMBARO. m. Crustáceo marino braquiuro.

CAMBERA. f. Red para pescar camarones.

CAMBIANTE. m. Variedad de visos.

CAMBIAR. tr. r. Trocar una cosa por otra. Variar.

CAMBISTA. com. Persona que cambia.

CAMBÓN. m. Parte de la rueda de una carreta.

CAMBRAY. m. Lienzo blanco muy fino.

CÁMBRICO. m. Geol. Formación de la era paleozoica.

CAMBRONERA. f. Arbusto solanáceo.

CAMBUR. m. Banano.

CAMBUTERA. m. Bejuco silvestre de Cuba. Caracol grande.

CAMEDRIO. m. Planta de la familia de las labiadas.

CAMELAR. tr. fam. Galantear, seducir.

CAMELETE. m. Antigua pieza de artillería.

CAMELIA. f. Arbusto cameliáceo de jardín. Su flor.

CAMÉLIDOS. m. pl. Grupo de mamíferos entre los que se hallan el camello, dromedario, etc.

CAMELINA. f. Planta medicinal de Asia Central.

CAMELO. m. Galanteo, chasco.

CAMELOTE. m. Tejido fuerte impermeable.

CAMELLO. m. Rumiante con dos jorobas y cuello largo.

CAMELLÓN. m. Artesa para abrevar el ganado vacuno.

CAMERO-RA. adj. Relativo a la cama grande.

CAMILLA. f. Cama portátil. Mesa con hueco para el brasero.

CAMINAR. intr. Ir de viaje. Andar.

CAMINERO-RA. adj. Relativo al camino. El que lo cuida.

CAMINO. m. Tierra hollada por donde se transita.

CAMIÓN. m. Carro grande para cargas pesadas.

CAMISA. f. Vestidura interior de lienzo.

CAMISERÍA. f. Tienda donde se venden camisas.

CAMISETA. f. Camisa sin cuello.

CAMISOTE. m. Cota de malla con mangas.

CAMITA. adj. Descendiente de Cam.

CAMÓN. m. Trono portátil. Mirador.

CAMORRA. f. Riña.

CAMORRISTA. adj. s. Pendenciero.

CAMPA. adj. Tierra que carece de arbolado.

CAMPAL. adj. Perteneciente al campo.

CAMPAMENTO. m. Acción de campar.

CAMPANA. f. Instrumento metálico cóncavo con un badajo.

CAMPANADA. f. Golpe que da el badajo en la campana.

CAMPANARIO. m. Torre con campana.

CAMPANELA. f. Paso de danza.

CAMPANERO. m. Quien funde o toca campanas.

CAMPANIFORME. adj. Que tiene forma de campana.

CAMPANIL. adj. Dícese del bronce de campanas.

CAMPANILLA. f. Úvula. Campana manuable.

CAMPANTE. adj. Ufano. Satisfecho.

CAMPANULA. f. Farolillo. Planta campanulácea.

CAMPAÑA. f. Campo llano. Duración de la guerra.

CAMPAÑOL. m. Mamífero roedor.

CAMPAR. intr. Acampar, sobresalir.

CAMPEADOR. adj. El que sobresale por sus acciones bélicas.

CAMPECHANO-NA. adj. Franco, de genio abierto.

CAMPECHE. m. Árbol americano, usada su madera en tintorería.

CAMPEÓN. m. Héroe. Defensor de una causa.

CAMPEONATO. m. Certamen deportivo.

CAMPERO-RA. adj. Descubierto en el campo.

CAMPESINO-NA. adj. Perteneciente al campo.

CAMPESTRE. adj. Campesino que pertenece al campo.

CAMPIÑA. f. Espacio de tierra labrantía.

CAMPO. m. Sitio espacioso en despoblado. Campiña.

CAMPOSANTO. m. Cementerio católico.

CAMUESA. f. Fruto del camueso.

CAMUESO. m. Variedad del manzano.

CAMUFLAR. tr. Disfrazar, disimular.

CAN. m. Perro. Gatillo. Kan.

CANA. f. Cabello que ha blanqueado.

CANADIENSE-SA. adj. s. Del Canadá.

CANADIO. m. Metal de color blanco muy brillante que pertenece al grupo del platino.

CANAL. m. Cauce artificial. Res abierta y sin despojos.

CANALADURA. f. Arq. Moldura hueca y vertical.

CANALETE. m. Remo ancho.

CANALIZACIÓN. f. Acción o efecto de canalizar.

CANALIZAR. tr. Abrir canales.

CANALIZO. m. Mar. Canal estrecho.

CANALÓN. m. Canalera que vierte el agua del tejado.

CANALLA. f. fig. Gente ruín. m. Hombre ruin.

CANALLADA. f. Acción propia de un canalla.

CANANA. f. Correa para llevar cartuchos.

CANANEO-A. adj. Natural de Canaan.

CANAPÉ. m. Escaño mullido.

CANARIA. f. Hembra del canario.

CANARIERA. f. Jaula para canarios.

CANARIO-RIA. adj. De Canarias. m. Pájaro cantor.

CANASTA. f. Cesto de mimbres con asa. Juego de naipes.

CANASTERO-RA. m. y f. El que hace o vende canastas.

CANASTILLA. f. Cestilla de mimbre.

CANASTILLO. m. Cesto plano de mimbres.

CANCAMUSA. f. Artificio para deslumbrar.

CANCÁN. m. Baile francés.

CANCANA. f. Banquillo de castigo de las escuelas.

CANCANO. m. fam. Piojo.

CANCEL. m. Puerta doble. Mampara. Contrapuerta.

CANCELA. f. Verja del umbral de algunas casas.

CANCELADURA. f. Acción y efecto de cancelar.

CANCELAR. tr. Anular un instrumento público. Abolir.

CANCELARIA. f. Tribunal romano para otorgar gracias apostólicas.

CÁNCER. m. Tumor destructor de los tejidos. Signo del Zodíaco.

CANCERBERO. m. Mit. Perro de tres cabezas que guardaba el Infierno.

CANCILLA. f. Puerta con verja.

CANCILLER. m. Secretario del Rey. Jefe del Gobierno.

CANCILLERÍA. f. Oficina o cargo de canciller.

CANCIÓN. f. Composición cantable. Su música.

CANCIONERO. m. Colección de canciones y poesías.

CANCRO. m. Úlcera del árbol. Cáncer.

CANCHA. f. Parte del frontón donde actuan los pelotaris.

CANCHAL. m. Sitio de grandes piedras.

CANCHEAR. intr. Subir por los canchos.

CANCHO. m. Peñasco grande.

CANDADO. m. Cerradura suelta que asegura con armellas una puerta o tapa.

CANDAMO. m. Baile antiguo.

CANDANAL. m. En Asturias terreno blanquecino.

CANDE. adj. Dícese del azúcar cristalizado.

CANDEAL. adj. Dícese del trigo o pan de superior calidad.

CANDELA. f. Vela. Lumbre. Candelero.

CANDELABRO. m. Candelero.

CANDELARIA. f. Fiesta de la Purificación.

CANDELERO. m. Utensilio para sostener la vela o candela.

CANDELUCHO. m. Choza sobre estacas para vigilar una viña.

CANDENTE. adj. Que enrojece o blanquea por la acción del fuego.

CANDICACIÓN. m. Cristalización del azúcar.

CÁNDIDAMENTE. adv. m. Sencillamente, con candor.

CANDIDATO. m. Perteneciente a un cargo.

CANDIDATURA. f. Reunión de candidatos. Opción a un cargo elegible.

CANDIDEZ. f. Calidad de cándido.

CÁNDIDO-DA. adj. Ingenuo, simple, sencillo. Blanco.

CANDIL. m. Útil para alumbrar. Lámpara de aceite con torcida.

CANDILEJA. f. Vaso del candil. Luces del proscenio de un teatro.

CANDIOTA. f. Barril para vino.

CANDOMBE. m. Baile negro.

CANDONGA. f. Lisonja para engañar.

CANDONGO-A. adj. Zalamero.

CANDOR. m. Suma blancura. Sencillez.

CANDRAY. m. Pequeña embarcación de dos palos.

CANÉ. m. Juego de naipes parecido al monte.

CANECA. f. Frasco de barro para licores.

CANÉFORA. f. Doncella griega con un canastillo de flores en la cabeza.

CANELA. f. Corteza del canelo, aromática. fig. Cosa fina.

CANELAR. m. Plantío de canelos.

CANELERO. m. Canelo, árbol de la canela.

CANELO-LA. adj. De color rojo amarillento. m. Árbol laureáceo.

CANELÓN. m. Confites. Carámbano. Puntas de las disciplinas.

CANESC. m. Jubón corto y sin mangas.

CANGA. f. Cepo chino que sujeta cabeza y manos.

CANGILÓN. m. Vasija de las norias.

CANGREJA. adj. Mar. Vela de forma trapezoidal.

CANGREJO. m. Crustáceo decápodo macruro, comestible.

CANGUESO. m. Pez acantopterigio.

CANGURO. m. Mamífero marsupial de extremidades pectorales cortas.

CANÍBAL. adj. s. Salvaje antillano. Cruel, feroz.

CANIBALISMO. m. Antropofagia. fig. Ferocidad.

CÁNICA. f. Juego de niños. Bolitas con que se juega.

CANICIE. f. Blancura del pelo.

CANÍCULA. f. Período caluroso. Del año, del 23 de julio al 2 de setiembre.

CÁNIDOS. m. pl. Zool. Mamíferos carniceros cuyo tipo es el perro.

CANIJO-JA. adj. s. Enfermizo.

CANILLA. f. Hueso largo de las extremidades. Cañuto para sacar vino de las cubas.

CANILLERA. f. Espinillera.

CANIQUÍ. m. Tela delgada de algodón.

CANJE. m. Trueque.

CANJEABLE. adj. Que puede canjearse.

CANJEAR. tr. Cambiar.

CANO-A. adj. Que tiene canas. Anciano.

CANOA. f. Barca ligera.

CANOERO-RA. m. y f. El que gobierna una canoa.

CANON. m. Regla, precepto. Decisión de un Concilio. Catálogo.

CANONESA. f. Religiosa sin votos ni clausura.

CANONICAL. adj. Perteneciente al canónigo.

CANÓNICO-A. adj. Conforme a los cánones.

CANÓNIGO. m. Quien tiene canonjía.

CANONISTA. m. Profesor de cánones.

CANONIZAR. tr. Declarar santo. Aprobar.

CANONJÍA. f. Prebenda del canónigo.

CANÓPE. m. Vaso egipcio de las tumbas faraónicas.

CANORO-RA. adj. De canto melodioso.

CANSADO-DA. adj. Fatigado. Que molesta.

CANSANCIO. m. Falta de fuerzas por fatiga.

CANSAR. tr. r. Causar cansancio. Molestar.

CANSINO-NA. adj. Cansado, pesado.

CANTABLE. adj. Que puede cantarse.

CÁNTABRO-A. adj. y s. De Cantabria.

CANTADOR-RA. Persona que canta coplas populares.

CANTAL. m. Canto de piedra.

CANTALEAR. Arrullo de las palomas.

CANTALETA. f. Chasco, zumba.

CANTANTE. ccm. Cantor.

CANTAR. m. Copla con música. tr. Formar con la voz sonidos melodiosos.

CÁNTARA. f. Medida de capacidad de ocho azumbres. Cántaro.

CANTARELA. f. Nombre de la prima del violín o la guitarra.

CANTÁRIDA. f. Coleóptero de diversas aplicaciones en medicina.

CÁNTARO. m. Vasija grande ventruda.

CANTATA. f. Poema cantado.

CANTATRIZ. f. Cantante.

CANTAZO. m. Pedrada.

CANTERA. f. Sitio de donde se saca piedra.

CANTERÍA. f. Arte de labrar piedras. Obra hecha con éstas.

CANTERITO. m. Pedazo pequeño de pan.

CANTERO. m. Quien labra piedras. Trozo de pan.

CÁNTICO. m. Canto en alabanza de Dios. Composición poética.

CANTIDAD. f. Lo que es capaz de aumento o disminución y puede medirse.

CANTIGA. f. Composición poética para el canto.

CANTIL. m. Escalón de una costa o fondo marino.

CANTILENA. f. Copla. fam. Repetición importuna.

CANTIMPLORA. f. Vasija para enfriar el agua. Sifón.

CANTINA. f. Puesto público de bebidas.

CANTINELA. f. Cantilena.

CANTINERO-RA. s. Quien tiene una cantina.

CANTIÑA. f. Canto vulgar.

CANTO. m. Acción y efecto de cantar. Piedra. Poema corto.

CANTOLLANISTA. com. Perito en el canto llano.

CANTÓN. m. Esquina. División del país en Francia y Suiza.

CANTONALISMO. m. Sistema político.

CANTONERA. f. Piedra para afirmar o de adorno.

CANTOR-RA. adj. y s. Que canta.

CANTORAL. m. Libro de coro en oficios solemnes.

CANTÚ. m. Planta de jardinería de flores muy hermosas.

CANTUESO. m. Planta perenne labiada.

CANTURIA. f. Canto monótono.

CÁNULA. f. Tubo de la jeringa.

CANUTILLO. m. Tubo de paja, de caña, etc.

CANUTO. m. Cañuto.

CAÑA. f. Tallo de las gramináceas. Canilla de las extremidades, tuétano.

CAÑADA. f. Espacio entre dos montes. Vía para los ganados trashumantes.

CAÑADILLA. f. Tinte antiguo de color púrpura.

CAÑADO. m. Medida gallega de unos 37 litros.

CAÑAL. m. Cañaveral. Cerco de cañas para pescar en el río.

CAÑALIEGA. f. Cerco para pesca.

CAÑAMAZO. m. Tela clara para bordar.

CAÑAMELAR. m. Plantación de cañas de azúcar.

CAÑAMIEL. f. Caña dulce.

CÁÑAMO. m. Planta anual canabínea, textil.

CAÑAMÓN. m. Simiente del cáñamo. Alimento de pájaros.

CAÑARIEGO-GA. adj. Pellejo de res muerta en una cañada.

CAÑAVERA. f. Planta gramínea.

CAÑAVERAL. f. Plantío de cañas.

CAÑAZO. m. Golpe de caña.

CAÑERÍA. f. Serie de tubos para conducir flúidos.

CAÑÍ. m. Gitano.

CAÑIZA. adj. Redil para encerrar las ovejas en el campo.

CAÑIZO. m. Tejido de cañas y cordel.

CAÑO. m. Tubo a modo de cañuto. Chorro de agua.

CAÑÓN. m. Pieza de artillería. Hueco de la pluma del ave.

CAÑONAZO. m. Art. Tiro de cañón. Estrago que ocasiona.

CAÑONEAR. tr. r. Disparar cañonazos,

CAÑONERO-RA. adj. s. Dícese de los barcos o lanchas con cañones.

CAÑONERÍA. f. Conjunto de los cañones de un órgano.

CAÑOTA. f. Planta gramínea con nudos vellosos y flores en panoja.

CAÑUTERO. f. Alfiletero.

CAÑUTO. m. Entrenudo de las cañas.

CAO. m. Ave carnívora de plumaje negro.

CAOBA. f. Árbol meliáceo de madera muy estimada.

CAOBO. m. Caoba, árbol.

CAOLÍN. m. Arcilla blanca muy pura.

CAOS. m. Estado de confusión o desorden.

CAÓTICO-CA. adj. Relativo al caos.

CAPA. f. Ropa larga, suelta y sin mangas. Cubierta de una cosa.

CAPACETA. f. Capa de hojas para proteger una cosa.

CAPACETE. m. Pieza de la armadura que defendía la cabeza.

CAPACIDAD. f. Propiedad de capaz. Actitud legal para ejercer algo.

CAPACITAR. tr. Hacer a uno apto para alguna cosa.

CAPACHO. m. Esportilla para frutas.

CAPADOR. m. Quien tiene por oficio capar.

CAPAR. tr. Castrar. Disminuir, cercenar.

CAPARAZÓN. m. Cubierta de la silla del caballo y vestidura antigua del mismo.

CAPARINA. f. Mariposa, insecto.

CAPARRA. f. Señal.

CAPARRÓN. m. Botón de la yema de la vid.

CAPARROSA. f. Nombre dado a ciertos sulfatos.

CAPATAZ. m. s. Quien gobierna un grupo de operarios.

CAPAZ. adj. Que tiene capacidad. Espacioso. Apto.

CAPAZO. m. Capacho.

CAPCIÓN. f. Captura.

CAPCIOSAMENTE. adv. m. Con engaño.

CAPCIOSO-SA. adj. Artificioso, engañoso.

CAPEA. f. Lidia de becerros para aficionados.

CAPEAR. tr. Torear con la capa. Entretener con engaños.

CAPEL. m. Capullo del gusano de seda.

CAPELÁN. m. Pez salmónico.

CAPELINA. f. Vendaje.

CAPELO. m. Sombrero rojo de Cardenal.

CAPELLÁN. m. Clérigo que goza de una capellanía.

CAPELLANÍA. f. Fundación para el cumplimiento de cargas pías.

CAPELLINA. f. Pieza de la armadura que cubría el cráneo.

CAPERUZA. f. Bonete terminado en punta hacia atrás.

CAPETA. f. Capa corta sin esclavina.

CAPICÚA. f. Número que se lee lo mismo en un sentido que en otro.

CAPICHOLA. f. Tejido de seda en forma de cordón.

CAPIGORRÓN. adj. Estudiante holgazán.

CAPILAR. adj. Relativo al cabello. Tubos de diámetro muy pequeño.

CAPILARIDAD. f. Propiedad por la que la superficie de un líquido sube o baja al contacto de un sólido.

CAPILARÍMETRO. m. Fís. Aparato para graduar la fuerza de los alcoholes.

CAPILLA. f. Capucha. Iglesia pequeña aneja a otra mayor o separada.

CAPILLO. m. Cubierta de lienzo puesta a los recién nacidos.

CAPIROTADA. f. Aderezo para cubrir manjares.

CAPIROTAZO. m. Golpe dado en la cabeza con el dedo.

CAPIROTE. m. Antigua cubierta de la cabeza con punta. Muceta de los doctores.

CAPISAYO. m. Vestidura corta de capa y sallo.

CAPISCOL. m. Chantre.

CAPISTRO. m. Anés para la defensa de la cabeza de los caballos.

CAPITAL. adj. Relativo a la cabeza. Principal. Dícese de los pecados origen de otros. Cabeza de un estado o provincia.

CAPITALISMO. m. Régimen económico fundado en el predominio del capital.

CAPITALISTA. m. Persona que vive del producto de su capital.

CAPITALIZAR. tr. Convertir en capital. Agregar a ello los intereses.

CAPITÁN. m. Oficial que manda una compañía de soldados.

CAPITANEAR. tr. Mandar tropa o gente haciendo oficio de capitán.

CAPITANÍA. f. Empleo de capitán. Gobierno militar.

CAPITEL. m. Arq. Parte que corona la columna.

CAPITOLIO. m. Edificio majestuoso.

CAPITONÉ. m. Vehículo para trasladar muebles.

CAPITULA. f. Lugar de la Sagrada Escritura que se reza en todas las horas.

CAPITULACIÓN. f. Pacto o convenio. Acción de capitular.

CAPITULADO-DA. adj. Resumido, compendiado.

CAPITULAR. adj. Relativo al Cabildo. intr. Pactar.

CAPITULARIO. m. Libro de coro que contiene los capítulos.

CAPÍTULO. m. Junta de religiosos seglares. División de los libros.

CAPNOMANCIA. f. Adivinación supersticiosa hecha por el humo.

CAPOLAR. tr. Despedazar, dividir en trozos.

CAPÓN. m. adj. Castrado. fam. Golpe en la cabeza con el nudillo.

CAPONAR. tr. Atar los sarmientos de la vid.

CAPONERA. f. Jaula de madera en que se pone a los capones para cebarlos.

CAPORAL. m. Jefe de alguna gente.

CAPOTA. f. Sombrero pequeño de señora. Cubierta plegable de un carruaje.

CAPOTA. m. Capa doble. Capa corta del torero.

CAPOTAZO. m. Suerte del toreo hecha con el capote.

CAPOTE. m. Capa de abrigo. Gabán de los soldados de infantería. Capa de color vivo que usan los toreros para la lidia.

CAPOTEAR. tr. Capear al toro de lidia.

CAPRARIO-A. adj. Perteneciente a la cabra.

CAPRICORNIO. m. Décimo signo del Zodíaco.

CAPRICHO. m. Idea formada sin razón. Antojo.

CAPRIMEDO-DA. adj. De pies de cabra.

CÁPSULA. f. Cajita cilíndrica, con un fulminante. farm. Envoltura solubre que cubre medicinas.

CAPTAR. tr. r. Conseguir, atraer.

CAPTURAR. tr. Prender al delincuente.

CAPUCHA. f. Pieza que cubre la cabeza, unida al cuello de la prenda.

CAPUCHINA. f. Planta trepadora.

CAPUCHINO-NA. adj. s. Religioso franciscano descalzo.

CAPÚLIDOS. m. pl. Moluscos gasterópodos.

CAPULLO. m. Envoltura del gusano de seda. Botón de las flores.

CAPUZ. m. Vestidura larga con capucha.

CAQUEXIA. f. Med. Alteración grave de la nutrición.

CAQUI. m. Árbol del Japón. Su fruto.

CARA. f. Parte anterior de la cabeza. Semblante. Fachada.

CÁRABA. f. Embarcación grande, se usa en Levante.

CARABAO. m. Rumiante parecido al búfalo.

CARABELA. f. Antigua embarcación de tres palos, larga y angosta.

CARABINA. f. Escopeta corta.

CARABINERO. m. Soldado que persigue el contrabando.

CÁRACO. m. Autillo. Embarcación morisca.

CARACAL. m. Animal carnicero parecido al lince.

CARACOL. m. Molusco gasterópodo de concha en espiral. Parte del oido interno.

CARACOLA. f. Caracol marino.

CARACOLADA. f. Guisado de caracoles.

CARACOLEAR. intr. Hacer caracoles el caballo.

CARÁCTER. m. Rasgos por que se distingue una cosa. Firmeza.

CARACTERÍSTICA. f. Mat. Cifra o cifras que indican la parte entera de un logaritmo.

CARACTERÍSTICO-CA. adj. Relativo al carácter. s. Actor o actriz cómico que representa personas de edad.

CARACHO-CHA. adj. De color morado.

CARACTERIZAR. tr. Determinar el carácter. Autorizar.

¡CARAMBA! interj. Que denota extrañeza o enfado.

CARÁMBANO. m. Pedazo de hielo suelto.

CARAMBOLA. f. Lance del billar cuando la bola toca a las otras dos.

CARAMEL. m. Variedad de sardina propia del Mediterráneo.

CARAMELIZAR. tr. Dar un baño de caramelo.

CARAMELO. m. Pasta de azúcar hecho almibar.

CARAMILLO. m. Flautilla de sonido agudo. Enredo.

CARAMUJO. m. Caracol pequeño.

CARANTOÑAS. f. pl. Halagos, caricias para conseguir algo.

CARAPACHO. m. Caparazón de algunos animales.

CARAQUEÑO-ÑA. adj. Natural de Caracas.

CARASOL. m. Solana.

CARÁTULA. f. Mascarilla o careta.

CARAÚ. m. Ave zancuda.

CARAVANA. f. Reunión de gentes para viajar.

¡CARAY! interj. fam. ¡Caramba!

CARBÓGENO. m. Polvo con que se prepara el agua de Seltz.

CARBÓN. m. Cuerpo sólido y combustible, resto de la combustión incompleta de otros.

CARBONADO. m. Diamante negro.

CARBONATO. m. Quím. Sal formada por combinación del ácido carbónico y una base.

CARBONCILLO. m. Carbón para dibujar.

CARBONERA. f. Lugar para guardar el carbón.

CARBONERÍA. f. Donde se vende el carbón.

CARBONERO-RA. adj. Quien hace o vende carbón.

CARBÓNICO-CA. adj. Quím. Compuesto de carbono y oxígeno.

CARBONILLA. f. Carbón menudo.

CARBONIZAR. tr. Reducir a carbón.

CARBONO. m. Cuerpo metaloide, sólido e infusible.

CARBUNCO. m. Enfermedad del ganado transmisible al hombre. Antrax.

CARBUNCOSO-SA. adj. Carbuncal.

CARBÚNCULO. m. Rubí.

CARBURADOR. m. Aparato para carburar.

CARBURANTE. adj. s. Que contiene hidrocarburo.

CARBURAR. tr. Mezclar los gases con hidrocarburos. fam. Rendir.

CARBURINA. f. Sulfuro de carbono, se usa en tintorería.

CARBURO. m. Combinación del carburo con una base.

CARCAJ. m. Aljaba.

CARCAJADA. f. Risa estrepitosa.

CARCAMAL. m. fam. Viejo, achacoso.

CARCAMÁN. Mar. Buque grande y malo.

CARCASA. f. Bomba incendiaria.

CÁRCAVO. m. Hueco donde gira el rodezno.

CARCAVÓN. m. Barranco que forman las avenidas.

CÁRCEL. m. Casa destinada a prisión.

CARCELERA. f. Canto popular andaluz relativo a los presos.

CARCELERO. m. El que cuida de la cárcel.

CARCINOLOGÍA. f. Relativo a los crustáceos.

CARCINOMA. m. Cáncer.

CÁRCOLA. f. Especie de pedal en los telares.

CARCOMA. f. Insecto que roe y taladra.

CARCOMER. tr. Roer la carcoma la madera.

CARCÓN. m. Correa de la silla de manos.

CARDA. f. Acción y efecto de cardar. Útil para cardar.

CARDAMOMO. m. Planta medicinal.

CARDAR. tr. Rastrillar la lana.

CARDARIO. m. Pez cubierto de aguijones a modo de carda.

CARDELINA. f. Jilguero.

CARDENAL. m. Individuo del Sacro Colegio. Equimosis.

CARDENALICIO-CIA. adj. Perteneciente al Cardenal.

CARDENCHA. f. Planta bienal dipsácea, cuyos involucros usan los pelaires.

CARDENILLA. f. Variedad de uva.

CARDENILLO. m. Carbonato de cobre.

CÁRDENO-NA. adj. Amoratado.

CARDERÍA. f. Lugar donde se carda la lana.

CARDIACEO-A. adj. De forma de corazón.

CARDÍACO-CO. adj. Relativo al corazón.

CARDIALGIA. f. Dolor del corazón.

CARDIAS. Zool. Orificio superior del estómago.

CARDILLAR. m. Sitio en que abundan los cardos.

CARDILLO. m. Planta bienal compuesta, flor en corimbo.

CARDINAL. adj. Principal, fundamental.

CARDINAS. f. pl. Arq. Hojas de adorno en el estilo ojival.

CARDIODIPOSIS. f. Degeneración adiposa del miocardio.

CARDIOGRAFÍA. f. Med. Estudio del corazón.

CARDIOGRAMA. f. Electrocardiograma. Inscripción registrada por el Cardiógrafo.

CARDIOPATÍA. f. Enfermedad del corazón.

CARDITIS. f. Med. Inflamación del tejido del corazón.

CARDO. m. Planta anual compuesta de hojas espinosas.

CARDUCHA. f. Carda gruesa de hierro.

CARDUMEN. m. Multitud de peces que van juntos.

CAREAR. tr. Confrontar, cotejar. Poner al habla dos personas para averiguar la verdad.

CARECER. intr. Tener falta de algo.

CAREL. m. Borde de una embarcación.

CARENA. f. Mar. Compostura del casco de una nave.

CARENAR. tr. Mar. Reparar el casco de una nave.

CARENCIA. f. Falta, privación.

CARENÓSTILO. m. Insecto común en España.

CAREO. m. Acción de carear.

CARERO-RA. adj. fam. La persona que acostumbra a vender caro.

CARESTÍA. f. Escasez. Falta. Subida de precio.

CARETA. f. Máscara para cubrir la cara.

CARETO-TA. adj. Dícese de caballo o yegua con un cuadrilátero de pelos blancos en la frente.

CAREY. m. Tortuga de mar.

CARGA. f. Acción de cargar. Gravámen. Lo que hace peso sobre algo.

CARGADAS. f. pl. Juego de naipes.

CARGADERA. f. Mar. Cabo para arriar o cerrar velas.

CARGADERO. m. Sitio donde se carga.

CARGADOR. m. Quien conduce cargas. Útil de madera para cargar armas de fuego.

CARGAMENTO. m. Mercancía que carga una nave.

CARGAR. tr. r. Poner peso. Preparar un arma de fuego. Fastidiar, cansar.

CARGAREME. m. Documento del ingreso en caja de alguna cantidad.

CARIACEDO-DA. adj. Desapacible, enojado.

CARIACONTECIDO - DA. adj. Que muestra aflicción o sobresalto.

CARIACUCHILLADO-DA. adj. Dícese del que tiene en la cara alguna cicatriz.

CARIAR. intr. Corroer. llenar de caries.

CARIADO-DA. adj. Huesos dañados.

CARIÁTIDE. f. Arq. Estatua humana que sirve de columna.

CARIBE. adj. Antiguo pueblo antillano.

CARIBÚ. m. Reno salvaje de Canadá.

CARICATO. m. Actor que hace papeles de bufo.

CARICATURA. f. Figura ridícula de una persona.

CARICIA. f. Expresión amorosa. Halago.

CARICIOSO-SA. adj. Cariñoso.

CARIDAD. f. Virtud teologal. Amor a Dios y al prójimo.

CARIES. m. Alteración de un hueso o del esmalte del diente.

CARILLA. f. Máscara de alambre. Plana, página.

CARILLÓN. m. Grupo de campanas que producen un sonido armonioso.

CARIÑO. m. Amor, benevolencia. Expresión de afecto.

CARIÑOSO-SA. adj. Afectuoso.

CARISEA. f. Tela basta de estopa.

CARISETO. m. Tela basta de lana.

CARITATIVO-VA. adj. Persona que ejerce la caridad.

CARIZ. m. Aspecto.

CARLA. f. Tela pintada de las judías.

CARLANCA. f. Collar con puas, para perro de ganado.

CARLANCO. m. Ave zancuda de color azul.

CARLEAR. intr. Jadear.

CARLETA. f. Lima para desbastar el hierro.

CARLÍN. m. Moneda de plata española de tiempos de Carlos I.

CARLINGA. f. Mar. Hueco en que se encajan los palos. Cabina del avión.

CARLISMO. m. Partido político.

CARLISTA. adj. s. Que pertenece al carlismo.

CARMELINA. f. Segunda lana de la vicuña.

CARMELITA. adj. Religioso de la Orden del Carmen.

CARMEN. m. Orden regular de religiosos mendicantes. Quinta con huerto o jardín.

CARMENAR. tr. r. Desenredar. Limpiar la lana y el cabello. Repelar.

CARMESÍ. adj. m. Dícese del color parecido al de la grana.

CARMÍN. m. Tinte rojo encendido.

CARMINATIVO-VA. adj. Que sirve para combatir el flato.

CARNADA. f. Cebo de carne.

CARNAL. adj. Perteneciente a la carne.

CARNAVAL. m. Los tres días anteriores al miércoles de Ceniza.

CARNAZA. f. Revés de las pieles.

CAREN. f. Parte mollar de animales y frutas.

CARNECERÍA. f. Carnicería.

CARNERADA. f. Rebaño de carneros.

CARNERO. m. Rumiante bóvido doméstico.

CARNERUNO-NA. adj. Parecido al carnero.

CARNESTOLENDAS. f. pl. Carnaval.

CARNET. m. Tarjeta para identificar a una persona.

CARNICERIA. f. Donde se vende carne. Mortandad.

CARNICERO-RA. adj. Carnívoro. Quien corta o vende carne.

CARNIFICE. m. Nombre del fuego entre los alquimistas.

CARNÍVORO-RA. adj. Que se alimenta de carne.

CARNOSIDAD. f. Carne superflua.

CARO-RA. adj. De mucho valor. Amado.

CAROSIS. f. Med. Sopor profundo acompañado de insensibilidad.

CARÓTIDA. f. Arteria que lleva la sangre a la cabeza.

CAROTINA. f. Pigmento amarillo de la zanahoria.

CARPA. f. Pez malacopterigio comestible.

CARPANTA. f. Hambre violenta.

CARPELO. m. Partes del ovario o del fruto.

CARPETA. f. Cubierta de piel o terciopelo. Cartera.

CARPIANO-NA. adj. Relativo al carpo.

CARPINTERÍA. f. Taller y oficio de carpintero.

CARPINTERO-RA. adj. Quien trabaja la madera.

CARPO. m. Anat. Parte del esqueleto de la mano.

CARQUESA. f. Horno de vidriero.

CARRACA. f. Antigua nave de transporte. Instrumento de madera.

CARRALEJA. f. Insecto coleóptero parecido a la cantárida.

CARRASCA. f. Encina.

CARRASPERA. f. Aspereza en la garganta.

CARRERA. f. Marcha rápida. Profesión. Hilera.

CARRERO. m. Carretero.

CARRETA. f. Carro largo, estrecho, bajo y con lanza.

CARRETE. m. Cilindro para devanar.

CARRETELA. f. Coche de cuatro asientos y con cubierta plegable.

CARRETERA. f. Camino público para carruajes.

CARRETILLA. f. Carro de mano con una rueda. Buscapiés.

CARRETILLO. m. Polea que tienen los telares.

CARRETÓN. m. Carro pequeño de dos o cuatro ruedas en forma de cajón abierto.

CARRICOCHE. m. Coche viejo o feo.

CARRICUBA. m. Carro para regar.

CARRIEGO. m. Cesto para la colada de madejas de lino.

CARRIL. m. Huella de las ruedas de un vehículo. Riel del ferrocarril.

CARRILADA. f. Grasa de la cara del puerco.

CARRILLO. m. Parte carnosa de la cara.

CARRIOLA. f. Cama baja con ruedas.

CARRIZAL. m. Sitio poblado de carrizos.

CARRIZO. m. Planta gramínea usada para hacer escobas y cielos rasos.

CARRO. m. Carruaje de transporte. Osa mayor.

CARROCERÍA. f. Caja de un automóvil. Taller de carrocero.

CARROCERO. s. Relativo a la carroza. Adj. s. Constructor de carrocerías.

CARROCÍN. m. Silla de manos.

CARROCHA. f. Huevos del pulgón.

CARROMATO. m. Carro con bolsa y toldo.

CARRONADA. f. Cañón de artillería pequeño y grueso.

CARROÑA. f. Carne corrompida.

CARROZA. f. Coche grande y lujoso.

CARRUAJE. m. Vehículo formado por armazón de madera o hierro.

CARTA. f. Comunicación escrita. Naipe. Mapa. Credencial.

CARTABÓN. m. Útil de dibujo en forma de triángulo rectángulo.

CARTAGINÉS-SA. adj. s. De Cartago.

CARTAPACIO. m. Cuaderno para escribir. Funda para llevar papeles y libros.

CARTEAR. tr. Jugar naipes falsos. Correspondencia por escrito.

CARTEL. m. Papel que se fija en sitios públicos. Escrito de desafío.

CARTELERA. f. Armazón para fijar carteles.

CARTELERO. m. Quien fija carteles.

CARTELÓN. m. aum. De cartel.

CARTER. m. Cubierta protectora de un engranaje, motor.

CARTERA. f. Estuche para guardar papeles. Empleo o ejercicio de Ministro.

CARTERÍA. f. Oficina de Correos.

CARTERISTA. m. Ladrón de carteras.

CARTERO. m. Quien reparte cartas.

CARTESIANO. adj. Perteneciente o partidario de Descartes y Cartesio.

CARTILAGINOSO-SA. adj. Relativo y parecido al cartílago.

CARTÍLAGO. m. Tejido conjuntivo sólido y elástico.

CARTILLA. f. Abecedario para aprender a leer. Libreta para apuntar datos.

CARTOGRAFÍA. f. Tratado sobre las cartas geográficas.

CARTÓGRAFO. s. Autor de mapas.

CARTOMANCIA. f. Adivinación supersticiosa por medio de naipes.

CARTOMETRÍA. f. Medición de las líneas de las cartas geográficas.

CARTÓMETRO. m. Aparato para medir las líneas de las cartas geográficas.

CARTÓN. m. Hojas de pasta de papel unidas por presión.

CARTONAJE. m. Obra de cartón.

CARTUCHERA. f. Recipiente para llevar cartuchos. Canana.

CARTUCHO. m. Cilindro con carga explosiva. Cucurucho.

CARTUJA. f. Orden religiosa de San Bruno.

CARTUJANO. m. Caballo o yegua con características acusadas de la raza andaluza.

CARTUJO. adj. Religioso de la Cartuja. fam. Hombre retraído.

CARTULINA. f. Cartón delgado.

CARTULINARIO. m. Escribano.

CARÚNCULA. f. Carnosidad de algunos animales. Excrecencia próxima al micropilo de algunas semillas.

CARVAJAL. m. Robledal.

CARVAJO. m. Carvallo. Roble.

CARVALLO. m. Ast. Roble.

CASA. f. Edificio para vivienda. Linaje. Conjunto de servidores de una autoridad.

CASACA. f. Vestido con mangas y faldones ceñido al cuerpo.

CASACIÓN. f. For. Acción de anular una sentencia.

CASADERO-RA. adj. Núbil.

CASADO-DA. Que ha contraído matrimonio.

CASAL. m. Casa de campo.

CASAMENTERO-RA. adj. Que propone en el ajuste de una boda.

CASAMIENTO. m. Acción y efecto de casarse.

CASAR. intr. r. Contraer matrimonio. tr. Autorizarlo. For. Anular, derogar. Unir.

CASCA. f. Hollejo de la uva pisada.

CASCABEL. m. Bolita hueca de metal con un hierro suelto dentro para que suene.

CASCADA. f. Despeñadero de agua.

CASCAJAL. m. Sitio donde hay mucho cascajo.

CASCAJO. m. Piedra menuda. Cosa inútil.

CASCALLEJA. f. Grosella silvestre.

CASCAMAJAR. tr. Quebrantar, machacando.

CASCANUECES. m. Instrumento para partir nueces, avellanas.

CASCAR. tr. Quebrantar, romper. intr. Charlar.

CÁSCARA. f. Cubierta de algo.

CASCARILLA. f. Corteza de un arbusto euforbiáceo estomacal.

CASCARILLO. m. Arbusto que produce la cascarilla.

CASCARÓN. m. Cáscara del huevo.

CASCARRABIAS. com. Persona que se enoja fácilmente.

CASCO. m. Cráneo. Uña de la Caballería. Mar. Cuerpo de la nave. Botella.

CASCOTE. m. Escombro.

CASEACIÓN. f. Acción de cuajarse la leche.

CASEINA. f. Albuminoide de la leche.

CASEOSO-SA. adj. Semejante o relativo al queso.

CASERÍO. f. Casa de campo.

CASERO-RA. adj. Dueño de una casa. f. Ama de gobierno de un hombre solo.

CASERÓN. m. Casa grande y destartalada

CASETA. f. Casa pequeña de madera.

CASI. adv. Poco más o menos. Apenas.

CASIA. f. Arbusto leguminoso.

CASILLA. f. Casita aislada. Compartimento de una caja.

CASILLERO. m. Muebles con casillas.

CASIMIR. m. Tela de lana fina.

CASINA. f. Especie de té.

CASINO. m. Sociedad de recreo.

CASIOPEA. f. Astron. Constelación boreal muy notable.

CASITÉRIDOS. m. pl. Quím. Grupo de elemento que comprende, el estaño, el antimonio, el cinc y el cadmio.

CASITERITA. f. Bióxido de estaño. Mineral de color pardo.

CASMODIA. f. Enfermedad que consiste en bostezar frecuentemente.

CASO. m. Suceso. Lance.

CASORIO. fam. Casamiento de poco juicio.

CASPA. f. Escamilla que se forma en la raíz del cabello.

¡CÁSPITA! interj. De sorpresa.

CASQUERO. s. Tripicallero.

CASQUETE. m. Pieza de la armadura que cubría parte de la cabeza. Gorro ajustado.

CASQUIJO. m. Multitud de piedra menuda.

CASQUILUCIO-CIA. adj. Casquivano.

CASQUILLO. m. Anillo metálico que refuerza una pieza de madera.

CASQUIVANO-NA. adj. Alegre, de poco juicio.

CASTA. f. Linaje. Especie o calidad.

CASTAÑA. f. Fruto del castaño de envoltura coriácea.

CASTAÑAR. m. Sitio poblado de castaños.

CASTAÑERO-RA. m. y f. Persona que vende castañas.

CASTAÑETA. f. Ruido de un capirotazo. Instrumento de percusión.

CASTAÑETEAR. intr. Tocar las castañuelas.

CASTAÑO-A. adj. De color de la castaña. Árbol cuya simiente es la castaña.

CASTAÑOLA. f. Pez grande acantopterigio, de color de acero.

CASTAÑUELA. f. Instrumento músico de percusión, hecho de madera o marfil.

CASTELLANIZAR. tr. Dar forma castellana a vocablos extranjeros.

CASTELLANO-NA. adj. De Castilla. Señor de un castillo.

CASTICISMO. m. Afición a lo castizo.

CASTIDAD. f. Virtud que se abstiene del goce sexual.

CASTIGAR. tr. Imponer castigo. Mortificar, afligir.

CASTIGO. m. Pena impuesta por delito o falta.

CASTILLEJO. m. Carretón que se pone a los niños para enseñarles a andar.

CASTILLO. m. Edificio fortificado.

CASTIZO-A. adj. De buena casta. Dícese del lenguaje puro.

CASTO-A. adj. Honesto.

CASTOR. m. Mamífero roedor. Paño o fieltro de pelo de castor.

CASTORCILLO. m. Tela de lana con pelo.

CASTORINA. f. Tejido parecido a la piel de castor.

CASTRACIÓN. f. Acción y efecto de castrar.

CASTRAR. tr. Capar. Quitar parte del panal.

CASTRENSE. adj. Relativo al ejército.

CASTRO. m. Altura donde hay restos de antiguas fortificaciones.

CASTULA. f. Túnica que usaban las mujeres romanas en contacto con la piel.

CASUAL. adj. Fortuito, contingente. Gram. Referente a los cascos.

CASUALIDAD. f. Suceso impensado.

CASUARIO. m. Ave corredora menor que el avestruz.

CASUISTA. adj. Autor que expone casos prácticos de teología moral.

CASUÍSTICA. f. Parte de la Teología que trata de casos de conciencia.

CASULLA. f. Vestidura que el sacerdote se pone al exterior para celebrar la misa.

CATACLISMO. m. Trastorno grande de la tierra, social o político.

CATACUMBAS. f. pl. Subterráneos que servían de cementerios a los antiguos cristianos.

CATADURA. f. Acción de catar. fam. Gesto, semblante.

CATAFALCO. m. Túmulo elevado en los templos.

CATALÁN-NA. adj. De Cataluña.

CATALEJO. m. Anteojo de larga vista.

CATALEPSIA. f. Suspensión de la sensibilidad y del movimiento.

CATALICORES. Pipeta larga para to-

mar pruebas de un líquido en su envase.

CATALISIS. f. Quím. Transformación química.

CATALOGAR. tr. Formar catálogo.

CATÁLOGO. m. Lista ordenada.

CATALPA. f. Árbol de adorno, leguminoso.

CATANA. f. Loro verde y azul.

CATAPLASMA. f. Tópico blanco, calmante y emoliente.

CATAPULTA. f. Antigua máquina militar para lanzar piedras o saetas.

CATAR. tr. Gustar como prueba.

CATARAÑA. f. Ave zancuda que habita en el Sur de Europa.

CATARATA. f. Cascada de mucha agua. Opacidad del cristalino.

CATARRAL. adj. Relativo al catarro.

CATARRO. m. Inflamación de la membrana mucosa.

CATARROSO-SA. adj. Que sufre frecuentes catarros.

CATÁRTICO-CA. adj. Dícese del medicamento urgante.

CATASTRAL. adj. Relativo al catastro.

CATASTRO. m. Censo de las fincas para efectos fiscales.

CATÁSTROFE. f. Suceso infausto. Desenlace de un poema dramático.

CATAVIENTO. m. Mar. Hilo colocado en un asta manual y que indica la dirección aproximada del viento.

CATAVINO. d. Taza para catar vino. Pipeta.

CATECISMO. m. Compendio de una doctrina, ciencia o arte.

CATECÚMENO-A. s. Persona que se instruye en una doctrina.

CATEDRA. f. Asiento desde donde enseña el maestro. Aula. Idem del Obispo.

CATEDRAL. f. adj. s. Iglesia principal de una diócesis.

CATEDRALICIO-CIA. adj. Perteneciente o relativo a la catedral.

CATEDRÁTICO-CA. s. Quien ocupa una cátedra.

CATEGORÍA. f. Lóg. Noción abstracta y general afirmable de alguna cosa.

CATEGÓRICO-CA. adj. Que afirma o niega en absoluto.

CATEQUESIS. f. Catequismo.

CATEQUISMO. m. Instruir en cosas de Religión. Instruir por medio de preguntas y respuestas.

CATEQUISTA. com. Quien catequiza.

CATEQUIZAR. tr. Instruir en una religión. Persuadir.

CATERVA. f. Multitud desordenada.

CATERVARIOS. m. pl. Gladiadores romanos.

CATÉTER. m. Cir. Sonda metálica usada en cistotomía.

CATETO. m. Lado del ángulo recto en el triángulo rectángulo.

CATGUT. m. Material de suturas para heridas.

CATILINARIA. f. Discurso vehemente contra una persona.

CATIÓN. m. Fís. Elemento electropositivo de una molécula.

CÁTODO. m. Fís. Polo negativo de un generador de electricidad.

CATODONTE. m. Cetáceo de gran tamaño.

CATOLICIDAD. f. Uno de los caracteres de la doctrina católica.

CATÓLICO-CA. adj. Universal. Que profesa el catolicismo.

CATÓN. m. fig. Censor rígido.

CATORCE. adj. y s. Diez más cuatro. Décimocuarto.

CATORCENA. f. Conjunto de 14 unidades.

CATRE. m. Cama ligera.

CAUCASIANO-NA. adj. Relativo a la cordillera del Cáucaso.

CAUCE. m. Lecho de un río. Acequia.

CAUCIÓN. f. Fianza. Prevención.

CAUCHO. m. Goma elástica.

CAUDA. f. Cola de la capa magna.

CAUDAL. adj. Caudaloso. Hacienda, capital, bienes.

CAUDALOSO-A. adj. De mucha agua.

CAUDATARIO. m. Eclesiástico que sostiene la cauda.

CAUDILLO. m. Jefe de un ejército. Capitán, adalid, héroe.

CAUDIMANO. adj. Zool. Animal que tiene cola prensil y la usa como instrumento de trabajo.

CAULÍFERO-RA. adj. Bot. Plantas cuyas flores nacen sobre el tallo.

CAUSA. f. Principio que produce una cosa. For. Proceso.

CAUSAL. adj. Razón en que se funda una cosa.

CAUSALIDAD. f. Relación de causa y efecto.

CAUSAR. tr. Producir la causa.

CAUSIDICA. f. Arq. Crucero de iglesia.

CAUSTICIDAD. f. Malignidad, calidad de cáustico.

CÁUSTICO-CA. adj. s. Que corroe. Mordaz.

CAUTAMENTE. adv. m. Con precaución.

CAUTELA. f. Precaución. Astucia.

CAUTERIO. m. Medicamento cáustico. Instrumento para castrar heridas, etc.

CAUTERIZAR. tr. r. Dar cauterios.

CAUTÍN. m. Aparato para soldar con estaño.

CAUTIVAR. tr. Aprisionar. Rendir. Atraer.

CAUTIVERIO. m. Estado de esclavitud.

CAUTIVO-A. s. Prisionero.

CAUTO-A. adj. Sagaz, precavido.

CAVA. f. Acción de cavar. Venas que vierten la sangre en el corazón.

CAVACOTE. m. Mojón de tierra.

CAVAR. tr. Mover la tierra con azada, pico, etc.

CAVATINA. m. Aria corta.

CAVERNA. f. Concavidad profunda.

CAVERNICOLA. adj. El que vive en las cavernas.

CAVIA. f. Hoja al pie de un árbol.

CAVIAL o CAVIAR. m. Manjar de huevas de esturión.

CAVICORNIOS. pl. Zool. Rumiantes de cuernos huecos.

CAVIDAD. f. Espacio hueco.

CAVILAR. tr. Discurrir con insistencia.

CAYADO. m. Palo de los pastores. Báculo de los Obispos.

CAYO. m. Isla arenosa y rasa.

CAZ. m. Canal de desviación de un río.

CAZA. f. Acción de cazar. Los animales que se cazan.

CAZABE. m. Torta de harina de mandioca.

CAZADERO. m. Sitio en que se caza.

CAZADOR-RA. adj. s. Que caza. Sorprender.

CAZARRA. f. Pesebre para dar de comer al ganado en el campo.

CAZARRICA. f. Artesa para la comida de las aves.

CAZATA. f. Cacería.

CAZATORPEDERO. m. Buque de guerra ligero.

CAZCARRIA. f. Lodo pegado a la ropa.

CAZO. m. Vasija metálica con mango.

CAZOLETA. f. dim. De cazuela. Pieza que resguarda la mano en el puño del sable.

CAZÓN. m. Pez marino del orden de los selacios. muy voraz y temible.

CAZUELA. f. Vasija de barro para guisar. Guisado.

CAZUMBRE. m. Cordel de estopa retorcida.

CAZURRO-A. adj. s. Taciturno.

CAZUZ. m. Hiedra.

CE. Nombre de la letra C.

CEARINA. f. Pomada a base de cera, ceresina y parafina.

CEÁTICA. f. Ciática, neuralgia.

CEBA. f. Alimento abundante del ganado.

CEBADA. f. Planta gramínea que sirve de alimento a las bestias.

CEBADERA. f. Morral para dar cebada al ganado.

CEBADILLA. f. Especie de cebada que nace espontáneamente.

CEBAR. tr. Dar cebo a los animales. r. Encarnizarse.

CEBELLINA. adj. Dícese de la marca de piel muy estimada.

CEBO. m. Comida para engordar animales. Mineral que se echa en el horno.

CEBOLLA. f. Planta liliácea, cuya raíz es un bulbo comestible.

CEBOLLANA. f. Planta parecida a la cebolla.

CEBOLLETA. f. Cebolla de bulbo pequeño.

CEBOLLINO. m. Simiente de la cebolla. Semillero de cebolla.

CEBÓN-NA. adj. s. Dícese del animal cebado.

CEBRA. f. Mamífero equino con listas transversales negras y amarillentas en el pelo.

CEBÚ. m. Mamífero bobino con gibas grasientas.

CEBURRO. adj. Candeal.

CECA. f. Casa de moneda.

CECAL. adj. Relativo al intestino ciego.

CECEAR. intr. Pronunciar la S. como C.

CECIAL. m. Pescado seco y curado al aire.

CECINA. f. Carne salada y seca.

CECOGRAFÍA. f. Escritura de los ciegos.

CECÓGRAFO. Aparato con que escriben los ciegos.

CEDAZO. m. Instrumento compuesto de un aro y de una tela metálica para cerner.

CEDER. tr. Cesar la resistencia. Transferir.

CEDRAS. f. pl. Alforjas de pastor.

CEDRENO. m. Parte líquida de la esencia de cedro.

CEDRINO-NA. adj. Relativo al cedro.

CEDRO. m. Árbol conífero abietáceo.

CÉDULA. f. Papel escrito o por escribir. Documento de identificación.

CEDULÓN. m. Anuncio que se fija en sitios públicos.

CEFALALGIA. f. Dolor de cabeza.

CEFALEA. f. Cefalalgia crónica.

CEFÁLICO-CA. adj. Perteneciente a la cabeza.

CEFALITIS. f. Inflamación de la cabeza.

CEFALÓPODO. adj. Moluscos marinos con brazos en la cabeza.

CEFEO. m. Astr. Constelación cercana a la Osa Menor.

CÉFIRO. m. Viento de Poniente. Poét. Viento apacible.

CEGAR. intr. tr. Perder o quitar la vista. r. Obcecarse.

CEGATO-TA. adj. Corto de vista.

CEGUEDAD. f. Privación de la vista. Obcecación.

CEGUERA. f. Ceguedad.

CEJA. f. Parte cubierta de pelos sobre el ojo.

CEJAR. intr. Retroceder; ceder.

CEJIJUNTO-TA. adj. Que tiene las cejas casi juntas.

CEJILLA. f. Mús. Abrazadera de la guitarra.

CEJO. m. Niebla sobre los ríos. Ceño.

CEJUDO-DA. adj. Que tiene las cejas muy pobladas.

CELADA. f. Pieza de la armadura que cubre la cabeza. Emboscada.

CELADOR-RA. adj. La persona que vigila.

CELAJE. m. Conjunto de nubes. Claraboya. Presagio.

CELAN. m. Especie de arenque.

CELAR. tr. Observar, vigilar, ocultar. Grabar, esculpir.

CELASTRÁCEO-CEA. adj. Bot. Dícese de las plantas dicotiledóneas, de fruto capsular.

CELDA. f. Aposento pequeño. Calabozo.

CELDILLA. f. Casillas que componen los panales de las abejas.

CELEBÉRRIMO-MA. adj. sup. De célebre.

CELEBRAR. tr. Venerar con culto público. Alabar.

CÉLEBRE. adj. Pronto. Rápido.

CELEBRIDAD. f. Renombre y fama.

CELEMIN. m. Medida de granos que tiene cuatro cuartillos.

CELENTERIOS. Dícese de los animales metazoos inferiores.

CÉLEBRE. adj. Pronto. Rápido.

CELERIDAD. f. Prontitud, presteza.

CELESTE. adj. Perteneciente al cielo. Dícese del color azul del cielo.

CELESTIAL. adj. Relativo al cielo.

CELIA. f. Bebida española antigua a base de trigo.

CÉLIBE. m. Soltero.

CÉLICO-CA. adj. Poét. Perteneciente al cielo. Celestial.

CELIDONIA. f. Hierba medicinal.

CELO. m. Esmero en el cumplimiento del deber. Interés, cuidado, asiduidad.

CELOSIA. f. Enrejado de listones de madera.

CELOSO-SA. adj. Que tiene celos. Receloso.

CELOTIPIA. f. Pasión de los celos.

CELTA. m. Pueblo antiguo de Europa Occidental.

CÉLULA. f. Celdilla. Elemento anatómico del ser vivo.

CELULAR. adj. Compuesto de celdillas.

CELULOSA. f. Quím. Cuerpo sólido que forma la envoltura de las células vegetales.

CELLISCA. f. Temporal de agua y nieve menuda.

CEMENTERIO. m. Sitio destinado para enterrar cadáveres.

CEMENTO. m. Mortero hidráulico. Tejido óseo de los dientes.

CENA. f. Acción de cenar. Comida de la noche.

CENÁCULO. m. Sala en que Jesucristo celebró la última cena.

CENACHO. m. Espuerta para hortalizas, frutas.

CENADOR-RA. adj. Que cena. Pequeño aposento que se construye en los jardines.

CENAGAL. m. Sitio lleno de cieno.

CENAGOSO-SA. adj. Lleno de cieno.

CENAR. tr. Comer de noche.

CENCEÑO-ÑA. adj. Delgado, enjuto.

CENCERRADA. f. Ruido de instrumentos para burlarse de alguien.

CENCERRO. m. Campanilla tosca.

CENDAL. m. Tela delgada y transparente. pl. Algodones del tintero.

CENDRA. f. Pasta para preparar la copela de afinación.

CENEFA. f. Orla. Dibujo de ornamentación.

CENIA. f. Máquina para elevar el agua y regar terrenos.

CENICERO. m. Donde se recoge la ceniza.

CENICIENTO-TA. adj. De color ceniza.

CENISMO. m. Mezcla de dialectos.

CENIT. m. Astr. Punto más alto del horizonte de un lugar.

CENITAL. adj. Relativo al cenit.

CENIZA. f. Polvo de cuerpos quemados. pl. fig. Restos de un cadáver.

CENOBIO. m. Monasterio.

CENOBITA. com. Persona que profesa la vida monástica.

CENOJIL. m. Liga para sujetar las medias.

CENOTAFIO. m. Monumento funerario.

CENSO. m. Padrón de la población, riqueza, etc. Contrato que sujeta a una finca a canon.

CENSOR. m. Magistrado romano que formaba censo. El que examina las publicaciones.

CENSUAL. adj. Relativo al censo.

CENSURA. f. Dignidad de censor. Juicio, dictamen. Detracción.

CENSURAR. tr. Formar juicio. Criticar. Reprobar.

CENTALLA. f. Chispa que salta del carbón de madera al encenderlo.

CENTAURO. m. Monstruo fabuloso, mitad hombre y mitad caballo.

CENTAVO-VA. adj. Centésimo, centésima parte. Moneda.

CENTELLA. f. Rayo, chispa.

CENTELLEAR. intr. Despedir rayos de luz. Fulgurar.

CENTÉN. m. Moneda española de oro de cien reales.

CENTENA. f. Conjunto de 100 unidades.

CENTENAL. m. Sitio sembrado de centeno.

CENTENARIO-RIA. adj. Persona que tiene cien años de edad. Fiesta que se celebra cada cien años.

CENTENO. m. Planta gramínea. Su semilla.

CENTESIMAL. adj. Dícese de los números del 1 al 100.

CENTÉSIMO-MA. adj. Cada una de las cien partes en que se divide un todo.

CENTIÁREA. f. Medida de superficie igual a un metro cuadrado.

CENTÍMETRO. m. Centésima parte del metro.

CÉNTIMO-MA. adj. Moneda que vale la centésima parte de la unidad de moneda.

CENTINELA. amb. Mil. Centinela apostado.

CENTINODIA. f. Planta de las poligonáceas, medicinal.

CENTOLLA. f. Crustáceo.

CENTÓN. m. Manta confeccionada con piezas de paño de diversos colores.

CENTRADO-DA. adj. Que tiene el centro bien situado.

CENTRAL. adj. Relativo al centro.

CENTRALIZAR. tr. Reunir muchas cosas en un centro común.

CENTRAR. tr. Determinar el centro de una cosa.

CÉNTRICO-CA. adj. Central.

CENTRÍFUGO-GA. adj. Fís. Que aleja del centro.

CENTRÍPETO-TA. adj. Fís. Que tira al centro.

CENTRO. m. Punto medio de cualquier cosa.

CENTROBÁRICO-CA. adj. Mec. Relativo al centro de gravedad.

CENTUPLICAR. tr. Multiplicar por ciento.

CENTUPLO. m. Resultado del producto por cien de una cantidad.

CENTURIA. f. Siglo. En Roma, compañía de cien hombres.

CENTURIÓN. m. Capitán de centuria.

CESIDERAS. f. pl. Piezas de paño para proteger los pantalones.

CEÑIDOR. m. Faja con que se ciñe el cuerpo por la cintura.

CEÑIR. tr. Ajustar. Rodear.

CEÑO. m. Cierto gesto de enojo.

CEÑUDO-DA. adj. Que tiene ceño. Adusto, tétrico.

CEO. m. Gallo, pez de mar.

CEPA. f. Parte del tronco junto a la raíz. Tronco de la vid.

CEPEDA. f. Lugar abundante en arbustos para la obtención del carbón.

CEPILLAR. tr. Acepillar.

CEPILLO. m. Instrumento para pulir la madera. Para limpiar el polvo de la ropa.

CEPITA. f. Mineral, especie de ágata.

CEPO. m. Trampa para coger animales. Instrumento de castigo. Rama de árbol.

CEPOLA. f. Pez acantopterigio.

CERA. f. Sustancia con que las abejas forman los panales.

CERÁMICA. f. Arte de fabricar objetos de barro y loza.

CERAMISTA. com. Que practica la cerámica.

CERATE. m. Pesa antigua en España.

CERATO. m. Composición blanda de cera, aceite, etc.

CERAUNOMANCIA. f. Adivinación por medio de las tempestades.

CERBATANA. f. Cañuto para lanzar flechas. Trompetilla para sordos.

CERCA. f. Vallado, tapia. adv. Que denota proximidad.

CERCANÍA. f. Inmediación proximidad.

CERCAR. tr. Rodear con cerca. Rodear. Mil. Poner sitio.

CERCEAR. intr. Soplar con fuerza el viento.

CERCENAR. tr. Cortar las extremidades. Acortar.

CERCETA. f. Ánade pequeña. pl. Pitoncitos blancos del ciervo.

CERCIORAR. tr. r. Asegurar la verdad de algo.

CERCO. m. Lo que cerca o rodea. Asedio.

CERCHA. f. Regla para medir convexidades.

CERCHAR. tr. Agr. Acodar vides.

CERDA. f. Pelo recio de ciertos animales. Hembra del cerdo.

CERDO. m. Paquidermo angulado doméstico.

CEREAL. adj. Relativo a Ceres. Farináceo.

CEREBELO. m. Anat. Parte ínfero-posterior del encéfalo.

CEREBRAL. adj. Relativo al cerebro.

CEREBRO. m. Anat. Parte antero-posterior del encéfalo.

CEREBROESPINAL. adj. Que tiene relación con el cerebro y con la espina dorsal.

CEREMONIA. f. Acto exterior de una solemnidad o culto. Ademán afectado.

CEREÑO-ÑA. adj. De color de cera, refiriéndose a perros.

CERERO. m. El que trabaja o vende la cera.

CERESINA. adj. Goma que se saca del cerezo. almendro o ciruelo.

CEREZA. f. Fruto del cerezo. Color rojo oscuro.

CEREZO. m. Árbol rosáceo de fruto comestible y madera usada en ebanistería.

CERILLA. f. Vela delgada. Fósforo. Cerumen.

CERILLERO-RA. adj. Quien vende cerillas. Fosforera.

CERILLO. m. Cerilla larga y delgada.

CERIO. m. Metal gris, dúctil y maleable.

CERNADERO. m. Lienzo para colar la lejía.

CERNEJA. f. Mechón de pelo de las caballerías.

CERNER. tr. Separar con el cedazo. Examinar. Depurar.

CERNÍCALO. m. Ave rapaz falcónica. fig. Hombre rudo.

CERO. m. Cifra sin valor absoluto.

CEROFERARIO. m. Acólito que lleva el cirial.

CEROMANCIA. f. Arte de adivinar por medio de gotas de cera.

CEROPLÁSTICA. f. Arte de modelar la cera.

CEROTE. m. Mezcla de pez y cera que usan los zapateros. Miedo, temor.

CEROTERO. m. Pedazo de fieltro que usan los pirotécnicos.

CERQUILLO. m. Corona de cabello en la cabeza de algunos religiosos.

CERRADURA. f. Cerramiento. Mecanismo fijo para cerrar.

CERRAJEAR. antr. Ejercer oficio de cerrajero.

CERRAJERO. m. Quien hace cerraduras.

CERRAR. tr. Interceptar la entrada o salida. Declarar terminado algo. Ir en último lugar.

CERRAJÓN. f. Oscuridad que precede a las tempestades.

CERREJÓN. m. Cerro pequeño.

CERRIL. adj. Dícese del terreno áspero. fig. Grosero. Ganado sin domar.

CERRO. m. Elevación de tierra aislada. Espinazo o lomo.

CERROJO. m. Barreta de hierro para ajustar puertas.

CERTAMEN. m. Función literaria. Concurso con premios.

CERTERO-RA. adj. Diestro en tirar. Seguro, acertado.

CERTEZA. f. Conocimiento seguro y evidente de las cosas.

CERTIDUMBRE. f. Certeza.

CERTIFICADO. m. Certificación.

CERTIFICAR. tr. Dejar libre de duda. Expedir certificado.

CERÚLEO-A. adj. De color del cielo.

CERUMEN. m. Cera de los oídos.

CERUSA. f. Albayalde.

CERVANTINO-NA. adj. Cervantesco.

CERVARIO-RIA. adj. Cerval, propio del ciervo.

CERVATILLO. m. Almizclero.

CERVATO. m. Ciervo menor de seis meses.

CERVECEO. m. Fermentación de la cerveza.

CERVECERÍA. f. Fábrica de cerveza.

CERVECERO-RA. adj. Quien hace o vende cerveza.

CERVEZA. f. Bebida fermentada de cebada y lúpulo.

CERVICABRA. f. Antílope.

CERVICAL. adj. Relativo a la cerviz.

CERVIGUDO-DA. adj. De cerviz abultada y gruesa.

CERVIGUILLO. m. Parte exterior de la cerviz abultada.

CERVIZ. f. Parte posterior del cuello.

CESACIÓN. f. Acción y efecto de cesar.

CESAR. intr. Suspenderse. Acabarse.

CESARISMO. m. Sistema de gobierno absoluto.

CESE. m. Nota que indica la cesación en el cargo.

CESIÓN. f. Acción de ceder.

CÉSPED. m. Hierba menuda.

CESTA. f. Tejido de mimbres, juncos, etcétera, para recoger o llevar ropa, frutas. etc.

CESTERÍA. f. Tienda del cestero. Arte del mismo.

CESTO. m. Cesta grande.

CESTODO. m. Gusano platelminto de cuerpo acintado.

CESURA. f. Poét. Pausa en el verso griego y latino.

CETÁCEO-A. adj. m. Zool. Dícese de los mamíferos acuáticos de cuerpo pisciforme.

CETARIA. f. Vivero para la cría y conservación de peces.

CETILATO. m. Quím. Sal formada por el ácido de cetilo y una base.

CETINA. f. Esperma de la ballena.

CETOÍNA. f. Insecto coleóptero de reflejos metalicos.

CETRERÍA. f. Arte de criar halcones y cazar con ellos.

CETRINO-NA. adj. De color amarillo verdoso.

CETRO. m. Insignia de soberano.

CÍA. f. Hueso de la cadera.

CIABOGA. f. Mar. Vuelta que se da a una embarcación.

CIANHÍDRICO. adj. Quím. Nombre del ácido extraído de las almendras amargas.

CIANI. m. Moneda de oro de baja ley.

CIÁNICO-CA. adj. Dícese del ácido resultante de la oxidación del cianógeno.

CIANITA. f. Turmalina azul.

CIANÓGENO. m. Gas compuesto de carbono y nitrógeno, inflamable.

CIANOSIS. f. Coloración azul, negruzca o lívida en la piel.

CIANURO. m. Cualquier sal o ácido cianhídrico.

CIAR. intr. Mar. Remar hacia atrás.

CIÁTICA. f. Neuralgia del nervio ciático.

CIBAL. adj. Relativo a la alimentación.

CIBELES. f. Mit. Madre de los dioses.

CIBERA. f. Trigo con que se ceba la rueda del molino.

CIBIACA. f. Parihuela.

CÍBICA. f. Barra de hierro que refuerza los ejes de madera de los carruajes.

CIBILA. f. Hembra del bisonte.

CIBOLO. m. Bisonte.

CICADIDOS. m. pl. Zool. Insectos hemípteros a los que pertenece la cigarra.

CICATEAR. intr. fam. Hacer cicaqueterías.

CICATERÍA. f. Ruindad del que escasea lo que debe dar.

CICATERO-RA. adj. Ruín. Miserable.

CICATRIZ. f. Señal que deja una herida.

CICATRIZAR. tr. r. Cerrar las heridas o llagas ya curadas.

CICCA. f. Arbusto cuyas semillas son purgantes.

CICERA. f. Especie de garbanzo.

CÍCERO. m. Impr. Unidad de medida que tiene doce puntos.

CICERONE. m. Persona que enseña y explica las curiosidades de las ciudades, etc.

CICINDELA. f. Insecto coleóptero.

CICLADA. f. Vestidura femenina antigua.

CICLAMOR. m. Arbusto leguminoso de jardín.

CICLAR. tr. Bruñir y abrillantar las piedras preciosas.

CICLATÓN. m. Túnica lujosa medieval.

CÍCLICO-CA. adj. Relativo al ciclo.

CICLISMO. m. Deporte de los aficionados a la bicicleta.

CICLISTA. com. Persona que practica el ciclismo.

CICLO. m. Período de tiempo. Serie de estados por los que pasa un cuerpo hasta volver al inicial.

CICLÓN. m. Huracán.

CICLÓNICO-CA. adj. Relativo al ciclón.

CÍCLOPE. m. Poét. Gigante fabuloso que solo tenía un ojo.

CICLORAMA. m. Panorama, vista pintada.

CICLÓSTILO. m. Aparato para sacar copias de un escrito o dibujo.

CICLÓSTOMO-MA. adj. s. Peces de cuerpo serpentiforme y con la boca en ventosa.

CICUTA. f. Planta umbelífera de zumo venenoso.

CICUTINA. f. Alcaloide de la cicuta.

CID. m. fig. Hombre valeroso y fuerte.

CIDRA. f. Fruto del cidro, semejante al limón.

CIDRAYOTE. m. Calabaza para hacer dulce.

CIDRO. m. Árbol cuyo fruto es la cidra.

CIEGO-GA. adj. s. Privado de la vista. Ofuscado.

CIELO. m. Campo visual de la tierra. Gloria.

CIEMPIÉS. m. Miriápodo venenoso del género escolopendra (de 21 pares de patas.

CIEN. adj. Ciento.

CIÉNAGA. f. Lozadal.

CIENCIA. f. Conocimiento cierto de las cosas.

CIENMILÉSIMO-MA. adj. Cada una de las 100.000 partes en que se divide un todo.

CIENO. m. Lodo blando y hediondo.

CIENTÍFICO-CA. adj. Relativo a la ciencia. Quien la posee.

CIENTOPIES. m. Ciempies, insecto miriápodo.

CIERRE. m. Acción de cerrar.

CIERTO-TA. adj. Determinado.

CIERVA. f. Hembra del ciervo.

CIERVO. m. Mamífero rumiante cérvido.

CIERZAS. f. pl. Renuevos de la vid.

CIERZO. m. Viento del Norte.

CIFELA. m. Hongo que nace y vive en los tejados.

CIFRA. f. Número, signo con que se representa. Guarismo. Abreviatura.

CIFRAR. tr. Escribir en cifra. tr. y r. Compendiar.

CIGALA. f. Crustáceo decápodo macruro.

CIGARRA. f. Insecto hemíptero de alas membranosas.

CIGARRERA. f. Mujer que vende cigarros. Caja en que se tienen.

CIGARRILLO. m. Cigarro, de picadura envuelto en papel.

CIGARRO. m. Rollo de hojas de tabaco para fumar.

CIGARRÓN. m. Saltamontes.

CIGOMÁTICO-CA. adj. Relativo al pómulo.

CIGOÑAL. m. Instrumento para sacar agua de pozos poco profundos.

CIGOÑINO. m. Pollo de la cigüeña.

CIGUATERA. f. Enfermedad de ciertos peces nociva para quien los come.

CIGÜEÑA. f. Ave zancuda de cuello y pico largo.

CIGÜEÑAL. m. Doble codo en el eje de ciertas máquinas.

CIJA. f. Cuadra de ovejas cubierta de ramaje. Pajar.

CILANCO. m. Charco a la orilla del río.

CILANTRO. Planta umbelífera de simiente estomacal.

CILIADO. adj. Dícese a los protozoos con pestañas vibrátiles.

CILIAR. adj. Relativo a las pestañas.

CILICIO. m. Ceñidor penitencial.

CILINDRO. m. Geom. Cuerpo limitado por una superficie cilíndrica y dos bases planas y paralelas llamadas base.

CILLA. f. Granero donde guardaban los frutos del diezmo.

CILLERERO. m. Mayordomo de algunos monasterios.

CILLERIZA. f. Monja que tiene la mayordomía.

CILLERO. m. Bodega o despensa.

CIMA. f. La parte más alta de un monte, árbol, etc.

CÍMBALO. m. Instrumento de percusión. Campana pequeña.

CIMBEL. m. Cordel con que se ata el señuelo.

CIMBORRIO. m. Parte de la cúpula que descansa en los arcos torales.

CIMBRA. Arq. Armazón para construir arcos y bóvedas.

CIMBRAR. tr. Movimiento vibratorio.

CIMBRE. m. Galería subterránea.

CIMENTACIÓN. f. Acción de cimentar. Fundación.

CIMENTAR. tr. Poner cimientos. Fundar.

CIMERA. f. Parte superior del morrión.

CIMERO. adj. Parte superior o remate de alguna cosa elevada.

CIMIENTO. m. Arq. Parte subterránea en que se apoya el edificio.

CIMILLO. m. Vara en que se sujeta el señuelo.

CIMITARRA. f. Sable de turcos y persas, corvo y ancho.

CIMÓFANA. f. Piedra preciosa de color verde amarillento.

CIMÓGENO-NA. adj. m. Dícese de las bacterias que originan fermentaciones.

CINABRIO. m. Sulfuro natural de mercurio.

CINÁMICO-CA. adj. Perteneciente a la canela.

CINAMOMO. m. Árbol meliáceo de cuyas drupas se hacen cuentas de rosario.

CINC. m. Metal blanco laminoso.

CINCA. f. Falta en el juego de bolos.

CINCEL. m. Instrumento para cincelar.

CINCELAR. tr. Labrar piedras o metales con cincel.

CINCO. adj. Cuatro y uno.

CINCOGRAFÍA. f. Arte de dibujar o grabar en planchas de cinc.

CINCUENTA. adj. Cinco decenas.

CINCUENTÓN-NA. adj. Dícese de quien tiene 50 años.

CINCHA. f. Ceñidor con que se asegura la silla o albarda.

CINCHAR. tr. Asegurar con cinchas o aros de hierro.

CINE. m. fam. Apócope de cinematógrafo.

CINEASTA. m. Actor cinematográfico.

CINEGÉTICO-CA. adj. Relativo a la caza.

CINEMÁTICA. f. Ciencia que estudia las leyes del movimiento.

CINEMATOGRAFÍA. f. Representación

del movimiento por medio de la fotografía.

CINEMATÓGRAFO. m. Aparato óptico para proyectar fotografías animadas.

CINERARIO-RIA. adj. Destinado a contener cenizas de cadáveres.

CINGALÉS-SA. adj. Natural de Ceilán.

CÍNGARO-RA. adj. y s. Gitano.

CÍNGULO. m. Cordón con que se ciñe el alba.

CÍNICO-CA. adj. s. Descarado, inmoral, escandaloso.

CÍNIFE. m. Mosquito.

CINISMO. m. Doctrina cínica. Descaro.

CINOCÉFALO. m. Con cabeza de perro. Mono cinomorfo.

CINOGLOSA. f. Bot. Hierba borraginácea de flor en racimo.

CINOSURA. f. Astron. Osa Menor.

CINTA. f. Tejido largo y angosto. Red para pescar atunes.

CINTA MAGNETOFÓNICA. Cinta en la que recoge conversaciones con magnetofón.

CINTILLO. m. Cordoncillo para ceñir la copa del sombrero.

CINTO. m. Faja, correa, etc., que ciñe la cintura.

CINTRA. f. Curvatura de un arco o de una bóveda.

CINTURA. f. Parte inferior del talle.

CINTURÓN. m. Cinto.

CIPAYO. m. Soldado indio.

CIPO. m. Poste indicador de los caminos.

CIPRÉS. m. Árbol conífero de madera incorruptible.

CIRCASIANO-NA. adj. s. Natural de Circasia.

CIRCE. f. Mujer engañosa.

CIRCO. m. Lugar destinado en Roma a espectáculos públicos. Teatro ecuestre.

CIRCUITO. m. Terreno comprendido dentro de un perímetro.

CIRCULACIÓN. f. Ordenación del tránsito por las vías urbanas.

CIRCULAR. intr. Andar en derredor. Ir y venir.

CÍRCULO. m. Geom. Plano interior a una circunferencia.

CIRCUNCIDAR. tr. r. Cortar el prepucio alrededor del pene.

CIRCUNDAR. tr. Cercar, rodear.

CIRCUNFERENCIA. f. Curva cerrada y plana cuyos puntos equidistan del centro.

CIRCUNFERIR. tr. Limitar.

CIRCUNFLEJO. adj. Dícese del acento compuesto de agudo y grave unidos por arriba.

CIRCUNFUSO-SA. adj. Difundido en derredor.

CIRCUNLOQUIO. m. Rodeo de palabras.

CIRCUNNAVEGAR. tr. Navegar alrededor.

CIRCUNSCRIBIR. tr. Reducir a ciertos límites. Geom. Trazar una figura alrededor de otra.

CIRCUNSPECCIÓN. f. Cordura, prudencia. Gravedad.

CIRCUNSTANCIA. f. Accidente unido a la sustancia. Requisito.

CIRCUNVALACIÓN. f. Acto de circunvalar.

CIRCUNVALAR. tr. Circuir. Rodear.

CIRCUNVOLAR. tr. Volar alrededor.

CIRCUNVOLUCIÓN. f. Rodeo de una cosa.

CIRENEO-A. adj. Natural de Cirene.

CIRIAL. m. Candelero alto.

CIRINEO. m. Quien ayuda a otro.

CIRIO. m. Vela grande de cera.

CIROLERO. m. Ciruelo, árbol.

CIRRO. m. Tumor duro e indoloro, bot. Zarcillo.

CIRRÓPODO-DA. adj. Zool. Dícese de crustáceos entomostráceos marinos.

CIRROSIS. f. Med. Endurecimiento de los tejidos de un órgano.

CIRUELA. m. Fruto en drupa del ciruelo.

CIRUELO. m. Árbol rosáceo frutal.

CIRUGÍA. f. Med. Ciencia de curar las enfermedades por operaciones.

CIRUJANO. m. Que profesa la cirugía.

CIS. prep. ins. Del lado de acá.

CISCA. f. Carrizo.

CISCAR. tr. Evacuar el vientre.

CISCO. m. Carbón menudo. Reyerta, alboroto.

CISMA. m. Escisión religiosa.

CISMÁTICO-CA. adj. Que introduce cisma.

CISNE. m. Ave palmípeda de cuello largo y flexible.

CISORIA. adj. Arte de trinchar.

CÍSTER. m. Orden religiosa de San Bernardo.

CISTERCIENSE. adj. Perteneciente a la orden del Cister.

CISTERNA. f. Aljibe.

CISTICERCO. m. Larva de la tenia.

CÍSTICO. m. Med. Conducto biliar.

CISTITIS. f. Med. Inflamación de la vejiga.

CITOLOGÍA. f. Biol. Ciencia que estudia la célula.

CITOPLASMA. m. Biol. Parte de la plotoplasma que rodea núcleo.

CITRA. prep. ins. Cis.

CITRATO. m. Quím. Sal o éter del ácido cítrico.

CÍTRICO-CA. adj. Perteneciente o relativo al limón.

CITRINA. f. Aceite esencial del limón.

CITRÓN. m. Limón.

CIUDAD. f. Población grande.

CIUDADANÍA. f. El derecho de ciudadano.

CIUDADANO-NA. adj. s. Vecino de una ciudad. Quien disfruta los derechos.

CIUDADELA. f. Fortaleza que domina una plaza de armas.

CIVETA. f. Gato de algalia.

CIVETO. m. Algalia, substancia perfumada y untuosa.

CÍVICO-CA. adj. Civil.

CIVIL. adj. Relativo a la ciudad. Sociable. Quien no es militar.

CIVILIDAD. adj. Sociabilidad.

CIVILIZACIÓN. f. Cultura, ilustración.

CIVILIZAR. tr. r. Educar, sacar del salvajismo.

CIVISMO. m. Celo patriótico.

CIZALLA. f. Tijeras para cortar metales.

CIZAÑA. f. Planta venenosa que crece en los sembrados.

CLAC. m. Sombrero de copa plegable.

CLAMAR. intr. Dar voces lastimosas.

CLÁMIDE. f. Capa corta y ligera usada por los griegos y romanos.

CLAMOR. m. Grito. Voz lastimosa. Clamoreo.

CLAMOREO. m. Clamor continuado. Toque de las campanas por los difuntos.

CLAN. m. Grupo social en Escocia. Personas unidas por interés común.

CLANDESTINO-NA. adj. Secreto. Oculto.

CLAPA. f. Calva de un terreno.

CLAQUE. f. Conjunto de alabarderos que aplauden.

CLARA. f. Citoplasma o materia albuminosa que rodea la yema del huevo.

CLARABOYA. f. Ventana sin postigos y con cristales.

CLAREAR. intr. Empezar a amanecer.

CLARECER. intr. Amanecer.

CLAREO. m. Aclarar un monte.

CLARETE. m. Dícese del vino tinto algo claro.

CLARIDAD. f. Efecto que causa la luz.

CLARIFICAR. tr. Iluminar. Alumbrar. Aclarar.

CLARÍFICO-CA. adj. Resplandeciente.

CLARÍN. m. Instrumento de viento, pequeño y de sonidos agudos.

CLARINETE. m. Instrumento de viento con agujeros en un tubo que se tapa con los dedos.

CLARIÓN. m. Pasta de yeso para escribir en pizarra.

CLARIONCILLO. m. Pasta blanca para pintar al pastel.

CLARISA. adj. Religiosa de Santa Clara.

CLARIVIDENCIA. f. Vista clara.

CLARIVIDENTE. adj. Que ve claro, perspicaz.

CLARO-RA. adj. Bañado de luz. Transparente, terso.

CLAROR. m. Resplandor.

CLASE. f. Conjunto de seres de una calidad. Aula.

CLASICISMO. m. Sistema literario que imita a los clásicos.

CLÁSICO-CA. adj. Autor u obra digna de imitación.

CLASIFICAR. tr. Ordenar por clases.

CLAUDIA. f. Especie de ciruela.

CLAUDICAR. intr. Cojear. fig. Falta a deberes o principios.

CLAUSTRO. m. Galería de convento. Cabildo de Universidad.

CLÁUSULA. f. Período con cabal sentido. Disposición de un contrato.

CLAUSULAR. tr. Poner fin a lo que se estaba diciendo.

CLAUSURA. f. Recinto interior de un convento. Vida recogida.

CLAVA. f. Palo toscamente labrado, que engruesa según se aleja de la empuñadura.

CLAVAR. tr. r. Introducir clavos a golpes.

CLAVADO. fig. Pintiparado, adecuado.

CLAVE. m. Clavicordio. Mús. Signo puesto en el pentagrama para determinar las notas.

CLAVEL. m. Planta cariolácea de tallos delgados y nudoso con flores olorosas.

CLAVERO-RA. s. Llavero. Árbol que produce la especie llamada clavo.

CLAVETA. f. Estaquilla o clavo de madera.

CLAVETEAR. tr. Guarnecer con clavos.

CLAVICORDIO. m. Mús. Piano antiguo de cuerdas heridas por púas.

CLAVÍCULA. f. Hueso que va desde el esternón al hombro.

CLAVIJA. f. Clavo de quita y pon.

CLAVIJERA. f. Ar. Abertura en las tapias.

CLAVIÓRGANO. m. Instrumento musical.

CLAVO. m. Pieza de metal con cabeza y punta para unir dos cosas.

CLEMÁTIDE. f. Nombre de varias plantas renunculáceas.

CLEMENCIA. f. Virtud que modera el rigor de la justicia.

CLEMENTE. adj. Que tiene clemencia.

CLEPSIDRA. f. Reloj de agua.

CLEPTOMANÍA. f. Propensión morbosa al hurto.

CLEPTÓMANO-NA. adj. Persona que padece cleptomanía.

CLERICAL. adj. Relativo al clérigo.

CLERO. m. Conjunto de clérigos.

CLICA. f. Zool. Molusco de mar comestible.

CLICHÉ. m. Galicismo por clisé.

CLIENTE. m. Persona que utiliza los servicios de otra.

CLIMA. m. Conjunto de condiciones atmosféricas.

CLIMATOLOGÍA. f. Tratado de los climas.

CLÍMAX. m. Gradación en el tono y sentido de las palabras del discurso.

CLÍNICA. f. Enseñanza práctica de la medicina.

CLINÓMETRO. m. Fís. Especie de nivel.

CLIPER. m. Buque de vela ligero. Avión de transporte.

CLISÉ. m. Impr. Plancha clisada.

CLÍTORIS. m. Anat. Cuerpecillo eréctil, situado en la vulva.

CLOACA. f. Conducto de aguas sucias.

CLOQUE. m. Garfio para enganchar los atunes.

CLORATO. m. Sal del ácido clórico y una base.

CLORHÍDRICO. m. Dícese del ácido compuesto de cloro e hidrógeno.

CLÓRICO-CA. adj. Relativo al cloro. Ácido compuesto de cloro, oxígeno e hidrógeno.

CLORO. m. Elemento gaseoso, amarillo tóxico.

CLOROFILA. f. Pigmento verde de las plantas.

CLOROFORMIZAR. tr. Med. Administrar cloroformo.

CLOROFORMO. m. Clorhidrato de metilo. Usado como anestésico.

CLOROSIS. m. Med. Empobrecimiento de la sangre.

CLORÓTICO-CA. adj. Relativo a la clorosis. Que la padece.

CLORURO. m. Sales del ácido clorhídrico.

CLOTA. f. Ar. Hoyo que se hace para plantar un árbol.

CLOWN. m. Payaso. (Voz inglesa).

CLUB. m. Conciliábulo político. Casino, círculo.

CLUBISTA. m. Socio de un club.

CLUECA. f. Gallina que empolla.

CLUNIACENSE. adj. Perteneciente al monasterio o congregación de Cluni.

COACCIÓN. f. Violencia para obligar a hacer o decir algo.

COACERVAR. tr. Juntar o amontonar.

COACTIVO-VA. adj. Que tiene fuerza de coacción.

COADJUTOR-RA. d. Persona que ayuda a otra. Eclesiástico que ayuda al párroco.

COADQUISICIÓN. f. Adquisición en común.

COADUNAR. tr. Incorporar unas cosas a otras.

COADYUVAR. tr. Contribuir a la consecución de algo.

COAGULAR. tr. r. Condensar lo líquido. Cuajar, espesar.

COÁGULO. m. Masa sólida formada por la coagulación.

COALICIÓN. f. Liga, confederación.

COARTADA. f. For. Justificar el reo su ausencia del lugar en que se cometió el delito.

COARTAR. tr. No conceder enteramente algo.

COAUTOR-RA. s. Autor con otro de algo.

COBA. f. Adulación.

COBALTO. m. Metal blanco duro.

COBARDE. adj. y s. Sin valor. Pusilánime.

COBARDÍA. f. Falta de valor. Villanía.

COBAYO. m. Roedor usado en experiencia de Bacteriología. Conejillo de Indias.

COBERTERA. f. Tapadera de las ollas. Pluma de las aves.

COBERTIZO. m. Sitio rústico cubierto. Tejado para guarecerse.

COBERTOR. m. Colcha. Manta.

COBERTURA. f. Cubierta.

COBEZ. m. Ave de rapiña.

COBIJA. f. Teja que abraza dos canales del tejado. Pluma de ave.

COBIJAR. tr. y r. Cubrir, albergar.

COBISTA. com. Adulador.

COBRA. f. Serpiente venenosa.

COBRANZA. f. Acción de cobrar.

COBRAR. tr. Percibir lo acreditado. r. Volver en sí.

COBRE. m. Metal rojo dúctil y maleable.

COBRIZO-ZA. adj. Que contiene cobre. De color de cobre.

COCA. f. Arbusto americano de hojas cónicas.

COCADA. f. Confitura a base de coco.

COCAÍNA. f. Alcaloide de la coca que se usa como anestésico local.

CÓCCIDOS. m. pl. Insectos, parásitos de los vegetales.

COCCINEO-A. adj. Purpúreo, de color de púrpura.

COCCIÓN. f. Acción de cocerse.

CÓCCIX. m. Hueso en que termina la columna vertebral.

COCEAR. tr. y r. Dar coces.

COCER. tr. Someter al calor una cosa para darle ciertas propiedades. Hervir.

COCIDO. m. Olla, guiso común.

COCIENTE. m. Resultado de una división.

COCIMIENTO. m. Cocción. Líquido cocido con sustancia medicinal.

COCINA. f. Pieza donde se guisa. Arte de hacer la comida.

COCINAR. tr. Guisar, aderezar las viandas.

COCINERO-RA. s. Quien guisa por oficio.

COCLEAR. ad. Bot. En forma de espiral.

COCO. m. Fruto del cocotero. Gusano de los frutos.

COCODRILO. m. Reptil saurio muy voraz.

COCOTAL. m. Lugar poblado de cocoteros.

COCOTERO. m. Coco (la palma).

CÓCTEL. m. Mezcla de licores y otros ingredientes y hielo.

COCUYO. m. Insecto coleóptero amarillento, luminoso.

COCHAMBRE. m. fam. Cosa sucia, grasienta.

COCHASTRO. m. Jabalí pequeño.

COCHE. m. Carruaje de cuatro ruedas.

COCHERA. f. Sitio donde se guardan los coches. Mujer del cochero.

COCHERO. m. El que guía coches.

COCHEVIRA. f. Manteca de cerdo.

COCHIFRITO. m. Guisado a base de cabrito o cordero.

COCHINA. f. Hembra del cochino.

COCHINILLA. f. Pequeño crustáceo medicinal. Insecto hemíptero colorante.

COCHINILLO. m. Cerdo de leche.

COCHINO-NA. s. Cerdo o cerda. adj. s. Persona sucia.

COCHITRIL. m. Pocilga. Habitación estrecha.

COCHIZO. m. Min. Parte más rica de una mina.

CODA. f. Cola. Mús. Adición.

CODAL. adj. Que tiene figura de un codo. Pieza de la armadura que cubre el codo.

CODASTE. m. Mar. Parte última de la quilla.

CODAZO. m. Golpe de codo.

CODEÍNA. f. Alcaloide del opio.

CODERA. f. Pieza de refuerzo en los codos. .

CODESO. m. Mata leguminosa.

CÓDICE. m. Libro manuscrito de cosas antiguas.

CODICIA. f. Apetito excesivo de riquezas.

CODICIAR. tr. Desear con ansia.

CODICILO. m. Escritura que enmienda un testamento.

CÓDIGO. m. Cuerpo de leyes dispuestas según un plan metódico y sistemático.

CODILLERA. f. Vet. Tumor de las caballerías en el codillo.

CODILLO. m. En los cuadrúpedos, coyuntura del brazo próxima al pecho.

CODÍN. m. Manga estrecha del jubón.

CODO. m. Parte posterior de la articulación del brazo. Medida antigua de longitud. Con el antebrazo.

CODONATE. m. Dulce de membrillo.

CODORNIZ. f. Ave gallinácea de carne fina.

COEDUCACIÓN. f. Educación conjunta de jóvenes de ambos sexos.

COEFICIENTE. adj. Que con otra causa produce un efecto.

COEPÍSCOPO. m. Obispo de la misma provincia que otro.

COERCER. tr. Contener, refrenar. Reducir.

COETÁNEO-A. adj. Dícese de las personas de una misma época.

COETERNO. adj. Denotación de que las tres personas divinas son igualmente eternas.

COEVO-A. adj. Que existió en un mismo tiempo.

COEXISTIR. intr. Existir al mismo tiempo.

COFA. f. Mar. Tablado de un palo.

COFIA. f. Tocado femenino. Bot. Punta reforzada de una raíz.

COFIN. m. Canasto.

COFRADE-DA. s. Quien pertenece a una cofradía.

COFRADÍA. f. Hermandad de devotos.

COFRE. m. Arca con tapa convexa. Pez teleosteo.

COGEDOR-RA. adj. s. Que coge. m. Cajón para recoger basura.

COGER. tr. Asir, agarrar. Tomar.

COGIDA. f. Acto de coger el toro al torero.

COGITAR. tr. Reflexionar.

COGITATIVO-VA. adj. Que puede pensar.

COGNACIÓN. f. Parentesco de consanguinidad por la línea femenina.

COGNADO-DA. adj. Pariente por cognación.

COGNOSCIBLE. adj. Capaz de ser conocido.

COGOLLO. m. Lo más interior y apretado de las hortalizas.

COGORZA. f. Vulgarismo por borrachera.

COGOTE. m. Parte posterior del cuello.

COGOTERA. f. Trozo de tela para resguardar la nuca del sol.

COGUJADA. f. Alondra con un penacho en la cabeza.

COGULLA. f. Hábito de ciertos monjes.

COGULLADA. f. Papada del cerdo.

COHABITAR. intr. Habitar unos con otros. Hacer vida marital.

COHECHAR. tr. Sobornar al juez.

COHECHO. m. Acción de sobornar.

COHEN. m. Adivino, hechicero.

COHEREDERO-RA. s. Heredero con otro.

COHERENCIA. f. Conexión de unas cosas con otras.

COHESIÓN. f. Adhesión molecular. Enlace.

COHETE. m. Artificio volante explosivo.

COHIBIR. tr. Refrenar, reprimir.

COHOBO. m. Piel de ciervo.

COHOMBRE. m. Planta hortense. Su fruto.

COHONESTAR. tr. Dar viso de honesto a lo que no lo es.

COHORTE. f. Cuerpo de infantes romanos.

COIMA. f. Concubina.

COIME. m. El que cuida del garito y presta con usura a los jugadores.

COINCIDENCIA. f. Acción y efecto de coincidir.

COINCIDIR. intr. Convenir con otro. Ocurrir simultáneamente.

COINQUILINO-NA. s. Inquilino con otro.

COINQUINAR. tr. Manchar, ensuciar.

COIRONAL. m. Terreno de plantas gramíneas, que se usan para techar barracas.

COITO. m. Ayuntamiento de hombre y mujer.

COJEAR. tr. No sentar bien los pies al andar por defecto físico.

COJERA. f. Accidente que impone cojear.

COJIJO. m. Desazón ligera.

COJIJOSO-SA. adj. Que se queja o resiste por causa ligera.

COJÍN. m. Almohadón.

COJINETE. m. Almohadilla. Pieza en que se apoya y gira un eje.

COJITRANCO-CA. adj. Cojo inquieto.

COJO-A. adj. y s. Que cojea.

COJUDO-DA. adj. Animal sin castrar.

COK. m. Coque.

COL. f. Planta crucífera hortense.

COLA. f. Parte posterior, como apéndice de algunos animales. Pasta para pegar.

COLABORACIÓN. f. Efecto de colaborar.

COLABORADOR-RA. m. y f. Compañero en la formación de alguna obra.

COLABORAR. intr. Trabajar con otros en una misma cosa.

COLACIÓN. f. Refacción ligera. Cotejo.

COLACTÁNEO-A. Hermano de leche.

COLADA. f. Acción de colar. Sangría en un alto horno. Ropa colada.

COLADERA. f. Cedazo para licores.

COLADERO. m. Manga, cedazo.

COLADIZO. adj. Que penetra fácilmente.

COLADOR. m. Coladero. El que da la colación.

COLADORA. f. La que hace coladas.

COLADURA. f. Acción de colar.

COLAGOGO. adj. Purgante contra la acumulación de bilis.

COLANILLA. f. Pasador con que se aseguran puertas y ventanas.

COLAÑA. f. Tabique que sirve de antepecho en las escaleras.

COLAPSO. m. Med. Postración súbita.

COLAR. tr. Pasar un líquido por cedazo, etc. Decir embustes o equivocarse.

COLARGOL. m. Planta coloidal, usada en medicina.

COLATERAL. adj. Cosas que están a uno y otro lado de una principal.

COLCOTAR. m. Quím. Color rojo formado por peróxido de hierro pulverizado.

COLCHA. f. Cobertura.

COLCHADO-DA. adj. Prenda hecha de tela y rellena a modo de almohadilla.

COLCHÓN. m. Saco de lana u otras cosas que ocupa el largo y ancho de la cama.

COLCHONERO-RA. adj. Quien por oficio hace o vende colchones.

COLEAR. intr. Mover la cola.

COLECCIÓN. f. Conjunto de cosas.

COLECCIONAR. tr. Formar colecciones.

COLECCIONISTA. com. Persona que forma colecciones.

COLECTA. f. Recaudación de donativos voluntarios.

COLECTAR. tr. Recaudar o reunir.

COLECTIVIDAD. f. Conjunto de personas reunidas para algo.

COLECTIVISMO. m. Doctrina que tiende a suprimir la propiedad particular.

COLECTIVO-VA. adj. Que tiene la virtud de reunir.

COLECTOR. m. El que hace colección. Caño que recoge aguas sobrantes.

COLÉDOCO. m. Conducto principal de la bilis terminado en el duodeno.

COLEGA. m. Compañero en profesiones liberales.

COLEGATARIO. m. Aquel a quien se le ha legado una cosa juntamente con otros.

COLEGIAL. adj. Relativo al colegio.

COLEGIALA. f. La que tiene plaza en un colegio.

COLEGIARSE. f. Constituirse en colegio.

COLEGIATA. f. Iglesia colegial.

COLEGIO. m. Establecimiento de enseñanza.

COLEGIR. tr. Juntar, unir. Inferir.

COLEGISLADOR-RA. adj. Que legisla con otro.

COLEMIA. f. Med. Presencia anormal de bilis en la sangre.

COLENDO. adj. Día festivo.

COLEÓPTERO. m. Insecto masticador de metamorfosis complicada.

CÓLERA. f. Bilis. Ira, enojo. Enfermedad contagiosa.

COLÉRICO-CA. adj. Perteneciente a la cólera. Atacado de cólera.

COLERINA. f. Cólera menos grave.

COLESTERINA. f. Componente principal de los cálculos biliares.

COLETA. f. Mechón largo de pelo en la parte posterior de la cabeza.

COLETILLA. f. Adición breve que suele hacerse al final de un párrafo.

COLETO. m. Vestidura de piel ajustada y con faldoncillos.

COLGADURA. f. Tapices para adornar balcones y paredes.

COLGAJO. m. Cosa mala que cuelga.

COLGANTE. m. Festón, adorno.

COLGAR. tr. Suspender. Entapizar. Ahorcar.

COLIBACILO. m. Bacilo que vive en el intestino.

COLIBRÍ. m. Pájaro americano pequeño.

CÓLICO-CA. adj. Relativo al colon. Med. Enfermedad del intestino.

COLICUAR. tr. y r. Derretir. Desleír.

COLIFLOR. f. Col con brotes formando pella blanca.

COLIGARSE. tr. r. Unirse, confederarse.

COLILLA. f. Resto de cigarro.

COLILLERO. m. Persona que recoge las colillas.

COLIMADOR. m. Anteojo pequeño que acompaña al principal.

COLINA. f. Elevación de terreno.

COLINDANTE. adj. Próximo, contiguo.

COLINDAR. intr. Lindar.

COLINETA. f. Ramillete de dulce.

COLIPAVA. adj. Paloma que tiene la cola más ancha que las demás.

COLIRIO. m. Medicamento líquido para los ojos.

COLISEO. m. Anfiteatro romano. Cualquier teatro.

COLISIÓN. m. Choque, roce, pugna.

COLITIS. f. Med. Inflamación del colon.

COLMAR. tr. Llenar hasta el borde.

COLMENA. f. Recipiente para habitar un enjambre.

COLMENAR. Lugar donde están las colmenas.

COLMENERO-RA. Persona que tiene o cuida las colmenas.

COLMENILLA. f. Hongo comestible.

COLMILLO. m. Diente agudo y fuerte entre los incisivos y los molares.

COLMO. m. Porción que sobresale de la medida.

COLOCACIÓN. f. Acción de colocar. Empleo.

COLOCAR. tr. r. Poner en su lugar o en un empleo.

COLOCASIA. f. Planta arácea comestible.

COLOCUTOR-RA. m. y f. Persona que habla con otra.

COLODIÓN. m. Disolución en éter de la celulosa nítrica.

COLODRA. f. Vasija para ordeñar.

COLODRILLO. m. Parte posterior de la cabeza.

COLOFÓN. m. Nota al final de un libro con el nombre del impresor, fecha, etc.

COLOFONIA. f. Resina sólida y translúcida.

COLOFONITA. f. Granate de color verde claro, o amarillo.

COLOIDE. adj. Cuerpo que se disgrega en un líquido sin disolverse.

COLOMBINO-NA. adj. Relativo a Colón.

COLOMBO. m. Raíz amarga y amarillenta, astringente.

COLOMBÓFILO-LA. m. y f. Perteneciente a la cría de palomas.

COLON. m. Parte del intestino entre el ciego y el recto.

COLONIA. f. Conjunto de individuos que viven en el extranjero. Perfume.

COLONIAL. adj. Relativo a la colonia.

COLONIZAR. tr. Formar colonia.

COLONO. m. Habitante de una colonia. Labrador arrendatario.

COLOQUIO. m. Plática entre varias personas. Ret. Composición en diálogo.

COLOR. m. Modificación de la luz en los objetos. Sustancia preparada para pintar.

COLORACIÓN. f. Acción y efecto de colorar.

COLORADO-DA. adj. Que tiene color más o menos rojo.

COLORANTE. p. a. de Colorar. Que colora.

COLORAR. tr. Dar color, teñir.

COLORETE. m. Afeite de color rojo.

COLORIDO. m. Mezcla que resulta de varios colores.

COLOSAL. adj. De gran estatura. fig. Grandioso.

COLOSO. m. Estatua colosal. Persona sobresaliente en algo.

CÓLQUICO. m. Hierba liliácea.

COLUMBETA. f. Voltareta que dan los muchachos sobre la cabeza.

COLUMBRAR. tr. r. Divisar, ver de lejos.

COLUMNA. f. Pilar redondo. División vertical de una página.

COLUMNATA. f. Serie de columnas.

COLUMPIAR. tr. r. Mecer en columpio.

COLUMPIO. m. Asiento suspendido movible.

COLURO. m. Círculo máximo de la esfera celeste.

COLZA. f. Col de cuyas semillas se extrae aceite.

COLLA. f. Gorjal, pieza de la armadura.

COLLADO. m. Depresión para pasar una sierra. Cerro.

COLLALBA. f. Mazo de madera para deshacer terrones.

COLLAR. m. Adorno para el cuello. Insignia.

COLLAZO. m. Mozo de labranza que labra tierra para sí.

COLLEJA. f. Hierba ceriofiácea de flor en panoja.

COLLEJAS. f. pl. Nervios que los carneros tienen en el cuello.

COLLERA. f. Collar de cuero para las caballerías.

COLLÓN-NA. adj. Cobarde.

COMADRAZGO. m. Parentesco espiritual entre la madrina y la madre del bautizado.

COMADRE. f. Portera, matrona.

COMADREJA. f. Mamífero, carnívoro.

COMADRÓN. m. Facultativo que asiste a los partos.

COMALIA. f. Veter. Enfermedad del ganado lanar.

COMANDANCIA. f. Empleo, oficina y distrito del comandante.

COMANDANTE. m. Jefe militar superior al capitán.

COMANDAR. tr. Mandar un cuerpo de tropas.

COMANDITA. f. Sociedad en que unos socios tienen responsabilidad limitada y otros ilimitada.

COMANDITARIO-RIA. adj. Relativo a la comandita.

COMANDO. m. Mando militar.

COMARCA. f. Territorio con varias poblaciones.

COMARCANO-NA. adj. Dícese de los pueblos, terrenos, etc., cercanos entre sí.

COMATOSO-SA. adj. Med. Relativo al coma.

COMBA. f. Convexidad de un cuerpo encorvado. Juego de niñas.

COMBAR. tr. Encorvar o torcer una cosa.

COMBATE. m. Lucha, pelea.

COMBATIENTE. m. Quien combate.

COMBATIR. intr. r. Pelear, luchar. Acometer, golpear.

COMBÉS. m. Espacio descubierto, ámbito.

COMBINACIÓN. f. Acción de combinar.

COMBINAR. tr. Unir armónicamente.

COMBURENTE. adj. m. Fís. Que hace posible la combustión.

COMBUSTIBLE. adj. Que puede arder. Capaz de combinarse con un oxidante.

COMBUSTIÓN. f. Acción de quemar.

COMEDERO-RA. adj. Comestible. Vasija para la comida de las aves.

COMEDIA. f. Obra dramática de desenlace grato. Farsa.

COMEDIANTE-TA. s. Actor o actriz. Quien aparenta lo que no siente.

COMEDIDO-DA. adj. Atento, cortés.

COMEDIMIENTO. m. Cortesía, moderación.

COMEDIRSE. r. Moderarse.

COMEDIO. m. Centro de un lugar.

COMEDIÓGRAFO. m. Escritor de comedias.

COMEDIRSE. r. Moderarse, contenerse.

COMEDÓN. m. Grano con un puntito negro que aparece en el rostro.

COMEDOR-RA. adj. s. Quien come. Cuarto en que se come.

COMEJÉN. m. Zool. Termites, insectos neurópteros.

COMENDADOR-RA. s. Persona que tiene encomienda.

COMENDATORIO-RIA. adj. Dícese de los papeles y cartas de recomendación.

COMENSAL. m. Cualquiera de los que comen en la misma mesa.

COMENTAR. tr. Explanar, hacer comentarios.

COMENTARIO. m. Explicación, glosa.

COMENTARISTA. com. El que escribe comentarios.

COMENZAR. tr. Dar principio.

COMER. tr. intr. Masticar y tragar alimento. Consumir. Corroer. Quitar color.

COMERCIAL. adj. Relativo al comercio.

COMERCIANTE. adj. s. Que comercia.

COMERCIAR. intr. Comprar y vender o cambiar buscando beneficio.

COMERCIO. m. Acción de comerciar. Trato. Sitio donde se comercia.

COMESTIBLE. adj. Que se puede comer. m. Artículo alimenticio.

COMETA. m. Cuerpo celeste con larga cola. Juguete.

COMETER. tr. Comisionar. Incurrir en culpa.

COMETIDO-DA. m. Encargo.

COMEZÓN. f. Picazón. fig. Desazón interior.

COMICASTRO. m. Cómico malo.

COMICIOS. m. pl. Asamblea romana antigua. Actos electorales.

CÓMICO-CA. adj. Relativo a la comedia. s. Comediante.

COMIDA. f. Alimento. Manjares tomados a horas señaladas.

COMIENZO. m. Principio, origen.

COMILÓN-NA. adj. s. Que come mucho. f. Comida abundante.

COMILLAS. f. pl. Signo ortográfico al principio y fin de una cita.

COMINERÍA. f. Minuciosidad exagerada.

COMINO. m. Planta umbelífera de semilla aromática.

COMIQUEAR. intr. Representar comedias caseras.

COMIQUERÍA. f. fam. Conjunto o reunión de cómicos.

COMISARÍA. f. Empleo u oficina del comisario.

COMISARIO. m. Quien ejecuta órdenes delegadas.

COMISCAR. tr. Comer a menudo.

COMISIÓN. f. Encargo. Acción de cometer.

COMISIONISTA. com. Quien desempeña una comisión.

COMISO. m. Confiscación de géneros de contrabando.

COMISTRAJO. m. fam. Mezcla extravagante de alimentos.

COMISURA. f. Punto de unión de partes similares de un cuerpo.

COMITÉ. m. Conjunto de delegados.

COMITIVA. f. Acompañamiento.

COMIZA. f. Especie de barbo.

COMO. adv. De qué modo. Por qué. A semejanza. Según.

CÓMODA. f. Mueble con cajones y tablero.

CÓMODAMENTE. adv. m. Con comodidad. Oportuna, conveniente.

COMODATO. m. For. Contrato por el que se da o recibe en préstamo, cosa no fungible.

COMODIDAD. f. Calidad de cómodo.

COMODÍN. m. Carta a la que se le puede dar cualquier valor en juegos de naipes.

CÓMODO-DA. adj. Conveniente, oportuno.

COMODORO. m. Mar. Nombre que se da en algunas naciones al capitán de navío.

COMPACTAR. tr. Hacer compacta una cosa.

COMPACTO-TA. adj. De textura apretada. Sólido, firme.

COMPADECER. tr. r. Doler la desgracia ajena, sentir lástima de algo.

COMPADRAZGO. m. Afinidad entre compadres.

COMPADRE. m. Tratamiento que se da al padrino y padre de una criatura.

COMPAGINAR. tr. r. Poner en orden.

COMPANAJE. m. Comida fiambre que se toma con pan.

COMPAÑA. f. Compañía.

COMPAÑERISMO. m. Armonía entre compañeros.

COMPAÑERO-RA. s. Quien acompaña. Colega.

COMPAÑÍA. f. Sociedad. Unidad de soldados. Grupo de actores.

COMPARACIÓN. f. Acción de comparar.

COMPARAR. tr. Cotejar dos o más cosas.

COMPARATIVO-VA. adj. Que se compara o sirve para comparar.

COMPARECENCIA. f. Acción de comparecer.

COMPARECER. intr. Presentarse uno ante otro.

COMPARSA. f. Acompañamiento en representaciones teatrales. Reunión de máscaras.

COMPARTIMIENTO. m. Acción de compartir. Departamento.

COMPARTIR. tr. Repartir, dividir, distribuir algo, en partes. Usar, poseer en común.

COMPÁS. m. Instrumento para medir distancias, trazar curvas, etc. Mús. Medida de tiempo.

COMPASADO-DA. adj. Arreglado, moderado.

COMPASAR. tr. Medir con el compás.

COMPASILLO. m. Mús. Compás que tiene la duración de cuatro negras.

COMPASIÓN. f. Lástima por el mal ajeno.

COMPASIVO-VA. adj. Propenso a compasión.

COMPATIBILIDAD. f. Calidad de compatible.

COMPATIBLE. adj. Capaz de unirse con algo.

COMPATRIOTA. s. Persona de la misma patria que otra.

COMPATRONO-NA. m. y f. Patrono juntamente con otro u otros.

COMPELER. tr. Obligar con fuerza o con autoridad a que se haga algo.

COMPENDIAR. tr. Reducir a compendio.

COMPENETRARSE. r. Identificarse con ideas y sentimientos.

COMPENSAR. tr. r. Neutralizar el efecto de una cosa con otra. Indemnizar.

COMPETENCIA. f. Rivalidad. Incumbencia. Aptitud.

COMPETENTE. m. Bastante adecuado. Apto. Idóneo.

COMPETER. intr. Pertenecer, tocar o incumbir a uno alguna cosa.

COMPETIR. intr. r. Contender. Aspirar a una misma cosa.

COMPILACIÓN. f. Acción de compilar. Colección.

COMPILAR. tr. Allegar extractos de diversas obras, en una.

COMPINCHE. s. fam. Camarada.

COMPLACENCIA. f. Acción de complacer.

COMPLACER, tr. Acceder a deseos ajenos, r. Hallar satisfacción en algo.

COMPLEJIDAD, f. Calidad de complejo.

COMPLEJO-JA, adj. Que abraza muchas cosas.

COMPLEMENTARIO-RIA, adj. Que forma complemento de algo.

COMPLEMENTO, m. Lo que completa una cosa.

COMPLETAMENTE, adv. m. Cumplidamente sin que falte nada.

COMPLETAR, tr. Integrar, hacer cabal o perfecta una cosa.

COMPLETAS, f. pl. Última parte del oficio divino con que terminan las horas canónicas del día.

COMPLETO-TA, adj. Lleno, cabal.

COMPLEXIÓN, f. Constitución física del individuo.

COMPLICACIÓN, f. Acción de complicar.

COMPLICAR, tr. Mezclar, unir, r. Embrollarse, enmarañarse.

CÓMPLICE, s. Compañero en el delito.

COMPLICIDAD, f. Calidad de cómplice.

COMPLOT, m. Confabulación, intriga.

COMPLUTENSE, adj. De Alcalá de Henares.

COMPONEDOR-RA, adj. Persona que compone. Impr. Listón donde el cajista va poniendo las letras.

COMPONENDA, f. Arreglo amistoso de un asunto.

COMPONER, tr. r. Formar un todo con las partes. Constituir un cuerpo. Ordenar.

COMPORTA, f. Especie de canasta empleada en la vendimia.

COMPORTAMIENTO, m. Manera de comportarse.

COMPORTAR tr Tolerar r Portarse.

COMPORTERO, m. El que hace o vende comportas.

COMPOSICIÓN, f. Acto de componer. impr. Conjunto de líneas, galeradas y páginas antes de la composición.

COMPOSITOR-RA, adj. s. Que compone.

COMPOSTELANO-NA, adj. De Compostela.

COMPOSTURA, f. Construcción agrupando partes. Arreglo. Aseo. Modestia.

COMPOTA, f. Dulce de frutas cocidas y azucaradas.

COMPOTERA, f. Taza para compota.

COMPRA, f. Acción de comprar.

COMPRADO, m. Juego de naipes.

COMPRAR, tr. Adquirir por dinero.

COMPRAVENTA, f. Fro. Contrato de compra y venta.

COMPRENDER, tr. Rodear, ceñir. Entender. Contener.

COMPRENSIÓN, f. Acción de comprender. Facultad de entender las cosas.

COMPRESA, f. Lienzo usado en medicina bajo la venda.

COMPRESBÍTERO, m. Compañero de otro al recibir el presbiterado.

COMPRESIÓN, f. Acción y efecto de comprimir.

COMPRIMARIO-RIA, m. y f. Mús. Cantante de teatro que hace los segundos papeles.

COMPRIMIDO, m. Far. Pequeña pastilla medicinal.

COMPRIMIR, tr. r. Reducir el volumen por presión. Contener.

COMPROBACIÓN, f. Acción de comprobar. Comparación.

COMPROBANTE, adj. s. Que comprueba.

COMPROBAR, tr. Confirmar cotejando. Verificar, patentizar.

COMPROFESOR-RA, m. y f. Personas que ejercen la misma profesión.

COMPROMETER, tr. r. Exponer a un mal, o riesgo. Coligar.

COMPROMISARIO, adj. ·Relativo al compromiso. s. Árbitro, delegado.

COMPROMISO, m. Acción de comprometerse.

COMPROVINCIANO-NA, m. y f. Personas de la misma provincia.

COMPUERTA, f. Portón para guardar el paso de agua en un canal. Media puerta a modo de antepecho.

COMPUESTO-TA, adj. Formado de diversos elementos. fam. Mesurado, adornado.

COMPULSA, f. Traslado de un documento. Acción y efecto de compulsar.

COMPULSAR, tr. Cotejar.

COMPULSIÓN, f. Acto de compeler.

COMPULSORIO-RIA, adj. Mandato para compulsar.

COMPUNGIDO-DA, adj. Afligido, atribulado.

COMPUNGIR, tr. Mover a compunción.

COMPUNGIVO.-VA adj. Que pica o punza.

COMPUTAR, tr. Determinar una cantidad p·r el cálculo de algunos datos.

CÓMPUTO. m. Cuenta, cálculo.

COMTO-TA. adj. Lenguaje afectado.

COMULACIÓN. f. Acumulación.

COMULGAR. tr. Dar la comunión. intr. Recibirla.

COMULGATORIO. m. Reclinatorio donde se da la Comunión.

COMÚN. adj. Relativo a muchos. Vulgar.

COMUNAL. adj. Común. Pueblo de una nación.

COMUNERO-RA. adj. Agradable y popular con todos.

COMUNICACIÓN. Acción de comunicar. Trato, correspondencia entre dos o más personas.

COMUNICAR. tr. Hacer saber algo. r. Tener correspondencia.

COMUNIDAD. f. Calidad de común. Reunión de varias personas bajo reglas.

COMUNIÓN. f. Acto de recibir la Sagrada Eucaristía.

COMUNISMO. m. Doctrina basada en la comunidad de bienes. Abolición de la propiedad privada.

COMUNISTA. adj. s. Partidario del comunismo. Relativo a él.

COMUNMENTE. adv. m. Frecuentemente.

COMUSA. f. Trigo mezclado con centeno. art. Aparcería.

CON. prep. Por medio de. En compañía de. Juntamente.

CONATO. m. Empeño, esfuerzo. For. Delito inconsumado.

CONCA. f. Concha, caracol.

CONCAVIDAD. f. Calidad de cóncavo. Cosa cóncava.

CÓNCAVO-VA. adj. Que tiene concavidad.

CONCEBIR. intr. tr. Formar en la mente. Dar existencia por fecundación.

CONCEDER. tr. Otorgar.

CONCEJAL. m. Individuo de un concejo.

CONCEJALÍA. f. Cargo de concejal.

CONCEJIL. adj. Relativo al concejo.

CONCEJO. m. Ayuntamiento de un pueblo.

CONCENTO. m. Canto acordado de varias voces.

CONCENTRADO-DA. adj. Internado en el centro de una cosa.

CONCENTRAR. tr. r. Reunir en el centro. Aumentar la proporción de algo disuelto.

CONCÉNTRICO-CA. adj. Geom. Que tiene un mismo centro.

CONCEPCIÓN. f. Acción y efecto de concebir.

CONCEPCIONISTA. adj. Religiosa de la Inmaculada Concepción.

CONCEPTISMO. m. Doctrina o estilo de los conceptistas.

CONCEPTISTA. adj. Partidario del conceptismo.

CONCEPTO. m. Idea. Juicio sobre una cosa.

CONCEPTUAR. tr. Formar concepto.

CONCEPTUOSAMENTE. adv. m. Ingeniosamente.

CONCEPTUOSO-SA. adj. Sentencioso, agudo.

CONCERNIR. intr. Atañer, tocar o pertenecer.

CONCERTAR. tr. r. Pactar, componer, ordenar.

CONCERTINA. f. Mús. Acordeón de figura exagonal u octogonal.

CONCERTINO. m. Mús. Violinista solista.

CONCERTISTA. com. Quien participa en un concierto, como director, cantante, etc.

CONCESIÓN. f. Acción de conceder. Licencia. Gracia.

CONCIA. f. Parte vedada de un monte.

CONCIENCIA. f. Conocimiento espiritual de los actos propios.

CONCIENZUDO-DA. adj. Que es de recta conciencia.

CONCIERTO. m. Buen orden. Ajuste. Sesión musical.

CONCILIABLE. adj. Que es compatible con alguna cosa.

CONCILIÁBULO. m. Junta ilícita para tratar algo.

CONCILIAR. tr. Poner de acuerdo. Atraer la voluntad.

CONCILIO. m. Junta o congreso en especial eclesiástico.

CONCINO-NA. adj. Lenguaje bien ordenado y elegante.

CONCIÓN. f. Sermón.

CONCISIÓN. f. Brevedad en la expresión.

CONCISO-SA. adj. Que dice las cosas con las palabras precisas.

CONCITAR. tr. Instigar a uno contra otro.

CONCIUDADANO. f. Los naturales de una misma ciudad.

CÓNCLAVE. m. Junta de Cardenales para elegir Papa. Lugar donde se reune.

CONCLUIR. tr. Acabar una cosa. Inferir. Resolver.

CONCLUSIÓN. f. Acción de concluir.

CONCLUSO-SA. El juicio que está para sentenciar. Terminado.

CONCLUYENTE. adj. Convincente.

CONCOIDEO-A. adj. Con forma curva.

CONCOMITAR. tr. Obrar justamente.

CONCORDANCIA. f. Conformidad. Gra. Correspondencia de dos palabras variables en los accidentes.

CONCORDAR. tr. Poner de acuerdo. Congeniar.

CONCORDATIVO-VA. adj. Que pone de acuerdo.

CONCORDATO. m. Convenios entre un Estado y la Santa Sede.

CONCORDIA. f. Conformidad, unión.

CONCORPÓREO-A. adj. Teol. Hacerse un mismo cuerpo con Cristo en la comunión.

CONCREADO-DA. adj. Cualidades que existen en el hombre desde su creación.

CONCRECIÓN. f. Acumulación de partículas.

CONCRESCENCIA. f. Crecimiento simultáneo.

CONCRETAR. tr. fig. Combinar, concordar. r. Limitarse. Reducirse.

CONCRETO-TA. adj. Determinado, limitado, especificado.

CONCUBINA. f. Mujer que hace vida marital con un hombre que no es su marido.

CONCUBINATO. m. Trato de concubina.

CONCULCAR. tr. Pisotear, infligir.

CONCUPISCENCIA. f. Apetito desmedido de bienes terrenos. Lascivia.

CONCURRENCIA. f. Reunión de personas en un mismo sitio.

CONCURRIR. intr. Reunirse en concurrencia. Contribuir.

CONCURSADO. m. Deudor legal en concurso de acreedores.

CONCURSAR. tr. Estado de insolvencia de una persona. Concurrir.

CONCURSO. m. Concurrencia. Competencia. Certamen.

CONCUSIÓN. f. Exacción de un funcionario en provecho propio.

CONCHA. f. Caparazón de moluscos y braquiópodos. Sitio del apuntador en el proscenio del teatro.

CONCHABAR. tr. r. Unir, juntar. Confabularse.

CONCHADO-DA. adj. El que tiene conchas en su piel.

CONCHERO. m. Depósito prehistórico de conchas, que servían de alimento a los hombres.

CONCHESTA. f. Nieve amontonada en los ventisqueros.

CONDADO. m. Dignidad o territorio del conde.

CONDAL. adj. Relativo al conde.

CONDE. m. Título nobiliario. Señor de una comarca.

CONDECENTE. adj. Conveniente.

CONDECIR. tr. Guardar armonía dos cosas.

CONDECORACIÓN. f. Acción de condecorar. Distintivo honorífico.

CONDECORAR. tr. Darle honores o condecoraciones.

CONDENA. f. For. Testimonio de sentencia condenatoria. Pena impuesta.

CONDENACIÓN. f. Acción y efecto de condenar.

CONDENADO-DA. adj. Réprobo, perverso.

CONDENAR. tr. Declarar culpable. Imponer la pena. Reprobar.

CONDENSADOR-RA. adj. Que condensa. Aparato para condensar gases y aumentar la capacidad eléctrica.

CONDENSAR. tr. r. Reducir una cosa en volumen o extensión.

CONDESA. f. Título nobiliario. Mujer del conde.

CONDESAR. tr. Ahorrar, economizar.

CONDESCENDER. intr. Acomodarse a la voluntad ajena.

CONDESTABLE. m. Antigua dignidad militar.

CONDICIÓN. f. Índole, naturaleza de las cosas. Carácter.

CONDICIONAL. adj. Que tiene condición. Que la establece.

CONDILO. m. Zool. Extremidad redondeada de un hueso articulado.

CONDIMENTAR. tr. Sazonar.

CONDIMENTO. m. Lo que sirve para condimentar.

CONDISCÍPULO-LA. s. Discípulo con otro.

CONDOLENCIA. Participar en el dolor ajeno.

CONDOLERSE. r. Compadecerse.

CÓNDOR. m. Ave rapaz vultúrida de los Andes.

CONDOTIERO. m. Soldado mercenario.

CONDUCCIÓN. f. Acción y efecto de conducir.

CONDUCENTE. p. a. De concudir. Que conduce al fin que se desea.

CONDUCIR. tr. Dirigir. Llevar de un sitio a otro.

CONDUCTA. f. Manera de conducirse. Iguala con un médico.

CONDUCTIBILIDAD. f. Calidad de conductible.

CONDUCTIBLE. m. Que puede ser conducido.

CONDUCTO. m. Canal, tubo, vía. fig. Intermediario.

CONDUCTOR-RA. adj. s. Que conduce. Fis. Todo cuerpo transmisor.

CONDUCHO. m. Comida.

CONDUMIO. m. Lo que se come con pan.

CONDUTAL. m. Conducto para vaciar las aguas de lluvia.

CONECTAR. tr. Mec. Poner en contacto.

CONEJA. f. Hembra del conejo.

CONEJAR. m. Lugar destinado a la cría de conejos.

CONEJERA. f. Madriguera de conejos.

CONEJO. m. Roedor domesticable de carne comestible.

CONEJUNO-NA. adj. Semejante al conejo.

CONEXIÓN. f. Trabazón, enlace, atadura.

CONEXIONAR. tr. Barbarismo por enlazar.

CONEXO-XA. adj. Que tiene conexión.

CONFABULACIÓN. f. Conspiración, trama.

CONFABULAR. tr. Tratar algo entre varios. f. Conjurarse.

CONFALÓN. m. Bandera, estandarte.

CONFECCIÓN. f. Acción de confeccionar. Preparación farmacéutica de diversas sustancias.

CONFECCIONAR. tr. Fabricar.

CONFECTOR. m. Gladiador.

CONFEDERACIÓN. f. Unión de varias personas o estados con un fin.

CONFEDERAR. tr. y r. Unir, aliar, federar.

CONFERENCIA. f. Plática de algo. Disertación.

CONFERENCIANTE. com. Quien diserta en público.

CONFERENCIAR. intr. Reunirse para tratar de algo.

CONFERIR. tr. Conceder dignidad, empleo, etc. Cotejar.

CONFESA. f. Viuda que entraba a ser monja.

CONFESAR. tr. Exponer uno sus hechos o ideas. Declarar el penitente sus pecados.

CONFESIÓN. f. Acción de confesar y confesarse.

CONFESIONAL. adj. Que pertenece a una comunidad religiosa.

CONFESO-SA. adj. Que ha confesado su cupla.

CONFESONARIO. m. Mueble donde el sacerdote oye las confesiones sacramentales.

CONFESOR. m. Sacerdote que confiesa. Quien confiesa su fe.

CONFESURIA. f. Cargo de confesor.

CONFETI. m. Papelillos que se arrojan en Carnaval.

CONFIADO-DA. adj. Crédulo, imprevisor.

CONFIANZA. f. Esperanza, firme. Presunción.

CONFIAR. intr. Tener confianza. tr. Encargar a otro algo.

CONFIDENCIA. f. Confianza.

CONFIDENCIAL. adj. Hecho o dicho en confidencia.

CONFIDENTE. adj. Fiel. com. Persona de quien uno se fía. Espía. Canapé de dos asientos.

CONFIGURACIÓN. f. Disposición y figura de las partes de un cuerpo.

CONFIGURAR. tr. Dar configuración.

CONFÍN. m. Término, límite.

CONFINACIÓN. f. Acción y efecto de confinar.

CONFINANTE. p. a. De confiar. Que linda.

CONFINAR. intr. Lindar. tr. Desterrar a lugar determinado.

CONFINIDAD. f. Proximidad, contigüidad.

CONFIRMACIÓN. f. Acción de confirmar. Sacramento de la Iglesia.

CONFIRMANTE. adj. s. Que confirma.

CONFIRMAR. tr. Corroborar. Administrar la Confirmación.

CONFISCACIÓN. f. Acción de confiscar.

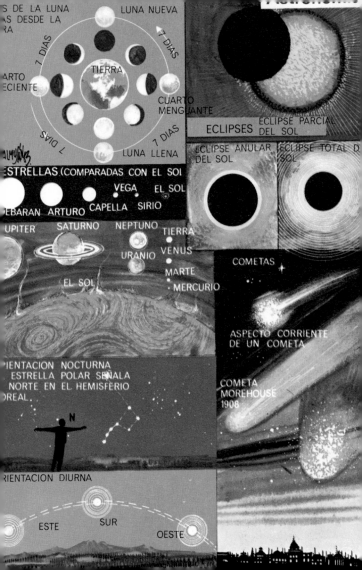

Astronomía

S DE LA LUNA
AS DESDE LA
RA

LUNA NUEVA

7 DIAS

7 DIAS

TIERRA

CUARTO
CRECIENTE

CUARTO
MENGUANTE

7 DIAS

7 DIAS

LUNA LLENA

ALMUÑAN

ECLIPSES
ECLIPSE PARCIAL
DEL SOL

ECLIPSE ANULAR
DEL SOL

ECLIPSE TOTAL D
SOL

ESTRELLAS (COMPARADAS CON EL SOL

VEGA
EL SOL

EBARAN
ARTURO
CAPELLA
SIRIO

JUPITER

SATURNO

NEPTUNO

TIERRA

URANIO

VENUS

MARTE

MERCURIO

EL SOL

COMETAS

ASPECTO CORRIENTE
DE UN COMETA

RIENTACION NOCTURNA
ESTRELLA POLAR SEÑALA
NORTE EN EL HEMISFERIO
OREAL.

N

COMETA
MOREHOUSE
1908

RIENTACION DIURNA

ESTE

SUR

OESTE

Aviones

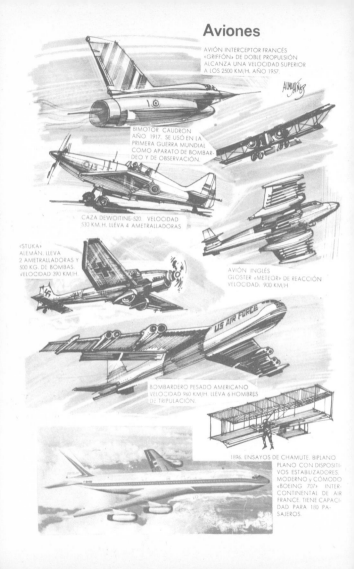

AVIÓN INTERCEPTOR FRANCÉS «GRIFFÖN» DE DOBLE PROPULSIÓN ALCANZA UNA VELOCIDAD SUPERIOR A LOS 2500 KM/H. AÑO 1957.

ALMUÑOZ

BIMOTOR CAUDRON AÑO 1917. SE USÓ EN LA PRIMERA GUERRA MUNDIAL COMO APARATO DE BOMBARDEO Y DE OBSERVACIÓN.

CAZA DEWOITINE-520. VELOCIDAD 530 KM/H. LLEVA 4 AMETRALLADORAS

«STUKA» ALEMÁN. LLEVA 2 AMETRALLADORAS Y 500 KG. DE BOMBAS. VELOCIDAD 390 KM/H.

AVIÓN INGLÉS GLOSTER «METEOR» DE REACCIÓN VELOCIDAD: 900 KM/H

BOMBARDERO PESADO AMERICANO VELOCIDAD 960 KM/H. LLEVA 6 HOMBRES DE TRIPULACIÓN.

1896. ENSAYOS DE CHAMUTE. BIPLANO PLANO CON DISPOSITIVOS ESTABILIZADORES. MODERNO y CÓMODO «BOEING 707» INTERCONTINENTAL DE AIR FRANCE. TIENE CAPACIDAD PARA 180 PASAJEROS.

Satelites Artificiales

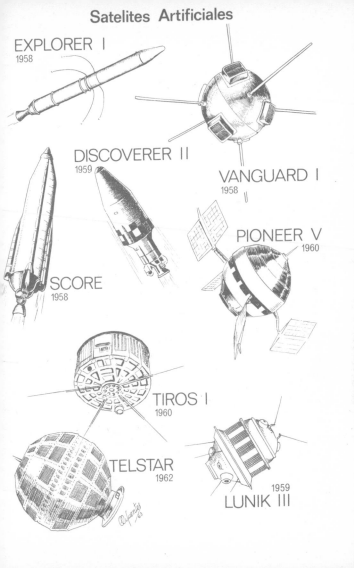

EXPLORER I
1958

VANGUARD I
1958

DISCOVERER II
1959

SCORE
1958

PIONEER V
1960

TIROS I
1960

TELSTAR
1962

LUNIK III
1959

1.Golondrina.-2.Avión.-3.Vencejo.-4.Oropéndola.-5.Carbonero.-6.Loro.-7.Pinzón
8.Cárabo.-9.Cigüeña.-10.Paloma zurita.-11.Pito real.-12.Faisán.-13.Martín pescador.-14.Avefría.

Escarabajo de la patata.

Carraleja.

Papilio.

Mariquita

Mantis.

Grillotopo.

Necróforo.

Abejorro.

Chinche.

Cicindela

Cetonia.

Libélula.

Avispa.

Vanesa.

Ciervo volante.

Arquitectura (ARCOS)

MEDIO PUNTO   OJIVAL   ELIPTICO

REBAJADO

BOMBEADO

ARCO DE HERRADURA

LOBULADO

RAMPANTE

ESPADILLADO

almusa

Esculturas Famosas

DISCÓBOLO DE MIRON

VENUS DE MILO

LAOCOONTE

DAMA DE ELCHE

MOISES DE MIGUEL ANGEL

Gineta.

Hiena.

Gacela.

Leopardo.

Canguro.

Elefante.

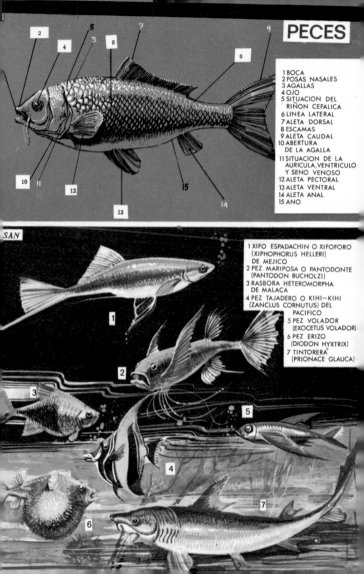

PECES

1 BOCA
2 FOSAS NASALES
3 AGALLAS
4 OJO
5 SITUACION DEL RIÑON CEFALICA
6 LINEA LATERAL
7 ALETA DORSAL
8 ESCAMAS
9 ALETA CAUDAL
10 ABERTURA DE LA AGALLA
11 SITUACION DE LA AURICULA, VENTRICULO Y SENO VENOSO
12 ALETA PECTORAL
13 ALETA VENTRAL
14 ALETA ANAL
15 ANO

SAN

1 XIFO ESPADACHIN O XIFOFORO (XIPHOPHORUS HELLERI) DE MEJICO
2 PEZ MARIPOSA O PANTODONTE (PANTODON BUCHOLZI)
3 RASBORA HETEROMORPHA DE MALACA
4 PEZ TAJADERO O KIHI~KIHI (ZANCLUS CORNUTUS) DEL PACIFICO
5 PEZ VOLADOR (EXOCETUS VOLADOR)
6 PEZ ERIZO (DIODON HYXTRIX)
7 TINTORERA (PRIONACE GLAUCA)

Ordenes

CAPITEL FENICIO

CAPITEL BABILÓNICO

CAPITEL EGIPCIO (LOTO)

CAPITEL PERSA

ENTABLAMENTO Y CAPITEL DE ORDEN DÓRICO

CAPITEL JÓNICO

ROSETA

CAULÍCULO

CAPITEL CORINTIO

CAPITEL ÁRABE

ASTRÁGALO

Arquitectura Moderna

PARIS
PALACIO DE LA RADIO

SYDNEY
TEATRO DE LA OPERA

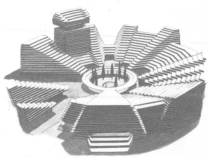

MADRID
CENTRO DE RESTAURACIONES
ARTISTICAS Y ARQUEOLOGICAS

NEW YORK
EDIFICIO SEAGRAM

HAMBURGO
MERCADO

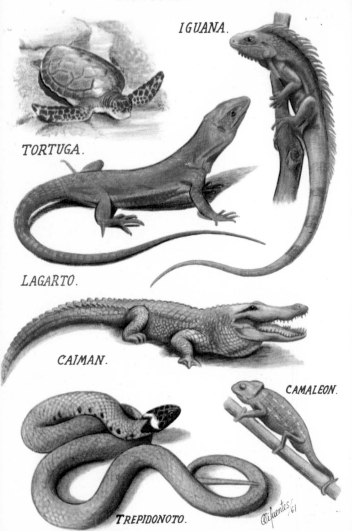

IGUANA.

TORTUGA.

LAGARTO.

CAIMAN.

CAMALEON.

TREPIDONOTO.

Psaliota campestris.
(comestible)

Licoperdon.
(comestible)

Amanita muscaria.
(venenosa)

Amanita caesarea.
(comestible)

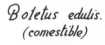

Boletus edulis.
(comestible)

Tricholoma.
(comestible)

Clitopilus.
(comestible)

Herramientas

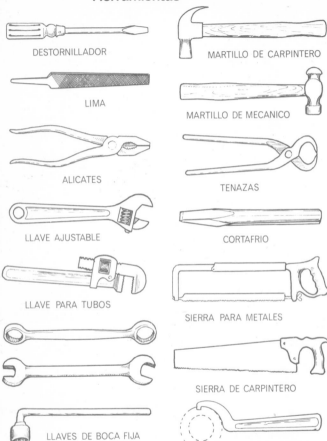

DESTORNILLADOR

LIMA

ALICATES

LLAVE AJUSTABLE

LLAVE PARA TUBOS

LLAVES DE BOCA FIJA

MARTILLO DE CARPINTERO

MARTILLO DE MECANICO

TENAZAS

CORTAFRIO

SIERRA PARA METALES

SIERRA DE CARPINTERO

LLAVE DE ESPIGA

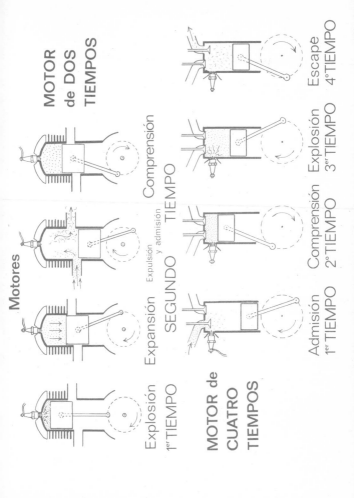

Motores

MOTOR de DOS TIEMPOS

Explosión
1er TIEMPO

Expansión
SEGUNDO
TIEMPO

Expulsión
y admisión

Comprensión

MOTOR de CUATRO TIEMPOS

Admisión
1er TIEMPO

Comprensión
2° TIEMPO

Explosión
3er TIEMPO

Escape
4° TIEMPO

Flor radiada.
(geranio)

Flor cigomorfa.
(pensamiento)

estambre

sépalo

cáliz

pedúnculo

pétalo.

gineceo

receptáculo

PARTES DE
LA FLOR.

Flor amariposada.
(guisante)

Flor
asimétrica.
(canna)

CONFISCAR. tr. Incautarse el fisco de los bienes de un reo.

CONFITAR. tr. Cubrir con baño de azúcar. Endulzar.

CONFITE. m. Bolilla de pasta de azúcar.

CONFITERÍA. f. Tienda del confitero.

CONFITERO-RA. m. y f. Persona que hace o vende dulces.

CONFITURA. f. Fruta confitada.

CONFLACIÓN. f. Fundición.

CONFLAGRACIÓN. f. Incendio. Perturbación repentina de naciones.

CONFLAGRAR. tr. Inflamar, incendiar.

CONFLATIL. adj. Que puede fundirse.

CONFLICTO. m. Lo más recio de una lucha. fig. Apuro, situación desgraciada y de difícil salida.

CONFLUIR. intr. Unirse varias corrientes de agua o caminos. Concurrir en un lugar.

CONFORMACIÓN. f. Disposición de las partes que forman una cosa.

CONFORMADOR. m. Aparato para tomar medida de la cabeza.

CONFORMAR. tr. intr. Ajustar, convenir. r. Someterse, resignarse.

CONFORME. adj. De igual forma. Acorde. Paciente.

CONFORMIDAD. f. Semejanza. Simetría. Tolerancia.

CONFORMISTA. adj. En Inglaterra el que está conforme con la religión oficial del estado.

CONFORT. m. Comodidad.

CONFORTABLE. adj. Que conforta o es cómodo.

CONFORTAR. tr. r. Dar fuerza. Animar, consolar.

CONFRACCIÓN. f. Romper, quebrar.

CONFRATERNAR. intr. Hermanar una cosa con otra.

CONFRATERNIDAD. f. Hermandad, amistad.

CONFRATERNIZAR. intr. Tratarse con amistad. Intimar.

CONFRONTACIÓN. f. Acto de confrontar. Cotejo de una cosa con otra.

CONFRONTAR. tr. Carear dos personas. Cotejar.

CONFUCIANISMO. m. Secta china y japonesa.

CONFUNDIR. tr. r. Mezclar. No distinguir. Humillar.

CONFUSIÓN. f. Falta de orden o claridad. Turbación.

CONFUSO-SA. adj. Mezclado. Dudoso. Turbado.

CONFUTAR. tr. Refutar. Impugnar la opinión contraria.

CONGELACIÓN. f. Acción y efecto de congelar.

CONGELADOR. m. Vaso para congelar.

CONGELAR. tr. r. Pasar de líquido a sólido. Helar.

CONGÉNERE. adj. m. Del mismo género u origen.

CONGENIAL. adj. De igual genio.

CONGENIAR. intr. Avenirse, ser de un mismo genio.

CONGÉNITO-TA. adj. Engendrado juntamente.

CONGERIE. f. Montón de cosas.

CONGESTIÓN. f. Med. Acumulación de humores en algún órgano.

CONGLOBAR. tr. Unir cosas para formar un montón.

CONGLOMERACIÓN. f. Acción y efecto de conglomerar.

CONGLOMERAR. tr. Aglomerar. r. Agruparse formando masa compacta.

CONGLUTINACIÓN. f. Acción de conglutinar. [otra. Pegar.

CONGLUTINAR. tr. Unir una cosa con

CONGOJA. f. Angustia. Desmayo.

CONGOSTO. m. Desfiladero entre montañas.

CONGRACIAR. tr. r. Obtener benevolencia o afecto.

CONGRATULAR. tr. r. Mostrar alegría a alguien por un hecho feliz suyo.

CONGREGACIÓN. f. Junta. Cofradía.

CONGREGANTE-TA. s. Quien forma parte de una congregación.

CONGREGAR. tr. r. Unir, juntar.

CONGRESAL. m. Congresista.

CONGRESO. m. Junta para deliberar de diversos asuntos. Asamblea nacional.

CONGRIO. m. Pez marino, malacopterigio ápodo, comestible, de cuerpo casi cilíndrico.

CONGRUA. f. Renta del ordenado.

CONGRUENCIA. f. Oportunidad. Conveniencia.

CONGRUISTA. m. Teol. El que cree que la gracia es eficaz por su congruencia.

CÓNICO-CA. adj. Relativo al cono. De su forma.

CONÍFERO-RA. adj. s. Dícese de plantas fanerógamas ginnospermas.

CONIFORME. adj. Geom. Cónico por su figura.

CONIMBRICENSE. adj. Natural de Coimbra.

CONIRROSTRO-TRA. adj. De pico corto y cónico.

CONIVALVO-VA. adj. Zool. De concha cónica.

CONIZA. f. Planta medicinal herbácea.

CONJETURA. f. Juicio por indicios.

CONJUGACIÓN. f. Acto de conjugar.

CONJUGAR. tr. r. Gram. Variar las terminaciones del verbo.

CONJUNCIÓN. f. Unión. Gram. Parte de la oración que indica relación o enlace.

CONJUNTIVA. f. Membrana mucosa de la cara interna del párpado.

CONJUNTIVITIS. f. Inflamación de la conjuntiva.

CONJUNTIVO-VA. adj. Que une una cosa con otra.

CONJUNTO-TA. adj. Unido, contiguo. m. Agregando muchas cosas.

CONJURACIÓN. f. Conspiración, trama, intriga.

CONJURADO-DA. adj. Que entra en una conjuración.

CONJURAR. tr. r. Unirse con juramento para algún fin. intr. Conspirar. tr. Juramentar. Evitar.

CONJURO. m. Acto de conjurar. Exorcismo.

CONLLEVAR. tr. Ayudar a llevar. Sufrir el genio ajeno.

CONMEMORACIÓN. f. Acto de conmemorar. Ceremonia.

CONMEMORAR. tr. Recordar solemnemente.

CONMEMORATIVO-VA. adj. Que conmemora.

CONMENSURABLE. adj. Capaz de ser medido.

CONMIGO. Gram. Ablativo singular del pronombre personal primera persona.

CONMILITÓN. m. Soldado, compañero de otro en la guerra.

CONMINACIÓN. f. Acción y efecto de conminar. Ret. Amenaza terrible.

CONMINAR. tr. Amenazar. Apercibir con amenaza.

CONMINUTA. adj. Dícese de la fractura de un hueso reducido a fragmentos.

CONMISERACIÓN. f. Compasión, lástima.

CONMISTIÓN. f. Mezcla de cosas diferentes.

CONMOCIÓN. f. Perturbación del ánimo. Traumatismo en la cabeza.

CONMONITORIO. m. Relación por escrito de cosas o noticias.

CONMOVER. tr. r. Perturbar, inquietar. tr. Enternecer.

CONMUTADOR-RA. adj. Que conmuta. m. Fís. Aparato para alternar las conexiones de un circuito eléctrico.

CONMUTAR. tr. Combinar, permutar.

CONMUTATRIZ. f. Electr. Aparato que sirve para cambiar la corriente.

CONNATURAL. adj. Propio a la naturaleza.

CONNIVENCIA. f. Complicidad por tolerancia. Acto de confabularse.

CONNOTAR. tr. Hacer relación.

CONNUBIO. m. Matrimonio.

CONO. m. Geom. Cuerpo limitado por una superficie cónica y un plano.

CONOCER. tr. Percibir el entendimiento. una cosa. Entender.

CONOCIDO-DA. adj. Afamado. Ilustre. s. Con quien se trata sin intimidad.

CONOCIMIENTO. m. Acción y efecto de conocer. Inteligencia.

CONOIDEO-A. adj. Que tiene figura cónica.

CONOPEO. m. Velo que cubre el sagrario.

CONQUE. conj. ilat. Que denota consecuencia. Motivo, pretexto.

CONQUENSE. adj. Natural de Cuenca.

CONQUIFORME. adj. De figura de concha.

CONQUISTA. f. Acción y efecto de conquistar.

CONQUISTAR. tr. Adquirir por las armas. Ganar la voluntad.

CONREAR. tr. Preparar una cosa mediante cierta manipulación.

CONSABIDO-DA. adj. Dícese de lo que ya se ha tratado.

CONSAGRACIÓN. f. Acción de consagrar.

CONSAGRAR. tr. Hacer sagrado. Transformación del pan y el vino en cuerpo y sangre de Jesucristo.

CONSANGUÍNEO-A. adj. s. Que tiene consanguinidad.

CONSANGUINIDAD. f. Descendencia de un mismo tronco.

CONSCIENTE. adj. Que siente, piensa y quiere con plena conciencia.

CONSECUCIÓN. f. Acción de conseguir.

CONSECUENCIA. f. La que se sigue de algo. Resultado.

CONSECUENTE. adj. Conforme con la lógica.

CONSECUTIVO-VA. adj. Que sigue a continuación.

CONSEGUIR. tr. Lograr.

CONSEJA. f. Fábula. Hecho apócrifo mezclado con los verdaderos.

CONSEJERO-RA. s. Quien aconseja. Ministro del Consejo.

CONSEJO. m. Dictamen, parecer. Acuerdo.

CONSENTIMIENTO. m. Acción y efecto de consentir.

CONSENTIR. tr. Permitir, condescender. Mimar.

CONSERJE. m. Encargado de la custodia y limpieza de un edificio.

CONSERVA. f. Alimento preparado para su conservación.

CONSERVADOR-RA. adj. y s. Que conserva.

CONSERVAR. tr. r. Mantener una cosa en un estado. Hacer conservas.

CONSERVATORIO-RIA. adj. Que conserva. m. Escuela oficial de ciertas artes.

CONSERVERÍA. f. Arte de hacer conservas.

CONSERVERO-RA. adj. Relativo a la industria y comercio de las conservas.

CONSIDERABLE. adj. Digno de consideración. Grande.

CONSIDERACIÓN. f. Respeto. Acción de considerar.

CONSIDERADO-DA. adj. Que obra con meditación y reflexión.

CONSIDERAR. tr. Reflexionar, estimar. Tener en cuenta.

CONSIERVO. m. Siervo esclavo juntamente con otros.

CONSIGNA. f. Orden. La que se da a un centinela.

CONSIGNACIÓN. f. Acción y efecto de consignar.

CONSIGNAR. tr. Destinar. Poner por escrito. com. Enviar mercancías por otro.

CONSIGNATARIO. s. Quien recibe un depósito. Persona que representa al armador de un buque en el puerto.

CONSIGO. Gram. Ablativo del pron. pers. de tercera persona.

CONSIGUIENTE. adj. Que se deduce de algo.

CONSILIARIO-RIA. m. y f. Persona que aconseja.

CONSISTENCIA. f. Solidez. Duración.

CONSISTIR. intr. Estribar.

CONSISTORIAL. adj. Relativo al consistorio.

CONSISTORIO. m. Consejo de los emperadores romanos y del Papa.

CONSOCIO. m. Socio con otro.

CONSOLA. f. Mesa sin cajones con la segunda tabla baja.

CONSOLABLE. adj. Capaz de consuelo y alivio.

CONSOLACIÓN. f. Acción y efecto de consolar.

CONSOLAR. tr. y r. Aliviar la pena de uno.

CONSOLIDAR. tr. Dar solidez.

CONSOMÉ. m. Caldo (voz francesa)

CONSONANCIA. f. Correspondencia de sonidos acordes.

CONSONANTE. adj. Dícese de voces de la misma consonancia.

CONSONAR. intr. Mús. Formar consonancia.

CONSORCIO. m. Participación de la misma suerte con otro.

CONSORTE. com. Cónyuge. Partícipe de la misma suerte.

CONSPICUO-A. adj. Ilustre.

CONSPIRACIÓN. f. Acto de conspirar.

CONSPIRAR. intr. Tramar algo contra alguien. Concurrir al mismo fin.

CONSPUIR. tr. Galicismo por rechazar, despreciar.

CONSTANCIA. f. Tesón, firmeza.

CONSTANCIENSE. adj. Natural de Constanza.

CONSTAR. intr. Ser cierto y manifiesto. Tener un todo determinadas partes.

CONSTATACIÓN. f. Galicismo por comprobación.

CONSTELACIÓN. Astr. Figura formada por un conjunto de estrellas.

CONSTELADO-DA. adj. Galicismo por lleno de estrellas.

CONSTERNACIÓN. f. Acción y efecto de consternar.

CONSTERNAR. tr. r. Abatir el ánimo. Aterrar. [tipar.

CONSTIPACIÓN. f. Acción de cons-

CONSTIPADO. m. Catarro.

CONSTIPAR. r. Resfriarse.

CONSTITUCIÓN. f. Acción y efecto de constituir. Ley fundamental de un Estado.

CONSTITUIR. tr. Formar, componer. tr. r. Erigir, ordenar.

CONSTITUYENTE. m. Que constituye.

CONSTREÑIR. tr. Obligar. Med. Apretar.

CONSTRUCCIÓN. f. Acción de construir. Gram. Ordenar la oración.

CONSTRUCTOR-RA. adj. s. Que construye.

CONSTRUIR. tr. Fabricar, edificar.

CONSUBSTANCIAL. adj. Que tiene la misma substancia.

CONSUEGRO-GRA. s. Padre o madre de uno de los cónyuges respecto a los del otro.

CONSUELDA. f. Hierba medicinal.

CONSUELO. m. Alivio de una pena.

CONSUETUDINARIO-RIA. adj. Que es de costumbre.

CÓNSUL. m. Magistrado romano. Agente diplomático encargado de los intereses de su nación, en otra.

CONSULTAR. tr. Deliberar, pedir consejo.

CONSULTORIO. m. Establecimiento donde se dan informes. Lugar de asistencia médica.

CONSUMACIÓN. f. Acción y efecto de consumar.

CONSUMAR. tr. Terminar. Llevar a cabo algo.

CONSUMERO. m. despect. Encargado de vigilar en los fielatos.

CONSUMICIÓN. m. Lo que se consume en un establecimiento de comidas o bebidas.

CONSUMIR. tr. r. Gastar, destruir, extinguir. Afligir.

CONSUMO. m. Gasto de víveres.

CONSUNCIÓN. f. Acción y efecto de consumir.

CONSUNTIVO-VA. adj. Que puede consumir.

CONTABILIDAD. f. Orden para llevar cuenta. Calidad de contable.

CONTABLE. m. Tenedor de libros. Adj. Que puede contarse.

CONTACTO. m. Acción y efecto de tocarse dos o más cosas.

CONTADO-DA. adj. Raro.

CONTADOR-RA. adj. Que cuenta. Quien lleva las cuentas.

CONTADURÍA. f. Oficina del contador.

CONTAGIAR. tr. Transmitir una enfermedad o vicio. Pervertir.

CONTAGIO. m. Transmisión de una enfermedad por contacto.

CONTAGIOSO-SA. adj. Enfermedades que se transmiten por contagio.

CONTAL. m. Serie de piedras o cuentas para contar.

CONTAMINACIÓN. f. Acción y efecto de contaminar.

CONTAMINAR. tr. r. Contagiar. Corromper. Infeccionar.

CONTANTE. adj. Efectivo.

CONTAR. tr. r. Enumerar. Narrar, intr. Formar cuentas.

CONTEMPERAR. tr. Atemperar.

CONTEMPLACIÓN. f. Acción de contemplar.

CONTEMPLAR. tr. Mirar atentamente. Mimar a uno.

CONTEMPLATIVO-VA. adj. Relativo a la contemplación.

CONTEMPORÁNEO-A. adj. Que existe al mismo tiempo que otro.

CONTEMPORIZACIÓN. f. Acción de contemporizar.

CONTEMPORIZAR. tr. Acomodarse al gusto ajeno.

CONTENCIÓN. f. Acción de reprimir. Litigio.

CONTENCIOSO-SA. adj. Que es objeto de litigio.

CONTENDEDOR. m. El que contiende.

CONTENDER. intr. Pelear, debatir, rivalizar.

CONTENDIENTE. adj. s. Que contiende.

CONTENENCIA. f. Parada durante el vuelo de ciertas aves.

CONTENER. tr. Encerrar dentro de sí. Refrenar.

CONTENIDO-DA. adj. Moderado. m. Lo que una cosa contiene.

CONTENTAR. tr. r. Satisfacer el gusto.

CONTENTIBLE. adj. Despreciable, de ninguna estimación.

CONTENTO-TA. adj. Satisfecho, alegre. m. Alegría.

CONTERA. f. Pieza de metal con que remata el bastón, paraguas, etc.

CONTERMÍN-NA. adj. Pueblo cofinante con otro.

CONTERRÁNEO-A. adj. Natural de la misma tierra que otro.

CONTESTACIÓN. f. Acción y efecto de contestar. Respuesta.

CONTESTAR. tr. Responder. Acción de contestar.

CONTEXTO. m. Estructura de un tejido. fig. Serie del discurso, hilo de la historia.

CONTEXTURA. f. Unión de las partes de un todo. Contexto.

CONTICINIO. m. Hora de la noche, en que todo está en silencio.

CONTIENDA. f. Pelea, disputa.

CONTIGO. Ablativo de sing. del pron. personal de segunda persona en gén. m. y f.

CONTIGUO-GUA. adj. Inmediato.

CONTINENCIA. f. Templanza, moderación, sobriedad.

CONTINENTAL. adj. Relativo al continente. Escritorio público.

CONTINENTE. m. Que contiene. Geog. Grande extensión de tierra, que si bien rodeada de mar, no puede llamarse isla ni península, nombre que se da a territorios menos extensos.

CONTINGENCIA. f. Hecho posible.

CONTINGENTE. adj. Posible. Cuenta contributiva.

CONTINUACIÓN. f. Acción y efecto de continuar.

CONTINUAMENTE. adv. Sin interrupción.

CONTINUAR. tr. Seguir lo empezado.

CONTINUIDAD. f. Unión natural de las partes de un todo.

CONTINUO-A. adj. Que dura, obra o se extiende sin interrupción.

CONTONEARSE. r. Mover afectadamente los hombros y caderas.

CONTORCERSE. r. Sufrir o afectar contorsiones.

CONTORNEAR. tr. Dar vueltas alrededor. Dibujar de perfil.

CONTORNO. m. Circuito. Líneas que limitan una figura.

CONTORSIÓN. f. Contracción irregular de los miembros.

CONTORSIONARSE. r. Hacer contorsiones.

CONTORSIONISTA. com. Quien hace contorsiones en el circo.

CONTRA. prep. Que indica oposición.

CONTRAALMIRANTE. m. Mil. Oficial inferior al vicealmirante.

CONTRAATAQUE. m. Reacción contra el avance del enemigo.

CONTRAAVISO. m. Aviso contrario a otro todo.

CONTRABAJO. m. Instrumento de cuerda y arco, mayor que el violoncelo.

CONTRABAJÓN. m. Mús. Instrumento musical de viento.

CONTRABANDISTA. adj. s. Dedicado al contrabando.

CONTRABANDO. m. Comercio de géneros prohibidos. Estos géneros.

CONTRABARRERA. f. Segunda barrera.

CONTRABASA. f. Arq. Pedestal de una estatua o columna.

CONTRACCIÓN. f. Acción de contraerse. Sinéresis.

CONTRACIFRA. f. Clave, explicación de signos convenidos.

CONTRÁCTIL. adj. Que se puede contraer.

CONTRADANZA. f. Baile de figuras.

CONTRADECIR. tr. r. Decir lo contrario de lo que otro dice.

CONTRADICTOR-RA. adj. s. Persona que contradice.

CONTRADIQUE. m. Segundo dique, para impedir inundaciones.

CONTRAER. tr. Reducir a menor volumen. Adquirir costumbres.

CONTRAESCARPA. f. Declive del muro que da dentro del foso.

CONTRAFILO. m. Filo opuesto al corte, en las armas blancas.

CONTRAFUERO. m. Infracción del fuero.

CONTRAFUERTE. m. Pieza de refuerzo en el calzado. Refuerzo saliente en muro.

CONTRAHACER. tr. Hacer una cosa semejante a otra. Imitar.

CONTRAHECHO-CHA. adj. Concorvado, jiboso.

CONTRAHILO. m. adv. En dirección opuesta al hilo.

CONTRALTO. m. Mús. Voz media entre la de tiple y tenor.

CONTRALUZ. m. Luz contraria.

CONTRAMAESTRE. m. Jefe de obreros de un taller. Mar. Oficial que manda la marinería.

CONTRAMARCHAR. tr. Mil. Retroceder.

CONTRAMINA. f. Mina para volar la del enemigo.

CONTRAMUELLE. m. Muelle opuesto a otro principal.

CONTRAORDEN. f. Orden que revoca otra anterior.

CONTRAPARTIDA. f. Asiento en contabilidad para corregir un error.

CONTRAPELO. m. adv. Contra la dirección natural del pelo.

CONTRAPESO. m. Peso que equilibra.

CONTRAPONER. tr. r. Oponer. Cotejar cosas contrarias.

CONTRAPOSICIÓN. f. Acción de contraponer.

CONTRAPROCEDENTE. adj. De efectos contrarios a los deseados.

CONTRAPROYECTO. m. Proyecto para modificar otro.

CONTRAPRUEBA. f. Impr. Segunda prueba que sacan los impresores.

CONTRAPUERTA. f. Puerta situada inmediatamente después de otra.

CONTRAPUNTO. m. Concordancia de voces contrapuestas.

CONTRARIAR. tr. r. Oponerse, disgustarse.

CONTRARIEDAD. f. Oposición, disgusto. Contratiempo.

CONTRARIO-A. adj. Opuesto a una cosa. m. Enemigo.

CONTRARREFORMA. f. Movimiento nacido para combatir la reforma luterana.

CONTRARRÉPLICA. f. Contestación a una réplica.

CONTRARRESTAR. tr. Hacer frente. Volver la pelota del saque.

CONTRARREVOLUCIÓN. f. Revolución contraria a otra anterior.

CONTRASEGURO. m. Contrato para garantizar el seguro.

CONTRASENTIDO. m. Interpretación contraria para el sentido natural.

CONTRASEÑA. f. Señal para reconocerse.

CONTRASTAR. tr. Resistir, hacer frente. Comprobar pesos y medidas.

CONTRASTE. m. Acción de contrastar. El que contrasta.

CONTRATA. f. Documento de contrato. Convenio, ajuste.

CONTRATAR. tr. Convenir un contrato. Ajustar un servicio.

CONTRATIEMPO. m. Hecho perjudicial e inesperado.

CONTRATISTA. com. Quien ejecuta una obra por contrata.

CONTRATO. m. Acuerdo para crear una obligación.

CONTRATORPEDERO. m. Cazatorpedero, buque de guerra muy veloz.

CONTRAVALAR. tr. Sitiar con fortificaciones.

CONTRAVENENO. m. Medicamento contra el veneno.

CONTRAVENIR. intr. Obrar contra lo mandado.

CONTRAVENTOR-RA. adj. s. Que contraviene.

CONTRAVIDRIERA. f. Segunda vidriera.

CONTRAYENTE. p. a. de Contraer. Que contrae. Aplícase a la persona que contrae matrimonio.

CONTRIBUCIÓN. f. Cuota que se paga al Estado.

CONTRIBUIR. tr. Pagar la cuota por un impuesto.

CONTRIBUTIVO-VA. adj. Relativo a la contribución.

CONTRIBUYENTE. adj. Que contribuye.

CONTRICIÓN. f. Dolor del pecado por ser Dios quien es.

CONTRINCANTE. m. Rival. El que compite con otros.

CONTRISTAR. tr. r. Afligir.

CONTRITO-TA. adj. Que tiene contrición.

CONTROL. m. Galicismo por comprobación, inspección.

CONTROVERSIA. f. Discusión, disputa.

CONTRAVERTIR. intr. tr. Discutir largamente.

CONTUBERNIO. m. Cohabitación ilícita.

CONTUMACIA. f. Tenacidad en sostener un error.

CONTUMAZ. adj. Que tiene contumacia. For. Rebelde.

CONTUMELIA. f. Injuria u ofensa dicha cara a cara.

CONTUNDENTE. adj. Que causa contusión. Convincente.

CONTUNDIR. tr. y r. Golpear, magullar.

CONTURBADO-DA. adj. Revuelto, intranquilo.

CONTURBAR. tr. r. Turbar, alterar el ánimo.

CONTUSIÓN. f. Lesión interna por golpe.

CONTUSIONAR. tr. Barbarismo por contundir.

CONTUSO-SA. adj. s. Que ha sufrido contusión.

CONTUTOR. m. El que ejerce tutela juntamente con otro.

CONVALECENCIA. f. Acción y efecto de convalecer.

CONVALECER. intr. Recobrar fuerzas después de una enfermedad. [iece.

CONVALECIENTE. com. Que convalida.

CONVALIDAR. tr. Confirmar, rivalizar.

CONVECINO-NA. adj. Cercano. Que tiene la misma vecindad.

CONVENCER. tr. r. Precisar a otro a que mude de dictamen.

CONVENCIMIENTO. m. Acción de convencer.

CONVENCIÓN. f. Pacto, conformidad. Asamblea nacional.

CONVENIENCIA. f. Conformidad entre dos cosas distintas.

CONVENIENTE. adj. Oportuno, provechoso. Concorde. Decente.

CONVENIO. m. Ajuste, convención.

CONVENIR. m. Ser de igual parecer. Corresponder. r. Ajustarse.

CONVENTÍCULO. m. Junta clandestina de personas.

CONVENTO. m. Casa de una comunidad religiosa. [convento.

CONVENTUAL. adj. Perteneciente al

CONVENGIR. intr. Concurrir en un punto dos líneas.

CONVERSACIÓN. f. Acción y efecto de conversar.

CONVERSAR. intr. Hablar, conferenciar, platicar.

CONVERSIÓN. f. Acción de convertir.

CONVERSO-SA. adj. Convertido al cristianismo. m. Lego.

CONVERTIBLE. adj. Que puede convertirse.

CONVERTIDOR. m. Aparato para convertir la fundición de hierro en acero.

CONVERTIR. tr. r. Transformar una cosa en otra.

CONVEXO-XA. adj. Que es más prominente en el centro que en los extremos.

CONVICCIÓN. f. Convencimiento.

CONVICTO-TA. Dícese del reo al que se ha probado el delito.

CONVICTOR. m. En algunas partes, el que vive en un seminario, sin ser de la comunidad.

CONVIDADA. f. Convite en que solo se invita a beber.

CONVIDAR. tr. Invitar.

CONVINCENTE. adj. Que convence. Concluyente.

CONVITE. m. Acción de convidar. Banquete.

CONVIVIR. int. Vivir en compañía de otros, cohabitar.

CONVOCACIÓN. f. Acto de convocar.

CONVOCAR. tr. Citar.

CONVOCATORIA. f. Carta por la cual se convoca.

CONVOLVULO. m. Oruga muy dañina que ataca a la vid.

CONVOY. m. Escolta que protege algún transporte. Tren.

CONVOYAR. tr. r. Escoltar un convoy.

CONVULSIÓN. f. Contracción espasmódica.

CONVULSO-SA. adj. Que padece convulsiones.

CONYUGAL. adj. Perteneciente al matrimonio.

CÓNYUGE. m. Cualquiera de los dos esposos, respecto del otro.

CONYUGICIDA. com. Cónyuge que mata al otro cónyuge.

COÑAC. m. Aguardiente de graduación elevada.

COOPERACIÓN. f. Acción de cooperar.

COOPERAR. intr. Obrar juntamente con otro.

COOPERATIVA. f. Asociación de productores para comprar o vender en común.

COOPOSITOR-RA. m. y f. Persona que con otras concurre a oposiciones.

COORDINACIÓN. f. Acción de coordinar.

COORDINAR. tr. Poner en orden y método.

COPA. f. Vaso con pie para beber. Parte alta del árbol.

COPADO-DA. ad. Que tiene copa. Dícese de los árboles.

COPADOR. m. Mazo de madera para encorvar las chapas de algunos metales.

COPAL. m. Resina incolora y dura para barnices, sin olor ni sabor.

COPAR. tr. Apostar el total de la banca. Apresar por sorpresa.

COPARTÍCIPE. com. Persona que tiene participación con otra en alguna cosa.

COPAYERO. m. Árbol de que se obtiene el bálsamo de copeiba.

COPEAR. intr. Vender por copas las bebidas. Tomar copas.

COPEC. m. Moneda rusa, céntimo de rublo.

COPELA. f. Pequeño crisol hecho de huesos calcinados.

COPELAR. tr. Purificar los metales en la copela.

COPEO. m. Acción y efecto de copear.

COPERA. f. Lugar donde se guardan las copas.

COPETE. m. Cabello de pelo alzado sobre la frente. Penacho. Cima.

COPIA. f. Abundancia. Reproducción de algo. Imitación servil.

COPIADOR. adj. s. Que copia. m. com. Libro en que se copia la correspondencia.

COPIAR. tr. Escribir. Sacar copia. Imitar fielmente.

COPIOSO-SA. adj. Abundante.

COPLA. f. Estrofa. Composición poética breve.

COPLERO-RA. s. Quien vende coplas. fam. Poeta malo.

COPO. m. Mechón de lana, seda, etc. Porción de nieve.

COPÓN. m. Vaso que contiene hostias sagradas.

COPRA. f. Médula del coco de palma.

COPRÓFAGO. m. Que se alimenta de excrementos.

COPTO-TA. adj. s. Cristiano de Egipto.

CÓPULA. f. Ligazón, coito. Término que une el sujeto con el predicado o el atributo.

COPULATIVO-VA. adj. Que une dos cosas.

COQUE. m. Carbón procedente de la destilación de la hulla.

COQUERA. f. Cabeza del trompo.

COQUETA. adj. s. Que suele coquetear.

COQUETEAR. intr. Tratar de agradar una mujer a un hombre, por vanidad.

COQUINA. f. Molusco comestible que abunda en las costas gaditanas.

CORACERO. m. Soldado de caballería armado de coraza.

CORACHA. f. Saco de cuero para envase.

CORADA. f. Corazonada, toda la entraña de un animal.

CORAJE. m. Valor, esfuerzo. Irritación, ira.

CORAJINA. f. fam. Arrebato de ira.

CORAL. m. Pólipo alcionario de algunos zoófitos. adj. Relativo al coro.

CORALARIOS. m. pl. Zool. Pólipos a los que pertenecen los corales.

CORALINA. f. Coral. Alga rodofícea. Toda producción marina semejante al coral.

CORAMBRE. f. Odre. Conjunto de cueros.

CORÁN. m. Alcorán.

CORAZA. f. Armadura del busto. Mar. Blindaje. Concha de los quelonios.

CORAZON. m. Órgano central de la circulación sanguínea. Voluntad. Amor.

CORAZONADA. f. Impulso espontáneo. Presentimiento.

CORAZONCILLO. m. Hierba medicinal.

CORBACHO. m. Vergajo para castigar a los forzados.

CORBATA. f. Tira de tela que adorna el cuello.

CORBATERO-RA. m. y f. Persona que hace o vende corbatas.

CORBATIN. m. Corbata estrecha sin caídas.

CORBETA. f. Buque de guerra de tres palos y vela cuadrada.

CORCEL. m. Caballo ligero de gran alzada.

CORCINO. m. Corzo pequeño.

CORCOVA. f. Joroba.

CORCOVADO-DA. adj. s. Jorobado.

CORCOVO. m. Salto de algunos animales encorvado el lomo.

CORCUSIDO-DA. m. Costura mal hecha.

CORCUSIR. tr. Zurcir con corcusidos.

CORCHA. f. Corcho arrancado del alcornoque y en disposición de labrarse.

CORCHEA. f. Mús. Nota equivalente a la mitad de la negra.

CORCHERA. f. Cubeta de corcho para helar bebidas.

CORCHETE. m. Broche metálico compuesto de macho y hembra. Alguacil. Signo gráfico para abarcar dos o más cosas.

CORCHO. m. Tejido suberoso del alcornoque.

CORDAJE. m. Jarcia de una nave.

CORDAL. adj. s. Dícese de las muelas del juicio. m. Mús. Pieza donde se atan las cuerdas de un instrumento.

CORDATO-TA. adj. Juicioso, prudente.

CORDEL. m. Cuerda delgada.

CORDELERO-RA. s. Quien hace o vende de cordeles.

CORDELLATE. m. Tejido basto de lana.

CORDERA. f. Hija de la oveja.

CORDERO. m. Hijo de la oveja. Piel de éste. Hombre dócil.   [fortante.

CORDIAL. adj. Afectuoso. Bebida con-

CORDIALIDAD. f. Calidad de cordial. Sinceridad.

CORDILA. f. Atún recién nacido.

CORDILLA. f. Tripas de carnero.

CORDILLERA. f. Montañas enlazadas entre sí.

CORDOBÁN. m. Piel curtida de cabrón o cabra.

CORDOBÉS-SA. adj. s. De Córdoba.

CORDÓN. m. Cuerda redonda. Serie de individuos que impiden el paso.

CORDONCILLO. m. Raya de labor de algún tejido. Labor en el canto de las monedas.

CORDONERO-RA. s. Quien hace o vende cordones.

CORDURA. f. Prudencia, juicio.

COREA. f. Danza acompañada de canto.

COREAR. tr. Componer música coreada.

COREOGRAFÍA. f. Arte de la danza.

COREOGRÁFICO-CA. adj. Relativo a la coreografía.

COREÓGRAFO. m. Compositor de bailes.

COREZUELO. m. Pellejo del cochinillo asado.

CORIÁCEO-A. adj. Relativo al cuero o parecido a él.

CORIAMBO. m. Poét. Pie compuesto de dos sílabas breves, entre dos largas.

CORIANDRO. m. Planta umbelífera.

CORIFEO. m. Director del coro en la tragedia griega. Quien sigue una opinión.

CORIMBO. m. Bot. Grupos de flores que de distintos sitios del tallo se enlazan a igual altura.

CORINDÓN. m. Alúmina cristalizada.

CORINTIO-A. adj. s. De Corinto.

CORIÓN. m. Zool. Membrana exterior de las dos que envuelven al feto.

CORISTA. m. y f. Que forma parte de un coro.

CORIZA. f. Romadizo.

CORMORÁN. m. Zool. Cuervo marino.

CORNAC. m. Cornaca.

CORNACA. m. Persona que guía y cuida a los elefantes.

CORNADA. f. Herida hecha con el cuerno.

CORNALINA. f. Ágata roja.

CORNAMENTA. m. Cuernos del animal astado.

CORNAMUSA. f. Trompeta larga de metal. Gaita con odre.

CORNATILLO. m. Variedad de aceituna.

CÓRNEA. f. Parte transparente de la esclerótica.

CORNEAR. tr. Herir con cuerno.

CORNEJA. f. Nombre de algunos pájaros córvidos.

CORNEJAL. m. Cornijal.

CORNEJO. m. Arbusto cornáceo.

CÓRNEO-A. adj. Parecido al cuerno en su textura.

CORNETA. f. Instrumento de viento parecido al clarín. El que lo toca.

CORNETE. m. Conducto nasal óseo.

CORNETÍN. m. Instrumento de viento. Quien lo toca.

CORNEZUELO. m. Hongo ascomiceto.

CORNIABIERTO-TA. adj. Astado de cuernos separados.

CORNIAL. adj. Dispuesto o fabricado en figura de cuerno.

CORNICABRA. f. Terebinto.

CORNIJA. Arq. Cornisa.

CORNIJAL. m. Esquina, punta. Lienzo con que se enjuga los dedos el sacerdote.

CORNISA. f. Arq. Moldura que remata un cuerpo.

CORNISAMENTO. m. Conjunto de molduras que coronan un edificio.

CORNIVELETO-TA. adj. Toro o vaca de cuernos altos y derechos.

CORNUCOPIA. f. Espejo con brazos para poner bujías. Cuerno de la abundancia.

CORNUDILLA. f. Pez martillo.

CORNUDO-DA. Que tiene cuerno. fig. Dícese del marido de mujer adúltera.

CORNÚPETA. adj. s. Dícese del animal que embiste con los cuernos.

CORO. m. Conjunto de actores clásicos que cantaban o danzaban juntos. Rezo de horas canónicas.

COROGRAFÍA. f. Descripción geográfica de un país.

COROIDES. f. Membrana del ojo entre la esclerótica y la retina.

COROLA. f. Bot. Cubierta interior de las flores que protegen los estambres y el pistilo.

COROLARIO. m. Proposición que se deduce de lo demostrado.

CORONA. f. Círculo de metal, ramos o flores con que se ciñe la cabeza. Tonsura. Dignidad real.

CORONACIÓN. f. Acto de coronar.

CORONADO. m. Clérigo tonsurado u ordenado de menores.

CORONAL. adj. Zool. Hueso de la frente.

CORONAMIENTO. m. Fin de una obra. Remate de un edificio.

CORONAR. tr. r. Poner la corona en la cabeza. Contemplar una obra.

CORONARIA. f. Rueda del reloj que manda la aguja de los segundos.

CORONARIO-A. adj. Perteneciente a la corona.

CORONDA. adj. s. Indio que habitaba las orillas e islas del Paraná.

CORONDEL. m. Impr. Regleta con que se divide el molde en columnas.

CORONEL. m. Mil. Jefe que manda un regimiento.

CORONELA. f. Dícese de la compañía, bandera, etc., que pertenece al coronel. Mujer de éste.

CORONELÍA. f. Empleo de coronel.

CORÓNIDE. f. Fin, coronación de una cosa.

CORONILLA. f. Parte de la cabeza humana opuesta a la barbilla.

CORONIO. m. Sustancia de la corona solar.

COROZA. f. Capirote que llevaban como castigo ciertos penitentes.

CORPA. f. Trozo de mineral en bruto.

CORPIÑO. m. Almilla o jubón sin mangas.   [nidad.

CORPORACIÓN. f. Asociación, comu-

CORPORAL. adj. Perteneciente al cuerpo. Lienzo extendido sobre el ara para poner sobre la hostia y el cáliz.

CORPORATIVO-VA. adj. Relativo a la corporación.

CORPOREIDAD. f. Calidad de corpóreo.

CORPÓREO-A. adj. Que tiene cuerpo. Corporal.

CORPS. m. Persona al servicio del rey.

CORPULENCIA. f. Magnitud de un cuerpo.

CORPULENTO-TA. adj. Que tiene corpulencia.

CORPUS. m. Día en que celebra la Iglesia la festividad de la institución de la Eucaristía.

CORPUSCULAR. adj. Relativo al corpúsculo.

CORPÚSCULO. m. Cuerpo muy pequeño, célula, molécula, etc.

CORRAL. m. Lugar cerrado, descubierto, próximo a la casa, destinado a los animales. Antiguo nombre de los teatros.

CORRALERA. f. Canción andaluza. Mujer desvergonzada.

CORRALIZA. f. Corral pequeño.

CORREA. f. Tira de cuero. Flexibilidad. Paciencia.

CORREAJE. m. Conjunto de correas.

CORREAL. m. Piel de venado curtida.

CORREAZO. m. Golpe dado con correas.

CORREAR. tr. Poner correosa la lana.

CORRECCIÓN. f. Acción de corregir. Represión y censura.

CORRECCIONAL. adj. Relativo a la corrección.

CORRECTIVO-VA. adj. Que corrige o atenúa.

CORRECTO-TA. adj. Conforme a las reglas.

CORRECTOR-RA. m. Impr. Quien corrige las pruebas.

CORREDENTOR-RA. adj. Redentor juntamente con otro u otros.

CORREDERA. f. Sitio donde corren los caballos. Tabla corrediza para cerrar.

CORREDIZO-ZA. adj. Quien se desata o corre fácilmente.

CORREDOR-RA. adj. s. Que corre mucho. Galería.

CORREDURA. f. Lo que rebasa en la médida de los líquidos.

CORREGENTE. adj. s. Que ejerce regencia con otro.

CORREGIBLE. adj. Capaz de corrección.

CORREGIDOR-RA. adj. Que corrige. Antiguo gobernador.

CORREGIMIENTO. m. Empleo u oficio del corregidor.

CORREGIR. tr. Enmendar. Amonestar, reprender.

CORREJEL. m. Cuero grueso.

CORRELACIÓN. f. Relación recíproca entre dos o más cosas.

CORRELATIVO-VA. adj. Que tiene correlación.

CORRELIGIONARIO-RIA. adj. s. Que profesa la misma religión que otro, o la misma opinión política.

CORRENTÓN-NA. adj. Amigo de corretear.

CORREO. m. Quien transporta correspondencia. Servicio público.

CORREOSO-SA. adj. Dúctil, que fácilmente se dobla. fig. Clase de alimentos difíciles de masticar.

CORRER. intr. Caminar velozmente. Moverse con rapidez.

CORRERÍA. f. Incursión por tierra enemiga. Viaje corto.

CORRESPONDENCIA. f. Trato recíproco entre dos personas. Correo.

CORRESPONDER. intr. Pagar, compensar afectos. Pertenecer.

CORRESPONDIENTE. adj. Que corresponde. adj. s. Que tiene correspondencia con otra persona.

CORRESPONSAL. m. adj. s. Correspondiente, en comercio y periodismo.

CORRESPONSALÍA. f. Cargo de corresponsal de un periódico.

CORRETAJE. m. Gestión del corredor.

CORRETEAR. intr. Andar de aquí para allá.

CORRETEO. m. Acción y efecto de corretear.

CORREVEDILE. m. Persona chismosa. Alcahuete.

CORREVERAS. m. Juguete que se mueve por resorte.

CORRIDA. f. Carrera. Fiesta.

CORRIDO-DA. adj. Que pasa del peso o medida. m. Avergonzado.

CORRIENTE. adj. Que corre. Flúido. Curso de las aguas.

CORRIENTEMENTE. adv. m. Claramente, sin dificultad.

CORRILLERO-RA. adj. Persona aficionada a andar de corrillo en corrillo.

CORRILLO. m. Grupo de personas apartadas para conversar.

CORRIMIENTO. m. Acción y efecto de correr. Rubor.

CORRINCHO. m. Junta de gente ruín.

CORRO. m. Cerco de gente, espacio que ocupa. Juego de niñas.

CORROBORACIÓN. f. Acción y efecto de corroborar.

CORROBORAR. tr. r. Vivificar, dar nueva fuerza. Confirmar algo.

CORROER. tr. Desgastar royendo. Perturbar.

CORROMPER. tr. r. Alterar, viciar, sobornar, pudrir.

CORROMPIDAMENTE. adv. m. Errada y viciadamente.

CORROSIVO-VA. adj. Que corroe.

CORRUGACIÓN. f. Contracción o encogimiento.

CORRUPCIÓN. f. Acción de corromper. Mal olor.

CORRUPTELA. f. Corrupción, abuso.

CORRUPTO-TA. adj. Corrompido.

CORRUPTOR-RA. adj. Que corrompe.

CORRUSCO. m. Mendrugo.

CORSARIAMENTE. adv. m. A lo corsario.

CORSARIO-RIA. adj. s. Dícese de la nave en corso y de quien la manda.

CORSETERÍA. f. Fábrica o tienda de corsés.

CORSÉ. m. Prenda femenina ajustada al cuerpo.

CORSETERO-RA. s. Quien hace o vende corsés.

CORSO. m. Campaña de buques mercantes para perseguir al enemigo.

CORTA. f. Tala. Acción de cortar árboles.

CORTABOLSAS. com. fam. Ladrón, ratero.

CORTACALLOS. m. Cuchillo especial de callista.

CORTACIRCUITOS. m. Aparato para interrumpir circuitos.

CORTACORRIENTE. m. Conmutador eléctrico.

CORTADERA. f. Cuña de acero para cortar hierro candente.

CORTADILLO. m. Vaso pequeño cilíndrico.

CORTADO-DA. adj. Ajustado, que se expresa con cláusulas breves.

CORTADOR-RA. adj. Que corta. m. Quien corta telas, carnes.

CORTADURA. f. Acción de cortar. Paso entre montañas.

CORTAFRÍO. m. Cincel para cortar hierro en frío.

CORTAFUEGO. m. Vereda ancha para que no se propague el fuego en el monte.

CORTALÁPICES. m. Instrumento para afilar lápices.

CORTAPICOS. m. Insecto ortóptero, dañino para las plantas.

CORTAPISA. f. Restricción.

CORTAPLUMAS. m. Navaja pequeña.

CORTAPUROS. m. Útil para cortar la punta del puro.

CORTAR. tr. Recortar, interrumpir. Detener. Castrar las colmenas.

CORTE. m. Filo, acción de cortar. Tela necesaria para una prenda. Ciudad donde reside el soberano.

CORTEDAD. f. Poca extensión, escasez de talento.

CORTEJAR. tr. Acompañar. Galantear.

CORTEJO. m. Acto de cortejar. Acompañamiento.

CORTÉS. adj. Afable, obsequioso.

CORTESANÍA. f. Cortesía.

CORTESANO-NA. adj. Relativo a la corte. s. Palaciego.

CORTESÍA. f. Demostración de atención.

CORTÉSMENTE. adv. Con cortesía.

CORTEZA. f. Capa exterior de árboles y frutas.

CORTEZUDO-DA. adj. Que tiene mucha corteza. Rústico.

CORTICAL. adj. Relativo a la corteza.

CORTIJADA. f. Conjunto de cortijos.

CORTIJERO-RA. m. y f. Persona que cuida de un cortijo.

CORTIJO. m. Finca de tierra y casa de labor.

CORTIL. m. Corral, sitio cerrado y descubierto.

CORTINA. f. Paño colgante que cubre una puerta o ventana.

CORTINADO-DA. adj. ant. Que tiene cortinas.

CORTINAJE. m. Juego de cortinas.

CORTINAL. m. Pedazo de tierra cerrado, próximo al pueblo.

CORTINILLA. f. Cortina pequeña.

CORTO-A. adj. Que no tiene la extensión debida. De poca duración. Tímido.

CORTÓN. m. Insecto ortóptero dañino.

CORUÑÉS-SA. adj. s. De La Coruña.

CORUSCAR. intr. Poét. Brillar.

CORVA. f. Parte de la pierna opuesta a la rodilla.

CORVADURA. f. Parte por donde se dobla una cosa.

CORVATO. m. Pollo del cuervo.

CORVEJÓN. m. Parte donde se encorva la pierna de un cuadrúpedo.

CORVETA. f. Movimiento del caballo alzando los brazos.

CORVETEAR. intr. Hacer corvetas el caballo.

CORVINA. f. Pez de carne muy apreciada.

CORVINO-NA. adj. Relativo al cuervo.

CORVO-VA. adj. Arqueado. m. Garfio.

CORZA. f. Hembra del corzo.

CORZO. m. Rumiante rabón y con las cuernas ahorquilladas.

CORZUELO. m. Granos de trigo que no han perdido la cascarilla.

COSA. f. Lo que tiene entidad.

COSACO-CA. adj. s. Pueblo pastor y guerrero ruso.

COSARIO. m. Trajinero, recadero.

COSCOJA. f. Encina achaparrada.

COSCOJAL. m. Lugar poblado de coscajas.

COSCOJO. m. Agalla que forma el quermes en la coscoja.

COSCORRÓN. m. Golpe dado en la cabeza.

COSECANTE. f. Secante del complemento de un arco.

COSECHA. f. Conjunto de frutos agrícolas.

COSECHAR. intr. r. Recoger la cosecha.

COSECHERO-RA. s. Persona que tiene cosecha.

COSELETE. m. Coraza ligera. Tórax de los insectos.

COSENO. m. Seno del complemento de un arco.

COSER. tr. Unir con puntadas.

COSETADA. f. Paso acelerado.

COSIBLE. adj. Que puede coserse.

CÓSICO. adj. Arit. Número que es potencia exacta de otro.

COSIDO. m. Acción y efecto de coser.

COSMÉTICO-CA. adj. s. Que sirve para hermosear la tez.

CÓSMICO-CA. adj. Relativo al Cosmos.

COSMOGONÍA. f. Ciencia de la formación del Universo.

COSMOGÓNICO-CA. adj. Relativo a la cosmografía.

COSMOGRAFÍA. f. Astronomía descriptiva.

COSMÓGRAFO. m. Quien se dedica a la cosmología.

COSMOLOGÍA. f. Ciencia de las leyes que gobiernan el mundo físico.

COSMÓLOGO. m. Profesor de cosmología.

COSMOPOLITA. adj. s. Que tiene por patria el mundo entero.

COSMORAMA. m. Aparato para aumentar la imagen de los objetos mediante una cámara oscura.

COSMOS. m. Mundo, universo.

COSO. m. Lugar cercado para diversiones públicas. Calle principal en algunas poblaciones.

COSPE. m. Corte que se hace en los maderos para desbastarles.

COSPEL. m. Disco de metal que recibe la acuñación de las monedas.

COSPILLO. m. Orujo de la aceituna.

COSQUILLAS. f. pl. Sensación producida en algunas partes del cuerpo tocadas ligeramente.

COSQUILLEO. m. Sensación de cosquillas.

COSQUILLOSO-SA. adj. Susceptible de cosquillas. Quisquilloso.

COSTA. f. Tierra que bordea el mar. Precio. Gastos judiciales.

COSTADO. m. Parte lateral del cuerpo humano. Lado.

COSTAL. adj. Saco grande. Relativo a las costillas.

COSTALADA. f. Golpe de uno al caer al suelo.

COSTALAZO. m. Costalada.

COSTANERO-RA. adj. Que está en cuesta. Relativo a la costa.

COSTANILLA. f. Calle corta y empinada.

COSTAR. intr. Ser adquirido por un precio.

COSTARRICENSE. adj. Costarriqueño.

COSTARRIQUEÑO-ÑA. adj. s. De Costa Rica.

COSTE. m. Costa, lo que cuesta una cosa.

COSTEAR. tr. Sufragar el gasto. Navegar junto a la costa.

COSTEÑO-ÑA. adj. Costanero.

COSTERO-RA. adj. Costanero. m. Muro de un alto horno.

COSTIL. adj. Perteneciente a las costillas.

COSTILLA. f. Hueso largo y curvo que va desde la columna vertebral al esternón.

COSTILLAR. m. Conjunto de costillas.

COSTILLER. m. Oficial palatino que acompañaba al rey.

COSTO. m. Costa. precio.

COSTOSO-SA. adj. Que cuesta mucho.

COSTRA. f. Cubierta endurecida. Costilla.

COSTRADA. f. Especie de empanada.

COSTROSO-SA. adj. Que tiene costras.

COSTUMBRE. f. Hábito adquirido por la repetición de actos de la misma especie.

COSTUMBRISTA. adj. Persona que estudia o cultiva las costumbres.

COSTURA. f. Puntadas de un cosido. Acción y efecto de coser.

COSTURERA. f. La que cose por oficio.

COSTURERO. m. Cajón-mesa para la costura.

COSTURÓN. m. Aumentativo de costura. Cicatriz.

COTA. f. Armadura de mallas. Cuota.

COTANA. f. Agujero cuadrado para encajar un madero.

COTANGENTE. f. Tangente del complemento de un ángulo o arco.

COTANZA. f. Lienzo entrefino.

COTARDIA. f. Jubón forrado usado en España en la Edad Media.

COTARRA. f. Ladera.

COTARRERA. f. Mujer baja y común.

COTARRO. m. Albergue de pobres. Ladera de un barranco.

COTEJAR. tr. Comparar.

COTEJO. m. Acción de cotejar.

COTERRÁNEO-A. adj. Conterráneo.

COTIDIANO-NA. adj. Diario.

COTILA. f. Cavidad de un hueso en el que entra otro.

COTILEDÓN. m. Parte del embrión de las fenerógamas.

COTILEDÓNEO-A. adj. Bot. Relativo al cotiledón.

COTILLA. m. Corpiño femenino armado con ballenas. Chismoso.

COTILLEAR. intr. Chismorrear.

COTILLO. m. Parte de las herramientas que sirve para golpear.

COTILLÓN. m. Baile de figuras.

COTIZACIÓN. f. Acción y efecto de cotizar.

COTIZAR. tr. Asignar precio. intr. Recaudar cuotas.

COTO. m. Sitio vedado. Límite. tasa.

COTÓN. m. Algodón.

COTONÍA. f. Lona de cáñamo con trama de algodón.

COTORRA. f. Ave prensora menor que el papagayo. fam. Persona habladora.

COTORREAR. intr. Hablar con exceso.

COTUFA. f. Tubérculo de la aguaturma, comestible.

COTURNO. m. Calzado alto usado en la tragedia griega.

COVACHA. f. Cueva pequeña.

COVACHUELA. f. des. Oficina de Ministerio.

COVACHUELISTA. m. des. Oficinista del Estado.

COVADERA. f. Depósito natural de guano.

COXAL. adj. Relativo a la cadera.

COXALGIA. f. Dolor de la cadera.

COXIS. m. Zool. Cóccix.

COYA. f. Princesa entre los antiguos peruanos.

COYOTE. m. Lobo gris mejicano.

COYUNDA. f. Correa para uncir bueyes, atar barras. Unión conyugal.

COYUNTURA. f. Articulación móvil de los huesos.

COYUYO. m. Cigarra grande.

COZ. f. Golpe de las bestias dado con las patas posteriores.

CRAC. m. Barbarismo por quiebra comercial.

CRAN. m. Impr. Muesca del tipo.

CRANEAL. adj. Perteneciente o relativo al cráneo.

CRÁNEO. m. Caja ósea que contiene el encéfalo.

CRANEOLOGÍA. f. Estudio de los cráneos.

CRÁPULA. f. Libertinaje.

CRAPULOSO-SA. adj. Libertino.

CRASAMENTE. adv. m. Con suma ignorancia.

CRASCITAR. intr. Graznar el cuervo.

CRASIENTO-TA. adj. Grasiento.

CRASITUD. f. Obesidad.

CRASO. adj. Grueso. fig. Indisculpable.

CRÁTER. m. Boca del volcán.

CRÁTERA. f. Jarro grecorromano.

CRATÍCULA. f. Ventanita por donde se dá la comunión a las monjas.

CRAZA. f. Crisol para fundir oro y plata para amonedarlos.

CREACIÓN. m. Acto de crear. Universo.

CREADOR-RA. adj. Que crea. Dios.

CREAR. tr. r. Sacar de la nada. Instituir. Producir.

CRÉBOL. m. Acebo.

CRECEDERO-RA. adj. Acto para crecer.

CRECER. intr. Aumentar el tamaño.

CRECES. f. pl. Aumento, ventaja.

CRECIDA. f. Aumento de caudal en los ríos, etc.

CRECIENTE. adj. Que crece. Media luna con puntas hacia arriba.

CRECIMIENTO. m. Acción y efecto de crecer.

CREDENCIAL. adj. Que acredita. f. Documento que confiere un destino.

CREDENCIERO. m. El copero del rey o señor feudal.

CRÉDITO. m. Reputación. Ascenso. com. Deuda o favor.

CREDO. m. Símbolo de fe. Oración. Conjunto de doctrinas.

CREDULAMENTE. adv. m. Con credulidad.

CREDULIDAD. f. Calidad de crédulo.

CRÉDULO-LA. adj. Que cree fácilmente.

CREEDERAS. f. pl. fam. Excesiva credulidad.

CREEDERO-RA. adj. Verosímil.

CREEDOR-RA. adj. Crédulo.

CREENCIA. f. Asentimiento firme a una cosa. Religión.

CREER. tr. Dar por cierto. Tener fe. Juzgar.

CREHUELA. f. Lienzo ordinario y flojo.

CREÍBLE. adj. Digno de crédito.

CREMA. f. Nata de la leche. Diéresis. Pasta para suavizar pieles.

CREMACIÓN. f. Acto de quemar.

CREMALLERA. f. Tira dentada que engrana con un piñón.

CREMATÍSTICA. f. Economía política.

CREMATORIO-RIA. adj. Que sirve para incinerar.

CREMENTO. m. Incremento.

CREMÓMETRO. m. Aparato para medir la manteca en la leche.

CRÉMOR. m. Tartrato ácido de potasa, purgante.

CRENCHA. f. Raya que divide el cabello en dos mitades.

CREOSOTA. f. Líquido de la destilación de la madera, cáustico.

CREOSOTAR. tr. Impregnar de creosota las maderas para que no pudran.

CREPÉ. m. Tela ligera generalmente de seda.

CREPITACIÓN. f. Acto de crepitar.

CREPITAR. intr. Chisporrotear, estallar, etc., los combustibles al arder.

CREPÓN. m. Rabadilla de las aves.

CREPUSCULAR. adj. Relativo al crepúsculo.

CREPÚSCULO. m. Claridad del amanecer y anochecer. Tiempo que dura.

CRESA. f. Semilla de la abeja maestra o reina.

CRESO. m. fig. El que posee grandes riquezas.

CRESPÍN. m. Adorno femenino antiguo.

CRESPINA. f. Cofia o redecilla para sujetar el pelo las mujeres.

CRESPO-PA. adj. Encarrujado, retorcido.

CRESPÓN. f. Gasa con la urdimbre más retorcida que la trama.

CRESTA. f. Carnosidad roja de algunas aves. Penacho. Cumbre de una montaña.

CRESTADO-DA. adj. Que tiene cresta.

CRESTERÍA. f. Adorno de los edificios.

CRESTOMANÍA. f. Colección de escritos para la enseñanza.

CRETA. f. Carbonato de cal terroso.

CRETÁCEO-A. adj. Dícese del tercer período de la era secundaria.

CRETENSE. adj. s. De Creta.

CRETINISMO. m. Enfermedad endémica por la que se detiene el desarrollo físico y mental.

CRETINO-NA. adj. s. Que padece cretinismo.

CRETONA. f. Tela de algodón blanca o estampada.

CREYENTE. adj. s. Que cree.

CRÍA. f. Acción y efecto de criar. Niño o animal mientras se está criando.

CRIADA. f. Moza.

CRIADERO-RA. adj. Lugar para la cría de animales y plantas.

CRIADILLA. f. Testículo. Hongo.

CRIADO-DA. s. Persona que sirve por salario.

CRIADOR-RA. adj. Fecundo en criar. m. Vivero, plantel.

CRIANZA. f. Urbanidad. Educación.

CRIAR. tr. Crear. Nutrir la madre al hijo. Educar.

CRIATURA. f. Toda cosa criada. Niño de poca edad.

CRIBA. f. Cedazo de cuero para limpiar el grano.

CRIBADO. m. Efecto de cribar.

CRIBAR. tr. Limpiar las semillas con la criba.

CRIBETE. m. Especie de camastro.

CRIBO. m. Criba.

CRIC. m. Gato para levantar pesos.

CRICOIDES. m. Cartílago anular de la laringe que forma la parte inferior de este órgano.

CRIMEN. m. Delito grave.

CRIMINAL. adj. Relativo al crimen. El que lo ha cometido.

CRIMINALIDAD. f. Calidad de criminal.

CRIMINALISTA. adj. s. Quien se dedica al estudio de Derecho Penal.

CRIMINAR. tr. Censurar.

CRIMINOLOGÍA. f. Tratado acerca de los delitos.

CRIMINOSO-SA. adj. Criminal.

CRIMNO. m. Harina gruesa.

CRIN. f. Conjunto de cerdas en la cerviz y cola de algunos animales.

CRINADO-DA. adj. Poét. Que tiene el cabello largo.

CRINOLINA. f. Galicismo, por miriñaque, zagalejo.

CRÍO. m. fam. Niño o niña pequeño.

CRIOLLO-LLA. adj. s. Hijo de europeos nacidos en otra parte del mundo.

CRIPTA. f. Catacumba. Gruta.

CRIPTÓGAMO-MA. adj. Bot. Que no tiene manifiestos los órganos sexuales.

CIPTOGRAFÍA. f. Arte de escribir con caracteres secretos.

CRIPTOGRAMA. m. Documento cifrado.

CRIPTÓN. m. Quím. Uno de los gases del aire.

CRIQUET. (Del inglés). m. Juego de pelota.

CRIS. m. Arma blanca de forma serpenteada.

CRISÁLIDA. f. Zool. Ninfa, insecto.

CRISANTEMO. m. Planta compuesta, de jardín.

CRISIS. f. Momento de la decisión de una enfermedad. Dificultad que obliga a dimitir a un ministerio.

CRISMA. s. óleo Santo.

CRISMERA. f. Vaso de plata en que se guarda el crisma.

CRISMÓN. m. Monograma de Cristo.

CRISOL. m. Vaso para fundir metales.

CRISOLAR. tr. Acrisolar, depurar en el crisol.

CRISÓLITO. m. Silicato nativo de hierro y magnesio.

CRISOMÉLIDOS. m. pl. Zool. Familia de insectos coleópteros.

CRISOPEYA. f. Arte con que se pretendía transmutar los metales en oro.

CRISOPRASA. f. Ágata verde manzana.

CRISPAR. tr. Causar contracción repentina y pasajera en los músculos.

CRISPATURA. f. Efecto de crispar o crisparse.

CRISPIR. tr. Salpicar de pintura para imitar piedras de grano.

CRISTAL. m. Cuerpo que se presenta en forma poliédrica. Vidrio purificado.

CRISTALERA. f. Armazón con cristales.

CRISTALINO-NA. adj. De cristal o parecido a él. m. Cuerpo transparente en el ojo, detrás de la pupila, en forma de lente biconvexa.

CRISTALIZACIÓN. f. Acción de cristalizar. Cosa cristalizada.

CRISTALIZAR. tr. r. Reducir a cristal.

CRISTALOGRAFIA. f. Ciencia que estudia los cristales.

CRISTALOIDE. m. Disolución que pasa por los poros que no atraviesa un coloide.

CRISTIANAR. tr. fam. Bautizar.

CRISTIANDAD. f. Premio de los fieles cristianos.

CRISTIANISMO. adj. Religión cristiana.

CRISTIANIZAR. fr. Conformar una cosa con el rito cristiano.

CRISTIANO-NA. adj. s. Que profesa la fe de Cristo o perteneciente a su religión.

CRISTINO-NA. adj. Partidario de Isabel II bajo la regencia de su madre.

CRISTO. m. El Hijo de Dios hecho hombre. Crucifijo.

CRISUELA. f. Cazoleta del candil.

CRITERIO. m. Pauta, norma para conocer la verdad. Juicio. Discernimiento.

CRITICA. f. Arte de juzgar por reglas.

CRITICADOR-RA. adj. Que critica o censura.

CRITICAR. tr. Juzgar de las cosas, según principios. Vituperar.

CRITICASTRO. m. despec. El que sin fundamento censura.

CRITICO. adj. Relativo a la crítica. Quien juzga.

CRITICÓN-NA. adj. s. fam. Que todo lo censura.

CRIZNEJA. f. Trenza de pelo.

CROAR. intr. Cantar la rana.

CROATA. adj. s. De Croacia.

CROCO. m. Azafrán.

CROCHÉ. (Del francés crochet). m. Gancho, ganchillo y labor de punto hecha con ellos.

CROMAR. tr. Recubrir metales con ligera capa de cromo.

CROMATICO-CA. adj. Relativo al color de los colores. Dícese del cristal que presenta irisaciones.

CROMATINA. f. Biol. Substancia del núcleo de las células.

CROMATISMO. m. Calidad de cromático.

CROMO. m. Metal gris quebradizo y refractario.

CROMOGENO-NA. adj. Bacterias colorantes.

CROMOLITOGRAFIA. f. Impr. Arte de litografiar en colores.

CROSMOFERA. f. Zona superior de la envoltura gaseosa del sol.

CROMOTIPIA. f. Impresión en colores.

CRÓNICA. f. Relación ordenada de hechos históricos.

CRÓNICO-CA. ad. Habitual.

CRONICÓN. m. Breve narración histórica.

CRONISTA. com. Quien escribe crónicas.

CRONÓGRAFO. m. Aparato para medir tiempos muy pequeños.

CRONOLOGÍA. f. Ciencia que determina el orden y fechas de los sucesos históricos.

CRONOMETRIA. f. Medida exacta del tiempo.

CRONÓMETRO. m. Reloj de mucha precisión.

CROQUET. m. Juego de jardín.

CROQUETA. f. Albóndiga rebozada con leche, huevo y pan rallado.

CROQUIS. m. Diseño o dibujo ligero.

CRÓTALO. m. Castañuela. Serpiente de cascabel.

CROTÓN. m. Bot. Ricino.

CRUCE. m. Acción de cruzar. Punto donde se cruzan dos líneas.

CRUCERÍA. f. Adorno gótico.

CRUCERO. adj. Encrucijada. Arq. Dícese del arco que va de un ángulo al opuesto en las bóvedas por arista.

CRUCIAL. adj. Momento decisivo.

CRUCIFERO. adj. Dícese de ciertas plantas dicotiledóneas de hojas alternas.

CRUCIFICADO-DA. p. p. De Crucificar. Jesucristo por antonomasia.

CRUCIFICAR. tr. Clavar en una cruz.

CRUCIFIJO. m. Efigie de Cristo crucificado.

CRUCIFIXIÓN. f. Acción y efecto de crucificar.

CRUCIGRAMA. m. Pasatiempo de palabras cruzadas.

CRUDELISMO-MA. adj. Muy cruel.

CRUDEZA. f. Esperanza, rigor.

CRUDO-DA. adj. Que no está cocido. Cruel, áspero.

CRUEL. adj. Que se deleita en hacer mal.

CRUELDAD. f. Inhumanidad.

CRUENTO-TA. adj. Sangriento.

CRUJÍA. f. Tránsito largo de los edificios.

CRUJIDO. m. Acción y efecto de crujir.

CRUJIR. intr. Rechinar.

CRÓOR. m. Principio colorante de la sangre.

CRUP. f. Garrotillo; difteria.

CRUPIÉ. m. Galicismo por ayudante del banquero ,en las casas de juego.

CRURAL. adj. Relativo al músculo.

CRUSTÁCEO. Artrópodos de respiración branquial con dos pares de antenas.

CRÓSTULA. f. Cortezuela.

CRUZ. f. Armazón formada por dos leños uno a través del otro. Figura formada por dos líneas que se cortan perpendicularmente.

CRUZADA. f. Expedición guerrera contra los infieles. Campaña.

CRUZADO-DA. adj. s. Que lleva cruz. Quien tomaba parte en una cruzada.

CRUZAMIENTO. m. Acción de cruzar las razas.

CRUZAR. tr. Atravesar. Dar a las hembras machos de distinta casta.

CU. f. Nombre de la letra Q.

CUACARA. f. Vulgarismo por blusa o chaqueta.

CUADERNA. f. Antigua moneda de dos cuartos u ocho maravedises.

CUADERNAL. m. Conjunto de poleas paralelas.

CUADERNILLO. m. Conjunto de cinco pliegos de papel.

CUADERNO. m. Conjunto de pliegos de papel cosidos.

CUADRA. f. Caballería. Sala de un cuartel.

CUADRADA. f. Mús. Figura que vale dos compases mayores.

CUADRADILLO. m. Regla prismática cuadrangular.

CUADRADO-DA. adj. Perfecto, cabal. m. Geom. Paralelogramo de cuatro lados iguales a cuatro ángulos rectos.

CUADRAGENARIO-RIA. adj. De cuarenta años.

CUADRAGESIMAL. adj. Relativo a la cuaresma.

CUADRAGÉSIMO-MA. adj. Que sigue en orden a lo trigésimo.

CUADRANGULAR. adj. Cuadrángulo.

CUADRANGULO-LA. adj. m. Que tiene cuatro ángulos.

CUADRANTE. adj. Que cuadra. m.

Cuarta parte del círculo. Reloj de sol.

CUADRANURA. f. Pata de gallina.

CUADRAR. tr. Formar un cuadro. intr. Venir bien una cosa con otra. Mat. Elevar a la segunda potencia.

CUADRATÍN. m. Impr. Cuadrado pequeño para espaciar.

CUADRATURA. f. Geom. Acto de cuadrar.

CUADRICIMAL. adj. Cada cuarenta años.

CUADRÍCULA. f. Pint. Conjunto de cuadros que sirve para dar a una obra sus justas proporciones.

CUADRICULAR. tr. Ajustar una pintura con el original, por medio de cuadrículas.

CUADRIENTO. m. Cada cuatro años.

CUADRIGA. f. Tiro de cuatro caballos enganchados de frente.

CUADRIL. m. Hueso del anca.

CUADRILÁTERA-RO. Que tiene cuatro lados.

CUADRILATERAL. adj. Que tiene cuatro letras.

CUADRILONGO-GA. adj. Rectangular. m. Rectángulo.

CUADRILLA. f. Conjunto de personas para el desempeño de algún oficio.

CUADRILLERO. m. Cabo de cuadrilla. Individuo de ella.

CUADRINOMIO. m. Expresión algebraica de cuatro términos.

CUADRIVIO. m. Paraje donde concurren cuatro sendas. Antiguo conjunto de cuatro artes matemáticas; aritmética, música, geometría y astronomía.

CUADRO. m. Cuadrado, lienzo pintado. División del acto de una obra dramática.

CUADRÚMANO-NA. adj. s. Zool. Mamíferos de cuatro manos.

CADRÚPEDO-DA. adj. s. De cuatro pies.

CUADRÚPLE. adj. s. Que contiene un número cuatro veces.

CUADRUPLICAR. tr. Multiplicar por cuatro.

CUADRUPLO-PLA. adj. s. Cuádruple.

CUAJADA. f. Parte de la leche que se separa del suero.

CUAJADILLO. m. Labor que se hace en seda.

CUAJADO-DA. adj. Paralizado por el asombro.

CUAJAR. m. Última cavidad del estómago de los rumiantes. tr. r. Coagular.

CUAJARÓN. m. Porción de líquido cuajado.

CUAJO. m. Materia contenida en el cuajar de los rumiantes que aún no pacen. Cuajar.

CUAL. pron. relat. Que equivale al pronombre "que".

CUALESQUIERA. pron. indet. pl. de Cualquiera.

CUALIDAD. f. Calidad, manera de ser.

CUALITATIVO-VA. adj. Que denota cualidad.

CUALQUE. pron. inde. Cualquier, cualquiera.

CUALQUIER. adj. indef. Apócope de "cualquiera".

CUAN. adv. c. Apócope de "cuanto".

CUANDO. adv. En el tiempo en que.

CUANTÍA. f. Cantidad.

CUANTIAR. tr. Tasar, apreciar la hacienda.

CUANTIDAD. f. Cantidad usada por los matemáticos principalmente.

CUANTIOSO-SA. adj. Grande en cantidad o en número.

CUANTITATIVO-VA. adj. Relativo a la cantidad.

CUANTO-TA. adj. Que incluye cantidad indeterminada.

CUÁQUERO-RA. s. Miembro de una secta protestante, de moral muy rigurosa.

CUARCITA. f. Rosa silícea.

CUARENTA. adj. Cuatro veces diez.

CUARENTENA. f. Conjunto de cuarenta unidades. Tiempo que se pasa en el lazareto.

CUARENTENO. m. Peine del telar que tiene cuatro mil hilos.

CUARENTÓN-NA. adj. Persona que ha cumplido los cuarenta años.

CUARESMA. f. Tiempo entre el miércoles de Ceniza y la Pascua.

CUARTA. f. Palmo. Cada una de las cuatro partes de un todo.

CUARTAGO. m. Rocín de mediano cuerpo.

CUARTAL. m. Pan que suele equivaler a la cuarta parte de una hogaza.

CUARTANA. f. Fiebre intermitente, cuyos accesos se suceden de cuatro en cuatro días.

CUARTANARIO-RIA. adj. Que padece cuartanas.

CUARTAR. tr. Cuarto volteo a la tierra para sembrar.

CUARTEAR. tr. Partir o dividir en cuatro partes. Agrietarse.

CUARTEL. m. Distrito de una ciudad. Alojamiento militar.

CUARTELADA. f. Reunión de jefes y oficiales.

CUARTELILLO. Edificio para alojar a una sección de tropa.

CUARTEO. m. Esguince para evitar un golpe.

CUARTERA. f. Medida catalana para áridos de unos 70 l.

CUARTERÓN-NA. adj. s. Nacido de blanco y mestiza o al contrario. m. Cuarta parte.

CUARTETA. f. Combinación de cuatro versos octosílabos.

CUARTETO. m. Estrofa de cuatro versos endecasílabos. Mús. Composición para cuatro voces.

CUARTILLA. f. Parte entre el menudillo y casco de las caballerías. Cuarta parte de una fanega. Pliego, etc.

CUARTILLO. m. Cuarta parte del azumbre, celemín o real.

CUARTILLUDO-DA. adj. Que tiene largas las cuartillas.

CUARTO-TA. adj. Que sigue en orden al tercero. m. Aposento.

CUARTOGÉNITO-TA. adj. Nacido en cuarto lugar.

CUARZO. m. Sílice de fractura concoidea. Dura.

CUASI. adv. Casi.

CUASIA. f. Planta rutácea medicinal.

CUASIMODO. m. Domingo de la octava de Pascua.

CUATERNA. f. Acierto en cuatro números en el juego de lotería.

CUATERNARIO-RIA. adj. s. Que consta de cuatro elementos.

CUATERNIDAD. f. Conjunto de cuatro personas.

CUATERNO-NA. adj. Que consta de cuatro números.

CUATREÑO-ÑA. adj. Novillo de cuatro años.

CUATRERO. m. adj. s. Ladrón que hurta bestias.

CUATRIMESTRE. m. Espacio de cuatro meses.

CUATROCENTISTA. m. Escritores y artistas del siglo XV.

CUATROCIENTOS-TAS. adj. Cuatro veces ciento.

CUBA. f. Vasija para líquidos. fam. Persona muy bebedora.

CUBANO-NA. adj. s. De Cuba.

CUBERÍA. f. Taller o tienda del cubero.

CUBERO. m. El que hace o vende cubas.

CUBESA. m. Árbusto cuyo fruto es depurativo enérgico.

CUBETA. f. Cuba del aguador. Receptáculo inferior de los termómetros.

CUBICACIÓN. f. Acción y efecto de cubicar.

CUBICAR. tr. Arit. Multiplicar un número por su cuadrado.

CÚBICO-CA. adj. Mat. Relativo al cubo. Dícese de la raíz de tercer grado de una cantidad.

CUBICULARIO. m. Servidor de las cámaras reales.

CUBÍCULO. m. Aposento, alcoba.

CUBIERTA. f. Lo que tapa o cubre una cosa.

CUBIERTO-TA. m. Techumbre. Servicio de mesa.

CUBIL. m. Paraje donde los animales duermen. Cauce del agua corriente.

CUBILAR. Majada, albergue nocturno.

CUBILETE. m. Vaso de metal, cuerpo o madera, más ancho por la boca que por el fondo.

CUBILOTE. m. Horno para refundir el hierro.

CUBILLO. m. Corraleja.

CUBISMO. m. Teoría estética, que imita las figuras geométricas.

CUBISMO. m. Moderna escuela pictórica.

CUBITAL. adj. Relativo al codo.

CÚBITO. m. Hueso más grueso del antebrazo.

CUBO. m. Vasija en forma de tronco de cono. Arit. Tercera potencia de un número. Geom. Hexaedro regular. Arq. Adorno en relieve.

CUBOIDES. m. Hueso situado en la parte supero-externa del torso.

CUBRECADENA. m. Pieza que protege la cadena.

CUBRECAMA. f. Colcha.

CUBRIR. tr. r. Tapar por entero, algo. Proteger. Defender.

CUCA. f. Chufa de hacer horchata.

CUCAMONAS. f. pl. fam. Carantoñas.

CUCAÑA. f. Palo enjabonado, que en su extremo tiene un premio.

CUCAR. tr. Hacer mofa o burla, guiñar el ojo.

CUCARACHA. f. Cochinilla. Insecto ortóptero nocturno.

CUCARDA. f. Escarapela.

CUCLILLAS (EN). m. adv. Sentarse sobre el calcañal del pie.

CUCLILLO. m. Ave trepadora.

CUCO-CA. adj. Lindo. Sagaz. Ladino. Cuclillo.

CUCÚ. m. Canto del cuclillo.

CUCULLA. f. Prenda para cubrir la cabeza.

CUCÚRBITA. f. Quím. Vasija para destilar.

CUCURBITÁCEO-A. adj. Dícese de las plantas dicotiledóneas rastreras o trepadoras.

CUCURUCHO. m. Papel arrollado en forma de cono.

CUCUYO. m. Cocuyo.

CUCHAR. tr. Abonar las tierras con cucho.

CUCHARA. f. Útil de mesa en forma de palita cóncava para comer. Mar. Achicador.

CUCHARADA. f. Lo que cabe en una cuchara.

CUCHARAL. f. Bolsa de piel de los pastores para las cucharas.

CUCHARILLA. f. Dim. de Cuchara. Enfermedad del hígado de los cerdos.

CUCHARÓN. m. Cacillo para repartir ciertos manjares en la mesa.

CUCHICHEAR. intr. Hablar en voz baja o al oído.

CUCHICHIAR. intr. Cantar la perdiz.

CUCHILLA. f. Instrumento acerado que sirve para cortar. Hoja del arma blanca.

CUCHILLADA. f. Golpe de arma de corte. Herida que causa.

CUCHILLERO. m. El que hace o vende cuchillos.

CUCHILLO. m. Instrumento cortante con mango. Añadidura hecha a un vestido.

CUCHIPANDA. f. Francachela.

CUCHITRIL. m. Habitación estrecha y sucia.

CUCHO. m. Abono de estiércol y materias vegetales.

CUCHUFLETA. f. Chanza, broma, pulla.

CUDRIA. f. Soga de esparto crudo.

CUELGA. f. Regalo o fineza que se da el día del cumpleaños.

CUELLO. m. Parte que une la cabeza y el tronco. Tira de tela que cubre el cuello.

CUENCA. f. Escudilla del peregrino. Cavidad de los ojos. Territorio cuyas aguas van todas al mismo río.

CUENCO. m. Vaso de barro, hondo y ancho, sin borde o labio.

CUENDA. f. Cordoncillo de hilos que recoge y divide la madeja para que no se enmarañe.

CUENTA. f. Acción de contar. Cálculo aritmético. Bolilla ensartada. Razón, satisfacción de una cosa.

CUENTACORRENTISTA. Persona que tiene cuenta corriente.

CUENTAGOTAS. m. Útil para contar las cosas.

CUENTAHILOS. m. Útil para contar los hilos de un tejido.

CUENTAPASOS. m. Podómetro.

CUENTISTA. adj. s. Chismoso. com. Autor de cuentos.

CUENTO. m. Relato de un suceso. Fábula. Cómputo.

CUERA. f. Jaquetilla de piel usada sobre el jubón.

CUERDA. f. Reunión de hilos que torcidos forman un solo cuerpo. Geom. Segmento de recta que une los extremos de un arco o curva. Parte propulsora del mecanismo de un reloj.

CUERDO-DA. adj. s. Que está en su juicio. Prudente.

CUERNA. f. Vaso hecho con el cuerno de una res.

CUERNO. m. Prolongación ósea en la frente de algunos animales. Antena de los insectos.

CUERO. m. Pellejo de los animales después de curtido y preparado. Odre.

CUERPO. m. Sustancia material. Figura de tres dimensiones.

CUÉRRAGO. m. Cauce.

CUERRIA. f. Cercado pequeño.

CUERVO. m. Pájaro córvido, carnívoro, de negro plumaje.

CUESCO. m. Hueso. Ventosidad.

CUESTA. f. Terreno pendiente.

CUESTACIÓN. f. Petición para cosas piadosas.

CUESTIÓN. f. Pregunta. Riña, quimera. Alg. Problema.

CUESTIONAR. tr. Contravertir algo dudoso. Altercar, disputar.

CUESTIONARIO. m. Libro o serie de preguntas.

CUESTO. m. Monte de poca altura.

CUESTOR. m. Magistrado romano.

CUESTUOSO-SA. adj. Lo que trae ganancia.

CUESTURA. f. Dignidad de cuestor.

CUETO. m. Altura fortificada y defendida.

CUEVA. f. Cavidad subterránea.

CUÉVANO. m. Cesto de mimbre para llevar la uva en la vendimia y otros usos.

CUEZO. m. Albañ. Artesilla en que se amasa el yeso.

CUFICO-CA. adj. Dícese de los caracteres de la escritura árabe.

CUIDADO. m. Solicitud. Congoja, recelo, negocio.

CUIDADOSO-SA. adj. Solícito, diligente.

CUIDAR. tr. Poner atención. Asistir, guardar. r. Preocuparse de la salud.

CUIDO. m. Acción de cuidar.

CUIN-NA. m. y f. Conejo de indias.

CUINO. m. Cerdo.

CUITA. f. Aflicción, trabajo, desventura.

CUITADO-DA. adj. Afligido, miserable.

CUITAMIENTO. m. Cortedad del ánimo.

CUJA. f. Bolsa para meter el cuento de la lanza.

CULADA. f. Golpe dado con las asentaderas.

CULANTRILLO. m. Hierba de los helechos.

CULATA. f. Anca. Parte posterior de la caja del arma de fuego.

CULATAZO. m. Golpe de culata.

CULEBRA. f. Reptil ofidio. Serpentín. Mar. Cabo delgado para aferrar velas pequeñas.

CULEBRAZO. m. Burla, chasco.

CULEBREAR. intr. Andar haciendo eses.

CULEBRERA. f. Pigargo, ave que se nutre de culebras y otros reptiles.

CULEBRINA. f. Art. Pieza antigua de poco calibre.

CULEBRÓN. m. Hombre astuto y solapado.

CULERA. f. Remiendo en el fondillo del pantalón.

CULERO-RA. adj. Perezoso, calmoso.

m. Bolsa que se pone a los niños para recoger su excremento.

CULINARIO-RIA. adj. Relativo a la cocina.

CULMINAR. intr. Llegar a lo más elevado que se puede alcanzar. Pasar un astro por el meridiano superior.

CULO. m. Nalgas. Ancas del animal. Ano.

CULOMBIO. m. Cantidad de electricidad.

CULPA. f. Falta más o menos grave.

CULPABILIDAD. f. Calidad de culpable.

CULPABLE. adj. s. Dícese del que tiene la culpa de algo.

CULPAR. tr. r. Echar la culpa a uno de algo.

CULTAMENTE. adv. m. Con cultura.

CULTERANISMO. m. Lit. Estilo con metáforas violentas y obscuras alusiones.

CULTERANO-NA. adj. s. Con los vicios del culteranismo.

CULTIVAR. tr. Labrar la tierra para que fructifique. Sembrar y hacer producir gérmenes.

CULTIVO. m. Acción y efecto de cultivar.

CULTO-TA. adj. Cultivado. Que posee cultura. Adoración religiosa.

CULTOR-RA. adj. Que adora o venera alguna cosa.

CULTURA. f. Labor de la tierra. Estudio, enseñanza.

CUMBÉ. m. Cierto baile de negros.

CUMBRE. f. Cima o parte superior de una montaña.

CÓMPLASE. m. Decreto de ejecución.

CUMPLEAÑOS. m. Aniversario del nacimiento.

CUMPLIDERO-RA. adj. Que se ha de cumplir.

CUMPLIDO-DA. adj. Completo, cabal. m. Obsequioso.

CUMPLIDOR-RA. adj. Que cumple.

CUMPLIMENTAR. tr. Dar el parabien. Obsequiar. For. Poner en ejecución.

CUMPLIMENTERO-RA. adj. Que hace muchos cumplimientos.

CUMPLIMIENTO. m. Acción de cumplir.

CUMPLIR. tr. Ejecutar la obligación. Completar un tiempo determinado. Llevar a cabo. Convenir.

CÚMULO. m. Montón, multitud. Tipo de nubes.

CUNA. f. Cama para niños. fig. Origen. Patria. Estirpe.

CUNAR. tr. Mecer. Cunear.

CUNDIR. intr. Extenderse. Propagarse. Dar mucho de algo.

CUNEIFORME. adj. De figura de cuña.

CUNERA. f. La que mece la cuna.

CUNERO-RA. adj. Expósito, inclusero. Candidato extraño al distrito electoral.

CUNETA. f. Zanja de desagüe a los lados de un camino.

CUÑA. f. Prisma triangular para hender cuerpos sólidos.

CUÑADIA. f. Parentesco de un cónyuge con los deudos del otro.

CUÑADO-DA. adj. Hermano del consorte.

CUÑAR. tr. Acuñar.

CUÑETE. m. Barrilito.

CUÑO. m. Sello o troquel.

CUODLIBETO. m. Disertación sobre tema elegido.

CUOTA. f. Parte individual de un impuesto.

CUOTIDIANO-NA. adj. Cotidiano.

CUPÉ. m. Berlina.

CUPIDO. m. fig. Hombre enamoradizo.

CUPLÉ. m. Canción, tonadilla.

CUPLETISTA. f. Cancionista, tonadillera.

CUPO. m. Cuota.

CUPÓN. m. Cada una de las partes de un documento de crédito que se corta para cobrar los intereses.

CÚPRICO-CA. adj. De cobre o relativo a él.

CUPRÍFERO-RA. adj. Que contiene o lleva cobre.

CUPRONIQUEL. m. Moneda española de 25 céntimos.

CÚPULA. f. Bóveda hemisférica.

CUPULÍFERO-RA. adj. Bot. Dícese de las plantas de fruto glanduloso.

CUQUERÍA. f. Taimería, astucia.

CURA. m. Sacerdote. f. Aplicación de la medicina.

CURACIÓN. f. Acción y efecto de curar.

CURADO. adj. Seco, curtido.

CURADOR-RA. adj. s. Que tiene cuidado de algo. Que cura.

CURADURÍA. f. Cargo de curador.

CURANDERO-RA. s. Persona que sin ser médico se dedica a curar.

CURAR. intr. Sanar. Aplicar remedios. Manipular algo para que se conserve.

CURARÉ. m. Veneno que ponían en sus flechas los pueblos salvajes; hoy empleado en medicina.

CURASAO. m. Licor que se hace con corteza de naranja y otros ingredientes.

CURATIVO-VA. adj. Que sirve para curar.

CURATO. m. Oficio del Párroco. Feligresía.

CURBARIL. m. Árbol que da una resina antirreumática.

CÓRCUMA. f. Raíz parecida al jengibre.

CURDA. f. Fam. Embriaguez.

CURDO-DA. adj. De Curdestán.

CUREÑA. f. Ajuste del cañón.

CURIA. f. Tribunal eclesiástico. Conjunto de abogados y funcionarios judiciales.

CURIAL. adj. Relativo a la Curia. m. Abogado o funcionario judicial.

CURIANA. f. Cucaracha, insecto.

CURIOSEAR. intr. Averiguar, fisgar lo ajeno.

CURIOSIDAD. f. Deseo de averiguar. Aseo.

CURIOSO-SA. adj. Que tiene curiosidad.

CURRICÁN. m. Aparejo de pesca de un solo anzuelo.

CURRO-RRA. adj. Majo, lindo.

CURRUCA. f. Pájaro cantor insectívoro.

CURRUTACO-CA. adj. s. fam. Muy afectado en el vestir.

CURSADO-DA. adj. Versado en alguna cosa.

CURSAR. tr. Estudiar una materia en centro docente. Dar curso a una instancia, etc.

CURSI. adj. s. Que presume de elegante y fino sin serlo.

CURSILERÍA. f. Cosa cursi.

CURSILLISTA. com. Que interviene en un cursillo.

CURSILLO. m. Curso de poca duración.

CURSIVO-VA. adj. Dícese del carácter y letra muy ligados para escribir de prisa.

CURSO. m. Camino que sigue algo. Tiempo señalado para durar unas lecciones. Tratado especial. Dirección.

CURSOR-RA. adj. s. Que da curso.

CURTIDO. m. Obtención de cuero adobando las pieles de animales.

CURTIDOR-RA. s. Quien tiene por oficio curtir pieles.

CURTIR. tr. Adobar o aderezar pieles. Endurecer o tostar algo al sol o al aire. Acostumbrar a la vida dura.

CURUCÚ. m. Ave trepadora.

CURUL. adj. Dícese del edil, patricio en Roma y de la silla que ocupaba.

CURVA. f. Geom. Línea curva.

CURVATURA. f. Desvío de la dirección recta.

CURVILÍNEO-A. adj. Geom. Compuesto de líneas curvas.

CURVÍMETRO. m. Instrumento para medir las líneas curvas.

CURVO-VA. adj. s. Que se aparta constantemente de la dirección recta sin formar ángulos.

CUSCURRO. m. Cantero de pan, pequeño y muy cocido.

CUSCUTA. f. Planta convulvulácea.

CUSITA. adj. Descendiente de Cus, hijo de Cam y nieto de Noé..

CÚSPIDE. f. Cumbre de un monte. Remate superior de algo.

CUSTODIA. f. Acción de custodiar. Escolta de un preso. Receptáculo en que se expone el S. Sacramento.

CUSTODIAR. tr. Tener cuidado y vigilancia de algo.

CUSTODIO. m. El que custodia.

CUTÁNEO-A. adj. Relativo a la piel.

CUTER. m. Embarcación de vela.

CUTÍ. m. Tela de lienzo para cubiert. de colchones.

CUTÍCULA. f. Película, epidermis.

CUTIR. tr. Golpear una cosa con otra.

CUTIS. m. Piel del hombre, sobre todo la del rostro.

CUTRE. adj. Tacaño, miserable.

CUYO-YA. pron. rel. Con carácter posesivo. De quién.

CUZCO. m. Perro pequeño.

CZAR. m. Zar.

CZARDA. f. Baile húngaro.

CZARINA. f. Zarina.

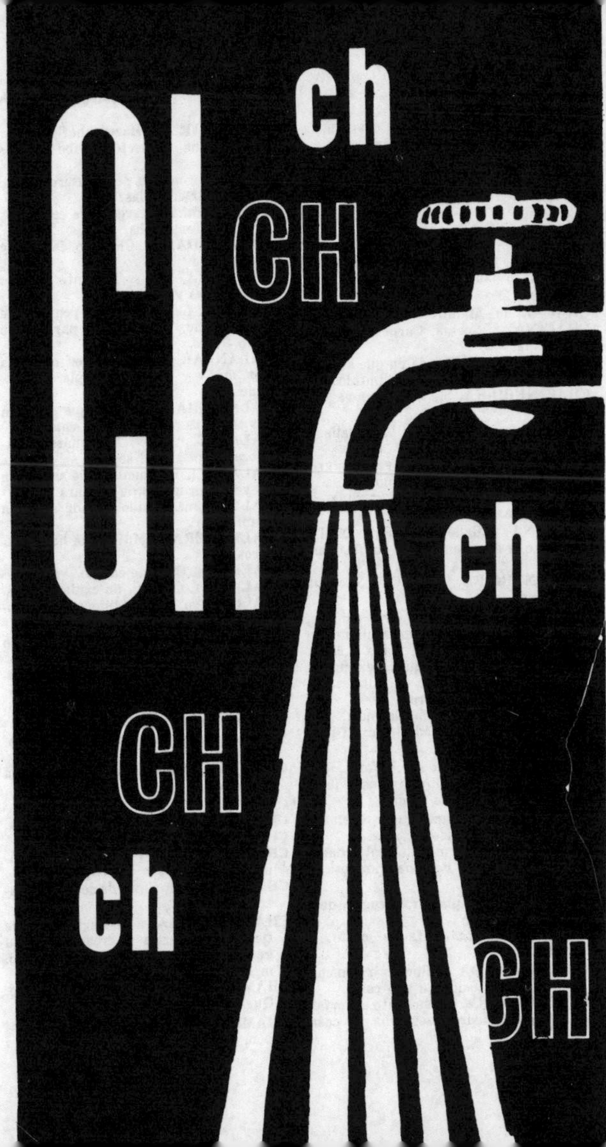
Ch
ch
CH
ch
CH
ch
CH

CH. f. Su nombre es che. Cuarta letra del abecedario español y tercera de las consonantes.

CHABACANADA. f. Chabacanería.

CHABACANERÍA. f. Falta de gusto o de arte. Grosería.

CHABACANO-NA. adj. Sin arte, de mal gusto.

CHABOLA. f. Choza o casetas construídas en los suburbios de grandes ciudades.

CHACAL. m. Mamífero carnívoro.

CHACINA. f. Cocina. Carne de puerco adobada.

CHACINERÍA. f. Tienda en que se vende chacina. Fábrica de embutidos.

CHACINERO-RA. m. y f. Persona que hace o vende chacina.

CHACÓ. m. Morrión de la caballería ligera.

CHACOLÍ. m. Vino ligero y algo agrio que se hace en las Vascongadas.

CHACOLOTEAR. intr. Hacer ruido la herradura floja.

CHACONA. f. Baile de los siglos XVI y XVII que se acompañaba con las castañuelas y coplas.

CHOCONERO-RA. adj. Que escribía chaconas.

CHACOTA. f. Bulla y alegría ruidosa.

CHACOTEAR. intr. Burlarse, chancearse, diversión con bulla, voces y risas.

CHACHA. f. Amér. Pequeña extensión dedicada al cultivo de hortalizas.

CHACHA. f. fam. Niñera.

CHÁCHARA. f. fam. Charla inútil.

CHACHARERO-RA. adj. fam. Charlatán.

CHAFADURA. f. Acto de chafar.

CHAFALONÍA. f. Objetos inservibles de plata u oro para fundir.

CHAFALLAR. tr. fam. Hacer o remendar una cosa sin aseo ni arte.

CHAFALLO. m. Remiendo mal echado.

CHAFANDÍN. m. Persona vanidosa y de poco seso.

CHAFAR. tr. r. Aplastar, arrugar, deslucir.

CHAFAROTE. m. Alfange corto y ancho.

CHAFARRINADA. f. Borrón o mancha que quita vistosidad a una cosa.

CHAFLÁN. m. Cara resultante al cortar un ángulo diedro o esquina de casa por un plano.

CHAFLANAR. tr. Hacer chaflanes.

CHAIMA. m. Dialecto caribe de los chaimas.

CHAIRA. f. Cuchilla de zapatero. Acero para afilar cuchillas.

CHAL. m. Pañuelo largo para cubrir los hombros femeninos.

CHALADO-DA. adj. Chiflado. fam. Muy enamorado.

CHALÁN-NA. adj. s. Tratante mañoso en compras y ventas.

CHALANA. f. Embarcación pequeña de fondo llano, propio para parajes de poco fondo.

CHALANEAR. tr. Tratar los negocios con maña y destreza propia de chalanes.

CHALANERÍA. f. Astucia que emplean los chalanes para vender y comprar.

CHALARSE. r. prov. Aficionarse, enamorarse, perder el seso.

CHALAZA. f. Filamentos que sostienen la yema en medio de la clara.

CHALECO. m. Justillo llevado sobre la camisa.

CHALEQUERA. f. Mujer que hace chalecos.

CHALET. m. Casa de campo.

CHALINA. f. Corbata de caídas largas.

CHALOTE. m. Planta liliácea, originaria de Asia.

CHALUPA. f. Embarcación pequeña con cubierta y dos palos. Lancha.

CHAMAR. tr. Entre gente vulgar, cambiar una cosa por otra.

CHAMARASCA. f. Leña menuda. Llama que levanta.

CHAMARILERO-RA. m. y f. Negociante en trastos viejos.

CHAMARILLÓN-NA. adj. Que juega mal a los naipes.

CHAMARRA. f. Zamarra.

CHAMARRETA. f. Casaquilla holgada.

CHAMBA. f. Chiripa, casualidad.

CHAMBELÁN. m. Gentilhombre de cámara.

CHAMBERGA. f. Cinta de seda muy estrecha.

CHAMBERGO-GA. adj. Regimiento de tiempos de Carlos II creada para su guardia. Individuo de dicho cuerpo. m. Sombrero chambergo.

CHAMBÓN-NA. adj. Torpe en el juego. Que obtiene algo por chiripa.

CHAMBONADA. f. Torpeza de chambón.

CHAMBRA. f. Blusa corta femenina.

CHAMELOTE. m. Camelote, tejido fuerte.

CHAMIZA. f. Hierba graminácea medicinal.

CHAMIZO. m. Árbol a medio quemar. Choza cubierta de chamiza.

CHAMORRO-RRA. adj. s. Esquilado.

CHAMPÁN. m. Embarcación china.

CHAMPAÑA. m. Vino espumoso, originario de Francia.

CHAMPIÑÓN. m. Hongo agaricáceo, seta común, comestible.

CHAMUSCAR. tr. Quemar una cosa por fuera.

CHAMUSQUINA. f. Acción y efecto de chamuscar. Camorra.

CHANADA. f. fam. Chasco, superchería.

CHANCEAR. intr. r. Emplear chanzas.

CHANCERO-RA. adj. Que chancea. Gracioso.

CHANCILLER. m. Canciller.

CHANCILLERÍA. f. Antiguo tribunal superior de apelación.

CHANCLA. f. Zapato viejo con el talón ya caído y aplastado por el mucho uso.

CHANCLETA. f. Zapatilla sin talón.

CHANCLETEAR. intr. Andar con chancleta.

CHANCLETEO. m. Golpeteo dado con las chancletas al andar.

CHANCLO. m. Calzado de madera. Zapato de goma en que entra el pie calzado.

CHANCHULLO. m. Manejo ilícito para algo.

CHANFAINA. f. Guisado de bofes picados.

CHANFLÓN-NA. adj. Tosco, basto, mal formado.

CHANTAJE. m. Acto de sacar dinero con amenazas.

CHANTAJISTA. com. Persona que ejercita el chantaje.

CHANTRE. m. Dignidad eclesiástica que dirige el coro en la catedral.

CHANTRÍA. f. Dignidad de chantre.

CHANZA. f. Dicho o hecho festivo.

CHANZONETA. f. Copla f e s t i v a. Chanza.

CHAPA. f. Lámina de metal, madera, etcétera. fig. Seso, cordura.

CHAPADO-DA. adj. Chapeado. Persona muy apegada a hábitos y costumbres de sus mayores.

CHAPALETA. f. Válvula de la bomba hidráulica.

CHAPARRA. f. Coche de caja ancha y poco elevada.

CHAPAR. intr. Cubrir con chapa.

CHAPARRAL. m. Terreno poblado de chaparros.

CHAPARRO. m. Mata de encina o roble.

CHAPARRÓN. m. Lluvia fuerte y breve. fig. Persona rechoncha.

CHAPEAR. tr. Cubrir con chapas.

CHAPETA. f. Mancha roja en las mejillas.

CHAPÍN. m. Chinela lujosamente bordada.

CHAPINAZO. m. Golpe dado con un chapín.

CHAPINETE. m. Madero que formaba parte de los entramados en obras de albañilería.

CHAPITEL. m. Arq. Remate de una torre en figura piramidal.

CHAPÓ. m. Partida de billar en mesa grande y de troneras.

CHAPODAR. tr. Cortar ramas para que no se envicien.

CHAPÓN. m. Borrón grande de tinta.

CHAPOTEAR. intr. Golpear el agua de modo que salpique.

CHAPUCEAR. intr. Hacer pronto y mal.

CHAPUCERÍA. f. Tosquedad, obra mal hecha.

CHAPUCERO-RA. adj. Hecho toscamente. Que trabaja mal.

CHAPURRAR. tr. fam. Hablar pronunciando mal un idioma.

CHAPUZ. m. Obra de poca importancia. Obra mal hecha.

CHAPUZA. f. Chapuz, chapucería.

CHAPUZAR. tr. r. Meter la cabeza en el agua.

CHAPUZÓN. m. Acción de chapuzar o chapuzarse.

CHAQUET. m. Levita con los faldones separados por delante.

CHAQUETA. f. Vestido exterior con mangas y sin faldones que se ajusta al cuerpo y llega a la cadera.

CHAQUETE. m. Juego de tablero, parecido al de las damas.

CHAQUETÓN. m. Vestido mayor que la chaqueta.

CHAQUIRA. f. Grano de aljófar, abalorio o vidrio menudo que los españoles vendían a los indios del Perú.

CHARADA. f. Acertijo. Enigma que

trata de adivinar una palabra haciendo indicaciones sobre otra, que pueden formarse con sus sílabas alterando su orden.

CHARADRIO. m. Alcaraván.

CHARAL. m. Pez del orden de los malacopterigios abdominales, de color plateado, de unos cinco centímetros de longitud.

CHARANGA. f. Música de instrumentos de viento.

CHARANGO. m. Especie de bandurria pequeña, con cinco cuerdas y sonido muy agudo, usado por los indios del Perú.

CHARANGUERO-RA. adj. Chapucero, tosco y sin arte. m. Barco para el tráfico de unos puertos con otros en Andalucía.

CHARCA. f. Depósito de agua sobre un terreno.

CHARCAL. m. Sitio en que abundan los charcos.

CHARCO. m. Agua detenida.

CHARLA. f. Acto de charlar.

CHARLADOR-RA. adj. fam. Charlatán, hablador sin provecho.

CHARLADURA. f. Charla indiscreta.

CHARLAR. intr. Hablar mucho, sin substancia.

CHARLATAN-NA. adj. s. Que charla. Embaidor.

CHARLATANEAR. intr. Charlar.

CHARLATANERÍA. f. Locuacidad, garrulería.

CHARLATANISMO. m. Calidad de charlatán.

CHARLOTEAR. intr. Charlar.

CHARLOTEO. m. Charla.

CHARNECAL. m. Sitio poblado de charnecas.

CHARNELA. f. Bisagra. Articulación de las valvas de los lamelibranquios.

CHARNETA. f. Charnela.

CHARNICAL. m. Charnecal.

CHAROL. m. Barniz muy lustroso. Cuero preparado con él.

CHAROLADO-DA. adj. Lustroso.

CHAROLADOR. m. Charolista.

CHAROLAR. tr. Barnizar con charol.

CHAROLISTA. m. El que tiene por oficio charolar.

CHARPA. f. Med. Cabestrillo, para sostener el brazo enfermo.

CHARRÁN-NA. adj. s. Pillo, truhán.

CHARRANADA. f. Acción propia del charrán.

CHARRANEAR. intr. Hacer vida o conducirse como un charrán.

CHARRANERÍA. f. Condición de charrán.

CHARRASCA. f. Arma arrastradiza. Navaja de muelles.

CHARRASCO. m. Charrasca, sable.

CHARRERÍA. f. Charrada, obra de mal gusto.

CHARRETE. f. Coche de dos ruedas y de dos o cuatro asientos.

CHARRETERA. f. Divisa militar en forma de pala, sujeta por el hombro. Jarretera. Albardilla.

CHARRO-RRA. adj. s. Aldeano de Salamanca. Basto. Rústico.

CHARRÚA. f. Mar. Embarcación pequeña que servía para remolcar otras mayores.

CHARTREUSE. (Voz fr.) Licor fabricados por los cartujos de Tarragona.

CHASCAR. intr. Chasquear la madera.

CHASCARRILLO. m. Anécdota, cuento jocoso.

CHASCAS. m. Morrión con cimera plana y cuadrada.

CHASCO. m. Engaño, decepción.

CHASIS. m. Armazón que sostiene el motor y carrocería de un automóvil. Bastidor para placa fotográfica.

CHASPONAZO. m. Señal del roce de una bala.

CHASQUEDOR-RA. adj. s. Que chasquea.

CHASQUEAR. tr. Dar chascos o chasquidos.

CHASQUIDO. m. Sonido del látigo. Sonido al rajarse algo.

CHATA. f. Bacín plano, con borde entrante que se usa como orinal de casa para los enfermos que no se pueden incorporar.

CHATARRA. f. Escoria que deja el mineral de hierro. Hierro viejo.

CHATARRERO-RA. m. y f. Personas que cogen chatarra.

CHATEDAD. f. Calidad de chato.

CHATO-TA. adj. s. De nariz roma. De poco relieve. Vaso de vino.

CHATRIA. m. En la India, noble, guerrero.

CHAUCHE. m. Cierta clase de barniz color rojo que se usa para teñir los suelos de las habitaciones.

CHAÚL. m. Tela de seda de la China, generalmente azul.

CHAVAL-LA. adj. s. Joven.

CHAVEA. m. fam. Rapazuelo, muchacho.

CHAVETA. f. Chapeta. Clavo hendido.

CHAYOTE. m. Fruto de la chayotera, de forma de pera.

CHAYOTERA. f. Planta americana que da el chayote.

CHAZA. f. En el juego de pelota, suerte en que ésta vuelve contrarrestada y se para o la detienen antes de llegar al saque. Señal que se pone donde paró la pelota. Mar. Espacio que existe entre dos portas de una batería.

CHAZADOR. m. Jugador que detiene las pelotas o que en el juego está dedicado a este fin.

CHAZAR. tr. Detener la pelota antes de que llegue al saque.

CHE. f. Nombre de la letra CH.

CHECOSLOVACO-CA. adj. Natural de Checoslovaquia.

CHEIRA. f. Chaira.

CHECHEAR. intr. Articular pronunciando che, che.

CHELÍN. m. Moneda inglesa de plata que equivale a la vigésima parte de una libra esterlina.

CHEPA. f. Joroba.

CHEQUE. m. Documento para retirar fondos en poder de otro.

CHERCHAR. intr. Burlar, bromear.

CHÉSTER. m. Queso inglés muy semejante al manchego.

CHEVIOT. m. Lana de cordero escocés.

CHÍA. f. Antiguo manto negro y corto de luto.

CHIBALETE. m. Impr. Armazón de madera donde se colocan las cajas para componer.

CHIBCHA. adj. s. Individuo de un antiguo pueblo bogotano.

CHIBORRA. f. Botarga que en ciertas fiestas lleva una vejiga hinchada y va delante de los danzantes.

CHIC. (Voz fr.) m. Elegante.

CHICA. f. Baile de negros. Botella pequeña.

CHICADA. f. Rebaño de corderos enfermizos y tardíos que se separan de los demás ganados para que se restablezcan andando más despacio y pastando la mejor hierba. Niñada.

CHICARRÓN-NA. adj. s. fam. Dícese de la persona de corta edad que está muy desarrollada.

CHICLE. m. Goma de mascar que se obtiene del látex del chicozapote.

CHICO-CA. adj. De poco tamaño. m. Niño. m. Muchacho.

CHICOLEAR. intr. Decir chicoleos.

CHICOLEO. m. Acción y efecto de chicolear. Galantería.

CHICORIA. f. Achicoria.

CHICOTAZO. m. Golpe dado con el chicote.

CHICOTE-TA. m. y f. Persona joven y robusta. Mar. Extremo de cuerda.

CHICOZAPOTE. m. Zapote.

CHICHA. f. fam. Carne comestible. Bebida de maíz fermentado. Mar. Dícese de la calma absoluta.

CHICHARRA. f. Cigarra, insecto. Juguete de Navidad con que se hace un ruido molesto y monótono. fig. Persona habladora.

CHICHARRAR. tr. Achicharrar.

CHINCHARRERO-RA. m. y f. Persona que hace o vende chicharras de juguete.

CHICHARRO. m. Chicharrón de cerdo y otros animales. Jurel.

CHICHARRÓN. m. Residuo de la manteca de cerdo.

CHICHEAR. intr. Sisear.

CHICHERÍA. f. Casa o tienda donde en América se vende chicha para beber.

CHICHIRINADA. f. Voz de capricho, equivalente a nada.

CHICHISBEO. m. Obsequio continuado de un hombre a una mujer. Este mismo hombre.

CHICHÓN. m. Hinchazón en la cabeza por un golpe.

CHICHONERA. f. Gorro para evitar a los niños los chichones.

CHICHOTA. f. Pizca, parte mínima de una cosa.

CHICHURRO. m. Caldo que resulta de cocer las morcillas al hacerlas.

CHIFLA. f. Acción y efecto de chiflar.

CHIFLADO-DA. adj. fam. Persona que tiene algo perturbada la razón.

CHIFLADURA. f. Acción de chiflar. Manía.

CHIFLAR. intr. Silbar. tr. Hacer burla. fam. Alelarse.

CHIFLATO. m. Silbato, pito.

CHIFLE. m. Chiflo. Reclamo para cazar aves.

CHIFLIDO. m. Sonido del chifle. Silbo que lo imita.

CHIFLO. m. Chifla, silbato.

CHIGRE. m. En Asturias, tienda donde se vende sidra por menor.

CHILABA. f. Prenda morisca con capucha.

CHILACAYOTE. m. Cidra cayote.

CHILAR. m. Lugar plantado de chiles.

CHILE. m. Ají, pimiento.

CHILENISMO. m. Vocablo, modo de hablar los chilenos.

CHILENO-NA. adj. s. Natural de Chile.

CHILINDRINA. f. fam. Cosa de poca importancia. Anécdota ligera, equívoco o chiste.

CHILINDRINERO-RA. adj. fam. Que cuenta o gasta chilindrinas.

CHILINDRÓN. m. Juego de naipes.

CHILTIPIQUÍN. m. Ají, pimiento.

CHILLA. f. Instrumento con que los cazadores imitan el chillido de la zorra, liebre, conejo, etc.

CHILLADOR-RA. adj. s. Que chilla.

CHILLAR. intr. Dar chillidos. Pint. Destacar con viveza un color.

CHILLERÍA. f. Conjunto de chillidos o voces descompasados.

CHILLIDO. m. Sonido inarticulado de la voz agudo y desapacible.

CHILLÓN. m. Clavo que sirve para las tablas de chilla.

CHILLÓN-NA. adj. s. Que chilla mucho. Dícese del color muy vivo.

CHIMENEA. f. Conducto para el humo. Fogón.

CHIMPANCÉ. m. Mono antropomorfo, poco más bajo que el orangután, de brazos largos, cabeza grande, que habita en Africa. Se domestica fácilmente.

CHINA. f. Piedrecita. Porcelana.

CHINARRO. m. Piedra algo mayor que una china.

CHINAZO. m. Golpe de china.

CHINCHE. f. Insecto hemíptero, rojo y deprimido, parásito. Persona molesta.

CHINCHILLA. f. Roedor americano de piel muy estimada.

CHINCHORRERÍA. f. Pesadez, chisme.

CHINCHOSA-SA. adj. Molesto, pesado.

CHINELA. f. Calzado ligero sin talón.

CHINELAZO. m. Golpe dado con una chinela.

CHINERO. m. Armarito para porcelana y cristalería.

CHINESCO-CA. adj. Relativo a China.

CHINO-NA. adj. Natural de China.

CHIPIRÓN. m. Calamar.

CHIPRIOTA. adj. s. De Chipre.

CHIPRIOTE. adj. Chipriota. apl. a pers.

CHIQUEADORES. m. pl. Rodajas de carey que se usaban como adorno mujeril, en Méjico.

CHIQUERO. m. Zahúrda para puercos.

CHIQUICHAQUE. m. El que por oficio serraba piezas gruesas de madera.

CHIQUILICUATRO. m. Chisgarabís.

CHIQUILLADA. f. Acto propio de chicos.

CHIQUILLERÍA. f. fam. Multitud de chiquillos.

CHIQUILLO-LLA. adj. Chico, niño, muchacho.

CHIQUIRRITÍN-NA. adj. fam. d. de Chiquitín.

CHIQUITO-TA. adj. d. de Chico. Apl. a pers.

CHIRCA. f. Bot. Árbol de América de la familia de las euforbiáceas, de madera dura, flores amarillas, acampanadas y hojas ásperas.

CHIRCAL. m. Terreno poblado de chircas.

CHIRIBITA. f. Chispa, partícula pequeña y encendida.

CHIRIBITIL. m. Rincón. Desván.

CHIRIGOTA. f. fam. Cuchufleta.

CHIRIGOTERO-RA. adj. Que dice chirigotas.

CHIRIMBOLO. m. fam. Utensilio, vasija o cosa análoga.

CHIRIMÍA. f. Instrumento de viento con diez agujeros y boquilla con lengüeta de caña.

CHIRIMOYA. f. Baya grande del chirimoyo.

CHIRIMOYO. m. Árbol anonáceo.

CHIRINOLA. f. Juego parecido al de bolos. fig. Cosa de poco momento.

CHIRIPA. f. Suerte favorable por casualidad.

CHIRIPEAR. tr. Ganar tantos en el juego de billar por chiripa.

CHIRIPERO. m. El que una o muchas veces obtiene algo por casualidad favorable.

CHIRIVÍA. f. Planta umbelífera con tallo acanalado, hojas parecidas a las del apic, flores amarillas y pequeñas y raíz fusiforme.

CHIRLA. f. Almeja.

CHIRLADOR-RA. adj. Que vocea recia y desentonadamente.

CHIRLATA. f. Timba de mala fama.

CHIRLE. adj. Insustancial.

CHIRLO. m. Herida o cicatriz en la cara.

CHIRONA. f. fam. Cárcel, prisión.

CHIRRIAR. intr. Producir una cosa un ruido agudo al manejarla. Hacer ruido una sustancia que se calienta.

CHIRRIDO. m. Sonido agudo y desapacible de algunas aves u otros animales.

CHIRRIÓN. m. Carro que chirria mucho.

CHIRRIONERO. m. El que conduce el chirrión.

CHIRULA. f. Flautilla vasca.

CHIRUMBELA. f. Churumbela.

CHIRUMEN. m. fam. Caletre.

¡CHIS! interj. ¡Chitón! Se emplea, repetida, para llamar a alguien.

CHISCARRA. f. Min. Roca caliza que se divide fácilmente en fragmentos pequeños.

CHISCHÁS. m. Ruido de las espadas al chocar unas con otras en la lucha.

CHISGARABÍS. m. Mequetrefe, zascandil.

CHISGUETE. m. fam. Trago o pequeña cantidad de vino que se bebe.

CHISME. m. Murmuración. fam. Baratija.

CHISMEAR. intr. Traer y llevar chismes y cuentos.

CHISMERÍA. f. Chisme, murmuración.

CHISMERO-RA. adj. s. Chismoso.

CHISMOGRAFÍA. f. fam. Murmuración.

CHISMORREAR. intr. fam. Chismear.

CHISMOSO-SA. adj. s. Murmurador.

CHISPA. f. Partícula inflamada. Diamante pequeño. Gota de lluvia menuda y escasa.

CHISPAZO. m. Acción de saltar la chispa.

CHISPEANTE. p. a. de Chispear. Que chispea.

CHISPEAR. intr. Echar chispas. Lloviznar.

CHISPERO. m. Chapucero, herrero que fabrica cosas menudas. Herrero de grueso.

CHISPO-PA. adj. Bebido, alegre.

CHISPOLETO-TA. adj. Que es listc, vivaracho.

CHISPORROTEAR. intr. Echar chispas.

CHISPORROTEO. m. Acción de chisporrotear.

CHISPOSO-SA. adj. Materia combustible que arroja muchas chispas cuando se quema.

CHISQUERO. m. Encendedor de bolsillo.

CHISTAR. intr. Llamar con una voz.

CHISTE. m. Dicho gracioso.

CHISTOSAMENTE. adv. m. Con chiste, de manera chistosa.

CHISTOSO-SA. adj. Que hace chistes.

CHITICALLANDO. adv. m. Con mucho silencio, sin meter ruido.

CHITO. m. Juego consistente en poner dinero sobre un tarugo y tirar a él con tejos.

CHITÓN. m. Molusco de concha con ocho piezas córneas, puestas en fila y branquias en forma de hojitas.

¡CHITÓN! intrj. Se emplea para aconsejar guardar silencio.

CHIVA. f. Cabrito.

CHIVATAZO. m. Soplo, delación. Poner en antecedentes, delatar.

CHIVATO. m. Chivo mayor de seis meses y menor de un año. Soplón, delator.

CHIVETERO. m. Corral donde se encierran los chivos.

CHIVO. m. Pozo para heces del aceite.

CHIVO-VA. m. y f. Cabrito, desde que no mama hasta que llega a la edad de procrear.

CHOCA. f. Cebadura que se daba al azcr, dejándole pasar la noche con la perdiz que voló.

CHOCANTE. p. a. de Chocar. Que choca. adj. Gracioso, chocarrero.

CHOCAR. intr. Encontrarse con violencia dos cuerpos. Provocar. Causar extrañeza.

CHOCARREAR. intr. Decir chocarrerías.

CHOCARRERÍA. f. Chiste grosero.

CHOCARRERO-RA. adj. s. Que tiene o dice chocarrerías.

CHOCLO. m. Chanclo de madera.

CHOCLÓN-NA. adj. Entremetido.

CHOCO. m. Jibia pequeña.

CHOCOLATE. m. Pasta de cacao y azúcar molidos a la que se suele añadir canela o vainilla. Bebida que se hace con esta pasta desleída cocida en leche o agua.

CHOCOLATERA. f. Vasija para diluir chocolate en agua o leche.

CHOCOLATERÍA. f. Casa donde se fabrica y se vende chocolate. Local donde se sirve al público chocolate para tomar.

CHOCOLATERO-RA. s. Quien hace o vende chocolate.

CHOCHA. f. Zool. Ave zancuda, de pico largo, recto y delgado, cabeza comprimida y plumaje de color gris rojizo con manchas negras.

CHOCHEAR. intr. Tener débiles las facultades mentales por la edad.

CHOCHERA. f. Calidad de chocho.

CHOCHO-A. adj. Que chochea. m. Altramuz.

CHOFER. m. Galicismo por conductor de automóvil.

CHOFETA. m. Braserillo manual.

CHOFISTA. m. Nombre que se daba a los estudiantes pobres que se alimentaban con chofes.

CHOLO-LA. adj. Dícese del indio civilizado.

CHOLOQUE. m. Amér. Árbol que da unas bolas de color obscuro que se emplea como el jabón. Fruto de este árbol.

CHOLLA. f. fam. Cabeza. Capacidad, juicio.

CHOPA. f. Pez acantopterigio semejante a la dorada, que tiene dos manchas negras junto a la cola.

CHOPAL. m. Chopera.

CHOPERA. f. Sitio poblado de chopos.

CHOPO. m. Álamo negro.

CHOQUE. m. Acción de chocar. Contienda, reyerta.

CHOQUEZUELA. f. Hueso de la rodilla.

CHORICERA. f. Máquina para hacer chorizos.

CHORICERÍA. f. Tienda de chorizos.

CHORICERO-RA. m. y f. Persona que hace o vende chorizos.

CHORIZO. m. Embutido de carne de cerdo curado.

CHORLA. f. Ave, especie de ganga, pero de mayor tamaño.

CHORLITO. m. Ave zancuda. Persona ligera de cascos.

CHORLO. m. Turmalina. Mineral. Silicato natural de alúmina, de color azul celeste.

CHORRADA. f. Porción de líquido que

se da, por gracia, después de la medida.

CHORREADURA. f. Chorreo. Mancha que deja en alguna cosa un líquido que ha chorreado sobre ella.

CHORREAR. intr. Derramarse poco a poco un líquido.

CHORREO. m. Acción y efecto de chorrear.

CHORRERA. f. Sitio por donde chorrea. Encaje del pecho de la camisola.

CHORRETADA. f. fam. Chorro de un líquido que sale improvisadamente.

CHORRILLO. m. Acción continua de recibir o gastar.

CHORRO. m. Golpe de un líquido que sale con fuerza.

CHORTAL. m. Lagunilla formada por un manantial poco abundante que mana en el fondo de ella.

CHOTEO. m. Burla, pitorreo.

CHOTIS. m. Baile por parejas, como la mazurca, pero más lento.

CHOTO-TA. m. y f. Ternero. Cría de cabra que mama.

CHOTUNO-NA. adj. Relativo al choto.

CHOVA. f. Especie de cuervo con plumas negras con visos verdosos y encarnados, pico amarillo y patas de color rojizo.

CHOZA. f. Cabaña.

CHOZ. f. Golpe, novedad, extrañeza.

CHOZNO-NA. s. Cuarto nieto.

CHOZO. m. Choza pequeña.

CHOZPAR. intr. Saltar o brincar con alegría los corderos, cabritos y otros animales.

CHUBASCO. m. Aguacero con mucho viento.

CHUBASQUERO. m. Impermeable.

CHUCA. f. Uno de los cuatro lados de la taba que tiene un hoyo o concavidad.

CHUCERO. m. Soldado armado de chuzo.

CHUCHA. f. fam. Perra.

CHUCHERÍA. f. Golosina. Cosa sin importancia.

CHUCHERÍA. f. Acción de chuchear, cazar aves menudas.

CHUCHO-CHA. m. y f. Perro.

CHUECA. f. Tocón, lo que queda de un árbol cortado por el pie. Hueso redondeado que encaja en el hueco de otro en una coyuntura.

CHUETA. com. Nombre que se da en

las Baleares a los que se supone descienden de judíos conversos.

CHUFA. f. Planta ciberácea. Su tubérculo comestible.

CHUFERÍA. f. Establecimiento donde hacen o venden horchata de chufas.

CHUFERO-RA. m. y f. Vendedor de chufas.

CHUFLA. f. Chufleta.

CHULA. f. Fruto del candelabro, tuna o pelada.

CHULADA. f. Dicho o hecho de chulo.

CHULAPERÍA. f. fam. Chulería.

CHULAPO-PA. m. y f. Chulo, la, tipo del pueblo bajo de Madrid.

CHULEAR. tr. r. Burlar con gracia.

CHULERÍA. f. Cierto aire o gracia en las palabras y ademanes.

CHULETA. f. Costilla de res con carne.

CHULO-LA. adj. s. Que obra con chulería. m. y f. Individuo del pueblo bajo de Madrid, que se distingue por su afectación y guapeza en el traje y en el modo de producirse. Rufián.

CHUMACERA. f. Pieza en que descansa el eje de una máquina.

CHUMBERA. f. Bot. Higuera chumba.

CHUMBO-BA. adj. Aplícase al nopal y su fruto.

CHUNGA. f. Burla, zumba.

CHUNGÓN-NA. adj. Burlón.

CHUPA. f. Antigua prenda con faldilla y mangas ajustadas.

CHUPADERO-RA. adj. Lo que chupa. m. Chupador que usan los niños.

CHUPADO-DA. adj. fam. Muy flaco.

CHUPADOR-RA. adj. Que chupa. Chupete.

CHUPAGLOR. m. Zool. Especie de colibrí, de Venezuela.

CHUPAR. tr. Sacar jugo de algo con los labios. fig. fam. Absorber. r. Irse enflaqueciendo.

CHUPATINTAS. m. despec. Oficinista.

CHUPETA. f. Mar. Cámara que hay a popa en la cubierta principal de algunos buques.

CHUPETADA. f. Lo que se chupa de una vez.

CHUPETE. m. Útil para chupar los niños.

CHUPETEAR. tr. Chupar con frecuencia.

CHUPETEO. m. Acción de chupetear.

CHUPETÓN. m. Acción de chupar con fuerza.

CHUPÓN-NA. adj. s. Que chupa. Que saca dinero con engaño. m. Vástago o brote inútil.

CHUPÓPTERO. m. Persona que, sin prestar servicio, disfruta de uno o más sueldos.

CHURDÓN. m. Frambuesa. Jarabe de frambuesa.

CHURLA. f. Churle.

CHURLO. m. Saco de lienzo de pita cubierto con cue.o, para transportar canela u otras cosas sin que pierda su virtud.

CHURRE. m. fam. Pringue que corre de una cosa.

CHURRERÍA. f. Lugar donde se hacen y venden churros.

CHURRERO-RA. m. y f. Quien hace o vende churros.

CHURRETE. m. Mancha.

CHURRETOSO-SA. adj. Manchado, lleno de churretes.

CHURRIENTO-TA. adj. Que tiene churre.

CHURRIGUERESCO-CA. adj. Arq. Estilo introducido en la Arquitectura española por Churriguera en los primeros años del siglo XVIII. fig. Charro, excesivamente recargado.

CHURRIGUERISMO. m. Sistema de sobrecargar de adornos las obras de arquitectura. Exceso de ornamentación empleado en las obras de arquitectura españolas del siglo XVIII.

CHURRIGUERISTA. m. Arquitecto que adopta en sus obras el churriguerismo.

CHURRO. m. Cchombro. Pasta de harina y azúcar frita.

CHURRO-RRA. adj. s. Carnero u oveja de lana basta.

CHURRULERO-RA. adj. s. Charlatán, hablador insulso.

CHURRUSCAR. tr. Dejar que se queme una cosa.

CHURRUSCO. m. Pedazo de pan muy tostado.

CHURUMBEL. m. Niño.

CHURUMBELA. f. Bombilla para tomar el mate.

CHUSCADA. f. Dicho o hecho de chusco.

CHUSCAMENTE. adv. m. Con gracia, donaire y picardía.

CHUSCO-CA. adj. s. Que tiene gracia, donaire y picardía.

CHUSMA. f. Conjunto de gente soez.

CHUT. m. Dep. Chutar en el juego del fútbol. [el pie en fútbol.

CHUTAR. intr. Dep. Lanzar el balón con

CHUZAZO. m. Golpe de chuzo.

CHUZO. m. Pica que usan los serenos.

CHUZÓN-NA. adj. Astuto, recatado, difícil de engañar.

CHUZONERÍA. f. Burleta.

D. Quinta letra del alfabeto y cuarta consonante. Quinientos en núm. romana.

DABLE. adj. Posible.

DACA. Voz equivalente a "dame acá".

DACAPO. m. adv. Mús. Señal que indica debe volverse al principio, dicción italiana.

DACIÓN. For. Acción y efecto de dar.

DACTILAR. adj. Relativo a los dedos.

DACTILIOLOGIA. f. Parte de la arqueología que estudia los anillos y piedras preciosas grabados.

DACTILIÓN. m. Mús. Aparato que se coloca en el teclado para dar facilidad al principiante.

DACTILOGRAFIA. f. Arte de escribir a máquina.

DACTILÓGRAFO-FA. s. Mecanógrafo.

DACTILOLOGIA. f. Arte de hablar con los dedos.

DACTILOSCOPIA. f. Sistema de identificación por las impresiones digitales.

DADIVA. f. Regalo, obsequio.

DADIVAR. tr. Regalar, hacer dádivas.

DADIVOSO-SA. adj. Liberal, generoso, propenso a hacer dádivas.

DADO. m. Pieza cúbica para juegos de azahar, en cuyas caras hay señalados puntos.

DADOR-RA. adj. s. Que da. m. y f. Persona portadora de una carta para alguien.

DAGA. f. Arma blanca corta. Tonga de ladrillos que se cuecen de una vez.

DAGUERROTIPIA. f. Arte de fijar en planchas metálicas imágenes fotográficas.

DAGUERROTIPO. m. Aparato para grabar. Retrato obtenido por él.

DAIFA. f. Manceba.

DALIA. f. Planta compuesta, de jardín.

DALMATA. adj. s. De Dalmacia.

DALMÁTICA. f. Túnica que se pone sobre el alba.

DALTONIANO-NA. adj. El que padece daltonismo.

DALTONISMO. m. Defecto visual que confunde o no percibe algunos colores.

DALLE. m. Instrumento para segar.

DAMA. f. Mujer noble. Actriz. Peón coronado en el juego de damas.

DAMAJUANA. f. Vasija grande en forma de castaña.

DAMASCENO-NA. adj. s. De Damasco.

DAMASCO. m. Tela con labores de realce.

DAMASINA. f. Damasquillo, tela parecida al damasco.

DAMASQUINADO. f. Ataujía de metales finos sobre hierro o acero.

DAMISELA. f. Damita que presume de dama.

DAMNIFICAR. tr. Causar daño.

DANTA. f. Anta, cuadrúpedo rumiante.

DANTESCO-CA. adj. Relativo a Dante.

DANZA. f. Baile. Negocio desacertado.

DANZANTE-TA. s. Quien danza. Persona ligera de juicio.

DANZAR. tr. intr. Bailar. tr. Moverse, intervenir.

DANZARIN-NA. adj. s. Quien danza con habilidad.

DANZÓN. m. Baile cubano.

DAÑAR. tr. r. Causar daño. Echar a perder.

DAÑINO-NA. adj. Que daña.

DAÑO. m. Perjuicio, menoscabo.

DAR. tr. Donar. Conferir. Entregar.

DARDAVASI. m. Ave de rapiña diurna.

DARDO. m. Lanza corta arrojadiza. Dicho satírico.

DÁRICO. m. Moneda de oro que hizo acuñar Darío de Persia.

DÁRSENA. f. Sitio resguardado del puerto.

DARVINIANO-NA. adj. Relativo al darvinismo.

DARVINISMO. m. Doctrina de Darwin, que explica el origen de las especies por transformación de unas en otras.

DASONOMIA. f. Ciencia que trata del aprovechamiento de los montes.

DATA. f. Fecha. com. Partida de descarga.

DATAR. intr. Tener fecha. tr. Poner fecha.

DÁTIL. m. Fruto de la palmera.

DATILADO-DA. adj. De color de dátil.

DATILERA. adj. Palmera que da fruto.

DATIVO. m. Gram. Caso de declinación en que se pone el complemento indirecto.

DATO. m. Antecedente. Documento, fundamento.

DE. f. Nombre de la letra "D". Preposición de uso muy vario.

DEAMBULAR. intr. Andar, pasear.

DEÁN. m. Quien preside los cabildos después del Prelado.

DEANATO. m. Dignidad de Deán.

DEBAJO. adv. En lugar inferior.

DEBATE. m. Acto de debatir. Lucha.

DEBATIR. tr. Altercar. Discutir. Combatir.

DEBE. m. Parte de la cuenta corriente que comprende las partidas de cargo.

DEBELACIÓN. f. Acción de debelar.

DEBELAR. tr. Vencer con las armas.

DEBER. m. Aquello a que se está obligado. tr. Estar obligado.

DÉBIL. adj. s. Falto de fuerza. Apocado.

DEBILIDAD. f. Cualidad de débil. Vicio, flaqueza.

DEBILITACIÓN. Debilidad.

DEBILITAR. tr. r. Disminuir la fuerza.

DÉBITO. m. Deuda.

DEBLA. f. Canto popular andaluz en desuso.

DEBÓ. m. Instrumento que usan los pellejeros para adobar las pieles.

DEBUT. m. Estreno. Primera presentación ante el público.

DEBUTAR. intr. Estrenarse. Presentarse por primera vez.

DECA. Prefijo que significa diez.

DÉCADA. f. Espacio de diez días o años.

DECADENCIA. f. Declinación, principio de ruina.

DECADENTE. adj. Que está en decadencia.

DECAEDRO. m. Sólido de diez caras.

DECAER. intr. Ir a menos. Debilitarse.

DECÁGOGO. m. Polígono de diez lados.

DECAGRAMO. m. Diez gramos.

DECAÍDO-DA. adj. Que se halla en decadencia.

DECALITRO. m. Diez litros.

DECÁLOGO. m. Los diez Mandamientos de la Ley de Dios.

DECALVAR. tr. Rasurar a una persona todo el cabello.

DECÁMETRO. m. Diez metros.

DECAMPAR. intr. Levantar el campo un ejército.

DECANATO. m. Dignidad o despacho del decano.

DECANÍA. f. Finca o iglesia rural propiedad de un monasterio.

DECANO-NA. s. El más antiguo de la corporación. Quien la preside por elección.

DECANTAR. tr. Ponderar. Sacar el líquido de una vasija quedando en ella el poso.

DECAPITAR. tr. Cortar la cabeza.

DECÁPODO-DA. adj. Dícese de crustá-

ceos de ojos pedunculados y cinco pares de patas.

DECÁREA. f. Medida de superficie equivalente a diez áreas.

DECASÍLABO-BA. adj. s. De diez sílabas.

DECEMNOVENAL. adj. Cronol. Período de diecinueve años.

DECENA. f. Conjunto de diez unidades.

DECENAL. adj. Que dura diez años o se repite de diez en diez.

DECENAR. m. Cuadrilla de diez.

DECENARIO-RIA. adj. Relativo al número diez.

DECENCIA. f. Respeto exterior de las costumbres. Aseo. Honestidad. Recato.

DECENIO. m. Período de diez años.

DECENTAR. tr. Empezar a cortar algo.

DECENTE. adj. Que tiene decencia.

DECENVIRO. m. Cada uno de los diez magistrados que actuaban en el gobierno de Roma.

DECEPCIÓN. f. Engaño. Chasco.

DECI. Prefijo que significa "décima parte"

DECIÁREA. f. Décima parte del área.

DECIBLE. adj. Que se puede decir.

DECIDIDO-DA. adj. Resuelto, intrépido.

DECIDIR. tr. Determinar. Resolver.

DECIDOR-RA. adj. s. Que dice chistes con facilidad y gracia.

DECIGRAMO. m. Décima parte del gramo.

DECILITRO. m. Décima parte del litro.

DÉCIMA. f. Cada una de las diez partes iguales en que se divide un todo. Combinación de diez versos.

DECIMAL. adj. Décima parte de un todo. Sistema de numeración de base, diez.

DECÍMETRO. m. Décima parte del metro.

DÉCIMO-MA. adj. Que sigue en orden al 9 o al noveno. Décima parte de un billete de lotería.

DECIMOOCTAVO-VA. adj. Que sigue en orden al decimoséptimo.

DECIR. tr. Manifestar ideas con palabras. Asegurar.

DECISIÓN. f. Resolución en algo dudoso.

DECISIVO-VA. adj. Que decide.

DECLAMACIÓN. f. Arte de declamar.

DECLAMADOR-RA. adj. Que declama.

DECLAMAR. tr. intr. Recitar en voz alta, con entonación y ademanes adecuados.

DECLAMATORIO-RIA. adj. Propio de la declamación.

DECLARABLE. adj. Que puede ser declarado.

DECLARACIÓN. f. Acción y efecto de declarar.

DECLARANTE. com. Quien declara ante el juez.

DECLARAR. tr. r. Dar a conocer, explicar. For. Deponer, testificar.

DECLARATIVO-VA. adj. Que contiene declaración.

DECLARATORIO-RIA. adj. Que declara.

DECLINABLE. adj. Que se declina.

DECLINACIÓN. f. Caída, declive. Decadencia. Gram. Variación de casos en el nombre.

DECLINAR. intr. Separar, decaer. Gram. tr. Poner en los casos gramaticales las palabras declinables.

DECLINATORIA. f. For. Petición en que se declina el fuero.

DECLIVE. m. Pendiente de un terreno.

DECOCCIÓN. f. Acción y efecto de cocer.

DECOLORACIÓN. f. Acción y efecto de decolorar.

DECOLORAR. tr. r. Quitar o perder el color.

DECOMISAR. tr. Declarar a una cosa caída en comiso.

DECOMISO. m. Acto de decomisar.

DECORACIÓN. f. Cosa que decora. Lienzos pintados que representan el lugar en la escena.

DECORADO-DA. adj. Adornado, engalanado. Decoración.

DECORADOR. m. El que decora.

DECORAR. tr. Adornar, intr. Poner decoraciones.

DECORATIVO-VA. adj. Relativo a la decoración.

DECORO. m. Respeto, circunspección, recato. Honra.

DECOROSO-SA. adj. Que tiene decoro.

DECRECER. intr. Disminuir.

DECRECIMIENTO. m. Disminución.

DECREPITAR. intr. Decrepitar por la acción del fuego.

DECRÉPITO-TA. adj. Caduco.

DECREPITUD. f. Vejez excesiva, chochez.

DECRESCENDO. m. Mús. Disminución gradual de la intensidad del sonido.

DECRETAR. f. Epístola o decisión pontificia.

DECRETAR. tr. Resolver, decidir.

DECRETO. m. Decisión de la autoridad, hecha pública.

DECRETORIO. adj. Med. El día que hace crisis una enfermedad.

DECÚBITO. m. Posición del cuerpo tendido horizontalmente.

DECUPLICAR. tr. Multiplicar por diez una cantidad.

DECUPLO-PLA. adj. Que es diez veces mayor.

DECURIA. f. Cualquiera de las diez partes de la antigua curia romana.

DECURIÓN. m. Jefe de una decuria.

DECURRENTE. adj. Bot. Se denomina a las hojas que parecen adheridas al tallo.

DECURSO. m. Sucesión de tiempo.

DECUSO-SA. adj. Bot. Se dice de las hojas dispuestas en forma de cruz.

DECHADO. m. Ejemplar, modelo.

DEDADA. f. Porción de algo cogida con el dedo.

DEDAL. m. Utensilio para empujar la aguja sin riesgo de lastimarse.

DÉDALO. m. fig. Laberinto.

DEDEO. m. Mús. Agilidad en los dedos al tocar un instrumento.

DEDICACIÓN. Consagración. Acción de dedicar.

DEDICAR. tr. Destinar algo a un fin. Consagrar.

DEDICATORIA. f. Carta o nota dirigida al que dedica una obra.

DEDIGNAR. tr. Desdeñar, despreciar.

DEDIL. m. Dedal de cuero u otra materia.

DEDO. m. Cualquiera de las cinco extremidades en que terminan las manos o los pies. Medida de longitud.

DEDOLAR. tr. Cir. Cortar oblicuamente alguna parte del cuerpo.

DEDUCCIÓN. f. Derivación, descuento.

DEDUCIBLE. adj. Que puede ser deducido.

DEDUCIR. tr. Rebajar o descontar. Sacar consecuencias de un principio. Inferir.

DEDUCTIVO-VA. adj. Defectuoso. Imcompleto.

DEFECACIÓN. f. Acción de defecar.

DEFECAR. intr. Expeler excrementos por el ano.

DEFECCIÓN. f. Acción de separarse de algo. Deserción.

DEFECTIVO-VA. adj. Que participa de la deducción.

DEFECTO. m. Imperfección, carencia de algunas cualidades.

DEFECTUOSO-SA. adj. Imperfecto.

DEFENDER. tr. r. Sostener un ataque. Proteger. Abogar.

DEFENDIBLE. adj. Lo que se puede defender.

DEFENSA. f. Acción y efecto de defender. Obra de fortificación. For. Abogado defensor.

DEFENSIVA. f. Estado en que se defiende.

DEFENSIVO-VA. adj. Que sirve para defenderse.

DEFENSOR-RA. adj. s. Que defiende.

DEFERENCIA. f. Muestra de respeto.

DEFERENTE. adj. Que muestra deferencia.

DEFERIR. intr. Adherirse al dictamen ajeno.

DEFICIENCIA. f. Defecto o imperfección.

DEFICIENTE. adj. Defectuoso.

DÉFICIT. m. Lo que falta de ingresos para equilibrar el gasto.

DEFINICIÓN. f. Acto de definir. Fórmula por la que se define.

DEFINIR. tr. r. Exponer la naturaleza de algo. Decidir un punto dudoso.

DEFINITIVO-VA. adj. Decisivo, concluyente.

DEFLAGACIÓN. f. Acción y efecto de deflagrar.

DEFLAGADOR-RA. adj. Que deflagra.

DEFLAGRAR. intr. Arder rápidamente con llama y sin explosión.

DEFLEGMAR. tr. Quím. Separar de un cuerpo su parte acuosa.

DEFLECTOR. m. Aparato para corregir desviaciones de la brújula.

DEFOLIACIÓN. f. Caída prematura de las hojas.

DEFORMACIÓN. f. Alteración de la forma o figura.

DEFORMAR. tr. r. Cambiar la forma. Desfigurar.

DEFORMATORIO-RIA. adj. Lo que deforma o sirve para deformar.

DEFORME. adj. Que tiene irregularidad en su forma.

DEFORMIDAD. f. Calidad de deforme. Lo deforme.

DEFRAUDACIÓN. f. Acción y efecto de defraudar.

DEFRAUDADOR-RA. adj. Que defrauda.

DEFRAUDAR. tr. Frustrar. Turbar. Privar por engaño de un derecho. Malversar.

DEFUNCIÓN. f. Muerte.

DEGENERACIÓN. f. Acción y efecto de degenerar.

DEGENERAR. tr. Decaer. Declinar. Pasar de un estado a otro peor.

DEGLUCIÓN. f. Acción y efecto de deglutir.

DEGLUTIR. intr. tr. Tragar alimento.

DEGOLLACIÓN. f. Acción y efecto de degollar.

DEGOLLADERO. m. Parte del cuello por donde se degolla al animal. Lugar destinado a degollar.

DEGOLLADOR-RA. adj. Que degüella.

DEGOLLAR. tr. Cortar la garganta. Escotar un traje.

DEGOLLINA. f. Matanza.

DEGRADACIÓN. f. Acción y efecto de degradar.

DEGRADANTE. adj. Lo que degrada o rebaja.

DEGRADAR. tr. Despojar de honores. tr. r. Envilecer.

DEGÜELLO. m. Acto de degollar.

DEGUSTACIÓN. f. Acto de probar o gustar.

DEHESA. f. Tierra acotada para pastos.

DEHESADO. m. Guarda de una dehesa.

DEHISCENCIA. f. Acto de abrirse naturalmente alguna parte de la planta.

DEHISCENTE. adj. Dícese del fruto con dehiscencia.

DEICIDA. adj. Que dió muerte a Cristo.

DEICIDIO. m. Crimen de los deicidas.

DEIDAD. f. Ser divino o esencia divina.

DEIFICAR. tr. Divinizar, ensalzar con exceso.

DEIFICO-CA. adj. Perteneciente a Dios.

DEJADEZ. f. Pereza, negligencia.

DEJADO-DA. adj. Flojo y negligente.

DEJAR. tr. Soltar. Retirarse.

DEJO. m. Tonillo especial para hablar. Sabor que deja la comida o la bebida.

DEL. Contracción de la preposición de y el artículo el.

DELACIÓN. f. Denuncia. Acusación.

DELANTAL. m. Prenda sujeta a la cintura para cubrir el traje.

DELANTE. adv. En lugar anterior. Enfrente.

DELANTERA. f. Parte anterior de algo. Espacio que uno se adelanta a otro.

DELANTERO-RA. adj. Que está delante. El que juega en primera fila.

DELATANTE. p. a. de Delatar. Que delata.

DELATAR. tr. Denunciar. Descubrir un delito a la autoridad.

DELATOR-RA. adj. s. Acusador, denunciador.

DELE. m. Imp. Signo del corrector que indica supresión.

DELECTACIÓN. f. Deleite, complacencia.

DELEGACIÓN. f. Acción y efecto de delegar. Cargo u oficina del delegado.

DELEGADO-DA. adj. s. A quien se le delega un poder.

DELEGANTE. tr. Investir a alguien con su autoridad.

DELEITABLE. adj. Deleitoso.

DELEITACIÓN. f. Deleite, gusto, placer.

DELEITAR. tr. r. Causar deleite.

DELEITE. m. Delicia, gusto, placer.

DELEITOSO-SA. adj. Agradable, que causa deleite.

DELETÉREO-A. adj. Mortífero.

DELETREAR. intr. tr. Pronunciar separando las letras.

DELETREO. m. Acto de deletrear.

DELEZNABLE. adj. Corrompible. Que resbala con facilidad.

DELEZNARSE. r. Deslizarse, resbalarse.

DELFÍN. m. Cetáceo odontoceto de hocico prolongado.

DELFINA. f. Mujer del Delfín, primogénito del rey de Francia.

DELGADEZ. f. Calidad de delgado.

DELGADO-DA. adj. Flaco, sutil.

DELGADUCHO-CHA. adj. Algo delgado.

DELIBERACIÓN. f. Acción y efecto de deliberar.

DELIBERADAMENTE. adv. m. Con deliberación.

DELIBERAR. intr. Discurrir una decisión. Premeditar.

DELIBERATIVO-VA. adj. Relativo a la deliberación.

DELICADEZ. f. Debilidad, nimiedad, indolencia.

DELICADEZA. f. Finura, suavidad, atención.

DELICADO-DA. adj. Fino. Suave, atento. Sensible, débil.

DELICADUCHO-CHA. adj. Persona que se halla débil y enfermiza.

DELICIA. f. Placer intenso. Lo que lo causa.

DELICIOSAMENTE. adv. De modo delicioso.

DELICIOSO-SA. adj. Que causa delicia.

DELICTIVO-VA. adj. Relativo al delito.

DELICUESCENCIA. f. Propiedad de absorber la humedad del aire.

DELICUESCENTE. adj. Que tiene delicuescencia.

DELIMITAR. tr. Limpiar.

DELINCUENCIA. f. Calidad de delincuente.

DELINCUENTE. adj. s. Que delinque.

DELINEACIÓN. f. Acto de delinear.

DELINEANTE. m. Quien tiene por oficio dibujar planos.

DELINEAR. tr. Trazar figuras y sus líneas.

DELINQUIMIENTO. m. Acción y efecto de delinquir.

DELINQUIR. intr. Cometer delito.

DELIQUIO. m. Desmayo, desfallecimiento.

DELIRANTE. Que delira.

DELIRAR. intr. Desvariar. Estar perturbado mentalmente.

DELIRIO. m. Perturbación mental por una enfermedad.

DELÍRIUM TREMENS. m. Enfermedad del alcoholismo.

DELITESCENCIA. f. Med. Desaparición de alguna afección local.

DELITO. m. Quebrantamiento de ley. Falta, culpa.

DELTA. m. Letra griega correspondiente a la D. Terreno entre dos de los brazos con que desembocan algunos ríos en el mar.

DELTOIDES. adj. Músculo del hombro que levanta el brazo.

DELUDIR. tr. Engañar, burlar.

DEMACRACIÓN. f. Enflaquecimiento.

DEMACRARSE. r. tr. Enflaquecer.

DEMAGOGIA. f. Tiranía de la plebe. Ambición de dominio entre el pueblo.

DEMAGÓGICO-CA. adj. Relativo a la demagogia.

DEMAGOGO. s. Jefe de un partido popular. Agitador del pueblo.

DEMANDA. f. Solicitud. Petición. Pregunta. Pedido.

DEMANDADERO-RA. adj. Quien hace mandados. s. Criado de convento o cárcel.

DEMANDANTE. p. a. de Demandar. Que demanda.

DEMANDAR. tr. Pedir Exponer en juicio su derecho contra alguien.

DEMARCACIÓN. f. Acción de demarcar. Terreno demarcado.

DEMARCAR. tr. Señalar límites.

DEMÁS. adj. Otra, otro, otros, otras, los restantes.

DEMASÍA. f. Exceso. Maldad.

DEMASIADO-DA. adj. Excesivo. Sobrado. adv. Excesivamente.

DEMASIARSE. r. Exceder, demandarse.

DEMEDIAR. tr. Partir, dividir en mitades.

DEMENCIA. f. Locura.

DEMENTE. adj. s. Loco, falto de juicio.

DEMERGIDO-DA. adj. Abatido, hundido.

DEMÉRITO. m. Lo que desmerece.

DEMOCRACIA. f. Soberanía del pueblo.

DEMÓCRATA. adj. Partidario de la democracia.

DEMOGRAFÍA. f. Estadística que trata de los habitantes de un país.

DEMOLER. tr. Derribar.

DEMOLICIÓN. f. Acción y efecto de demoler.

DEMONÍACO-CA. adj. Relativo al demonio.

DEMONIO. m. Diablo.

DEMONOLATRÍA. f. Culto supersticioso que se rinde al diablo.

DEMONTRE. m. fam. Diablo.

DEMORA. f. Dilación. Mar. Dilación de un objeto respecto a otro.

DEMORAR. tr. Retardar. intr. Detenerse.

DEMOSTRABLE. adj. Que puede demostrarse.

DEMOSTRACIÓN. f. Acción y efecto de demostrar.

DEMOSTRAR. tr. Probar razonando. Manifestar.

DEMOSTRATIVO-VA. adj. Que demuestra. Que indica situación.

DEMUDACIÓN. f. Acción de demudarse.

DEMUDAR. tr. Mudar. Desfigurar. Alterar. Inmutarse.

DEMULCENTE. adj. Med. Emoliente.

DENARIO. adj. Relativo al diez. Moneda romana.

DENDRIFORME. adj. De figura de árbol.

DENDRITA. f. Concreción mineral en forma de ramas.

DENDOGRAFÍA. f. Tratado de los árboles.

DENEGACIÓN. f. Acción y efecto de denegar.

DENEGAR. tr. No conceder lo pedido.

DENEGATORIO-RIA. adj. Que deniega.

DENEGRIDO-DA. adj. De color que tira a negro.

DENGOSO-SA. adj. Melindroso.

DENGUE. m. Melindre. Enfermedad epidémica.

DENIGRACIÓN. f. Acción y efecto de denigrar.

DENIGRANTE. p. a. de Denigrar. Que denigra.

DENIGRAR. tr. Hablar mal para infamar. Injuriar.

DENIGRATIVO-VA. adj. Que denigra.

DENODADO-DA. adj. Que tiene denuedo.

DENOMINACIÓN. f. Nombre que distingue las personas o las cosas.

DENOMINADOR-RA. adj. Que denomina. m. Divisor de un quebrado.

DENOMINAR. tr. Nombrar.

DENOMINATIVO-VA. adj. Que denota denominación.

DENOSTAR. tr. Agraviar. Infamar de palabra. r. Injuriarse.

DENOTAR. tr. Indicar, significar.

DENSIDAD. f. Calidad de denso. Relación entre la masa y el volumen de algo.

DENSIFICAR. tr. Hacer densa una cosa.

DENSIMETRÍA. f. Medida de las densidades.

DENSÍMETRO. m. Aparato para la densimetría.

DENSO-SA. adj. Compacto, espeso.

DENTADO-DA. adj. Que tiene dientes.

DENTADURA. f. Conjunto de dientes, muelas y colmillos.

DENTAL. m. Palo en que se encaja la reja del arado. Pieza cortante del trillo.

DENTAR. tr. Poner dientes. intr. Endentecer.

DENTARIO-RIA. adj. Dental.

DENTEJÓN. m. Yugo para uncir bueyes.

DENTELLADA. f. Mordisco fuerte.

DENTELLAR. intr. Batir los dientes rápidamente.

DENTELLEAR. tr. Mordisquear.

DENTELLÓN. m. Pieza en las cerraduras maestras.

DENTERA. f. Sensación desagradable en los dientes. Envidia.

DENTICINA. f. Medicamento para favorecer la dentición.

DENTICIÓN. f. Acto de endentecer.

DENTICULAR. adj. De figura de dientes.

DENTRIFICO. adj. Que sirve para limpiar la dentadura.

DENTINA. f. Marfil de los dientes.

DENTISTA. s. Dedicado a la odontología.

DENTRO. adv. En la parte interior de un espacio.

DENTUDO-DA. adj. Que tiene grandes dientes.

DENUEDO. m. Brío, intrepidez.

DENUESTO. m. Injuria.

DENUNCIA. f. Acción de denunciar.

DENUNCIAR. tr. Avisar. Notificar. For. Delatar.

DENUNCIO. m. Min. Acción de denunciar una mina.

DEODARA. adj. Variedad de cedro.

DEONTOLOGÍA. f. Tratado de los deberes.

DEPARAR. tr. Proporcionar, presentar.

DEPARTAMENTO. m. División de un territorio, edificio, etc. Ministerio o ramo de la administración pública.

DEPARTIR. intr. Conversar.

DEPAUPERAR. tr. Empobrecer. tr. r. Debilitar.

DEPENDENCIA. f. Subordinación. Negocio, encargo.

DEPENDER. intr. Estar subordinado a algo o a alguien.

DEPENDIENTE. m. Empleado.

DEPILACIÓN. f. Med. Acción de depilar o depilarse.

DEPILAR. tr. r. Quitar el pelo.

DEPILATORIO-RIA. adj. s. Que depila.

DEPLORABLE. adj. Lamentable.

DEPLORAR. tr. Sentir profundamente. Compadecerse.

DEPONENTE. adj. s. Que depone.

DEPONER. tr. Dejar sin empleo. For. Declarar en juicio. Evacuar el vientre.

DEPOPULADOR-RA. adj. Que hace estragos en campos y poblados.

DEPORTACIÓN. f. Acción y efecto de deportar.

DEPORTAR. tr. Desterrar.

DEPORTE. m. Recreación, ejercicio generalmente al aire libre.

DEPORTISTA. adj. com. Aficionado al deporte.

DEPORTIVO-VA. adj. Relativo al deporte.

DEPOSICIÓN. m. Declaración de algo. Degradación.

DEPOSITAR. tr. Confiar a la custodia de alguien. Colocar en un lugar determinado. Sedimentar.

DEPOSITARÍA. f. Lugar donde se hacen depósitos. Cargo de depositario.

DEPOSITARIO-RIA. adj. s. Perteneciente al depósito. Tesorero. m. Persona en quien se deposita algo.

DEPÓSITO. m. Acción y efecto de depositar.

DEPRAVACIÓN. f. Acción y efecto de depravar o depravarse.

DEPRAVAR. tr. Viciar, adulterar.

DEPRECACIÓN. f. Acción de deprecar.

DEPRECANTE. p. a. de Deprecar. Que deprea.

DEPRECAR. tr. Rogar pedir con eficacia.

DEPRECATIVO-VA. adj. Perteneciente a la deprecación.

DEPRECIACIÓN. f. Disminución del valor o precio de algo.

DEPRECIAR. tr. Rebajar el valor o precio.

DEPREDACIÓN. f. Saqueo con violencia y devastación. Malversación o exacción injusta.

DEPREDAR. tr. Saquear con violencia. Malversar.

DEPRESIÓN. f. Acción de deprimir.

DEPRESIVO-VA. adj. Que deprime.

DEPRESOR-RA. adj. s. Que deprime o humilla.

DEPRIMENTE. p. a. de Deprimir. Que deprime.

DEPRIMIR. tr. Abatir. Humillar. Rebajar.

DEPUESTO-TA. p. p. irreg. De deponer.

DEPURACIÓN. f. Acción de depurar.

DEPURADOR. adj. Que depura.

DEPURAR. tr. r. Quitar impurezas. Limpiar.

DEPURATIVO-VA. adj. s. Dícese del medicamento que depura los humores.

DERECHA. f. Mano derecha. Colectividad política moderada. Mil. Orden de mando.

DERECHERO-RA. adj. Justo, recto, arreglado.

DERECHISTA. com. Persona amiga de la tradición.

DERECHO-CHA. adj. Recto, igual, seguido, sin torcerse.

DERECHURA. f. Camino recto. Calidad de derecho.

DERIVA. f. Mar. Desvío de la nave por efecto del viento.

DERIVAR. intr. r. Prevenir de algo. Mar. Separarse del rumbo.

DERIVATIVO-VA. adj. Que denota derivación.

DERIVO. m. Origen, procedencia.

DERMALGIA. f. Dolor nervioso de la piel.

DERMATITIS. f. Inflamación de la piel.

DERMATOLOGIA. f. Med. Tratado de las enfermedades de la piel.

DERMATÓLOGO. m. Especialista en dermatología.

DERMATOSIS. f. Enfermedad cutánea.

DERMESTO. m. Zool. Insecto coleóptero, dañino para las pieles.

DERMIS. f. Tejido conjuntivo inferior a la epidermis.

DERMITIS. f. Dermatitis.

DEROGABLE. adj. Que se puede derogar.

DEROGACIÓN. f. Acto de derogar. Abolición.

DEROGAR. tr. Anular, abolir, modificar, destruir.

DEROGATORIO-RIA. adj. For. Que deroga.

DERRABAR. tr. Cortar la cola.

DERRAMA. f. Repartimiento, tributo.

DERRAMAMIENTO. m. Acción de derramar. Dispersión.

DERRAMAR. tr. r. Verter un líquido. Esparcir. Repartir.

DERRAME. m. Derramamiento. Lo que se derrama. Med. Acumulación anormal de un líquido orgánico.

DERREDOR. m. Contorno. Circuito.

DERRELINQUIR. tr. Abandonar, desamparar.

DERRENGADO-DA. adj. Torcido, inclinado a un lado.

DERRENGAR. tr. r. Torcer. Descaderar, lastimar lomos y espinazo.

DERRETIMIENTO. m. Acción de derretir.

DERRETIR. tr. r. Liquidar por el calor. Disipar.

DERRIBAR. tr. Echar a tierra, postrar.

DERRIBO. m. Acto de derribar.

DERROCADERO. m. Sitio peñascoso y de muchas rocas.

DERROCAR. tr. Despeñar, derribar.

DERROCHADOR-RA. adj. s. Que derrocha.

DERROCHAR. tr. Malgastar, malbaratar el caudal.

DERROCHE. m. Acción de derrochar.

DERRONCHAR. tr. ant. Combatir, pelear.

DERROTA. f. Vencimiento de un ejército. Mar. Rumbo de una nave, Camino.

DERROTAR. tr. Vencer, destrozar, disipar. r. Mar. Apartarse del rumbo.

DERROTE. m. Cornada que da el toro al levantar la cabeza.

DERROTERO. m. Dirección, rumbo. Mar. Línea señalada en la carta de mareas.

DERRUBIAR. tr. r. Desgastar las aguas la tierra.

DERRUIR. tr. Derribar.

DERRUMBADERO. m. Despeñadero.

DERRUMBAMIENTO. m. Acción y efecto de derrumbar.

DERRUMBAR. tr. r. Precipitar, despeñar.

DERVICHE. m. Monje musulmán político-religioso.

DES. prep. insep. Que denota negación, oposición o privación.

DESABARRANCAR. tr. Sacar de un barranco lo que está atascado.

DESABASTECER. tr. Privar de abastecimientos.

DESABEJAR. tr. Sacar las abejas de la colmena.

DESABILLÉ. m. Galicismo por traje de casa.

DESABOLLAR. tr. Quitar las abolladuras.

DESABONARSE. r. Retirar uno su abono de un teatro, etc.

DESABOR. m. Insipidez en el paladar.

DESABORIDO-DA. adj. Insípido, sin sabor. fam. Soso.

DESABOTONAR. tr. r. Desasir los botones.　　　[templado.

DESABRIDO-DA. adj. Sin razón, des-

DESABRIGADO-DA. adj. Desamparado, sin favor ni apoyo.

DESABRIGAR. tr. r. Desarropar, quitar el abrigo.

DESABRIMIENTO. m. Falta de sabor. Aspereza.

DESABRIR. tr. Dar mal gusto a la comida.

DESABROCHAR. tr. r. Desatar los broches, botones. Descubrir.

DESACALORARSE. r. Aliviarse del calor.

DESACATAR. tr. r. Faltar al respeto.

DESACATO. m. Irreverencia. Falta de respeto. Desatención.

DESACEITADO-DA. adj. Lo que está sin aceite debiendo tenerlo o no tiene lo suficiente.

DESACERAR. tr. Quitar la parte de acero de una herramienta.

DESACERBAR. tr. Templar, endulzar.

DESACERTAR. intr. Errar, no tener acierto.

DESACIERTO. m. Acción y efecto de desacertar. Dicho o hecho desacertado.

DESACOMODADO-DA. adj. Sin empleo. Sin medios.

DESACOMODAR. tr. Privar de comodidad.

DESACOMODO. m. Acción de desacomodar.

DESACONSEJAR. tr. Disuadir, persuadir lo contrario de lo que se tiene pensado.

DESACOPLAR. tr. Separar lo que estaba acoplado.

DESACORDAR. tr. r. Destemplar instrumentos. Cantar con voz destemplada.

DESACORDE. adj. Que no concuerda con algo.

DESACOSTUMBRAR. tr. r. Hacer perder una costumbre.

DESACREDITAR. tr. Disminuir el crédito o estimación.

DESACUERDO. m. Disconformidad. Olvido.

DESACUÑAR. tr. Quitar el cuño a las monedas o medallas.

DESAFECCIÓN. m. Falta de afección. Mala voluntad.

DESAFERRAR. tr. Desasir. Sacar de su parecer a uno.

DESAFIAR. tr. Retar, competir provocar.

DESAFILAR. tr. Embotar el filo de un arma.

DESAFINACIÓN. m. Acción y efecto de desafinar.

DESAFINAR. int. r. Mús. Desviarse de la entonación debida.

DESAFÍO. m. Acción de desafiar.

DESAFORADO-DA. adj. Que obra sin ley. Desmedido.

DESAFORAR. tr. Quebrantar los fueros y privilegios que corresponden a uno.

DESAFORRAR. tr. Quitar el forro.

DESAFORTUNADO-DA. adj. Desgraciado.

DESAFUERO. m. Violencia contra la ley.

DESGRACIADO-DA. adj. Sin gracia.

DESAGRADABLE. adj. Que desagrada.

DESAGRADAR. intr. r. Causar disgusto, fastidiar.

DESAGRADECER. tr. No agradecer.

DESAGRADECIMIENTO. m. Acción de desagradecer.

DESAGRADO. m. Descontento, disgusto.

DESAGRAVIAR. tr. Reparar un agravio.

DESAGRAVIO. m. Acción de desagraviar.

DESAGUADERO. m. Conducto de desagüe.

DESAGUAZAR. tr. Sacar agua de un lugar.

DESAGÜE. m. Acción de desaguar. Desaguadero.

DESAGUISADO. adj. Hecho contra la ley. m. Agravio, acción descomedida.

DESAHIJAR. tr. Apartar en el ganado las crías de las madres.

DESAHOGADAMENTE. adv. m. Con desahogo.

DESAHOGADO-DA. adj. Descarado, descocado.

DESAHOGAR. tr. Aliviar. Soltar las pasiones o deseos. Decir lo que se siente. Desempeñarse.

DESAHOGO. m. Alivio, esparcimiento. Libertad.

DESAHUCIAR. tr. r. Quitar la esperanza. Expulsar a un inquilino.

DESAHUCIO. m. Acción y efecto de expulsar a un inquilino.

DESAHUMAR. tr. Quitar el humo.

DESAINAR. tr. Quitar la grasa.

DESAIRADO-DA. adj. Sin garbo. Que no queda airoso.

DESAIRAR. tr. Desestimar. Desatender. Deslucir.

DESAIRE. m. Falta de garbo. Acción y efecto de desairar.

DESAISLARSE. r. Salir del aislamiento.

DESAJUSTAR. tr. Descomponer.

DESALAR. tr. Quitar la sal de una cosa. Quitar las alas. r. Andar con aceleración.

DESALENTAR. tr. Estorbar el aliento. Quitar el ánimo.

DESALFOMBRAR. tr. Quitar las alfombras.

DESALHAJAR. tr. Quitar las alhajas.

DESALIENTO. m. Decaimiento del ánimo.

DESALINEAR. tr. Hacer perder la línea recta.

DESALIÑAR. tr. r. Descomponer el adorno.

DESALIÑO. m. Falta de aliño. Negligencia.

DESALMADO-DA. adj. Cruel, sin conciencia.

DESALMAR. tr. fig. Quitar la fuerza y la virtud.

DESALMENADO-DA. adj. Falto de almenas.

DESALMIDONAR. tr. Quitar el almidón de la ropa.

•DESALOJAMIENTO.. m. Acción y efecto de desalojar.

DESALOJAR. tr. Sacar de un lugar. intr. Dejar el hospedaje.

DESALQUILAR. tr. r. Dejar de tener alquilado algo.

DESALTERAR. tr. Tranquilizar.

DESAMARRAR. tr. Quitar las amarras. Desasir o apartar algo.

DESAMASADO-DA. adj. Deshecho, desunido.

DESAMISTAD. f. Enemistad.

DESAMISTARSE. r. Perder o abandonar la amistad de alguien.

DESAMOLDAR. tr. Desfigurar.

DESAMOR. m. Falta de afecto. Enemistad.

DESAMORTIZACIÓN. m. Acción de desamortizar.

DESAMORTIZAR. tr. r. Dejar libres los bienes amortizados.

DESAMPARAR. tr. Abandonar, dejar sin amparo. Ausentarse.

DESAMPARO. m. Acción de desamparar.

DESAMUEBLAR. tr. Quitar los muebles en una casa.

DESANCLAR. tr. Mar. Levantar las áncoras.

DESANDAR. tr. Retroceder en el camino ya andado.

DESANDRAJADO-DA. adj. Andrajoso, desastrado.

DESANGRAR. tr. r. Sacar la sangre. r. Ir perdiendo la sangre.

DESANIDAR. intr. Dejar las aves el nido.

DESANIMAR. tr. Desalentar, acobardar.

DESÁNIMO. m. Falta de ánimo, desilusión.

DESANUDAR. tr. Desatar un nudo.

DESAPACIBLE. adj. Que produce disgusto.

DESAPADRINAR. tr. fig. Desaprobar.

DESAPAÑAR. tr. Descomponer, desataviar.

DESAPARECER. tr. r. Quitar de la vista algo.

DESAPAREJAR. tr. Quitar el aparejo.

DESAPASIONAR. tr. Quitar, desarraigar la pasión.

DESAPEGO. m. Indiferencia, falta de apego.

DESAPERCIBIDO-DA. adj. Desprevenido. Galicismo por inadvertido.

DESAPLICADO-DA. adj. Quien no se aplica.

DESAPODERADO-DA. adj. Precipitado, violento.

DESAPOSENTAR. tr. Echar de la habitación.

DESAPOYAR. tr. Quitar el apoyo.

DESAPROBACIÓN. f. Acción de desaprobar.

DESAPROBAR. tr. Reprobar, no asentir a una cosa.

DESAPROVECHAMIENTO. m. Acción de desaprovechar.

DESAPROVECHAR. tr. No aprovechar algo.

DESAPUNTALAR. tr. Quitar los puntales.

DESARBOLAR. tr. Mar. Quitar la arboladura.

DESARMAR. tr. Quitar las armas. Descomponer. Aplacar.

DESARME. m. Acción de desarmar.

DESARRAIGAR. tr. r. Sacar de raíz. Extirpar.

DESARREGLAR. tr. Desordenar.

DESARREGLO. m. Desorden, falta de arreglo.

DESARROLLAR. tr. r. Deshacer un rollo. Explicar.

DESARROPAR. tr. r. Quitar la ropa.

DESARRUGAR. tr. Estirar, quitar las arrugas.

DESARTICULACIÓN. f. Acción de desarticular.

DESARTICULAR. tr. r. Sacar de su articulación. Quebrantar.

DESASEADO-DA. adj. Falta de aseo.

DESASEO. m. Desaliño.

DESASIMIENTO. m. Acción de desasir.

DESASIMILACIÓN. f. Metabolismo por el que se eliminan sustancias de los seres vivos.

DESASIMILAR. tr. r. Destruir la asimilación.

DESASIR. tr. Soltar lo asido. r. Desprenderse.

DESASNAR. tr. r. Quitar la rudeza.

DESASOCIAR. tr. Disolver una asociación.

DESASOSEGAR. tr. r. Quitar el sosiego.

DESASOSIEGO. m. Inquietud, alteración.

DESASTRADO-DA. adj. Desgraciado. Desaseado.

DESASTRE. m. Desgracia.

DESATALENTADO-DA. adj. Desconcertado.

DESATAR. tr. r. Soltar lo atado. Excederse en hablar.

DESATASCAR. tr. Quitar el atasco.

DESATENCIÓN. f. Descortesía. Falta de atención.

DESATENDER. tr. No hacer caso.

DESATENTO-TA. adj. Que no hace atención. Descortés.

DESATIENTO. m. Falta de tiento o de tacto.

DESATINAR. tr. Hacer perder el tino. intr. Decir o hacer desatinos.

DESATINO. m. Falta de tino. Error.

DESATOLONDRAR. tr. Hacer volver en sí al atolondrado.

DESATOLLAR. tr. Sacar del atolladero.

DESATORNILLAR. tr. r. Aflojar tornillos.

DESATRACAR. tr. r. Mar. Separar una embarcación de donde atraca.

DESATRAILLAR. tr. Quitar la trailla.

DESATRANCAR. tr. Quitar el atranco.

DESAUTORIZACIÓN. f. Acción de desautorizar.

DESAUTORIZAR. tr. r. Quitar la autoridad.

DESAVENENCIA. f. Discordia, oposición.

DESAVENIR. tr. Desconcertar, discordar, desconvenir.

DESAVÍO. m. Acción y efecto de desaviar o desaviarse.

DESAYUNO. m. Primera comida de la mañana.

DESAZOGAR. tr. Quitar el azogue.

DESAZÓN. f. Pesadumbre. Falta de sazón. Inquietud.

DESAZONAR. tr. Quitar la sazón. Disgustar. Sentirse indispuesto.

DESBANCAR. tr. r. Desembarazarse de bancos. Suplantar.

DESBANDARSE. r. Dispersarse.

DESBARAJUSTAR. tr. Poner en desorden una cosa.

DESBARATAR. tr. Deshacer, malgastar, arruinar.

DESBARRAR. intr. Tirar descuidadamente la barra. Disparatar.

DESBASTAR. tr. Quitar lo basto. Afinar. Labrar la madera toscamente.

DESBAZADERO. m. Sitio húmedo y resbaladizo.

DESBOCAR. tr. Quitar o romper la boca a una cosa.

DESBORDAMIENTO. m. Acción de desbordarse.

DESBORDAR. intr. r. Salir de los bordes. Desmandarse.

DESBRAVAR. tr. Amansar ganado. Aplacar.

DESBRIZNAR. tr. Quitar las briznas.

DESBROZAR. tr. Quitar la broza.

DESBULLADOR. m. Tenedor para ostras.

DESBULLAR. tr. Sacar la ostra de la concha.

DESCABALAR. tr. Dejar algo incompleto.

DESCABALGAR. tr. Apearse del caballo.

DESCABELLADO-DA. adj. fig. Lo que va fuera de razón.

DESCABELLAR. tr. Despeñar, desgreñar. Tauro. Matar instantáneamente al toro.

DESCABELLO. m. Acción de descabellar.

DESCABEZAR. tr. Quitar la cabeza. Cortar la parte superior.

DESCAECER. intr. Ir a menos.

DESCAECIMIENTO. m. Debilidad.

DESCALABRADURA. f. Herida en la cabeza.

DESCALABRAR. tr. r. Herir en la cabeza. Causar daño.

DESCALABRO. m. Contratiempo, daño, pérdida.

DESCALIFICACION. f. Inhabilitación.

DESCALZAR. tr. r. Quitar el calzado. Socavar.

DESCALZO-ZA. adj. Desnudo de pie.

DESCAMACIÓN. f. Desprendimiento de la epidermis seca.

DESCAMINAR. tr. r. Apartar del buen camino.

DESCAMISADO-DA. adj. Sin camisa. Pobre.

DESCAMPADO-DA. adj. Descubierto.

DESCANSAR. intr. Reposar. Reparar fuerzas.

DESCANSILLO. m. Final del tramo de una escalera.

DESCANSO. m. Quietud, reposo. Pausa en el trabajo.

DESCANTAR. tr. Limpiar de cantos o piedras.

DESCANTILLAR. tr. Romper las aristas.

DESCAÑAR. tr. Romper la caña de las mieses.

DECAÑONAR. tr. Quitar los cañones a las naves.

DESCARADO-DA. adj. Que obra con descaro.

DESCARBONATAR. tr. Quitar el ácido carbónico.

DESCARBURACIÓN. f. Acción de transformar el hierro bruto en acero.

DESCARGADERO. m. Lugar destinado para descargar.

DESCARGAR. tr. Quitar la carga. Disparar.

DESCARIÑARSE. r. Perder el cariño.

DESCARNAR. tr. r. Separar la carne del hueso.

DESCARO. m. Insolencia.

DESCARRIAR. tr. Apartar del camino. tr. r. Apartar del rebaño.

DESCARRILAMIENTO. m. Acción de descarrilar.

DESCARRILAR. intr. Salir del carril. Descarriarse.

DESCARRÍO. m. Acción de descarriar.

DECARTAR. tr. Deshacerse de cartas inútiles en el juego. Rechazar.

DESCARTES. m. Acto de descartarse.

DESCASAR. tr. Anular un matrimonio.

DESCASCARILLAR. tr. r. Quitar la cascarilla.

DESCASPAR. tr. Quitar la caspa.

DESCASQUE. m. Acción de descascar o descortezar los árboles.

DESCASTADO-DA. adj. Que no ama a sus parientes. Ingrato, desafecto.

DESCASTAR. tr. Exterminar una casta.

DESCENDENCIA. f. Sucesión, prole.

DESCENDENTE. p. a. De descender. Que desciende.

DESCENDER. intr. Pasar a un lugar más bajo. Proceder de un linaje.

DESCENDIENTE. adj. Quien desciende de otro.

DESCENDIMIENTO. m. Acto de descender.

DESCENSO. m. Bajada. Acción y efecto de descender.

DESCENTRALIZACIÓN. f. Acción de descentralizar.

DESCENTRALIZAR. tr. Independizar del poder central funciones o servicios.

DESCENTRAR. tr. r. Apartar del centro.

DESCEÑIR. tr. r. Desatar.

DESCEPAR. tr. Arrancar de raíz los árboles. [ceras vanas.

DESCERAR. tr. Sacar de la colmena las

DESCERCAR. tr. Derribar un cerco.

DESCERRAJAR. tr. r. Violar la cerradura. Disparar un arma de fuego.

DESCIFRABLE. adj. Que se puede descifrar.

DESCIFRAR. tr. Leer un escrito cifrado. Comprender.

DESCINCHAR. tr. Soltar las cinchas a una caballería.

DESCLAVAR. tr. Quitar los clavos.

DESCOAGULAR. tr. Liquidar lo coagulado.

DESCOCADO-DA. adj. s. Audaz, desvergonzado.

DESCOCAR. tr. Quitar a los árboles los cocos.

DESCOCO. m. Descaro, desvergüenza.

DESCOGOLLAR. tr. r. Quitar los cogollos.

DESCOLGAR. tr. Bajar lo colgado. r. Escurrirse por una cuerda.

DESCOLORANTE. p. a. de Descolorante. Que descolora.

DESCOLORAR. tr. r. Quitar el color.

DESCOLORIDO-DA. adj. De color pálido.

DESCOLLADAMENTE. adv. m. Con desembarazo, con superioridad.

DESCOLLAR. intr. Sobresalir.

DESCOMBRAR. tr. Desembarazar un sitio.

DESCOMBRO. m. Acción y efecto de descombrar.

DESCOMEDIDO-DA. adj. Desproporcionado, descortés.

DESCOMEDIRSE. r. Falta al respeto de obra o palabra.

DESCOMPAGINAR. tr. Descomponer, desordenar.

DESCOMPÁS. m. Falta de medida o preparación.

DESCOMPLETAR. tr. Descalabrar.

DESCOMPONER. tr. Separar los componentes. Desordenar. Desbaratar. Indisponer.

DESCOMPOSICIÓN. f. Acción de descomponer.

DESCOMPOSTURA. f. Desaliño. Descomposición.

DESCOMPUESTO-TA. adj. Descortés. Iracundo.

DESCOMULGADO-DA. adj. s. Malvado, perverso.

DESCOMULGAR. tr. Excomulgar.

DESCOMUNAL. adj. Enorme. Extraordinario.

DESCONCEPTUAR. tr. r. Desacreditar.

DESCONCERTADO-DA. adj. Desbaratado.

DESCONCERTANTE. p. a. de desconcertar. Que desconcierta.

DESCONCERTAR. tr. r. Turbar el orden o concierto.

DESCONCIERTO. m. Desorden. Descomposición.

DESCONCORDIA. f. Desunión.

DESCONCHADO. m. Parte donde falta el revestimiento en una pared.

DESCONCHAR. tr. Quitar a una pared el revestimiento.

DESCONECTAR. tr. Interrumpir la conexión entre las piezas de una máquina.

DESCONFIADO-DA. adj. Que desconfía.

DESCONFIANZA. f. Falta de confianza.

DESCONFIAR. intr. No confiar.

DESCONFORME. adj. No conforme.

DESCONFORMIDAD. f. Oposición a dictámenes. Desemejanza.

DESCONGESTIONAR. tr. Quitar la congestión.

DESCONGOJAR. tr. Quitar las congojas, consolar.

DESCONOCER. tr. No conocer. Rechazar. Ignorar.

DESCONOCIDO-DA. adj. Ignorado, ingrato.

DESCONOCIMIENTO. m. Ingratitud. Acción de desconocer.

DESCONSIDERACIÓN. f. Acto de desconsiderar.

DESCONSIDERADO-DA. adj. Falto de consideración.

DESCONSIDERAR. tr. No guardar consideración.

DESCONSOLADO-DA. adj. Que carece de consuelo.

DESCONSOLAR. tr. r. Afligir, desalentar.

DESCONSUELO. m. Aflicción, angustia, amargura.

DESCONTAR. tr. Rebajar una cuenta. com. Pagar rebajando en el importe el interés.

DESCONTENTADIZO-ZA. adj. s. Difícil de contentar.

DESCONTENTAR. tr. r. Disgustar.

DESCONTENTO-TA. m. Disgusto, desagrado.

DESCONTINUO-NA. ad. Discontinuo, no continuo.

DESCONVENIR. tr. No concordar.

DESCONVERSABLE. adj. De genio áspero y desabrido.

DESCORAZONAR. tr. Quitar el corazón. Desanimar.   [corcho.

DESCORCHAR. tr. Quitar o sacar el

DESCORDAR. tr. Quitar las cuerdas a un instrumento.

DESCORNAR. tr. r. Quitar los cuernos.

DESCORONAR. tr. Quitar la corona.

DESCORRER. tr. Volver a correr lo corrido. Desplegar.

DESCORTÉS. adj. s. Falto de cortesía.

DESCORTEZAR. tr. r. Quitar la corteza.

DESCOSER. tr. r. Soltar las puntadas de un cosido.

DESCOSIDO-DA. adj. fig. Indiscreto, desordenado, m. Parte descosida.

DESCOSTARSE. r. Apartarse, separarse.

DESCOSTRAR. tr. Quitar la costra.

DESCOTAR. tr. Escotar los vestidos.

DESCOYUNTAR. tr. r. Desencajar un hueso. fig. Fastidiar.

DESCRÉDITO. m. Pérdida del crédito.

DESCREER. tr. Faltar a la fe.

DESCREÍDO-DA. adj. s. Incrédulo, sin fe.

DESCRIBIR. tr. Dibujar dando idea de algo. Delinear. Referir minuciosamente.

DESCRIPCIÓN. f. Narración circunstanciada.

DESCRIPTIBLE. adj. Que puede ser descrito.

DESCRIPTIVO-VA. adj. Que describe.

DESCRIPTO-TA. p. p. irreg. De describir.

DESCRISMAR. tr. Quitar el crisma. tr. r. Romper la cabeza.

DESCRISTIANAR. tr. Descrismar.

DESCUADRILLADO-DA. adj. Que se sale de la cuadrilla.

DESCUAJAR. tr. r. Liquidar lo cuajado. Arrancar las plantas de raíz.

DESCUAJARINGARSE. r. Relajarse por cansancio.

DESCUARTIZAMIENTO. m. Acto de descuartizar.

DESCUARTIZAR. tr. Hacer pedazos.

DESCUBIERTA. f. Mil. Reconocimiento de un terreno.

DESCUBIERTO-TA. adj. Sin sombrero. Expuesto. Inventado.

DESCUBRIMIENTO. m. Hallazgo de lo oculto. Adelanto científico.

DESCUBRIR. tr. Destapar lo cubierto. Hallar lo oculto.

DESCUELLO. m. Exceso en la estatura o en el tamaño.

DESCUENTO. m. Rebaja de una deuda o precio.

DESCUERNACABRAS. m. Viento frío del Norte.

DESCUIDADO-DA. adj. Negligente, desaliñado. Desprevenido.

DESCUIDAR. tr. r. Distraer. Libertar de una obligación. Desatender.

DESCUIDERO-RA. adj. s. Que hurta aprovechando descuidos.

DESCUIDO. m. Omisión. Olvido. Desliz. Falta de cuidado.

DESCUITADO-DA. adj. Que vive sin pesadumbres ni cuidados.

DESCUMBRADO-DA. adj. Llano y sin cumbre.

DESDAR. tr. Dar vueltas en sentido inverso.

DESDE. prep. Que indica principio de tiempo y lugar.

DESDECIR. tr. Desmentir. intr. Degenerar. r. Retractarse.

DESDÉN. m. Indiferencia, desprecio.

DESDENTADO-DA. adj. Que ha perdido los dientes.

DESDENTAR. tr. Quitar los dientes.

DESDEÑAR. tr. Tratar con desdén.

DESDEÑOSO-SA. adj. Esquivo, despegado.

DESDEVANAR. tr. Deshacer un ovillo.

DESDIBUJADO-DA. adj. Borroso, confuso.

DESDIBUJARSE. r. Perder claridad y precisión.

DESDICHA. f. Desgracia. Pobreza grande.

DESDICHADO-DA. adj. Infeliz, desgraciado.

DESDOBLAMIENTO. m. Explanación. Acto de desdoblar.

DESDOBLAR. tr. r. Extender lo doblado.

DESDORAR. tr. r. Quitar el oro. Mancillar.

DESDORO. m. Deslustre. Mancilla en la fama.

DESEABLE. adj. Digno de ser deseado.

DESEAR. tr. Apetecer, codiciar.

DESECACIÓN. f. Acto de desecar.

DESECAMIENTO. m. Desecación.

DESECAR. tr. r. Quitar el agua o jugo a algo.

DESECATIVO-VA. adj. Que deseca.

DESECHAR. tr. Apartar de sí, excluir. Dejar de usar.

DESECHO. m. Residuo de algo. Lo que no sirve.

DESEDIFICAR. tr. fig. Dar mal ejemplo.

DESELECTRIZAR. tr. Descargar de electricidad.

DESEMBALAR. tr. Deshacer el embalaje.

DESEMBALDOSAR. tr. Quitar las baldosas.

DESEMBARAZAR. tr. r. Quitar impedimentos. tr. Desocupar.

DESEMBARAZO. m. Despejo. Desenfado.

DESEMBARCADERO. m. Sitio apto para desembarcar.

DESEMBARCAR. tr. Sacar de la nave a tierra. intr. Salir de la embarcación.

DESEMBARCO. m. Acto de desembarcar.

DESEMBARGAR. tr. Quitar un embargo.

DESEMBARGO. m. Acción y efecto de desembargar.

DESEMBARRANCAR. tr. intr. Poner a flote.

DESEMBARRAR. tr. Limpiar, quitar el barro.

DESEMBOCADURA. f. Punto donde desemboca un río, canal, etc. Salida de un lugar a otro.

DESEMBOCAR. intr. Salir por una boca o estrecho.

DESEMBOJAR. tr. Quitar de las hojas los capullos de seda.

DESEMBOLSAR. tr. Sacar de la bolsa. Entregar dinero.

DESEMBOLSO. m. Entrega de dinero efectivo. Gasto.

DESEMBOSCARSE. r. Salir del bosque o emboscada.

DESEMBOZAR. tr. r. Quitar el embozo.

DESEMBRAGAR. tr. Mec. Separar un mecanismo del eje motor.

DESEMBROLLAR. tr. Desenredar.

DESEMBRUTECER. tr. Desentorpecer las facultades del alma.

DESEMBUCHAR. tr. Arrojar del buche las aves. Decir lo que se sabe.

DESEMEJANTE. adj. Diferente.

DESEMEJANZA. f. Diferencia. Falta de parecido.

DESEMEJAR. intr. Diferenciarse.

DESEMPACAR. tr. Deshacer las pacas.

DESEMPACHO. m. fig. Desahogo, desenfado.

DESEMPAÑAR. tr. Limpiar lo que está empañado. Quitar al niño los pañales.

DESEMPAPELAR. tr. Quitar el papel.

DESEMPAQUETAR. tr. Deshacer paquetes.

DESEMPAREJAR. tr. Desigualar lo parejo.

DESEMPASTELAR. tr. Impr. Deshacer un pastel y distribuir los tipos.

DESEMPATAR. tr. r. Deshacer el empate.

DESEMPEDRAR. tr. Quitar las piedras de un sitio empedrado.

DESEMPEÑAR. tr. Liberar lo empeñado. Representar un papel. Cumplir.

DESEMPEÑO. Representación. Acto de desempeñar.

DESEMPEREZAR. intr. r. Sacudir la pereza.

DESEMPOLVAR. tr. r. Quitar el polvo.

DESEMPONZOÑAR. tr. Quitar la ponzoña o sus cualidades.

DESEMPOTRAR. tr. Sacar lo empotrado.

DESEMPOZAR. tr. Sacar lo empozado.

DESENCADENAMIENTO. m. Acción de desencadenar.

DESENCADENAR. tr. Quitar la cadena. Deshacer un vínculo.

DESENCAJAR. tr. r. Desunir lo encajado. r. Descomponerse.

DESENCAJONAR. tr. Sacar del cajón.

DESENCALCAR. tr. Aflojar lo apretado.

DESENCALLAR. tr. Poner a flote una embarcación encallada.

DESENCAMINAR. tr. Hacer perder el camino.

DESENCANTAR. tr. r. Deshacer un encanto.

DESENCANTO. m. Acción de desencantar.

DESENCAPOTAR. tr. Quitar el capote, descubrir. r. Despejarse.

DESENCAPRICHAR. tr. r. Quitar un capricho.

DESENCARCELAR. tr. r. Sacar de la cárcel.

DESENCERRAR. tr. Sacar del encierro.

DESENCLAVAR. tr. Desclavar. Quitar del sitio.

DESENCLAVIJAR. tr. Quitar las clavijas.

DESENCOGER. tr. Extender, estirar lo arrollado o encogido.

DESENCOLAR. tr. r. Despegar lo pegado con cola.

DESENCOLERIZAR. tr. r. Apaciguar al encolerizado.

DESENCONAR. tr. r. Mitigar el encono. Quitar la inflamación de una herida.

DESENCONO. m. Acción y efecto de desenconar.

DESENCUADERNAR. tr. r. Deshacer la encuadernación.

DESENCHUFAR. tr. Separar lo enchufado.

DESENFADADO-DA. adj. Desembarazado, despejado.

DESENFADAR. tr. r. Quitar el enfado.

DESENFADO. m. Desahogo.

DESENFARDAR. tr. Abrir y desatar los fardos.

DESENFILAR. tr. Poner la tropa a cubierto del fuego del flanco.

DESENFRENAR. tr. Quitar el freno. Desmandarse.

DESENFRENO. m. Acción de desenfrenarse.

DESENFUNDAR. tr. Quitar la funda.

DESENFURECER. tr. Hacer deponer el furor.

DESENGANCHAR. tr. r. Soltar lo enganchado.

DESENGAÑAR. tr. r. Hacer conocer el error. Quitar las esperanzas.

DESENGAÑO. m. Acción de desengañar.

DESENGARZAR. tr. r. Desprender lo engarzado.

DESENGASTAR. tr. Sacar una cosa de su engaste.

DESENGRANAR. tr. Separar engranajes.

DESENGRASAR. tr. Quitar o perder la grasa.

DESENGROSAR .tr. intr. Adelgazar.

DESENGRUDAR. tr. Quitar el engrudo.

DESENHEBRAR. tr. Sacar la hebra de la aguja.

DESENJAEZAR. tr. Quitar al caballo los jaeces.

DESENJAULAR. tr. Sacar de la jaula.

DESENLACE. m. Desenredo. Acción de desenlazar.

DESENLAZAR. tr. Desatar los lazos. Desasir.

DESENLODAR. tr. Quitar el lodo.

DESENLOSAR. tr. Deshacer el enlosado.

DESENMARAÑAR. tr. Desenredar, aclarar.

DESENMASCARAR. tr. r. Quitar la máscara.

DESENMOHECER. tr. Quitar el moho.

DESENOJAR. tr. r. Aplacar el enojo.

DESENREDAR. tr. Deshacer el enredo.

.DESENROLLAR. tr. Desarrollar lo enrollado.

DESENROSCAR. tr. Sacar la rosca.

DESENSAMBLAR. tr. Separar las piezas de madera ensambladas.

DESENSILLAR. tr. Quitar la silla a una caballería.

DESENTABLAR. tr. Arrancar las tablas.

DESENTARIMAR. tr. Quitar el entarimado.

DESENTENDERSE. r. Fingir no entender. Prescindir. Afectar ignorancia.

DESENTERRADOR. m. El que desentierra.

DESENTERRAR. tr. Exhumar. Recordar.

DESENTIERRO. m. Acción de desenterrar.

DESENTOLDAR. tr. Quitar los toldos.

DESENTONAR. tr. Humillar el orgullo. Salir del tono. Alzar la voz.

DESENTONO. m. Desproporción del tono. Descomedimiento.

DESENTORNILLAR. tr. Destornillar.

DESENTORPECER. tr. r. Sacudir la torpeza.

DESENTRAMPAR. tr. r. Pagar las deudas.

DESENTRAÑAR. tr. Averiguar. Sacar las entrañas.

DESENTRONIZAR. tr. r. Destronar.

DESENTUMECER. tr. r. Quitar la torpeza de un miembro.

DESENTUMIR. tr. r. Desentumecer.

DESENVAINAR. tr. Sacar de la vaina.

DESENVOLTURA. f. Desembarazo. Despejo.

DESENVOLVER. tr. r. Desarrollar lo envuelto.

DESENVOLVIMIENTO. m. Acción de desenvolver.

DESENVUELTO-TA. adj. Que tiene desenvoltura.

DESENZARZAR. tr. r. Sacar de las zarzas. Separar a los que riñen.

DESEO. m. Movimiento de la voluntad que apetece algo.

DESEOSO-SA. adj. Que desea.

DESEQUIDO-DA. adj. Reseco.

DESEQUILIBRADO-DA. adj. Falto de sensatez y cordura.

DESEQUILIBRAR. tr. r. Deshacer el equilibrio.

DESEQUILIBRIO. m. Falta de equilibrio.

DESERCIÓN. f. Acción de desertar.

DESERRADO-DA. adj. Libre de error.

DESERTAR. intr. Abandonar su bandera. Apartarse de una causa.

DESÉRTICO-CA. adj. Desierto, despoblado. Relativo al desierto.

DESERTOR. m. Quien deserta.

DESESPERACIÓN. f. Pérdida de la esperanza.

DESESPERANZA. f. Desesperación.

DESESPERANZAR. tr. r. Quitar a alguno la esperanza. Perderla.

DESESPERAR. r. Impacientarse.

DESESTANCAR. tr. Dejar libre lo que está estancado.

DESESTAÑAR. tr. Quitar el estaño de una soldadura.

DESESTERAR. tr. Quitar las esteras.

DESESTERO. m. Acción de desesterar.

DESESTIMAR. tr. Tener en poco.

DESFACHATADO-DA. adj. Desvergonzado.

DESFACHATEZ. f. Descaro.

DESFAJAR. tr. Quitar la faja.

DESFALCAR. tr. Quitar parte de algo. Apoderarse de un caudal que había en depósito.

DESFALCO. m. Acción y efecto de desfalcar.

DESFALLECER. tr. Causar desfallecimiento. Desmayo.

DESFAVORABLE. adj. Adverso, no favorable.

DESFIBRAR. tr. Quitar las fibras a las hojas.

DESFIGURAR. tr. r. Afear. Disfrazar.

DESFILACHAR. tr. Deshilachar.

DESFILADERO. m. Paso estrecho.

DESFILAR. intr. Marchar en fila o formación. Salir cada uno por su lado.

DESFILE. m. Mil. Acto de desfilar las tropas.

DESFLECAR. tr. Sacar flecos.

DESFLORAR. tr. Ajar. Desvirgar. Tratar superficialmente.

DESFOGAR. tr. Dar salida al fuego. r. Manifestar con brío una pasión.

DESFONDAR. tr. Romper el fondo.

DESFRUNCIR. tr. Desplegar, descoger.

DESGAIRE. m. Desaliño.

DESGAJADURA. f. Rotura de una rama por la horquilla.

DESGAJAR. tr. Desgarrar, arrancar una rama del tronco. Separarse.

DESGALGADERO. m. Despeñadero, precipicio.

DESGALGAR. tr. Despeñar, precipitar.

DESGALICHADO-DA. adj. Desaliñado.

DESGANA. f. Inapetencia, tedio.

DESGANAR. tr. r. Perder el apetito o el deseo de hacer algo.

DESGAÑIFARSE. r. Desgañitarse.

DESGAÑITARSE. r. Esforzarse gritando.

DESGARBADO-DA. adj. Sin garbo.

DESGARITAR. tr. Perder el rumbo. Descarriarse la res.

DESGARRADAMENTE. adv. m. Con desgarre o desvergüenza.

DESGARRAR. tr. r. Rasgar. Apartarse de alguien.

DESGARRO. m. Rotura. Arrojo. Rompimiento.

DESGARRÓN. m. Jirón del vestido al desgarrarse.

DESGASTAR. tr. Consumir poco a poco.

DESGASTE. m. Acción de desgastar.

DESGLOSAR. tr. Quitar la glosa de un escrito. For. Separar hojas de una pieza de autos.

DESGLOSE. m. Acción de desglosar.

DESGOBERNAR. tr. Perturbar el gobierno.

DESGOBIERNO. m. Desorden, falta de gobierno.

DESGOLLETAR. tr. Quitar el gollete o cuello a una vasija.

DESGOMAR. tr. Quitar la goma.

DESGONZAR. tr. Desgoznar. fig. Desencajar, desquiciar.

DESGOZNAR. tr. Quitar los goznes r. fig. Desgobernarse.

DESGRACIA. f. Suerte adversa. Suceso funesto. Favor perdido.

DESGRACIADO-DA. adj. Que padece desgracia.

DESGRACIAR. tr. r. Malograr. Echar a perder.

DESGRANAR. tr. Sacar el grano. Soltarse lo ensartado.

DESGRANZAR. tr. Quitar o separar las granzas.

DESGRASAR. tr. Quitar las manchas de grasa.

DESGRAVAR. tr. Rebajar los impuestos.

DESGREÑAR. tr. Desordenar los cabellos.

DESGUACE. m. Mar. Acción de desguazar.

DESGUARNECER. tr. Quitar la guarnición.

DESGUAZAR. tr. Desbastar con hacha. Mar. Deshacer un barco.

DESGUINZAR. tr. Cortar trapo en el molino de papel.

DESHABITAR. tr. Dejar de habitar o sin habitantes.

DESHABITUAR. tr. Hacer a uno perder el hábito.

DESHACER. tr. Destruir lo hecho

DESHARRAPADO-DA. adj. Roto, con harapos.

DESHEBILLAR. tr. Sacar las hebras de una tela.

DESHECHA. f. Disimulo.

DESHECHO-CHA. adj. Violento, impetuoso.

DESHELAR. tr. r. Liquidar lo helado.

DESHERBAR. tr. Arrancar malas hierbas.

DESHEREDAR. tr. Excluir de la herencia.

DESHERRAR. tr. r. Quitar los hierros o herraduras.

DEHERRUMBRAR. tr. Quitar la herrumbre.

DESHIDRATAR. tr. Hacer perder el agua.

DESHIELO. m. Acción de deshacer el hielo.

DESHILACHAR. tr. r. Sacar hilachas.

DESHILAR. tr. Sacar hilos de un tejido.

DESHILVANADO-DA. adj. fig. Sin enlace ni trabazón.

DESHILVANAR. tr. Quitar los hilvanes.

DESHINCAR. tr. Sacar lo hincado.

DESHINCHAR. tr. r. Quitar la hinchazón.

DESHIPOTECAR. tr. Suspender la hipoteca.

DESHOJAR. tr. r. Quitar las hojas.

DESHOJE. m. Caída de la hoja.

DESHOLLEJAR. tr. Quitar el hollejo.

DESHOLLINAR. tr. Quitar el hollín. Husmear.

DESHONESTIDAD. f. Impureza, torpeza.

DESHONESTO-TA. adj. Impúdico. Indecoroso.

DESHONOR. m. Pérdida de la reputación. Afrenta. Deshonra.

DESHONRA. f. Pérdida de la honra. Lo deshonroso.

DESHORA. f. Tiempo importuno, no conveniente.

DESHUESAR. tr. Quitar los huesos.

DESHUMEDECER. tr. Desecar, quitar la humedad.

DESIDERATIVO-VA. adj. Que expresa deseo.

DESIDERATUM. m. Objeto por el que se siente un vivo deseo.

DESIDIA. f. Negligencia, descuido. Pereza, flojedad.

DESIDIOSO-SA. adj. Perezoso, flojo.

DESIERTO-TA. adj. Despoblado, solo. Lugar inhabitado, sin vegetación.

DESIGNACIÓN. f. Acción de designar.

DESIGNAR. tr. Denominar, señalar para un fin.

DESIGNIO. m. Propósito, intención.

DESIGUAL. adj. No igual. Vario. Dificultoso.

DESIGUALAR. tr. r. Hacer desigual.

DESIGUALDAD. f. Calidad de desigual.

DESILUSIÓN. f. Pérdida de la ilusión, desencanto.

DESILUSIONAR. tr. Quitar las ilusiones. Desencantar.

DESIMAGINAR. tr. Borrar una cosa de la memoria.

DESIMANTAR. tr. r. Quitar o perder la imantación.

DESIMPRESIONAR. tr. Desengañar. Sacar del error.

DESINENCIA. f. Gram. Terminación de una palabra.

DESINFECCIÓN. Acción de desinfectar.

DESINFECTANTE. adj. m. Que desinfecta.

DESINFECTAR. tr. r. Desapestar, desinficionar.

DESINFICCIONAR. tr. r. Quitar la infección.

DESINFLAMAR. tr. Quitar la inflamación.

DESINFLAR. tr. r. Sacar el contenido que infla algo.

DESINSECTAR. tr. Limpiar de insectos.

DESINTEGRAR. tr. Descomponer un cuerpo de sus elementos integrantes.

DESINTERÉS. m. Desprendimiento de todo interés.

DESINTERESADO-DA. adj. Desprendido del interés.

DESINTERESARSE. r. Perder el interés.

DESINVERNAR. intr. Salir las tropas de los cuarteles de invierno.

DESISTIR. intr. Renunciar a un intento.

DESJARRETADERA. f. Instrumento para desjarretar toros o vacas.

DESJARRETAR. tr. Cortar piernas de animales por el jarrete.

DESJUGAR. tr. Sacar el jugo.

DESLAVAR. tr. r. Lavar muy por encima. Desubstanciar

DESLEAL. adj. s. Sin lealtad.

DESLECHAR. tr. prov. Quitar a los gusanos de seda las inmundicias.

DESLEIR. tr. Disolver en un líquido.

DESLENDRAR. tr. Quitar las liendres.

DESLENGUADO-DA. adj. Desvergonzado, mal hablado.

DESLENGUAR. tr. Quitar la lengua. r. Desvergonzarse.

DESLIAR. tr. r. Soltar lo liado.

DESLIGAR. tr. Desatar. Dispensar de algo.

DESLINDAR. tr. r. Señalar los términos. Apurar.

DESLINDE. m. Acción de deslindar.

DESLIZ. m. Acción de deslizar. Caída en alguna flaqueza.

DESLIZANTE. m. Que desliza o se desliza.

DESLIZAR. intr. r. Resbalar los pies. Cometer un descuido.

DESLOAR. tr. Reprender, vituperar.

DESLOMAR. tr. r. Romper o maltratar los lomos.

DESLUCIR. tr. r. Quitar el lustre. Desacreditar.

DESLUMBRAR. tr. r. Ofuscar la vista con demasiada luz.

DESLUSTRAR. tr. r. Quitar el lustre. Desacreditar.

DESLUSTRE. m. Falta de lustre y brillantez.

DESMADEJAR. tr. r. Causar flojedad.

DESMADRADO-DA. adj. Dícese del animal abandonado por la madre.

DESMAJOLAR. tr. Arrancar los majuelos.

DESMALLAR. tr. Deshacer, cortar las mallas.

DESMÁN. m. Exceso, demasía. Mamífero insectívoro.

DESMANDAR. tr. Revocar la orden o manda.

DESMANDARSE. r. Salirse el ganado de la manada.

DESMANGAR. tr. Quitar el mango a una herramienta.

DESMANOTADO-DA. adj. Falto de habilidad.

DESMANTECAR. tr. Quitar la manteca.

DESMANTELADO-DA. adj. Dícese de la casa despojada de muebles.

DESMANTELAR. tr. r. Destruir las fortificaciones de una plaza. Desamueblar. Arruinar.

DESMAÑA. f. Falta de maña.

DESMAÑADO-DA. adj. Falto de maña.

DESMAROJAR. tr. prov. Quitar el marojo a los olivos.

DESMARRIDO-DA. adj. Desfallecido, mustio.

DESMAYAR. tr. Causar desmayo. m. Desaliento. Pérdida del sentido.

DESMAYO. m. Desaliento. Pérdida del sentido.

DESMAZALADO-DA. adj. Flojo, caído, dejado.

DESMEDIDO-DA. adj. Desproporcionado.

DESMEDIRSE. r. Desmandarse. Descomedirse.

DESMEDRAR. tr. r. Enflaquecer. Deteriorar, estropear.

DESMEDRO. m. Menoscabo.

DESMEJORA. f. Falta de mejora. Deterioro.

DESMEJORAR. tr. Quitar el lustre. Perder la salud.

DESMELANCOLIZAR. tr. Quitar la melancolía.

DESMELAR. tr. Quitar la miel.

DESMELENAR. tr. r. Desgreñar.

DESMEMBRAR. tr. r. Separar los miembros del cuerpo. Dividir.

DESMEMORIADO-DA. adj. s. Falto de memoria.

DESMEMORIARSE. r. Olvidarse.

DESMENGUAR. tr. Amenguar, disminuir.

DESMENTIR. tr. Decir a uno que miente. Desvanecer un recelo, un indicio.

DESMENUZAMIENTO. m. Acto de desmenuzar.

DESMENUZAR. tr. r. Dividir en partes pequeñas. Examinar con detalle.

DESMEOLLAR. tr. Sacar el tuétano.

DESMERECER. intr. Perder el mérito.

DESMESURA. f. Descomedimiento, falta de mesura.

DESMESURADO-DA. adj. Excesivo, mayor de lo corriente.

DESMESURAR. tr. Desarreglar, descomponer, perder la modestia.

DESMIGAJAR. tr. Desmigar.

DESMIGAR. tr. Hacer migajas.

DESMILITARIZAR. tr. Quitar el carácter militar a una cosa.

DESMINERALIZACIÓN. f. Med. Pérdida de principios minerales.

DESMIRRIADO-DA. adj. Fam. Flojo, flaco, extenuado.

DESMOCHAR. tr. Cortar la parte superior.

DESMOCHO. m. Restos del desmoche.

DESMOGAR. intr. Mudar los cuernos.

DESMONETIZAR. tr. Abolir el uso de un metal para acuñar moneda.

DESMONTAR. tr. Cortar o rozar el monte. Desarmar una máquina. intr. Apearse de una caballería.

DESMONTE. m. Acción y efecto de desmontar.

DESMORALIZACIÓN. f. Acto de desmoralizar.

DESMORALIZAR. tr. r. Corromper las costumbres.

DESMORECERSE. r. Sentir con violencia una pasión o efecto.

DESMORONAMIENTO. m. Acción de desmoronar.

DESMORONAR. tr. r. Arruinar. r. Decaer.

DESMOTADOR-RA. m. y f. El que quita las motas a la lana.

DESMOTAR. tr. r. Quitar las motas.

DESMURADOR. adj. Gato cazador.

DESNACIONALIZACIÓN. f. Acción de desnacionalizar.

DESNACIONALIZAR. tr. r. Quitar la nacionalidad.

DESNARIGADO-DA. adj. Chato.

DESNATADORA. f. Útil para desnatar.

DESNATAR. tr. Quitar la nata.

DESNATURALIZADO-DA. adj. fig. Cruel, despiadado.

DESNATURALIZAR. tr. r. Privar del derecho de naturaleza. Desfigurar.

DESNEGAR. tr. Contradecir, desdecir o retractar.

DESNIVEL. m. Diferencia de alturas. Falta de nivel.

DESNIVELAR. tr. r. Deshacer la nivelación.

DESNUCAR. tr. r. Dislocar los huesos de la nuca.

DESNUDAMENTE. adv. fig. Claramente.

DESNUDAR. tr. Despojar de las vestiduras.

DESNUDEZ. f. Falta de vestido.

DESNUDO-DA. adj. Falto de vestido. Falto de adornos.

DESNUTRICIÓN. f. Depauperación del organismo.

DESOBEDECER. tr. r. No obedecer.

DESOBEDIENCIA. f. Acción de desobedecer.

DESOBEDIENTE. adj. s. Que desobedece.

DESOBSTRUIR. tr. Quitar obstrucciones.

DESOCUPACIÓN. f. Falta de ocupación.

DESOCUPADO-DA. adj. Ocioso, falto de ocupación.

DESOCUPAR. tr. Dejar libre un lugar.

DESODORANTE. adj. Que destruye los malos olores.

DESOÍR. tr. No hacer caso.

DESOJAR. tr. Romper el ojo de un instrumento.

DESOLACIÓN. f. Destrucción, ruina. Aflicción. Angustia grande.

DESOLADO-DA. adj. Muy afligido.

DESOLAR. tr. Destruir, arruinar. r. Desconsolarse.

DESOLLADERO. m. Matadero.

DESOLLADO-DA. adj. fam. Descarado, sinvergüenza.

DESOLLADURA. f. Acción de desollar.

DESOLLAR. tr. Despojar de la piel.

DESOPILANTE. adj. Galicismo por festivo, divertido.

DESOPILAR. tr. r. Curar la opilación.

DESORDEN. m. Falta de orden, confusión, desconcierto.

DESORDENADO-DA. adj. Que no tiene orden.

DESORDENAR. tr. Turbar el orden.

DESOREJADO-DA. adj. fam. Abyecto, prostituido.

DESOREJAR. tr. Cortar las orejas.

DESORGANIZACIÓN. f. Falta de organización.

DESORGANIZAR. tr. r. Deshacer la organización.

DESORIENTACIÓN. f. Acción de desorientar.

DESORIENTAR. tr. r. Hacer perder la orientación.

DESORILLAR. tr. Quitar las orillas al papel, paño, etc.

DESOVAR. intr. Poner los peces o anfibios sus huevos.

DESOVE. m. Acto de desovar.

DESPABILADERAS. f. pl. Tijeras para despabilar.

DESPABILADO-DA. adj. Desvelado, despejado.

DESPABILADURA. f. Quitar el pábulo a una luz.

DESPABILAR. tr. Avivar la luz. Avivar el ingenio. r. Sacudir el sueño.

DESPACIO. adj. m. Poco a poco.

DESPACITO. adv. Muy poco a poco.

DESPACHADERAS. f. pl. Respuesta áspera. Facilidad en los negocios.

DESPACHANTE. m. Dependiente de comercio.

DESPACHAR. tr. Abreviar, concluir. Enviar. Despedir. Vender géneros.

DESPACHO. m. Tienda en que se vende. Comunicación escrita. Estudio. Aposento.

DESPACHURRAR. tr. r. Aplastar, desconcertar.

DESPAJAR. tr. Apartar la paja del grano, cribar.

DESPALILLAR. tr. Quitar al tabaco los palillos.

DESPALMAR. tr. Mar. Limpiar el fondo de una embarcación.

DESPALME. m. Corte dado a un árbol para derribarlo.

DESPAMPANAR. tr. Quitar los pámpanos. Desconcertar.

DESPANAR. tr. Levantar las mieses segadas.

DESPARAR. intr. r. Levantar mucho la cabeza el caballo.

DESPAREJAR. intr. r. Deshacer la pareja.

DESPAREJO-JA. adj. Dispar.

DESPARRAJO. m. Desembarazo al hablar u obrar.

DESPARRAMADO - DA. adj. Ancho, abierto.

DESPARRAMAR. tr. Esparcir.

DESPARVAR. tr. Deshacer la parva esparciendo los haces.

DESPATARRADO-DA. adj. Muy abierto de piernas.

DESPATARRARSE. r. Abrirse de piernas. Caerse al suelo.

DESPAVORIDO-DA. adj. Lleno de pavor.

DESPAVORIR. tr. r. Llenar o llenarse de pavor.

DESPEARSE. r. Lastimarse los pies al andar mucho.

DESPECTIVO-VA. adj. Despreciativo.

DESPECHAR. tr. r. Causar despecho. Destetar.

DESPECHO. m. Desesperación. Malquerencia.

DESPECHUGAR. tr Quitarle la pechuga a un ave. r. Descubrir el pecho.

DESPEDAZAR. tr. r. Hacer pedazos, destrozar.

DESPEDIDA. f. Acción de despedir.

DESPEDIR. tr. Soltar. arrojar. Quitar el empleo. Apartar de sí.

DESPEDREGAR. tr. r. Quitar las piedras de un sitio.

DESPEGADO-DA. adj. Áspero al trato. Huraño.

DESPEGAR. tr. Desprender lo pegado. Iniciar el vuelo.

DESPEGO. m. Desamor. Desabrimiento.

DESPEGUE. m. Acción de elevarse del suelo un avión.

DESPEINAR. tr. r. Desgreñar.

DESPEJADO-DA. adj. Que tiene soltura, desembarazo.

DESPEJAR. tr. Desocupar un sitio. Aclarar. Mat. Hallar el valor de una incógnita. r. Serenarse.

DESPEJO. m. Desembarazo, capacidad. Acción de despejar.

DESPELUZNAR. tr. Desordenar el cabello o erizarlo.

DESPELUZNANTE. adj. Que despeluza.

DESPELUZNAR. tr. Despeluzar.

DESPELLEJAR. tr. r. Quitar el pellejo.

DESPENAR. tr. r. Quitar las penas. Matar.

DESPENDER. tr. r. Gastar. Emplear. Disipar, malbaratar.

DESPENOLAR. tr. Mar. Romper a la verga algún panol.

DESPENSA. f. Lugar donde se guardan los comestibles.

DESPENSERO-RA. s. Encargado de la despensa.

DESPEÑADAMENTE. adv. Arrojadamente.

DESPEÑADERO. m. Precipicio.

DESPEÑADIZO-ZA. adj. Lugar a propósito para despeñarse.

DESPEÑAR. tr. r. Precipitar. Arrojar de lo alto.

DESPEÑO. m. Acción y efecto de despeñar. Diarrea.

DESPEPITARSE. r. Gritar con vehemencia. tr. Quitar las pepitas.

DESPERDICIAR. tr. r. Desaprovechar. Emplear mal algo.

DESPERDICIO. m. Residuo, derroche.

DESPERDIGAR. tr. r. Esparcir. Separar.

DESPERECERSE. r. Consumirse por el logro de una cosa.

DESPEREZARSE. r. Sacudir la pereza. Desentumecer los miembros.

DESPEREZO. m. Acción de desperezar.

DESPERFECTO. m. Pequeño deterioro.

DESPERFILAR. tr. Suavizar los contornos.

DESPERNAR. tr. r. Cortar o estropear las piernas.

DESPERTADOR-RA. adj. Que despierta. Reloj con timbre.

DESPERTAR. tr. r. Interrumpir el sueño. Renovar la memoria. Excitar.

DESPESAR. m. Disgusto.

DESPEZO. m. Rebajo que se hace en un tubo para enchufarle otro.

DESPIADADO-DA. adj. Desapiadado.

DESPICAR. tr. Desahogar. Satisfacer. r. Vengarse de un pique.

DESPICHAR. tr. Espichar, morir.

DESPIDO. m. Despedida.

DESPIERTO-TA. p. p. De despertar. adj. fig. Vivo, avisado.

DESPILFARRADOR-RA. adj. s. Que despilfarra o derrocha.

DESPILFARRAR. tr. Malgastar, derrochar.

DESPILFARRO. m. Acción de despilfarrar.

DESPIMPOLLAR. tr. Agr. Quitar los brotes viciosos a la vid.

DESPINOCHAR. tr. Quitar las hojas a las mazorcas de maíz.

DESPINTAR. tr. r. Borrar lo pintado. fig. Desfigurar.

DESPINZAR. tr. Quitar al paño las motas.

DESPIOJAR. tr. r. Quitar los piojos.

DESPIQUE. m. Desagravio.

DESPISTAR. tr. Hacer perder la pista.

DESPLACER. tr. r. Disgustar. m. Pena, desazón.

DESPLANTAR. tr. Desarraigar una planta.

DESPLANTE. m. Descaro, desfachatez.

DESPLAZAMIENTO. m. Mar. Volumen del agua desalojada por el buque. Trasladarse de un sitio a otro.

DESPLAZAR. tr. Mar. Desalojar.

DESPLEGAR. tr. Desdoblar. r. Abrirse. Extenderse.

DESPLEGUETEAR. tr. Quitar los pliegues a los sarmientos.

DESPLIEGUE. m. Acción de desplegar.

DESPLOMAR. tr. r. Desviación de la posición vertical. Caerse, arruinarse.

DESPLOME. m. Acción y efecto de desplomar.

DESPLOMO. m. Desviación de la vertical.

DESPLUMAR. tr. Quitar las plumas.

DESPLUME. m. Acción de desplumar.

DESPOBLACIÓN. f. Acción de despoblar.

DESPOBLADO. m. Desierto, yermo, páramo.

DESPOBLAR. tr. r. Disminuir la población.

DESPOETIZAR. tr. Quitar el carácter poético.

DESPOJAR. tr. Privar de lo que tiene a alguien. Desposeer.

DESPOJO. m. Botín. Restos de la res. pl. Sobras.

DESPOLARIZAR. tr. Fís. Interrumpir el estado de polarización.

DESPOLVAR. tr. Desempolvar.

DESPOLVOREAR. tr. Quitar o sacudir el polvo.

DESPORTILLAR. tr. Deteriorar.

DESPOSADO-DA. adj. s. Recién casado. Preso con esposas.

DESPOSAR. tr. Autorizar el matrimonio. r. Contraerlo.

DESPOSEER. tr. Privar a alguien de lo que poseía.

DESPOSEIMIENTO. m. Acción de desposeer.

DESPOSORIO. m. Promesa matrimonial. Casamiento.

DÉSPOTA. m. Señor absoluto. Quien abusa del poder.

DESPÓTICO-CA. adj. Relativo al déspota o despotismo.

DESPOTISMO. m. Abuso del poder. Autoridad absoluta.

DESPOTRICAR. intr. r. Hablar sin reparo.

DESPRECIABLE. adj. Digno de desprecio.

DESPRECIAR. tr. Desestimar, desdeñar.

DESPRECIATIVO-VA. adj. Que indica desprecio. Desdeñoso.

DESPRECIO. m. Falta de aprecio. Desdén.

DESPRENDER. tr. r. Desunir, soltar. Desposeer de algo.

DESPRENDIDO-DA. adj. Liberal, generoso.

DESPRENDIMIENTO. m. Acto de desprender. Largueza.

DESPREOCUPACIÓN. f. Carencia de preocupaciones.

DESPREOCUPADO-DA. adj. Libre de preocupación.

DESPREOCUPARSE. r. Desentenderse, librarse del cuidado o la preocupación.
DESPRESTIGIAR. tr. .. Quitar el prestigio.
DESPRESTIGIO. m. Efecto de desprestigiar.
DESPREVENCIÓN. f. Falta de prevención.
DESPREVIDO-DA. adj. Descuidado.
DESPREVENIR. tr. r. No p.evenir, descuidar.
DESPRIVAR. tr. Hacer caer de la privanza.
DESPROPORCIÓN. f. Falta de la proporción debida.
DESPROPORCIONADO-DA. adj. Que no tiene la proporción necesaria.
DESPROPÓSITO. m. Dicho o hecho fuera de razón.
DESPROVEER. tr. r. Despojar de lo necesario.
DESPUÉS. adv. Que denota posterioridad.
DESPULPAR. tr. Extraer la pulpa de algunos frutos.
DESPUNTAR. tr. r. Quitar la punta. Empezar a brotar.
DESPUNTE. m. Acto de despuntar alguna cosa.
DESQUE. adv. poét. Desde que, así que.
DESQUICIAMIENTO. m. Acción de desquiciar.
DESQUICIAR. tr. r. Desencajar, descomponer. Sacar de quicio.
DESQUIJARAR. tr. Dislocar las quijadas.
DESQUIJERAR. tr. Carp. Sacar la espiga de un madero.
DESQUILATAR. tr. Hacer perder el valor intrínseco de una cosa.
DESQUITAR. tr. r. Restaurar la pérdida. Tomar desquite.
DESQUITE. m. Acción de desquitar.
DESRATIZAR. Limpiar de ratas un paraje.
DESTACAMENTO. m. Tropa separada del cuerpo principal.
DESTACAR. tr. Separar un cuerpo de tropa. Hacer resaltar.
DESTACONAR. tr. Gastar los tacones.
DESTAJERO-RA. m. f. Quien trabaja a destajo.
DESTAJISTA. com. Destajero.
DESTAJO. m. Trabajo ajustado por un tanto.

DESTAPAR. tr. Quitar la tapa. Descubrir.
DESTAPIAR. tr. Derribar las tapias.
DESTAPONAR. tr. Quitar el tapón.
DESTARAR. tr. Descontar la tara.
DESTARTALADO-DA. adj. s. Descompuesto y sin orden.
DESTAZADOR. m. El que hace trozos las reses muertas.
DESTAZAR. tr. Hacer pedazos algo.
DESTEJAR. tr. Quitar las tejas. Dejar sin defensa.
DESTEJER. tr. r. Deshacer un tejido.
DESTELLAR. tr. Lanzar rayos.
DESTELLO. m. Acto de destellar. Luz Luz viva. Rayo de inteligencia.
DESTEMPLANZA. f. Alteración. Falta de templanza. Desorden.
DESTEMPLAR. tr. r. Alterar el orden. Descomponerse. Perder el temple.
DESTEMPLE. m. Disonancia de las cuerdas de un instrumento. Indisposición.
DESTENTAR. tr. Quitar la tentación.
DESTEÑIR. tr. r. Quitar el tinte.
DESTERRAR. tr. Echar de un territorio por justicia. Apartar de sí.
DESTERRONAR. tr. r. Deshacer terrones.
DESTETADERA. f. Instrumento con púas para destetar las crías.
DESTETAR. tr. r. Hacer que deje de mamar el que mama.
DESTETE. m. Acción de destetar.
DESTIEMPO. m. adv. Fuera de tiempo.
DESTIERRE. m. Quitar la tierra a los minerales.
DESTIERRO. m. Pena de expulsión de un territorio. Lugar muy apartado.
DESTILACIÓN. f. Acción de destilar.
DESTILADERA. Alambique. Filtro para purificar agua.
DESTILADOR-RA. adj. s. Que destila. m. Alambique.
DESTILAR. intr. Correr gota a gota. tr. Separar una sustancia volátil de otra.
DESTILERÍA. f. Sitio donde se destila.
DESTINAR. tr. Señalar algo para un fin. Designar a una persona para un empleo.
DESTINATARIO-RIA. m. y f. Persona a quien va destinada una cosa.
DESTINO. m. Hado. Empleo. Consignación.

DESTIÑAR. tr. Limpiar las colmenas de los escarzos.

DESTINO. m. Parte negra del panal que no tiene miel.

DESTITUCIÓN. f. Acción de destituir.

DESTITUIR. tr. Privar de un empleo.

DESTITULADO-DA. adj. Privado o sin título.

DESTOCAR. tr. Quitar el sombrero o velo.

DESTOCONAR. tr. Quitar los tocones de los árboles.

DESTORCER. tr. Deshacer lo retorcido.

DESTORNILLADOR-RA. adj. Que destornilla. Útil para destornillar.

DESTORNILLAR. tr. Sacar un tornillo dando vueltas.

DESTRABAR. tr. Quitar las trabas.

DESTRAL. f. Hacha pequeña.

DESTRENZAR. tr. r. Deshacer un trenzado.

DESTREZA. f. Habilidad.

DESTRIPACUENTOS. con. fam. Persona que interrumpe al que narra.

DESTRIPADOR-RA. adj. Que destripa.

DESTRIPAMIENTO. m. Acción de destripar.

DESTRIPAR. tr. r. Sacar las tripas.

DESTRIPATERRONES. m. Jornalero. Gañán.

DESTROCAR. tr. Deshacer un cambio.

DESTRÓN. m. Lazarillo.

DESTRONAMIENTO. m. Acción y efecto de destronar.

DESTRONAR. tr. Arrojar del trono. Privar del reino.

DESTRONCAR. tr. Cortar un tronco. fig. Descoyuntar.

DESTROYER. m. Contratorpedero. (Voz inglesa).

DESTROZAR. tr. r. Despedazar, derrotar.

DESTROZO. m. Acción de destrozar. fig. Ruina, pérdida.

DESTROZÓN-NA. adj. s. Que rompe mucho.

DESTRUCCIÓN. f. Acción de destruir.

DESTRUCTIVO-VA. adj. Que destruye.

DESTRUCTOR-RA. adj. s. Que destruye. Barco de guerra.

DESTRUIBLE. adj. Que puede destruirse.

DESTRUIR. tr. r. Deshacer, arruinar. Malbaratar.

DESUBSTANCIAR. tr. Desustanciar.

DESUDAR. tr. Quitar el sudor.

DESUELLO. m. Acto de desollar.

DESUNCIR. tr. Desatar el yugo.

DESUNIÓN. f. Separación, discordia.

DESUNIR. tr. r. Separar. Introducir discordia.

DESUÑAR. tr. Arrancar o quitar las uñas.

DESURDIR. tr. Deshacer una tela. Desbaratar una intriga.

DESUSO. m. Falta de uso.

DESUSTANCIAR. tr. Quitar la substancia.

DESVAHAR. tr. Agr. Quitar lo seco de una planta.

DESVAÍDO-DA. adj. Alto y desgarbado. Disipado.

DESVAINAR. tr. Sacar las semillas de la vaina.

DESVAIR. tr. Sal. Vaciar, desocupar.

DESVALIDO-DA. adj. s. Desamparado.

DESVALIJAR. tr. Sacar lo que hay en una valija. Despojar de dinero.

DESVALIMIENTO. m. Falta de ayuda.

DESVALORIZAR. tr. Disminuir el valor.

DESVÁN. m. Parte de la casa inmediata al tejado.

DESVANECER. tr. r. Disgregar las partículas. Atenuar. Evaporarse. Flaquear la cabeza.

DESVANECIDO-DA. adj. Vanidoso, presumido.

DESVANECIMIENTO. m. Acción de desvanecerse. Vanidad.

DESVARAR. tr. r. Resbalar. Poner a flote la nave varada.

DESVARETAR. tr. Quitar los chupones a los olivos.

DESVARIAR. in. Decir despropósitos. Delirar.

DESVARÍO. m. Dicho o hecho fuera de concierto. Delirio.

DESVASTAR. tr. Barbarismo por devastar.

DESVELADO-DA. adj. Falto de sueño.

DESVELAR. tr. r. Quitar el sueño. r. Esmerarse.

DESVELO. m. Acción y efecto de desvelar.

DESVENAR. tr. r. Quitar las venas. Sacar el mineral de la vena.

DESVENCIJAR. tr. Aflojar, desunir.

DESVENDAR. tr. Quitar la venda.

DESVENO. m. Arco del freno donde se aloja la lengua del caballo.

DESVENTAJA. f. Mengua, perjuicio en una comparación.

DESVENTAJOSO-SA. adj. Que causa desventaja.

DESVENTURA. f. Desgracia.

DESVENTURADO-DA. adj. Cuitado, infeliz.

DESVERGONZADO-DA. adj. Que habla u obra con desvergüenza.

DESVERGÜENZA. f. Insolencia. Dicho o hecho insolente.

DESVESTIR. tr. Desnudar.

DESVIACIÓN. f. Acción y efecto de desviar.

DESVIAR. tr. r. Separar de un camino. Disuadir.

DESVINCULAR. tr. Sacar de un dominio bienes que tenía vinculados.

DESVÍO. m. Acción de desviar. Despego.

DESVIRAR. tr. Recortar lo supérfluo.

DESVIRGAR. tr. r. Quitar la virginidad a una doncella.

DESVIRTUAR. tr. r. Quitar la virtud a algo.

DESVITRIFICAR. tr. • Pérdida de la transparencia del vidrio por medio del calor.

DESVIVIRSE. r. Mostrar interés por una cosa.

DESVOLVEDOR. m. Instrumento para aflojar o apretar las tuercas.

DESVOLVER. tr. Arar la tierra.

DESYEMAR. tr. Quitar las yemas a las plantas.

DETALL (AL). m. Al por menor.

DETALLAR. tr. Referir con detalle.

DETALLE. m. Relación circunstanciada. Pormenor.

DETALLISTA. com. Quien vende al detall. Preocupado por los detalles.

DETASA. f. Rectificación de la tasa ferroviaria

DETECTIVE. m. Agente de policía secreto.

DETECTOR. m. Aparato del receptor para cambiar las oscilaciones disminuyendo la frecuencia.

DETENCIÓN. f. Acción de detener. Arresto.

DETENER. tr. r. Suspender, retener. Arrestar. Ir despacio.

DETENIMIENTO. m. Detención. fig. Reflexión, madurez.

DETENTAR. tr. For. Retener sin derecho una posesión.

DETENTE. m. Recorte de tela con la imagen del Corazón de Jesús.

DETERGENTE. adj. s. Que limpia.

DETERGER. tr. Med. Limpiar una herida.

DETERIOR. adj. De calidad inferior a otra de su especie.

DETERIORAR. tr. Estropear.

DETERIORO. m. Daño.

DETERMINACIÓN. f. Acción y efecto de determinar. Valor.

DETERMINADO-DA. adj. Osado. Valiente.

DETERMINANTE. p. a. de Determinar. Que determina.

DETERMINAR. tr. r. Fijar, precisar algo. Tomar una resolución. For. Sentenciar.

DETERMINATIVO-VA. adj. Que determina.

DETERMINISMO. adj. Que limpia o purifica.

DETESTABLE. adj. Abominable. Execrable, pésimo.

DETESTAR. tr. Abominar, condenar, maldecir. intr. Aborrecer.

DETONACIÓN. f. Acción de detonar.

DETONADOR-RA. adj. Carga que provoca la explosión.

DETONAR. intr. Dar un estampido fuerte.

DETORSIÓN. f. Distensión, torcedura.

DETRACCIÓN. f. Murmuración.

DETRACTOR-RA. adj. s. Maldeciente, infamador.

DETRAER. tr. r. Sustraer. Denigrar, infamar.

DETRÁS. adv. En la parte posterior.

DETRIMENTO. m. Daño moral. Destrucción leve.

DETRÍTICO-CA. adj. Geol. Compuesto de detritos.

DETRITO. m. Resultado de descomponerse una sustancia.

DEUDA. f. Obligación de pagar o reintegrar algo. Ofensa.

DEUDO-DA. m. y f. Pariente.

DEUDOR-RA. adj. s. El que debe.

DEUTERONOMIO. m. Quinto libro del pentateuco de Moisés.

DEUTO. Prefijo que significa segundo.

DEVALAR. intr. Mar. Separar del rumbo.

DEVANADERA. f. Útil para devanar madejas.

DEVANAGARI. m. Escritura moderna del sánscrito.

DEVANAR. tr. Arrollar en ovillos las madejas.

DEVANEAR. intr. Delirar.

DEVANEO. m. Desatino, distracción. Amorío pasajero.

DEVASTACIÓN. Destrucción, devastación.

DEVASTAR. tr. Destruir, desolar, arrasar.

DEVENGAR. tr. Adquirir un derecho por trabajo, servicio.

DEVENIR. intr. Suceder, acaecer.

DEVOCIÓN. f. Veneración. Fervor religioso.

DEVOCIONARIO. m. Libro de oraciones.

DEVOLUCIÓN. f. Acto de devolver.

DEVOLUTIVO-VA. adj. Dícese de lo que devuelve.

DEVOLVER. tr. Restituir. Volver al primitivo estado.

DEVONIANO-NA. adj. Geol. Terreno posterior al siliriano.

DEVÓNICO-CA. adj. Devoniano.

DEVORAR. tr. Tragar, consumir con ansia.

DEVOTO-TA. adj. Que tiene o mueve a devoción.

DEXTRINA. f. Principio inmediato de la cebada germinada.

DEXTRÓGIRO. adj. m. Quím. Que desvía a la derecha la luz polarizada.

DEXTRORSO-SA. adj. Fís. Que se mueve hacia la derecha.

DEXTROSA. f. Glucosa.

DEY. m. Antiguo Regente de Argel.

DEYECCIÓN. f. Excremento, residuo de cosas o materias.

DI. pref. Que denota oposición o contrariedad, o dos.

DÍA. m. Período de 24 horas. m. pl. Cumpleaños.

DIABETES. f. Enfermedad caracterizada por la presencia de azúcar en la orina o sangre.

DIABÉTICO-CA. adj. Que padece diabetes.

DIABLA. f. Máquina para cardar lana.

DIABLILLO. m. Persona traviesa.

DIABLO. m. Ángel rebelde.

DIABLURA. f. Travesura.

DIABÓLICO-CA. adj. Relativo al diablo. Muy malo.

DIÁBOLO. m. Juguete de niñas.

DIACODIÓN. m. Farm. Jarabe de adormidera.

DIACONATO. m. Segunda de las órdenes mayores.

DIACONISA. f. Mujer dedicada al servicio de la Iglesia.

DIÁCONO. m. Clérigo que ha recibido el diaconato.

DIACÚSTICA. f. Refracción de los sonidos.

DIADEMA. f. Cinta que ceñía la cabeza de los reyes. Corona.

DIÁDOCO. m. Príncipe heredero de la corona de Grecia.

DIAFANIDAD. f. Calidad de diáfano.

DIÁFANO-NA. adj. Que deja pasar la luz, transparente.

DIAFORÉTICO-CA. adj. Sudorífico.

DIAFRAGMA. m. Músculo que separa la cavidad pectoral de la abdominal.

DIAGNOSIS. f. Med. Conocimiento de los signos de una enfermedad.

DIAGNOSTICAR. tr. Hacer el diagnóstico de una enfermedad.

DIAGNÓSTICO. m. Determinar una enfermedad por sus síntomas.

DIAGONAL. adj. s. Geom. Recta que une en un polígono dos vértices no inmediatos.

DIAGRAFO. m. Instrumento para dibujar.

DIAGRAMA. m. Dibujo para resolver un problema y demostrar algo.

DIAL. adj. Relativo a un día.

DIALÉCTICA. f. Arte de discurrir en forma dialogada.

DIALÉCTICO-CA. adj. Relativo a la dialéctica.

DIALECTO. m. Variedad local o regional de un idioma.

DIALECTOLOGÍA. f. Tratado o estudio de los dialectos.

DIÁLISIS. f. Quím. Separación de coloides y cristaloides cuando están disueltos juntos.

DIALIZADOR. m. Aparato para dializar.

DIALIZAR. tr. Purificar una substancia por diálisis.

DIALOGAR. intr. Hablar en diálogo.

DIÁLOGO. m. Plática, entre dos o más.

DIALOGUISTA. com. Persona que escribe diálogos.

DIALTEA. f. Farm. Ungüento de raíz de altea.

DIAMANTAR. tr. Dar a una cosa el brillo del diamante.

DIAMANTE. m. Carbono puro cristalizado.

DIAMANTÍFERO. adj. Dícese del terreno en que existen diamantes.

DIAMANTINO-NA. adj. Relativo al diamante. Poét. Duro, inquebrantable.

DIAMANTISTA. com. Persona que labra c vende diamantes.

DIAMELA. f. Gamela, jazmín de Arabia.

DIAMETRAL. adj. Perteneciente al diámetro.

DIAMETRALMENTE. adv. Desde un extremo hasta el opuesto.

DIÁMETRO. m. Recta que pasa por el centro del círculo y lo divide en dos mitades.

DIANA. f. Toque militar al amanecer.

DIANDRO-DRA. adj. Bot. Flor con dos estambres.

DIANTRE. m. fam. Eufemismo por diablo.

DIAPASÓN. m. Útil para regular las voces e instrumentos.

DIARIAMENTE. adv. Cada día.

DIARIO-RIA. adj. Correspondiente a cada día. Libro en que se anota algo. Periódico que se publica todos los días.

DIARISTA. com. Persona que pub.ica o compone un diario.

DIARREA. f. Evacuaciones intestinales, líquidas o semilíquidas.

DIARTROSIS. f. Articulación movible.

DIASPRO. m. Variedad de jaspe.

DIASTASA. f. Fermento natural no organizado.

DIASTEMA. f. Espacio entre los dientes.

DIÁSTOLE. m. Movimiento dilatorio del corazón. Licencia poética.

DIASTROFIA. f. Med. Dislocación.

DIÁTESIS. f. Predisposición a contraer una determinada enfermedad.

DIATOMEA. f. Alga unicelular con dos valvas.

DIATÓNICO-CA. adj. Mús. Que procede según la sucesión natural de tonos y semitonos de la escala.

DIATRIBA. f. Discurso violento e injurioso.

DIBUJANTE. m. Que dibuja.

DIBUJAR. tr. Delinear figuras. Describir.

DIBUJO. m. Imagen dibujada. Arte de dibujar.

DICACIDAD. f. Mordacidad, agudeza.

DICCIÓN. f. Palabra, vocablo. Pronunciación.

DICCIONARIO. m. Catálogo por orden alfabético de dicciones con sus significados.

DICENTE. adj. s. Que dice.

DÍCERES. m. pl. Rumores, murmuraciones.

DICIEMBRE. m. Último mes del año con 31 días.

DICOTILEDONIO-NIA. adj. s. Dícese de plantas fanerógamas cuyo embrión tiene dos cotiledones.

DICOTOMIA. f. His. Nat. División en dos partes.

DICROMÁTICO-CA. adj. Que tiene dos colores.

DICTADO. m. Título de dignidad o señorío. Acción de dictar.

DICTADOR. m. Quien asume todos los poderes.

DICTADURA. f. Dignidad y cargo de dictador.

DICTAMEN. m. Opinión, juicio sobre una cosa.

DÍCTAMO. m. Planta medicinal parecida al orégano.

DICTAR. tr. Decir o leer algo para que otro lo escriba.

DICTATORIAL. adj. Absoluto, arbitrario, no sujeto a la ley.

DICTERIO. f. Dicho mordaz, provocativo.

DICHA. f. Felicidad, acontecimiento feliz.

DICHARACHERO-RA. adj. Quien es dado a decir dicharachos.

DICHARACHO. m. Dicho poco decente.

DICHO-CHA. m. Palabra, expresión.

DICHOSAMENTE. adv. m. Con dicha.

DICHOSO-SA. adj. Feliz, afortunado.

DIDÁCTICA. f. Arte de enseñar metódicamente principics científicos.

DIDÁCTICAMENTE. adv. m. De manera didáctica.

DIDÁCTICO-CA. adj. Relativo a la didáctica.

DIDÁCTILO-LA. adj. Que tiene dos dedos.

DIDASCÁLICO-CA. adj. Propio para la enseñanza.

DIDIMIO. m. Metal muy raro, terroso de color de acero.

DIDRACMA. m. Moneda antigua.

DIEDRO-DRA. adj. Ángulo formado por dos planos.

DIENTE. m. Hueso engastado en la mandíbula. Cada uno de los salientes del engranaje de la rueda.

DIÉRESIS. f. Poét. Licencia que consiste en dividir un diptongo. Signo de dos puntos sobre una vocal.

DIESEL. m. Motor de aceite pesado.

DIESTRA. f. La mano derecha.

DIESTRAMENTE. ad. m. Con destreza.

DIESTRO-A. ad. Relativo a la mano derecha. Hábil. m. Torero.

DIETA. f. Régimen en el comer y beber. Antigua asamblea política.

DIETARIO. f. Libro en que se anotan los gastos diarios.

DIETÉTICA. f. Tratado de la higiene en las enfermedades.

DIEZ. adj. m. Nueve y uno. Décimo.

DIEZMAR. tr. Separar de diez en diez. Pagar en diezmo.

DIEZMO. m. Décima parte de los frutos que se pagaban a la iglesia.

DIFAMACIÓN. f. Acto de difamar.

DIFAMAR. tr. r. Desacreditar. Divulgar.

DIFAMATORIO-RIA. adj. Que difama.

DIFERENCIA. f. Cualidad de diferente. Disgusto.

DIFERENCIAL. adj. Relativo a la diferencia. f. Incremento, infinitamente pequeño de una variable.

DIFERENCIAR. tr. r. Distinguir. Hacer diferencia.

DIFERENTE. adj. Diverso.

DIFERIR. tr. Retardar. Dilatar. Distinguirse entre sí dos cosas.

DIFÍCIL. adj. Que se logra con trabajo.

DIFICULTAD. f. Embarazo. Obstáculo. Duda.

DIFICULTAR. tr. Poner dificultades.

DIFICULTOSO-SA. adj. Difícil.

DIFIDENCIA. f. Desconfianza. Falta de fé.

DIFIDENTE. adj. Que desconfía.

DIFILO-LA. adj. Bot. Que tiene dos hojas.

DIFLUENCIA. f. Estado de lo que es difluente.

DIFLUENTE. adj. Que se esparce por todas partes.

DIFRACCIÓN. f. Desviación de los rayos al pasar por los bordes de un cuerpo opaco.

DIFTERIA. f. Enfermedad infecciosa de la garganta.

DIFTÉRICO-CA. adj. Relativo a la difteria.

DIFUNDIR. tr. r. Extender, esparcir con amplitud. Publicar.

DIFUNTO-TA. adj. s. Dícese de la persona muerta.

DIFUSIÓN. f. Acción de difundir.

DIFUSO-SA. adj. Ancho, dilatado.

DIGERIBLE. adj. Que se puede digerir.

DIGERIR. tr. Convertir el alimento en sustancia digerible.

DIGESTIBLE. adj. Fácil de digerir.

DIGESTIÓN. f. Acción de digerir.

DIGESTO. m. Colección de leyes romanas.

DIGITACIÓN. f. Mús. Arte de dirigir los dedos en algún instrumento.

DIGITAL. adj. Relativo a los dedos. Planta escrofulariácea de la que se obtiene un tónico cardíaco.

DIGITALINA. f. Sustancia medicinal extraída de la digital.

DIGITIFORME. ad. Que tiene la forma de un dedo.

DIGITIGRADO-DA. adj. Zool. Animal que sólo apoya los dedos al andar, como el gato.

DÍGITO. adj. Arit. Número que puede expresarse con un solo guarismo.

DIGNARSE. r. Servirse, tener a bien hacer una cosa.

DIGNIDAD. f. Calidad de digno. Excelencia.

DIGNIFICANTE. p. a. de Dignificar. Que dignifica.

DIGNIFICAR. tr. Hacer digna a una persona o cosa.

DIGNO-NA. adj. Que merece algo, favorable o adverso.

DIGRESIÓN. f. Lo que en el discurso se aparta del tema.

DIJE. m. Joyas de adorno, relicarios.

DILACERAR. tr. Lacerar. Despedazar las carnes.

DILACIÓN. f. Retardo.

DILAPIDADOR-RA. adj. s. Que dilapida.

DILAPIDAR. tr. Malgastar los bienes.

DILATAR. tr. r. Extender, hacer mayor algo. Diferir.

DILATORIA. f. Dilación.

DILECCIÓN. f. Voluntad honesta. Amor..

DILECTO-TA. adj. Amado con dilección.

DILEMA. m. Argumento de dos proposiciones contrarias que llevan a una misma conclusión.

DILETANTE. adj. s. Aficionado a un arte.

DILIGENCIA. f. Aplicación, actividad, prontitud. Negocio. Coche de viajeros.

DILIGENTE. adj. Cuidadoso, activo.

DILOGÍA. f. Doble sentido equívoco.

DILUCIDAR. tr. Esclarecer una proposición.

DILUCIÓN. f. Acción de diluir.

DILUIR. tr. Desleír.

DILUVIAR. tr. Llover mucho.

DILUVIO. m. Inundación precedida de lluvias copiosas.

DIMANAR. intr. Proceder agua de sus manantiales.

DIMENSIÓN. f. Medida y extensión.

DIMINUTIVO-VA. adj. Que disminuye.

DIMINUTO-TA. adj. Muy pequeño.

DIMISIÓN. f. Renuncia.

DIMITIR. tr. r. Renunciar.

DIMORFISMO. m. Mineral. Calidad de dimorfo.

DIMORFO-FA. adj. Que se presenta en dos formas distintas.

DIN. m. Apócope de "dinero".

DINA. f. Fís. Unidad de fuerza en el sistema cegesimal.

DINÁMICA. f. Ciencia de las fuerzas.

DINAMISMO. m. Energía activa y propulsora.

DINAMITA. f. Explosivo de gran energía.

DINAMITAR. tr. Hacer saltar por medio de la dinamita.

DINAMITERO-RA. adj. s. El que opera con dinamita.

DÍNAMO. f. Máquina que convierte la energía mecánica en eléctrica.

DINAMÓMETRO. m. Aparato para medir fuerzas.

DINASTÍA. f. Serie de príncipes de una familia.

DINÁSTICO-CA. adj. Relativo a la dinastía.

DINERADA. f. Cantidad grande de dinero.

DINERO. m. Moneda corriente. Caudal efectivo, corriente.

DINOSAURO. m. Género de reptiles fósiles.

DINOTERIO. m. Paquidermo del terreno mioceno.

DINTEL. m. Parte superior de una puerta o ventana.

DIOCESANO-NA. adj. Perteneciente a la diócesis.

DIÓCESIS. f. Distrito en que ejerce jurisdicción espiritual un obispo.

DIOICO-CA. adj. s. Plantas que tienen las flores de cada sexo en pie separado.

DIONEA. f. Planta insectívora.

DIONISÍACO-CA. adj. Relativo a Dionisio. Sensual.

DIOPTRÍA. f. Unidad de medida para lentes y ojos.

DIÓPTRICA. f. Óptica. Refracción de la luz.

DIORAMA. m. Panorama de telón transparente, pintado por ambas caras, iluminadas alternativamente.

DIORITA. f. Anfibolita de textura parecida a la del granito.

DIOS. m. El Ser Supremo, criador del universo.

DIOSA. f. Deidad femenina.

DIPÉTALO. adj. Bot. Flores con dos pétalos.

DIPLOCOCO. m. Bacterias agrupadas de dos en dos.

DIPLODOCO. m. Dinosaurio saurópodo.

DIPLOMA. m. Despacho, bula, etc., con el sello del soberano.

DIPLOMACIA. f. Ciencia de la política internacional.

DIPLOMADO-DA. adj. Galicismo por graduado.

DIPLOMÁTICO-CA. adj. Relativo a la diplomacia.

DIPLOPIA. f. Med. Ver dobles los objetos.

DIPNEO-NEA. adj. Zool. Respiración branquial y pulmonar.

DIPSÁCEAS. f. pl. Plantas cuyo tipo es la cardencha.

DIPSOMANÍA. f. Tendencia irresistible hacia la bebida.

DÍPTERO. s. Insecto de dos alas.

DÍPTICO-CA. m. Cuadro de dos tableros plegables en forma de libro.

DIPTONGAR. tr. Unir dos vocales formando sílaba.

DIPTONGO. m. Unión de dos vocales.

DIPUTACIÓN. f. Cuerpo de diputados. Edificio en que se reunen.

DIPUTADO. m. Representante de un cuerpo social.

DIPUTAR. tr. Destinar, señalar, elegir para un fin.

DIQUE. m. Muro o reparo artificial. Cavidad en los puertos para reparar buques.

DIRCEO. adj. Tábano.

DIRECCIÓN. f. Acción de dirigir. Trayectoria, camino.

DIRECTIVO-VA. adj. Con facultad para dirigir.

DIRECTO-TA. adj. En línea recta.

DIRECTOR-RA. adj. Que dirige.

DIRECTRIZ. adj. s. Extensión que determina las condiciones de generación de otra.

DIRIGIBLE. adj. Que puede ser dirigido. Globo.

DIRIGIR. tr. Enderezar, gobernar, regir. Guiar.

DIRIMIBLE. adj. Que se puede dirimir.

DIRIMIR. tr. Disolver, anular. Acabar. Resolver.

DIS. pref. Que denota negación o contrariedad.

DISARTRIA. f. Med. Dificultad para pronunciar las palabras.

DISCERNIMIENTO. m. Juicio recto.

DISCERNIR. tr. Distinguir con acierto.

DISCIPLINA. f. Doctrina, instrucción. Arte. Regla.

DISCIPLINAR. tr. Instruir. tr. r. Imponer disciplina.

DISCIPLINARIO-RIA. adj. Concerniente a la disciplina.

DISCÍPULO. s. Persona que aprende algo o asiste a una escuela.

DISCO. m. Cilindro de base mayor que la altura.

DISCÓBOLO. m. Atleta que lanza el disco.

DISCOIDEO-A. adj. Parecido al disco.

DÍSCOLO-LA. adj. Indócil, travieso.

DISCOLORO-RA. adj. Hoja cuyas caras son de diferente color.

DISCONFORME. adj. No conforme.

DISCONTINUO-NUA. adj. Interrumpido, intermitente.

DISCORDANCIA. f. Contrariedad, diversidad.

DISCORDAR. intr. No estar acorde dos cosas.

DISCORDE. adj. Disconforme, disonante.

DISCORDIA. f. Desavenencia. Desunión.

DISCOTECA. f. Colección de discos fonográficos.

DISCRECIÓN. f. Sensatez. Don de expresarse con agudeza.

DISCRECIONAL. adj. Que se hace con libertad y prudencia.

DISCREPANCIA. f. Diferencia, desigualdad, discordancia.

DISCREPAR. intr. Desdecir, diferenciarse.

DISCRETO-TA. adj. s. Dotado de discreción. Discontinuo.

DISCULPA. f. Acción de disculpar o disculparse.

DISCULPABLE. adj. Que merece disculpa.

DISCULPAR. tr. r. Dar razones o pruebas en descargo. tr. No tomar en cuenta las faltas cometidas por otro.

DISCURRIR. intr. Andar, correr. Pensar, meditar.

DISCURSAR. tr. Discurrir sobre una materia.

DISCURSIVO-VA. adj. Que tiene capacidad para discurrir.

DISCURSO. m. Facultad de discurrir. Razonamiento. Oración.

DISCUSIÓN. f. Acción de discutir.

DISCUSIVO-VA. adj. Med. Que disuelve, que resuelve.

DISCUTIR. tr. Debatir. Examinar atentamente una cosa.

DISECACIÓN. f. Disección.

DISECAR. tr. Anat. Dividir en partes un cadáver para su examen. Preparar un animal muerto para su conservación.

DISECCIÓN. f. Acto de disecar.

DISECEA. f. Med. Torpeza de oído.

DISECTOR. m. El que diseca.

DISEMINACIÓN. f. Acto de diseminar.

DISEMINAR. tr. r. Esparcir.

DISENSIÓN. f. Oposición en pareceres. Contienda.

DISENSO. m. Conformidad en ambas partes.

DISENTERÍA. f. Med. Inflamación del intestino grueso.

DISENTIMIENTO. m. Acción de disentir.

DISENTIR. intr. Opinar de distinto modo que otro.

DISEÑADOR. m. El que diseña o dibuja.

DISEÑAR. tr. Hacer un diseño.

DISEÑO. m. Plan delineación.

DISÉPALO-LA. adj. Bot. Flor con dos sépalos.

DISERTACIÓN. f. Discurso. Acción de disertar.

DISERTAR. intr. Razonar con método, discurrir.

DISFAGIA. Med. Dificultad en tragar.

DISFASIA. f. Med. Anomalía en el lenguaje por lesión cerebral.

DISFAVOR. m. Desaire o desatención. Pérdida del favor.

DISFORME. adj. Deforme.

DISFRAZ. m. Traje de máscara. Artificio para desfigurar algo.

DISFRAZAR. tr. r. Desfigurar. Disimular.

DISFRUTAR. tr. Gozar. Percibir ventajas de algo.

DISFRUTE. m. Acción y efecto de disfrutar.

DISFUMAR. tr. Esfumar.

DISGREGACIÓN. f. Acción de disgregar.

DISGREGAR. tr. Separar, dispensar.

DISGUSTAR. tr. r. Causar disgusto. r. Perder la amistad.

DISGUSTO. m. Desazón, desabrimiento. Pesadumbre. Fastidio.

DISGUSTOSO-SA. adj. Desagradable al paladar.

DISIDENCIA. f. Acto de disidir.

DISIDENTE. adj. s. Que deside.

DISIDIR. intr. Separarse p.r cuestiones doctrinales de algo o de alguien.

DISÍLABO. adj. Bisílabo.

DISIMETRÍA. f. Falta de simetría.

DISIMILITUD. f. Desemejanza.

DISIMULACIÓN. f. Acción de disimular.

DISIMULADO-DA. adj. Que disimula su sentir.

DISIMULAR. tr. Ocultar la intención. Fingir ignorancia.

DISIMULO. m. Arte de ocultar lo que se siente.

DISIPACIÓN. f. Acto de disipar.

DISIPADO-DA. adj. Distraído.

DISIPADOR-RA. adj. Que malgasta los bienes.

DISIPAR. tr. r. Desvanecer algo. Malgastar. Evaporarse.

DISLALIA. f. Med. Dificultad de articular las palabras.

DISLATE. m. Disparate.

DISLOCACIÓN. f. Dislocadura.

DISLOCAR. tr. r. Sacar algo de su lugar.

DISLOQUE. m. Fam. El colmo, cosa excelente.

DISMINUCIÓN. m. Acción de disminuir.

DISMINUIR. tr. r. intr. Reducir a menos.

DISMNESIA. f. Debilidad de la memoria.

DISNEA. f. Med. Dificultad para respirar.

DISOCIACIÓN. f. Separación.

DISOCIAR. tr. r. Separar lo asociado.

DISOLUBILIDAD. f. Calidad de disoluble.

DISOLUBRE. adj. Que puede disolverse.

DISOLUCIÓN. f. Acción de disolver. Relajación.

DISOLUTIVO-VA. adj. Que tiene virtud de disolver.

DISOLUTO-TA. adj. s. Licencioso.

DISOLVER. tr. r. Separar. Desleír. Deshacer.

DISÓN. Mús. Disonancia.

DISONANCIA. f. Sonido desagradable.

DISONAR. intr. Sonar desagradablemente. Discrepar.

DISOREXIA. f. Med. Inapetencia.

DISPAR. adj. Diferente. Desigual.

DISPARADERO. m. Disparador.

DISPARADOR. m. Pieza de un arma que sirve para dispararla. El que dispara.

DISPARAR. tr. Despedir un proyectil. r. Lanzarse, precipitarse.

DISPARATADAMENTE. adv. m. Fuera de razón.

DISPARATADO. adj. Que disparata.

DISPARATAR. intr. Decir o hacer disparates.

DISPARATE. m. Hecho o dicho fuera de razón. Desatino.

DISPARIDAD. f. Desemejanza, desigualdad.

DISPARO. m. Acto de disparar.

DISPENDIO. m. Derroche. Gasto grande.

DISPENSA. f. Excepción de una regla. Privilegio. Escrito en que se da.

DISPENSAR. tr. r. Eximir. Conceder, absolver.

DISPENSARIO. m. Lugar benéfico de asistencia médica.

DISPEPSIA. f. Dificultad en digerir.

DISPERSAR. tr. r. Diseminar, esparcir, desordenar. Mil. Desbaratar.

DISPERSIÓN. m. Acto de dispersar.

DISPLICENCIA. f. Desagrado. Desaliento.

DISPLICENTE. adj. s. Descontento. Desabrido.

DISPONER. tr. r. Poner en orden. Preparar. Determinar.

DISPONIBLE. adj. Que puede usarse.

DISPOSICIÓN. f. Aptitud. Gallardía. Acto de disponer.

DISPOSITIVO-VA. adj. Que dispone. m. Mecanismo automático.

DISPUESTO-TA. adj. Galán. Gallardo.

DISPUTA. f. Controversia. Riña.

DISPUTAR. tr. Contender. Debatir. Porfiar. Discutir.

DISQUISICIÓN. f. Examen detallado de una cuestión.

DISTANCIA. f. Espacio de lugar o tiempo entre dos cosas o hechos. Alejamiento.

DISTANCIAR. tr. r. Alejar, apartar, separar.

DISTANTE. adj. Lejano, apartado.

DISTAR. intr. Estar lejos.

DISTENDER. tr. s. Med. Causar una tensión violenta.

DISTENSIÓN. f. Acción de distender.

DÍSTICO. m. Poét. Composición de dos versos.

DISTINCIÓN. f. Acto de distinguir. Diferencia.

DISTINGO. m. Reparo, limitación con sutileza.

DISTINGUIDO-DA. adj. Que goza de ciertas excepciones. Ilustre.

DISTINGUIR. tr. Conocer la diferencia entre dos cosas. Ver con claridad. Sobresalir.

DISTINTIVO-VA. adj. Que distingue. m. Insidia. Divisa.

DISTINTO-TA. adj. No idéntico con otro. Claro.

DISTOCIA. f. Med. Parto doloroso o difícil.

DISTOMO-MA. adj. Que tiene dos bocas.

DISTORSIÓN. f. Torsión de una parte del cuerpo. Esguince.

DISTRACCIÓN. f. Acción de distraer.

DISTRAER. tr. r. Separar, apartar. Quitar la atención.

DISTRAÍDO-DA. adj. Que padece distracción.

DISTRIBUCIÓN. f. Acción de distribuir.

DISTRIBUIDOR-RA. adj. s. Que distribuye.

DISTRIBUIR. tr. r. Repartir. Colocar por orden.

DISTRITO. m. Territorio sujeto a jurisdicción.

DISTURBIO. m. Perturbación de la paz.

DISUADIR. tr. Inducir a cambiar de opinión o de propósito.

DISUASIVO-VA. adj. Que disuade.

DISURIA. f. Med. Expulsión dolorosa de la orina.

DISYUNTIVO-VA. adj. Que separa.

DITEISMO. m. Religión, que admite dos dioses.

DITIRAMBO. m. Composición poética laudatoria. Alabanza.

DITONO. m. Mús. Intervalo que consta de dos tonos.

DIURESIS. f. Secreción de orina.

DIURÉTICO-CA. adj. Med. Que facilita la orina.

DIURNO-NA. adj. Relativo al día.

DIVA. f. poét. Diosa. Cantatriz de gran mérito.

DIVAGAR. intr. Apartarse del asunto que se trata.

DIVÁN. m. Supremo consejo turco. Sofá con almohadones sueltos.

DIVERGENCIA. f. Acción de divergir. Diversidad de opiniones.

DIVERGENTE. adj. Que diverge.

DIVERSIDAD. f. Variedad, desemejanza.

DIVERSIÓN. f. Entretenimiento, espectáculo.

DIVERSO-SA. adj. De distinta naturaleza. Desemejante.

DIVERTIDO-DA. adj. Festivo, alegre, distraído.

DIVERTIR. tr. r. Apartar, desviar. Entretener, recrear.

DIVIDENDO. m. Cantidad que ha de dividirse. Cantidad que se distribuye a cada acción.

DIVIDIR. tr. Partir, separar. Desunir. Repartir.

DIVIESO. m. Tumor formado por inflamación de un folículo sebáceo.

DIVINIDAD. f. Ser supremo.

DIVINIZAR. tr. Hacer divino.

DIVINO-NA. adj. Relativo a Dios. Muy notable.

DIVISA. f. Papel moneda. Lazo de cintas que se pone a los toros.

DIVISAR. tr. Ver a distancia, confusamente.

DIVISIBILIDAD. f. Calidad de divisible.

DIVISIBLE. adj. Que se puede dividir.

DIVISIÓN. f. Desunión. Acción de dividir.

DIVISOR-RA. adj. s. Que divide.

DIVO-VA. adj. Divino. Cantante de mérito.

DIVORCIAR. tr. r. Separar judicialmente a dos casados. Separación en general. Divergencia.

DIVORCIO. m. Separación judicial de dos casados.

DIVULGACIÓN. f. Acto de divulgar.

DIVULGAR. tr. r. Hacer que algo llegue a conocimiento de muchos.

DIYAMBO. m. Pie de la poesía clásica.

DIZ. Apócope de dice.

DIZQUE. m. Dicho, murmuración.

DO. m. Nota musical. Adv. Donde.

DOBLA. f. Moneda castellana.

DOBLADILLO. m. Pliegue con que se remata la ropa.

DOBLAR. tr. Aumentar una cosa otro tanto de lo que era. Torcer o encorvar. intr. Tocar a muerto.

DOBLE. adj. Duplo. Simulado. Fornido.

DOBLEGARSE. adj. Fácil de torcer o manejar.

DOBLEGAR. tr. r. Inclinar o torcer. fig. Vencer, sujetar a alguno.

DOBLEMENTE. adv. Con duplicación.

DOBLETE. adj. Entre doble y sencillo. m. Suerte del juego del billar.

DOBLEZ. f. Simulación, astucia con que se obra.

DOBLILLA. f. Moneda de veinte reales.

DOBLÓN. m. Antigua moneda de oro. (20 pesetas).

DOCE. adj. Diez y dos.

DOCEAÑISTA. adj. Partidario de la constitución de 1812.

DOCENA. f. Conjunto de doce.

DOCENTE. adj. Que enseña. Relativo a la enseñanza.

DOCETISMO. m. Variedad de gnosticismo.

DÓCIL. adj. Suave, obediente, apacible.

DOCK. m. Dársena y muelle de almacenes. Depósito.

DOCTO-TA. adj. Que posee muchos conocimientos.

DOCTOR-RA. s. Persona a quien se ha conferido el más alto grado en una facultad. Médico.

DOCTORADO. m. Estudios para obtener grado de doctor.

DOCTORAL. adj. Relativo al doctor. Canónigo consejero del cabildo.

DOCTORAR. tr. r. Conferir el grado de doctor.

DOCTRINA. f. Enseñanza. Ciencia. Sabiduría.

DOCTRINAR. tr. Enseñar, aleccionar.

DOCTRINO. m. Huérfano que se recoge en un colegio.

DOCUMENTADO-DA. adj. Con los documentos precisos. Enterado, informado.

DOCUMENTAL. adj. Cinta cinematográfica. Referente a documentos.

DOCUMENTAR. tr. Justificar algo con documentos.

DOCUMENTOS. m. Escrito para probar algo. Todo lo que sirve para ilustrar.

DODECAEDRO. m. Geom. Polígono de doce caras.

DODECÁGONO. adj. Polígono de doce lados.

DOGAL. m. Cuerda en forma de lazo. fig. Opresión.

DOGARESA. f. Mujer del Dux.

DOGMA. m. Punto capital de un sistema o doctrina.

DOGMÁTICAMENTE. adv. Conforme al dogma.

DOGMATISMO. m. Conjunto de los dogmas religiosos. Escuela opuesta al escepticismo.

DOGMATIZAR. tr. Enseñar dogmas falsos. Hablar o escribir dogmáticamente.

DOGO-GA. adj. s. Dícese del perro alano y del mastín fuerte.

DOGRE. m. Embarcación destinada a la pesca.

DOLADERA. adj. s. Segur que usan los toneleros.

DOLADOR. m. El que dola.

DOLADURA. f. Desbastadura con que se saca al dólar.

DOLAJE. m. Vino absorbido por la madera de las cubas.

DOLAMES. m. pl. Enfermedades ocultas de las caballerías.

DÓLAR. s. Moneda norteamericana de plata.

DOLENCIA. f. Indisposición, enfermedad, achaque.

DOLER. intr. Padecer dolor. r. Arrepentirse. Quejárse.

DOLICOCEFALIA. f. Calidad de dolicocéfalo.

DOLICOCÉFALO. m. De cráneo oblongo, muy ovalado.

DOLIENTE. p. a. de Doler. Que duele o se duele. adj. Enfermo.

DOLMEN. m. Monumento megalítico de forma de mesa.

DOLO. m. Engaño, fraude.

DOLOBRE. m. Pico para labrar piedras.

DOLOMÍA. f. Roca formada por un carbonato doble de cal y magnesio.

DOLOMÍTICO-CA. adj. Relativo a la dolomita.

DOLOR. m. Sensación molesta de una parte del cuerpo. Pesar, arrepentimiento.

DOLORA. f. Composición poética ligera.

DOLORIDO-DA. adj. Que padece dolor. Apenado.

DOLOROSO-SA. adj. Lamentable, que mueve a compasión.

DOLOSO-SA. adj. Engañoso, fraudulento.

DOM. m. Título dado a algunos religiosos, benedictinos y cartujos.

DOMA. f. Domadura. Represión de los vicios.

DOMADOR-RA. m. y f. Que exhibe y maneja fieras domadas.

DOMADURA. f. Acto de domar.

DOMAR. tr. Rendir, amansar.

DOMEÑAR. tr. Someter, sujetar, rendir.

DOMÉSTICAMENTE. adv. m. Caseramente, familiarmente.

DOMESTICAR. tr. Hacer doméstico a un animal fiero.

DOMÉSTICO-CA. adj. Relativo a la casa. s. Criado, o sirvienta.

DOMICILIAR. tr. r. Dar domicilio.

DOMICILIO. m. Casa o lugar en que uno se halla o habita.

DOMINACIÓN. f. Acción de dominar.

DOMINANTE. tr. Que domina.

DOMINAR. tr. Tener dominio. intr. Sobresalir. r. Reprimirse.

DÓMINE. m. fam. Preceptor de latín.

DOMINGADA. f. Fiesta que se celebra en domingo.

DOMINGO. m. Primer día de la semana.

DOMINGUILLO. Muñeco con un contrapeso en la base.

DOMÍNICA. f. Domingo.

DOMINICAL. adj. Relativo a dominicas. Relativo al Señor.

DOMINICANO-NA. adj. Natural de Santo Domingo.

DOMINIO. m. Facultad de disponer de una cosa. Superioridad.

DOMINÓ. m. Juego compuesto de 28 fichas divididas en cuadrados con puntos. Disfraz con capucha.

DOMO. m. Arq. Cúpula, bóveda semiesférica.

DON. m. Dádiva, presente. Título honorífico.

DONACIÓN. f. Acto de donar.

DONAIRE. m. Gracia en lo que se dice. Gallardía.

DONANTE. p. a. de Donar. Que dona.

DONAR. tr. Traspasar graciosamente el dominio de una cosa.

DONATIVO. m. Dádiva voluntaria.

DONCEL. m. Joven soltero o noble.

DONCELLA. f. Mujer virgen. Camarera.

DONCELLEZ. f. Estado de doncella.

DONDE. adv. En qué lugar.

DONDEQUIERA. adv. l. En cualquier parte.

DONFRÓN. m. Tela antigua de lienzo.

DONGUINDO. m. Variedad de peral.

DONOSO-SA. adj. Que tiene donosura.

DONOSTIA. Nombre vasco de la ciudad de San Sebastián.

DONOSURA. f. Donaire, gracia.

DOÑA. f. Título dado a las señoras.

DOSIGAL. adj. s. Cierto higo muy rojo por dentro.

DORADA. f. Pez acantopterigio comestible.

DORADILLA. f. Dorada. Helecho usado como diurético.

DORADO-DA. adj. De color de oro.

DORADOR. m. El que tiene por oficio dorar.

DORAL. m. Pájaro, variedad de papamoscas.

DORAR. tr. Cubrir con oro la superficie de algo.

DÓRICO-CA. adj. Dorio. Orden arquitectónico.

DORIO-RIA. De la Dóride, región de la antigua Grecia.

DORMÁN. m. Chaqueta con alamares y vuelta de piel.

DORMIDERA. f. Adormidera.

DORMILÓN-NA. adj. s. Muy inclinado a dormir.

DORMIR. intr. Quedar en reposo natural llamado sueño.

DORMIRLAS. m. Juego del escondite.

DORMITAR. intr. Estar medio dormido.

DORMITORIO. m. Pieza destinada para dormir.

DORNAJO. m. Artesa pequeña y redonda.

DORSAL. adj. Relativo al dorso.

DORSO. m. Revés o espalda.

DOS. adj. s. Uno y uno.

DOSALBO-BA. adj. Caballería que tiene blancos los dos pie.s

DOSAÑAL. adj. De dos años.

DOSCIENTOS-TAS. adj. pl. Dos veces ciento.

DOSEL. m. Mueble a modo de colgadura sobre el sitial.

DOSELERA. f. Cenefa del dosel.

DOSELETE. m. Arq. Voladizo puesto sobre estatuas, sepulcros, etc., para resguardarlas.

DOSIFICAR. tr. Determinar, distribuir la dosis.

DOSILLO. m. Juego de naipes.

DOSIMETRÍA. f. Determinación exacta y sistemática de la dosis.

DOSIS. f. Toma de medicina que se da al enfermo cada vez.

DOTACIÓN. f. Renta. Mar. Tripulación del buque.

DOTAL. adj. Relativo al dote.

DOTAR. tr. Dar o señalar dote. Adornar a uno la naturaleza.

DOTE. s. Caudal que lleva la mujer al tomar estado. Prenda, cualidad.

DOVELA. f. Piedra labrada en figura de cuña.

DOVELAJE. m. Conjunto de dovelas.

DRACMA. f. Octava parte de la onza. Moneda grecorromana.

DRAGA. f. Aparato para limpiar los fondos de los puertos.

DRAGADO. m. Acción y efecto de dragar.

DRAGAMINAS. m. Mar. Buque que recoge las minas submarinas.

DRAGAR. tr. Ahondar o limpiar con la draga.

DRAGÓN. m. Animal fabuloso de forma corpulenta.

DRAGONTEA. f. Planta aroidea de adorno.

DRAMA. m. Obra de teatro en prosa o verso, entre la tragedia y la comedia.

DRAMÁTICO - CA. adj. Relativo al drama.

DRAMATURGIA. f. Dramática.

DRAMATURGO. m. Autor de dramas.

DRAMÓN. m. Drama terrorífico y malo.

DRÁSTICO-CA. adj. Med. Que purga con rapidez y eficacia.

DRENAJE. m. Desagüe. Cir. Procedimiento para asegurar el desagüe de una llaga.

DRÍADA o DRÍADE. f. Mit. Ninfa de los bosques.

DRIL. m. Tela de hilo o algodón.

DRIZA. f. Mar. Cuerda para izar y arriar vergas.

DROGA. f. Substancia medicinal.

DROGUERÍA. f. Tienda donde se venden drogas.

DROGUERO-RA. m. y f. Persona que trata en drogas.

DROMEDARIO. m. Rumiante camélido, parecido al camello, con una sola joroba.

DROPACISMO. m. Cierta untura depilatoria.

DROSERA. f. Plantas cuyas flores aprisionan a los insectos.

DROSÓMETRO. m. Fís. Aparato para medir la cantidad de rocío.

DRUIDA. m. Sacerdote de los antiguos galos y britanos.

DRUPA. f. Pericarpio carnoso de ciertos frutos.

DRUSA. f. Mineral. Conjunto de cristales que cubren la superficie de una piedra.

DUAL. adj. s. Gram. Número que denota conjunto de dos.

DUALIDAD. f. Condición de reunir dos caracteres un sujeto.

DUALISMO. m. Fil. Doctrina que admite dos principios.

DUBA. f. Muro o cerca de tierra.

DUBITACIÓN. f. Duda.

DUBLÉ. m. Oropel o similar.

DUCADO. m. Título y territorio del duque. Antigua moneda de oro.

DUCAL. adj. Relativo al duque.

DÚCTIL. adj. Maleable, de blanda condición.

DUCTILIDAD. f. Propiedad de poder dilatar sin romper.

DUCTOR. m. Guía o caudillo. Cir. Instrumento auxiliar del exploratorio.

DUCTRIZ. f. La que guía.

DUCHA. f. Chorro de agua dirigida con fuerza sobre una parte del cuerpo.

DUCHO-CHA. adj. Fam. Acostumbrado, diestro.

DUDA. f. Indeterminación del ánimo entre dos juicios.

DUDAR. intr. Estar en duda. tr. Dar poco crédito a algo.

DUDOSO-SA. adj. Que ofrece duda.

DUELA. f. Cada una de las tablas de los barriles, etc.

DUELISTA. m. El que fácilmente desafía a otros.

DUELO. m. Desafío, reto. Dolor, lástima.

DUENARIO. m. Ejercicio devoto que dura dos días.

DUENDE. m. Espíritu que por superstición cree agitarse en algún sitio.

DUENDO-DA. adj. Manso, doméstico.

DUEÑA. f. Propietaria. Antigua señora de compañía.

DUEÑO. m. Propietario. Amo.

DUERMEVELA. m. Sueño ligero.

DUETO. m. dim. De "dúo".

DULCAMARA. f. Planta solanácea medicinal.

DULCE. adj. De sabor grato al paladar. Afable. Apacible.

DULCERA. f. Vaso de cristal en que se guarda dulce.

DULCERÍA. f. Confitería.

DULCIFICAR. tr. Volver dulce una cosa.

DULCINEA. f. Mujer amada.

DULÍA. f. Culto de los santos y ángeles.

DULIMÁN. m. Vestidura turca.

DULZAINA. m. Mús. Instrumento de viento, parecido a la chirimía.

DULZURA. f. Calidad de dulce.

DUMA. f. Parlamento ruso.

DUM-DUM. adj. Bala explosiva.

DUNA. s. f. Extensión de arenas movedizas en desiertos y playas.

DÚO. m. Mús. Composición que se toca o canta entre dos.

DUODECIMAL. adj. Duodécimo.

DUODENAL. adj. Perteneciente al duodeno.

DUODENITIS. f. Inflamación del duodeno.

DUODENO. m. Primera sección del intestino delgado que va desde el estómago al yeyuno.

DÚPLICA. f. For. Escrito en que el demandante contesta a la réplica del actor.

DUPLICADO. m. Segundo documento o escrito que se expide del mismo tenor que el primero.

DUPLICAR. tr. Hacer doble una cosa.

DÚPLICE. adj. Doble.

DUPLICIDAD. f. Doblez, falsedad.

DUPLO-PLA. adj. Múltiplo de un número que lo contiene dos veces.

DUQUE. m. Título más alto de nobleza.

DUQUESA. f. Mujer del duque.

DURABLE. adj. Que puede durar.

DURACION. f. Permanencia. Acto de durar.

DURAMADRE o **DURAMATER.** f. Anat. Membrana densa que cubre el cerebro.

DURAMEN. m. Corazón de la madera.

DURANTE. adv. Mientras.

DURANDO. m. Paño castellano.

DURAR. intr. Subsistir, permanecer.

DURAZNO. m. Duraznero y su fruto.

DUREZA. f. Calidad de duro. Med. Callosidad.

DURINA. f. Vet. Enfermedad contagiosa de los caballos.

DURMIENTE. m. Madero sobre el que descansan otros.

DURO-RA. adj. Que ofrece resistencia a ser cortado. Fuerte. Áspero. Terco. m. Peso duro.

DUX. m. Jefe de las repúblicas de Venecia y Génova.

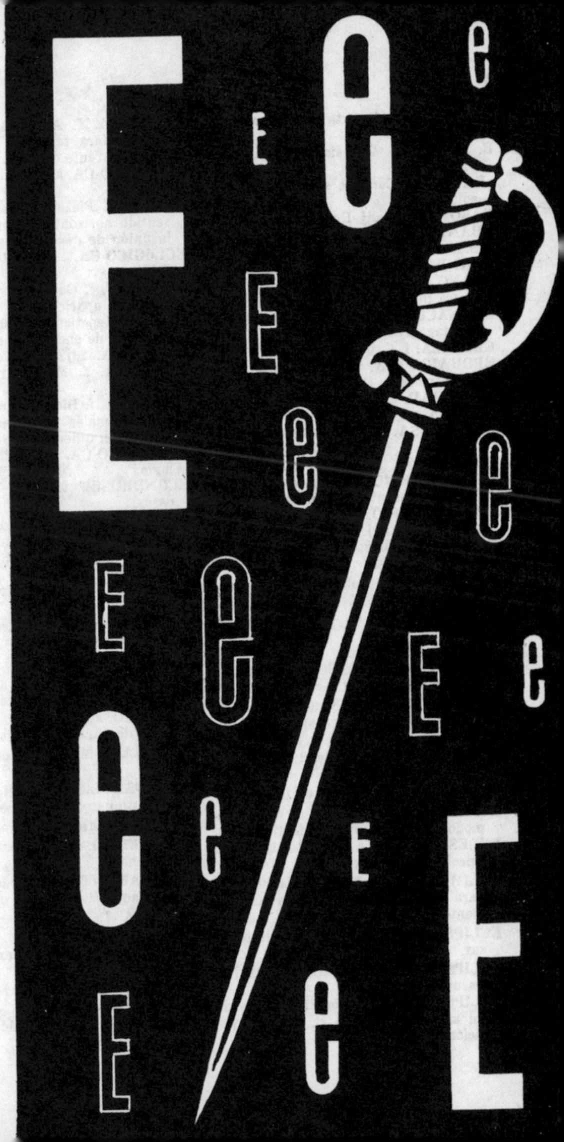

E. f. Letra vocal, sexta del alfabeto.

E. conj. cop.

E. prep. insep. Que significa origen de procedencia.

¡EA! interj. Con que se anima una resolución.

EASONENSE. adj. Donostiarra.

EBANISTA. m. Persona que trabaja en madera fina.

EBANISTERIA. f. Arte de ebanista.

ÉBANO. m. Árbol ebenáceo, de madera negra muy apreciada.

EBENÁCEAS. f. pl. Bot. Familia de plantas cuyo tipo es el ébano.

EBONITA. f. Caucho vulcanizado.

EBORARIO-RIA. adj. Relativo a la talla en marfil.

EBRIEDAD. f. Embriaguez.

EBRIO-A. adj. s. Borracho.

EBRIOSO-SA. adj. Que se embriaga fácilmente.

EBULLICIÓN. f. Acto de hervir.

EBULLÓMETRO. m. Aparato para medir la temperatura de ebullición.

EBULLOSCOPIO. m. Fís. Ebullómetro.

EBÓRNEO-A. adj. De marfil.

ECARTÉ. m. Juego de naipes de procedencia francesa.

ECCEHOMO. m. Imagen de Jesús, después de azotado.

ECCOPRÓTICO. m. Med. Purgante suave.

ECLAMPSIA f. Med. Enfermedad de carácter convulsivo de niños y mujeres que dieron a luz recientemente.

ECLECTICISMO. m. Escuela que toma diversas opiniones tratando de conciliarlas.

ECLÉCTICO-CA. adj. Relativo al eclecticismo.

ECLESIASTÉS. m. Libro de la Biblia.

ECLESIÁSTICAMENTE. adv. m. De modo propio de un eclesiástico.

ECLESIÁSTICO-CA. adj. Relativo a la Iglesia. m. Clérigo.

ECLÍMETRO. m. Topog. Instrumento para medir la inclinación de las pendientes.

ECLIPSABLE. adj. Que se puede eclipsar.

ECLIPSAR. tr. r. Interceptar la luz. fig. Oscurecer, esconder.

ECLIPSE. m. Ocultación transitoria de un astro o parte de él, por interposición de otro.

ECLÍPTICA. f. Astr. Círculo máximo de la esfera terrestre que señala el curso aparente del sol.

ECLÍPTICO-CA. adj. Relativo a la eclíptica.

ECLISA. f. Pieza de hierro puesta en sentido horizontal en ambos lados de la unión de dos carriles.

ECLÓGICO-CA. adj. Relativo a la égloga.

ECLOSIÓN. f. Galicismo por brote, nacimiento, aparición.

ECO. m. Repetición de un sonido, por reflexión de ondas sonoras.

ECOICO-CA. adj. Relativo al eco.

ECOLALIA. f. Med. Perturbación del lenguaje.

ECOLOGÍA. f. Biol. Estudia el modo de vivir animales y plantas y sus relaciones con quienes los rodean.

ECOLÓGICO-CA. adj. Relativo a la ecología.

ECONDROSIS. f. Med. Prominencias óseas.

ECONOMATO. m. Tienda de víveres. donde se adquieren más económicos.

ECONOMÍA. f. Recta administración de una cosa.

ECONÓMICAMENTE. adv. m. Con economía.

ECONÓMICO-CA. adj. Escaso, miserable. m. Poco costoso.

ECONOMISTA. adj. com. Versado en economía.

ECONOMIZAR. tr. Ahorrar.

ECÓNOMO. adj. s. El cura que hace las veces de párroco. Administrador.

ECTASIA. f. Med. Dilatación de un órgano.

ÉCTASIS. f. Licencia poética que permite alargar una sílaba breve.

ECTIMA. f. Efección cutánea.

ECTODERMO. m. Hoja externa del blastodermo.

ECTOPARÁSITO. m. Parásito que vive en la superficie de otro organismo.

ECTOPIA. f. Anomalía en la posición de un órgano o aparato.

ECTOPLASMA. m. Capa exterior del citoplasma.

ECTROPIÓN. m. Inversión de los párpados hacia afuera.

ECUACIÓN. f. Alg. Igualdad entre dos o más expresiones.

ECUADOR. m. Geog. y Astr. Paralelo máximo de la esfera terrestre. Círculo máximo perpendicular al eje.

ECUÁNIME. adj. Que tiene ecuanimidad.

ACUANIMIDAD. f. Igualdad de ánimo. Imparcialidad.

ECUATORIAL. adj. Relativo al ecuador.

ECUATORIANO-NA. adj. Natural del Ecuador.

ECUESTRE. adj. Relativo al caballo o caballero. Dícese de la figura puesta a caballo.

ECUMÉNICO-CA. adj. Universal, que se extiende a todo el orbe.

ECUO-CUA. adj. s. De un antiguo pueblo de Lacio.

ECUóREO-A. adj. Poét. Perteneciente al mar.

ECZEMA. f. Erupción cutánea que produce descamación.

ECZEMATOSO-SA. adj. Relativo al eczema.

ECHADA. f. Acción y efecto de echar.

ECHADIZO-ZA. adj. Enviado con arte para rastrear algo.

ECHADOR-RA. adj. Que echa o arroja.

ECHAPERROS. m. Perrero de las catedrales.

ECHAR. tr. Arrojar. Dejar caer. Despedir. Inclinar. Brotar.

ECHARPE. (Voz francesa). f. Especie de manteleta.

EDAD. f. Tiempo que ha vivido una persona. Período histórico.

EDECÁN. m. Mil. Oficial que comunica las órdenes del general.

EDEMA. m. Med. Hinchazón blanda de una parte del cuerpo.

EDEMATOSO. adj. Med. Relativo a edema.

EDÉN. m. Paraíso terrenal.

EDÉNICO-CA. adj. Relativo al edén.

EDICIÓN. f. Impresión y publicación de un libro.

EDICTO. m. Decreto. Aviso que se fija en un lugar público.

EDÍCULO. m. Pequeño edificio.

EDIFICACIÓN. f. Acción y efecto de edificar.

EDIFICANTE. p. a. de Edificar. Que edifica o incita a la virtud.

EDIFICAR. tr. Construir. Infundir virtud con el ejemplo.

EDIFICIO. m. Obra para habitar o usos análogos.

EDIL. m. Antiguo magistrado romano. Concejal.

EDILA. f. Mujer miembro de un Ayuntamiento.

EDILICIO-CIA. adj. Relativo al empleo del edil.

EDITAR. tr. Publicar obras literarias, musicales, etc.

EDITOR-RA. adj. s. Que edita.

EDITORIAL. adj. Relativo a la edición. m. Artículo de fondo. Empresa para ediciones.

EDOMITA. adj. Idumeo.

EDRAR. tr. Agr. Binar, dar segunda cava a las viñas.

EDREDÓN. m. Plumón de ciertas aves. Almohadón usado como cobertor.

EDUCACIÓN. f. Acción de educar. Crianza, cortesía.

EDUCADOR-RA. adj. s. Que educa.

EDUCANDO-DA. s. Que se está educando.

EDUCAR. tr. Dirigir, encaminar, doctrinar los buenos usos de urbanidad y cortesía.

EDUCATIVO-VA. adj. Que educa o sirve para educar.

EDUCCIÓN. f. Acción y efecto de educir.

EDUCIR. tr. Sacar una cosa de otra.

EDULCORAR. tr. Dulcificar.

EFE. Nombre de la letra "F".

EFEBO. m. Mancebo, adolescente.

EFECTISMO. m. Abuso de medios para producir impresión.

EFECTIVIDAD. f. Calidad de efectivo.

EFECTIVO-VA. adj. Verdadero.

EFECTO. m. Resultado de un acto. Impresión en el ánimo. Bienes.

EFECTUACIÓN. f. Acción de efectuar.

EFECTUAR. tr. Poner por obra.

EFEDRINA. f. Alcaloide de la efedra vulgar, empleado en medicina.

EFÉLIDE. f. Peca producida por el sol y el aire.

EFÉMERA. adj. s. Fiebre que dura un día natural.

EFEMÉRIDES. f. pl. Libro que recibe los hechos de cada día.

EFÉMERO. m. Lirio hediondo.

EFENDI. m. Título honorífico usado entre los turcos.

EFERVESCENCIA. f. Ebullición, fermentación.

EFERVESCENTE. adj. Que está o puede estar en efervescencia.

éFETA. m. Juez de la antigua Atenas.

EFIALTES. f. Pesadilla.

EFICACIA. f. Virtud para obrar.

EFICAZ. adj. Que produce un resultado físico o moral.

EFICAZMENTE. adv. m. Con eficacia.

EFICIENCIA. f. Virtud para obtener un efecto.

EFICIENTE. adj. Que tiene eficiencia.

EFIGIE. f. Imagen de una persona real.

EFÍMERO-RA. adj. Que dura un solo día. Pasajero, de corta duración.

EFLORECERSE. r. Quím. Ponerse en eflorescencia un cuerpo.

EFLORESCENCIA. f. Erupción aguda. Conversión en polvo de un cuerpo por pérdida del agua de cristalización.

EFLORESCENTE. adj. Capaz de eflorecerse.

EFLUVIO. m. Emisión de partículas sutiles. Irradiación espiritual.

EFOD. m. Vestidura de los sacerdotes israelitas.

ÉFORO. m. Magistrado espartano.

EFRACCIÓN. f. Galicismo por fractura.

EFRAIMITA. com. Israelita de la tribu de Efraím.

EFUGIO. m. Recurso, salida de una dificultad.

EFUNDIR. tr. Derramar un líquido.

EFUSIÓN. f. Derramamiento de líquido. Intensidad de afecto.

EFUSIVO-VA. adj. fig. Que manifiesta efusión.

EGARENSE. adj. Natural de Tarrasa.

ÉGIDA. f. Piel de la cabra Amaltea. fig. Protección, defensa.

EGILOPE. f. Especie de avena.

EGIPAN. m. Ser fabuloso.

EGIPCIO-CIA. adj. s. De Egipto.

EGIPTOLOGÍA. f. Estudio del antiguo Egipto.

EGIPTóLOGO-GA. m. y f. Persona versada en egiptología.

ÉGLOGA. f. Composición bucólica.

EGOCENTRISMO. m. Tendencia del individuo a referirlo todo a sí propio.

EGOÍSMO. m. Excesivo amor a sí mismo.

EGOÍSTA. adj. s. Que tiene egoísmo.

EGOLATRÍA. f. Culto a sí mismo.

EGOTISMO. m. Afán de hablar de uno mismo.

EGREGIO-GIA. adj. Ilustre.

EGRESO. m. Partida de descargo en las cuentas.

¡EH! interj. Que indica llamada, represión, etc.

EIDER. f. Ave palmípeda de la familia de las anátidas.

EJE. m. Pieza sobre la que gira un cuerpo. Barra que une dos ruedas.

EJECUCIÓN. f. Acción de ejecutar. For. Embargo con venta de bienes para pagar deudas.

EJECUTAR. tr. Realizar. Poner por obra. Ajusticiar.

EJECUTIVO-VA. adj. Encargado de ejecutar, leyes, acuerdos, etc.

EJECUTOR-RA. adj. Que ejecuta. m. Verdugo.

EJECUTORIA. f. Título de nobleza.

EJEMPLAR. adj. Que sirve de ejemplo. Cada una de las reproducciones impresas de un original.

EJEMPLARIDAD. f. Calidad de ejemplar.

EJEMPLARMENTE. adv. m. Virtuosamente. Que sirve de ejemplo.

EJEMPLIFICAR. tr. Demostrar con ejemplos lo que se dice.

EJEMPLO. m. Hecho digno de imitación. Símil.

EJERCER. tr. Practicar una profesión, facultad, etc.

EJERCICIO. m. Acción y efecto de ejercer. Prueba de un opositor.

EJERCITADOR-RA. adj. Que ejerce o ejercita.

EJERCITANTE. com. Que ejercita.

EJERCITAR. tr. Practicar algo. r. Adiestrarse.

ÉJéRCITO. m. Reunión de tropas de todas las armas.

EJIDO. m. Terreno inculto próximo a un pueblo.

EL. art. det. en gén. masculino número singular.

ÉL. pron. personal de tercera persona, masculino singular.

ELABORABLE. adj. Que se puede elaborar.

ELABORACIÓN. f. Acción de elaborar.

ELABORAR. tr. r. Preparar algo por un trabajo.

ELACIÓN. f. Soberbia, altivez.

ELÁSTICA. f. Prenda interior de punto.

ELASTICIDAD. f. Calidad de elástico.

ELÁSTICO-CA. adj. Dícese de los cuerpos que recobran su forma y extensión cuando cesa la fuerza que los deforma.

ELATERIO. m. Variedad de pepino silvestre.

ELATO-TA. adj. Altivo, presuntuoso.

ELAYÓMETRO. m. Instrumento para apreciar el aceite que contiene una materia oleaginosa.

ELE. f. Nombre de la letra "L".

ELEÁTICO-CA. adj. s. De Elea, ciudad de la Italia antigua.

ELEBORASTRO. m. Especie de eléboro.

ELÉBORO. m. Planta ranunculácea, de raíz purgante.

ELECCIÓN. f. Acción de elegir.

ELECTIVO-VA. adj. Que se hace o da por elección.

ELECTO. m. El elegido.

ELECTOR-RA. adj. Que elige o tiene potestad o derecho de elegir.

ELECTORAL. adj. Relativo al elector.

ELECTRICIDAD. f. Fís. Agente natural que se manifiesta por fenómenos mecánicos, fisiológicos y químicos.

ELECTRICISTA. adj. s. Perito de aplicaciones eléctricas.

ELÉCTRICO-CA. adj. Relativo a la electricidad.

ELECTRIFICACIÓN. f. Acción y efecto de electrificar.

ELECTRIFICAR. tr. Sustituir otra fuerza motriz por energía eléctrica.

ELECTRIZ. f. Mujer de un príncipe elector.

ELECTRIZAR. tr. r. Comunicar electricidad.

ELECTRO. m. Ámbar.

ELECTROCARDIÓGRAFO. m. Galvanómetro medidor de las contracciones del corazón.

ELECTRODO. m. Cualquiera de los dos polos de la pila.

ELECTRÓFORO. m. Instrumento para obtener y conservar la electricidad.

ELECTROIMÁN. m. Barra imantada por electricidad.

ELECTRÓLISIS. f. Descomposición de un cuerpo por electricidad.

ELECTROLÍTICO-CA. adj. Relativo a la electrólisis.

ELECTRÓLITO. m. Quím. Cuerpo que se somete a la descomposición por electricidad.

ELECTROMOTOR. adj. s. Máquina que transforma la energía eléctrica en mecánica.

ELECTRÓN. m. Unidad de carga eléctrica negativa.

ELECTROSCOPIO. m. Aparato para conocer si un cuerpo está electrizado.

ELECTROTECNIA. f. Estudio de la aplicación técnica de la electricidad.

ELECTROTERAPIA. f. Med. Empleo de la electricidad en el tratamiento de las enfermedades.

ELECTUARIO. m. Medicamento de consistencia melosa.

ELEFANCÍA. f. Especie de lepra.

ELEFANTE-TA. m. Proboscídeo con nariz en forma de trompa.

ELEFANTÍASIS. f. Elefancía.

ELEGANCIA. f. Calidad de elegante. Gentileza.

ELEGANTE. adj. Adornado sin afectación. Aire de buen gusto.

ELEGÍA. f. Composición lírica triste.

ELEGIACO-CA. adj. Relativo a la elegía.

ELEGIBLE. adj. Que puede ser elegido.

ELEGIR. tr. Escoger, hacer elección.

ELEGO-GA. adj. Elegíaco.

ELEMENTAL. adj. Relativo al elemento. fig. Fundamental.

ELEMENTO. m. Cuerpo simple de química. Principio que entra en la composición de un cuerpo.

ELEMÍ. m. Resina sólida.

ELENCO. m. Catálogo, índice. Selección de artistas.

ELEVACIÓN. f. Acción de elevar. Encumbramiento.

ELEVADO-DA. adj. Alto. fig. Sublime.

ELEVADOR-RA. adj. Que eleva.

ELEVAR. tr. r. Levantar, alzar, colocar en alto. Enaltecer.

ELFO. m. Deidad de la mitología escandinava.

ELIDIR. tr. Frustrar. Suprimir la vocal final de una palabra.

ELIJAN. m. Lance del juego del monte.

ELIMINACIÓN. f. Acción y efecto de eliminar.

ELIMINADOR-RA. adj. s. Que elimina.

ELIMINAR. tr. r. Separar algo, quitar, suprimir.

ELIPSE. f. Geom. Curva plana cerrada, lugar geom. de los puntos cuya suma de distancia a los focos es constante.

ELIPSIS. f. Gram. Supresión de palabras esenciales.

ELIPSÓGRAFO. m. Instrumento para trazar elipses.

ELIPSOIDE. m. Sólido engendrado por la revolución de una elipse.

ELÍPTICO-CA. adj. Relativo a la elipse. De su forma.

ELISIÓN. f. Acto de elidir.

ÉLITRO. m. Ala endurecida de los coleópteros.

ELIXIR. m. Licor estomacal. fig. Remedio maravilloso.

ELOCUCIÓN. f. Modo de usar bien el lenguaje.

ELOCUENCIA. f. Facultad de hablar o escribir bien.

ELOCUENTE. adj. Que se expresa con elocuencia.

ELOGIABLE. adj. Digno de elogio.

ELOGIAR. tr. Hacer elogios, ensalzar, alabar.

ELOGIO. m. Alabanza del mérito de algo.

ELOGIOSO-SA. adj. Laudatorio, encomiástico.

ELONGACIÓN. f. Astron. Diferencia de longitud entre un planeta y el sol.

ELUCIDACIÓN. f. Explicación, declaración.

ELUCIDAR. tr. Poner en claro.

ELUCIDARIO. m. Libro que explica cosas difíciles de entender.

ELUCTABLE. adj. Que se puede vencer luchando.

ELUDIR. tr. Evitar la dificultad.

ELLA. pron. personal de tercera persona, femenino, singular.

ELLE. f. Nombre de la letra "LL".

ELLO. pron. personal de tercera persona.

ELLOS, ELLAS. pronombre personal de tercera persona pl.

EMACIACIÓN. f. Med. Adelgazamiento morboso.

EMANACIÓN. f. Acción de emanar.

EMANAR. intr. Desprenderse, derivar.

EMANCIPACIÓN. f. Acción de emancipar.

EMANCIPADOR-RA. adj. Que emancipa.

EMANCIPAR. tr. r. Libertad de la patria potestad, de la tutela o de la servidumbre.

EMACULACIÓN. f. Castración, capadura.

EMBACHAR. tr. Meter el ganado lanar en el bache para esquilarlo.

EMBADURNAR. tr. r. Pintar groseramente. Untar.

EMBAIDOR-RA. adj. Embaucador, engañador.

EMBAIR. tr. Embaucar.

EMBAJADA. f. Mensaje para tratar algo. Cargo de embajador.

EMBAJADOR-RA. m. Agente diplomático de un gobierno cerca de otro.

EMBALADOR. m. El que tiene por oficio embalar.

EMBALAJE. m. Acción de embalar. Cubierta con que se embala.

EMBALAR. tr. Hacer fardos. r. Perder el freno algo.

EMBALDOSADO. m. Pavimento de baldosas.

EMBALDOSAR. tr. Pavimentar con baldosas.

EMBALSADERO. m. Paraje hondo donde se recogen las aguas.

EMBALSAMADOR-RA. adj. Que embalsama.

EMBALSAMAR. tr. Preparar un cadáver para su conservación.

EMBALSAR. tr. r. Recoger las aguas formando balsa. Poner en balsa.

EMBALSE. m. Balsa para detener el agua de un río.

EMBALUMAR. tr. Cargar con cosas de mucho bulto.

EMBALLENAR. tr. Armar una cosa con ballenas.

EMBANDERAR. tr. Adornar con banderas.

EMBARAZADA. adj. Dícese de la mujer preñada.

EMBARAZAR. tr. r. Impedir, retardar.

EMBARAZO. m. Dificultad. Falta de soltura. Estado de la mujer embarazada.

EMBARBASCAR. tr. Inficionar el agua para entontecer los peces.

EMBARCACIÓN. f. Nave, barco.

EMBARCADERO. m. Lugar destinado para embarcar.

EMBARCAR. tr. r. Dar ingreso en una embarcación. Viajar. Meter en un negocio.

EMBARGO. m. Acción de embargar.

EMBARGAR. tr. Embarazar. Retener algo por mandato judicial.

EMBARNECER. intr. Engrasar, engordar.

EMBARNIZAR. tr. Barnizar.

EMBARQUE. m. Acto de embarcar cosas.

EMBARRADO. m. Revoco de barro.

EMBARRANCARSE. r. Atascarse. Mar. Encallar.

EMBARRAR. tr. r. Cubrir o manchar con barro.

EMBARRILAR. tr. Meter algo en barriles.

EMBARULLAR. tr. Hacer o mezclar algo desordenadamente.

EMBASTANAR. tr. Meter una cosa en una banasta.

EMBASTAR. tr. Coser, asegurar con bastas. Hilvanar.

EMBASTE. m. Acción y efecto de embastar. Hilván.

EMBASTECER. intr. Engrosar. Ponerse basto.

EMBATE. m. Acometida ímpetuosa.

EMBAUCADOR-RA. adj. Que embauca.

EMBAUCAR. tr. Engañar, alucinar a alguno.

EMBAULAR. tr. Meter en baúl. fig. Comer mucho.

EMBAUSAMIENTO. m. Abstracción, suspensión.

EMBAZADURA. f. Tintura y colorido de pardo o bazo .

EMBAZAR. tr. Teñir de color pardo o bazo. fig. Pasmar, dejar admirado a uno.

EMBEBECER. tr. Entretener, embelesar.

EMBEBER. tr. Absorber un cuerpo sólido a un líquido.

EMBELECAR. tr. Engañar con artificios.

EMBELECO. m. Engaño, mentira.

EMBELESAR. tr. r. Arrebatar los sentidos.

EMBELESO. m. Efecto de embelesar o embelesarse.

EMBELLAQUECERSE. r. Hacerse bellaco.

EMBELLECER. tr. r. Poner bello algo.

EMBELLECIMIENTO. m. Acción de embellecer. Adorno, gala.

FMBERMEJAR o EMBERMEJECER. tr. Teñir o dar color bermejo.

EMBERRINCHARSE. r. fam. Encolerizarse, emperrarse.

EMBESTIDA. f. Acción de embestir.

EMBESTIR. tr. Acometer con ímpetu.

EMBETUNAR. tr. Cubrir de betún.

EMBICAR. intr. Embestir derecho a tierra con la nave.

EMBIZCAR. intr. Quedar uno bizco.

EMBLANDECER. tr. Ablandar.

EMBLANQUECER. tr. r. Blanquear.

EMBLEMA. s. Símbolo.

EMBOBAMIENTO. m. Embeleso.

EMBOBAR. tr. r. Entretener a uno. Quedarse suspenso, absorto y admirado.

EMBOBECER. tr. Volver bobo a uno.

EMBOCADERO. m. Portillo a modo de una canal.

EMBOCADURA. f. Boquilla. Por donde entran los buques en los ríos. Acción de embocar.

EMBOCAR. tr. r. Meter por la boca. Entrar por una parte estrecha.

EMBODEGAR. tr. Guardar en la bodega.

EMBOJAR. tr. Poner embojos.

EMBOJO. m. Enramada para que suban los gusanos de seda.

EMBOLADO-DA. adj. Toros que corren con bolas en los cuernos. m. Papel teatral corto.

EMBOLAR. tr. Poner bolas en las astas de los toros.

EMBOLIA. f. Med. Obstrucción de un vaso sanguíneo.

ÉMBOLO. m. Disco que se ajusta y corre dentro de un cuerpo de bomba.

EMBOLSAR. tr. r. Guardar algo en la bolsa. Cobrar.

EMBOLSO. m. Acción de embolsar.

EMBONAR. tr. Mejorar o hacer buena una cosa.

EMBOQUILLAR. tr. Poner boquilla al cigarrillo. Min. Labrar la boca de una galería.

EMBORRACHACABRAS. f. Mata coriácea, rica en tanino.

EMBORRACHAR. tr. r. Causar embriaguez.

EMBORRAR. tr. Henchir o llenar de borra.

EMBORRASCAR. tr. r. Irritar, hacer borrascoso.

EMBORRIZAR. tr. Dar la primera carda a la lana.

EMBORRONAR. tr. Echar borrones, escribir mal.

EMBOSCADA. f. Acechanza. Ocultación de personas para atacar por sorpresa.

EMBOSCAR. tr. Mil. Poner gente escondida para una sorpresa. r. Esconderse.

EMBOSQUECER. intr. Convertirse en bosque un terreno.

EMBOTAMIENTO. m. Acción de embotar.

EMBOTAR. tr. Quitar filo y punta a un arma.

EMBOTELLADOR-RA. m. y f. El que tiene por oficio embotellar.

EMBOTELLAMIENTO. m. Acto de embotellar.

EMBOTELLAR. tr. Echar algo en botellas.

EMBOZAR. tr. r. Cubrir el rostro con una prenda. Ocultar.

EMBOZO. m. Parte de una prenda con que se emboza.

EMBRAGAR. tr. Mec. Comunicar un mecanismo con el eje motor. Abrazar con una cuerda el cuerpo de una cosa.

EMBRAGUE. m. Acción de embragar.

EMBRAVECER. tr. r. Irritar, enfurecer.

EMBRAVECIMIENTO. m. Irritación furor.

EMBRAZADURA. m. Asa del escudo. f. Acción de embrazar.

EMBRAZAR. tr. Meter el brazo en el asa del escudo.

EMBREAR. tr. Untar con brea.

EMBREGARSE. r. Meterse en bregas y cuestiones.

EMBREÑARSE. r. Meterse en breñas.

EMBRIAGADOR-RA. adj. Que embriaga.

EMBRIAGAR. tr. r. Emborrachar.

EMBRIDAR. tr. Poner la brida.

EMBRIOGENIA. f. Formación del embrión.

EMBRIOLOGIA. f. Estudio del embrión.

EMBRIÓN. m. Gérmen de un ser orgánico con reproducción sexual.

EMBRIONARIO-RIA. adj. Relativo al ambrión.

EMBROCA. f. Cataplasma. Líquido para uncirse.

EMBROCACIÓN. f. Farm. Embroca.

EMBROCAR. tr. Vaciar una vasija en otra. Asegurar con brocas. Coger el toro al torero entre las astas.

EMBROLLADOR-RA. adj. Que enreda o embrolla.

EMBROLLAR. tr. r. Enredar, confundir.

EMBROLLO. m. Confusión, enredo, trampa, mentira.

EMBROMADOR-RA. adj. Que embroma.

EMBROMAR. tr. Gastar broma. Engañar.

EMBRUJAMIENTO. m. Acción de embrujar.

EMBRUJAR. tr. Hechizar.

EMBRUTECER. tr. r. Privar del uso de la razón.

EMBRUTECIMIENTO. m. Acción y efecto de embrutecer.

EMBUCHADO. m. Morcón relleno de carne picada de cerdo.

EMBUCHAR. tr. Embutir. Meter en el buche de un ave. Embocar.

EMBUDAR. intr. Poner el embudo. Mont. Meter la caza en lugar cerrado.

EMBUDO. m. Útil cónico con canuto para transvasar líquidos.

EMBULLADOR-RA. adj. Que embulla.

EMBULLAR. tr. Animar para que se tome parte de una diversión bulliciosa.

EMBUSTE. m. Mentira artificiosa.

EMBUSTEAR. intr. Usar frecuentemente de embustes.

EMBUSTERO-RA. adj. s. Que dice embustes.

EMBUTIDERA. f. Tejo de hierro para remachar clavos.

EMBUTIDO. m. Embuchado. Acción de embutir.

EMBUTIR. tr. Hacer embutidos. Encajar, condensar.

EME. f. Nombre de la letra "M".

EMENAGOGO. adj. s. Med. Que provoca el menstruo.

EMERGENCIA. f. Accidente. Emerger.

EMERGER. intr. Botar, salir del agua.

EMERITENSE. adj. Natural de Mérida.

EMÉRITO-TA. adj. El que se ha retirado de un empleo y disfruta de una pensión.

EMERSIÓN. m. y f. Astr. Salida de un astro por detrás de otro.

EMÉTICO-CA. adj. s. Que causa vómito.

EMÉTROPE. adj. Dícese del ojo normal.

EMIDIDOS. m. pl. Zool. Reptiles quelonios, de que es tipo el galápago.

EMIGRACIÓN. f. Acto de emigrar.

EMIGRADO-DA. adj. Que emigra.

EMIGRANTE. adj. Que emigra.

EMIGRAR. intr. Dejar su país para establecerse en otro.

EMIGRATORIO-RIA. adj. Relativo a la emigración.

EMINENCIA. adj. Elevado. f. Altura, título de honor.

EMINENTE. adj. Alto, elevado. fig. Que sobresale sobre los de su clase.

EMINENTÍSIMO-MA. adj. Título de Cardenal.

EMIR. m. Príncipe árabe.

EMISARIO. m. s. Mensajero. Desaguadero.

EMISIÓN. f. Acción de emitir.

EMISOR-A. adj. Que emite. Aparato productor de las ondas hertzianas.

EMITIR. tr. Echar hacia fuera. Arrojar. Manifestar.

EMOCIÓN. f. Alteración del ánimo. Conmoción.

EMOCIONAL. adj. Relativo a la emoción.

EMOCIONAR. tr. r. Causar emociones, conmover.

EMOLIENTE. adj. Que ablanda lo inflamado.

EMOLUMENTO. m. Gaje. Remuneración accesoria.

EMOTIVIDAD. f. Calidad de emotivo.

EMOTIVO-VA. adj. Relativo a la emoción.

EMPACADORA. f. Máquina para empacar, comprimir materiales.

EMPACAR. tr. Hacer pacas. Encajonar.

EMPACARSE. r. Emperrarse. Obstinarse.

EMPACHADO-DA. adj. Desmañado y corto de genio.

EMPACHAR. tr. r. Estorbar. Causar indigestión.

EMPACHO. m. Turbación. Indigestión. Embarazo.

EMPACHOSO-SA. adj. Que causa empacho.

EMPADRARSE. r. Encariñarse con exceso el niño con sus padres.

EMPADRONAMIENTO. m. Acto de empadronar.

EMPADRONAR. tr. r. Inscribir en el padrón.

EMPAJADA. f. Pajada para las caballerías.

EMPAJAR. tr. Cubrir o rellenar con paja.

EMPALAGAR. tr. r. Cansar un manjar. Fastidiar.

EMPALAGOSO-SA. adj. Que empalaga.

EMPALAMIENTO. m. Acción de empalar.

EMPALAR. tr. Espetar en un palo.

EMPALIZADA. f. Estacada.

EMPALIZAR. tr. Rodear de empalizadas.

EMPALMADURA. f. Empalme.

EMPALMAR. tr. Juntar dos piezas por sus extremos.

EMPALME. m. Acción de empalmar.

EMPALOMADO. m. Murallón de piedra para represar el agua.

EMPALOMADURA. f. Mar. Ligadura fuerte con que se une la relinga a la vela.

EMPANACIÓN. m. Acción de empanar.

EMPANADA. f. Manjar de vianda encerrada en masa de pan.

EMPANADILLA. f. Pastel pequeño relleno de dulce u otro manjar.

EMPANADO-DA. adj. m. Aposento sin luz ni ventilación.

EMPANAR. tr. Encerrar en masa de pan.

EMPANDAR. tr. Dejar una cosa panda.

EMPANTANAMIENTO. m. Acto de empantanar.

EMPANTANAR. tr. r. Llenar de agua un terreno. Detener el curso de un negocio.

EMPAÑADURA. f. Envoltura de un niño de cría.

EMPAÑAR. tr. Envolver en paños. tr. r. Quitar el brillo. Manchar.

EMPAPAMIENTO. m. Acción de empapar.

EMPAPAR. tr. r. Mojar mucho.

EMPAPELADO. m. Acción de empapelar.

EMPAPELADOR-RA. s. Quien empapela.

EMPAPELAR. tr. Envolver en papel. Forrar de papel. fig. fam. Formar causa criminal.

EMPAQUE. m. Acto de empacar. Catadura. Seriedad.

EMPAQUETADOR-RA. s. Quien empaqueta.

EMPAQUETAR. tr. Formar paquetes.

EMPARCHAR. tr. Poner parches.

EMPAREDADO. adj. s. Recluso. m. Lonja de carne entre dos pedazos de pan.

EMPAREDAMIENTO. m. Acción y efecto de emparedar.

EMPAREDAR. tr. r. Encerrar entre paredes.

EMPAREJAMIENTO. m. Acción de emparejar.

EMPAREJAR. tr. r. Formar parejas. Intr. Alcanzar al que va delante.

EMPARENTAR. intr. Contraer parentesco.

EMPARRAR. tr. Formar emparrado.

EMPARRADO. m. Entoldado con parras.

EMPARRILLADO. m. Maderos cruzados para cimentar un terreno flojo.

EMPARRILLAR. tr. Asar en parrilla.

EMPARVAR. tr. Poner las mieses en parvas.

EMPASTADOR-RA. adj. Que empasta.

EMPASTAR. tr. Cubrir de pasta. Encuadernar un libro.

EMPASTE. m. Acción y efecto de empastar.

EMPASTELAR. tr. Impr. Mezclar diversas clases de letras.

EMPATAR. tr. r. Quedar iguales, en votos, tantos, etc.

EMPATE. m. Acto de empatar.

EMPAVESADA. f. Mar. Faja de color con que se adorna una nave.

EMPAVESAR. tr. Mar. Adornar un buque con banderas y gallardetes.

EMPECATADO-DA. adj. Travieso, malévolo.

EMPECEDERO.-RA. adj. Que puede empezar.

EMPECER. tr. Dañar. intr. Impedir.

EMPECINAR. tr. Untar con pez.

EMPEDERNIDO-DA. adj. fig. Insensible. Duro de corazón.

EMPEDERNIR. tr. r. Endurecer, hacer insensible.

EMPEDRADO. m. Acto de empedrar. Pavimento de piedras.

EMPEDRADOR. m. Que tiene por oficio empedrar.

EMREDRAMIENTO. m. Acción de empedrar.

EMPEDRAR. tr. Pavimentar con piedra.

EMPEGA. f. Materia dispuesta para empegar.

EMPEGADO. m. Tela o piel untada de pez.

EMPEGADURA. f. Baño de pez que se da a los pellejos, barriles, etc.

EMPEGAR. tr. Cubrir con pez. Marcar con pez las reses lanares.

EMPEGO. m. Acción de empegar el ganado.

EMPEGUNTAR. tr. Empegar el ganado.

EMPEINE. m. Pubis. Parte superior del pie.

EMPELECHAR. tr. Unir chapas de mármol.

EMPELOTARSE. r. Enredarse, reñir. Cuba y Méj. Enamorarse, encapricharse, tener antojo.

EMPELTRE. m. Injerto de escudete.

EMPELLA. f. Pala del zapato.

EMPELLEJAR. tr. Cubrir con pellejos.

EMPELLÓN. m. Empujón.

EMPENACHADO-DA. adj. Que tiene penacho.

EMPENACHAR. tr. r. Guarnecer con penacho.

EMPENTA. f. Puntal para sostener una cosa.

EMPEÑAR. tr. Dar en prenda. r. Adeudarse. Insistir.

EMPEÑO. m. Acto de empeñar. Tesón Insistencia.

EMPEORAR. tr. r. Poner peor. intr. Irse poniendo peor.

EMPEQUEÑECER. tr. r. Aminorar una cosa.

EMPEQUEÑECIMIENTO. m. Acción de empequeñecer.

EMPERADOR. m. Soberano.

EMPERATRIZ. f. Mujer del emperador.

EMPERCHADO. m. Cerca de enrejado de maderas.

EMPERCHAR. tr. Colgar en la percha.

EMPEREJILAR. tr. r. fom. Adornar con esmero.

EMPEREZAR. tr. r. Dejarse dominar por la pereza.

EMPERGAMINAR. tr. Cubrir con pergamino.

EMPERIFOLLAR. tr. r. Adornar exageradamente.

EMPERNAR. tr. Asegurar con pernos.

EMPERO. conj. advers. Pero.

EMPERRADA. f. Juego de naipes.

EMPERRAMIENTO. m. Acción de emperrarse.

EMPERRARSE. r. Obstinarse.

EMPEZAR. tr. Dar principio a algo.

EMPICARSE. r. Aficionarse demasiado.

EMPIECE. m. Comienzo.

EMPIEMA. m. Acumulación, serosa, sanguínea o purulenta en alguna parte del cuerpo.

EMPINADO-DA. adj. Muy alto. fig. Orgulloso.

EMPINAMIENTO. m. Acción de empinar.

EMPINAR. tr. Levantar en alto. fig. Beber mucho. r. Ponerse sobre la punta del pie.

EMPINGOROTAR. tr. r. Alzar una cosa sobre otra.

EMPIÑONADO. m. Pasta con piñones.

EMPÍREO-A. adj. s. Relativo al cielo. Asiento de la divinidad.

EMPIRUEMA. m. Olor de las sustancias orgánicas quemadas.

EMPÍRICAMENTE. adv. m. Por sola práctica.

EMPÍRICO-CA. adj. Que se basa en la experiencia y la observación.

EMPIRISMO. m. Procedimiento basado en la práctica.

EMPITONAR. tr. Taurom. Coger la res al torero con los pitones.

EMPIZARRAR. tr. Cubrir con pizarras.

EMPLASTADURA. f. Acción de emplastar.

EMPLASTAR. tr. Poner emplastos.

EMPLÁSTICO-CA. adj. Pegajoso, glutinoso.

EMPLASTO. m. Medicamento externo glutinoso.

EMPLAZAMIENTO. m. For. Acto de emplazar.

EMPLAZAR. tr. For. Citar a uno a juicio.

EMPLEADO-DA. s. Quien está destinado al servicio público.

EMPLEAR. tr. Encargar de una comisión o trabajo.

EMPLENTA. f. Pedazo de tapia que se hace de una vez.

EMPLEO. m. Destino. Ocupación. Acto de emplear.

EMPLOMADO. m. Conjunto de planchas de plomo o de plomos de una vidriera.

EMPLOMADOR. m. El que tiene por oficio emplomar.

EMPLOMAR. tr. Cubrir o asegurar con plomos.

EMPLUMAR. tr. Poner plumas.

EMPLUMECER. intr. Echar plumas las aves.

EMPOBRECEDOR-RA. adj. Que empobrece a uno.

EMPOBRECER. tr. Hacer pobre. intr. r. Caer en pobreza.

EMPOBRECIMIENTO. m. Acción de empobrecer.

EMPODRECER. intr. Pudrir, dañar.

EMPOLVAR. r. Echar polvo.

EMPOLLADURA. f. Cría o pollo de las abejas.

EMPOLLAR. tr. Calentar los huevos para sacar pollos.

EMPOLLÓN-NA. adj. s. Dícese del estudiante aplicado.

EMPONZOÑADOR-RA. adj. Que da o compone ponzoña.

EMPONZOÑAMIENTO. m. Acto de emponzoñar.

EMPONZOÑAR. tr. r. Dar ponzoña.

EMPORCAR. tr. r. Ensuciar.

EMPORIO. m. Ciudad de mucho comercio.

EMPOTRAMIENTO. m. Acción de empotrar.

EMPOTRAR. tr. Meter algo en la pared o en el suelo.

EMPOZAR. tr. Meter o echar en un pozo.

EMPADRIZAR. tr. Convertir en prado un terreno.

EMPRENDEDOR-RA. adj. Resuelto, decidido.

EMPRENDER. tr. Empezar una obra.

EMPREÑAR. tr. Fecundar a la hembra. Molestar.

EMPRESA. f. Acción de emprender. Intento.

EMPRESARIO-RIA. m. y f. Encargado de una empresa.

EMPRÉSTITO. m. Préstamo tomado por el Estado o Sociedad.

EMPRIMADO. m. Acción de emprimar lana.

EMPRIMAR. tr. Dar segunda carda a la lana. Abusar de la inexperiencia.

EMPUCHAR. tr. Poner en lejía las madejas.

EMPUJAR. tr. r. Impeler.

EMPUJE. m. Resolución. Acto de empujar.

EMPUJÓN. m. Empellón.

EMPULGADURA. f. Acción de empulgar.

EMPULGAR. tr. r. Estirar la cuerda de la ballesta.

EMPUÑADOR-RA. adj. Que empuña.

EMPUÑADURA. f. Puño de la espada.

EMPUÑAR. tr. Asir por el puño.

EMPURPURADO-DA. adj. Vestido de púrpura.

EMPURPURAR. tr. r. Vestir de púrpura. Dar color de púrpura.

EMULACIÓN. f. Pasión por imitar y superar actos ajenos.

EMULADOR-RA. adj. Que emula o compite.

EMULAR. tr. Imitar a otro para igualarlo o excederlo.

ÉMULO-LA. s. Competidor.

EMULSIÓN. f. Fam. Líquido con pequeñas partículas insolubles en suspensión.

EMULSIONAR. tr. Convertir un líquido en emulsión.

EN. prep. Que indica dónde, cuándo cómo se determina la acción del verbo.

ENACEITAR. tr. Lubrificar una máquina.

ENACERAR. tr. Hacer algo con el acero.

ENAGUA. f. pl. Falda interior que usan las mujeres.

ENAGUACHAR. tr. Echar exceso de agua.

ENAGUAZAR. tr. Encharcar.

ENAJENACIÓN. f. Distracción. Acción de enajenar. Locura, desvarío.

ENAJENADOR-RA. adj. Que enajena.

ENAJENAR. tr. Pasar a otro un dominio. Privar del uso de la razón.

ENÁLAGE. f. Ret. Figura que cambia las partes de la oración.

ENALBAR. tr. Caldear el hierro en la fragua hasta que parezca blanco.

ENALBARDAR. tr. Poner la albarda.

ENALTECER. tr. r. Ensalzar.

ENAMORADIZO-ZA. adj. Fácil de enamorarse.

ENAMORADO-DA. adj. Que tiene amor.

ENAMORAMIENTO. m. Acción de enamorar.

ENAMORAR. tr. r. Excitar el amor con alguien .

ENANO-NA. adj. Diminuto. s. Persona muy pequeña.

ENANTE. f. Hierba umbelífera, venenosa.

ENARBOLAR. tr. Levantar en alto.

ENARDECEDOR-RA. adj. Que enardece.

ENARDECER. tr. r. Excitar el ánimo.

ENARENAR. tr. r. Cubrir con arena.

ENARMONAR. tr. Levantar o poner pie en una cosa.

ENARTAR. tr. Encantar, hechizar.

ENASTADO-DA. adj. Que tiene astas o cuernos.

ENASTAR. tr. Poner mango a una herramienta.

ENCABALGAR. intr. Descansar, apoyarse una cosa sobre otra.

ENCABALLAR. tr. Colocar una cosa sobre la extremidad de otra.

ENCABAR. tr. Poner mango a una herramienta.

ENCABESTRAR. tr. Poner el cabestro.

ENCABEZAMIENTO. m. Fórmula inicial de un escrito. Registro para la imposición de tributos.

ENCABEZAR. tr. Registrar. Iniciar. Echar alcohol en el vino.

ENCABRITARSE. r. Empinarse el caballo.

ENCADENAMIENTO. Enlace, conexión. Acto de encadenar.

ENCADENAR. tr. Atar con cadena. tr. r. Enlazar.

ENCAJADURA. f. Acción de encajar.

ENCAJAR. tr. Ajustar una cosa con otra.

ENCAJE. m. Acto de encajar. Labor de taracea.

ENCAJERA. s. Quien hace o vende encajes.

ENCAJETILLAR. tr. Formar las cajetillas de tabaco.

ENCAJONAMIENTO. m. Acto de encajonar.

ENCAJONAR. tr. Meter en cajón o en lugar angosto.

ENCALABRINAMIENTO. m. Acción de encalabrinar.

ENCALABRINAR. tr. Turbar la cabeza con un vapor que la turbe.

ENCALADA. f. Pieza de metal en el jaez del caballo.

ENCALADOR-RA. adj. Que encala o blanquea.

ENCALAR. tr. Blanquear con cal una cosa.

ENCALMARSE. r. Sofocarse una bestia. Quedar en calma el viento o el tiempo.

ENCALOSTRARSE. m. Enfermar el niño por haber mamado los calostros.

ENCALVECER. intr. Perder el pelo.

ENCALLAR. intr. Atascarse la nave en arena o piedras.

ENCALLECER. tr. Criar callos. r. Endurecerse con la costumbre.

ENCALLECIDO-DA. adj. Muy habituado.

ENCALLEJONAR. tr. Meter una cosa por un callejón.

ENCAMARSE. r. Fam. Meterse en cama por enfermedad. Echarse las mieses.

ENCAMINAR. tr. r. Poner en camino. Dirigirse a un fin.

ENCAMISADA. f. Sorpresa nocturna en que los soldados, iban cubiertos con camisas blancas.

ENCAMPANADO-DA. adj. Acampanado, en forma de campana.

ENCAMPANARSE. r. Alzar la cabeza el toro parado.

ENCANALAR. tr. r. Conducir el agua por canales.

ENCANALIZAR. tr. Encanalar.

ENCANALLARSE. r. Degradarse.

ENCANARSE. r. Envararse el niño que no puede llorar.

ENCANASTAR. tr. Poner algo en una canasta.

ENCANDECER. tr. Hacer ascua una cosa.

ENCANDILAR. tr. Deslumbrar. Alucinar. Avivar una lumbre.

ENCANECER. tr. r. Ponerse cano. fig. Envejecer.

ENCANIJAMIENTO. m. Acción de encanijarse.

ENCANIJAR. tr. r. Poner flaco o enfermizo.

ENCANILLAR. tr. Devanar el hilo en las canillas.

ENCANTAMIENTO. m. Acción de encantar.

ENCANTAR. tr. Hacer cosas maravillosas en apariencia.

ENCANTAR. tr. Poner algo dentro de un cántaro.

ENCANTO. m. Encantamiento. Embeleso.

ENCANUTAR. tr. Poner una cosa en forma de canuto.

ENCAÑADA. f. Cañada, paso entre dos montes.

ENCAÑADO. m. Conducto hecho con cañas. Enrejado de cañas para sostener plantas.

ENCAÑADOR-RA. adj. m. y f. Persona que encaña la seda.

ENCAÑAR. tr. Conducir el agua por caños.

ENCAÑIZADA. f. Atajadizo de cañas en las aguas.

ENCAÑIZAR. tr. Poner cañizos a los gusanos de seda.

ENCAÑONAR. tr. Encaminar una cosa para que entre por un cañón. Componer en forma de cañón.

ENCAPACHADURA. f. Conjunto de capachos.

ENCAPACHAR. tr. Meter alguna cosa en un capacho.

ENCAPAR. tr. Poner la capa.

ENCAPILLAR. tr. Poner capilla o capillo.

ENCAPOTADURA. f. Ceño del rostro.

ENCAPOTAR. tr. Cubrir con el capote. r. fig. Ponerse ceñudo.

ENCAPRICHAR. tr. r. Inspirar algún capricho.

ENCAPUCHAR. tr. r. Cubrir con capucha.

ENCAPULLADO-DA. adj. Encerrado como la flor en el capullo.

ENCARADO-DA. adj. Con buena o mala cara.

ENCARAMAR. tr. r. Subir una cosa encima de otra.

ENCARAR. intr. Ponerse cara a cara.

ENCARCELACIÓN. f. Acción de encarcelar.

ENCARCELAR. tr. r. Poner en la cárcel.

ENCARECEDOR-RA. adj. Que encarece o exagera.

ENCARECER. tr. Subir de precio. fig. Ponderar las cosas.

ENCARECIMIENTO. m. Acción de encarecer.

ENCARGADO-DA. adj. s. Que tiene algo a su cargo.

ENCARGAR. tr. r. Encomendar. Poner algo al cuidado de otro.

ENCARGO. m. Acción de encargar. Cosa encargada.

ENCARIÑAR. tr. r. Despertar el cariño.

ENCARNA. f. Mont. Acción de cebar los perros en el venado muerto.

ENCARNACIÓN. f. Personificación. Acto de encarnar.

ENCARNADINO-NA. adj. Encarnado bajo.

ENCARNADO-DA. adj. De color de carne.

ENCARNADURA. f. Calidad de la carne del animal vivo.

ENCARNAR. intr. Tomar carne humana el Verbo Divino.

ENCARNECER. intr. Tomar carnes, hacerse más corpulento.

ENCARNIZADAMENTE. adv. m. Cruelmente.

ENCARNIZADO-DA. adj. Encendido, ensangrentado.

ENCARNIZAMIENTO. m. Acción de encarnizarse.

ENCARNIZAR. tr. r. Cebar un animal en la carne de otro. Enfurecer.

ENCARO. m. Acción de mirar a uno cara a cara.

ENCARPETAR. tr. Guardar en carpetas.

ENCARRILLAR. tr. Encaminar, dirigir y enderezar una cosa.

ENCARRUJADO-DA. adj. Rezado, ensortijado.

ENCARRUJARSE. r. Retorcerse, ensortijarse.

ENCARTACIÓN. f. Empadronamiento en virtud de carta de privilegio.

ENCARTAMIENTO. m. Acción de encartar.

ENCARTAR. tr. Incluir a uno en los padrones. Procesar.

ENCARTE. m. Acción de encartar en el juego.

ENCARTONAR. tr. Poner en cartones.

ENCASAR. tr. Cir. Volver a encajar un hueso en su sitio.

ENCASILLADO. m. Conjunto de casillas. Lista de candidatos adeptos al Gobierno.

ENCASILLAR. tr. Poner en casillas. Incluir en el encasillado.

ENCASQUETAR. tr. r. Encajar en la cabeza.

ENCASTAR. tr. Mejorar una casta. intr. Procrear.

ENCASTILLAR. tr. Fortificar con castillos. Perseverar.

ENCAUCHAR. tr. Cubrir con caucho.

ENCAUSAR. tr. Procesar.

ENCAUSTE o ENCAUSTO. m. Tinta roja con que escribían solo los emperadores.

ENCAUSTICO-CA. adj. Dícese de la pintura hecha al encausto.

ENCAUZAMIENTO. m. Acción de encauzar.

ENCAUZAR. tr. Dirigir por un cauce. Encaminar.

ENCAVARSE. r. Ocultarse los animales en una cueva.

ENCEBOLLADO. m. Guisado de carne, con abundancia de cebolla.

ENCEFÁLICO-CA. adj. Relativo al encéfalo.

ENCEFALITIS. r. Inflamación del encéfalo.

ENCÉFALO. m. Anat. Masa nerviosa contenida en el cráneo.

ENCEFALOTOMÍA. f. Disección del encéfalo.

ENCELAJARSE. impers. Cubrirse de celajes.

ENCELAMIENTO. m. Acción de encelar.

ENCELAR. tr. Dar celos.

ENCELDAR. tr. Encerrar en una celda.

ENCELLA. f. Molde para quesos.

ENCELLAR. tr. Dar forma al queso.

ENCENAGAR. tr. r. Meter en cieno. fig. Entregar al vicio.

ENCENCERRADO-DA. adj. Que trae cencerro.

ENCENDAJA. f. pl. Rama seca para encender fuego.

ENCENDEDOR. s. Que enciende.

ENCENDER. tr. r. Hacer que una cosa arda. fig. Incitar.

ENCENDIDAMENTE. adv. m. fig. Con ardor y viveza.

ENCENDIDO-DA. adj. De color subido. Acto de encender.

ENCENDIMIENTO. m. Acto de arder. Ardor.

ENCENIZAR. tr. Echar ceniza.

ENCENTAR. tr. Empezar a gastar algo.

ENCEPAR. tr. Meter en el cepo. intr. Echar raíces las plantas y por extensión los árboles.

ENCERADO-DA. adj. De color de cera. m. Lienzo encerado usado para escribir.

ENCERAR. tr. Aderezar o manchar con cera.

ENCERRADERO. m. Sitio para recoger el ganado.

ENCERRAR. tr. Meter en lugar de donde no se puede salir.

ENCERRONA. f. fam. Retiro voluntario para algún fin.

ENCESPEDAR. tr. Cubrir con césped.

ENCESTAR. tr. Meter en un cesto.

ENCETADURA. f. Empiece de una cosa.

ENCÍA. f. Carne que guarnece la dentadura.

ENCÍCLICA. f. Carta dirigida por el Papa a los Obispos.

ENCICLOPEDIA. f. Conjunto de todas las ciencias. Obra en que se trata de muchas ciencias.

ENCICLOPÉDICO-CA. adj. Relativo a la enciclopedia.

ENCICLOPEDISTA. com. Adepto al enciclopedismo.

ENCIERRO. m. Clausura. Acción de encerrar. Lugar donde se encierra.

ENCIMA. adv. l. En lugar opuesto superior respecto de otro inferior.

ENCIMERO-RA. adj. Que está o se pone encima.

ENCINA. f. Árbol cupulífero, cuyo fruto es la bellota.

ENCINAL. m. Encinar.

ENCINAR. m. Terreno poblado de encinas.

ENCINO. m. Encina.

ENCINTAR. tr. Adornar con cintas.

ENCIZAÑAR. tr. Sembrar la discordia, enemistar.

ENCLAUSTRAR. tr. r. Meter en un claustro.

ENCLAVAR. tr. r. Fijar con clavos.

ENCLAVE. m. Pequeña región rodeada de otras extranjeras.

ENCLAVIJAR. tr. Poner clavijas. fig. Entrelazar.

ENCLENQUE. adj. s. Enfermizo.

ENCLÍTICO-CA. adj. s. Gram. Partícula que se une al vocablo precedente.

ENCLOCAR. intr. r. Ponerse clueca un ave.

ENCOBAR. intr. r. Echarse las aves sobre los huevos para empollarlos.

ENCOBRAR. tr. Cubrir con una capa de cobre.

ENCOCORAR. tr. r. fam. Fastidiar, molestar mucho.

ENCOGER. tr. r. Retirar algo contrayéndolo. Apocar el ánimo.

ENCOGIDO-DA. adj. Apocado.

ENCOGIMIENTO. m. Acción de encogerse. Cortedad de ánimo.

ENCOGOLLARSE. r. Subirse la caza a la cima de los árboles.

ENCOHETAR. tr. Hostigar a los animales con cohetes.

ENCOJAR. tr. r. Poner cojo.

ENCOLAMIENTO. m. Acción de encolar.

ENCOLAR. tr. Pegar con cola.

ENCOLERIZAR. tr. r. Poner colérico.

ENCOMENDABLE. adj. Que se puede encomendar.

ENCOMENDAR. tr. Encargar. r. Entregarse, confiarse a alguien.

ENCOMENDERO. m. El que lleva encargo de otros.

ENCOMIADOR-RA. adj. El que hace encomias.

ENCOMIAR. tr. Alabar encarecidamente.

ENCOMIÁSTICO-CA. adj. Que alaba.

ENCOMIENDA. f. Encargo. Dignidad con renta de una orden militar.

ENCOMIO. m. Alabanza, elogio.

ENCONADURA. f. Enconamiento.

ENCONAMIENTO. m. Inflamación de una herida.

ENCONAR. tr. r. Inflamar una herida. Irritar.

ENCONO. m. Rencor.

ENCONTRADAMENTE. adv. m. Opuestamente.

ENCONTRADIZO-ZA. adj. Opuesto.

ENCONTRAR. tr. Hallar o topar, con una persona o cosa. Oponerse.

ENCONTRÓN. m. Golpe o empujón involuntario.

ENCONTRONAZO. m. Golpe. Topetada.

ENCOPETADO-DA. adj. fig. Que presume demasiado de sí.

ENCOPETAR. tr. r. Elevar en alto. r. Engreírse.

ENCORAJAR. tr. Dar ánimo. r. Encenderse en coraje.

ENCORAJINARSE. r. fam. Encolerizarse.

ENCORAR. tr. Meter en un cuerno. intr. Cicatrizar una llaga.

ENCORAZADO. adj. Cubierto de coraza.

ENCORCHADOR-RA. adj. Que encorcha.

ENCORCHAR. tr. Poner tapones de corcho.

ENCORDADURA. f. Conjunto de las cuerdas de un instrumento de cuerda.

ENCORDAR. tr. Mús. Poner cuerda a un instrumento.

ENCORDELAR. tr. Poner cordeles.

ENCORDONAR. tr. Poner cordones.

ENCORNADURA. f. Disposición de los cuernos en los astados.

ENCORNAR. tr. Coger, herir con los cuernos.

ENCORRALAR. tr. Meter el ganado en el corral.

ENCORSETAR. tr. Poner corsé.

ENCORTINAR. tr. Adornar con cortinas.

ENCORVADA. f. Acción de encorvar el cuerpo.

ENCORVADO-DA. adj. Corvo.

ENCORVADURA. f. Acción y efecto de encorvar.

ENCORVAMIENTO. m. Encorvadura.

ENCORVAR. tr. Poner corvo.

ENCOSADURA. r. Cierta clase de costura.

ENCOSTALAR. tr. Meter en costales.

ENCOSTAR. tr. Cubrir con costra.

ENCOVAR. tr. r. Meter en cueva. fig. Guardar, encerrar.

ENCRESPADURA. f. Acción de encrespar.

ENCRESPAMIENTO. m. Efecto de encrespar.

ENCRESPAR. tr. r. Ensortijar. Erizarse. Enfurecer.

ENCRESTARSE. r. Poner las aves tiesa la cresta.

ENCRUCIJADA. f. Sitio en que se cruzan varios caminos. Emboscada.

ENCRUDECER. tr. r. Dar apariencia de crudo. Irritar, exasperar.

ENCRUDECIMIENTO. m. Acción de encrudecer.

ENCRUELECER. tr. r. Encender a uno en crueldad.

ENCUADERNACIÓN. f. Acción de encuadernar. Cubierta de un libro.

ENCUADERNADOR-RA. m. y f. El que tiene por oficio encuadernar. Sujetador metálico de papeles.

ENCUADERNAR. tr. Coser cuadernos o ponerles cubiertas.

ENCUARTE. m. Caballería de refuerzo en un tiro.

ENCUBAR. tr. Echar en cubas.

ENCUBIERTO-TA. adj. Ocultación engañosa.

ENCUBRIDOR-RA. adj. s. Que encubre.

ENCUBRIR. tr. r. Ocultar. Impedir que se sepa algo. For. Hacerse responsable de encubrimiento.

ENCUENTRO. m. Choque. Acto de encontrarse.

ENCUITARSE. r. Afligirse.

ENCULATAR. tr. Cubrir con sobrepuesto la colmena.

ENCUMBRADO-DA. adj. Elevado.

ENCUMBRAMIENTO. m. Acción de encumbrar.

ENCUMBRAR. tr. Levantar en alto. fig. Ensalzar.

ENCUNAR. tr. Poner al niño en la cuna.

ENCURTIDO. m. Fruta o legumbre que se conserva en vinagre.

ENCURTIR. tr. Conservar frutos en vinagre.

ENCHAPADO. m. Placa de madera para chapear.

ENCHAPAR. tr. Chapear, cubrir con chapas.

ENCHARCAMIENTO. m. Acción de encharcar.

ENCHARCAR. tr. r. Inundar en parte un terreno.

ENCHILADA. f. Puesta que recoge el que gana en el tresillo.

ENCHINAR. tr. Empedrar con chinas.

ENCHIQUERAR. tr. Encerrar al toro en el chiquero.

ENCHUFAR. tr. Ajustar la boca de un caño en el de otro.

ENCHUFE. m. Acto de enchufar. fig. fam. m. Cargo bien retribuido debido al favor.

ENDE. (POR). m. adv. Por tanto.

ENDEBLE. adj. Débil, delicado.

ENDEBLEZ. f. Condición de endeble.

ENDÉCADA. f. Periodo de once años.

ENDECASÍLABO-BA. adj. De once sílabas.

ENDECHA. f. Canción triste.

ENDECHAR. tr. Cantar endechas.

ENDEHESAR. tr. Meter el ganado en la dehesa.

ENDEMIA. f. Med. Enfermedad propia de un país.

ENDÉMICO-CA. adj. Dícese de las enfermedades propias de un país.

ENDEMONIADO-DA. adj. s. Poseído del demonio, perverso.

ENDEMONIAR. tr. Introducir los demonios en el cuerpo de una persona.

ENDENTAR. tr. Enlazar dos piezas por medio de dientes.

ENDENTECER. intr. Echar dientes los niños.

ENDEREZADO-DA. adj. Favorable, a propósito.

ENDEREZAMIENTO. m. Acto de enderezar.

ENDEREZAR. tr. r. Poner derecho. Dirigir. Enmendar.

ENDEUDARSE. r. Adeudarse.

ENDIABLADO-DA. adj. fig. Muy feo, desproporcionado. Endemoniado, perverso.

ENDIABLAR. tr. Endemoniar. Irritarse, enfurecerse.

ENDIBIA., f. Escarola, planta.

ENDILGAR. tr. Dirigir, encaminar. Endosar a otro algo desagradable.

ENDINO-NA. adj. fam. Indigno, perverso.

ENDIOSAMIENTO. m. Envanecimiento.

ENDIOSAR. tr. Divinizar. r. Ensoberbecerse.

ENDOBLAR. tr. Hacer que dos ovejas críen a la vez un mismo cordero.

ENDOBLE. m. Min. Doble jornada que hacen los mineros.

ENDOCARDIO. m. Anat. Membrana interna del corazón.

ENDOCARDITIS. f. Med. Inflamación del endocardio.

ENDOCARPIO. m. Bot. Capa interna del pericarpio.

ENDOCRINO-NA. adj. Relativo a la secreción interna.

ENDOCRINOLOGÍA. f. Fisiol. Estudio de las secreciones internas.

ENDOLINFA. f. Líquido de la parte interna del oído.

ENDOMINGAR. r. Ataviar como en día de fiesta.

ENDOPARÁSITO. m. Parásito que vive en el interior de los órganos de otro animal.

ENDOSAR. tr. Ceder a favor de otro, haciéndolo constar en el dorso del documento.

ENDOSMOSIS. f. Fís. Corriente de fuera adentro, establecida entre dos líquidos separados por una membrana.

ENDOSO. m. Acción de endosar un documento de crédito.

ENDRIAGO. m. Monstruo fabuloso con facciones humanas y de fiera.

ENDRIGA. f. Fruto del endrino.

ENDRINAL. m. Lugar poblado de endrinos

ENDRINO. m. Ciruelo de frutos negroazulados y agrios.

ENDULZAR. tr. r. Poner dulce algo. fig. Suavizar.

ENDURADOR-RA. adj. Poco inclinado a gastar y menos a dar.

ENDURAR. tr. Endurecer.

ENDURECER. tr. r. Poner duro algo. Robustecer.

ENDURECIMIENTO. m. Dureza. fig. Tenacidad.

ENE. f. Nombre de la letra "N".

ENEA. f. Anea, planta.

ENEÁGONO-NA. adj. Geom. s. Polígono de nueve lados.

ENEAL. m. Sitio donde abunda la enea.

ENEASÍLABO-BA. adj. De nueve sílabas.

ENEBRO. m. Arbusto cupresáceo de madera olorosa.

ENECHADO-DA. adj. Expósito.

ENEJAR. tr. Echar eje a un carro.

ENELDO. m. Planta medicinal carminativa.

ENEMA. f. Lavativa.

ENEMIGA. f. Enemistad. Oposición.

ENEMIGO-GA. adj. s. Contrario, adversario.

ENEMISTAD. f. Contrariedad. Oposición.

ENEMISTAR. tr. r. Hacer perder la amistad.

ENEO-A. adj. Poet. De cobre o bronce.

ENERGÉTICO-CA. adj. Relativo a la energía física.

ENERGÍA. f. Vigor, fuerza, actividad. Capacidad de una materia de producir trabajo

ENÉRGICAMENTE. adv. m. Con energía.

ENÉRGICO-CA. adj. Que tiene energía.

ENERGÚMENO-NA. s. Poseído del demonio.

ENERO. m. Primer mes del año.

ENERVAMIENTO. m. Acto de enervar.

ENERVAR. tr. r. Debilitar, quitar fuerza.

ENÉSIMO-MA. adj. Dícese del número indeterminado de veces que se repite algo.

ENFADADIZO-ZA. adj. Fácil de enfadarse.

ENFADAR. tr. r. Causar enfado.

ENFADO. m. Impresión desagradable, enojo.

ENFADOSO-SA. adj. Que causa enfado.

ENFAENADO-DA. adj. Entregado al trabajo con afán.

ENFALDAR. tr. r. Recoger las faldas.

ENFALDO. m. Recogimiento de los vestidos talares.

ENFANGAR. tr. r. Cubrir de lodo. r. Encanallarse.

ENFARDAR. tr. Hacer fardos.

ENFARDELADOR. m. El que enfardela.

ENFARDELAR. tr. Hacer fardeles.

ÉNFASIS. f. Fuerza de expresión o de entonación.

ENFATICAMENTE. adv. m. Con énfasis.

ENFATICO-CA. adj. Que contiene énfasis.

ENFERMAR. intr. Caer enfermo. tr. Causar enfermedad.

ENFERMEDAD. f. Alteración de la salud.

ENFERMERIA. f. Casa o sala para los enfermos.

ENFERMERO-RA. s. Quien por profesión asiste a enfermos.

ENFERMIZO-ZA. adj. Que tiene poca salud.

ENFERMO-MA. adj. Que padece enfermedad.

ENFERVORIZAR. tr. r. Infundir fervor.

ENFILAR. tr. Poner en fila.

ENFISEMA. f. Med. Tumefacción producida por un gas en el tejido celular.

ENFISTOLARSE. r. Pasar una llaga al estado de fístula.

ENFITEUSIS. f. Cesión del dominio útil mediante un cánon anual.

ENFITEUTA. com. Persona que recibe algo en enfiteusis.

ENFLAQUECER. tr. r. Poner flaco. intr. Desmayar.

ENFLAQUECIMIENTO. m. Acción y efecto de enflaquecer.

ENFLAUTAR. tr. Hinchar, soplar.

ENFLORAR. tr. Florear, adornar con flores.

ENFLORECER. intr. Florecer.

ENFOCAR. tr. Concentrar el foco de una lente.

ENFOQUE. m. Acción y efecto de enfocar.

ENFOSADO. m. Vet. Encebadamiento

ENFOSCAR. tr. ant. Obscurecer. r. Ponerse hosco. Encapotarse el cielo.

ENFRANQUE. m. Parte más estrecha de la suela de los zapatos.

ENFRASCAR. tr. Echar en frasco. r. Enzarzarse. Aplicarse a una cosa.

ENFRASCARSE. r. Enzarzarse.

ENFRENAR. tr. Poner el freno.

ENFRENTAR. tr. Afrontar, poner frente a frente.

ENFRENTE. adv. Frente a frente, delante.

ENFRIADERA. f. Vasija para enfriar bebidas.

ENFRIAMIENTO. m. Acción de enfriar.

ENFRIAR. tr. r. Poner frío. r. Amortiguar.

ENFRONTAR. tr. intr. Hacer frente, afrontar.

ENFUNDAR. tr. Poner dentro de una funda. Llenar.

ENFURECER. tr. r. Irritar, encolerizar. intr. Poner furioso.

ENFURRUÑAMIENTO. m. Acción de enfurruñarse.

ENFURRUÑARSE. r. Enfadarse. Encapotarse el cielo.

ENFURTIR. tr. r. Abatanar un tejido de lana.

ENGAITAR. tr. Obtener uno con halagos lo que rehusaba.

ENGALANAR. tr. r. Adornar, embellecer.

ENGALGAR. tr. Apretar la galga de un carro.

ENGALLADO-A. adj. Erguido.

ENGALLADOR. m. Correa que obliga al caballo a levantar la cabeza.

ENGALLARSE. r. Ponerse erguido, afectar gravedad.

ENGANCHAR. tr. r. Agarrar con gancho.

ENGANCHE. m. Acto de enganchar. Aparato para esto.

ENGAÑABOBOS. com. Persona engaitadora, embaucadora.

ENGAÑADIZO-ZA. adj. Fácil de ser engañado.

ENGAÑADOR-RA. a. adj. Que engaña.

ENGAÑAR. tr. Inducir a creer cierto lo que no lo es. Burlar. Traicionar.

ENGAÑIFA. f. Engaño artificioso.

ENGAÑO. m. Falta y mengua de verdad. Acto de engañar.

ENGAÑOSO-SA. adj. Que engaña. Falso, capcioso.

ENGARABITARSE. f. fam. Subirse a lo alto.

ENGARBARSE. r. Encaramarse las aves en lo alto.

ENGARCE. m. Metal en que se engarza algo.

ENGARGANTAR. tr. Meter por la garganta.

ENGARGOLADO. m. Ranura de una puerta de corredera.

ENGARGOLAR. tr. Ajustar las piezas que tienen gárgoles.

ENGARITAR. tr. Fortificar con garitas. Engañar con astucia.

ENGARRAFAR. tr. Agarrar con fuerza.

ENGARRAR. tr. Agarrar, asir.

ENGARRIAR. intr. Trepar, encaramar.

ENGARZADURA. f. Engarce.

ENGARZAR. tr. Trabar algo formando cadena. Engastar.

ENGASTADURA. r. Engaste.

ENGASTAR. tr. Encajar una cosa en un metal.

ENGASTE. m. Acción de engastar.

ENGATADO-DA. adj. Habituado a hurtar, como el gato.

ENGATAR. tr. fam. Engañar halagando.

ENGATILLAR. tr. Sujetar con gatillos.

ENGATUSAR. tr. Halagar con arte.

ENGAVIAR. tr. Subir a lo alto.

ENGAVILLAR. tr. Agavillar.

ENGAZAR. tr. Engarzar.

ENGENDRAR. tr. r. Procrear, propagar la propia especie.

ENGENDRO. m. Feto. Criatura informe. Obra mal ideada.

ENGLOBAR. tr. Incluir en un conjunto.

ENGOLADO-DA. adj. Que tiene gola.

ENGOLFAR. intr. r. Internarse en el mar. Meterse mucho en un asunto.

ENGOLOSINAR. tr. Excitar el deseo con atractivos. r. Aficionarse.

ENGOLLETARSE. r. Engreirse.

ENGOMADURA. f. Acción y efecto de engomar. Primer baño que dan las abejas a las colmenas.

ENGOMAR. tr. r. Untar con goma.

ENGORDADERO. m. Sitio en que se tienen los cerdos para engordarlos.

ENGORDAR. tr. Cebar. intr. Ponerse gordo.

ENGORDE. m. Acción de engordar el ganado.

ENGORRO. m. Molestia.

ENGORROSO-SA. adj. Embarazoso.

ENGOZNAR. tr. Poner, clavar los goznes.

ENGRANAJE. m. Mec. Piezas que engranan entre sí. Dientes de una máquina. Trabazón.

ENGRANAR. intr. Mec. Endentar. Trabar.

ENGRANDAR. tr. Agrandar.

ENGRANDECER. tr. Hacer grande algo. Exaltar.

ENGRANDECIMIENTO. m. Acción y efecto de engrandecer.

ENGRANEAR. tr. Encerrar el grano.

ENGRANUJARSE. r. Llenarse de granos. Hacerse granuja.

ENGRAPAR. tr. Sujetar con grapas.

ENGRASACIÓN. f. Acción de engrasar.

ENGRASAR. tr. Untar con grasa. Dar crasitud a algo.

ENGRASE. m. Engrasación. Materia lubricante.

ENGRAVECER. tr. Hacer grave alguna cosa.

ENGREDAR. tr. Dar con greda.

ENGREIMIENTO. m. Acción de engreir.

ENGREIR. tr. r. Ensoberbecer.

ENGRESCAR. tr. r. Incitar.

ENGRIFAR. tr. Encrespar, erizar.

ENGROSAR. tr. r. Hacer gruesa una cosa. Aumentar un número.

ENGRUDAR. tr. Dar con engrudo.

ENGRUDO. m. Masa de harina o almidón cocidos con agua.

ENGRUMECERSE. r. Hacerse grumos.

ENGUANTARSE. r. Ponerse los guantes.

ENGUATAR. tr. Entretelar con guata.

ENGUIJARRAR. tr. Empedrar con guijarros.

ENGUIRNALDAR. tr. Poner guirnaldas.

ENGUIZGAR. tr. Incitar.

ENGULLIDOR-RA. adj. Que engulle.

ENGULLIR. tr. Tragar sin masticar.

ENGURRIO. m. Tristeza, melancolía.

ENGURRUÑARSE. tr. Encoger, arrugar. r. Ponerse los pájaros tristes.

ENHACINAR. tr. Hacinar.

ENHARINAR. tr. r. Cubrir de harina.

ENHASTILLAR. tr. Poner las saetas en el carcaj.

ENHEBRAR. tr. Pasar la hebra por el ojo de la aguja.

ENHENAR. tr. Cubrir con heno.

ENHERBOLAR. tr. Envenenar.

ENHESTAR. tr. r. Alzar en alto, Poner derecho.

ENHIELAR. tr. Mezclar con hiel.

ENHIESTO-TA. adj. Levantado, derecho.

ENHILAR. tr. Enhebrar. Ordenar ideas.

ENHORABUENA. f. Parabien. adv. Con felicidad.

ENHORAMALA. adv. Que denota desagrado.

ENHORCAR. tr. Formar horcos de ajos o cebollas.

ENHORNAR. tr. Meter en el horno.

ENIGMA. m. Dicho o expresión de difícil interpretación.

ENIGMATICO-CA. adj. Obscuro, misterioso.

ENJABONAR. tr. Dar jabón.

ENJAEZAR. tr. Poner jaeces al caballo.

ENJALBEGADURA. f. Acción de enjalbegar.

ENJALBEGAR. tr. Blanquear las paredes.

ENJALMA. r. Albarda ligera.

ENJALMAR. tr. Poner la enjalma.

ENJALMERO. m. El que hace o vende enjalmas.

ENJAMBRAR. tr. Encerrar los enjambres en colmenas. intr. Producir con abundancia.

ENJAMBRE. m. Conjunto de abejas con la maestra. Muchedumbre.

ENJARCIAR. tr. Poner la jarcia a una embarcación.

ENJARETAR. tr. Hacer o decir algo atropelladamente. Pasar el cordón por una jareta.

ENJAULAR. tr. r. Meter en jaula.

ENJEBAR. tr. Meter los paños en enjebe.

ENJEBE. m. Alumbre. Acción de enjebar.

ENJERTAR. tr. Injertar.

ENJERTO-TA. m. Injerto, planta injertada.

ENJOYADO-DA. adj. Que tiene muchas joyas.

ENJOYAR. tr. r. Adornar con joyas.

ENJOYELAR. tr. Adornar con joyeles.

ENJUAGAR. tr. r. Limpiar la dentadura con algún líquido.

ENJUAGUE. Acto de enjuagar. Líquido para hacerlo. Negocio oculto.

ENJUGAR. tr. Quitar la humedad a algo. Extinguir una deuda.

ENJUICIAMIENTO. m. Acción y efecto de enjuiciar.

ENJUICIAR. tr. For. Instruir una causa. Someter a juicio.

ENJULIO. m. Madero en que se apoya la urdimbre en el telar.

ENJUNCAR. tr. Cubrir de juncos.

ENJUNDIA. f. Gordura de un animal. Lo más sustancioso de algo. Fuerza.

ENJUTEZ. f. Sequedad.

ENJUTO. f. Delgado, flaco.

ENLABIO. m. Engaño con palabras seductoras.

ENLACE. m. Acto de enlazar. Unión. Parentesco.

ENLACIAR. tr. Poner lacia una cosa.

ENLADRILLADO. m. Pavimento de ladrillos.

ENLADRILLAR. tr. Solar con ladrillos.

ENLAGUNAR. tr. Convertir un terreno en laguna.

ENLANADO-DA. adj. Cubierto de lana.

ENLATAR. tr. Meter en cajas de hojalata.

ENLAZAR. tr. r. Coger, atar con lazos. Dar enlace. Casar.

ENLECHAR. tr. Cubrir con una lechada.

ENLERDAR. tr. Entorpecer, retardar.

ENLIGAR. tr. r. Untar con liga. enviscar.

ENLIZAR. tr. Añadir lizos al telar.

ENLOBREGUECER. tr. Obscurecer.

ENLODAR. tr. r. Manchar de lodo.

ENLOQUECEDOR-RA. adj. Que hace enloquecer.

ENLOQUECER. tr. intr. Perder el juicio o hacerlo perder.

ENLOSADO. m. Pavimento de losas.

ENLOSADOR. m. El que enlosa.

ENLOSAR. tr. Solar con losas.

ENLOZANARSE. r. Mostrar lozanía.

ENLUCIDO-DA. adj. Blanqueado.

ENLUCIR. tr. Blanquear las paredes. Limpiar los metales.

ENLUSTRECER. tr. Poner limpio y lustroso algo.

ENLUTAR. tr. r. Cubrir de luto.

ENLLANTAR. tr. Guarnecer con llantas las ruedas.

ENLLENTECER. tr. Reblandecer.

ENMADERAR. tr. Cubrir con madera.

ENMADRARSE. r. Encariñarse el hijo con la madre.

ENMAGRECER. tr. intr. Enflaquecer, adelgazar.

ENMALECER. tr. Malear, echar a perder.

ENMARAÑAMIENTO. m. Acto de enmarañar.

ENMARAÑAR. tr. r. Enredar, revolver una cosa. fig. Confundir.

ENMARARSE. r. Mar. Entrar la nave en alta mar.

ENMARIDAR. r. intr. Casarse la mujer.

ENMASCARADO-DA. m. y f. Máscara, persona disfrazada de máscara.

ENMASCARAR. tr. r. Cubrir con máscara. Encubrir.

ENMATARSE. r. Ocultarse entre las matas.

ENMELAR. tr. Untar con miel, endulzar.

ENMENDAR. tr. r. Corregir, resarcirse. for. Reformar una sentencia.

ENMIENDA. f. Corrección de un defecto o error.

ENMOHECER. tr. r. Cubrir de moho Inutilizar.

ENMOLLECER. tr. Ablandar.

ENMOSTAR. tr. Manchar con mosto.

ENMUDECER. tr. Hacer callar. intr. Quedar mudo. fig. Guardar silencio.

ENNEGRECER. tr. Teñir de negro, poner negro.

ENNOBLECEDOR-RA. alj. Que ennoblece.

ENNOBLECER. tr. r. Hacer noble.

ENNOBLECIMIENTO. m. Acción y efecto de ennoblecer.

ENODIO. m. Ciervo de tres a cinco años de edad.

ENOJADIZO-ZA. adj. Que se anoja fácilmente.

ENOJAR. tr. Causar enojo.

ENOJO. m. Ira, enfado.

ENOJOSO-SA. adj. Que causa enojo.

ENOLOGÍA. f. Arte de elaborar los vinos.

ENÓLOGO-GA. s. Persona versada en enología.

ENORGULLECER. tr. r. Llenar de orgullo.

ENORGULLECIMIENTO. m. Acción de enorgullecer.

ENORME. adj. Excesivo, desmedido.

ENORMEMENTE. adv. m. Con enormidad.

ENORMIDAD. f. Tamaño desmedido. fig. Exceso de malicia.

ENQUICIAR. tr. Poner algo en orden, en su quicio.

ENQUILLOTRARSE. r. Engreírse. fam. Enamorarse.

ENQUIMOSIS. f. Efusión de sangre provocada por una emoción violenta.

ENQUIRIDIÓN. m. Libro que en poco volumen contiene mucha doctrina.

ENQUISTARSE. r. Encerrarse en un quiste.

ENRABIAR. intr. Encolerizar.

ENRAIZAR. intr. Arraigar, echar raices.

ENRALECER. intr. Ponerse ralo.

ENRAMADA. f. Conjunto de ramas. Ramaje.

ENRAMAR. tr. Entretejer ramos. intr. Echar un árbol ramas.

ENRAME. m. Acción de enramar.

ENRANCIAR. tr. r. Hacer rancio algo.

ENRARECER. tr. r. Hacer menos denso un cuerpo. Hacer que escasee algo.

ENRARECIMIENTO. m. Acción de enrarecer.

ENRASAR. tr. Igualar en altura, nivelar dos obras.

ENRASE. m. Acción de enrasar.

ENRASILLAR. tr. Albañ. Colocar la rasilla.

ENRAYAR. tr. Fijar los rayos en las ruedas de los carruajes.

ENREDADERA. f. Planta convolvulácea de tallo trepador.

ENREDADOR-RA. adj. Que enreda.

ENREDAR. tr. r. Prender con red. Meter en un enredo. Confundir. Travesear. Amancebarse.

ENREDIJO. m. Enredo, maraña.

ENREDOSO-SA. adj. Lleno de enredos.

ENREJADO-DA. adj. De forma de reja. m. Conjunto de rejas.

ENREJADURA. f. Veter. Herida producida al ganado por la reja del arado.

ENREJAR. tr. Poner rejas.

ENREVESADO-DA. adj. Intrincado, dificil de entender.

ENRIAR. tr. Macerar cáñamo o lino en agua.

ENRIELAR. tr. Hacer rieles.

ENRIQUECER. tr. Hacer a uno rico. Adornar.

ENRIQUECIMIENTO. m. Acción de enriquecer.

ENRISCADO-DA. adj. Lleno de riscos.

ENRISCAR. tr. fig. Elevar. r. Guarecerse entre riscos.

ENRISTRAR. tr. Poner la lanza en el ristre. Colocar en ristre.

ENRIZAR. tr. Rizar.

ENROCAR. tr. Mudar el rey de su lugar al mismo tiempo que la torre, en ajedrez.

ENRODAR. tr. Imponer el suplicio de la rueda.

ENRODELADO-DA. adj. Armado con rodela.

ENROJAR. tr. Enrojecer. Calentar el horno.

ENROJECER. tr. r. Poner rojo.

ENROJECIMIENTO. m. Acto de enrojecer.

ENROLAR. tr. r. Inscribir en el rol.

ENROLLADO. m. Roleo, voluta.

ENROLLAR. tr. Envolver una cosa con otra. Arrollar.

ENROMAR. tr. Poner roma una cosa.

ENRONQUECER. tr. r. Poner ronco.

ENRONQUECIMIENTO. m. Ronquera.

ENROÑAR. tr. Llenar de roña, pegarla.

ENROSCAR. tr. r. Dar forma de rosca. Introducir dando vueltas la rosca.

ENROSTRAR. tr. Reprochar.

ENRUBIAR. tr. Poner rubia.

ENRUDECER. tr. r. Hacer rudo a alguien, embrutecerlo.

ENRUINECER. intr. Hacerse ruín.

ENSABANAR. tr. Cubrir con sábanas.

ENSACAR. tr. Meter en un saco.

ENSAIMADA. f. Bollo de pasta hojaldrada en espiral.

ENSALADA. f. Hortaliza aderezada. Mezcla confusa.

ENSALADERA. f. Fuente para servir ensalada.

ENSALIVAR. tr. r. Empapar de saliva.

ENSALMAR. tr. Componer huesos dislocados. Curar con ensalmos.

ENSALMO. m. Modo supersticioso de curar.

ENSALOBRARSE. r. Hacerse el agua amarga y salobre.

ENSALZAR. tr. r. Exaltar. Alabar. Elogiar.

ENSAMBLADO. m. Obra de ensamblaje.

ENSAMBLADOR. s. Quien ensambla.

ENSAMBLADURA. f. Acción de ensamblar.

ENSAMBLAR. tr. Unir piezas de madera.

ENSAMBLE. m. Ensambladura.

ENSANCHADOR-RA. adj. Que ensancha. Instrumento para ensanchar los guantes.

ENSANCHAR. tr. r. Dilatar. r. Envanecerse.

ENSANCHE. m. Dilatación. Terreno dedicado a nuevas edificaciones.

ENSANDECER. intr. Enloquecer.

ENSANGRENTAR. tr. r. Manchar con sangre.

ENSAÑAMIENTO. m. Acto de ensañarse.

ENSAÑAR. tr. r. Enfurecer. Deleitarse en causar mal.

ENSARNECER. intr. Llenarse de sarna.

ENSARTAR. tr. Pasar cosas por un hilo. fig. Decir cosas sin conexión.

ENSAYADOR. m. El que ensaya.

ENSAYAR. tr. r. Probar algo antes de usarlo. Ejercitarse.

ENSAYE. m. Prueba de la calidad de los metales.

ENSAYISMO. m. Género literario.

ENSAYISTA. com. Escritor de ensayos.

ENSAYO. m. Examen. Prueba.

ENSEBAR. tr. Untar con sebo.

ENSELVADO-DA. adj. Lleno de selvas o árboles.

ENSELVAR. tr. Emboscar.

ENSENADA. f. Entrante que forma el mar en la tierra.

ENSEÑA. f. Bandera, insignia, estandarte.

ENSEÑANZA. f. Instrucción.

ENSEÑAR. tr. Instruir. Advertir. Mostrar, indicar.

ENSEÑOREARSE. r. Hacerse dueño de algo.

ENSERAR. tr. Cubrir con sera de esparto.

ENSERES. m. pl. Muebles, efectos, etc.

ENSIFORME. adj. En forma de espada.

ENSILAJE. m. Acción de ensilar.

ENSILAR. tr. Meter el grano en silos.

ENSILLAR. tr. Poner la silla al caballo.

ENSIMISMARSE. r. Abstraerse. Colomb., Chile, Ecuad. Gozarse en sí mismo, envanecerse.

ENSOBERBECER. tr. r. Causar soberbia.

ENSOGAR. tr. r. Atar o forrar con soga.

ENSOLVER. tr. Incluir una cosa con otra. Contraer, sincopar.

ENSOMBRECER. tr. Obscurecer. r. Entristecerse.

ENSOÑADOR. m. Que tiene ensueños o ilusiones.

ENSORDECEDOR-RA. adj. Que ensordece.

ENSORDECER. tr. Causar o contraer sordera. Hacerse el sordo.

ENSORTIJAR. tr. r. Rizar.

ENSOTARSE. r. Meterse en un soto.

ENSUCIAR. tr. r. Manchar. Evacuar el vientre.

ENSUEÑO. m. Ilusión. Lo que se representa en la imaginación durante el sueño.

ENTABACARSE. r. Abusar del tabaco.

ENTABLADO. m. Suelo formado de tablas.

ENTABLADURA. f. Acción de entablar.

ENTABLAMENTO. m. Techo de tablas. Cornisamiento.

ENTABLAR. tr. Cubrir con tablas. Emprender algo.

ENTABLERARSE. 1. Aquerenciarse el toro a la barrera.

ENTABLILLAR. r. Sujetar con tablillas y vendas un miembro.

ENTALAMAR. tr. Poner toldo a un carro.

ENTALEGAR. tr. Meter en talegas.

ENTALONAR. intr. Echar renuevos los árboles de hoja perenne.

ENTALLAR. tr. Tallar. Hacer una incisión en corteza. Ajustar al talle.

ENTALLECER. intr. Echar tallos las plantas.

ENTAPETADO-DA. adj. Cubierto con tapete.

ENTAPIZAR. tr. Cubrir con tapices.

ENTARIMADO. m. Suelo formado de tarimas.

ENTARIMADOR. m. El que tiene por oficio entarimar.

ENTARIMAR. tr. Cubrir con tarimas.

ENTARQUINAMIENTO. m. Operación de entarquinar.

ENTARQUINAR. tr. Abonar las tierras con tarquín.

ENTARUGADO. m. Pavimento de tarugos.

ÉNTASIS. f. Parte abultada del fuste de una columna.

ENTE. m. Lo que es o puede ser. fam. Sujeto ridículo.

ENTECO-CA. adj. Enfermizo, débil, flaco.

ENTELAR. tr. r. Cubrir con tela. Empañar la vista.

ENTELEQUIA. f. Fil. Cosa real que lleva en sí el principio de su acción.

ENTELERIDO-DA. adj. Sobrecogido de frío y pavor.

ENTENA. f. Mar. Palo al que se asegura la vela latina.

ENTENADO-DA. s. Hijastro o hijastra.

ENTENDEDERAS. f. pl. Entendimiento.

ENTENDEDOR-RA. adj. Que entiende.

ENTENDER. tr. Tener idea clara de una cosa. Comprender, discurrir. Ponerse de acuerdo.

ENTENDIDO-DA. adj. Perito, inteligente.

ENTENDIMIENTO. m. Facultad de comprender. Inteligencia.

ENTENEBRECER. tr. r. Oscurecer.

ENTENTE. Voz francesa. f. Inteligencia, trato secreto.

ENTERALGIA. f. Dolor agudo de los intestinos.

ENTERAMENTE. adv. m. Cabalmente, del todo.

ENTERAR. tr. r. Informar. instruir a uno de un negocio.

ENTEREZA. f. Integridad. Fortaleza. Rectitud en el obrar.

ENTÉRICO-CA. adj. Med. Relativo a los intestinos.

ENTERITIS. f. Inflamación del intestino.

ENTERIZO-ZA. adj. Que está entero.

ENTERNECEDOR-RA. adj. Que enternece.

ENTERNECER. tr. r. Poner tierno. Mover a ternura.

ENTERNECIMIENTO. m. Acción de enternecer.

ENTERO-RA. adj. Íntegro, que tiene entereza. Animal no castrado. fig. Recto, justo. Constante, firme.

ENTEROCELE. m. Hernia intestinal.

ENTEROCOLITIS. f. Med. Inflamación del intestino delgado, del ciego y del colon.

ENTERRADOR. m. Sepulturero.

ENTERRAMIENTO. m. Entierro.

ENTERRAR. tr. Poner bajo tierra. Dar sepultura. Arrinconar.

ENTERRONAR. tr. Cubrir con terrones.

ENTESAMIENTO. m. Acción de entesar.

ENTESAR. tr. Dar mayor fuerza a algo.

ENTESTADO-DA. adj. Testarudo.

ENTIBACIÓN. f. Min. Acción de entibar.

ENTIBADOR. m. Min. Operario dedicado a la entibación.

ENTIBAR. intr. Estribar. tr. Apuntalar excavaciones.

ENTIBIAR. tr. Poner tibio un líquido.

ENTIDAD. f. Fil. Lo que constituye la esencia de alguna cosa.

ENTIERRO. m. Acción y efecto de enterrar.

ENTIMEMA. m. Fil. Silogismo que consta de dos preposiciones; antecedente y consiguiente.

ENTIMEMÁTICO-CA. adj. Perteneciente al entimema.

ENTINTAR. tr. Manchar, teñir con tinta. Teñir.

ENTOLADORA. f. La que entola.

ENTOLAR. tr. Pasar de un tul a otro los dibujos.

ENTOLDADO. m. Acción de entoldar. Conjunto de toldos.

ENTOLDAR. tr. Cubrir con toldos.

ENTOMÓFILO-LA. adj. Aficionado a los insectos. Bot. Planta en que se realiza la polinización por medio de los insectos.

ENTOMOLOGIA. f. Rama que trata de los insectos.

ENTOMÓLOGO-GA. s. Persona que profesa la entomología.

ENTONACIÓN. f. Acción y efecto de entonar.

ENTONADERA. f. Palanca con que se mueven los muelles del órgano.

ENTONADOR-RA. adj. Que entona.

ENTONAR. tr. Cantar según el tono. Engreírse.

ENTONCES. adv. de tiempo. En aquel tiempo. adv. m. En ese caso, siendo así.

ENTONELAR. tr. Introducir en toneles.

ENTONO. m. Entonación. fig. Arrogancia.

ENTONTECER. tr. Poner tonto. intr. Volverse tonto.

ENTORCHADO. m. Hilo de seda cubierto con otro metal arrollado. Úsanlo los generales.

ENTORCHAR. tr. Retorcer velas formando antorchas.

ENTORILAR. tr. Meter el toro en el toril.

ENTORNAR. tr. Volver la ventana o puerta dejándola a medio cerrar. fig. Turbar.

ENTORNILLAR. tr. Disponer algo en forma de tornillo.

ENTORPECER. tr. r. Poner torpe.

ENTORPECIMIENTO. m. Acción de entorpecer.

ENTORTAR. tr. Poner tuerto lo que estaba derecho. Dejar tuerto a uno sacándole el ojo.

ENTOSIGAR. tr. Atosigar, envenenar.

ENTOZOARIO. m. Zool. Parásito que vive en otro animal.

ENTRADA. f. Acto de entrar. Sitio por donde se entra. Billete que da derecho a entrar.

ENTRAMADO. m. Arq. Armazón relleno con fábrica o tablazón.

ENTRAMAR. tr. Hacer un entramado.

ENTRAMBOS-BAS. adj. pl. Ambos.

ENTRAMPAR. tr. r. Caer en la trampa. fam. Contraer deudas.

ENTRAÑA. f. Víscera contenida en la cavidad pectoral o abdominal.

ENTRAÑABLE. adj. Íntimo, afectuoso.

ENTRAÑABLEMENTE. adv. m. Con sumo cariño.

ENTRAÑAR. intr. Introducir en lo más hondo. Unirse íntimamente.

ENTRAPADA. f. Especie de paño carmesí.

ENTRAPAJAR. tr. r. Envolver con trapos.

ENTRAPAR. tr. Echarse polvos en el cabello.

ENTRAR. intr. Ir de fuera a dentro. Encajar. Acometer.

ENTRE. prep. En medio de.

ENTREABRIR. tr. r. Abrir un poco.

ENTREACTO. m. Intermedio teatral.

ENTREANCHO-CHA. adj. Lo que no es ni ancho ni angosto.

ENTREBARRERA. f. En las plazas de toros espacio entre la barrera y la contrabarrera.

ENTRECANO-NA. adj. A medio encanecer.

ENTRECAVAR. tr. Cavar ligeramente.

ENTRECEJO. m. Espacio entre las dos cejas. Ceño.

ENTRECERCA. f. Espacio entre dos cercas.

ENTRECLARO-RA. adj. Que tiene alguna claridad.

ENTRECOGER. tr. Coger de modo que no pueda escaparse. Estrechar.

ENTRECOMAR. tr. Ponerse entre camas o entre camillas.

ENTRECORTADO-DA. adj. Emitido con intermitencias.

ENTRECORTAR. tr. Cortar con intermitencias. fig. Interrumpir.

ENTRECOTE. Voz francesa. Solomillo, chuleta.

ENTRECRUZAR. tr. Cruzar entre sí, entrelazar.

ENTRECUBIERTAS. f. Mar. Espacio entre las cubiertas del buque.

ENTRECUESTO. m. Espinazo de un animal, solomillo.

ENTRECHOCAR. tr. Chocar una cosa contra otra.

ENTREDICHO. m. Prohibición.

ENTREDOS. m. Tira de encaje puesta entre dos telas. Armario bajo entre dos huecos.

ENTREFILETE. m. galic. Suelto en un periódico.

ENTREFINO-NA. adj. De calidad entre fino y basto.

ENTREFORRO. m. Entretela.

ENTREGA. f. Acción de entregar. Cuaderno en que se suele dividir y expender un libro.

ENTREGAR. tr. Poner algo en poder de otro. r. Someterse a alguien.

ENTREJUNTAR. tr. Carp. Enlazar entrepaños con travesaños.

ENTRELAZAR. tr. Enlazar, entretejer.

ENTRELINEAR. tr. Escribir entre dos líneas.

ENTRELISTAR. tr. Trazar listas y dibujos entre lista y lista.

ENTREMEDIAS. adv. t. y l. Entre uno y otro tiempo, espacio, lugar o cosa.

ENTREMÉS. m. Manjares ligeros. Lit. Pieza jocosa en un acto.

ENTREMESEAR. tr. Hacer papel en un entremés.

ENTREMETER. tr. Meter una cosa entre otras. r. Meterse uno donde no le llaman.

ENTREMETIDO-DA. adj. Que se mete en todo.

ENTREMETIMIENTO. m. Acción de entremeterse.

ENTREMEZCLAR. tr. Mezclar cosas sin confundir.

ENTRENADOR-RA. adj. Que entrena.

ENTRENAR. tr. r. Ensayar, adiestrar, ejercitar.

ENTRENCAR. tr. Poner las trencas en las colmenas.

ENTRENZAR. tr. Hacer trenzas.

ENTREOIR. tr. Oir sin entender.

ENTREOSCURO-RA. adj. Que tiene alguna obscuridad.

ENTREPANES. m. pl. Tierras no sembradas entre otras que lo están.

ENTREPAÑO. m. Arq. Lienzo de pared entre dos huecos.

ENTREPELAR. intr. r. Tener mezclado pelo de dos colores.

ENTREPIERNA. f. Parte interior del muslo.

ENTREPISO. m. Min. Espacio entre los pisos de una mina.

ENTREPUENTE. m. Mar. Entrecubiertas.

ENTREPUNZAR. tr. Punzar una cosa, o doler con intermisión.

ENTRÉS. m. Cierto lance del juego del monte.

ENTRESACAR. tr. Sacar unas cosas de entre otras.

ENTRESIJO. m. Mesenterio. fig. Cosa interior, escondida.

ENTRESUELO. m. Habitación entre la planta baja y el piso principal.

ENTRESURCO. Agr. Espacio entre dos surcos.

ENTRETANTO. adv. Entre tanto.

ENTRETEJEDOR-RA. adj. Que entreteje.

ENTRETEJER. tr. Mezclar hilos diferentes en la tela que se teje.

ENTRETELA. f. Lienzo que se pone entre la tela y el forro.

ENTRETELAR. tr. Poner entretela a una prenda de vestir.

ENTRETENER. tr. r. Divertir, distraer, recrear. Dar largas a un asunto.

ENTRETENIDA. f. Ramera de cierto rango.

ENTRETENIDO-DA. adj. Chistoso, de humor festivo.

ENTRETENIMIENTO. m. Acción de entretener.

ENTRETIEMPO. m. Tiempo de primavera y otoño.

ENTREUNTAR. tr. Untar ligeramente.

ENTREVENARSE. r. Introducirse por las venas.

ENTREVENTANA. f. Espacio entre dos ventanas.

ENTREVER. tr. Ver de modo confuso. Adivinar.

ENTREVERAR. tr. Mezclar una cosa con otra.

ENTREVÍA. f. Espacio entre dos rieles.

ENTREVISTA. f. Conferencia entre varias personas.

ENTREVISTARSE. f. Tener una entrevista con una persona.

ENTRISTECER. tr. Causar tristeza. r. Ponerse triste.

ENTROJAR. tr. Guardar en el troje.

ENTROMETER. tr. r. Entremeter.

ENTROMETIDO-DA. adj. Entrometido.

ENTRONAR. tr. Entronizar.

ENTRONCAR. tr. Probar el parentesco con un linaje. intr. Contraer parentesco.

ENTRONIZACIÓN. f. Acto de entronizar.

ENTRONIZAR. tr. Colocar en el trono. Ensalzar. Envanecerse.

ENTRONQUE. m. Parentesco con el tronco de una familia.

ENTRUCHAR. tr. fam. Atraer a un negocio con engaño.

ENTUBAR. tr. Colocar tubos en algún sitio.

ENTUERTO. m. Agravio.

ENTULLECER. tr. Suspender el movimiento. intr. Quedar tullido.

ENTUMECER. tr. Entorpecer el movimiento de un miembro.

ENTUMECIMIENTO. m. Acción de entumecer.

ENTUMIRSE. r. Entorpecerse un miembro.

ENTUPIR. tr. Obstruirse o cerrar un conducto.

ENTURBIAR. tr. r. Poner turbio. Oscurecer.

ENTUSIASMAR. tr. r. Causar entusiasmo.

ENTUSIASMO. m. Exaltación del ánimo por admiración.

ENTUSIASTA. m. El que tiene entusiasmo.

ENTUSIÁSTICO-CA. adj. Relativo al entusiasmo.

ENUMERACIÓN. f. Enunciación ordenada de las partes de un todo. Cómputo.

ENUMERAR. tr. Hacer enumeración.

ENUMERATIVO-VA. adj. Que enumera.

ENUNCIACIÓN. f. Acción de enunciar.

ENUNCIAR. tr. Expresar una cosa con términos precisos.

ENUNCIATIVO-VA. adj. Lo que enuncia.

ENURESIS. f. Emisión involuntaria de la orina.

ENVAINADOR-RA. adj. Que envaina.

ENVAINAR. tr. Meter en la vaina un arma.

ENVALENTONAR. tr. Infundir valentía. Echárselas de valiente.

ENVALIJAR. tr. Meter en la valija.

ENVANECER. tr. r. Infundir soberbia a uno.

ENVANECIMIENTO. m. Acción de envanecerse.

ENVARAR. tr. r. Entorpecer, impedir el movimiento de un miembro.

ENVARONAR. intr. Crecer con robustez.

ENVASADOR-RA. adj. Que envasa. m. Embudo grande.

ENVASAR. tr. Echar en vasijas. fig. Beber con exceso.

ENVASE. m. Acción de envasar. Recipiente para ciertos géneros.

ENVEDIJARSE. r. Enredarse el pelo, la lana, etc.

ENVEJECER. tr. Hacer o hacerse viejo algo.

ENVENENADOR-RA. adj. Que envenena.

ENVENENAMIENTO. m. Acción de envenenar.

ENVENENAR. tr. r. Emponzoñar. Acriminar.

ENVERAR. m. Comenzar a madurar un fruto.

ENVERDECER. intr. Tomar color verde las plantas.

ENVERGADURA. f. Mar. Ancho de una vela. Distancia entre las puntas de las alas abiertas de un ave.

ENVERGAR. tr. Mar. Sujetar la vela a la verga.

ENVERJADO. m. Enrejado, verja.

ENVERO. m. Color que toman las uvas al madurar.

ENVÉS. m. Revés.

ENVESADO-DA. adj. Que manifiesta el envés.

ENVESTIR. tr. Investir.

ENVIADO. m. Mensajero. Embajador.

ENVIAJADO-DA. adj. Arq. Oblicuo sesgo.

ENVIAR. tr. Hacer que uno vaya a una parte.

ENVICIAR. tr. r. Corromper. Pervertir.

ENVIDAR. tr. Hacer envite en un juego.

ENVIDIA. f. Pesar del bien ajeno.

ENVIDIABLE. adj. Que tiene envidia. Desear.

ENVIDIOSO-SA. adj. s. Que tiene envidia.

ENVIGADO. m. Viguería.

ENVIGAR. tr. Asentar las vigas de un edificio.

ENVILECER. tr. r. Hacer vil a una persona o cosa.

ENVILECIMIENTO. m. Acción de envilecer.

ENVINAGRAR. tr. Echar vinagre en algo.

ENVINAR. tr. Echar vino en el agua.

ENVÍO. m. Acción de enviar. Dedicatoria.

ENVIÓN. m. Empujón.

ENVISCAR. tr. Untar con liga.

ENVITE. m. Apuesta en ciertos juegos de naipes.

ENVIUDAR. intr. Quedar viudo o viuda.

ENVOLTORIO. m. Lío de alguna cosa.

ENVOLTURA. f. Capa exterior de algo. Conjunto de pañales.

ENVOLVEDOR-RA. m. y f. Persona que se dedica a envolver.

ENVOLVENTE. p. a. de Envolver. Que envuelve.

ENVOLVER. tr. Cubrir una cosa rodeándola de algo. Mil. Acorralar.

ENVOLVIMIENTO. m. Acción de envolver.

ENVUELTO-TA. p. p. irreg. de Envolver.

ENYESADO. m. Operación de echar yeso al vino.

ENYESADURA. f. Acción de enyesar.

ENYESAR. tr. Tapar algo con yeso. Usar el yeso en vinificación.

ENYUGAR. tr. Uncir y poner el yugo.

ENZAMARRAR. tr. Abrigar con zamarra.

ENZARZAR. tr. Cubrir con zarzas. fig. Enredar.

ENZIMA. f. Quí. Fermento solubre.

ENZUNCHAR. tr. Poner zunchos.

ENZURIZAR. tr. Azuzar.

EÑE. f. Nombre de la letra "Ñ".

EOCENO. adj. s. Geol. Primer período geológico de la era terciaria.

EÓN. m. En el gnosticismo cada uno de los genios creadores emanados de la divinidad suprema.

EOSIMA. f. Colorante rojo de alquitrán.

EPACTA. f. Número de días en que el año solar excede al lunar.

EPACTILLA. f. Epacta, añelejo.

EPANADIPLOSIS. f. Ret. Figura que consiste en repetir a principio y final de cláusula una palabra.

EPANORTOSIS. f. Ret. Corrección.

EPÉNTESIS. f. Metaplasmo consistente en añadir un vocablo.

EPENTÉTICO-CA. adj. Que se añade por epéntesis.

EPERLANO. m. Pez teleósteo de río.

ÉPICA. f. Poesía épica.

ÉPICAMENTE.. adv. m. De manera épica.

EPICARDIO. m. Membrana serosa que cubre el corazón de los vertebrados.

EPICEDIO. m. Composición poética.

EPICENO-NA. adj. Gram. Dícese del género de los nombres que designan el·macho y la hembra con la misma determinación y artículo.

EPICENTRO. m. Punto origen en la superficie terrestre.

ÉPICO-CA. adj. Se dice de la poesía heroica.

EPICUREÍSMO. m. Sistema filosófico.

EPICÚREO-REA. adj. Relativo al epicureísmo.'

EPIDEMIA. f. Enfermedad que ataca a varias personas por el mismo tiempo y en igual territorio.

EPIDÉMICO. adj. Perteneciente a la epidemia.

EPIDÉRMICO. adj. Relativo a la epidermis.

EPIDERMIS. f. Membrana externa de la piel.

EPIFANÍA. f. Fiesta de la adoración de los Reyes.

EPIFISIS. f. Extremo del hueso largo.

EPIFITO-TA. adj. Vegetal que vive apoyado en otra planta.

EPIGASTRIO. m. Parte superior de abdomen entre esternón y ombligo.

EPIGLOTIS. f. Cartílago detrás de la lengua que tapa la glotis.

EPÍGONO. m. Seguidor de otro.

EPÍGRAFE. m. Título puesto a la cabeza de una obra.

EPIGRAFÍA. f. Estudio de las incripciones.

EPIGRAFICO-CA. adj. Relativo a la epigrafía.

EPIGRAFISTA. s. Persona versada en la epigrafía.

EPIGRAMA. f. Poét. Composición festiva o satírica.

EPIGRAMÁTICO-CA. adj. Relativo al epigrama.

EPILEPSIA. f. Med. Enfermedad nerviosa caracterizada por convulsiones y desvanecimientos.

EPILÉPTICO-CA. adj. s. Que padece epilepsia.

EPILOGACIÓN. f. Epílogo.

EPILOGAL. adj. Resumido, epilogado.

EPILOGAR. tr. Compendiar una obra, resumir.

EPÍLOGO. m. Conclusión con que se resume una obra literaria.

EPINICIO. m. Himno triunfal.

EPIQUEREMA. m. Silogismo en que una o más premisas van acompañadas de sus pruebas.

EPIQUEYA. f. Interpretación moderada de la ley según las circunstancias.

EPIROTA. adj. s. Del Epiro.

EPISCOPADO. m. Dignidad de obispo. Conjunto de ellos.

EPISCOPAL. adj. Relativo al obispo.

EPISCOPIO. m. Aparato para la proyección de los cuerpos opacos.

EPISCOPOLOGIO. m. Catálogo y serie de los obispos de una iglesia.

EPISÓDICAMENTE. adv. m. A manera de episodio, incidentalmente.

EPISÓDICO-CA. adj. Relativo al episodio.

EPISODIO. m. Acción secundaria de una obra literaria.

EPISTASIS. f. Med. Hemorragia nasal.

EPÍSTOLA. f. Carta, misiva. Parte de la misa.

EPISTOLAR. adj. Relativo a la epístola.

EPISTOLARIO. m. Libro compuesto de cartas. Que contiene las Epístolas .

EPISTOLERO. m. Clérigo encargado de leer la epístola.

EPISTOLÓGRAFO-FA. m. y f. Persona que se ha distinguido en escribir epístolas.

EPITAFIO. m. Inscripción sepulcral.

EPITALAMIO. m. Himno en la celebración de una boda.

EPITELIAL. adj. Referente al epitelio.

EPITELIO. m. Zool. Cubierta exterior de las mucosas.

EPITELIOMA. m. Tumor epitelial, canceroso.

EPITEMA. f. Med. Apósito y confortante.

EPÍTETO. m. adj. Que caracteriza al nombre.

EPITIMAR. tr. Med. Poner epitemias.

EPÍTIMO. m. Planta parásita.

EPITOMAR. a. Compendiar, resumir una obra.

EPÍTOME. m. Compendio.

EPIZOARIO. m. Animal parásito.

EPIZOOTIA. f. Epidemia del ganado.

EPIZOÓTICO-CA. adj. Relativo a la epizootia.

ÉPOCA. f. Era cronológica. Período notable de tiempo.

EPÓNIMO-MA. adj. Dícese del hombre o persona que da nombre a una ciudad

EPOPEYA. f. Poema heróico, de acción grande y elevado estilo.

ÉPSILON. m. Gram. Letra griega.

EPSOMITA. f. Sulfato magnésico natural, sal de higuera.

EPTÁGONO-NA. adj. s. Heptágono .

EPULÓN. m. El que come y se regala mucho.

EQUIÁNGULO-LA. adj. Geom. Que tiene ángulos iguales.

EQUIDAD. f. Ecuanimidad. Rectitud, justicia.

EQUIDIFERENCIA. f. Mat. Igualdad de dos razones por diferencia.

EQUIDISTANTE. p. a. Que está a igual distancia de varios puntos.

EQUIDISTAR. intr. Distar igualmente.

EQUIDNA. m. Mamífero monotrema parecido al erizo

ÉQUIDO-DA. Mamíferos angulados perisodáctilos, con un solo dedo.

EQUILÁTERO-RA. adj. Geom. De lados iguales.

EQUILIBRADO-DA. adj. fig. Ecuánime, prudente.

EQUILIBRAR. tr. r. Poner en equilibrio.

EQUILIBRIO. m. Estado de un cuerpo solicitado por fuerzas iguales y contrarias.

EQUILIBRISTA. adj. s. Diestro en hacer ejercicios de equilibrio.

EQUIMOSIS. f. Mancha lívida de la piel. Cardenal.

EQUINO-NA. adj. Relativo al caballo.

EQUINOCCIAL. adj. Relativo al equinoccio.

EQUINOCCIO. m. Astr. Momento del año en que los días son iguales a las noches.

EQUINOCOCO. m. Larva de la tenia.

EQUINOCOCOSIS. f. Med. Enfermedad producida por el equinococo.

EQUINODERMO-MA. adj. s. Animales de piel espinosa, como el erizo de mar.

EQUIPAJE. m. Conjunto de cosas que se llevan en el viaje.

EQUIPAR. tr. r. Proveer de lo necesario.

EQUIPARAR. tr. Comparar dos cosas considerándolas iguales.

EQUIPO. m. Acción de equipar.

EQUIPOLADO. adj. Blas. Ajedrezado.

EQUIPOLENCIA. f. Lóg. Equivalencia.

EQUIPONDERANCIA. f. Iguales en el peso.

EQUIS. f. Nombre de la letra "X".

EQUITACIÓN. f. Arte de montar a caballo.

EQUITATIVO-VA. adj. Que tiene equidad.

EQUITE. m. Ciudadano romano de la clase media.

EQUIVALENCIA. f. Igualdad en el valor.

EQUIVALENTE. adj. Que equivale a otra cosa.

EQUIVALER. intr. Ser igual en valor.

EQUIVOCACIÓN. f. Acción de equivocar.

EQUIVOCAR. tr. r. Tomar una cosa por otra.

EQUIVOCO-CA. adj. Que puede tener varios sentidos.

EQUIVOQUISTA. com. Persona que usa de equívocos.

ERA. f. Fecha en que se empiezan a contar los años. Lugar donde se trilla la mies.

ERAJE. m. Ar. Miel virgen.

ERAL. m. Novillo que no pasa de dos años.

ERAR. tr. Formar eras para poner plantas.

ERARIO. m. Tesoro público.

ERARISMO. m. Doctrina filosófica de Erasmo de Rotterdan.

ERBEDO. m. Madroño, árbol.

ERBIO. m. Metal muy raro.

ERE. f. Nombre de la letra "R" en sonido suave.

EREBO. m. Infierno, averno.

ERECCIÓN. f. Acción de levantar.

ERÉCTIL. adj. Que puede enderezarse.

EREMITA. m. Ermitaño.

EREMÍTICO-CA. adj. Relativo al ermitaño.

EREMITORIO. m. Lugar donde hay uno o varios eremitas.

ERETISMO. m. Exaltación de las propiedades de un órgano.

ERGIO. m. Unidad de trabajo equivalente al de una dina a lo largo de un centímetro.

ERGOTINA. f. Principio activo del cornezuelo de centeno.

ERGOTIZAR. tr. Argumentar sofísticamente.

ERGUEN. m. Mata leguminosa con fuertes espinas.

ERGUIR. tr. r. Poner algo derecho.

ERÍA. f. Ast. Terreno labrantío dividido en muchas hazas.

ERIAL. adj. m. Tierra inculta.

ERICACEO-A. adj. Bot. Plantas dicotiledóneas de hoja persistente.

ERIDANO. m. Astr. Constelación austral.

ERIGIR. tr. Fundar, levantar, instituir.

ERINA. f. Ciru. Ganchos para mantener abiertos los tejidos en una operación.

ERISIPELA. f. Enfermedad infecciosa, con inflamación de la piel y membranas mucosas.

ERISIPELATOSO-SA. adj. Parecido a la erisipela.

ERÍSTICO-CA. adj. Escuela socrática de Megara.

ERITEMA. f. Med. Enrojecimiento de la piel.

ERITREO-A. adj. Relativo al Mar Rojo.

ERITROCITO. m. Hematíe.

ERIZAR. tr. r. Levantar, poner rígido algo.

ERIZO. m. Mamífero que tiene el dorso y costados cubiertos de púas y se contrae en forma de bola.

ERMITA. f. Capilla en despoblado.

ERMITAÑO. m. Quien cuida y vive en la ermita.

EROGAR. tr. Repartir, distribuir.

EROS. m. Astron. Asteroide 433 que se acerca más que Marte a la Tierra.

EROSIÓN. f. Desgaste producido por el roce de un cuerpo sobre otro.

EROTEMA. f. Ret. Interrogación.

ERÓTICO-CA. adj. Relativo al amor sensual.

EROTISMO. m. Pasión fuerte de amor.

EROTOMANIA. f. Med. Enajenación con delirio erótico.

ERRABUNDO-DA. adj. Errante.

ERRADICAR. tr. Arrancar de raíz.

ERRADIZO-ZA. adj. Que vaga o anda errante.

ERRADO-DA. adj. Que yerra.

ERRAJ. m. Cisco de hueso de aceituna.

ERRANTE. adj. Que vagabundea.

ERRAR. tr. r. Obrar con error. intr. Andar vagando.

ERRATA. f. Error en la escritura o impresión.

ERRATICO-CA. adj. Errante, vagabundo.

ERRATIL. adj. Incierto, nada firme.

ERRE. Nombre de la letra "R" en su sonido fuerte.

ERREAL. m. Brezo de hoja morada.

ERRÓNEO-A. adj. Que contiene error.

ERROR. m. Concepto equivocado.

ERUBESCENCIA. f. Vergüenza, rubor.

ERUBESCENTE. adj. Que se sonroja.

ERUCTACIÓN. f. Eructo.

ERUCTAR. intr. Expeler ruidosamente gases por la boca.

ERUCTO. m. Acción de eructar.

ERUDICIÓN. f. Vasta instrucción enciclopédica.

ERUDITO-TA. adj. s. Que tiene erudición.

ERUGINOSO-SA. adj. Herrumbroso.

ERUPCIÓN. f. Aparición en la piel de granos o manchas. Emisión de materias volcánicas.

ERUPTIVO-VA. adj. Que produce erupción.

ERUTACIÓN. f. Eructación.

ERUTAR. intr. Eructar.

ES. prep. insp. Que denota fuera o más allá.

ESBELTEZ. f. Calidad de esbelto.

ESBELTO-TA. adj. Gallardo, de gentil estatura.

ESBIRRO. m. Alguacil, corchete.

ESBOZAR. tr. Bosquejar.

ESBOZO. m. Pint. Bosquejo.

ESBRONCE. m. Ar. Movimiento violento.

ESCABA. f. Desperdicio del lino.

ESCABECHAR. tr. Echar en escabeche.

ESCABECHE. m. Adobo con vinagre, hierbas aromáticas, etc. Para conservar manjares.

ESCABECHINA. t. Estrago. fam. Abundancia de suspensos.

ESCABEL. m. Banquillo para apoyar los pies. Asiento pequeño sin respaldo.

ESCABIOSA. f. Planta dipsácea de raíz medicinal.

ESCABIOSO-SA. adj. Med. Sarnoso.

ESCABRO. m. Enfermedad de las vides y árboles.

ESCABROSO-SA. adj. Peligroso, áspero, de mala condición.

ESCABUCHE. f. Pequeña azada para escardar.

ESCABULLIR. intr. Escaparse, irse.

ESCACHAR. tr. Vulgarismo por cachar, romper, hacer cachos.

ESCACHARRAR. tr. fig. Malograr, romper, estropear.

ESCAFANDRA. f. Vestidura impermeable con casco y tubos para renovar el aire, usada para permanecer bajo el agua.

ESCAJO. m. Aliaga.

ESCALA. f. Escalera de mano. Mús. Sucesión ordenada de sonidos. Sitio donde atraca un navío en su viaje.

ESCALADA. f. Acción de escalar.

ESCALAFÓN. m. Lista de los individuos de un cuerpo, clasificados.

ESCALAMIENTO. m. Acción y efecto de escalar.

ESCÁLAMO. m. Mar. Estaca a que se ata el remo.

ESCALAR. tr. Entrar en un lugar por escalas. Ascender a altas dignidades.

ESCALDADO-DA. adj. fig. fam. Escarmentado, desconfiado.

ESCALDADURA. f. Acción de escaldar.

ESCALDAR. tr. r. Abrasar con agua hirviendo.

ESCALDO. m. Poetas escandinavos de la antigüedad.

ESCALENO. adj. Geom. Triángulo de lados desiguales y del cono o pirámide de eje oblicuo.

ESCALERA. f. Serie de escalones para subir o bajar. Trasquilación.

ESCALFADOR. m. Braserillo que se pone sobre la mesa para mantener calientes los manjares.

ESCALFAR. tr. Cocer en líquido hirviendo.

ESCALFETA. f. Escalfador, chofeta.

ESCALINATA. f. Escalera de piedra en la parte exterior de un edificio.

ESCALIO. m. Tierra yerma puesta en cultivo.

ESCALMO. m. Cuña para calzar o apretar piezas.

ESCALOFRÍO. m. Indisposición acompañada de frío y calor a un tiempo.

ESCALÓN. m. Peldaño. Grado a que se asciende en dignidad.

ESCALONAMIENTO. m. Acción y efecto de escalonar.

ESCALONAR. tr. Disponer con orden algo.

ESCALONIA. f. Cebolla guardada para simiente.

ESCALOÑA. f. Chalote, planta.

ESCALOPE. (Voz francesa). m. Loncha, tajada.

ESCALPELO. m. Bisturí para disecciones.

ESCALPIO. m. Cuchilla empleada por los curtidores.

ESCALLA. m. Clase de trigo.

ESCAMA. f. Placa dura que cubre la piel de algunos animales. Hoja modificada en forma de lámina coriácea.

ESCAMADO-DA. adj. Receloso, escarmentado. Escamoso.

ESCAMAR. tr. Quitar las escamas. Hacer que uno desconfíe. Labrar en tierra de escamas. Escarmentar.

ESCAMEL. m. Instrumento para grabar las espadas.

ESCAMÓN-NA. adj. Desconfiado, receloso.

ESCAMONDA. f. Corta de ramas de árboles.

ESCAMONDAR. tr. Limpiar las ramas inútiles de los árboles.

ESCAMONDO. m. Acción de escamondar.

ESCAMONEA. f. Gomorresina purgante.

ESCAMOSO-SA. adj. Que tiene escamas.

ESCAMOTAR. tr. Hacer desaparecer las cosas.

ESCAMOTEAR. tr. Escamotar.

ESCAMOTEO. m. Acto de escamotear.

ESCAMPADA. f. fam. Claro durante un día de lluvia.

ESCAMPAR. tr. Despejar un lugar. intr. Dejar de llover.

ESCAMPAVÍA. f. Mar. Buque ligero que sirve de explorador.

ESCANCIADOR-RA. adj. s. Que escancia.

ESCANCIANO. m. Escanciador.

ESCANCIAR. tr. Servir el vino.

ESCANDA. f. Trigo de paja dura y corta.

ESCANDALIZAR. tr. r. Causar escándalo, alborotar.

ESCÁNDALO. m. Acto que causa mal ejemplo. Alboroto.

ESCANDALOSO-SA. adj. Que causa escándalo.

ESCANDALLAR. tr. Sondear, medir el fondo del mar con el escandallo.

ESCANDALLO. m. Sonda marina. Prueba que se hace de algo.

ESCANDECER. tr. r. Irritar a alguno. Encender en cólera.

ESCANDIA. f. Trigo muy parecido a la escanda.

ESCANDINAVO-VA. adj. Natural de Escandinavia.

ESCANDIR. tr. Medir el verso.

ESCANSIÓN. f. Medida de los versos.

ESCAÑO. m. Banco con respaldo y capaz para varias personas.

ESCASUELO. m. Banquillo para poner los pies.

ESCAPADA. f. Acción de escapar.

ESCAPAR. intr. r. Salir ocultamente de un sitio. r. Salirse un flúido.

ESCAPARATE. m. Hueco con cristales en la fachada de una tienda para colocar géneros.

ESCAPATORIA. f. Acción y efecto de evadirse.

ESCAPE. m. Acto de escapar. Fuga de un flúido. Válvula para la salida de gases.

ESCAPO. m. Arq. Fuste de la columna.

ESCAPULA. f. Omoplato.

ESCAPULAR. adj. Relativo a la escapula.

ESCAPULARIO. m. Trozo de tela con una imagen, que se lleva colgada al cuello.

ESCAQUE. m. Casilla del tablero de ajedrez, de damas.

ESCAQUEADO-DA. adj. Obra repartida en escaques.

ESCARA. f. Cir. Costra que queda en las llagas al curarse.

ESCARABAJEAR. intr. Andar desordenadamente. Escribir mal.

ESCARABAJO. m. Insecto coleóptero.

ESCARABAJUELO. m. Coleóptero que roe las hojas de la vid.

ESCARAMUJO. m. Rosal silvestre. Su fruto.

ESCARAMUZA. f. Combate entre jinetes. Refriega entre avanzadas de dos ejércitos.

ESCARAMUZAR. intr. Revolver el caballo de un lado para otro.

ESCARAPELA. f. Divisa de cintas para el sombrero.

ESCARBADERO. m. Sitio donde escarban los animales.

ESCARBADIENTES. m. Mondadientes.

ESCARBADURA. f. Acción de escarbar.

ESCARBAR. tr. Rascar el suelo. Limpiar los dientes u oídos.

ESCARBILLOS. m. pl. Trozos de carbón pequeños.

ESCARCELA. f. Mochila del cazador. Bolsillo pendiente de la cintura.

ESCARCEO. m. Cabrilleo de las olas del mar.

ESCARCINA. f. Espada corva y corta.

ESCARCHA. f. Rocío de la noche congelado.

ESCARCHADA. f. Hierba con vesículas llenas de agua.

ESCARCHADO-DA. adj. Labor de oro, plata.

ESCARCHAR. intr. Formarse escarcha. tr. Preparar confituras escarchando el azúcar.

ESCARCHO. m. Rubio, pez.

ESCARDA. f. Acción y efecto de escardar. Azadilla para escardar.

ESCARDADERA. f. Almocafre.

ESCARDADOR-RA. s. Persona que escarda.

ESCARDAR. tr. Arrancar las malas hierbas de un sembrado. Separar lo bueno de lo malo.

ESCARDILLA. f. Azada pequeña.

ESCARDILLO. m. Útil para escardar.

ESCARIADOR. m. Herramienta de acero para agrandar agujeros.

ESCARIAR. tr. Agrandar o redondear un agujero.

ESCARIFICACIÓN. f. Cir. Producción de escara por cauterización. Acto de escarificar.

ESCARIFICADOR-RA. adj. Que escarifica.

ESCARIFICAR. tr. Cir. Hacer incisiones en el cuerpo.

ESCARIOSO-SA. Bot. Adj. órganos vegetales con color de hojas secas.

ESCARIZAR. tr. Cir. Quitar la escara de las llagas.

ESCARLATA. adj. Dícese del color carmesí fino.

ESCARLATINA. f. Fiebre eruptiva, contagiosa, caracterizada por un exentema difuso rojo y fiebre alta.

ESCARMENAR. tr. Carmenar. Castigar privando de algunas cosas.

ESCARMENTAR. tr. r. Corregir con rigor. intr. Tomar enseñanza de lo que uno ha visto.

ESCARMIENTO. m. Desengaño, castigo.

ESCARNECER. tr. r. Burlar con insultos. Zaherir.

ESCARNECIDAMENTE. adv. m. Con escarnio.

ESCARNIO. m. Burla, monosprecio, mofa.

ESCARO. m. Pez acantopterigio, de color rojo.

ESCAROLA. f. Achicoria cultivada. Cuello alechugado.

ESCAROLADO-DA. adj. Rizado como la escarola.

ESCAROLAR. tr. Alechugar. Dejar muy limpia una cosa.

ESCAROLERO-RA. adj. Quien vende escarola.

ESCARPA. f. Declive áspero del terreno.

ESCARPADO-DA. Subida a una altura muy peligrosa.

ESCARPADURA. f. Escarpa, declive.

ESCARPAR. tr. Formar un plano inclinado en un terreno.

ESCARPE. m. Pieza de la armadura que cubría el pie.

ESCARPELO. m. Escalpelo.

ESCARPIA. f. Clavo de cabeza acodillada.

ESCARPIADOR. f. Horquilla de hierro para sujetar la cañerías.

ESCARPIDOR. m. Peine de púas gruesas.

ESCARPÍN. m. Zapato de una suela y una costura. Calzado de abrigo.

ESCARRAMANCHONES-A. m. adv. fam. A horcajadas.

ESCARRIO. m. Especie de arce.

ESCARTIVANA. f. Tira de papel puesta en mapas o planos para su encuadernación en un libro.

ESCARZA. f. Vet. Herida en el casco de las caballerías.

ESCARZANO. adj. Dícese del arco menor que el semicírculo del mismo radio.

ESCARZAR. tr. Quitar de la colmena los panales inútiles.

ESCARZO. m. Panal sucio o con borra.

ESCASAMENTE. adv. m. Apenas, con dificultad.

ESCASEAR. tr. Dar poco y de mala gana. intr. Faltar algo.

ESCASEZ. f. Mezquindad, falta de lo necesario.

ESCASO-SA. adj. Poco, mezquino.

ESCATIMAR. tr. Cercenar, dar con mezquindad.

ESCATIMOSO-SA. adj. Malicioso, astuto.

ESCATOFAGIA. f. Hábito de comer excrementos.

ESCATÓFILO. adj. Hist. Nat. Larvas que se desarrollan en los excrementos.

ESCAYOLA. f. Yeso cristalizado, calcinado.

ESCENA. f. Parte del teatro en que se representa la obra. Lugar en que ocurre la acción dramática.

ESCENARIO. m. Parte del teatro donde se dispone la escena y coloca el decorado.

ESCÉNICO-CA. adj. Relativo a la escena.

ESCENIFICACIÓN. f. Acción y efecto de escenificar.

ESCENIFICAR. tr. Poner en escena una obra literaria.

ESCENOGRAFÍA. f. Arte de pintar decoraciones.

ESCENÓGRAFO-FA. s. Quien se dedica a la escenografía.

ESCENOPEGIA. f. Fiesta de los Tabernáculos.

ESCEPTICISMO. m. Doctrina filosófica que niega la existencia de la verdad o la capacidad del hombre para conocerla.

ESCÉPTICO-CA. adj. s. Que profesa el escepticismo.

ESCIATERA. f. Aguja con que su sombra señala el meridiano.

ESCIENTE. adj. Que sabe.

ESCINCO. m. Saurio acuático.

ESCINDIR. tr. Cortar, dividir.

ESCIRRO. Tumor canceroso duro.

ESCISIÓN. f. Cortadura, incisión. Rompimiento.

ESCLAREA. f. Amaro, planta.

ESCLARECEDOR-RA. adj. s. Que esclarece.

ESCLARECER. tr. Poner en claro, iluminar, ennoblecer.

ESCLARECIDAMENTE. adv. m. Con grandeza, honra, nobleza.

ESCLARECIDO-DA. adj. Insigne.

ESCLARECIMIENTO. m. Acción de esclarecer.

ESCLAVINA. f. Capa que cubre el cuello y hombros.

ESCLAVISTA. adj. s. Partidario de la esclavitud.

ESCLAVITUD. f. Estado de esclavo. Sujección excesiva.

ESCLAVIZAR. tr. Reducir a esclavitud.

ESCLAVO-VA. adj. s. Que carece de libertad.

ESCLAVÓN-NA. adj. Natural de la Esclavonia.

ESCLAVONÍA. f. Congregación de esclavos.

ESCLERODERMIA. f. Med. Endurecimiento y retractación de la piel.

ESCLEROSIS. f. Endurecimiento de un tejido por aumento de su tejido conjuntivo.

ESCLEROSO-SA. adj. Tejidos endurecidos del organismo.

ESCLERÓTICA. f. Zool. Membrana blanca resistente que cubre el globo del ojo.

ESCLUSA. f. Recinto con puertas para el paso de niveles distintos en un canal.

ESCOA. f. Mar. Punto de mayor curvatura de la cuaderna de un buque.

ESCOBA. f. Manojo de ramas atadas a un palo para barrer.

ESCOBADA. f. Cada uno de los movimientos de la escoba para barrer.

ESCOBAJO. m. Racimo de uvas desgranado. Escoba vieja.

ESCOBAR. tr. Barrer con escoba.

ESCOBAZAR. tr. Rociar con una escoba mojada.

ESCOBAZO. m. Golpe de escoba.

ESCOBÉN. m. Mar. Agujero por donde sale el cable del áncora.

ESCOBERA. f. Retama común.

ESCOBERO-RA. s. Quien hace escobas.

ESCOBETA. f. Cepillo, escobilla.

ESCOBILLA. f. Cepillo para quitar polvo.

ESCOBILLAR. tr. Limpiar con la escobilla o cepillo.

ESCOBILLÓN. m. Instrumento para limpiar los cañones.

ESCOBINA. Limadura de un metal, o serrín de la barrena.

ESCOBÓN. m. Escoba sin mango o de mango largo.

ESCOCER. intr. Causar escozor. r. Sentirse, dolerse.

ESCOCÉS-SA. adj. s. De Escocia.

ESCOCIMIENTO. m. Escozor.

ESCODA. f. Martillo para labrar piedras. Hacha de dos palas.

ESCODADERO. m. Lugar donde los venados descorrean las cornamentas.

ESCODAR. tr. Labrar con escoda. Sacudir los animales la cuerna.

ESCOFIAR. tr. Poner la cofia.

ESCOFINA. f. Lima grande de dientes gruesos triangulares.

ESCOFINAR. tr. Limpiar con escofina.

ESCOFIÓN. m. aum. de Escofina. Garrín. Cofia de red.

ESCOGER. tr. Elegir una cosa entre varias.

ESCOGIDAMENTE. adv. m. Perfectamente, con acierto.

ESCOGIDO-DA. adj. s. Selecto.

ESCOLANÍA. f. Conjunto de escolanos.

ESCOLANO. m. Niño que se educa en un monasterio para servir al culto.

ESCOLAPIO-PIA. adj. Relativo a la Orden de las Escuelas Pías. *m.* Clérigo regular de esta Orden.

ESCOLAR. adj. Relativo a la escuela o estudiante.

ESCOLARIDAD. intr. Conjunto de cursos de un centro docente.

ESCOLASTICISMO. m. Filosofía enseñada en las escuelas medievales.

ESCOLÁSTICO-CA. adj. Relativo al escolasticismo.

ESCOLEX. m. Abultamiento en un extremo de la tenia.

ESCOLIO. m. Nota que explica un texto.

ESCOLIOSIS. f. Desviación lateral de la columna vertebral.

ESCOLOPENDRA. f. Miriapodo con las dos primeras patas formando uña venenosa.

ESCOLTA. f. Tropa o barco destinado a escoltar.

ESCOLTAR. tr. Acompañar a una persona o cosa para protegerla o impedir su huída.

ESCOLLERA. f. Obra hecha con piedras, arrojadas sin orden para formar dique.

ESCOLLO. m. Peñasco cubierto por el agua del mar.

ESCOMAR. tr. Desgranar el centeno, el lino, etc.

ESCOMBRAR. tr. Limpiar, quitar los escombros.

ESCOMBRERA. f. Conjunto de escombros y sitio donde se echan.

ESCOMBRO. m. Deshecho y cascote de un edificio destruido. Deshechos de una explotación minera.

ESCOMERSE. r. Desgastarse.

ESCONDER. tr. r. Ocultar, encubrir.

ESCONDIDAMENTE. adv. m. A escondidas, ocultamente.

ESCONDIDAS (A). m. adv. Oculta, secretamente.

ESCONDIDO. m. desus. Escondrijo.

ESCONDITE. m. Escondrijo. Juego de niños.

ESCONDRIJO. m. Lugar oculto.

ESCOPETA. f. Arma de fuego portátil, propia para cazar.

ESCOPETAR. tr. Sacar la tierra de las minas de oro.

ESCOPETAZO. m. Tiro de escopeta. Herida hecha con él.

ESCOPETEAR. tr. Tirar escopetazos.

ESCOPETEO. m. Hacer repetidos disparos.

ESCOPETERÍA. f. Milicia armada de escopetas.

ESCOPETERO. m. Soldado armado de escopeta.

ESCOPETILLA. f. Cañón pequeño usado antiguamente.

ESCOPLEADURA. f. Corte hecho con escoplo.

ESCOPLEAR. tr. Labrar con escoplo.

ESCOPLO. m. Herramienta de hierro acerada, con mango de madera y boca formada por un bisel.

ESCORA. f. Mar. Línea céntrica del buque. Inclinación de la nave por el esfuerzo de las velas.

ESCORAR. tr. Mar. Apuntalar con escoras. Inclinarse la nave.

ESCORBÚTICO-CA. adj. Relativo al escorbuto.

ESCORBUTO. m. Enfermedad debida a la falta de vitamina C, en los alimentos ingeridos.

ESCORCHAPÍN. m. Antigua embarcación a vela.

ESCORCHAR. tr. Desollar.

ESCORDIO. m. Hierba labiada medicinal.

ESCORIA. f. Hez de los metales.

ESCORIACIÓN. f. Excoriación.

ESCORIAL. m. Sitio donde se arrojan escorias.

ESCORIAR. tr. Excoriar.

ESCORPINA. f. Pez de cabeza gruesa y espinosa y carne poco estimada.

ESCORPERA. f. Escorpina.

ESCORPIO. m. Astron. Escorpión.

ESCORPIOIDE. f. Alacranera, planta.

ESCORPIÓN. m. Alacrán. Pez parecido a la escorpina.

ESCORROZO. m. fam. Regodeo.

ESCORZO. m. Acción de escorzar. Figura escorzada.

ESCORZONERA. f. Planta de raíz carnosa, diurética.

ESCOTA. f. Mar. Cabo para cazar las velas.

ESCOTADO. m. Escotadura.

ESCOTADURA. f. Corte hecho en algunas cosas.

ESCOTAR. tr. Cortar. Pagar el escote.

ESCOTE. m. Escotadura del cuello en prendas de mujer. Parte de cada uno en un gasto común.

ESCOTERA. f. Mar. Abertura que hay en el costado de una embarcación.

ESCOTERO-RA. adj. Mar. Barco que navega en solitario.

ESCOTILLA. f. Abertura en la cubierta de un buque.

ESCOTILLÓN. m. Trampa o puerta en el suelo.

ESCOTÍN. m. Mar. Escota de vela de cruz de un buque.

ESCOTISMO. m. Doctrina filosófica de Escoto.

ESCOZOR. m. Picazón aguda de dolor.

ESCRIBA. m. Intérprete de la ley entre los hebreos.

ESCRIBANA. f. Mujer del escribano.

ESCRIBANÍA. f. Oficio y despacho del escribano. Recado de escribir.

ESCRIBANIL. adj. Relativo al oficio de escribano.

ESCRIBANO. m. El que da fe a una escritura por oficio.

ESCRIBIENTE. com. Quien escribe por oficio.

ESCRIBIR. tr. Representar ideas con signos gráficos.

ESCRIÑO. m. Cesta de paja para recoger frutos.

ESCRIPIA. f. Cesta para uso del pescador de caña.

ESCRITO-TA. m. Escrito, carta, documento, manuscrito.

ESCRITOR-RA. s. Quien escribe. Autor de obras escritas.

ESCRITORIO. m. Mueble para guardar papeles o para escribir en él.

ESCRITURA. f. Acción de escribir. Arte de escribir. Signos usados en él.

ESCRITURAR. tr. For. Hacer constar en escritura pública un hecho.

ESCRITURARIO-RIA. adj. For. Relativo a escrituras públicas.

ESCRÓFULA. f. Med. Tumor frío de ganglios linfáticos.

ESCROFULARIA. f. Planta medicinal.

ESCROFULISMO. m. Escrofulosis .

ESCROFULOSIS. f. Afección a los ganglios linfáticos.

ESCROFULOSO-SA. adj. s. Que padece escrófulas.

ESCROTO. m. Anat. Túnica que cubre los testículos.

ESCRUPULILLO. m. Grano para que suene el cascabel.

ESCRUPULIZAR. intr. Crear dudas.

ESCRÚPULO. m. Duda que inquieta el ánimo. Farm. Peso de 24 granos ó 1.198 miligramos.

ESCRUPULOSAMENTE. adv. m. Con exactitud y detalle.

ESCRUPULOSIDAD. f. Exactitud, minuciosidad.

ESCRUPULOSO-SA. adj. s. Que tiene escrúpulo. Exacto.

ESCRUTADOR-RA. adj. Escudriñador. El que recuenta voto.

ESCRUTAR. tr. Examinar. Hacer recuento de votos.

ESCRUTIÑADOR-RA. m. y f. Persona que examina una cosa.

ESCUADRA. f. Instrumento de dibujo. Grupo de soldados a las órdenes de un cabo. Conjunto de barcos a las órdenes de un almirante.

ESCUADRAR. tr. Labrar en ángulos rectos.

ESCUADREO. m. Medición de un arca en medidas cuadradas.

ESCUADRÍA. f. Las dos dimensiones de la sección de un madero labrado a escuadra.

ESCUADRILLA. f. Escuadra de buques pequeños. Conjunto de aparatos de aviación.

ESCUADRO. m. Escrita, pez.

ESCUADRÓN. m. Parte de un regimiento de caballería.

ESCUADRONAR. tr. Formar la gente en escuadrones.

ESCUADRONISTA. m. Especialista en maniobras de la caballería.

ESCUALIDEZ. f. Calidad de escuálido.

ESCUÁLIDO-DA. adj. Flaco, extenuado. Peces selácios.

ESCUALO. m. Nombre genético de ciertos peces seláceos.

ESCUALOR. m. Escualidez.

ESCUCHA. f. Acto de escuchar. Centinela avanzado.

ESCUCHADOR-RA. adj. Que escucha.

ESCUCHAR. tr. Aplicar el oído. r. Hablar con pausa afectada.

ESCUCHIMIZADO-DA. adj. Muy débil.

ESCUDAÑO. m. Sitio abrigado.

ESCUDAR. tr. r. Resguardar con el escudo. Defender.

ESCUDEAR. tr. Servir como escudero de una casa principal.

ESCUDERIL. adj. Relativo al escudero.

ESCUDERO. m. Paje que lleva el escudo. Hidalgo.

ESCUDERÓN. m. despect. Presuntuoso.

ESCUDETE. m. Injerto de una rama con parte de la corteza a que está unida.

ESCUDILLA. f. Vasija ancha y semiesférica para caldo.

ESCUDILLAR. tr. Echar en la escudilla.

ESCUDO. m. Arma defensiva. fig. Defensa. Nombre de algunas monedas.

ESCUDRIÑADOR-RA. adj. Curioso por saber secretos.

ESCUDRIÑAR. tr. Examinar, averiguar.

ESCUELA. f. Establecimiento de enseñanza. Doctrina.

ESCUERZO. m. Sapo. fig. Persona flaca y desmedrada.

ESCUETAMENTE. adv. Sin adornos.

ESCUETO-TA. adj. Descubierto, libre, estricto.

ESCULCAR. tr. Averiguar con cuidado y diligencia.

ESCULPIR. tr. Labrar, hacer obras de talla. Grabar.

ESCULTISTA. com. Persona que practica el escultismo.

ESCULTOR-RA. s. Quien profesa la escultura.

ESCULTÓRICO-CA. adj. Escultural.

ESCULTURA. f. Arte de modelar o esculpir. Obra de escultor.

ESCULTURAL. adj. Relativo a la escultura.

ESCULTURAR. tr. Esculpir, labrar.

ESCULLADOR. m. Vaso para sacar el aceite de los molinos de éste.

ESCUNA. f. Mar. Goleta.

ESCUPIDERA. f. Recipiente donde se escupe.

ESCUPIDO. m. Esputo.

ESCUPIDURA. f. Saliva o flema escupida.

ESCUPIR. intr. Arrojar saliva u otra cosa por la boca .

ESCUPITAJO. m. Salivazo.

ESCURIALENSE. adj. Natural o relativo de El Escorial.

ESCURRA. m. Bufón, truhán.

ESCURRIBANDA. f. Escapatoria. Zurra.

ESCURRIDERA. f. Útil para colgar las cucharas.

ESCURRIDERO. m. Lugar para escurrir.

ESCURRIDIZO-ZA. adj. Que se escurre con facilidad.

ESCURRIDO-DA. adj. Estrecho de caderas.

ESCURRIDOR. m. Colador para escurrir.

ESCURRIDURAS. f. pl. Últimas gotas de un licor.

ESCURRIR. tr. Apurar las últimas gotas de algo. intr. Deslizar. r. Escapar.

ESCUSÓN. m. Reverso de una moneda con escudo.

ESCUTIFORME. adj. De forma de escudo.

ESDRÚJULO-LA. adj. s. Vocablo que lleva el acento en la antepenúltima sílaba.

ESE. f. Nombre de la letra "S".

ESE, ESA, ESO, ESOS, ESAS. pron. dem. en sus tres géneros y número, sing. y pl.

ESECILLA. f. Alacrán, enganche.

ESENCIA. f. Ser y naturaleza de las cosas. Substancia volátil olorosa.

ESENCIAL. adj. Relativo a la esencia. Principal.

ESENCIALMENTE. adv. m. Por naturaleza.

ESENCIERO. m. Frasco para esencia.

ESFACELO. m. Pat. Gangrena.

ESFENOIDES. m. Anat. Hueso que forma las fosas nasales y las órbitas.

ESFERA. f. Cuerpo engendrado por la revolución de un círculo que gira sobre su diámetro.

ESFERAL. adj. p. us. Esférico.

ESFERICIDAD. f. Calidad de esférico.

ESFÉRICO-CA. adj. Relativo a la esfera. De su forma.

ESFEROIDE. m. Cuerpo de forma semejante a la esfera.

ESFERÓMETRO. m. Aparato para medir las curvaturas de una superficie esférica.

ESFIGMÓGRAFO. m. Aparato para registrar las pulsaciones.

ESFIGMÓMETRO. m. Aparato para medir la fuerza y frecuencia del pulso.

ESFINGE. amb. Animal fabuloso con busto de mujer, cuerpo de león y alas.

ESFÍNTER. m. Anat. Músculo anular que cierra un orificio.

ESFORROCINO. m. Sarmiento bastardo de la vid.

ESFORZADO-DA. adj. Valiente, arrojado.

ESFORZAR. tr. Dar fuerzas, infundir ánimo. Hacer esfuerzos.

ESFOYAR. tr. Astu. Deshojar el maíz.

ESFUERZO. m. Valor, ánimo.

ESFUMAR. tr. Pint. Extender el lápiz con el esfumino. r. Desvanecerse.

ESFUMINAR. tr. Esfumar.

ESFUMINO. m. Pint. Rollito de papel para esfumar.

ESGARRAR. tr. Desgarrar. Arrancar la flema.

ESGRIMA. f. Arte de manejar la espada, sable, etc.

ESGRIMIR. tr. Practicar la esgrima. Usar algo como arma.

ESGUARDAMILLAR. tr. Descomponer, desbaratar.

ESGUAZAR. tr. Vadear un río o brazo de mar.

ESGUILAR. intr. Trepar, subir.

ESGUÍN. m. Cría del salmón cuando aún no ha salido al mar.

ESLABÓN. m. Anillo de la cadena. Hierro para sacar fuego del pedernal.

ESLABONAR. tr. r. Unir eslabones formando cadena.

ESLAVO-VA. adj. s. Antiguo pueblo del nordeste de Europa.

ESLINGA. f. Mar. Cuerda para alzar pesos.

ESLIZÓN. m. Saurio.

ESLORA. f. Mar. Longitud de la nave desde el costade a la roda.

ESMALTADOR-RA. m. y f. Persona que esmalta.

ESMALTAR. tr. Cubrir con esmalte. Hermosear.

ESMALTE. m. Barniz vítreo que se adhiere al metal.

ESMALTINA. f. Mineral. Combinación de cobalto y arsénico.

ESMERADO-DA. adj. Hecho con esmero. Que se esmera.

ESMERADOR. m. El que pule piedras.

ESMERALDA. f. Piedra preciosa, verde.

ESMERALDINO-NA. adj. De color esmeralda.

ESMERAR. tr. Pulir. Poner cuidado sumo en algo.

ESMEREJÓN. m. Azor. Artill. Pieza de pequeño calibre.

ESMERIL. m. Mezcla de corindón, mica y óxido de hierro, que se usa para pulimentar.

ESMERILAR. tr. Pulir con esmeril.

ESMERO. m. Sumo cuidado en hacer algo.

ESMIRNIO. m. Apio de los caballos.

ESMIRRIADO-DA. adj. Desmirriado.

ESNOB. adj. s. Snob. (ingl.) El que tiene esnobismo.

ESNOBISMO. m. Exagerada adaptación a la moda.

ESOFÁGICO-CA. adj. Relativo al esófago.

ESOFAGITIS. f. Inflamación del esófago.

ESÓFAGO. m. Conducto que va de la faringe al estómago.

ESÓPICO-CA. adj. Relativo o perteneciente a Esopo.

ESOTÉRICO-CA. adj. Oculto, misterioso, secreto.

ESOTRO-TRA. pron. dem. Ese otro, esa otra.

ESPABILADERAS. f. pl. Despabiladeras.

ESPABILAR. tr. Despabilar.

ESPACIAL. adj. Perteneciente o relativo al espacio.

ESPACIAR. tr. Esparcir. Poner espacio entre dos cosas.

ESPACIO. m. La extensión del universo. Capacidad de lugar. Intervalo de tiempo.

ESPACIOSAMENTE. adv. m. Con lentitud.

ESPACIOSO-SA. adj. Ancho, dilatado. Lento, pausado.

ESPACHURRAR. tr. Despachurrar.

ESPADA. f. Arma blanca larga, recta, aguda y cortante con guarnición y empuñadura.

ESPADACHÍN. m. Quien maneja bien la espada. Pendenciero.

ESPADADOR-RA. s. Persona que espadea.

ESPADAÑA. f. Hierba tifácea de tallo largo.

ESPADAÑADA. f. Bocanada de agua, sangre, etc., que a manera de vómito sale por la boca.

ESPADAÑAL. m. Sitio donde abundan las espadañas.

ESPADAR. tr. Macerar el lino con la espadilla.

ESPADARTE. m. Pez espada.

ESPADERÍA. f. Tienda del espadero.

ESPADERO-RA. s. Persona que hace o vende espadas.

ESPÁDICE. m. Bot. Receptáculo común en varias flores, encerrado en la espata.

ESPADILLA. f. As de espadas. Instrumento para macerar el lino.

ESPADILLAR. tr. Espadar.

ESPADÍN. m. Espada corta de hoja estrecha que se usa como prenda de algunos uniformes.

ESPADÓN. m. aum. de Espada. Eunuco.

ESPADRAPO. m. Esparadrapo.

ESPAGÍRICA. f. Arte de depurar los metales.

ESPAHÍ. m. Soldado de caballería turca o francés en Argelia.

ESPALAR. tr. Quitar con la pala tierra o nieve.

ESPALDA. f. Parte posterior del tronco, desde los hombros a la cintura.

ESPALDAR. m. Espalda de la coraza. Respaldo.

ESPALDARAZO. m. Golpe con la espada en la espalda, para armar caballero.

ESPALDARCETE. m. Pieza de la armadura que tapaba la espalda.

ESPALDEAR. tr. Romper la ola con ímpetu contra la popa de los buques.

ESPALDERA. f. Espaldar en los jardines.

ESPALDILLA. f. Omóplato.

ESPALDÓN. m. Fort. Valla para detener un tiro.

ESPALDONARSE. r. Cubrirse del fuego enemigo tras un obstáculo natural.

ESPALDUDO-DA. adj. Persona de muchas espaldas.

ESPALMADURA. f. Restos de los cascos de una caballería.

ESPANTADA. f. Huída repentina por el miedo.

ESPANTADIZO-ZA. adj. Fácil de espantarse.

ESPANTAJO. m. Lo que se pone para espantar los pájaros.

ESPANTALOBOS. m. Arbusto que produce ruido con las hojas.

ESPANTAMOSCAS. m. Mosquero.

ESPANTAPÁJAROS. m. Muñeco para espantar pájaros en los sembrados.

ESPANTAR. tr. r. Causar espanto. Asustarse.

ESPANTE. m. Huída y desmandada del ganado. Confusión.

ESPANTO. m. Terror, miedo súbito.

ESPANTOSO-SA. adj. Que espanta.

ESPAÑOL-LA. adj. s. De España.

ESPAÑOLADA. f. Acción y dicho propio de españoles, en sentido peyorativo.

ESPAÑOLISMO. m. Apego a lo español.

ESPAÑOLISTA. adj. Admirador de lo español.

ESPAÑOLIZAR. tr. Adoptar al español una voz o costumbre extranjera. Tomar costumbres españolas.

ESPARADRAPO. m. Lienzo cubierto de emplasto para sujetar vendajes.

ESPARAVÁN. m. Gavilán. Tumor del corvejón de las caballerías.

ESPARAVEL. m. Red redonda para pescar donde es escaso el fondo.

ESPARCETA. f. Pipirigallo, planta.

ESPARCIDAMENTE. adv. m. Separadamente.

ESPARCIDO-DA. adj. fig. Divertido, franco en el trato, alegre.

ESPARCIMIENTO. m. Acción de esparcir. Despejo, franqueza.

ESPARCIR. tr. r. Separar, extender lo amontonado. Divulgar. r. Distraerse.

ESPARRAGADO. m. Guisado de espárragos.

ESPARRAGAL. m. Terreno plantado de espárragos.

ESPARRAGAR. tr. Cuidar o coger espárragos.

ESPÁRRAGO. m. Planta liliácea de tallos blancos tiernos comestibles.

ESPARRAGÓN. m. Tejido de seda en forma de cordones.

ESPARRAGUERA. f. La planta del espárrago.

ESPARRAGUINA. f. Fosfato de cal cristalizado de color verde.

ESPARRANCADO-DA. adj. Muy abierto de piernas.

ESPARTANO-NA. adj. s. De Esparta.

ESPARTEÍNA. f. Alcaloide tóxico de la retama negra.

ESPARTEÑA. f. Alpargata de esparto.

ESPARTERÍA. f. Oficio y tienda del espartero.

ESPARTERO-RA. s. Quien fabrica o vende cosas de esparto.

ESPARTILLA. f. Cepillo o rollo de esparto para limpiar las caballerías.

ESPARTIZAL. m. Campo de esparto.

ESPARTO. m. Planta textil de hojas filiformes y tenacísimas.

ESPARVAR. tr. En algunas provincias. Emparvar.

ESPARVEL. m. fig. Persona desgarbada.

ESPARVER. m. Gavilán, ave.

ESPASMO. m. Pasmo. Contracción involuntaria de algún músculo.

ESPASMÓDICO-C. adj. Relativo al espasmo.

ESPATA. f. Bot. Bolsa membranácea.

ESPATARRADA. f. fam. Despatarrada.

ESPÁTICO-CA. adj. Propiedad de algunos minerales de dividirse en láminas.

ESPATO. m. Nombre dado a los minerales de estructura laminosa.

ESPÁTULA. f. Paleta pequeña.

ESPAY. m. Soldado francés de Argelia.

ESPECERÍA. f. Tienda en que se venden especias.

ESPECIA. f. Toda droga aromática usada como condimento.

ESPECIAL. adj. Singular, particular.

ESPECIALIDAD. f. Singularidad. Ramo de la ciencia o arte a que se consagra una persona.

ESPECIALISTA. adj. s. Que cultiva una especialidad.

ESPECIALIZAR. intr. Estudio de un ramo de la ciencia o arte.

ESPECIE. f. Conjunto de caracteres comunes que establecen semejanza entre las cosas.

ESPECIERÍA. f. Tienda donde se venden especias.

ESPECIERO-RA. s. Quien comercia con especias.

ESPECIFICAR. tr. r. Explicar, declarar con individualidad una cosa.

ESPECIFICATIVO-VA. adj. Con virtud para especificar.

ESPECÍFICO-CA. adj. Que caracteriza algo. Medicamento indicado para una enfermedad.

ESPÉCIMEN. m. Muestra, modelo, señal.

ESPECIOSO-SA. adj. Precioso, perfecto.

ESPECIOTA. f. fam. Información falsa o exagerada.

ESPECTACULAR. adj. Con caracteres de espectáculo público.

ESPECTÁCULO. m. Función o diversión pública. Acción escandalosa.

ESPECTADOR-RA. adj. s. Que mira algo con atención. Que asiste a un espectáculo.

ESPECTRAL. adj. Perteneciente o relativo al espectro.

ESPECTRO. m. Fantasma. Luz descompuesta por el prisma.

ESPECTOGRAFÍA. f. Fís. Espectroscopia.

ESPECTRÓGRAFO. m. Fís. Espectroscopio.

ESPECTROSCOPIA. f. Fís. Conocimientos relativos de análisis espectroscópico.

ESPECTROSCOPIO. m. Aparato para observar en óptica el espectro.

ESPECULACIÓN. f. Acción de especular.

ESPECULADOR-RA. adj. Que especula.

ESPECULAR. tr. Meditar. Traficar.

ESPECULATIVA. f. Facultad del alma para especular.

ESPÉCULO. m. Cir. Aparato que facilita la exploración de ciertas cavidades del cuerpo.

ESPEJADO-DA. adj. Limpio o que refleja la luz como un espejo.

ESPEJAR. tr. Reproducirse, Reflejarse.

ESPEJEAR. intr. Resplandecer.

ESPEJEO. m. Espejismo.

ESPEJERÍA. f. Tienda donde se venden espejos.

ESPEJERO. m. Persona que hace o vende espejos.

ESPEJISMO. m. Ilusión óptica que ofrece imágenes engañosas de los objetos lejanos, en cuanto a su posición y situación.

ESPEJO. m. Superficie de vidrio u otra materia pulida para reflejar en ella los objetos que tenga delante.

ESPEJUELO. m. Yeso cristalizado en láminas. Útil con trocitos de espejo para atraer alondras.

ESPELEOLOGÍA. f. Ciencia que estudia las cavernas, su fauna y su flora.

ESPELEÓLOGO. m. Persona dedicada a la espeleología.

ESPELMA. f. Barbarismo por esperma.

ESPELTA. m. Especie de trigo.

ESPELUNCA. f. Cueva, gruta.

ESPELUZNANTE. p. a. de Espeluznar. Que hace erizarse el cabello.

ESPELUZNAR. tr. r. Erizar el cabello por el terror.

ESPELUZNO. m. fam. Estremecimiento, escalofrío.

ESPEQUE. m. Puntal para sostener paredes.

ESPERA. f. Acción de esperar.

ESPERADOR-RA. adj. Que espera.

ESPERANTISTA. adj. Relativo al esperanto. Persona que lo cultiva.

ESPERANTO. m. Idioma artificial inventado por Zanmenhof.

ESPERANZA. f. Confianza de lograr algo. Virtud teologal.

ESPERANZADO-DA. adj. Dar esperanzas.

ESPERAR. tr. Confiar. Aguardar en un lugar.

ESPEREZARSE. r. Desperezarse.

ESPEREZO. m. Desperezo.

ESPERMA. f. Semen animal.

ESPERMÁTICO-CA. adj. Relativo a la esperma.

ESPERMATOZOIDE. m. Célula sexual masculina.

ESPERMATOZOO. m. Zoospermo.

ESPERNADA. f. Eslabón abierto al final de una cadena.

ESPERÓN. m. Mar. Espolón.

ESPERPENTO. m. Persona o cosa fea. Desatino.

ESPERRIACA. f. And. Último mosto de la uva.

ESPESAMIENTO. m. Aumento de densidad de un líquido.

ESPESAR. tr. Condensar. Unir.

ESPESO-SA. adj. Denso, condensado, grueso.

ESPESOR. m. Grueso de un cuerpo.

ESPESURA. f. Calidad de espeso. Terreno muy poblado de árboles.

ESPETAPERRO-A. m. adv. Con precipitación.

ESPETAR. tr. Meter en el asador. Decir algo molesto.

ESPETERA. f. Tabla con garfios para colgar carne o utensilios de cocina. Batería de cocina.

ESPETÓN. m. Hierro largo para asar.

ESPÍA. m. y f. Persona dedicada al espionaje.

ESPIADO-DA. adj. Madero afirmado con espías.

ESPIAR. tr. Acechar. Buscar informaciones secretas en beneficio de alguien.

ESPIBIA. f. V. Torcedura del cuello de una caballería.

ESPICIFORME. adj. De forma de espiga.

ESPICHAR. tr. Pinchar. intr. fam. Morir.

ESPICHE. m. Estaquilla para taponar un agujero.

ESPIGA. f. Inflorescencia de flores sentadas a lo largo de un eje. Clavo de madera.

ESPIGADO-DA. adj. Alto, crecido de cuerpo.

ESPIGADOR-RA. s. Persona que espiga.

ESPIGAR. tr. Recoger las espigas del rastrojo. Crecer mucho.

ESPIGO. m. Espiga de una herramienta.

ESPIGÓN. m. Espiga áspera. Aguijón de la abeja. Escollera.

ESPIGUEO. m. Acción de espigar los sembrados.

ESPIGUILLA. f. Cinta angosta o fleco con picos.

ESPINA. f. Púa de ciertas plantas. Astilla puntiaguda. Apófisis larga y delgada.

ESPINACA. f. Planta hortense de hoja comestible.

ESPINAL. adj. Relativo a la espina o espinazo.

ESPINAR. m. Sitio poblado de espinos.

ESPINAZO. m. Columna vertebral.

ESPINEL. m. Especie de palangre.

ESPINELA. f. Décima, combinación métrica. Piedra fina roja.

ESPÍNEO-A. adj. Hecho de espinas.

ESPINERA. f. Espino, planta rosácea.

ESPINETA. f. Mús. Clavicordio pequeño.

ESPINDARGA. f. Escopeta muy larga, morisca. fam. Mujer muy alta.

ESPINILLA. f. Parte delantera de la canilla de la pierna.

ESPINILLERA. f. Pieza que preserva la espinilla.

ESPINO. m. Arbusto rosáceo de ramas espinosas. Majoleto.

ESPINOCHAR. tr. Quitar las hojas que cubren la panoja del maíz.

ESPINOSO-SA. adj. Que tiene espinas. Difícil.

ESPIOCHA. f. Especie de zapapico.

ESPIONAJE. m. Acto de espiar.

ESPIRA. f. Espiral. Hélice que forma la concha del molusco.

ESPIRACIÓN. f. Expulsión del aire de los órganos respiratorios.

ESPIRAL. adj. Relativo a la espira. f. Curva que gira alrededor de un punto alejándose de él.

ESPIRAR. intr. Despirar. Expeler el aire aspirado.

ESPIRILO. m. Bacteria alargada en forma de hélice.

ESPIRITADO-DA. adj. Flaco, extenuado.

ESPIRITAR. tr. r. Agitar. Endemoniar.

ESPIRITISMO. m. Doctrina de los que creen en la materialidad de los espíritus.

ESPIRITISTA. adj. s. Partidario del espiritismo.

ESPIRITOSAMENTE. adv. m. Con espíritu.

ESPIRITOSO-SA. adj. Vivo, animoso.

ESPÍRITU. m. Substancia incorpórea, principio de la vida. Don sobrenatural. Valor, ánimo.

ESPIRITUAL. adj. Relativo al espíritu.

ESPIRITUALIDAD. f. Calidad de espiritual.

ESPIRITUALISMO. m. Fil. Sistema que se opone al materialismo.

ESPIRITUALISTA. adj. Opinión particular sobre los espíritus.

ESPIRITUALIZAR. tr. Considerar como espiritual lo que es material.

ESPIRITUOSO-SA. adj. Espiritoso.

ESPIRÓMETRO. m. Aparato para medir la fuerza respiratoria.

ESPIROQUETO. f. Espirilo con muchas espinas.

ESPITA. f. Canilla de una cuba.

ESPITAR. tr. Poner espitas.

ESPITO. m. Palo para colgar y descolgar el papel en las fábricas.

ESPLACNOLOGÍA. f. Med. Tratado de las vísceras.

ESPLENDENTE. adj. Resplandeciente, refulgente.

ESPLENDER. intr. Resplandecer.

ESPLÉNDIDAMENTE. adv. Con esplendidez.

ESPLENDIDEZ. f. Largueza.

ESPLÉNDIDO-DA. adj. Ostentoso, generoso, liberal.

ESPLENDOR. m. Resplandor. Magnificencia.

ESPLENDOROSAMENTE. adv. Con esplendor.

ESPLENDOROSO-SA. adj. Que resplandece.

ESPLÉNICO-CA. adj. Relativo al bazo.

ESPLENIO. m. Músculo que une las vértebras cervicales con la cabeza.

ESPLENITIS. f. Inflamación del bazo.

ESPLENOLOGÍA. f. Med. Tratado del bazo.

ESPLIEGO. m. Planta labiada muy aromática, usada como sahumerio.

ESPLÍN. m. Melancolía, humor sombrío.

ESPOLAZO. m. Aguillonazo con la espuela.

ESPOLEAR. tr. Picar con la espuela. Incitar.

ESPOLETA. f. Aparato en bombas y granadas para encender la carga.

ESPOLÍN. m. Espuela pequeña.

ESPOLINAR. tr. Tejer en forma o con espolín.

ESPOLIO. m. Bienes que quedan al morir un prelado.

ESPOLIQUE. m. Mozo que camina a pie delante del jinete.

ESPOLISTA. m. Quien arrienda los espolios.

ESPOLÓN. m. Apófisis ósea del tarso de algunas aves. Malecón.

ESPOLONADA. f. Acometida impetuosa.

ESPOLONAZO. m. Golpe dado con el espolón.

ESPOLVOREAR. tr. r. Esparcir algo pulverizando.

ESPOLVORIZAR. tr. Espolvorear.

ESPONDEO. m. Pie de la poesía griega y latina.

ESPONDILOSIS. f. Med. Inflamación y fusión de vértebras.

ESPONGIARIO. adj. Animales marinos celenterados de cuerpo poroso.

ESPONJA. f. Animal del tipo espongiarios.

ESPONJADO. m. Azucarillo.

ESPONJADURA. f. Defecto del ánima de los cañones.

ESPONJAR. tr. Hacer poroso algo. Envanecerse.

ESPONJERA. f. Aparato para colocar la esponja.

ESPONJOSIDAD. f. Calidad de esponjoso.

ESPONJOSO-SA. adj. Muy poroso y ligero.

ESPONSALES. m. pl. Mutua promesa de casamiento.

ESPONSALICIO-CIA. adj. Relativo a los esponsales.

ESPONTANEARSE. r. Descubrir un secreto propio a otro voluntariamente.

ESPONTANEIDAD. f. Calidad de espontáneo.

ESPONTANEO-NEA. adj. Voluntario. Que se produce sin cultivo.

ESPONTÓN. m. Lanza usada por los soldados de infantería.

ESPORA. f. Célula que se aisla y sirve para la reproducción asexual.

ESPORÁDICO-CA. adj. Ocasional, que no tiene carácter epidémico ni endémico.

ESPORO. m. Bot. Espora.

ESPORTADA. f. Cabida de una espuerta.

ESPORTILLA. f. Espuerta pequeña.

ESPORTILLERO. m. Mozo que llevaba mandados en esportilla.

ESPORTILLO. m. Capacho de esparto.

ESPOSADO-DA. adj. s. Desposado.

ESPOSAR. tr. Sujetar con esposas.

ESPOSAS. f. pl. Manillas de hierro para sujetar al reo.

ESPOSO-SA. s. Persona que ha contraído esponsales. Casado-da.

ESPRI. (Del frascés esprit). m. Ingenio, gracia, sal.

ESPUELA. f. Espiga de metal con una ruedecita con puntas. Hierba con flores azules en espiga.

ESPUERTA. f. Cesta de esparto, palma, etc., con dos asas para transportar escombro.

ESPULGADERO. m. Lugar para espulgarse.

ESPULGAR. tr. r. Limpiar de pulgas.

ESPULGO. m. Acción de espulgar.

ESPUMA. f. Agregado de burbujas que se forman en la superficie de un líquido.

ESPUMADERA. f. Cucharón o paleta con agujeros que sirve para espumar.

ESPUMADOR-RA. m. y f. Persona que espuma.

ESPUMAJE. m. Gran cantidad de espuma.

ESPUMAR. tr. Quitar la espuma. intr. Hacer espuma.

ESPUMARAJO. m. Saliva abundante lanzada por la boca.

ESPUMOSO-SA. adj. Espumoso.

ESPUMERO. m. Lugar donde cuaja o cristaliza la sal.

ESPUMILLA. f. Tejido muy fino y delicado.

ESPUMOSO-SA. adj. Que hace mucha espuma.

ESPUNDIA. f. Úlcera maligna en las caballerías.

ESPURIO-RIA. adj. Bastardo. Falso, adulterado.

ESPURREAR. tr. Rociar con líquido expelido por la boca.

ESPURRIR. tr. Asturias y León. Estirar las piernas o los pies.

ESPUTAR. tr. Expectorar.

ESPUTO. m. Lo que se arroja en una expectoración.

ESQUEJAR. tr. Formar esquejes.

ESQUEJE. m. Cogollo que se mete en la tierra para multiplicar una planta.

ESQUELA. f. Carta breve. Comunicación impresa de suceso.

ESQUELÉTICO-CA. adj. Relativo al esqueleto. Muy flaco.

ESQUELETO. m. Armazón ósea de los vertebrados.

ESQUEMA. f. Representación gráfica de algo inmaterial.

ESQUEMÁTICAMENTE. adv. m. Por medio de esquemas.

ESQUENA. f. Espinazo. Espina principal de los peces.

ESQUENANTO. m. Planta graminácea, medicinal.

ESQUÍ. m. Plancha larga, de madera dura para esquiar.

ESQUIADOR-RA. s. Persona que esquía.

ESQUIAR. intr. Deslizarse sobre nieve.

ESQUICIAR. tr. Comenzar a dibujar.

ESQUICIO. m. Apunte, esbozo.

ESQUIFAR. Mar. Proveer de pertrechos y marineros a una embarcación.

ESQUIFAZÓN. m. Remeros de un buque.

ESQUIFE. m. Bote de dos proas que usaban las galeras. Cañón de bóveda en figura cilíndrica.

ESQUILA. f. Cencerro. Campana pequeña en un convento.

ESQUILADA. f. Cencerrada.

ESQUILADOR-RA. adj. Que esquila.

ESQUILAR. tr. Cortar el pelo, vellón o lana a un animal.

ESQUILEO. m. Acción de esquilar.

ESQUILIMOSO-SA. adj. fam. Sumamente delicado.

ESQUILMAR. tr. Coger el fruto. Chupar los vegetales el jugo de la tierra.

ESQUILMO. m. Frutos y provechos que se obtienen de algo.

ESQUILÓN. m. Esquila grande.

ESQUIMAL. adj. s. Natural de un país próximo a la bahía de Hudson.

ESQUINA. f. Arista, ángulo saliente.

ESQUINADO-DA. adj. Que tiene esquinas. Persona de trato difícil.

ESQUINADURA. f. Calidad de esquinado.

ESQUINAR. tr. Hacer esquinas.

ESQUINAZO. m. fam. Abandonar, dejar solo a uno.

ESQUINZAR. tr. Partir el trapo en las fábricas de papel.

ESQUIRLA. f. Astilla de hueso.

ESQUIROL. m. Obrero que reemplaza a un huelguista.

ESQUISTO. m. Pizarra.

ESQUISTOSO-SA. adj. De estructura laminar.

ESQUIVAR. tr. Evitar, eludir, retraerse.

ESQUIVEZ. f. Despego, aspereza.

ESQUIVO-VA. adj. Huraño, desdeñoso.

ESQUIZADO-DA. adj. Mármol manchado.

ESQUIZOFRENIA. f. Psicosis con pérdida de contacto con el medio que rodea al enfermo.

ESQUIZOMICETO. m. Plantas protocitas sin clorofila.

ESTABILIDAD. f. Permanencia, duración, firmeza.

ESTABILIZAR. tr. Dar estabilidad a algo.

ESTABLE. adj. Permanente, firme, durable.

ESTABLEAR. tr. Acostumbrar al establo una res.

ESTABLECEDOR-RA. adj. s. Que establece.

ESTABLECER. tr. Fundar. Decretar. Instituir.

ESTABLECIMIENTO. m. Acción de establecerse. Ley. Lugar donde se ejerce una profesión.

ESTABLEMENTE. adv. Con estabilidad.

ESTABLERO. m. Encargado del establo.

ESTABLO. m. Lugar donde se encierra el ganado.

ESTABULACIÓN. f. Cría y mantenimiento del ganado en establos.

ESTABULAR. tr. Criar en el establo.

ESTACA. f. Palo con punta en un extremo. Plantón.

ESTACADA. f. Obra hecha con estacas. Palenque.

ESTACAZO. m. Golpe con la estaca.

ESTACIÓN. f. Cada una de las cuatro divisiones del año. Lugar de parada.

ESTACIONAL. adj. Propio de cada estación del año.

ESTACIONAR. tr. Colocar, situar, asentar en un lugar.

ESTACIONARIO-RIA. adj. Que permanece en la misma situación.

ESTACTE. f. Aceite oloroso que se obtiene de la mirra.

ESTACHA. f. Cuerda del arpón para cazar ballenas.

ESTADA. f. Mansión, detención en un lugar.

ESTADAL. m. Medida de longitud equivalente a tres metros y 334 milímetros.

ESTADERO. m. Persona que marcaba las tierras a repartir.

ESTADÍA. f. Tiempo que tarda un barco en la carga o descarga después del plazo marcado.

ESTADIO. m. Lugar público para hacer deporte. Octava parte de la milla.

ESTADISTA. com. Versado en estadística o en asuntos de Estado.

ESTADÍSTICA. f. Censo de un país. Ciencia que clasifica hechos iguales.

ESTADÍSTICO-CA. adj. Perteneciente a la estadística.

ESTADIZO-ZA. adj. Que está mucho tiempo sin moverse.

ESTADO. m. Situación o modo de estar. Cuerpo político de una nación.

ESTAFA. m. Acción de estafar.

ESTAFADOR-RA. s. Persona que estafa.

ESTAFAR. tr. Robar con engaños.

ESTAFERMO. m. Muñeco usado en un juego a caballo.

ESTAFETA. f. Oficina de correos. Correo ordinario a caballo.

ESTAFETERO. m. Cartero encargado de la estafeta.

ESTAFILOCOCIA. f. Med. Enfermedad producida por estafilococos.

ESTAFILOCOCO. m. Biol. Bacteria en forma de racimo que produce infección.

ESTAFILOMA. m. Med. Tumor del globo ocular.

ESTAJERO. m. Destajero.

ESTAJO. m. Destajo.

ESTALACTITA. f. Concreción calcárea pendiente del techo.

ESTALAGMITA. f. Concreción calcárea formada sobre el suelo de una caverna.

ESTALLANTE. p. a. De estallar. Que estalla.

ESTALLAR. intr. Reventar con estruendo. Manifestarse violentamente.

ESTALLIDO. m. Acción de estallar.

ESTAMBRADO. m. Tejido parecido al estambre.

ESTAMBRE. s. Hebra larga de lana. Bot. órgano sexual masculino de las fanerógamas.

ESTAMENTO. m. Cada uno de los cuatro estados que concurrían a las cortes de Aragón.

ESTAMEÑA. f. Tejido basto de estambre puro.

ESTAMÍNEO-A. adj. Que es de estambre.

ESTAMPA. f. Figura impresa.

ESTAMPACIÓN. Acto de estampar.

ESTAMPADO. adj. s. Dícese de la tela con diferentes labores o dibujos.

ESTAMPADOR. m. El que estampa.

ESTAMPAR. tr. Imprimir, sacar en estampa.

ESTAMPERÍA. f. Lugar donde se estampa o se venden estampas.

ESTAMPERO-RA. s. Persona que hace o vende estampas.

ESTAMPÍA. f. Embestir o salir de repente.

ESTAMPIDA. f. Estampido.

ESTAMPIDO. m. Ruido fuerte y seco.

ESTAMPILLA. f. Sello con la firma de uno.

ESTAMPILLADO. m. Acción de estampillar.

ESTAMPILLAR. tr. Sellar con estampillas un documento.

ESTANCAMIENTO. m. Acción de estancar.

ESTANCAR. tr. Detener el curso de algo. Prohibir la venta libre de las cosas.

ESTANCIA. f. Mansión, residencia. Estrofa de versos, optosílabos y endecasílabos.

ESTANCO-CA. adj. Buque que no hace agua. Expendeduría de géneros estancados.

ESTANDARTE. m. Bandera de cuerpos o corporaciones.

ESTANDORIO. m. Ast. Palos para sostener la carga de los carros.

ESTANGURRIA. f. Enfermedad del conducto de la orina.

ESTANQUE. m. Depósito artificial de agua.

ESTANQUERO-RA. s. Persona que cuida de estanques. Persona encargada de un estanco.

ESTANQUILLO. m. dim. de Estanco. Lugar donde se venden géneros estancados.

ESTANTAL. m. Puntal para paredes.

ESTANTALAR. tr. Sostener con puntales estantales.

ESTANTE. m. Armario con anaqueles y sin puertas.

ESTANTERÍA. f. Juego de estantes.

ESTANTIGUA. f. Visión pavorosa. fig. Persona alta y flaca.

ESTANTÍO. adj. Parado, sin curso.

ESTAÑAR. tr. Cubrir con estaño. Soldar con él.

ESTAÑO. m. Metal blanco brillante usado para soldar.

ESTAQUILLA. f. Espiga de madera.

ESTAQUILLADOR. m. Lezna de zapatero.

ESTAQUILLAR. tr. Sujetar con estaquillas.

ESTAR. intr. Existir en un lugar. Ser.

ESTARCIDO. m. Dibujo que aparece en el papel o tela después de pasar la brocha por el picado.

ESTARCIR. tr. Estampar, pasando la brocha por una lámina que tiene el dibujo recortado.

ESTARNA. f. Perdiz.

ESTATAL. adj. Perteneciente al estado.

ESTÁTICA. Mec. Ciencia del equilibrio de las fuerzas.

ESTÁTICO. adj. Que permanece quieto, parado.

ESTATUA. f. Figura de bulto labrada a imitación del natural.

ESTATUARIA. f. Arte de hacer estatuas.

ESTATUARIO-RIA. adj. Adecuado para una estatua.

ESTATÚDER. m. Jefe supremo de la antigua república de los Países Bajos.

ESTATUIR. tr. Establecer, determinar, ordenar.

ESTATURA. f. Altura de una persona.

ESTATUTO. m. Reglamento orgánico.

ESTAY. m. Mar. Cabo que sujeta la cabeza de un mástil.

ESTE. m. Oriente, levante.

ESTE, ESTA, ESTO, ESTOS, ESTAS. Formas del pron. dem. en los tres géneros y ambos números.

ESTEÁRICO-CA. adj. Estearina.

ESTEARINA. f. Substancia blanca y grasa para hacer bujías.

ESTEATITA. f. Silicato de magnesia.

ESTEBA. f. Bot. Planta gramínea. Mar. Pértiga para estibar la carga de un buque.

ESTEBAR. tr. Colocar el paño en la caldera para teñirlo.

ESTEGOMIA. f. Mosquito portador de la fiebre amarilla.

ESTELA. f. Mar. Señal que deja en el agua el buque que navega.

ESTELADO. adj. Cardo estelado corredor.

ESTELAR. adj. Sidéreo.

ESTELARIA. f. Pie de león, planta.

ESTELÍFERO-RA. adj. Poét. Lleno de estrellas.

ESTELIFORME. adj. De forma de estela.

ESTEMA. m. Ojo simple de insectos.

ESTENOCARDIA. f. Angina de pecho.

ESTENOGRAFÍA. t. Taquigrafía.

ESTENOGRAFIAR. tr. Escribir con signos estenográficos.

ESTENÓGRAFO-FA. s. Taquígrafo o taquígrafa.

ESTENOSIS. Med. Estrechez de un conducto orgánico.

ESTENTÓREO-A. Voz muy alta y ruidosa.

ESTEPA. f. Llano erial. Arbusto cistáceo.

ESTEPAR. m. Lugar poblado de estepas.

ESTEPILLA. f. Mata cistínea, con flores grandes rosáceas.

ESTERA. f. Tejido grueso para cubrir el suelo.

ESTERAR. tr. Cubrir el suelo con esteras.

ESTERCOLAR. tr. Beneficiar terrenos con estiércol.

ESTERCOLERO. m. Quien recoge estiércol. Lugar en que se echa.

ESTERCOLIZO-ZA. adj. Que tiene cualidades del estiércol.

ESTÉREO. m. Medida para leña equivalente a un metro cúbico.

ESTEREOGRAFÍA. f. Representación de los sólidos en un plano.

ESTEREOSCOPIO. m. Instrumento óptico para ver imágenes en relieve.

ESTEREOTIPAR. tr. Fundir en planchas una composición tipográfica. Imprimir con ellas.

ESTEREOTIPIA. f. Arte de imprimir por medio de planchas fundidas.

ESTEREOTOMÍA. f. Arte de cortar piedras o maderas.

ESTERERÍA. f. Fábrica o tienda de esteras.

ESTERERO-RA. s. Persona que nace, vende o pone esteras.

ESTÉRIL. adj. Que no da fruto.

ESTERILIDAD. f. Calidad de est.ril.

ESTERILIZACIÓN. f. Acción de esterilizar.

ESTERILIZAR. tr. r. Hacer estéril. Destruir gérmenes patógenos.

ESTERILLA. f. Galón o trencilla estrecha.

ESTERLÍN. m. Bocací, tela.

ESTERLINA. adj. Dícese de la libra de oro inglesa.

ESTERNAL. adj. Relativo al esternón.

ESTERNÓN. m. Hueso plano de la parte anterior del tórax.

ESTERO. m. Terreno inmediato a la orilla de una ría que se inunda con la marea.

ESTERQUERO. m. Estercolero, muladar.

ESTERTOR. m. Respiración anhelosa.

ESTERTOROSO-SA. adj. Que tiene estertor.

ESTESUDESTE. m. Punto cardinal entre el Este y el Sudeste.

ESTETA. m. El que posee la ciencia de la estética. Sodomita.

ESTÉTICA. f. Tratado de la belleza.

ESTÉTICO-CA. adj. Relativo a la estética.

ESTETOSCOPIA. f. Med. Exploración de los órganos del pecho.

ESTETOSCOPIO. m. Med. Instrumento para auscultar.

ESTEVA. f. Pieza corva del arado, donde se apoya la mano.

ESTEVADO-DA. adj. s. Que tiene las piernas arqueadas.

ESTEZADO. m. Piel de venado curtida.

ESTEZAR. tr. Curtir las pieles en seco.

ESTIAJE. m. Nivel más bajo de un río en la sequía.

ESTIBA. f. Mar. Carga y lastre del buque. Atacador de artillería.

ESTIBAR. tr. Apretar una cosa. Repartir la estiba en un buque.

ESTIBIA. f. Verter. Torcedura del cuello.

ESTIBINA. f. Sulfuro de antimonio, gris.

ESTIBIO. m. Antimonio.

ESTIÉRCOL. m. Excremento. Materia orgánica para abono.

ESTIGIO-GIA. adj. Infernal.

ESTIGMA. f. Señal en el cuerpo. Desdoro, afrenta. Bot. Extremo del pistilo.

ESTIGMATIZADOR-RA. adj. Que estigmatiza.

ESTIGMATIZAR. tr. r. Marcar a alguien con hierro candente. Afrentar, infamar.

ESTIL. adj. Sal. Seco, estéril.

ESTILAR. intr. r. Usar, acostumbrar, estar de moda.

ESTILETE. m. Punzón pequeño. Puñal agudo.

ESTILICIDIO. m. Destilación gota a gota.

ESTILISTA. com. Escritor de estilo esmerado y elegante.

ESTILÍSTICA. f. Estudio del estilo lingüístico de un lenguaje.

ESTILITA. adj. Anacoreta que vivía sobre una columna.

ESTILO. m. Punzón para escribir. Modo, manera. Uso.

ESTILOBATO. m. Arq. Macizo sobre el que se apoya una columnata.

ESTILOGRÁFICO-CA. adj. Dícese de la pluma con tinta que fluye.

ESTIMA. f. Estimación, aprecio.

ESTIMABILIDAD. f. Calidad de estimable.

ESTIMABLE. adj. Digno de estima.

ESTIMACIÓN. f. Aprecio, valor. Amor, cariño.

ESTIMADO-DA. adj. Bienes dotales dejados temporalmente al marido.

ESTIMAR. tr. Apreciar. Conjeturar. Sentir afecto.

ESTIMATIVA. f. Facultad racional de juzgar.

ESTIMULAR. tr. Aguijonar. Excitar. Avivar.

ESTÍMULO. m. fig. Aguijada. Incitamiento para obrar.

ESTINCO. m. Lagarto africano de carne considerada como afrodisíaca.

ESTÍO. m. Estación del año comprendida entre el solsticio de verano y el equinocio del otoño.

ESTIOMENAR. tr. Med. Corroer los humores una parte carnosa.

ESTIOMENO. m. Med. Corrosión de la carne por los humores.

ESTIPENDIAR. tr. Dar estipendio.

ESTIPENDIARIO. m. El que cobra estipendio.

ESTIPENDIO. m. Paga, sueldo.

ESTÍPITE. m. Arq. Pilastra en forma de pirámite truncada con la base menor hacia abajo.

ESTIPTICAR. tr. Med. Apretar los tejidos orgánicos.

ESTÍPULA. f. Bot. Apéndice foliáceo en los lados del peciolo.

ESTIPULACIÓN. f. Acción de estipular. Convenio.

ESTIPULAR. tr. For. Hacer un contrato verbal. Convenir.

ESTIQUE. m. Cincel dentellado del escultor.

ESTIRA. f. Cuchilla del zurrador.

ESTIRADO-DA. adj. Que viste con mucho esmero. Entonado.

ESTIRAJAR. tr. Fam. Estirar.

ESTIRAR. tr. r. Alargar algo tirando con fuerza. r. Desperezarse.

ESTIRÓN. m. Crecimiento rápido.

ESTIRPE. f. Tronco de un linaje.

ESTIVADA. f. Terreno inculto.

ESTIVAL. adj. Perteneciente al estío.

ESTIVO-VA. adj. Estival.

ESTOCADA. f. Golpe dado con la punta de la espada.

ESTOFA. f. Tejido con labores de seda. Condición de calaña.

ESTOFADO-DA. adj. Engalanado. m. Guisado de carne hecho a fuego lento.

ESTOFADOR-RA. m. y f. Persona que tiene por oficio estofar.

ESTOFAR. tr. Labrar con acolchados. Guisar estofado.

ESTOICISMO. m. Doctrina de Zenón, que aconsejaba obedecer solo a la razón.

ESTOICO-CA. adj. Relativo al estoicismo. Que lo practica.

ESTOLA. f. Ornamento sagrado que el sacerdote se pone en el cuello.

ESTOLIDEZ. f. Imbecilidad, estupidez.

ESTÓLIDO-DA. adj. Imbécil, sandio, estúpido.

ESTOLÓN. m. Bot. Vástago rastrero.

ESTOMA. f. Bot. Poro del tejido epidémico de los vegetales.

ESTOMACAL. adj. Perteneciente al estómago.

ESTOMAGAR. tr. Empachar, afectar.

ESTÓMAGO. m. Víscera situada entre el esófago e intestino.

ESTOMAGUERO. m. Pedazo de bayeta que se pone a los niños sobre el vientre.

ESTOMATICAL. adj. Estomacal.

ESTOMÁTICO-CA. adj. Perteneciente a la boca.

ESTOMATITIS. f. Inflamación de la mucosa bucal.

ESTOMATÓLOGO. m. Especialista de boca y anexos.

ESTOPA. f. Parte basta del lino o cáñamo.

ESTOPADA. f. Manojo de estopas.

ESTOPEÑO-ÑA. adj. Perteneciente a la estopa.

ESTOPEROL. m. Tachuela grande dorada o plateada.

ESTOPILLA. f. Estopa fina del lino o cáñamo.

ESTOPÓN. m. Lo más grueso y áspero de la estopa.

ESTOQUE. m. Espada angosta, con punta y sin filo.

ESTOQUEADOR. m. El que estoquea.

ESTOQUEAR. tr. Herir con estoque o espada.

ESTOQUEO. m. Acto de tirar estocada.

ESTOR. m. Cortinón que cubre el hueco de una puerta o balcón.

ESTORA. f. Álabe, rama de árbol inclinada hacia el suelo.

ESTORAQUE. m. Árbol obenáceo balsámico. Su bálsamo.

ESTORBAR. tr. Poner obstáculos. Molestar.

ESTORBO. m. Lo que estorba. Impedimento, obstáculo.

ESTORNINO. m. Pájaro cantor, plumaje negro y pintas blancas.

ESTORNUDAR. intr. Expeler con estrépito el aire por la nariz.

ESTORNUDO. m. Acto de estornudar.

ESTOVAR. tr. Rehogar.

ESTRABISMO. m. Defecto visual. Desviación de la mirada.

ESTRACILLA. f. Papel menos tosco que el de estraza.

ESTRADA. f. Camino.

ESTRADO. m. Sala de ceremonias. Tarima del trono. pl. Sala de los tribunales.

ESTRAFALARIO-RIA. adj. Desaliñado, extravagante, raro.

ESTRAGADOR-RA. adj. Que estraga.

ESTRAGAR. tr. r. Viciar, corromper.

ESTRAGO. m. Daño, ruina.

ESTRAGÓN. m. Planta usada como condimento.

ESTRAMBOTE. m. Conjunto de versos añadidos al final del soneto.

ESTRAMBÓTICO-CA. adj. fam. Extravagante.

ESTRAMONIO. m. Planta de olor fuerte y muy venenosa.

ESTRANGOL. m. Vet. Comprensión de la lengua de una caballería.

ESTRANGUL. m. Boquilla de un instrumento músico.

ESTRANGULACIÓN. f. Acción de estrangular.

ESTRANGULAR. tr. Ahogar oprimiendo el cuello.

ESTRAPERLO. m. Venta clandestina de artículos a precios abusivos.

ESTRATAGEMA. f. Ardid.

ESTRATEGA. com. Persona versada en estrategia.

ESTRATEGIA. f. Arte de dirigir operaciones militares.

ESTRATÉGICO-CA. adj. Relativo a la estrategia.

ESTRATIFICACIÓN. f. Geol. Acción de estratificar.

ESTRATIFICAR. tr. Geol. Formar estratos.

ESTRATO. m. Geol. Capa mineral sedimentaria. Meteor. Nube en forma de banda.

ESTRATOSFERA. f. Región atmosférica, desde los 12 km. de altura en adelante.

ESTRAZA. f. Deshecho de trapo.

ESTRECHAMENTE. adv. m. Con estrechez.

ESTRECHAR. tr. Reducir a menos ancho. Apretar. Obligar a algo. r. Ceñirse.

ESTRECHEZ. f. Corta extensión. Penuria.

ESTRECHO-CHA. adj. De poca anchura. m. Brazo de mar.

ESTRECHÓN. m. Mar. Socollada, tirón que dan las velas.

ESTRECHURA. f. Estrechez.

ESTREGADERA. f. Cepillo de cerdas cortas.

ESTREGADURA. f. Acción de estregar.

ESTREGAR. tr. r. Frotar, refregar una cosa con otra.

ESTREGÓN. m. Roce fuerte.

ESTRELLA. f. Cualquiera de los astros fijos.

ESTRELLADA. f. Amelo, planta.

ESTRELLADERO. m. Especie de sartén.

ESTRELLADO-DA. adj. De forma de estrella.

ESTRELLAMAR. f. Equinodermo de cuerpo comprimido, en forma de estrella de cinco puntas.

ESTRELLAR. tr. r. Arrojar con fuerza una cosa haciéndola pedazos. Freír los huevos.

ESTRELLERA. f. Mar. Aparejo real.

ESTRELLERÍA. f. Astrología.

ESTREMECER. tr. Hacer temblar. r. Temblar convulsivamente.

ESTREMECIMIENTO. m. Acto de estremecer.

ESTRENA. f. Dádiva, presente.

ESTRENAR. tr. Usar una cosa por vez primera. Representar por primera vez una obra.

ESTRENO. m. Acción de estrenar.

ESTRENQUE. m. Maroma gruesa hecha de esparto.

ESTRENUO-NUA. adj. Fuerte, ágil.

ESTREÑIMIENTO. m. Acción de estreñir.

ESTREÑIR. tr. r. Poner en estado de no poder evacuar el vientre.

ESTRÉPITO. m. Estruendo, ruido.

ESTREPITOSO-SA. adj. Que causa estrépito.

ESTREPTOCOCIA. f. Med. Infección, producida por los estreptococos.

ESTREPTOCOCO. m. Med. Bacterias de forma redondeada que se agrupan en cadena.

ESTREPTOMICINA. f. Antibiótico extraído de ciertas bacterias que se hallan en determinadas tierras ricas en materias orgánicas.

ESTRÍA. f. Arq. Media caña en hueco, acanaladura.

ESTRIAR. tr. Formar estrías.

ESTRIBACIÓN. f. Ramal corto de montañas a los lados de una cordillera.

ESTRIBADERO. m. Parte donde estriba o asegura una cosa.

ESTRIBAR. intr. Descansar el peso de una cosa en otra sólida y firme.

ESTRIBERA. f. Estribo.

ESTRIBERÍA. f. Taller donde se hacen estribos.

ESTRIBILLO. m. Poét. Letrilla que se repite al fin de cada estrofa.

ESTRIBO. m. Pieza donde se apoya los pies el jinete. Escalón para subir o bajar del coche.

ESTRIBOR. m. Mar. Costado derecho de la nave mirando de popa a proa.

ESTRIBOTE. m. Composición poética antigua.

ESTRICNINA. f. Alcaloide cristalizado venenoso.

ESTRICTAMENTE. adv. m. Precisamente en todo rigor de derecho.

ESTRICTO-TA. adj. Estrecho, ajustado a la ley.

ESTRIDENCIA. f. Sonido agudo y desapacible.

ESTRIDENTE. adj. Dícese del ruido desapacible.

ESTRIDOR. m. Estridencia.

ESTRIDULAR. intr. Producir estridor.

ESTRIGE. f. Lechuza.

ESTRINQUE. m. Mar. Maroma.

ESTROFA. f. Poét. Parte de una composición.

ESTROFANTO. m. Planta medicinal usada en cardiopatías.

ESTRONCIO. m. Metal amarillo, poco brillante que descompone el agua.

ESTROPAJEAR. tr. Albañ. Limpiar en seco las paredes enlucidas.

ESTROPAJO. m. Esparto deshilachado para fregar. Cosa inútil.

ESTROPAJOSO-SA. adj. Andrajoso. Que pronuncia mal.

ESTROPEAR. tr. r. Maltratar. Echar a perder.

ESTROPICIO. m. Destrozo, rotura. Trastorno ruidoso.

ESTRUCTURA. f. Distribución y orden de las partes de algo.

ESTRUCTURACIÓN. f. Acción de estructurar.

ESTRUCTURAL. adj. Relativo a la estructura.

ESTRUCTURAR. tr. Distribuir, ordenar las partes de una obra o de un cuerpo.

ESTUENDO. m. Ruido grande. fig. Confusión, bullicio. Pompa.

ESTUENDOSO-SA. adj. Estrepitoso.

ESTRUJADURA. f. Acción de estrujar.

ESTRUJAMIENTO. m. Estrujadura.

ESTRUJAR. tr. Apretar para sacar el zumo. Agotar.

ESTUACIÓN. f. Flujo o creciente del mar.

ESTUANTE. adj. Caliente y encendido en demasía.

ESTUARIO. m. Estero, desembocadura de un río.

ESTUCADO. m. Acción de estucar.

ESTUCAR. tr. Dar con estuco a algo.

ESTUCO. m. Masa de yeso blanco y agua de cola.

ESTUCHE. m. Caja para objetos pequeños de valor.

ESTUCHISTA. m. Fabricante de estuches.

ESTUDIANTE. com. Quien cursó estudios. Que estudia.

ESTUDIANTIL. fam. adj. Perteneciente a los estudiantes.

ESTUDIANTINA. f. Cuadrilla de estudiantes que tocan varios instrumentos.

ESTUDIAR. tr. Aplicar el entendimiento a adquirir conocimientos. Cursar estudios.

ESTUDIO. m. Acto de estudiar. Aposento donde se estudia o trabaja. Habilidad.

ESTUDIOSO-SA. adj. Dado al estudio.

ESTUFA. f. Aparato de calefacción. Invernadero. Cuarto de baños termales.

ESTUFADOR. m. Olla en que se estofa la carne.

ESTUFILLA. f. Manguito para abrigar las manos.

ESTUFISTA. com. Quien hace, vende, o coloca estufas.

ESTULTICIA. fam. f. Necedad, tontería.

ESTULTO-TA. adj. Necio, tonto.

ESTUOSIDAD. f. Demasiado calor y enardecimiento.

ESTUOSO-SA. adj. Caluroso, ardiente.

ESTUPEFACCIÓN. f. Estupor.

ESTUPEFACIENTE. adj. Méd. Narcótico, soporífero.

ESTUPEFACTO-TA. adj. Atónito, pasmado.

ESTUPENDO-DA. adj. Soberbio, admirable.

ESTUPIDEZ. f. Calidad de estúpido.

ESTÚPIDO.DA. adj. Que tiene estupidez.

ESTUPOR. m. Disminución de la actividad intelectual. Asombro, pasmo.

ESTUPRAR. tr. Cometer estupro.

ESTUPRO. m. Violación de una doncella entre doce y veintitrés años.

ESTUQUISTA. m. Dedicado a la estuquería.

ESTURAR. tr. Asurar.

ESTURIÓN. m. Pez ganoideo marino, de cuyas huevas se obtiene el caviar.

ÉSULA. f. Lechetrezna.

ESVARAR. intr. Desvarar, resbalar.

ESVARÓN. m. Resbalón.

ETA. f. Letra griega equivalente a la "E" larga.

ETALAJE. m. Parte de la cavidad de la cuba en los altos hornos.

ETANO. m. Quím. Dimetilo.

ETAPA. f. Ración que se da a la tropa en la marcha. Jornada.

ETCÉTERA. f. Voz usada indicando queda algo por decir.

ÉTER. m. Fís. Fluido hipotético que llena el espacio interplanetario. Quím. Óxido de radical alcohólico.

ETÉREO-A. adj. Relativo al éter. Al cielo.

ETERISMO. m. Envenenamiento por el éter.

ETERIZACIÓN. f. Med. Acción de eterizar.

ETERIZAR. tr. Med. Administrar éter por las vías respiratorias.

ETERNAL. adj. Eterno.

ETERNIDAD. f. Perpetuidad. Calidad de eterno.

ETERNIZAR. tr. r. Hacer durar mucho una cosa. Perpetuar.

ETERNO-NA. adj. Que no tuvo principio ni tendrá fin.

ETEROMANÍA. f. Inclinación morbosa a tomar éter.

ETESIO. adj. s. Vientos que se mudan en cierto período del año.

ÉTICA. f. Fil. Parte que se trata de la distinción entre el bien y el mal.

ÉTICO-CA. adj. Relativo a la ética.

ETILENO. m. Quím. Hidrocarburo gaseoso, de la deshidratación del alcohol con un ácido.

ETILO. m. Radical del alcohol ordinario.

ETIMOLOGÍA. f. Origen de las palabras.

ETIMOLÓGICO-CA. Relativo a la etimología.

ETIMOLOGISTA. com. Dedicado a investigaciones etimológicas.

ETIMOLOGIZAR. tr. Sacar etimologías.

ETIOLOGÍA. f. Med. Estudio de las causas de las enfermedades.

ETIOLÓGICO-CA. adj. Relativo a la etiología.

ETÍOPE. adj. s. De Etiopía.

ETIQUETA. f. Ceremonial. Rótulo. Marbete. Cumplimiento.

ETIQUETERO-RA. adj. Que gasta muchos cumplidos.

ETITES. f. Concreción de óxido de hierro en bolas informes.

ETMOIDAL. adj. Perteneciente al hueso etmoides.

ETMOIDES. adj. Hueso de la cavidad nasal.

ÉTNICO-CA. adj. Perteneciente a una raza.

ETNOGRAFÍA. f. Parte de la antropología que describe y clasifica las razas.

ETNOGRÁFICO-CA. adj. Referente a la etnografía.

ETNÓGRAFO. m. El que profesa la etnografía.

ETNOLOGÍA. f. Ciencia que estudia las razas comparándolas entre sí.

ETOPEYA. f. Ret. Descripción del carácter y costumbres de una persona.

ETRUSCO-CA. adj. s. De Etruria.

ETUSA. f. Cicuta menor.

EUBOLIA. f. Virtud que ayuda a hablar con prudencia.

EUCALIPTO. m. Árbol mirtáceo, de gran talla, de hojas medicinales.

EUCARISTÍA. f. Sacramento instituido por Jesucristo.

EUCOLOGIO. m. Misal festivo.

EUCRÁTICO-CA. adj. Med. De buen temperamento o complexión.

EUDIÓMETRO. m. Fís. Aparato para analizar los gases por efecto de una chispa eléctrica.

EUFEMISMO. m. Ret. Figura de expresión suavizando su forma.

EUFEMÍSTICO-CA. adj. Relativo al eufemismo.

EUFONÍA. f. Calidad de sonar bien.

EUFÓNICO-CA. adj. Que suena bien.

EUFORBIÁCEO-A. adj. Semejante al euforbio.

EUFORBIO. m. Planta con espinas duras. Resina medicinal.

EUFORIA. f. Sensación de bienestar o salud.

EUFÓRICO-CA. adj. Relativo a la euforia.

EUFÓTIDA. f. Roca compuesta de diálaga y feldespato.

EUFUISMO. m. Afectada elegancia de dicción.

EUGENESIA. Estudio de la aplicación de las leyes de la herencia para mejorar la raza humana.

EUGENÉSICO-CA. adj. Relativo a la eugenesia.

EUNUCO. m. Hombre castrado.

EUPATORIO. m. Planta herbácea que se ha usado como purgante.

EUPEPSIA. f. Med. Digestional normal.

EUPÉPTICO-CA. adj. Med. Substancia que favorece la digestión.

EURASIA. f. Denominación de Europa y Asia como unidad geográfica.

EURITMIA. f. Armonía y proporción de una obra de arte.

EURO. m. poét. Viento de oriente.

EUROPEIZAR. tr. r. Comunicar la cultura y costumbres europeas.

EUROPEO-A. adj. De Europa.

EUSCALDUNA. adj. Aplícase al lenguaje vasco.

EÚSCARO-RA. adj. Relativo a la lengua vascuence.

EUTRAPELIA. f. Moderación de las diversiones.

EVACUACIÓN. f. Acto de evacuar.

EVACUAR. t. Desocupar. Expeler o extraer humores, excrementos, etc.

EVACUATORIO-RIA. adj. Med. Que tiene propiedad de evacuar. m. Retrete.

EVADIR. tr. Evitar, eludir. r. Fugarse.

EVAGACIÓN. f. Distracción de la imaginación.

EVALUAR. tr. Valuar.

EVANESCENSE. adj. Que se desvanece o esfuma.

EVANGELIARIO. m. Libro que contiene los evangelios de cada día del año.

EVANGELIO. m. Doctrina de Jesucristo. Cada uno de los cuatro primeros libros del Nuevo Testamento.

EVANGELISTA. m. Cualquiera de los cuatro autores del Evangelio.

EVANGELIZAR. tr. Predicar el Evangelio.

EVAPORACIÓN. f. Acción de evaporar.

EVAPORAR. tr. Convertir en vapor algo. Disipar. r. Fugarse.

EVASIÓN. f. Fuga. Evasiva.

EVASIVA. f. Evasión, efugio, salida.

EVASIVO-VA. adj. Que elude algo.

EVENTO. m. Contingencia.

EVENTUAL. adj. Sujeto a evento.

EVENTUALIDAD. adj. Calidad de eventual.

EVENTUALMENTE. adv. m. Incierta y casualmente.

EVERSIÓN. f. Destrucción, ruina.

EVICCIÓN. f. For. Despojo legal.

EVIDENCIA. f. Calidad de evidente.

EVIDENCIAR. tr. Probar la evidencia.

EVIDENTE. adj. Que no se puede dudar, patente.

EVITACIÓN. f. Acción y efecto de evitar.

EVITAR. tr. Apartar un daño. Precaver. Huir de algo.

EVO. m. Teol. Duración de las cosas eternas.

EVOCACIÓN. f. Acción de evocar.

EVOCADOR-RA. adj. Que evoca.

EVOCAR. tr. Llamar a los espíritus. fig. Traer algo a la memoria.

EVOLUCIÓN. f. Acción y efecto de evolucionar.

EVOLUCIONAR. intr. Desarrollarse, hacer un movimiento.

EVOLUCIONISMO. m. Doctrina que se funda en la evolución de las especies.

EVOLUCIONISTA. adj. Relativo a la evolución. Partidario del evolucionismo.

EVOLUTIVO-VA. adj. Relativo a la evolución.

EVÓNIMO. m. Bonetero, arbusto.

EX. Prefijo lat. Que se antepone en algunos nombres significando lo que ha sido una persona.

EXABRUPTO. m. Salida de tono.

EXACCIÓN. f. Acción de exigir impuestos. Cobro injusto.

EXACERBACIÓN. f. Acción de exacerbar.

EXACERBAR. tr. r. Irritar, agravar.

EXACTAMENTE. adv. m. Con exactitud.

EXACTITUD. f. Calidad de exacto.

EXACTO-TA. adj. Puntual, fiel y cabal.

EXACTOR. m. Recaudador de tributos.

EXAEDRO. m. Geom. Hexaedro.

EXAGERACIÓN. f. Cosa que rebasa los límites de lo verdadero.

EXAGERAR. tr. Dar excesivas proporciones a algo.

EXALTACIÓN. f. Gloria. Acción de exaltar.

EXALTADO-DA. adj. Que se exalta.

EXALTAR. tr. r. Elevar a mayor dignidad a alguien. Realzar algo.

EXAMEN. m. Prueba. Indagación, reconocimiento.

EXAMINADO-DA. adj. Persona que ha sido examinada.

EXAMINADOR-RA. m. y f. El que examina.

EXAMINAR. tr. Inquirir. Probar la ideonidad de un sujeto.

EXANGÜE. adj. Falto de sangre o fuerzas.

EXANIMACIÓN. f. Privación de las funciones vitales.

EXÁNIME. m. Desmayo. Sin señales de vida.

EXANTEMA. m. Erupción cutánea de color rojo.

EXANTEMÁTICO-CA. adj. Relativo al exantema.

EXARCA. m. Gobernador bizantino.

EXARCADO. m. Dignidad de exarca.

EXASPERACIÓN. f. Acción de exasperar.

EXASPERAR. tr. r. Exacerbar un dolor. Irritar, dar motivo de enojo.

EXCANDECENCIA. f. Irritación vehemente.

EXCANDECER. tr. Encender en cólera a uno, irritarlo.

EXCARCELACIÓN. f. Acción de excarcelar.

EXCARCELAR. tr. r. Poner en libertad al preso.

EXCAVA. f. Agr. Acción de excavar.

EXCAVACIÓN. f. Acción de excavar.

EXCAVAR. tr. Hacer hoyos o zanjas.

EXCEDENCIA. f. Condición de excedente.

EXCEDENTE. p. a. de Exceder. Que excede.

EXCEDER. tr. r. Pasar los límites justos. Sobrepujar.

EXCELENCIA. f. Calidad superior. Tratamiento de respeto que se da a algunas personas.

EXCELENTE. adj. Que sobresale en algo.

EXCELENTÍSIMO-MA. adj. Tratamiento dado al que tiene excelencia.

EXCELSITUD. f. Suma alteza.

EXCELSO-SA. adj. Eminente y elevado.

EXCENTRICIDAD. f. Calidad de excéntrico. Distancia entre el centro de la elipse o hipérbola y uno de sus focos.

EXCÉNTRICO-CA. adj. Extravagante. Que está fuera del centro.

EXCEPCIÓN. f. Acción de exceptuar.

EXCEPCIONAL. adj. Que forma excepción. Extraordinario.

EXCEPCIONAR. tr. Exceptuar. For. Alegar excepción en juicio.

EXCEPTIVO-VA. adj. Que exceptúa o hace excepción.

EXCEPTUAR. tr. r. Excluir de una generalidad.

EXCERTA. f. Recopilación.

EXCESIVAMENTE. adv. m. Con exceso.

EXCESIVO-VA. adj. Que excede y sale de regla.

EXCESO. m. Parte que excede. Abuso.

EXCIPIENTE. m. Farm. Substancia para incorporar o disolver medicamentos.

EXCISIÓN. f. Cir. Ablación.

EXCITABLE. adj. Que se excita fácilmente.

EXCITACIÓN. f. Acción de excitarse.

EXCITAR. tr. Estimular. Instigar. r. Animarse.

EXCLAMACIÓN. f. Voz que refleja una emoción.

EXCLAMAR. int. Proferir exclamaciones.

EXCLAMATORIO-RIA. adj. Propio de la exclamación.

EXCLAUSTRAR. tr. Permitir y ordenar a un religioso que abandone el claustro.

EXCLUIR. tr. Echar fuera de un lugar, no admitir en él. Negar la posibilidad de una cosa.

EXCLUSIÓN. f. Acto de excluir.

EXCLUSIVA. f. Monopolio, privilegio.

EXCLUSIVAMENTE. adv. m. Solo, únicamente.

EXCLUSIVE. adv. m. Con exclusión.

EXCLUSIVISMO. m. Adhesión ciega a una idea.

EXCLUSIVISTA. adj. s. Relativo al exclusivismo. Que lo practica.

EXCLUSIVO-VA. adj. Que excluye o puede excluir.

EXCOGITABLE. adj. Que se puede discurrir.

EXCOGITAR. r. Hallar alguna cosa con la meditación.

EXCOMULGADO-DA. m. y f. fig. fam. Indino, endiablado.

EXCOMULGAR. tr. Expulsar de la comunión de los fieles.

EXCOMUNIÓN. f. Acción de excomulgar.

EXCORIACIÓN. f. Acto de excoriar.

EXCORIAR. tr. r. Arrancar parte de la piel.

EXCRECENCIA. f. Carnosidad supérflua.

EXCRECIÓN. f. Acción de excretar.

EXCREMENTAR. tr. Deponer los excrementos.

EXCREMENTICIO-CIA. adj. Perteneciente al excremento.

EXCREMENTO. m. Materias que despide el cuerpo por las vías naturales.

EXCREMENTOSO-SA. adj. Alimento que produce más excremento.

EXCRETAR. intr. Excrementar.

EXCRETORIO-RIA. adj. Anat. Dícese de los conductos que sirven para excretar.

EXCREX. m. Donación de un cónyuge a otro, o como dote.

EXCULPACIÓN. Exoneración de culpa.

EXCULPAR. tr. Descargar a uno de culpa.

EXCURSIÓN. f. Ida a un lugar para estudio o ejercicio. Correría.

EXCURSIONISMO. m. Afición a hacer excursiones.

EXCURSIONISTA. com. Quien hace excursiones.

EXCUSA. f. Acción de excusar. Disculpa. Pretexto.

EXCUSABARAJA. f. Cesta de mimbres.

EXCUSADO-DA. adj. Supérfluo, inútil. m. Retrete.

EXCUSADOR-RA. adj. El que exime a otro de una carga.

EXCUSALÍ. m. Delantal pequeño.

EXCUSAR. tr. Alegar razones de disculpas. Evitar.

EXEA. m. Mil. Explorador.

EXECRACIÓN. f. Acción de execrar.

EXECRAR. tr. Maldecir.

EXEDRA. f. Arq. Construcción descubierta en forma semicircular.

EXÉGESIS. f. Interpretación.

EXÉGETA. m. Intérprete de la sagrada Escritura.

EXENCIÓN. f. Efecto de eximir. Libertad de una obligación.

EXENCIONAR. tr. Eximir.

EXENTO-TA. p. p. irreg. de Eximir. adj. Libre.

EXEQUATUR. m. Pase civil a una bula pontificia. Autorización de un Jefe de Estado a los agentes extranjeros.

EXEQUIAS. f. pl. Honras fúnebres.

EXERGO. m. Numism. Parte de la medalla donde va la leyenda.

EXFOLIACIÓN. f. Propiedad de los minerales para exflorarse. Acción de exfoliar.

EXHALACIÓN. f. Acción de exhalar. Rayo. Vaho.

EXHALAR. tr. Despedir vapores. fig. Lanzar suspiros.

EXHAUSTO-TA. adj. Agotado.

EXHEREDACIÓN. f. Acción y efecto de exheredar. For. Desheredación.

EXHIBICIÓN. f. Acción de exhibir.

EXHIBICIONISMO. m. Prurito de exhibirse.

EXHIBIR. tr. r. Mostrar en público. tr. For. Presentar una prueba.

EXHORTACIÓN. f. Acto de exhortar. Plática o sermón familiar.

EXHORTADOR-RA. adj. s. Que exhorta.

EXHORTAR. tr. Inducir a algo con palabras.

EXHORTATORIO-RIA. adj. Relativo a la exhortación.

EXHORTO. m. For. Despacho de un juez a otro para que haga lo que se le pide.

EXHUMACIÓN. f. Acción de exhumar.

EXHUMADOR-RA. adj. Que exhuma.

EXHUMAR. tr. Desenterrar un cadáver. Traer a la memoria.

EXIGENCIA. f. Acto de exigir. Pretensión.

EXIGENTE. p. a. de Exigir. Que exige.

EXIGIBLE. adj. Que puede exigirse.

EXIGIDERO-RA. adj. Qu e se puede exigir.

EXIGIR. tr. Pedir algo con imperio. Obligar.

EXIGÜIDAD. f. Calidad de exiguo.

EXIGUO-GUA. adj. Escaso.

EXIMENTE. p. a. De eximir. Que exime.

EXIMIO-MIA. adj. Muy excelente.

EXIMIR. tr. r. Librar de una obligación o carga.

EXINANICIÓN. f. Falta notable de vigor y fuerza.

EXISTENCIA. f. Acción de existir. Vida.

EXISTENTE. p. a. De Existir. Que existe.

EXISTIMAR. tr. Formar opinión o tenerla por cierta una cosa aunque no lo sea.

EXISTIMATIVO-VA. adj. Putativo.

EXISTIR. intr. Tener vida o ser real.

ÉXITO. m. Resultado feliz.

ÉXODO. m. Emigración de un pueblo. Libro Bíblico segundo del Pantateuco.

EXOFTALMÍA. Med. Enfermedades que revela el globo ocular.

EXÓGENO-NA. adj. Biol. Que se forma en el exterior.

EXONERAR. tr. r. Descargar de una obligación o peso. Destituir.

EXORABLE. adj. Que se deja vencer de los ruegos fácilmente.

EXORAR. tr. Pedir con empeño.

EXORBITANTE. adj. Excesivo.

EXORCISMO. m. Conjuro contra el espíritu del mal.

EXORCISTA. com. Persona que exorciza.

EXORCISTADO. m. Orden tercera de las menores.

EXORCITAR. tr. Usar de exorcismos.

EXORDIO. m. Introducción, preámbulo.

EXORNAR. tr. r. Engalanar, adornar.

EXÓSMOSIS. f. Fís. Corriente de dentro a fuera de una membrana.

EXOTÉRICO-CA. adj. Vulgar, común.

EXÓTICO-CA. adj. De país extraño.

EXPANDIR. tr. r. Extender, filatar, ensanchar.

EXPANSIÓN. f. Fís. Acción y efecto de extenderse o dilatarse.

EXPANSIONARSE. r. Desahogarse.

EXPANSIVO-VA. adj. fig. Comunicativo, franco.

EXPATRIACIÓN. f. Acción de expatriarse o ser expatriado.

EXPATRIARSE. r. Abandonar uno su patria.

EXPECTABLE. Estimable, digno de consideración pública.

EXPECTACIÓN. f. Intensidad con que se aguarda algo.

EXPECTANTE. adj. Que espera o está a la mira.

EXPECTATIVA. f. Esperanza de obtener. Posibilidad de conseguir algo.

EXPECTATIVAS. adj. pl. Despachos reales o bulas pontificias.

EXPECTORACIÓN. f. Acción de expectorar. Lo que se expectora.

EXPECTORAR. tr. Arrancar y arrojar por la boca las secreciones del aparato respiratorio.

EXPEDICIÓN. f. Acción de expedir. Facilidad. Despacho. Bula. Excursión.

EXPEDICIONARIO-RIA. adj. s. Perteneciente a una expedición. El que las despacha.

EXPEDICIONERO. m. El encargado del despacho de las expediciones de la curia romana.

EXPEDIDOR-RA. m. y f. Persona que expide.

EXPEDIENTE. m. Asunto seguido sin juicio contradictorio. Conjunto de papeles relativos a un asunto.

EXPEDIENTEO. m. Tendencia exagerada a formar expedientes.

EXPEDIR. tr. Dar curso y despacho a los negocios.

EXPEDITIVO-VA. adj. Fácil para despachar un asunto.

EXPEDITO-TA. adj. Desembarazado, libre.

EXPELER. tr. Echar de sí.

EXPENDEDOR-RA. adj. Persona que vende efectos de otro.

EXPENDEDURÍA. f. Tienda al pormenor de efectos estancados.

EXPENDER. tr. Gastar. Vender por cuenta de una empresa.

EXPENDICIÓN. f. Acción y efecto de expender.

EXPENDIO. m. Consumo, gasto.

EXPENSAS. f. pl. Gastos, costas.

EXPERIENCIA. f. Enseñanza adquirida con la práctica. Experimento.

EXPERIMENTACIÓN. f. Acto de experimentar. Método científico de experimentación.

EXPERIMENTADO-DA. adj. s. Que tiene experiencia.

EXPERIMENTADOR-RA. adj. Que hace experiencia.

EXPERIMENTAL. adj. Fundado en la experiencia.

EXPERIMENTALMENTE. adv. m. Por experiencia.

EXPERIMENTAR. tr. Comprobar prácticamente una cosa.

EXPERIMENTO. m. Acción de experimentar .Determinación voluntaria de un fenómeno y observación del mismo.

EXPERTAMENTE. adv. m. Con conocimiento, prácticamente.

EXPERTO-TA. adj. Práctico, ducho, experimentado.

EXPIACIÓN. f. Acción y efecto de expiar.

EXPIAR. tr. Purgar las culpas.

EXPIATIVO-VA. adj. Que sirve para la expiación.

EXPIATORIO-RIA. adj. Que se hace por expiación o que la produce.

EXPILAR. tr. Despojar, robar.

EXPILIO. m. Matricaria, planta.

EXPIRACIÓN. f. Acción y efecto de expirar.

EXPIRAR. tr. Llegar algo a su término de duración. Salida del aire.

EXPLANACIÓN. f. Acción de explanar. Allanar un terreno.

EXPLANADA. f. Espacio de terreno llano.

EXPLANAR. tr. Allanar. Construir terraplenes, hacer desmontes, etc., para nivelar el terreno.

EXPLAYADA. adj. Blas. Águila con las alas extendidas.

EXPLAYAR. tr. Ensanchar, extender Solazarse.

EXPLICACIÓN. f. Acción de explicar. Satisfacción de una ofensa.

EXPLICADERAS. f. pl. Modo de explicarse.

EXPLICADOR-RA. adj. El que explica una cosa.

EXPLICAR. tr. Manifestar lo que se piensa. Exponer en forma adecuada.

EXPLICATIVO-VA. adj. Que explica.

EXPLÍCITAMENTE. adv. m. Claramente.

EXPLÍCITO-TA. adj. Que expresa algo con claridad.

EXPLORACIÓN. f. Acto de explorar.

EXPLORADOR-RA. adj. Que explora. Asociación educativa y deportiva.

EXPLORAR. tr. Tratar de descubrir algo ignorado. Reconocer. Sondear.

EXPLORATORIO-RIA. adj. s. Que sirve para explorar.

EXPLOSIÓN. f. Acción de reventar un cuerpo con violencia y ruidosamente.

EXPLOSIVO-VA. adj. m. Que hace o puede hacer explosión.

EXPLOTACIÓN. f. Acto de explotar.

EXPLOTADOR-RA. adj. Que explota.

EXPLOTAR. tr. Beneficiar una mina. Sacar provecho de algo. Estallar, hacer explosión.

EXPLOYADA. adj. Blas. Águila de dos cabezas con las alas desplegadas.

EXPOLIACIÓN. f. Acción y efecto de expoliar.

EXPOLIADOR-RA. adj. Que expolia.

EXPOLIAR. tr. Despojar con violencia.

EXPOLICIÓN. f. Ret. Figura que repite un pensamiento con distintas formas.

EXPONENCIAL. adj. Mat. Relativo a los exponentes.

EXPONENTE. adj. s. Que expone. m. Mat. Expresión algebraica que expresa el grado de la potencia.

EXPONER. tr. Poner en manifiesto.

EXPORTACIÓN. f. Acto de exportar. Mercancías que se exportan.

EXPORTAR. tr. Enviar o vender productos del país en otro extranjero.

EXPOSICIÓN. f. Acción de exponer. Manifestación pública de los productos de un país.

EXPOSITIVO-VA. adj. Que expone.

EXPÓSITO-TA. adj. Recién nacido expuesto en un paraje público.

EXPOSITOR-RA. adj. s. Que expone.

EXPREMIJO. m. Mesa baja para hacer el queso.

EXPRÉS. m. Tren rápido. Café hecho por transfusión de vapor.

EXPRESAMENTE. adv. Con palabras claras. De propósito.

EXPRESAR. tr. Decir o manifestar con toda claridad.

EXPRESIÓN. Palabra, locución o signos exteriores con que algo se expresa.

EXPRESIVO-VA. adj. Que manifiesta con gran viveza de expresión.

EXPRESO-SA. adj. Claro, especificado.

EXPRIMIDERA. r. Instrumento en que se colocan las substancias que se van a exprimir.

EXPRIMIDERO. m. Útil para sacar el zumo.

EXPRIMIR. tr. Extraer el zumo o líquido de algo, apretándolo. fig. Expresar, manifestar.

EX PROFESO. m. adv. lat. De propósito.

EXPROPIACIÓN. f. Acción de expropiar. Cosa expropiada.

EXPROPIADOR-RA. adj. Que expropia.

EXPROPIAR. tr. Desposeer legalmente de algo a su dueño.

EXPUESTO-TA. p. p. irreg. de Exponer. adj. Peligroso.

EXPUGNAR. tr. Tomar algo por fuerza de armas.

EXPULSAR. tr. Expeler, arrojar.

EXPULSIÓN. f. Acción de expeler.

EXPURGAR. tr. Limpiar, purificar algo.

EXPURGATORIO-RIA. adj. Que expurga. Índice de libros.

EXPURGO. m. Expurgación.

EXQUISITAMENTE. adv. m. De manera exquisita.

EXQUISITEZ. f. Calidad de exquisito.

EXQUISITO-TA. adj. Delicioso.

ÉXTASI. m. Extasis.

EXTASIARSE. r. Arrobarse.

EXTASIS. m. Arrobamiento, embeleso. Med. Detención de la progresión del contenido de un órgano.

EXTÁTICO-CA. adj. Que está en éxtasis.

EXTEMPORÁNEO-A. adj. Impropio del tiempo. Inoportuno.

EXTENDER. tr. Aumentar la superficie de una cosa. r. Propagarse.

EXTENSAMENTE. adv. m. Extendidamente.

EXTENSIBILIDAD. f. Calidad de extendible.

EXTENSIBLE. adj. Que puede extenderse.

EXTENSIÓN. f. Acción de extender. Geom. Capacidad de ocupar un lugar en el espacio.

EXTENSIVAMENTE. adv. m. De un modo extensivo.

EXTENSIVO-VA. adj. Susceptible de extenderse.

EXTENSO-SA. adj. Que tiene extensión.

EXTENSOR-RA. adj. Que extiende o hace que algo se extienda.

EXTENUACIÓN. f. Acción de extenuar.

EXTENUAR. tr. r. Debilitar, enflaquecer.

EXTENUATIVO-VA. adj. Que extenua.

EXTERIOR. adj. Que está por la parte de fuera.

EXTERIORIDAD. f. Porte o conducta exterior.

EXTERIORIZACIÓN. f. Acción de exteriorizarse.

EXTERIORMENTE. adv. m. Aparentemente.

EXTERMINAR. tr. r. Desterrar, aniquilar.

EXTERMINIO. m. Acción y efecto de exterminar.

EXTERNADO. m. Establecimiento de enseñanza para alumnos externos.

EXTERNAR. tr. Manifestar, exteriorizar.

EXTERNO-NA. adj. Exterior. Alumno de un colegio que no habita en éste.

EXTINCIÓN. f. Acción de extinguir o extinguirse.

EXTINGUIBLE. adj. Que se puede extinguir.

EXTIRPACIÓN. f. Separación quirúrgica de un miembro u órgano enfermo.

EXTIRPADOR-RA. adj. s. Que extirpa.

EXTIRPAR. tr. Arrancar de cuajo algo. Destruir radicalmente.

EXTORCAR. tr. Arrancar, robar.

EXTORSIÓN. f. Acción de usurpar una cosa por la fuerza. fig. Perjuicio.

EXTORSIONAR. tr. Dañar, arrebatar.

EXTRA. prep. insep. que significa fuera de. adj. Extraordinario, óptimo.

EXTRACCIÓN. f. Acción de extraer.

EXTRACTA. f. For. Ar. Traslado fiel de un instrumento público.

EXTRACTAR. tr. Reducir a extracto.

EXTRACTO. m. Resumen de un escrito. Substancia extraída de algo.

EXTRACTOR-RA. s. Persona que extrae. Aparato para extraer.

EXTRADICIÓN. f. Entrega de un reo refugiado en país extranjero.

EXTRADÓS. m. Superficie exterior de una bóveda.

EXTRAER. tr. r. Sacar una cosa de donde estaba. Mat. Averiguar las raíces de una cantidad dada.

EXTRAJUDICIAL. adj. Que se hace o trata fuera de la vía judicial.

EXTRAJUDICIALMENTE. adv. m. Sin las solemnidades judiciales.

EXTRALEGAL. adj. Que no es legal.

EXTRALIMITACIÓN. f. Acción y efecto de extralimitarse.

EXTRALIMITARSE. tr. r. Excederse, salirse de los límites marcados.

EXTRAMUROS. adv. l. Fuera del recinto de una población.

EXTRANJERÍA. f. Calidad y condición legal de extranjero.

EXTRANJERISMO. m. Voz extranjera empleada en español.

EXTRANJERIZAR. tr. Mezclar costumbres extranjeras con las españolas.

EXTRANJERO-RA. adj. s. De país extranjero.

EXTRANJÍA. f. Fam. Extraño, extranjero.

EXTRANJIS (DE). loc. fam. Ocultamente.

EXTRAÑA. f. Planta herbácea compuesta.

EXTRAÑAMIENTO. m. Acción y efecto de extrañar.

EXTRAÑAR. tr. r. Desterrar a país extranjero. Ver u oir algo con extrañeza.

EXTRAÑEZA. f. Singularidad, rareza. Asombro, sorpresa.

EXTRAÑO-ÑA. adj. s. De nación, familia o profesión distinta. Raro, simple.

EXTRAOFICIAL. adj. No oficial.

EXTRAORDINARIO-RIA. Que traspasa los límites de lo ordinario.

EXTRARRADIO. m. Parte de un término municipal que rodea una población.

EXTRATÉMPORA. f. Dispensa para recibir las órdenes mayores.

EXTRATERRITORIAL. adj. Fuera del territorio de la propia jurisdicción.

EXTRAVAGANCIA. f. Desarreglo en el pensar u obrar.

EXTRAVAGANTE. adj. Fuera de orden común de obrar. Que procede así.

EXTRAVASARSE. r. Salirse un líquido de su vaso.

EXTRAVENARSE. r. Esparcirse la sangre fuera de las venas.

EXTRAVIAR. tr. r. Hacer perder el camino. Inducir a error. Perderse.

EXTRAVÍO. m. Acción de extraviarse. Desorden en las costumbres. Molestia, perjuicio.

EXTREMADAS. f. pl. Tiempo de hacer los quesos.

EXTREMADO-DA. adj. Sumamente bueno o malo en su género.

EXTREMAR. tr. Llevar una cosa al extremo. r. Excederse.

EXTREMAUNCIÓN. f. Sacramento que se administra a los moribundos.

EXTREMEÑO-ÑA. adj. s. De Extremadura.

EXTREMIDAD. f. Parte extrema de una cosa. Brazos y piernas o patas.

EXTREMISTA. adj. s. Partidario de ideas extremas, especialmente en política.

EXTREMO-MA. adj. Último. Sumo excesivo. Distante.

EXTREMOSO-SA. adj. Propenso a extremar las cosas.

EXTRÍNSECO-CA. adj. Externo, accidental.

EXUBERANCIA. f. Abundancia suma.

EXUBERANTE. adj. Abundante con exceso.

EXUDACIÓN. f. Acción y efecto de exudar.

EXUDAR. tr. Salir un líquido fuera de sus vasos.

EXULCERAR. tr. Med. Corroer la piel hasta formar llaga.

EXULTACIÓN. f. Demostración de gozo y alegría.

EXULTAR. intr. Regocijante. Saltar de alegría. Llenarse de gozo.

EXUTORIO. m. Med. Úlcera abierta que se sostiene artificialmente.

EXVOTO. m. Ofrenda a Dios o a los santos por un beneficio recibido.

EYACULACIÓN. f. Emisión súbita y violenta de un líquido, especialmente de semen.

EYACULAR. tr. Expeler con alguna fuerza una secreción. Lanzar con fuerza el contenido de un órgano.

F. f. Séptima letra, consonante, del alfabeto español.

FA. m. Cuarta nota de la escala musical.

FABADA. f. Potaje de alubias con tocino, chorizo, morcilla y lacón, que se usa en Asturias.

FABLA. f. Imitación del castellano antiguo.

FABORDÓN. m. Mús. Contrapunto del canto gregoriano.

FÁBRICA. f. Fabricación. Lugar donde se fabrica. Invención.

FABRICACIÓN. f. Acto de fabricar.

FABRICADOR-RA. adj. fig. Que inventa o dispone de una cosa no material.

FABRICANTE. m. Dueño de una fábrica.

FABRICAR. tr. Hacer algo mecánicamente. Disponer.

FABRIL. adj. Relativo a la fábrica o sus obreros.

FABUCO. f. Hayuco.

FÁBULA. f. Rumor. Hablilla. Relato falso.

FABULISTA. com. Autor de fábulas.

FABULOSAMENTE. adv. m. Fingidamente. fig. Exageradamente.

FABULOSO-SA. adj. Remoto. Falso. Excesivo.

FACA. f. Cuchillo corvo. Cuchillo largo y con punta.

FACCIÓN. f. Bando. Gente rebelde. Parte del rostro.

FACCIOSO-SA. adj. s. Relativo a la facción. Miembro de ella.

FACERA. f. Acera, fila de casas que hay a cada uno de los lados de una calle.

FACETA. f. Cara pequeña de un poliedro. Aspecto de un asunto.

FACIAL. adj. Relativo al rostro.

FACIALMENTE. adv. m. Intuitivamente.

FÁCIL. adj. Que se puede hacer sin esfuerzo. Dócil.

FACILIDAD. f. Calidad de fácil.

FACILILLO-LLA. adj. dim. de fácil. Se dice en sentido irónico para indicar lo que es difícil.

FACILITAR. tr. Hacer fácil. Entregar.

FACILITÓN-NA. adj. fam. Que todo lo cree fácil.

FACINEROSO-SA. adj. s. Delincuente habitual. Malvado.

FACISTOL. m. Atril grande de las iglesias.

FACSÍMIL. m. Reproducción exacta de algo.

FACTIBLE. adj. Que puede hacerse.

FACTICIO-CIA. adj. Que se hace por arte.

FACTITIVO-VA. adj. Dícese del verbo o perífrasis verbal cuyo sujeto hace ejecutar la acción.

FACTOR. m. Elemento que contribuye a algo. Mat. Cantidad que se multiplica. Com. Agente.

FACTORÍA. f. Com. Empleo, oficina de factor. Establecimiento comercial.

FACTORIAL. f. Mat. Producto de todos los términos de una progresión aritmética.

FACTÓTUM. m. Quien realiza todos los quehaceres de una casa.

FACTURA. f. Cuenta detallada de los objetos de una venta.

FACTURACIÓN. f. Acción y efecto de facturar.

FACTURAR. tr. Poner en factura. Registrar los equipajes o mercancías para su expedición.

FÁCULA. f. Parte más brillante del sol.

FACULTAD. f. Aptitud. Poder de ejercer algo. Sección de la Universidad.

FACULTAR. tr. Conceder facultades, autorizar.

FACULTATIVAMENTE. adv. m. Según los principios y reglas de una facultad.

FACULTATIVO-VA. adj. Perteneciente a una Facultad. Potestativo. m. Médico.

FACUNDIA. f. Facilidad de palabra. Abundancia.

FACUNDO-DA. adj. Que tiene facundia.

FACHA. f. Aspecto, adefesio.

FACHADA. f. Parte anterior de un edificio. Portada de los libros. Aspecto exterior de algo.

FACHENDA. f. Vanidad.

FACHENDEAR. intr. Jactarse. Presumir.

FACHENDÓN-NA o FACHENDOSO-SA. adj. fam. Que tiene fachenda.

FACHENDOSO-SA. adj. s. Que gasta mucha fachenda.

FACHOSO-SA. adj. fam. De mala facha y figura ridícula.

FADA. f. Hada, maga, hechicera.

FADO. m. Canción popular portuguesa.

FAENA. f. Trabajo, tarea.

FAETÓN. m. Coche descubierto de cuatro ruedas con dos asientos.

FAGÁCEO-A. adj. Bot. Cupulífero.

FAGOCITO. m. Célula amiboidea del organismo que absorbe elementos extraños.

FAGOT. m. Mús. Instrumento de viento en forma de tubo cónico de madera.

FAISÁN. m. Ave gallinácea, con penacho y cola larga.

FAISANA. f. Hembra del faisán.

FAISANERO-RA. m. y f. Persona dedicada a la cría o venta de faisanes.

FAJA. f. Tira de tela que se arrolla a la cintura. Lista más larga que ancha.

FAJADURA. f. Fajamiento. Mar. Lona alquitranada para forrar algunos cabos.

FAJAMIENTO. m. Acción y efecto de fajar.

FAJAR. tr. Envolver algo con faja. Poner fajero.

FAJEADO-DA. adj. Que tiene fajas.

FAJERO. m. Faja de punto para los niños.

FAJÍN. m. Ceñidor distintivo de generales y funcionarios civiles.

FAJINA. f. Montón de haces de mies. Toque militar.

FAJO. m. Haz.

FAKIR. m. Faquir.

FALACIA. f. Engaño, mentira.

FALANGE. f. Cuerpo de infantería de los griegos. Personas unidas para un fin. Huesos de los dedos.

FALANGETA. f. Falange tercera de los dedos.

FALANGÍA. f. Falangio, arácnido.

FALANSTERIO. m. Institución comunal, base del sistema social de Fourier.

FALÁRICA. f. Arma arrojadiza.

FALAZ. adj. Engañoso.

FALBALÁ. f. Pieza en la faldilla de la casaca. Faralá.

FALCADO-DA. adj. Curvado como la hoz.

FALCARIO. m. Soldado romano que iba armado con una hoz.

FALCE. f. Hoz o cuchillo curvo.

FALCIFORME. adj. Que tiene forma de hoz.

FALCINELO. m. Ave del orden de las zancudas, de pico largo, corvo comprimido y grueso en su punta.

FALCÓN. m. Especie de cañón de artillería antigua.

FALCONETE. m. Especie de culebrina.

FALDA. f. Parte que cae suelta de un vestido. Regazo. Parte inferior de un monte.

FALDAMENTA. f. Falda de la ropa talar. fam. Falda larga y desgarbada.

FALDEAR. tr. Caminar por la falda de la montaña.

FALDELLÍN. m. Falda corta sobre otra larga.

FALDERO-RA. adj. Relativo a la falda. Dícese del perro pequeño.

FALDETA. f. dim. de Falda. En el teatro, lienzo con que se cubre lo que ha de aparecer después.

FALDICORTO-TA. adj. Corto de faldas.

FALDILLAS. f. pl. Partes que cuelgan de la cintura de un traje.

FALDISTORIO. m. Asiento episcopal bajo y sin respaldo.

FALDÓN. m. Falda suelta. Arq. Vertiente triangular de un tejado.

FALDRIQUERA. f. Faltriquera.

FALENA. f. Mariposa nocturna.

FALERNO. m. Vino famoso en la Roma antigua.

FALIBILIDAD. f. Calidad de falible.

FALIBLE. adj. Que puede engañarse o faltar.

FALIMIENTO. m. Engaño o falsedad.

FALO. m. Pene, miembro viril.

FALSA. f. Desván. Faldilla.

FALSAMENTE. adv. m. Con falsedad.

FALSARIO-RIA. adj. s. Que falsea algo. Que dice falsedades.

FALSARRIENDA. f. Las dos correas unidas que sirven de rienda cuando falta ésta.

FALSEADOR-RA. adj. Que falsea o falsifica algo.

FALSEAR. tr. Adulterar algo, contrahacerlo. intr. Perder firmeza. Mús. Disonar una cuerda.

FALSEDAD. f. Falta de verdad.

FALSETA. f. Mús. Floreo que el tocador de guitarra intercala entre copla y copla.

FALSETE. m. Mús. Voz más aguda que la natural.

FALSÍA. f. Falsedad. Deslealtad.

FALSIFICACIÓN. f. Acción y efecto de falsificar.

FALSIFICADOR-RA. adj. s. Que falsifica.

FALSIFICAR. tr. Falsear, contrahacer, adulterar.

FALSILLA. f. Papel rayado que se pone debajo de otro.

FALSO-SA. adj. Contrario a la verdad. Que no es real. Cobarde, pusilánime.

FALTA. f. Defecto, privación de algo. Acto contrario al deber.

FALTAR. intr. No existir una cosa donde debe estar. Incurrir en una falta.

FALTO-TA. adj. Defectuoso, necesitado de algo. Apocado.

FALTÓN-NA. adj. fam. Dícese del que falta con frecuencia a sus obligaciones o citas.

FALTOSO-SA. adj. fam. Falto de juicio.

FALTRIQUERA. f. Bolsillo de un vestido.

FALÚA. f. Bote grande con carroza a popa.

FALUCHO. m. Barco costanero con vela latina.

FALLA. f. Defecto material de una cosa que merma su resistencia.

FALLANCA. f. Vierteaguas de una puerta o ventana.

FALLAR. tr. Decidir, sentenciar. intr. Frustrarse.

FALLEBA. f. Varilla giratoria para cerrar puertas o ventanas.

FALLECER. intr. Morir.

FALLECIENTE. p. a. de Fallecer. Que fallece.

FALLECIMIENTO. m. Acción de fallecer.

FALLERO-RA. adj. De las fallas valencianas. Quien toma parte en ellas.

FALLIDO-DA. adj. Frustrado. s. com. Sin crédito.

FALLIR. intr. Fallecer, faltar.

FALLO-LLA. adj. Falta de un palo en el juego. m. Sentencia, decisión.

FAMA. f. Voz pública de algo. Reputación. Renombre.

FAMÉLICO-CA. adj. Hambriento.

FAMILIA. f. Gente que vive en una casa bajo la autoridad del señor. Prole. Conjunto de parientes.

FAMILIAR. adj. Relativo a la familia. Llano, sencillo.

FAMILIARIDAD. f. Confianza en el trato.

FAMILIARIZAR. tr. Hacer algo familiar. r. Adaptarse.

FAMOSAMENTE. adv. m. Excelentemente, muy bien.

FAMOSO-SA. adj. Que tiene fama. Notable.

FÁMULA. f. Criada.

FAMULATO. m. Ocupación del criado o sirviente. Conjunto de criados de una casa.

FÁMULO. m. Criado.

FANAL. m. Farol grande como señal nocturna. Campana de cristal para cubrir algo.

FANÁTICAMENTE. adv. m. Con fanatismo.

FANÁTICO-CA. adj. Que defiende algo con pasión.

FANATISMO. m. Apasionamiento del fanático.

FANATIZAR. tr. Volver fanático a alguno.

FANDANGO. m. Baile español antiguo. Música y coplas del mismo. Bullicio.

FANDANGUILLO. m. Baile popular en compás de tres por ocho parecido al fandango y copla con que se acompaña.

FANECA. f. Pez marino del orden de los malacopterigios subranquiales.

FANEGA. f. Medida para áridos. Porción de los mismos que caben en ella.

FANERÓGAMO-MA. adj. Bot. Se dice de las plantas cuyos órganos sexuales se distinguen a simple vista.

FANFARRIA. f. Bravata, jactancia.

FANFARRÓN-NA. adj. s. Que se las echa de valiente.

FANFARRONEAR. intr. Hablar con arrogancia, echando fanfarronadas.

FANFARRONERÍA. f. Manera de hablar y portarse el fanfarrón.

FANGAL. m. Terreno lleno de fango.

FANGO. m. Lodo espeso. Degradación, vilipendio.

FANGOSO-SA. adj. Lleno de fango. fig. Viscoso y blando como el fango.

FAÑÓN. m. Doble esclavina cerrada, la inferior más larga que la superior.

FANTASEAR. intr. Dejar correr la fantasía.

FANTASÍA. f. Facultad imaginativa. Ficción, cuento.

FANTASMA. m. Visión quimérica. Imagen de un objeto impresa en la fantasía. fig. Persona entonada y grave. f. Espantajo o persona disfrazada para asustar a la gente sencilla.

FANTASMAGORÍA. f. Arte de representar figuras por medio de una ilusión óptica.

FANTASMÓN-NA. adj. s. Presuntuoso, vano.

FANTÁSTICAMENTE. adv. m. De una manera fingida, sin realidad. fig. Con fantasía y engaño.

FANTÁSTICO-CA. adj. Quimérico, sin realidad.

FANTOCHE. m. Títere. Farolón, figurón.

FAQUÍN. m. Ganapán, esportillero, mozo de cuerda.

FAQUIR. m. Santón mahometano, que vive de limosnas, con gran austeridad.

FARAD. m. Quím. Nombre del faradio en la nomenclatura internacional.

FARADIO. m. Medida de capacidad eléctrica de un cuerpo.

FARALÁ. m. Volante en los vestidos femeninos.

FARALLÓN. m. Roca alta y tajada que sobresale en el mar. Crestón.

FARAMALLA. f. Charla para engañar.

FARAMALLERO-RA. adj. fam. Hablador, trapacero.

FARÁNDULA. f. Profesión del farsante o faraute. Compañía de cómicos ambulantes.

FARANDULEAR. intr. Farolear.

FARANDULERO-RA. m. Persona que recitaba comedias.

FARANDÚLICO-CA. adj. Perteneciente a la farándula.

FARAÓN. m .Soberano egipcio. Juego de naipes.

FARAÓNICO-CA. adj. Perteneciente o relativo a los Faraones.

FARAUTE. m. Mensajero, heraldo. Rey de armas de segunda clase.

FARDA. f. Alfarda, tributo que pagaban los moros y judíos en los reinos cristianos. Bulto o lío de ropa.

FARDAJE. m. Acción de fardar.

FARDAR. m. tr. r. Proveer sobre todo de ropa.

FARDEL. m. Talega o saco de pastores o caminantes. Fardo.

FARDELEJO. m. dim. de Fardel.

FARDERÍA. f. Conjunto de fardos.

FARDO. m. Lío grande y apretado.

FARELLÓN. m. Farallón.

FARFALLÓN-LLA. adj. s. fam. Farfullero, chapucero.

FARFALLOSO-SA. adj. Tartamudo, tartajoso.

FARFANTÓN. adj. Fanfarrón, pendenciero.

FARFANTONA. f. Hecho o dicho de farfantón.

FÁRFARA. f. Planta cuyas hojas y flores se usan como pectoral.

FARFOLLA. f. Espata de las panojas del maíz, mijo y panizo. fig. Cosa de mucha apariencia y poco valor.

FARFULLA. f. Defecto del que farfulla. com. Persona que lo tiene.

FARFULLADAMENTE. adv. m. fam Atropelladamente, con prisa.

FARFULLAR. tr. r. Decir o hacer algo de prisa y atropelladamente.

FARGALLÓN-NA. adj. s. fam. Que hace las cosas atropelladamente. Descuidado en el aseo.

FARINÁCEO-A. adj. Propio de la harina o parecido a ella.

FARINGE. f. Conducto membranoso que une el fondo de la boca con el esófago.

FARÍNGEO-GEA. adj. Anat. Relativo a la faringe.

FARINGITIS. f. Inflamación de la faringe.

FARISAICAMENTE. adv. m. Hipócritamente.

FARISAICO-A. adj. Perteneciente al fariseo.

FARISEISMO. m. Farisaismo. fig. Hipocresía.

FARISEO. m. Miembro de una secta político-religiosa judía que aparentaba austeridad y no seguía la ley. Hipócrita.

FARMACÉUTICO-CA. adj. Relativo a la farmacia. s. Quien la ejerce.

FARMACIA. f. Ciencia de los medicamentos y su composición. Botica.

FÁRMACO. m. Medicamento.

FARMACOLOGÍA. f. Tratado de la acción terapéutica de los medicamentos.

FARMACOLÓGICO-CA. adj. Perteneciente o relativo a la farmacología.

FARMACOPEA. f. Libro en que se escriben los medicamentos y su preparación.

FARMACÓPOLA. m. Farmacéutico.

FARO. m. Torre alta con luz, en la costa para guía de la navegación.

FAROL. m. Caja de caras translúcidas con luz dentro.

FAROLA. f. Farol grande para el alumbrado público.

FAROLAZO. m. Golpe dado con un farol.

FAROLEAR. intr. Fachendear o papelonear.

FAROLEO. m. Acción y efecto de farolear.

FAROLERÍA. f. Establecimento donde se hacen o venden faroles. fig. Acción propia de persona farolera.

FAROLERO-RA. adj. fig. y fam. Vano, ostentoso, amigo de hacer lo que no le corresponde. m. El que hace o vende faroles. El que tiene cuidado de los faroles.

FAROLILLO. m. Planta sapindacea, trepadora.

FAROTA. f. fam. Mujer descarada.

FAROTÓN-NA. m. y f. Persona descarada.

FARPA. f. Punta cortada a canto de algo.

FARPADO-DA. adj. Que remata en farpas.

FARRA. f. Pez de agua dulce, parecido al salmón.

FARRAGOSO-SA. adj. Que tiene fárrago.

FARRAGUISTA. com. Persona con la cabeza llena de ideas confusas.

FARRAPAS. f. pl. Ast. Fariñas.

FARRO. m. Cebada a medio moler, después de remojada.

FARRUCO-CA. adj. fig. Valiente, impávido. fam. Gallegos o asturianos salidos de su tierra.

FARSA. f. Pieza cómica breve. fig. Ficción.

FARSANTA. f. Mujer que tenía el oficio de representar farsas.

FARSANTE. m. Cómico que representaba farsas. adj. Que finge lo que no siente.

FARSANTERÍA. f. Calidad de farsantes. Fingimiento.

FARSETO. m. Jubón acolchado que se usaba debajo de la armadura.

FAS (POR) O POR NEFAS. m. adv. fam. Justa o injustamente; por una cosa o por otra.

FASCES. f. pl. Insignia de cónsul romano.

FASCÍCULO. m. Folleto, entrega o cuaderno con parte de una obra.

FASCINACIÓN. f. Acción de fascinar.

FASCINANTE. p. a. de Fascinar. Que fascina.

FASCINAR. tr. Alucinar. Dar mal de ojo.

FASCISMO. m. Partido nacionalista italiano.

FASCISTA. adj. s. Partidario del fascismo.

FASE. f. Astr. Cada uno de los aspectos de la Luna y otros planetas.

FASTIAL. m. Arq. La piedra más alta de un edificio.

FASTIDIAR. tr. r. Causar fastidio. tr. Molestar.

FASTIDIO. m. Hastío, repugnancia.

FASTIDIOSAMENTE. adv. m. Con fastidio.

FASTIDIOSO-SA. adj. Que fastidia.

FASTO-TA. adj. Memorable. Feliz. Fausto, pompa. Anales.

FASTUOSAMENTE. adv. m. Con fausto, de manera fastuosa.

FASTUOSIDAD. f. Suntuosidad.

FASTUOSO-SA. adj. Ostentoso.

FATAL. adj. Relativo al hado. Inevitable.

FATALIDAD. f. Calidad de fatal.

FATALISMO. m. Doctrina que considera los sucesos inevitables.

FATALISTA. adj. s. Que profesa el fatalismo.

FATALMENTE. adv. m. De manera fatídica.

FATÍDICO-CA. adj. Que vaticina. Siniestro, ominoso.

FATIGA. f. Agitación, cansancio.

FATIGADAMENTE. adv. m. Con fatiga.

FATIGADOR-RA. adj. Que fatiga a otro.

FATIGAR. tr. r. Causar fatiga. tr. Molestar.

FATIGOSO-SA. adj. Agitado, que causa fatiga.

FATIMITA. adj. s. Descendiente de Fátima, hija única de Mahoma.

FATUIDAD. f. Calidad de fatuo.

FATUO-A. adj. Falto de entendimiento. Presuntuoso.

FAUCAL. adj. Perteneciente a las fauces.

FAUCES. f. pl. Parte posterior de la boca.

FAUNA. f. Conjunto de animales de una región.

FAUNO. m. Mit. Divinidad selvática romana.

FAUSTO-TA. adj. Feliz. m. Suntuosidad.

FAUSTOSO-SA. adj. Fastuo.

FAUTOR-RA. s. Persona que favorece a otra.

FAUTORÍA. f. Favor, ayuda.

FAVONIO. m. Viento suave.

FAVOR. m. Ayuda. Honra, beneficio. Privanza.

FAVORABLE. adj. Que favorece. Propicio.

FAVORABLEMENTE. adv. m. Con favor, benévolamente. De acuerdo con lo que se desea.

FAVORECER. tr. Ayudar. Hacer un favor. Apoyar.

FAVORECIENTE. p. a. de Favorecer. Que favorece.

FAVORITISMO. m. Preferencia de lo interés sobre el mérito.

FAVORITO-TA. adj. Estimado como preferencia. s. Valido.

FAYA. f. Tejido grueso de seda, que forma canutillo.

FAYANCA. f. Postura del cuerpo con poca firmeza para mantenerse.

FAZ. f. Rostro. Anverso.

FE. f. Virtud teologal por la que creemos las verdades. Crédito que damos a las cosas.

FEALDAD. f. Calidad de feo. Torpeza.

FEAMENTE. adv. m. Con fealdad. fig. Indignamente, torpemente.

FEBEO-A. adj. poét. Relativo al sol.

FEBLE-A. adj. Débil, flaco.

FEBLEMENTE. adv. m. Flacamente, sin firmeza.

FEBO. m. El Sol.

FEBRERILLO. m. dim. de Febrero. Se usa en la locución de Febrerillo el loco, para indicar la inconstancia del tiempo en este mes.

FEBRERO. m. Segundo mes del año.

FEBRICITANTE. adj. Febril.

FEBRÍFUGO-GA. Que quita la fiebre.

FEBRIL. adj. Relativo a la fiebre. Ardoroso.

FEBRILMENTE. adv. m. Con fiebre. fig. Con vehemencia.

FECAL. adj. Perteneciente al excremento intestinal.

FECIAL. m. El que entre los romanos intimaba la paz y la guerra.

FÉCULA. f. Substancia blanca e insoluble extraída de algunos vegetales.

FECULENTO-TA. adj. Que tiene fécula.

FECUNDACIÓN. f. Acto de fecundar.

FECUNDADOR-RA. adj. Que fecunda.

FECUNDANTE. p. a. de Fecundar. Que fecunda.

FECUNDAR. tr. r. Fertilizar. Hacer fecunda o productiva una cosa.

FECUNDIDAD. f. Calidad de fecundo.

FECUNDIZANTE. p. a. de Fecundizar. Que fecundiza.

FECUNDIZAR. tr. Fecundar.

FECUNDO-DA. adj. Que tiene fecundidad.

FECHA. f. Indicación del tiempo en que sucede algo. Data.

FECHADOR. m. Matasellos o estampilla de tipo movible para marcar la fecha.

FECHAR. tr. Poner la fecha.

FECHORÍA. f. Acción mala.

FEDATARIO. m. Denominación genérica que se aplica al Notario y funcionarios que gozan de fe pública.

FEDERACIÓN. f. Acto de federar.

FEDERAL. adj. Federativo.

FEDERALISMO. m. Sistema de confederación.

FEDERALISTA. adj. Partidario del federalismo.

FEDERAR. tr. Confederar.

FEDERATIVO-VA. adj. Perteneciente a la confederación.

FEHACIENTE. adj. Que hace fe en juicio.

FELDESPÁTICO-CA. adj. Perteneciente al feldespato. Que contiene feldespato.

FELDESPATO. m. Silicato de alúmina con potasa, sosa o cal.

FELIBRE. m. Poeta provenzal moderno.

FELICIDAD. f. Dicha, satisfacción, prosperidad.

FELICITACIÓN. f. Acto de felicitar.

FELICITAR. tr. Manifestar satisfacción de un suceso fausto. Cumplimentar.

FÉLIDOS. m. pl. Zool. Mamíferos carniceros de cabeza redonda con un solo molar tuberculoso en la mandíbula superior y ninguno en la inferior, son digitígrados con dedos con uñas agudas y retráctiles. Pertenecen a esta familia el león, el tigre y el gato.

FELIGRÉS-SA. s. Perteneciente a una parroquia.

FELIGRESÍA. f. Conjunto de feligreses. Parroquia rural.

FELINO-NA. adj. Relativo al gato.

FELIZ. adj. Que se complace. Dichoso.

FELIZMENTE. adv. m. Con felicidad.

FELÓN-NA. adj. Desleal, traidor.

FELONÍA. f. Traición, acción indigna.

FELPA. f. Tejido con pelo por el haz.

FELPAR. tr. Cubrir de felpa.

FELPILLA. f. Cordón de seda tejida en un hilo con pelo como la felpa.

FELPO. m. Felpudo, ruedo.

FELPOSO-SA. adj. Cubierto de pelos blandos y entrelazados.

FELPUDO-DA. adj. Afelpado. Ruedo, esterilla afelpada.

FELÚS. m. En Marruecos moneda de cobre de poco valor.

FEMENIL. adj. Perteneciente o relativo a la mujer.

FEMENINO-NA. f. Propio de la mujer.

FEMENTIDAMENTE. adv. m. Con falsedad y falta de fe y palabra.

FEMENTIDO-DA. adj. Falto de palabra, desleal.

FEMINEIDAD. f. Calidad de femenino. For. Calidad que tienen ciertos bienes de ser pertenecientes a la mujer.

FEMINISMO. m. Doctrina social que concede a la mujer derechos del hombre.

FEMINISTA. adj. s. Relativo al feminismo.

FEMORAL. adj. Relativo al fémur.

FÉMUR. m. Hueso del muslo.

FENDA. f. Hendidura al hilo en la madera.

FENECER. tr. Poner fin. intr. Morir, acabarse algo.

FENECIMIENTO. m. Acción y efecto de fenecer.

FENIANO. m. Partidario del fenianismo.

FENICADO-DA. adj. Que tiene ácido fénico.

FENICAR. tr. Echar ácido fénico a una cosa.

FENICIO. adj. s. De Fenicia.

FÉNICO. adj. Dícese del ácido que se extrae de la brea.

FÉNIX. s. Ave fabulosa que renacía de sus cenizas.

FENOL. m. Alcohol cíclico aromático orgánico.

FENOMENAL. adj. Relativo al fenómeno. Muy grande.

FENÓMENO. m. Apariencia del orden material o espiritual, cosa extraordinaria.

FEO-A. adj. Falto de belleza. Que causa aversión. m. Desaire.

FERACIDAD. f. Fertilidad.

FERAL. adj. Cruel, sangriento.

FERAZ. adj. Fértil.

FÉRETRO. m. Caja mortuoria.

FERIA. f. Mercado en sitio público. Cualquier día menos sábado y domingo.

FERIADO-DA. adj. Aplícase al día que están cerrados los tribunales.

FERIAL. adj. Relativo a la feria. m. Feria, mercado.

FERIANTE. adj. Concurrente a la feria para comprar o vender.

FERIAR. tr. r. Comprar en la feria. intr. Suspender el trabajo.

FERLÍN. m. Moneda antigua que tenía un valor de la cuarta parte de un dinero.

FERMATA. f. Mús. Pausa seguida de notas de adorno.

FERMENTABLE. p. a. de Fermentar. Que fermenta.

FERMENTACIÓN. f. Acción y efecto de fermentar.

FERMENTAR. intr. Transformarse un cuerpo orgánico en otro por la acción del fermento.

FERMENTO. m. Sustancia que hace fermentar.

FERNANDINO-NA. adj. Perteneciente o relativo a Fernando VII. Partidarios de este rey.

FEROCE. adj. poét. Feroz.

FEROCIDAD. f. Fiereza, crueldad.

FEROZ. adj. Que obra con ferocidad.

FEROZMENTE. adv. m. Con ferocidad.

FERRADA. f. Ast. Herrada, vasija.

FERRADO-DA. adj. Reforzado con hierro.

FERRAR. tr. Guarnecer con hierro.

FERREÑA. adj. Nuez desmedrada y dura.

FÉRREO-A. adj. De hierro. Tenaz.

FERRERÍA. f. Taller en que se beneficia el mineral del hierro.

FERRERUELO. m. Antigua capa corta sin capilla.

FERRETE. m. Sulfato de cobre empleado en tintorería. Instrumento de hierro para marcar y poner señal a las cosas.

FERRETEAR. tr. Labrar con hierro.

FERRETERÍA. f. Comercio de hierro.

FERRETERO-RA. m. y f. Tendero de ferretería.

FÉRRICO-CA. adj. Quím. Que contiene hierro de valencia superior a dos.

FERRO. m. Mar. Ancla.

FERROCARRIL. m. Camino de rieles paralelos.

FERROLANO-NA. adj. Natural del Ferrol.

FERROSO-SA. adj. Que tiene hierro bivalente.

FERROVIARIO-RIA. adj. Relativo al ferrocarril. Empleado de él.

FURRUGIENTO-TA. ad. De hierro o con alguna de sus cualidades.

FERRUGINOSO-SA. adj. Que contiene hierro o sus compuestos.

FÉRTIL. adj. Que produce mucho.

FERTILIDAD. f. Fecundidad de la tierra.

FERTILIZABLE. adj. Que puede ser fertilizado.

FERTILIZANTE. p. a. de Fertilizar. Que fertiliza.

FERTILIZAR. tr. Fecundar la tierra.

FÉRULA. f. Cañaheja. Palmeta, instrumento de castigo. Dominio.

FERULÁCEO-A. adj. Semejante a la férula.

FÉRVIDO-DA. adj. Ardiente.

FERVIENTE. adj. Que tiene fervor.

FERVIENTEMENTE. adv. m. Con fervor, celo.

FERVOR. m. Celo ardiente. Calor religioso.

FERVORÍN. m. Jaculatoria, breve.

FERVORIZAR. tr. Enfervorizar.

FERVOROSO-SA. adj. Que tiene mucho fervor.

FESTEJADOR-RA. adj. Que festeja.

FESTEJANTE. p. a. de Festejar. Que festeja.

FESTEJAR. tr. Hacer festejos. Galantear. Recrearse.

FESTEJO. m. Acción de festejar.

FESTÍN. m. Festejo privado. Banquete.

FESTINACIÓN. f. Celeridad, prisa, velocidad.

FESTIVAL. adj. Fiesta grande.

FESTIVAMENTE. adv. m. Con fiesta, regocijo y alegría.

FESTIVIDAD. f. Día festivo. Fiesta. Solemnidad.

FESTIVO-VA. adj. Solemne de fiesta. Chistoso, alegre.

FESTÓN. m. Guirnalda, bordado en forma de ondas.

FESTONEAR. tr. Adornar con festones.

FETACIÓN f. Desarrollo del feto, gestación.

FETAL. adj. Relativo al feto.

FETICIDA. adj. El que causa la muerte voluntariamente a un feto.

FETICHE. m. Ídolo. Adorno femenil.

FETICHISMO. m. Culto de los fetiches.

FETIDEZ. f. Hedor. Hediondez.

FÉTIDO-DA. adj. Hediondo.

FETO. m. Lo que la hembra concibe.

FEUCO-CA. adj. Feúcho.

FEUDAL. adj. Perteneciente al feudo.

FEUDALISMO. m. Régimen feudal.

FEUDAR. tr. Tributar, pagar feudo.

FEUDATARIO-RIA. adj. s. Quien tiene algo en feudo.

FEUDO. m. Contrato por el que se daban tierras en usufructo a cambio de un juramento de vasallaje.

FEZ. m. Gorro de fieltro rojo usado por moros y turcos.

FIABLE. adj. Se dice de la persona a quien se puede fiar.

FIADOR-RA. s. Persona que fía a otra o responde por ella.

FIAMBRE. adj. s. Dícese del manjar guisado que se come frío.

FIAMBRERA. f. Caja para llevar fiambres o comidas.

FIAMBRERO-RA. m. y f. Persona que fabrica o vende fiambres.

FIANZA. f. Obligación contraída por uno para garantizar la del otro.

FIAR. tr. Responder de alguien, obligándose a cumplir por él, si no cumple. Vender a crédito.

FIASCO. m. Chasco, mal éxito.

FIAT. m. Consentimiento para que se haga una cosa.

FIBRA. f. Filamento de un tejido, textura de un mineral.

FIBRINA. f. Sustancia albuminoidea que forma el coágulo.

FIBROCARTÍLAGO. m. Zool. Tejido fibroso de gran resistencia y que contiene entre sus fibras materia cartilaginosa que le da color blanco y elasticidad.

FIBROMA. m. Tumor fibroso.

FIBROSO-SA. adj. Que tiene muchas fibras.

FÍBULA. f. Hebilla usada por los romanos.

FICCIÓN. s. Acción y efecto de fingir.

FICOIDEO-A. adj. Bot. Plantas dicotiledóneas, con hojas gruesas, flores axilares de colores vivos y frutos capsulares deshiscentes por el ápice; como el algazul. f. Familia de estas plantas.

FICTICIO-CIA. adj. Fabuloso, falso.

FICHA. f. Pieza de hueso o madera, para tantear en el juego.

FICHAR. tr. Recoger anotaciones en fichas y ordenarlas.

FICHERO. m. Caja o mueble donde se guardan ordenadamente las fichas.

FIDECOMISO. m. Fideicomiso.

FIDEDIGNO-NA. adj. Digno de fe y crédito.

FIDEICOMISARIO-RIA. adj. s. Dícese de la persona a quien se destina un fideicomiso.

FIDEICOMISO. m. For. Disposición por la que deja la herencia a alguien para que cumpla su voluntad.

FIDELIDAD. f. Calidad de fiel. Exactitud. Lealtad.

FIDELÍSIMO-MA. adj. sup. de Fiel. Dictado de los reyes de Portugal.

FIDEOS. m. Pasta de sopa en forma de hilo.

FIDUCIARIO-RIA. adj. Que depende del crédito.

FIEBRE. f. Enfermedad caracterizada por frecuencia de pulso y elevación de temperatura.

FIEL. adj. Leal. Exacto. Aguja que marca el equilibrio de la balanza.

FIELATO. m. Oficina donde se pagan los derechos de consumo.

FIELTRAR. tr. Dar a la lana la consistencia del fieltro.

FIELTRO. m. Tela de lana o pelo sin trama.

FIEMO. m. Estiércol.

FIERA. f. Animal salvaje. Persona cruel.

FIERABRÁS. m. fig. y fam. Persona mala, perversa.

FIEREZA. f. Crueldad, braveza de la fiera.

FIERO-RA. adj. Relativo a la fiera. Terrible, cruel.

FIESTA. f. Día de solemnidad. Diversión. Broma.

FÍGARO. m. Barbero de oficio.

FIGLE. m. Mús. Instrumento de viento.

FIGÓN. m. Casa de comidas. Taberna.

FIGONERO-RA. m. y f. Persona que tiene figón.

FIGUERAL. m. Higueral.

FIGULINO-NA. adj. De barro cocido.

FIGURA. f. Forma de un cuerpo. Cosa que representa a otra.

FIGURACIÓN. f. Acción de figurar o figurarse.

FIGURADAMENTE. adv. m. Con sentido figurado.

FIGURANTE-TA. s. Comparsa.

FIGURAR. tr. Representar la figura de algo. Aparentar. Imaginarse.

FIGURATIVAMENTE. adv. m. De un modo figurativo.

FIGURERÍA. f. Mueca.

FIGURERO-RA. adj. Que tiene costumbres de hacer muecas.

FIGURILLA-TA. s. Persona pequeña y ridícula.

FIGURÍN. m. Modelo o patrón de modas.

FIGURÓN. m. Hombre vanidoso.

FIJA. f. Gozne o bisagra. Paleta larga y estrecha.

FIJACIÓN. f. Acción de fijar.

FIJADOR-RA. adj. Que fija. m. Pulverizador para fijar un líquido.

FIJAMENTE. adv. m. Con seguridad y firmeza. Atenta, cuidadosamente.

FIJANTE. adj. Art. Aplícase a los tiros que se hace por elevación.

FIJAR. tr. Clavar, hincar, asegurar. Pegar con engrudo. Hacer fija una cosa. Determinar, precisar, limitar. Dirigir o aplicar intensamente.

FIJEZA. f. Firmeza, seguridad.

FIJO-A. adj. Firme, seguro permanente.

FILA. f. Conjunto de personas o cosas alineadas.

FILACTERIA. f. Talismán que usaban los antiguos. Trozo de pergamino en que escribían algunos pasajes de la Escritura, que llevaban los judíos atado al brazo izquierdo o a la frente. Cinta con inscripciones o leyendas en pinturas, esculturas, epitafios, etc.

FILADIZ. m. Seda que se saca del capullo roto.

FILAMENTO. m. Hilillo, fibra. Bot. Porción de un estambre alargado.

FILAMENTOSO-SA. adj. Que tiene filamentos.

FILANDRIA. f. Lombriz en el aparato digestivo de las aves.

FILANTROPÍA. f. Amor al prójimo.

FILANTRÓPICO-CA. adj. Relativo a la filantropía.

FILÁNTROPO-PA. s. Persona que se distingue por su filantropía.

FILAR. tr. Arriar un cabo o cable que está trabajando. Caló. Ver, mirar.

FILARIA. f. Gusano parásito de varios animales y hombre.

FILARMONÍA. f. Amor a la música.

FILARMÓNICO-CA. adj. s. Que ama a la música.

FILÁSTICA. f. Mar. Hilos de cabos destorcidos.

FILATELIA. f. Conocimientos sobre sellos de Correos. Sigilografía.

FILATELISTA. com. Persona que se dedica a la colección de sellos o filatelia.

FILATERÍA. f. Demasía de palabras para expresar una idea.

FILATERO-RA. adj. s. El que usa de filaterías.

FILENO-NA. adj. fam. Afeminado.

FILETE. m. Moldura pequeña. Solomillo. Lonja de carne o pescado.

FILETÓN. m. Referente al bordado, entorchado más grueso y retorcido que el que se usa de ordinario.

FILFA. f. Mentira.

FILIACIÓN. m. Procedencia. Parentesco de hijo y padre.

FILIAL. adj. Del hijo.

FILIALMENTE. adv. m. Con el amor que un hijo debe tener a sus padres.

FILIAR. tr. Tomar la filiación.

FILIBOTE. m. Embarcación parecida a la urca.

FILIBUSTERO. m. Pirata del mar de las Antillas en el siglo XVII.

FILICIDIO. m. Muerte agresiva que un padre da a su hijo.

FILIFORME. adj. En forma de hilo.

FILIGRANA. f. Obra de hilos de oro o plata. Marca en el papel. Cosa delicada.

FILIFÍ. m. Delicadeza.

FILIPÉNDULA. f. Hierba de la familia de las rosáceas.

FILIPENSE. f. Invectiva, censura acre.

FILIPICHÍN. m. Tela de lana estampada.

FILIPINISTA. com. Persona que se dedica al estudio de la historia, idioma, costumbres, etc., de Filipinas.

FILIPINO-NA. adj. s. De Filipinas.

FILISTEO-A. adj. Individuo de una antigua nación enemiga de los judíos.

FILM. m. Película cinematográfica.

FILMACIÓN. f. Acción de filmar.

FILMAR. tr. Tomar vistas cinematográficas para un film.

FILO. m. Arista cortante de un instrumento.

FILODIO. m. Bot. Pecíolo muy ancho.

FILÓFAGO. adj. s. Que se alimenta de hojas.

FILOLOGÍA. f. Ciencia del lenguaje.

FILOLÓGICAMENTE. adv. m. De acuerdo con los principios de la filología.

FILÓLOGO-GA. s. Quien se dedica a la filología.

FILOLUMENIA. f. Acción a coleccionar cromos de cajas de cerillas.

FILOLUMENISTA. com. El que colecciona cajas de cerillas.

FILOMANÍA. f. Exceso de hojas en una planta.

FILÓN. m. Min. Masa mineral oculta en la tierra.

FILONIO. m. Farm. Calmante, aromático, electuario.

FILOSEDA. f. Tejido de seda y algodón o de seda y lana.

FILOSOFAL. (Piedra). f. Materia de la que pretendían los alquimistas sacar oro.

FILOSOFAR. intr. Discurrir con razones filosóficas.

FILOSOFÍA. f. Ciencia del conocimiento de las cosas por sus causas.

FILOSÓFICAMENTE. adv. m. Con filosofía.

FILOSÓFICO-CA. adj. Relativo a la Filosofía.

FILOSOFISMO. m. Abuso o falsa filosofía.

FILÓSOFO-FA. adj. Filosófico. Dedicado a la filosofía.

FILOTECNIA. f. Afición a las artes.

FILOXERA. f. Insecto hemíptero que ataca a la raíz de la vid. Enfermedad que produce.

FILTRACIÓN. f. Acción de filtrar.

FILTRAR. tr. Pasar un líquido a través de un filtro.

FILTRO. m. Materia porosa. Brebaje que producía amor. Aparato para filtrar.

FILUSTRE. m. fam. Fino, delicado, elegante.

FILVÁN. m. Rebeca del filo de un instrumento.

FIMBRIA. f. Orilla inferior del vestido talar.

FIMO. m. Estiércol.

FIMOSIS. f. Estrechez del orificio del prepucio.

FIN. amb. Término o remate. Objeto, motivo.

FINADO-DA. s. Fallecido.

FINAL. adj. m. Fin. Que remata o perfecciona algo.

FINALIDAD. f. Fin, motivo, móvil.

FINALISTA. cam. El que llega en una competición al partido final.

FINALIZAR. tr. Concluir. intr. Acabarse al golpe.

FINAMENTE. adv. m. Con finura o delicadeza.

FINAMIENTO. m. Fallecimiento.

FINANCIERO-RA. adj. Relativo a los negocios mercantiles. m. Versado en ellos.

FINAR. intr. Fallecer. Consumirse.

FINCA. f. Propiedad inmueble.

FINCAR. intr. Adquirir fincas.

FINCHADO-DA. adj. Vano, ridículo.

FINCHARSE. r. Engreírse.

FINÉS-SA. adj. De Finlandia.

FINEZA. f. Calidad de fino. Amabilidad. Palabra cariñosa.

FINGIDAMENTE. adv. m. Con fingimiento.

FINGIDO-DA. adj. Que finge.

FINGIMIENTO. m. Simulación. Acción de fingir.

FINGIR. tr. r. Presentar como cierto lo imaginario o real lo irreal. Simular.

FINIBLE. adj. Que puede acabarse.

FINIQUITAR. tr. Saldar una cuenta.

FINIQUITO. m. Remate, saldo de una cuenta.

FINÍTIMO-MA. adj. Próximo, cercano, vecino.

FINITO-TA. adj. Que tiene fin.

FINLANDÉS-SA. adj. De Finlandia.

FINO-NA. adj. Delicado, amable, delgado, cortés.

FINTA. f. Amago.

FINURA. f. Delicadeza, cortesía, primor, urbanidad.

FIÑANA. m. Una variedad de trigo exuberante.

FIORDO. m. Profunda escotadura en las costas escandinavas.

FIRMA. f. Nombre y apellidos al pie de un escrito. Empresa comercial.

FIRMAL. m. Joya que tiene la forma de broche.

FIRMAMENTO. m. Bóveda del cielo.

FIRMÁN. m. Decreto del sultán de Turquía.

FIRMANTE. adj. s. Que firma.

FIRMAR. tr. Poner la firma a un escrito. r. Usar un nombre.

FIRME. adj. Estable, constante. Entero, sereno.

FIRMEZA. f. Calidad de firme. Tesón, fortaleza. Entereza.

FIRMÓN. adj. Al que se le paga para que firme escritos o trabajos ajenos.

FISCAL. adj. Relativo al fisco. m. Ministro encargado de los intereses del fisco. Representante del Ministerio público en los tribunales.

FISCALÍA. f. Oficio y oficina de fiscal.

FISCALIZACIÓN. f. Acción y efecto de fiscalizar.

FISCALIZAR. tr. Sujetar a inspección fiscal. Averiguar o criticar actos ajenos.

FISCO. m. Erario, tesoro público.

FISCORNO. m. Especie de trombón antiguo.

FISGA. f. Arpón tridente. Burla.

FISGAR. tr. Pescar con fisga. Husmear, atisbar. intr. r. Burlarse.

FISGÓN-NA. adj. Burlón. Husmeador.

FISGONEAR. tr. Curiosear.

FÍSICA. f. Ciencia que estudia las propiedades de los cuerpos.

FÍSICO-CA. adj. Relativo a la Física. m. El que la profesa.

FISIOCRACIA. f. Sistema económico que atribuía exclusivamente a la naturaleza el origen de la riqueza.

FISIOLOGÍA. f. Parte de la biología que estudia los órganos.

FISIOLÓGICAMENTE. adv. m. Con arreglo a las leyes de la fisiología.

FISIÓLOGO-GA. adj. Persona que cultiva la fisiología.

FISIÓN. f. Segmentación, división.

FISIOTERAPIA. f. Curación por agentes naturales.

FISIRROSTRO. m. Pájaro de pico corto, reprimido y boca rasgada.

FISONOMÍA. f. Aspecto del rostro de una persona.

FISONÓMICO-CA. adj. Relativo a la fisonomía.

FISONOMISTA. adj. s. Dedicado a la fisonomía.

FISTOL. m. Hombre sagaz y ladino.

FÍSTULA. f. Conducto anormal abierto en la piel o mucosas. Arcaduz.

FISTULOSO-SA. adj. De forma de fístula. Que forma fístula.

FISURA. f. Hendidura de un hueso o mineral.

FITÓFAGO-GA. adj. Que se alimenta de vegetales.

FITOGRAFÍA. f. Bot. Tratado que describe las plantas.

FITÓGRAFO. m. El que profesa o cultiva la fitografía.

FITOLÁCEO-A. adj. Bot. Plantas dicotiledóneas de hojas alternas, simples membranosas y carnosas, flores, que por lo general son hermafroditas.

FITOPATOLOGÍA. f. Estudio de las enfermedades de las plantas.

FITOTOMÍA. f. Anatomía de las plantas.

FLABELICORNIO. adj. Zool. Con antenas en forma de abanico.

FLABELÍFERO-RA. adj. El que tiene por oficio llevar un abanico grande en algunas ceremonias.

FLABELIFORME. adj. En forma de abanico.

FLABELO. m. Abanico grande que usaron los antiguos.

FLACCIDEZ. f. Calidad de fláccido. Flojedad, debilidad muscular.

FLÁCCIDO-DA. adj. Flaco, sin consistencia.

FLACO-CA. adj. Persona o animal de pocas carnes. Flojo, endeble, sin fuerzas.

FLACURA. f. Calidad de flaco.

FLAGELACIÓN. f. Acción de flagelar.

FLAGELADOR-RA. adj. Que flagela.

FLAGELAR. tr. r. Azotar. tr. Fustigar, vituperar.

FLAGELO. m. Azote. Prolongación filiforme, órgano de locomoción de ciertos seres unicelulares.

FLAGRANCIA. f. Calidad de flagrante.

FLAGRANTE. adj. Que flagra. Que se está ejecutando.

FLAGRAR. intr. r. Arder o resplandecer como llama.

FLAMA. f. Llama. Reflejo de la llama.

FLAMANTE. adj. Lucido, resplandeciente. Nuevo, reciente.

FLAMEAR. intr. Despedir llamas. Mar. Ondear las banderas o flámulas.

FLAMEN. s. Sacerdote romano.

FLAMENCO-CA. adj. s. De Flandes. Achulado, gitanesco. m. Ave palmípeda.

FLAMENQUERÍA. f. Calidad de flamenco, chulería.

FLAMENQUISMO. m. Afición a las costumbres flamencas.

FLAMEO-A. adj. De la naturaleza de la llama.

FLAMERO. m. Candelabro que arroja una gran llama.

FLAMÍGERO-RA. adj. Que arroja llamas.

FLAMIN. m. Flamen.

FLÁMULA. f. Grímpola o banderola.

FLAN. m. Dulce de huevos, leche y azúcar, hecho en molde.

FLANCO. m. Costado, lado. Baluarte.

FLANERO. m. Molde en que se hace el flan.

FLANQUEADO-DA. adj. Dícese del objeto que tiene a sus costados otras cosas que lo acompañan o completan. Protegido por los flancos.

FLANQUEAR. tr. Mil. Proteger el flanco de una fuerza.

FLANQUEO. m. Ataque por los flancos.

FLAQUEAR. intr. Debilitarse. Decaer de ánimo.

FLAQUEZA. f. Calidad de flaco. Extenuación. Fragilidad.

FLASH. m. Fot. Aparato de iluminación instantánea para obtener fotografías.

FLATO. m. Acumulación de gases en el tubo digestivo.

FLATOSO-SA. adj. Sujeto a flatos.

FLATULENCIA. f. Indisposición del flatulento.

FLATULENTO-TA. adj. s. Que causa flatos o los padece.

FLAUTA. f. Mús. Instrumento de viento en forma de tubo cilíndrico con orificios. Flautista.

FLAUTEADO-DA. adj. De sonido semejante al de la flauta.

FLAUTILLO. m. Caramillo, instrumento musical de sonido muy agudo.

FLAUTÍN. m. Flauta pequeña. Quien la toca.

FLAUTISTA. com. Quien toca la flauta.

FLAVO-VA. adj. De color entre amarillo y rojo.

FLEBIL. adj. Digno de ser llorado.

FLEBITIS. f. Inflamación de las venas.

FLEBOTOMÍA. f. Arte de sangrar. Sangría.

FLEBOTOMIANO. m. Sangrador.

FLECO. m. Adornos de hilos colgantes. Borde deshilachado.

FLECHA. f. Saeta.

FLECHADURA. f. Mar. Conjunto de flechastes.

FLECHAR. tr. Herir o matar con flecha. Poner la flecha en el arco. fig. Inspirar amor.

FLECHASTE. m. Mar. Cordeles horizontales que, ligados a los obenques si.ven de escalones para subir a lo largo de los palos la marinería.

FLECHAZO. m. Acto de disparar la flecha. Amor rápido.

FLECHERO. m. El que se sirve del arco y de las flechas.

FLEGMASÍA. f. Enfermedad inflamatoria.

FLEJE. m. Aro para asegurar cubas, toneles, fardos, etc.

FLEMA. f. Mucosidad que se echa por la boca. Temperamento apático.

FLEMÁTICO-CA. adj. Relativo a la flema. Tardo, lento.

FLEMÓN. m. Tumor en la encía. Inflamación del tejido conjuntivo.

FLEMOSO-SA. adj. Que causa flema.

FLEO. m. Especie de graminea con glumillas fructíferas tiernas.

FLEQUILLO. m. dim. de Fleco. Cabello recortado que dejan caer las mujeres sobre la frente.

FLETADOR. m. El que fleta.

FLETAR. tr. Alquilar una nave para transportar mercancías.

FLETE. m. Precio del alquiler de una nave. Carga de un buque.

FLEXIBILIDAD. f. Calidad de flexible.

FLEXIBLE. adj. Que se dobla con facilidad.

FLEXIÓN. f. Acción de doblar o encorvar.

FLEXOR-RA. adj. Que causa la flexión.

FLEXUOSO-SA. adj. Que forma ondas.

FLEXURA. f. Pliegue, curva, doblez.

FLICTENA. f. Ampolla cutánea.

FLOCADURA. f. Guarnición de flecos.

FLOGÍSTICO-CA. adj. Quím. Perteneciente o relativo al flogisto.

FLOGISTO. Quím. m. Flúido que se suponía principio del calor.

FLOJAMENTE. adv. m. Con descuido, pereza y negligencia.

FLOJEAR. intr. Flanquear.

FLOJEDAD. f. Debilidad, pereza, descuido.

FLOJEL. m. Tamaño del paño.

FLOJERA. f. Flojedad.

FLOJO-JA. adj. Mal atado. Falto de vigor.

FLOQUEADO-DA. adj. Guarnecido con fleco.

FLOR. f. Bot. Órgano de reproducción sexual de las fanerógamas. Lo más oscogido de una cosa.

FLORA. f. Conjunto de plantas de una región o de un país.

FLORACIÓN. f. Florescencia. Tiempo que duran las flores de una planta.

FLORAL. adj. Relativo a la flor.

FLORALES. adj. Fiestas o juegos que celebraban los gentiles en honor de la diosa Flora.

FLORAR. intr. Dar flor una planta.

FLOREAL. m. Octavo mes del calendario republicano francés.

FLOREAR. tr. Adornar con flores. intr. Requebrar.

FLORECER. intr. Echar flor. Prosperar.

FLORECIENTE. adj. Que florece. Próspero.

FLORECIMIENTO. m. Acción y efecto de florecer.

FLORENTINO-NA. adj. s. De Florencia.

FLORENTÍSIMO-MA. adj. sup. de Floreciente. Que prospera con excelencia.

FLOREO. m. Pasatiempo. Dicho vano.

FLORERO-RA. adj. s. Que dice chistes o lisonjas. s. Florista.

FLORESCENCIA. f. Bot. Acto de florecer.

FLORESTA. f. Terreno frondoso. Conjunto de cosas agradables.

FLORETA. f. Bordadura sobre puesta que sirve de refuerzo y adorno en los extremos de las cinchas. Movimiento que se hacía con ambos pies en la danza española.

FLORETAZO. m. Golpe dado con el florete.

FLORETE. m. Espadín de cuatro aristas. Esgrima con él.

FLORETEAR. tr. Adornar con flores una cosa. intr. Manejar el florete.

FLORICULTOR-RA. s. Quien cultiva flores.

FLORICULTURA. f. Arte de cultivar las flores.

FLORIDAMENTE. adv. m. fig. Con elegancia y gracia.

FLORIDEZ. f. Abundancia de flores.

FLORIDO-DA. adj. Que tiene flores. Escogido.

FLORÍFERO-RA. adj. Que produce flores.

FLORILEGIO. m. Lit. Colección de trazos selectos.

FLORÍN. m. Moneda de diversos países.

FLORIPONDIO. m. Arbusto de la familia de las solanáceas, de flores grandes, blancas y fragantes. fig. Flor grande que se suele figurar en los tejidos.

FLORISTA. com. Quien hace o vende flores.

FLORÓN. m. Adorno a modo de flor. Hecho que honra.

FLOTA. f. Conjunto de barcos de un Estado o Compañía.

FLOTABLE. adj. Capaz de flotar. Dícese del río que aunque no sea navegable, se puede conducir por él a flote maderas y otras cosas.

FLOTACIÓN. f. Acción de flotar. Mar. "Línea de flotación" la que traza el nivel del agua en el casco.

FLOTADOR-RA. adj. Que flota. m. Cuerpo para flotar.

FLOTADURA. f. Flotación.

FLOTAR. intr. Sobrenadar.

FLOTE. m. Flotación

FLOTILLA. f. Flota de barcos pequeños.

FLUCTUACIÓN. f. Acción de fluctuar.

FLUCTUAR. intr. Vacilar. Dudar. Ser llevado por las olas.

FLUENCIA. f. Lugar donde mana un líquido.

FLUIDEZ. f. Calidad de flúido.

FLÚIDO-DA. adj. Dícese del cuerpo cuyas moléculas cambian de posición con facilidad.

FLUIR. intr. Correr un líquido. Manar.

FLUJO. m. Movimiento de los flúidos. Ascenso de la marea.

FLÚOR. m. Metaloide gaseoso, amarillo de olor sofocante.

FLUORESCENCIA. f. Propiedad de algunos cuerpos de emitir luz producida por ellos.

FLUORHÍDRICO. adj. Quím. Ácido compuesto de flúor e hidrógeno.

FLUORITA. r. Fluoruro de calcio.

FLUORURO. m. Combinación del flúor con un radical.

FLUVIAL. adj. Relativo a los ríos.

FLUVIÁTIL. adj. Que vive o crece en los ríos.

FLUXIÓN. f. Acumulación de humores en un órgano.

FOBIA. Terminación de voces, como hidrofobia, agorafobia, etc., usada como s. f. para indicar aversión a una cosa.

FOCA. f. Mamífero pinípedo carnívoro de los mares glaciales.

FOCAL. adj. Geom. Relativo al foco.

FOCENSE. adj. s. De la Fócida.

FOCINO. m. Aguijada para gobernar al elefante.

FOCO. m. Puntos donde convergen rayos de luz, calor, etc. Centro donde se localiza, o desde el que se propaga algo.

FÓCULO. m. Hogar pequeño.

FODOLÍ. adj. Entremetido, hablador.

FOFO-FA. adj. Blando. Esponjoso.

FOGARADA. f. Llamarada.

FOGARIL. m. Jaula de hierro donde se enciende la lumbre.

FOGARIZAR. tr. Hacer fuego con hogueras.

FOGATA. f. Fuego que provoca la llama. Hornillo de pólvora.

FOGÓN. m. Sitio en las calderas, cocinas, etc. para hacer fuego.

FOGONADURA. f. Mar. Agujero en la cubierta por donde pasa un mástil.

FOGONAZO. m. Llama de algunas sustancias al inflamarse.

FOGONERO-RA. s. El cuida el fogón.

FOGOSIDAD. f. Excesiva viveza.

FOGOSO-SA. adj. Ardiente, muy vivo.

FOGUEAR. tr. Limpiar con fuego. acostumbrar al fuego.   [cuda.

FOJA. f. Hoja de un proceso. Ave zan-

FOLGO. m. Bolsa de pieles para abrigar los pies.

FOLÍA. f. Tañido y mudanza de un baile español.

FOLIÁCEO-A. adj. Bot. De la naturaleza de las hojas.

FOLIACIÓN. f. Acción de foliar. Acto de echar hojas un vegetal.

FOLIAR. tr. Numerar los folios.

FOLIATURA. f. Foliación.

FOLÍCULO. m. Fruto seco, deiscente, monocarpelar.

FOLIO. m. Hoja de un libro.

FOLÍOLO. m. Bot. División de un hoja compuesta.

FOLKLORE. m. Conjunto de tradiciones y costumbres populares.

FOLKLORISTA. com. Persona versada en el folklore.

FOLLA. f. Lance del torneo en que pelean dos cuadrillas desordenadamente. Mezcla desordenada de muchas cosas diversas. Pieza teatral compuesta de varios pasos de comedia mezclados con otros de música.

FOLLADA. f. Empanadilla hueca y ho jaldrada.

FOLLAJE. m. Conjunto de hojas de las plantas. Adorno con ellas.

FOLLAR. tr. Afollar. Formar en hojas. r. Ventosear sin ruido.

FOLLERO-RA. s. Quien hace o vende fuelles.

FOLLETÍN. m. Novela que publican los periódicos. Artículo inserto al pie de una página.

FOLLETINESCO-CA. adj. Perteneciente o relativo al folletín. fig. Complicado y que despierta el interés.

FOLLETINISTA. com. Autor de folletines.

FOLLETISTA. com. Escritor de folletos.

FOLLETO. m. Obra impresa de poca extensión.

FOLLÓN-NA. adj. s. Perezoso, cobarde. Alboroto.

FOMENTACIÓN. f. Med. Acción y efecto de fomentar.

FOMENTAR. tr. Dar calor. Excitar, proger. Aplicar fomentos.

FOMENTO. m. Calor que se da a algo. Materia para cebar. Protección.

FONACIÓN. f. Emisión de la voz.

FONAS. f. pl. Cuchillos en las capas u otras ropas.

FONDA. f. Casa pública de hospedaje y comidas.

FONDABLE. adj. Parajes de la mar don donde pueden dar fondo los barcos.

FONDAC. m. Hospedería marroquí.

FONDEADERO. m. Sitio donde pueden fondear barcos.

FONDEAR. tr. Reconocer el fondo del agua. intr. Anclar.

FONDEO. m. Acto de fondear.

FONDILLÓN. m. Asiento y madre de la cuba cuando, después de mediada, se vuelve a llenar.

FONDILLOS. m. pl. Parte de los pantalones correspondientes a las posaderas.

FONDISTA. com. Quien tiene una fonda.

FONDO. m. Parte inferior de cosa hueca. Campo de una tela, pintura, etc. índole. m. pl. Dinero.

FONEMA. m. Gram. Cada uno de los sonidos simples del lenguaje hablado.

FONENDOSCOPIO. m. Estetoscopio que aumenta los sonidos de auscultación.

FONÉTICA. f. Conjunto de los sonidos de una lengua.

FONÉTICO-CA. adj. Relativo a los sonidos del lenguaje.

FONETISMO. m. Conjunto de caracteres fonéticos de un idioma.

FÓNICO-CA. adj. Perteneciente a la voz o al sonido.

FONOGRAFÍA. f. Manera de inscribir sonidos para reproducirlos por medio del fonógrafo.

FONÓGRAFO. m. Aparato que inscribe las vibraciones del sonido en una placa y las reproduce.

FONOGRAMA. m. Símbolo gráfico de un sonido. Inscripción de una onda sonora.

FONOLOGÍA. f. Fonética.

FONÓMETRO. m. Aparato para medir el sonido.

FONSADERA. f. Tributo que se pagaba para sufragar los gastos de la guerra.

FONTAL. adj. Perteneciente a la fuente.

FONTANA. f. poét. Fuente.

FONTANAL. adj. Relativo a la fuente. m. Manantial.

FONTANELA. f. Cada uno de los espacios membranosos que hay en el cráneo humano y de muchos animales antes de su osificación.

FONTANERÍA. f. Arte de conducir las aguas.

FONTANERO. m. Artífice que encaña el agua.

FONTEGÍ. m. Variedad de trigo fanfarrón.

FOOT-BALL. (Voces inglesas). m. Fútbol.

FOQUE. m. Mar. Vela triangular del bauprés.

FORAJIDO-DA. adj. s. Facineroso.

FORAL. adj. Relativo al fuero.

FORALMENTE. adv. m. Con arreglo a fuero.

FORAMEN. m. Agujero o taladro.

FORÁNEO. adj. Forastero.

FORASTERO-RA. adj. s. Que es de fuera. Extraño.

FORCAZ. adj. Carromato de dos varas.

FORCEJEAR. intr. Hacer fuerza. Resistir.

FORCEJUDO-DA. adj. Dícese del que tiene mucha fuerza.

FÓRCEPS. m. Cir. Instrumento para sacar la criatura en un parto difícil.

FORENSE. adj. Relativo al foro.

FORERO-RA. adj. Relativo al fuero.

FORESTAL. adj. Relativo al bosque.

FORFÍCULA. f. Zool. Insecto llamado tijerte.

FORILLO. m. Telón pequeño.

FORJA. f. Fragua. Argamasa. Acción de forjar.

FORJAR. tr. Dar forma al metal con el martillo. fig. Inventar, fingir.

FORLÓN. m. Coche antiguo.

FORMA. f. Figura externa de las cosas. Molde. f. pl. Modales.

FORMACIÓN. f. Acción de formar. Mil. Orden de un cuerpo de tropas.

FORMAL. adj. Relativo a la forma. Juicioso.

FORMALETE. arq. Medio punto.

FORMALIDAD. f. Exactitud, puntualidad. Seriedad.

FORMALISMO. m. Aplicación rigurosa del método.

FORMALISTA. adj. s. Que observa escrupulosamente las formas.

FORMALIZAR. tr. Dar la última forma a algo. Ponerse serio.

FORMALMENTE. adv. m. Con formalidad.

FORMAR. tr. Dar forma. Criar, educar. Poner en orden la tropa.

FORMATIVO-VA. adj. Que forma o da forma.

FORMATO. m. Dimensión de un libro.

FORMERO. m. Arq. Arco en el que descansa una bóveda valda.

FORMICAMENTE. adj. Propio de hormiga. Con lentitud, tardo.

FÓRMICO-CA. Ácido segregado por las hormigas rojas.

FORMIDABLE. adj. Muy temible. Muy grande.

FORMOL. m. Aldehido fórmico.

FORMÓN. m. Escoplo de hierro grande.

FÓRMULA. f. Forma establecida para expresar algo. Receta.

FORMULAR. tr. Expresar algo en términos claros y precisos.

FORMULARIO. m. Libro de fórmulas. adj. Lo que se hace por pura fórmula.

FORMULISMO. m. Que se apega demasiado a las fórmulas.

FORMULISTA. adj. s. Muy apegado a las fórmulas.

FORNECINO-NA. adj. Hijo bastardo. Ar. Vástago sin fruto de la vid.

FORNELO. m. Chofeta manual de hierro.

FORNICACIÓN. m. Acción de fornicar.

FORNICAR. intr. Tener cópula carnal fuera del matrimonio.

FORNICARIO-RIA. adj. Relativo a la fornicación. Que fornica.

FORNIDO-DA. adj. Robusto, de mucho hueso.

FORNITURA. f. Impr. Tipos o caracteres que completan una fundición. Mil. Correaje.

FORO. m. Sitio donde actúa el tribunal. Fondo del escenario.

FORRAJE. m. Pasto verde.

FORRAJEAR. tr. Segar y coger el forraje. Mil. los soldados a coger el pasto para los caballos.

FORRAJERA. f. Cordón que el soldado de caballería lleva pendiente del morrión.

FORRAR. tr. Cubrir algo con forro.

FORRO. m. Cubierta de algo exterior, o interior.

FORTALECER. tr. r. Dar fuerza.

FORTALECIMIENTO. m. Acción de fortalecer.

FORTALEZA. f. Fuerza y vigor. Mil. Fortificación.

¡**FORTE!** Voz de mando para hacer alto en las faenas marineras.

FORTIFICACIÓN. f. Acción de fortificar. Obra con que se fortifica.

FORTIFICANTE. p. a. Que fortifica.

FORTIFICAR. tr. Fortalecer. tr. r. Hacer fuerte un lugar.

FORTÍN. m. Fuerte pequeño.

FORTUITAMENTE. adj. in. Casualmente. Por coincidencia.

FORTUITO-TA. adj. Que sucede por casualidad.

FORTUNA. f. Suerte. Capital.

FORÚNCULO. m. Divieso.

FORZADAMENTE. adv. m. A la fuerza. Por la fuerza.

FORZADO-DA. adj. Retenido por fuerza. No espontáneo.

FORZAL. m. Parte lisa de donde arrancan las púas del peine.

FORZAR. tr. Hacer fuerza o violencia.

FORZOSAMENTE. adv. Por fuerza.

FORZOSO-SA. adj. Que no se puede evitar.

FORZUDO-DA. adj. Que tiene mucha fuerza.

FOSA. f. Sepultura. Cavidad, depresión.

FOSAL. m. Cementerio. Ar. Fosa.

FOSAR. tr. Hacer un foso en torno a alguna cosa.

FOSCO-CA. adj. Hosco, obscuro.

FOSFATAR. tr. Formar un fosfato.

FOSFATICO-CA. adj. Quím. Perteneciente al fosfato.

FOSFATO. m. Sal del ácido fosfórico.

FOSFORECER. intr. irreg. Conjúgase como agradecer. Que fosforece o tiene luminosidad.

FOSFORERA. f. Estuche para fósforos.

FOSFORERO-RA. s. Quien vende fósforos.

FOSFORESCENCIA. f. Luminiscencia de algunos cuerpos en la obscuridad.

FOSFORESCENTE. p.a. de fosforescer. Que fosforece.

FOSFORESCER. intr. Fosforecer.

FOSFÓRICO-CA. adj. Relativo al fósforo.   [amarillento.

FOSFORITA. f. Fosfato de cal, blanco

FÓSFORO. m. Metaloide combustible y venenoso. Cerilla.

FÓSIL. adj. Sustancia orgánica petrificada.

FOSILíFERO-RA. adj. Terreno en el que se encuentran fósiles.

FOSFOLIZARSE. r. Convertirse en fósil.

FOSO. m. Hoyo. Piso inferior del escenario. Excavación que rodea una fortaleza.

FOTOCOPIA. f. Fotografía especial obtenida directamente sobre el papel, se emplea principalmente para reproducir manuscritos, huellas de alguna cosa, etc.

FOTOFOBIA. f. Horror a la luz.

FOTÓFONO. m. Fís. Aparato que transmite el sonido por medio de la luz.

FOTOGÉNICO-CA. adj. Se dice del que posee buenas condiciones para la fotografía.

FOTÓGENO-NA. adj. Que produce luz.

FOTOGRABADO. m. Grabado hecho por métodos fotográficos.

FOTOGRABAR. tr. Hacer fotograbados.

FOTOGRAFíA. f. Reproducción de imágenes por la acción química de la luz sobre una superficie preparada para ello.

FOTOGRAFIAR. tr. Hacer fotografías.

FOTOGRÁFICO-CA. adj. Relativo a la fotografía.

FOTóGRAFO-FA. s. Quien hace fotografías como profesión.

FOTOLITOGRAFíA. f. Arte de fijar dibujos en piedra litográfica.

FOTOLITOGRAFIAR. tr. Que practica el arte de la fotolitografía.

FOTOLOGíA. f. Tratado sobre la luz.

FOTOMETRíA. f. Fís. Ciencia que trata de las leyes relativas a la intensidad de la luz.

FOTóMETRO. m. Aparato para medir la intensidad de la luz.

FOTOSFERA. f. Atmósfera luminosa que rodea al sol.

FOTOTIPIA. f. Reproducción de clisés tipográficos por la fotografía.

FOX-TERRIER. m. Perro inglés, destinado en otro tiempo a la caza de la zorra.

FOX-TROT. m. Baile americano, de compás cuaternario.

FRAC. m. Traje de hombre con dos faldones por detrás y que por delante llega hasta la cintura.

FRACASAR. intr. Frustrarse. Romperse en pedazos.

FRACASO. m. Caída estrepitosa. Malogro de algo.

FRACCIÓN. f. División en partes. Parte de un todo. Número quebrado.

FRACCIONAR. tr. Dividir en partes algo.

FRACCIONAMIENTO. m. Acción de fraccionar.

FRACCIONARIO-RIA. adj. Relativo a la fracción.

FRACTURA. f. Lugar por donde se rompe algo. Forma del mineral al romperse.

FRACTURAR. tr. r. Romper algo.

FRAGANCIA. f. Olor delicioso.

FRAGANTE. adj. Que tiene fragancia.

FRAGATA. f. Buque de tres palos con cofas y vergas.

FRÁGIL. adj. Que se rompe con facilidad. Quebradizo.

FRAGILIDAD. f. Calidad de frágil.

FRAGMENTACIÓN. f. Acción de fragmentar.

FRAGMENTARIO-RIA. adj. Relativo a la fracción.

FRAGMENTO. m. Parte de una cosa.

FRAGOR. m. Estrépito.

FRAGOROSO-SA. adj. Fragoso, estruendoso, ruidoso.

FRAGOSIDAD. f. Aspereza de un monte.

FRAGOSO-SA. adj. Áspero, intrincado. Fragoroso.

FRAGUA. f. Fogón con fuelle para calentar metales.

FRAGUAR. tr. Forjar. Idear. intr. Albañ. Endurecerse la cal, yeso, etc.

FRAILE. m. Religioso de alguna orden.

FRAILERO-RA. adj. Propio de frailes; amigo de ellos.

FRAILESCO-CA. adj. Perteneciente a los frailes.

FRAILÍA. f. Referente al estado de clérigo regular.

FRAILUCO. m. despect. Fraile que merece poco respeto.

FRAILUNO-NA. adj. fam. desp. Propio de fraile.

FRAMBUESA. f. Fruto del frambueso, parecido a la zarzamora.

FRAMBUESO. m. Planta rosácea, cuyo fruto es la frambuesa.

FRANCACHELA. f. Comida alegre.

FRANCAMENTE. adv. Con franqueza, con sinceridad.

FRANCÉS-SA. adj. De Francia.

FRANCESADA. f. Refiérese a la invasión de los franceses en el año 1808. Hecho propio de los franceses.

FRANCISCANO-NA. adj. s. De la orden de San Francisco.

FRANCMASÓN-NA. s. Quien pertenece a la francmasonería.

FRANCO-CA. adj. Liberal. Libre. Desembarazado.

FRANCOLÍN. m. Ave parecida a la perdiz y al faisán.

FRANELA. f. Tejido fino de lana, cardado por una de sus caras.

FRANGE. m. División que se hace en el escudo de armas, por medio de dos diagonales que se cruzan en el centro.

FRANGENTE. p. a. de Frangir. Hecho fortuito y desdichado.

FRANGOLLAR. tr. fam. Hacer las cosas de cualquier manera, barullonamente.

FRANGOLLO. m. Trigo cocido que se come en lugar de potaje.

FRANGOTE. m. Com. Fardo mayor o menor que los que normalmente entran dos en carga.

FRANJA. f. Guarnición tejida de hilo, de oro, etc.

FRANQUEABLE. adj. Que puede franquearse.

FRANQUEAR. tr. Libertar de un tributo. Librar de estorbos.

FRANQUEO. m. Acto de franquear las cartas.

FRANQUEZA. f. Libertad, exención. Llaneza, liberalidad.

FRANQUICIA. f. Exención del pago de algún derecho.

FRAÑER. tr. Ast. Quebrantar.

FRAQUE. m. Frac.

FRASCA. f. Hojarasca.

FRASCO. m. Vaso de cuello recogido. Contenido de éste.

FRASE. f. Conjunto de palabras que forman sentido.

FRASEAR. tr. Formar frases.

FRASEOLOGÍA. f. Modo de ordenar las frases. Demasía de palabras.

FRASQUETA. f. Impr. Cuadro usado para sujetar el papel al tímpano de las prensas de mano.

FRATÁS. m. Albañ. Tabla con un agarradero que sirve para alisar el enlucido.

FRATERNAL. adj. Propio de hermano.

FRATERNALMENTE. adv. m. Con fraternidad.

FRATERNIDAD. f. Amor entre hermanos.

FRATERNIZAR. intr. Tratarse como hermanos.

FRATERNO-NA. adj. De los hermanos.

FRATRICIDA. adj. s. Que mata a su hermano.

FRATRICIDIO. m. Crimen del fratricida.

FRAUDE. m. Engaño, dolor, estafa.

FRAUDULENTAMENTE. adv. m. Con fraude.

FRAUDULENTO-TA. adj. Hecho con fraude.

FRAUSTINA. f. Cabeza-maniquí, de madera que servía para componer las tocas o moños femeninos.

FRAXINEAS. f. Plantas oleáceas. Perteneciente al fresno.

FRAY. m. Apócope de fraile.

FRAZADA. f. Manta peluda que se echa sobre la cama.

FRECUENCIA. f. Calidad de frecuente. Repetición de un acto que se hace a menudo.

FRECUENTACIÓN. f. Acción de frecuentar.

FRECUENTAR. tr. Repetir un acto a menudo. Concurrir a un lugar.

FRECUENTATIVO. adj. s. Que denota acción reiterada.

FRECUENTE. adj. Que se verifica a menudo. Usual, común.

FRECUENTEMENTE. adv. m. Con frecuencia.

FREGADERO. m. Sitio para fregar.

FREGADO-DA. m. Acción de fregar. Enredo o negocio poco claro.

FREGADURA. f. Fregado.

FREGAR. tr. Restregar una cosa con otra. Limpiar restregando con algo.

FREGATRIZ o FREGONA. f. Criada que friega.

FREGONIL. adj. fam. Que es propio de fregonas.

FREGOTEAR. tr. fam. Fregar de cualquier modo, sin cuidado.

FREIDURÍA. f. Tienda donde fríen y venden pescado.

FREIR. tr. r. Cocer algo en aceite. tr. Mortificar.

FRÉJOL. m. Judía.

FRÉMITO. m. Bramido.

FRENAR. tr. Moderar o parar con el freno.

FRENERÍA. f. Lugar donde se hacen o se venden frenos.

FRENESÍ. m. Delirio furioso. Exaltación violenta.

FRENÉTICO-CA. adj. Poseído, con frenesí.

FRENILLO. m. Membrana que sujeta la lengua por la parte inferior.

FRENO. m. Instrumento que introducido en la boca de la caballería sirve para frenarla.

FRENOLOGÍA. f. Ciencia que estudia las aptitudes del individuo por el cerebro.

FRENÓLOGO. m. Aquel que profesa la frenología.

FRENOPATÍA. f. Estudio de las enfermedades mentales.

FRENTE. f. Parte superior de la cara o delantera de algo. Extensión que ocupa un ejército en campaña.

FRENTERO. m. Almohadilla para poner a los niños en la frente con objeto de que no se lastimen si se caen.

FREO. m. Mar. Canal estrecho que hay entre dos tierras.

FRESA. f. Planta de tallos rastreros y fruto rojo.

FRESADO. Acción de abrir agujeros con la fresa.

FRESADORA. f. Máquina para fresar la madera o metales.

FRESAL. m. Terreno plantado de fresas.

FRESAR. tr. Abrir agujeros con la fresadora. Guarnecer con freses o frisos.

FRESCA. f. Fresco. Frío moderado.

FRESCACHÓN-NA. adj. Robusto. De color sano.

FRESCAL. adj. Dícese del pescado con poca sal.

FRESCALES. fam. Persona desahogada en sus acciones.

FRESCAMENTE. adv. m. Con frescura. Con desenfado.

FRESCO-CA. adj. Moderadamente frío. Reciente. Sereno.

FRESCOR. m. Frescura.

FRESCOTE-TA. adj. Aumentativo de fresco. De carnes frescas y abundantes.

FRESCURA. f. Calidad de fresco. Desembarazo. Chanza.

FRESERO-RA. m. y f. El que vende fresas.

FRESNAL. adj. Relativo al fresno.

FRESNEDA. f. Sitio poblado de fresnos.

FRESNO. m. Árbol oleáceo, de fruto en sámara y madera muy elástica.

FRESÓN. m. Fruto de algunas fresas, mayor que la fresa.

FRESQUEDAL. m. Terreno húmedo, siempre verde aún en la época de sequía o estío.

FRESQUERA. f. Armario para conservar frescos los comestibles.

FRESQUERO-RA. m. Persona que negocia con pescado fresco. Especie de armario con frente y laterales de tela metálica que sirve para guardar los alimentos frescos, ya que se coloca en una ventana, donde no le dé el sol.

FRESQUISTA. m. Persona que pinta al fresco.

FREY. m. Tratamiento entre religiosos de las órdenes militares.

FREZA. f. Estiércol de algunos animales. Desove de los peces.

FREZAR. intr. Arrojar excrementos los animales. Desovar.

FRIABLE. adj. Que se desmenuza fácilmente.

FRIALDAD. f. Sensación que da la falta de calor. Indiferencia.

FRÍAMENTE. adv. m. Con cierta frialdad.

FRIÁTICO-CA. adj. Negro. Friolero.

FRICACIÓN. Acción de fricar.

FRICAR. tr. Restregar.

FRICATIVO-VA. adj. Gram. Sonidos que al pronunciarse producen cierta fricción o roce en los órganos bucales.

FRICCIÓN. f. Acción y efecto de friccionar.

FRICCIONAR. tr. Dar fricciones.

FRIEGA. f. Acto de restregar el cuerpo con algo, como remedio.

FRIGERATIVO-VA. adj. ant. Refrigerativo.

FRIGIDEZ. f. Frialdad.

FRIGIO-A. adj. s. De Frigia.

FRIGORÍFICO-CA. adj. Que causa enfriamiento. Cámara.

FRIJOL. m. Fréjol. Judía.

FRIJOLAR. m. Terreno donde se siembran fríjoles.

FRIMARIO. m. Tercer mes del calendario republicano francés.

FRINGÍLIDOS. m. pl. Familia de pájaros conirrostros, como el jilguero, el gorrión, etc.

FRÍO-A. adj. Que tiene temperatura inferior a la del cuerpo. Indiferente.

FRIOLENTO-TA. adj. Que tiene frío.

FRIOLERA. f. Cosa de poca monta.

FRIOLERO-RA. adj. Que le afecta mucho el frío.

FRISADO. m. Tejido de seda, cuyos pelos eran frisados para formar borlitas.

FRISADOR-RA. m. f. Persona que frisa.

FRISAR. tr. Levantar y retorcer el pelo de un tejido. Refregar.

FRISO. m. Arq. Parte del cornisamiento entre el arquitrabe y la cornisa.

FRISUELO. m. Frísol. Frito de sartén, parecido a una tortilla fina y delgada, que lleva azúcar, hecha con huevo, harina y leche.

FRITADA. f. Conjunto de cosas fritas.

FRITANGA. f. Fritada que abunda en grasa.

FRITILLAS. f. pl. Fruta de sartén.

FRITO. m. Fritada.

FRITURA. f. Fritada.

FRIVOLAMENTE. adv. m. Con frivolidad.

FRIVOLIDAD. f. Calidad de frívolo.

FRÍVOLO-LA. adj. Ligero, fútil.

FRIZ. f. Flor del haya.

FROGA. f. Fábrica de albañilería.

FRONDA. f. Hoja de una planta. Fronde. f. pl. Conjunto de hojas y ramas.

FRONDOSIDAD. f. Abundancia de hojas y ramas.

FRONDOSO-SA. adj. Que tiene frondosidad.

FRONTAL. adj. Relativo a la frente. Hueso de la frente.

FRONTALERA. f. Correa que ciñe la frente del caballo.

FRONTERA. f. Confín de un Estado. Fachada.

FRONTERIZO-ZA. adj. Que está en la frontera o enfrente de algo.

FRONTERO-RA. adj. Situado enfrente.

FRONTIL. m. Pieza que se pone al buey entre la frente y la coyunda.

FRONTIS. m. Fachada.

FRONTISPICIO. m. Fachada delantera.

FRONTÓN. m. Pared contra la que se lanza la pelota. Edificio donde se juega.

FRONTUDO-DA. adj. Que tiene mucha frente.

FROTACIÓN. f. Acto de frotar.

FROTAMIENTO. m. Acción y efecto de frotar.

FROTAR. tr. r. Pasar una cosa sobre otra con fuerza.

FROTE. m. Frotamiento.

FRUCTIDOR. m. Duodécimo mes del calendario rep. francés.

FRUCTÍFERAMENTE. adv. m. Con fruto.

FRUCTÍFERO-RA. adj. Que da fruto.

FRUCTIFICACIÓN. f. Acción de fructificar.

FRUCTIFICAR. intr. Dar fruto.

FRUCTUARIO-RIA. adj. Usufructuario.

FRUCTUOSAMENTE. adv. m. Con fruto, con utilidad.

FRUCTUOSO-SA. adj. Que da fruto o utilidad.

FRUGAL. adj. Parco en comer y beber.

FRUGALIDAD. f. Calidad de frugal.

FRUGALMENTE. adv. m. Con frugalidad.

FRUGÍVORO-RA. adj. Que se alimenta de frutos.

FRUICIÓN. f. Complacencia, goce en general.

FRUITIVO-VA. adj. Propio para causar placer con su posesión.

FRUMENTARIO-RIA. adj. Relativo a los cereales.

FRUNCE. m. Pliegue menudo de una tela.

FRUNCIMIENTO. m. Acción de fruncir. fig. Embuste, fingimiento.

FRUNCIR. tr. Arrugar el entrecejo. Recoger la orilla de una tela haciendo arrugas.

FRUSLERÍA. f. Cosa de poca monta.

FRUSLERO-RA. adj. Fútil o frívolo. m. Cilindro de madera utilizado en las cocinas para extender la masa.

FRUSTRACIÓN. f. Acción y efecto de frustrar.

FRUSTRAR. tr. Dejar sin efecto un intento.

FRUSTRATORIO-RIA. adj. Que hace frustrar una cosa.

FRUTA. f. Fruto comestible de los vegetales.

FRUTAL. adj. Que produce fruta.

FRUTECER. intr. poét. Empezar a echar fruto las plantas.

FRUTERÍA. f. Tienda donde se venden frutas.

FRUTERO-RA. adj. Que lleva fruta. m. Plato en que se sirve.

FRUTICOSO-SA. adj. Tallo leñoso y delgado.

FRUTICULTURA. f. Cultivo de los árboles y plantas frutales. Arte que enseña ese cultivo.

FRUTO. m. Producción de los vegetales. fig. Provecho, utilidad.

FU. m. Bufido del gato.

FUCÁCEAS. f. Algas marinas poficias.

FÚCAR. m. Hombre muy rico.

FUCILAR. intr. Fulgurar, rielar.

FUCO. m. Alga.

FUCSINA. f. Colorante sólido, para teñir en rojo obscuro.

FUEGO. m. Desprendimiento de calor y luz por la combustión de un cuerpo. Incendio. Hogar.

FUEGUEZUELO. m. dim. de Fuego.

FUELLAR. m. Talco de colores con que se adornan las velas rizadas.

FUELLE. m. Instrumento para soplar, recogiendo y lanzando al aire.

FUENTE. f. Manantial. Plato grande. Origen.

FUERA. adv. A o en la parte exterior.

FUERISTA. com. Persona inteligente e instruída en los fueros. Persona defensora de los fueros.

FUERO. m. Poder. Jurisdicción. Compilación de leyes. Privilegio de una persona, región, etc.

FUERTE. adj. Que tiene fuerza. Animoso, varonil.

FUERZA. f. Vigor, energía. Virtud, eficacia.

FUFAR. intr. Dar bufidos el gato.

FUGA. f. Huída apresurada. Escape de un flúido.

FUGACIDAD. f. Calidad de fugar.

FUGARSE. r. Escaparse.

FUGAZ. adj. Que desaparece con rapidez.

FUGAZMENTE. adv. m. De manera fugaz.

FUGITIVO-VA. adj. s. Que huye. Caduco.

FUINA. f. Garduña.

FULANO-NA. s. Persona indeterminada, cuyo nombre se calla o ignora.

FULASTRE. adj. fam. Chapucero, hecho farfulladamente.

FULCRO. m. Punto de apoyo de la palanca.

FÓLGIDO-DA. adj. Fulgente.

FULGIR. intr. Fulgurar, brillar, resplandecer.

FULGOR. m. Resplandor.

FULGURACIÓN. f. Acción de fulgurar.

FULGURAR. intr. Brillar.

FULGURITA. f. Tubo vitrificado producido por el rayo al penetrar en la tierra fundiendo las substancias silíceas con que tropieza.

FULGUROSO-SA. adj. Que fulgura.

FULIGINOSO-SA. adj. Parecido al hollín. Tiznado.

FULMINACIÓN. f. Acto de fulminar.

FULMINANTE. adj. Que fulmina. Enfermedad que mata rápidamente. m. Pistón del arma de fuego.

FULMINAR. tr. Arrojar, rayos, balas, etcétera. For. Imponer sentencia.

FULMINATO. m. Quím. Cada una de

las sales formadas por el ácido fulmínico

FULMINATRIZ. adj. Fulminadora.

FULMÍNEO-A. adj. De la naturaleza del rayo.

FULLEAR. intr. Hacer fullerías.

FULLERESCO-CA. adj. Perteneciente a los fulleros o propio de ellos.

FULLERÍA. f. Trampa en el juego.

FULLERO-RA. adj. s. Que hace fullerías.

FULLONA. f. fam. Pendencia, riña con muchas voces.

FUMADA. f. Porción de humo que se fuma de una vez.

FUMADERO. m. Sitio para fumar.

FUMADOR-RA. adj. s. Que fuma.

FUMAR. intr. Humear. Aspirar y despedir el humo del tabaco.

FUMARADA. f. Porción de humo que sale de una vez. Porción de tabaco que cabe en la pipa.

FUMAROLA. f. Grieta de la tierra por donde salen gases.

FUMIGACIÓN. f. Acto de fumigar.

FUMIGADOR-RA. m. y f. Persona que fumiga. m. Aparato para fumigar.

FUMIGAR. tr. Desinfectar por el humo.

FUMISTA. m. Quien arregla o vende chimeneas, estufas.

FUMISTERÍA. f. Tienda de fumista.

FUMÍVORO-RA. adj. Aplícase a los hornos y chimeneas que tienen un dispositivo especial para completar la combustión de modo que no resulte salida de humo.

FUMOSIDAD. f. Materia del humo.

FUMOSO-SA. adj. Que tiene humo.

FUNÁMBULO-LA. s. Volatinero.

FUNCIÓN. f. Acción propia de algo. Ejercicio de un empleo. Espectáculo. Quím. Carácter de un cuerpo.

FUNCIONAL. adj. Relativo a la función.

FUNCIONAR. intr. Ejercer sus funciones propias una persona o cosa.

FUNCIONARIO-RIA. s. Empleado público.

FUNDA. f. Cubierta que envuelve algo.

FUNDACIÓN. f. Acción de fundar.

FUNDACIONAL. adj. Perteneciente o relativo a una fundación.

FUNDADOR-RA. adj. s. Que funda.

FUNDAMENTAL. adj. Que sirve de base.

FUNDAMENTALMENTE. adv. m. Con

arreglo a los principios y fundamentos de una cosa.

FUNDAMENTAR. tr. Echar los cimientos. Establecer algo.

FUNDAMENTO. m. Base de algo, razón. Seriedad.

FUNDAR. tr. Empezar a edificar algo. Erigir, instruir.

FUNDENTE. adj. s. Que se funde o facilita la fusión.

FUNDIBLE. adj. Capaz de fundirse.

FUNDIBULARIO. m. Soldado romano que peleaba con honda.

FUNDÍBULO. m. Máquina de madera que servía para disparar piedras de gran tamaño.

FUNDICIÓN. f. Acción de fundir. Fábrica donde se funden metales. Hierro colado.

FUNDIR. tr. Derretir metales.

FUNDO. m. For. Finca rústica.

FÚNEBRE. adj. Relativo a los muertos.

FUNERAL. adj. Relativo a entierro. m. Solemnidad con que se hacen las exequias.

FUNERARIA. f. Empresa que se encarga de proveer los objetos necesarios para los entierros.

FUNERARIO-RIA. adj. Funeral.

FUNESTAMENTE. adv. m. De modo funesto.

FUNESTO-TA. adj. Aciago, desgraciado.

FUNGIBLE. adj. Que se consume con el uso.

FUNGOSIDAD. f. Cir. Carnosidad fofa que dificulta la cicatrización.

FUNGOSO-SA. adj. Esponjoso.

FUNICULAR. adj. Compuesto de cuerda. Ferrocarril que funciona por medio de cables.

FUSICAR. intr. fam. Hacer una labor con torpeza.

FUSIQUE. adj. Persona inhábil y embarazada en sus acciones.

FURENTE. adj. Arrebatado, furioso.

FURGÓN. m. Carro largo de cuatro ruedas, cubierto. Vagón de ferrocarril para mercancías.

FURIA. Mit. Divinidad infernal. Persona muy irritada.

FURIBUNDO-DA. adj. Lleno de furia.

FURIOSAMENTE. adv. m. Con furia.

FURIOSO-SA. adj. Poseído de furia. Violento.

FURO. m. Orificio que tienen en su

parte inferior las hormas cónicas para los panes de azúcar.

FUROR. m. Cólera, furia, ira. Estro, del poeta, entusiasmo.

FURRIEL. m. Cabo de escuadra que distribuye las provisiones.

FURRIS. adj. fam. Malo, despreciable, mal hecho.

FURTIVAMENTE. adv. m. A escondidas.

FURÚNCULO. m. Divieso.

FURUNCULOSIS. f. Estado morboso caracterizado por la aparición de forúnculos.

FUSA. f. Mús. Figura equivalente a media semicorchea.

FUSADO-DA. adj. Blas. Dícese del escudo o pieza cargada de husos.

FUSCO-CA. adj. Obscuro.

FUSELAJE. m. Cuerpo del avión.

FUSIBILIDAD. f. Calidad de fusible.

FUSIBLE. adj. Que puede fundirse. m. Elect. Hilo para interrumpir una corriente excesiva, fundiéndose.

FUSIFORME. adj. En forma de huso.

FUSIL. m. Arma de fuego portátil.

FUSILAMIENTO. m. Acción y efecto de fusilar.

FUSILAR. tr. Ejecutar a uno con descarga de fusil.

FUSILERÍA. f. Conjunto de fusiles.

FUSILERO-RA. adj. Relativo al fusil. m. Soldado que lo lleva.

FUSIÓN. f. Paso de un cuerpo sólido a líquido por el calor. Unión de dos o más cosas.

FUSIONAR. tr. Producir una fusión, unir intereses contrarios o partidos separados.

FUSLINA. f. Sitio destinado a la fundición de minerales.

FUSOR. m. Vaso o instrumento que sirve para fundir.

FUSTA. f. Leña delgada. Látigo largo.

FUSTÁN. m. Tela gruesa de algodón.

FUSTE. m. Vara. Asta de la lanza. Parte de la columna entre el capitel y la base. Nervio.

FUSTERO-RA. adj. Relativo al fuste. m. Tornero, carpintero.

FUSTIGACIÓN. f. Acción y efecto de fustigar.

FUSTIGADOR-RA. adp. Que fustiga.

FUSTIGAR. tr. r. Azotar, censurar.

FÚTBOL. m. Juego entre dos equipos, con balón, movido por los paies.

FUTBOLISTA. m. El que juega al fútbol.

FUTESA. f. Fruslería.

FÚTIL. adj. De poca importancia.

FUTILEZA. f. Futilidad.

FUTILIDAD. f. Calidad de fútil.

FUTURA. f. Novia, prometida.

FUTURISMO. m. Escuela literaria moderna.

FUTURISTA. adj. Relativo al futurismo. Partidario.

FUTURO-RA. adj. Que está por venir. m. Prometido. Gram. Tiempo de verbo.

FUXINA. f. Quím. Fucsina.

G. f. Letra consonante, octava del alfabeto español.

GABACHADA. f. Acto propio de gabacho.

GABACHO-CHA. adj. s. fam. Francés.

GABÁN. m. Capote con mangas. Sobretodo.

GABARDINA. f. Ropón. Abrigo con mangas ajustadas.

GABARRA. f. Embarcación de vela y remo para carga y descarga en los puertos.

GABARRERO. m. Persona que conduce una gabarra. El que carga o descarga una gabarra.

GABARRO. m. Enfermedad del casco de la caballería.

GABATA. f. Escudilla en que se echaba la comida repatrida a cada soldado o galeote.

GABEJO. m. Haz de leña o de paja de tamaño pequeño.

GABELA. f. Tributo o impuesto.

GABINETE. m. Aposento íntimo. Ministerio, gobierno.

GABLETE. m. Arq. Remate triangular de la cubierta de un edificio.

GACEL. m. Macho de la gacela.

GACELA. f. Antílope menor que el corzo.

GACETA. f. Periódico de un ramo especial.

GACETERA. f. Mujer que vende las gacetas.

GACETILLA. f. Sección de un periódico con noticias cortas.

GACETILLERO-RA. s. Quien redacta gacetillas.

GACETISTA. m. El que lee con afición la gaceta. El que habla con frecuencia de novedades.

GACHA. f. Masa muy blanda. f. pl. Puches.

GACHÉ. m. Nombre con que los gitanos designan a los andaluces.

GACHETA. f. Engrudo. Palanquita que sujeta el pestillo en algunas cerraduras.

GACHÍ. f. And. Entre el pueblo bajo, mujer, muchacha.

GACHO-CHA. adj. Enclinado hacia abajo.

GACHÓN-NA. adj. Gracioso, seductor.

GACHONERÍA. f. fam. Gracia, donaire, atractivo.

GACHUPÍN. m. Cachupín.

GÁDIDOS. m. Zool. Peces anacantinos de excelente carne entre los que destacan la merluza y el bacalao.

GADITANO-NA. adj. s. Natural de Cádiz.

GAÉLICO-CA. adj. s. Dialectos célticos de Irlanda y Escocia.

GAETANO-NA. adj. s. Natural de Gaeta.

GAFA. f. Gancho para armar la ballesta. f. pl. Anteojos.

GAFAR. tr. Arrebatar una cosa con las uñas o con un instrumento.

GAFEDAD. f. Contracción permanente de los dedos.

GAFETE. m. Corchete, broche.

GAFO-FA. adj. s. Que tiene dedos encorvados.

GAICANO. m. Rémora, pez.

GAITA. f. Mús. Instrumento de viento en forma de odre, con tres tubos.

GAITERO-RA. s. Persona que toca la gaita.

GAJE. m. Salario, subvención, emolumento.

GAJO. m. Rama de árbol. Parte de racimo de uvas.

GAJOSO-SA. adj. Que tiene gajos.

GALA. f. Vestido, rico y lucido.

GALABARDERA. f. Escaramujo, planta.

GALACITA. f. Arcilla detersoria que al deshacerse en el agua la pone de color de leche.

GALACTÓFAGO-GA. adj. s. Que se mantiene de leche.

GALACTÓMETRO. m. Aparato para saber la densidad de la leche.

GALACTOSA. f. Azúcar de leche.

GALAFATE. m. Ladrón sagaz.

GALAICO-CA. adj. Relativo a Galicia.

GALÁN. m. Hombre de buen semblante y airoso. Galanteador.

GALANCETE. m. Galán joven.

GALANO-NA. adj. Vestido con gusto, elegante.

GALANTE. adj. Atento, obsequioso, especialmetne con las damas. Dícese de la mujer que gusta de galanteos y de la de costumbres licenciosas.

GALANTEADOR. adj. s. Que galantea.

GALANTEAR. tr. Lisonjear, requebrar a una dama.

GALANTEO. m. Acto de galantear.

GALANTERÍA. f. Acción obsequiosa. Gracia.

GALANTINA. f. Carne rellena, fiambre.

GALANURA. f. Gracia, elegancia.

GALÁPAGO. m. Reptil quelonio acuático. Hombre astuto y maligno, cauto y disimulado.

GALAPAGUERA. f. Estanque en que se conservan vivos los galápagos.

GALAPO. m. Instrumento de madera para torcer hilos o cordeles para formar otros mayores o maromas.

GALARDÓN. m. Premio, recompensa.

GALARDONAR. tr. Premiar, recompensar.

GÁLATA. adj. s. De Galicia.

GALAXIA. f. Astron. Vía Láctea.

GALAYO. m. Prominencia de roca pelada que se eleva en algún monte.

GALBANA. f. Pereza, dejadez.

GALBANADO-DA. adj. De color de gálbano.

GÁLBANO. m. Gamorrosina de olor aromático, que se extrae de una planta umbelífera de Siria.

GALDRUFA. f. Trompo o peonza.

GÁLEA. f. Casco romano con carrilera.

GALEAZA. f. Embarcación, la mayor de las que se usaban de remos y velas.

GALENA. f. Sulfuro de plomo gris del sistema regular.

GALENISMO. m. Doctrina de Galeno.

GALENO. m. Médico.

GALENO-NA. adj. Mar. Viento o brisa que sopla suavemente.

GALEÓN. m. Nave antigua de gran porte.

GALEOTE. m. Condenado a galeras.

GALERA. f. Nave de vela latina y remo. Cárcel de mujeres. f. pl. Pena de remar en galeras.

GALERADA. f. Carga de una galera. Impr. Trozo de composición puesto en la galera.

GALERERO. m. El que gobierna las mulas de la galera o es dueño de ella.

GALERÍA. f. Habitación larga y espaciosa. Corredor descubierto. Localidad teatral.

GALERÍN. m. Impr. Tabla estrecha donde el cajista coloca las líneas que compone.

GALERNA. f. Viento huracanado.

GALÉS-SA. adj. s. Natural de Gales.

GALGA. f. Palo grueso, que cruzado bajo el cubo de las ruedas sirve de freno.

GALGO-A. adj. s. Perro de caza muy veloz. Alud.

GALGUERO. m. Cuerda con que se templa la galga del caro y que va atada a una anilla. El que cuida galgos.

GALIANA. f. Cañada de ganados.

GALIBAR. Mar. Trazar con los gálidos el contorno de las piezas de los buques.

GÁLIBO. m. Arco de hierro para comprobar si un vagón de ferrocarril puede circular por los túneles. Plantilla en construcción naval.

GALICADO-DA. adj. Dícese del estilo, frase o palabra en que se advierte la influencia de la lengua francesa.

GALICISMO. m. Giro afrancesado.

GALICISTA. m. Persona que incurre con frecuencia en galicismo.

GALILEA. f. Pieza cubierta en la parte exterior del templo que servía de cementerio.

GALILEO-A. adj. s. De Galilea.

GALILLO. m. Úvula.

GALIMATÍAS. m. Lenguaje obscuro, desorden.

GALIO. m. Metal blanco, duro, maleable, raro.

GALIPOTE. m. Mar. Especie de brea o alquitrán que se emplea para calafatear.

GALIZABRA. f. Embarcación de vela latina, de los mares de levante.

GALO-LA. adj. De la Galia.

GALOCHA. f. Zueco de madera o hierro para andar por la nieve y el lodo.

GALOCHO-CHA. adj. Dícese del que es de mala vida. fam. Dejado.

GALÓN. m. Tejido fuerte a modo de cinta. Medida de capacidad inglesa.

GALONEADURA. f. Labor y adorno hecho con galones.

GALONEAR. tr. Adornar con galones.

GALONERO-RA. s. Persona que hace o vende galones.

GALONISTA. s. Alumno distinguido de academia militar o colegio.

GALOP. m. Danza de movimiento muy vivo.

GALOPADA. f. Carrera del caballo a galope.

GALOPANTE. adj. Que galopa.

GALOPAR. intr. Correr al galope.

GALOPE. m. Marcha más levantada y veloz del caballo.

GALOPILLO. m. Criado que sirve en la cocina para los trabajos más humildes de ella.

GALOPÍN. m. Muchacho sucio, pícaro.

GALOPO. m. Galopín, pícaro.

GALPITO. m. Pollo débil y de pocas medras.   [vanismo.

GALVÁNICO-CA. adj. Relativo al gal-

GALVANISMO. m. Electricidad producida por la acción química.

GALVANIZAR. tr. Recubrir un metal con una capa de otro por acción eléctrica. Infundir ánimos.

GALVANO. m. Reproducción hecha por galvanoplastia.

GALVANÓMETRO. m. Instrumento para medir la intensidad y determinar el sentido de una corriente.

GALVANOPLASTIA. f. Quím. Arte de cubrir algunos cuerpos con capas metálicas por electrolisis.

GALLA. f. Remolino que a veces forma el pelo del caballo en los lados del pecho.

GALLADURA. f. Pinta sanguinolenta en la yema del huevo de la gallina.

GALLAR. tr. Gallear, cubrir el gallo a las gallinas.

GALLARDA. f. Especie de danza de la escuela española. Impr. Carácter de letra menor que el breviario y mayor que la glosilla.

GALLARDEAR. tr. Ostentar gallardía.

GALLARDETE. m. Bandera pequeña, larga y en punta.

GALLARDÍA. f. Bizarría, desenfado.

GALLARDO-DA. adj. Airoso, valiente, grande.

GALLARUZA. f. Vestido con capucha.

GALLEAR. tr. Cubrir el gallo a las gallinas.

GALLEGADA. f. Palabra o acción propia de los gallegos. Cierto baile gallego.

GALLEGO-GA. adj. s. Natural de Galicia. Perteneciente a esta región de España.

GALLEO. m. Suerte taurina.

GALLERA. f. Circo para riñas de gallos.

GALLERO. adj. Amér. Aficionado a las peleas de gallos. m. Individuo que se dedica a la cría de gallos de pelea.

GALLETA. f. Pan sin levadura, cocido dos veces, bizcocho.

GALLETERÍA. f. Tienda en que se venden galletas.

GALLETERO. m. Vasija para conservar y servir las galletas. El que trabaja en la fabricación de galletas.

GALLINA. f. Hembra del gallo. fig. Persona cobarde.

GALLINÁCEO-A. adj. Relativo a la gallina.

GALLINAZA. m. Excremento de gallinas.

GALLINAZO. m. Aura (buitre americano).

GALLINERO-RA. s. Quien trata en gallinas. m. Lugar donde se recogen estas aves.

GALLINETA. f. Fúlica. Chocha.

GALLIPAVA. f. Gallina mayor que las comunes.

GALLIPAVO. m. Pavo.

GALLÍSTICO-CA. adj. Relativo a los gallos y en especial a sus peleas.

GALLITO. m. El que sobresale en un lugar.

GALLO. m. Ave gallinácea de lustroso plumaje, con cresta y carúnculas rojas y tarsos con espolones.

GALLOCRESTA. f. Planta labiada medicinal.

GALLOFA. f. Comida que se daba a los peregrinos. Añalejo.

GALLOFEAR. intr. Vivir de limosna.

GALLÓN. m. Arq. Adorno arquitectónico. Césped.

GALLONADA. f. Tapia fabricada de gallones o tepes.

GAMA. f. Escala musical o de colores. Hembra del gamo.

GAMARRA. f. Correa que parte de la cincha y se afianza en la muserola.

GAMBALÚA. m. fam. Hombre alto y desgarbado, inútil para el trabajo.

GÁMBARO. m. Camarón, crustáceo.

GAMBAX. m. Jubón acolchado que se llevaba bajo la coraza.

GAMBERRO. m. Quien comete en público actos de incultura. Libertino, disoluto.

GAMBESÓN. m. Gambax largo que llegaba hasta media pierna.

GAMBETA. f. Corbeta. Movimiento de las piernas al danzar.

GAMBETEAR. intr. Hacer gambetas.

GAMBETO. m. Capote catalán.

GAMBITO. m. Lance del ajedrez.

GAMBOA. f. Membrillo injerto.

GAMBOTA. f. Mar. Cada uno de los maderos curvos que sostienen la fachada o espejo de popa.

GAMELLA. f. Artesa para dar de comer a animales.

GAMELLADA. f. Lo que cabe en una gamella.

GAMELLÓN. m. aum. de Gamella. Pila donde se pisan las uvas.

GAMMA. f. Letra griega correspondiente a la "G".

GAMO. m. Rumiante cérvido de pelo rojizo y cuerno en forma de pala.

GAMONAL. m. Tierra en que se crían los gamones.

GAMONITO. m. Retoño que echan algunas árboles y plantas alrededor.

GAMOPÉTALO-LA. adj. Bot. Se dice de las corolas de una sola pieza.

GAMOSÉPALO-LA. adj. Bot. Dícese de los cálices de una sola pieza.

GAMUZA. f. Rumiante antilopino de cuernos lisos y derechos.

GANA. f. Deseo, apetito.

GANADERÍA. f. Copia de ganado. Cría de ganado.

GANADERO-RA. s. Propietario de ganado.

GANADO-DA. m. Conjunto de bestias mansas de una especie.

GANADOR-RA. adj. s. Que gana.

GANANCIA. f. Acción de ganar.

GANANCIAL. adj. Perteneciente a la ganancia.

GANANCIOSO-SA. Que ocasiona ganancia.

GANAPÁN. m. Mozo de cordel. fig. Gandul.

GANAPIERDE. m. Juego de damas.

GANAR. tr. r. Lograr, adquirir. Conquistar. Alcanzar.

GANCHILLO. m. Aguja con gancho. Labor hecha con ella.

GANCHO. m. Útil corvo y puntiagudo, para agarrar o colgar algo.

GANCHOSO-SA. adj. Que tiene gancho o se asemeja a él.

GÁNDARA. f. Tierra baja llena de maleza.

GANDAYA. f. Tuna, briba.

GANDINGA. f. Mineral menudo y lavado. Buscar la gandinga. fr. fam. Ganarse la vida.

GANDUJADO. m. Guarnición que formaba una especie de fuelles.

GANDUJAR. tr. Encoger, fruncir.

GANDUL-LA. adj. s. Holgazán.

GANDULEAR. intr. Holgazanear.

GANDULERÍA. f. Carácter de gandul.

GANGA. f. Min. Materia inútil que se separa del mineral.

GANGLIO. m. Masa de células nerviosas. Tumor en un nervio.

GANGLIONAR. adj. Zool. Relativo a los ganglios compuesto de ellos.

GANGOSO-SA. adj. s. Que ganguea.

GANGRENA. f. Muerte local de un tejido.

GANGRENARSE. r. Pedecer gangrena.

GANGRENOSO-SA. adj. Que tiene gangrena.

GANGUEAR. intr. Hablar con resonancia nasal.

GANGUERO-RA. adj. Amigo de buscarse gangas.

GANGUIL. m. Barco de pesca de un palo y dos proas.

GANOSO-SA. adj. Deseoso de algo.

GANSADA. f. fig. fam. Dicho o hecho tonto y estúpido.

GANSARÓN. m. Ansarón. Hombre alto y desairado.

GANSO-A. s. Ánsar.

GANTÉS. adj. s. Natural de Gantes. Relativo a esta ciudad belga.

GANZÚA. f. Gancho para abrir cerraduras. Ladrón mañoso.

GAÑAN. m. Mozo de labranza.

GAÑILES. m. pl. Laringe del animal.

GAÑIR. intr. Aullar el perro.

GAÑOTE. m. Garganta.

GAÓN. m. Mar. Remo que se emplea en embarcaciones pequeñas de los mares de la India.

GARABATEAR. intr. Echar garabatos para asir algo. pl. Letras o escritos mal formados.

GARABATO. m. Gancho de hierro cuya punta está vuelta y sirve para colgar cosas. fig. fam. Garbo, aire y gentileza de algunas mujeres. Garrapato.

GARABITO. m. Asiento en alto y casilla que usan las mujeres que venden en la plaza.

GARAGE. m. Cochera de automóviles.

GARAMBAINA. f. Adorno de mal gusto.

GARANTE. m. Fiador.

GARANTÍA. f. Fianza.

GARANTIR. tr. Garantizar.

GARANTIZADOR-RA. adj. Que garantiza.

GARANTIZAR. tr. Dar garantía.

GARASÓN. m. Asno destinado a procrear.

GARAPIÑA. f. Líquido solidificado en grumos.

GARAPIÑADO-DA. adj. Parecido a una garapiñada.

GARAPIÑAR. tr. Poner en garapiña. Bañar en almíbar.

GARAPIÑERA. f. Vasija para garapiñar.

GARAPITA. f. Red espesa y pequeña.

GARAPITO. m. Insecto hemíptero del agua estancada.

GARAPULLO. m. Rehilete.

GARATUSA. f. Halago, caricia.

GARAY. m. Embarcación filipina especie de chalana.

GARBA. f. Gavilla de mieses.

GARBANCERO-RA. adj. Relativo al garbanzo. m. y f. Persona que comercia con garbanzos. Persona que vende torrados.

GARBANZAL. m. Tierra sembrada de garbanzos.

GARBANZO. m. Planta leguminosa de fruto en vaina con una a dos semillas comestibles.

GARBANZUELO. m. Esparaván.

GARBEAR. intr. Afectar garbo.

GARBILLAR. tr. Ahechar el grano.

GARBILLO. m. Harnero de esparto.

GARBINO. m. Viento de Sudoeste.

GARBO. m. Gallardía, gracia.

GARBÓN. m. Zool. Macho de la perdiz.

GARBOSO-SA. adj. Airoso.

GARBULLO. m. Confusión, barullo.

GARCETA. f. Ave zancuda, menor que la cigüeña.

GARDENIA. f. Planta rubiácea con flor blanca y olorosa.

GARDINGO. m. Funcionario palatino entre los visigodos, inferior a condes y duques.

GARDUJA. f. Piedra que, por no tener ley de azogue, se arroja como inútil, en las minas de Almadén.

GARDUÑA. f. Mamífero carnicero mustélido.

GARDUÑO-ÑA. m. y f. fam. Ratero o ratera que hurta con maña y disimulo.

GARFA. f. Uña, garra.

GARFADA. f. Acto de agarrar con las uñas.

GARFEAR. intr. Echar los garfios para asir con ellos una cosa.

GARFIO. m. Gancho de hierro para asir algo.

GARGAJEAR. intr. Arrojar gargajos.

GARGAJEO. m. Acción y efecto de gargajear.

GARGAJIENTO-TA. adj. Que gargajea mucho.

GARGAJO. m. Flema casi coagulada.

GARGALISMO. m. Aberración sensual contra la naturaleza.

GARGANCHÓN. m. Garganta.

GARGANTA. f. Parte anterior del cuello. Estrechura en una montaña.

GARGANTADA. f. Porción de líquido que se arroja por la garganta de una sola vez.

GARGANTEAR. intr. Gorgorizar.

GARGANTIL. m. Escotadura que tiene la bacía del barbero.

GARGANTILLA. f. Collar que ciñe la garganta.

GÁRGARA. f. Acto de gargarizar.

GARGARISMO. m. Gárgara. Licor para hacerla.

GARGARIZAR. intr. Hacer gárgaras.

GARGOL. m. Ranura, rebajo, muesca.

GÁRGOLA. f. Caño de tejado o fuente.

GARGUERO. m. Parte superior de la tráquea. Toda la caña del pulmón.

GARIOFILEA. f. Especie de clavel silvestre.

GARITA. f. Caseta del centinela. Portería.

GARITERO-RA. s. Dueño de un garito.

GARITO. m. Sitio en que juegan fulleros.

GARLAR. intr. fam. Hablar mucho.

GARLITO. m. Nasa. fig. Trampa.

GARLOPA. f. Carp. Cepillo largo con puño.

GARNACHA. f. Vestido talar de los togados.

GARNACHA. f. Uva roja, muy dulce, de la cual se hace un vino especial en Cataluña y Aragón.

GARO. m. Condimento a base de desperdicios de pescados.

GAROJO. m. Panoja de maíz desgranada.

GARRA. f. Mano o pata con uñas fuertes. Mano del hombre.

GARRAFA. f. Vasija esférica de cuello angosto.

GARRAFAL. adj. Muy grande, extraordinario.

GARRAFIÑAR. tr. fam. Quitar una cosa agarrándola.

GARRAFÓN. m. aum. de Garrafa. Damajuana o castaña.

GARRAMAR. tr. fam. Hurtar y agarrar con astucia cuanto se encuentra.

GARRANCHO. m. Ramo caído al suelo por desgaje del árbol.

GARRAPATA. f. Arácnido ácaro parásito.

GARRAPATEAR .intr. Hacer garrapatos.

GARRAPIÑADO-DA. adj. Dícese de las almendras confitadas.

GARRAR. intr. Mar. Cejar el buque.

GARRIDEZA. f. fig. Elegancia y gallardía.

GARRIDO-DA. f. Matorrales y arbustos bajos, en Cataluña.

GARROBILLA. f. Astillas de algarrobo, que se utilizan para curtir cueros.

GARROCHA. f. Vara larga rematada en un arponcillo, usada para picar toros.

GARROCHAZO. tr. m. Golpe dado con la garrocha.

GARROCHISTA. m. Agarrochador.

GARROCHÓN. m. Rejón para lidia.

GARRÓN. m. Espolón de ave. Extremo de la pata de los cuadrúpedos.

GARROTAZO. m. Golpe de garrote.

GARROTE. m. Palo grueso. Ligadura fuerte.

GARROTILLO. m. Difteria.

GARROTÍN. m. Baile de fines del siglo XIX.

GARRUCHA. f. Polea. Botón para sujetar el cuello de la camisa.

GARRUCHO. m. Mar. Anillo de hierro o madera.

GARRULERÍA. f. Charla de persona gárrula.

GÁRRULO-LA. adj. Muy hablador. Que gorjea mucho.

GARUJO. m. Hormigón, argamasa.

GARULA. f. Granuja. Uva desgranada.

GARVÍN. m. Cofia hecha de red.

GARZA. f. Ave zancuda con un moño largo.

GARZO-ZA. adj. De color azulado.

GARZOTA. f. Ave zancuda parecido a la garceta.

GAS. m. Flúido sin forma ni volumen propios.

GASA. f. Tela muy clara y sutil.

GASCÓN-NA. De Gascuña.

GASEIFORME. adj. Que se halla en estado de gas.

GASEOSA. f. Bebida efervescente y sin alcohol.

GASEOSO-SA. adj. En estado de gas. Que contiene gas.

GASIFICACIÓN. f. Acción de pasar un líquido a estado de gas.

GASIFICAR. tr. Convertir en gas.

GASÓGENO. m. Aparato para obtener un gas.

GAS-OIL. Producto de la destilación del petróleo.

GASOLINA. f. Mezcla de hidrocarburos, obtenida del petróleo.

GASOLINERA. f. Lancha automóvil con motor de gasolina.

GASÓMETRO. m. Aparato para medir el volumen de un gas.

GASTADO-DA. adj. Debilitado, disminuído, borrado con el uso. Dícese de la persona decaída en su vigor físico o prestigio moral.

GASTADOR-RA. adj. s. Que gasta. m. pl. Mil. Soldados que abren la marcha en un desfile.

GASTRALGIA. f. Pat. Dolor de estómago.

GASTRICISMO. m. Denominación a los diversos estados morbosos agudos del estómago.

GÁSTRICO-CA. adj. Relativo al estómago.

GASTRITIS. f. Inflamación del estómago.

GASTROENTERITIS. f. Inflamación de las mucosas gástrica e intestinal.

GASTROINTESTINAL. adj. Referente o relativo al estómago y a los intestinos.

GASTRONOMÍA. f. Arte de preparar la comida.

GASTRÓNOMO. m. f. Persona versada en gastronomía.

GATA. f. Hembra del gato.

GATADA. f. Acción propia del gato.

GATAS (A). m. adv. Modo de ponerse a andar una persona con pies y manos en el suelo.

GATEADO-DA. adj. Semejante en algún aspecto al gato.

GATEAR. intr. Trepar. Andar a gatas.

GATERA. f. Agujero en las puertas para que pasen los gatos.

GATERÍA. f. Reunión de gatos. Halago hipócrita.

GATERO-RA. adj. Habitado o frecuentado de gatos. m. y f. Vendedor de gatos.

GATILLAZO. m. Golpe que da el gatillo en las armas de fuego.

GATILLO. m. Percutor del arma de fuego. Tenaza para extraer dientes y muelas.

GATO. m. Mamífero carnicero doméstico. Máquina para levantar pesos. Hombre astuto.

GATUNO-NA. adj. Relativo al gato.

GATUNA. f. Planta común en los sembrados de raíz medicinal.

GATUPERIO. m. Mezcla de cosas incoherentes. Embrollo, enjuague.

GAUCHO-CHA. adj. s. Campesino de la pampa argentina.

GAUDEAMUS. (Voz latina). m. fam. Fiesta, regocijo.

GAVANZA. f. Flor del gavanzo.

GAVANZO. m. Escaramujo.

GAVETA. f. Cajón de escritorio.

GAVIA. f. Jaula para locos. Mar. Vela del mastelero mayor.

GAVIA. f. Min. Cuadrilla de obreros que se emplean en el trecheo.

GAVIERO. m. Mar. Marinero a cuyo cuidado está la gavia.

GAVILÁN. m. Ave rapaz. Hierro de la cruz de la espada. Puntas de la pluma de escribir.

GAVILANCILLO. m. Punta corva que tiene la hoja de la alcachofa.

GAVILLA. f. Haz pequeño. Reunión de gentes sin concierto.

GAVILLAR. m. Terreno que está cubierto de gavillas.

GAVILLERO. m. Lugar en que se juntan y amontonan las gavillas.

GAVIÓN. m. Cesto relleno de tierra o piedras usado en obras de fortificación y construcciones hidráulicas.

GAVIOTA. f. Ave palmípeda de plumaje blanco, que vive en las costas.

GAVOTA. f. Baile francés.

GAYA. f. Listas de diferente color que el fondo. Insignia de victoria que se daba a los vencedores. Urraca, picaza.

GAYAR. tr. Adornar una cosa con listas de otro color.

GAYO-A. adj. Alegre, hermoso.

GAYOLA. f. Jaula. fig. Cárcel.

GAYUBA. f. Mata ericácea de fruto rojo.

GAZA. f. Mar. Lazo al extremo de un cabo.

GAZAPA. m. fam. Mentira, embuste.

GAZAPATÓN. m. fam. Disparate o error grande.

GAZAPERA. f. Madriguera de conejos.

GAZAPINA. f. Fam. Junta de truhanes

y gente ordinaria. fam. Pendencia, alboroto.

GAZAPO. m. Conejo joven. Yerro.

GAZMOL. m. Granillo que les sale en la lengua y en el paladar a las aves de rapiña.

GAZMOÑERÍA. f. Afectación de modestia.

GAZMOÑO-ÑA. adj. s. Que tiene gazmoñería.

GAZNÁPIRO. adj. s. Torpe.

GAZNATADA. f. Manotada en el gaznate.

GAZNATE. m. Carguero.

GAZOFILACIO. m. Lugar en que se cogían limosnas en el templo de Jerusalén.

GAZPACHERO. m. En Andalucía, el trabajador encargado de hacer la comida a los gañanes.

GAZPACHO. m. Sopa fría andaluza.

GAZUZA. f. fam. Hambre.

GE. f. Nombre de la letra "G".

GEA. f. Conjunto del reino inorgánico de un país. Obra que lo describe.

GEHENA. m. Infierno.

GEISER. m. Geol. Surtidor termal intermitente de agua y vapor.

GEISHA. f. Bailarina y cantante japonesa.

GELATINA. f. Sustancia coloidal nitrogenada.

GELATINOSO-SA. adj. De gelatina o parecida a ella.

GÉLIDO-DA. adj. Poét. Helado o muy frío.

GEMA. f. Piedra preciosa. Yema, botón. Sal mineral.

GEMACIÓN. f. Multiplicación de una célula, dividiéndose en partes desiguales.

GEMEBUNDO-DA. adj. Que gime.

GEMELO-LA. adj. s. Dícese de los hermanos nacidos en un mismo parto. pl. Anteojos de teatro. Botones para puños.

GEMIDO. m. Acto de gemir.

GEMINADO. adj. Hist. Nar. Partido, dividido.

GÉMINIS. m. Astron. Signo del Zodíaco. Constelación zodiacal.

GEMÍPARO-RA. adj. Se aplica a los animales o plantas que se reproducen por medio de yemas.

GEMIR. intr. Expresar dolor con voces quejumbrosas. Aullar los animales.

APENDICE ESQUEMATICO
DE GRAMATICA Y METRICA
ESPAÑOLAS

GRAMATICA

GRAMATICA es la ciencia que estudia sistemáticamente un idioma.

ORACIÓN GRAMATICAL es la expresión de un pensamiento completo.

PARTES DE LA ORACIÓN: Nombre, pronombre, verbo, artículo, adjetivo, adverbio, preposición, conjunción e interjección. Las cinco primeras son variables, o flexibles, y las cuatro restantes invariables o no flexibles.

$$\left.\begin{array}{l}\text{\textbf{Artículo}}\\\text{determina al}\\\text{\textbf{Adjetivo}}\\\text{califica o}\\\text{determina al}\\\text{\textbf{Pronombre}}\\\text{substituye al}\end{array}\right\} \quad \text{NOMBRE} \qquad \left.\begin{array}{l}\textbf{Adverbio}\\\text{determina al}\end{array}\right\} \quad \text{VERBO}$$

$$\left.\begin{array}{l}\text{CONJUNCIÓN}\\\text{PREPOSICIÓN}\end{array}\right\} \quad \text{relacionan}$$

La INTERJECCIÓN equivale por sí misma a una oración completa.

EL NOMBRE substantivo es la parte variable de la oración que sirve para nombrar o designar todos los seres existentes en la realidad o en la imaginación. Así: *Juan, perro, árbol, arrepentimiento, bruja, fantasma,* etc.

$$\text{NOMBRE} \left\{\begin{array}{l}\text{Concreto} \left\{\begin{array}{l}\text{Común} \left\{\begin{array}{l}\text{individual } (gato, silla...)\\\text{colectivo } (ejército, pinar...)\end{array}\right.\\[1em]\text{Propio } (Juan, Pirineos...)\end{array}\right.\\[2em]\text{Abstracto} \left\{\begin{array}{l}\text{de cualidad } (blancura, dulzura...)\\\text{numeral } (docena, doble...)\\\text{de fenómeno } (movimiento, respiración...)\end{array}\right.\end{array}\right.$$

El ADJETIVO es la parte variable de la oración que acompaña y modifica al substantivo diciendo sus cualidades o limitando su significado. Así: cordero **mimoso, paciente.**

Si dice sus **cualidades** se llama:

$$\text{CALIFICATIVO} \left\{\begin{array}{l}\text{explicativo (si va delante del nombre.}\\\text{Así: un \textbf{pobre} hombre).}\\\text{especificativo (si va detrás del nombre.}\\\text{Así: un hombre \textbf{pobre}).}\end{array}\right.$$

Si limita el significado del nombre, haciéndolo más concreto, se llama DETERMINATIVO.

```
                    calificativos
                                      demostrativos (este, ese, aquel...)
                                      indefinidos (cierto, otro, algún...)
  ADJETIVOS                           posesivos (mío, tuyo, suyo...)
                                      cuantitativos (todo, poco, mucho,
                                         bastante...)
                                      distributivos (ambos, sendos, cada,
                    determinativos       las demás personas...)

                                                    cardinales (uno, dos...)
                                                    ordinales (primero, se-
                                                       gundo...)
                                      numerales     múltiplos (doble, tri-
                                                       ple...)
                                                    partitivos (medio, ter-
                                                       cio...)

                    interrogativos (qué, quién, cuál...)
```

EL PRONOMBRE es la parte variable de la oración que designa a los seres sin decir su nombre.

```
            personales   de 1.ª persona: yo, mí, me, conmigo; nosotros, nos-
                            otras, nos.
                         de 2.ª persona: tú, ti, te, contigo; vosotros, vosotras,
                            vos, os.
                         de 3.ª persona: él, ella, ello; ellos, ellas; sí, se, con-
                            sigo.

                                                s.   m. y n. = mío, tuyo, suyo.
                                                     f.      = mía, tuya, suya.
                         para un solo po-
            posesivos    seedor
                                                p.   m.      = míos, tuyos, suyos.
                                                     f.      = mías, tuyas, suyas.

                                                s.   m. y n. = nuestro, vuestro, suyo.
                                                     f.      = nuestra, vuestra, suya.
                         para varios po-
                         seedores
                                                p.   m.      = nuestros, vuestros, su-
                                                                yos.
                                                     f.      = nuestras, vuestras, su-
                                                                yas.

            demostrativos   s.   m. = éste, ése, aquél.
                                 f. = ésta, ésa, aquélla.
                                 n. = esto, eso, aquello.

                            p    m. = éstos, ésos, aquéllos.
                                 f. = éstas, ésas, aquéllas.

            relativos   s. = que, cual, quien; cuyo y cuya; cuanto y
                           cuanta.
                        p. = que, cuales, quienes; cuyos y cuyas; cuantos
                           y cuantas.
```

interrogativos = relativos, pero con valor interrogativo, admirativo o exclamativo.

indefinidos: *alguien, nadie; algo, nada, ninguno; cualquiera,* etc.

PRONOMBRES

EL ARTÍCULO es la parte variable de la oración que expresa el aspecto substantivo de la palabra que precede, con indicación de los accidentes gramaticales de la misma.

ARTÍCULO
- determinado
  - singular
    - masculino = *el* (el padre)
    - femenino = *la* (la manzana).
    - neutro = *lo* (lo mejor)
  - plural
    - masculino = *los* (los padres)
    - femenino = *las* (las manzanas)
- indeterminado
  - singular
    - masculino = *un* (un padre)
    - femenino = *u n a* (u n a manzana)
  - plural
    - masculino = *unos* (u n o s padres)
    - femenino = *unas* (u n a s manzanas)
- contracto
  - *del* (= de él): casa del padre
  - *al* (= a el): voy al campo.

ACCIDENTES DEL NOMBRE son las variaciones formales que éste experimenta dentro de la cadena frásica.

GÉNERO
- principal
  - **masculino:** (el) *hombre*, (el) *tiesto*.
  - **femenino:** (la) *mujer*, (la) *silla*.
  - **neutro:** *lo bueno* (equivale a *la bondad*).
- secundario
  - **común:** *mártir* (el mártir o la mártir).
  - **epiceno:** *foca* (la foca *macho* o *hembra*).
  - **ambiguo:** *mar* (el mar o la mar).

NÚMERO
- **singular:** (el) *hombre*.
- **plural:** (los) *hombres*.

CASO
- **nominativo:** *el hombre*.
- **genitivo:** *del hombre*.
- **dativo:** *a* o *para el hombre*.
- **acusativo:** *al hombre*.
- **vocativo:** *oh hombre*.
- **ablativo:** *con, por... el hombre*.

Estos accidentes son aplicables, en general, al adjetivo y al pronombre; también al artículo.

Nota.—Tratándose de accidentes gramaticales, aprovechamos la oportunidad para aludir a los **morfemas del verbo**, que son los si-

guiente: **voces** (activa y pasiva), **modos** (personales y no personales, con las respectivas subdivisiones tan conocidas), **tiempos** (son
múltiples y basados en la idea de presente, pasado y futuro, en sus
diversos matices), **aspecto** (puntual, imperfectivo, etc.), **números**
(singular y plural) y **personas** (primera, segunda y tercera).

EL VERBO es la parte variable de la oración que expresa lo que
hacen los seres, cómo están o lo que les ocurre.

VERBO
- por su naturaleza
  - copulativo (*ser, estar, parecer...*)
  - predicativo
    - transitivo (*comer, escribir...*)
    - intransitivo (*correr, andar, venir...*)
    - intransitivo de estado (*estar, vivir...*)
    - reflexivo (*suicidarse, vanagloriarse...*)
    - recíproco (*tutearse, cartearse...*)
    - impersonal (*dicen...*)
    - unipersonal (*llueve, nieva...*)
- por su conjugación
  - regular (*partir, alabar, temer...*)
  - irregular (*caber, ir, salir...*)
  - defectivo (*abolir, concernir, aterir...*)
- por su empleo
  - principal (*saber, escribir, correr...*)
  - auxiliar (*haber, ser, estar*).

Verbo transitivo es aquél en el que el sujeto ejecuta la acción
y el término la sufre. Puede llevar siempre complemento directo.
Así: Juan *lee* un libro.

Verbo reflexivo es aquél en que el sujeto ejecuta la acción y él
es el término de la misma. Así: Juan *se peina*.

Verbo recíproco es aquél en el que el sujeto ejerce una acción
sobre otro, el cual a su vez la ejerce sobre el primero. Así: Juan y
Andrés *se abrazan*.

Verbo intransitivo es aquél en el que la acción no se ejerce sobre
ningún término. Así: Juan *corre*. **Nota.** Se consideran como intran-
sitivos **impropios** aquéllos verbos transitivos que no llevan complemento directo. Así: Juan *lee*.

Verbo impersonal es aquél que carece de sujeto. Puede ser un verbo transitivo, intransitivo y aun reflexivo.

Verbo unipersonal es el impersonal que expresa fenómenos de la
naturaleza. Algunos verbos, como *hacer, haber...*, se usan a veces
como impersonales.

EL SUJETO es el elemento oracional del que se dice algo.
Debe concertar en número y persona con el verbo. **Nota.** La concordancia en número hará ver en casos dudosos cuál es el sujeto.

Si al variar el número de una palabra, varía el número del verbo, es entonces necesariamente el sujeto.

Así: A mí me agra**dan** los libros
A mí me agra**da** el libro

(concierta**n**: **libros** es el sujeto).

Nos harán **un repaso fi-
nal**
Nos harán **unos repasos
finales**

(no concierta**n**: **repasos finales**
no es el sujeto).

FUNCIÓN DE LOS ELEMENTOS ORACIONALES

I. De sujeto { **agente:** La *casa* está en el campo.
paciente: La *fortaleza* fué derribada.

**II. De predi-
cado** { **verbal:** Todos *opinaban* de la misma forma.
nominal: La vida es un *misterio*.

**III. De com-
plemento**

a) **del nombre** { **determinativo:** La fe del *carbo-
nero*.
atributivo: Una *gran* ciudad.
apositivo: La conciencia, *fiel
acusadora*.

b) **del verbo** { **directo:** Llevaron *merienda* en
abundancia.
indirecto: Lo trajeron para *ti*.
circunstancia!: Llovió *copiosamente*.
ablativo agente: Fue ovaciona-
do por la *multitud*.

c) **del nombre y del verbo** = **c. predicativo:**
Vienen *optimistas*.
d) **del adjetivo:** Digno de *alabanza*.
e) **del adverbio:** Marcharon lejos de la *ciudad*.

IV. Función independiente (= oración entera) con vocativos:
Óyenos, Señor.

USOS DEL «SE».—1.º **«Se» pronombre personal.** Usado sólo con oficio de complemento indirecto con verbos transitivos. Se identifica, porque puede ser cambiado por *a él, a ella, a ellos, a ellas.* Así: *Dáselo* (a él o a ella).

2.º **«Se» como signo de acción reflexiva.** Usado con verbos refle-xivos, en tercera persona del singular o plural. Se refiere siempre al mismo sujeto que ejecuta la acción. Así: *Antonio se peina solo.*

3.º **«Se» como signo de acción recíproca.** Usado con recíprocos, siempre en 3.ª persona del plural. Así: *Los dos amigos se abrazaron.*

4.º **«Se» como signo de pasiva refleja.** Usado con verbos transiti-vos, activos, en 3.ª persona del singular o plural, y a los que da un sentido pasivo. Así: *Se compra papel* (por: papel es comprado).

5.º **«Se» como signo de acción impersonal.** Usado como signo de impersonalidad ante verbos en 3.ª persona del singular, cuyo sujeto se desconoce o no interesa: Así: *Se vive mejor que antes.*

ORACIONES

SIMPLES

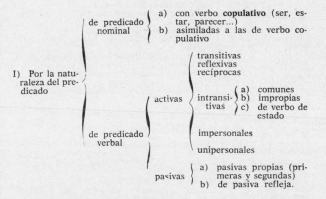

Asimiladas a copulativas: Son las que constan de verbo **intransitivo** y un complemento **predicativo** que concierta con el sujeto y como circunstancial modifica al verbo. Así: El enfermo duerme **sosegado**; aquella carta vino **abierta.**

Intransitivas de verbo de estado: Son oraciones construídas con verbos que indican no una acción, sino meramente un modo de ser o de estar, más o menos durable, del sujeto. El **sujeto** aquí oscila entre agente y paciente, ya que sólo «está, duerme, muere...», pero **no actúa. Nota.** No llevan complemento predicativo como las asimiladas o copulativas. Así: *Dios existe; la maleta quedó en la estación; aquel pájaro vivió pocos días en la jaula.*

Las oraciones primeras de pasiva: Son las que constan de sujeto, verbo en pasiva y ablativo agente. Así: *La ciudad fue conquistada por las tropas.*

Las oraciones segundas de pasiva no expresan el ablativo agente. Así: *La ciudad fue conquistada.*

Las oraciones de pasiva refleja constan de un sujeto **paciente** y un verbo en forma activa acompañado de la partícula **se** como signo de voz pasiva. Rara vez llevan el ablativo agente. Así: *Se edifican* *muchas casas* (por muchas casas son edificadas). Para distinguirlas de las impersonales, véase más arriba **Usos del «SE».**

II) Por la significación o posición del que habla, respecto a lo que expresa en la oración.

Enunciativas: expresan la realidad
- **afirmativa:** afirmando algo.
- **negativa:** negando.

De posibilidad: expresan una posibilidad.

Dubitativas: expresan una duda.

Interrogativas: hacen una pregunta. Así: *¿Qué harás?*

Optativas: expresan un deseo.

Imperativas: expresan un mandato. Así: *Siéntate.*

Exhortativas: expresan un ruego (junto con el mandato). Así: *Siéntate, por favor.*

Exclamativas: expresan un sentimiento, admiración... Suelen llevar los signos de admiración. Así: *¡No lo diré nunca!*

COMPUESTAS

Oraciones YUXTAPUESTAS son oraciones simples que, formando parte de un mismo período, están colocadas unas junto a las otras sin enlace alguno. Así: *Hoy jugué mucho, mañana ya no lo haré.*

Oraciones COORDINADAS son oraciones independientes que, formando parte de un período, están relacionadas y unidas mediante conjunciones coordinantes. Se dividen en:

COPULATIVAS: aquéllas cuyos significados se suman mediante las conjunciones «y», «e», «ni».

DISYUNTIVAS: van separadas por las conjunciones «o», «u».

DISTRIBUTIVAS: enumeran elementos correlativos mediante las conjunciones «bien... bien», «ya... ya», etc.

ADVERSATIVAS: van separadas por las conjunciones «pero», «mas», «sino»...

Oraciones SUBORDINADAS son aquéllas que forman parte de otra llamada principal. Son elementos de la oración principal. Se dividen en:

SUBSTANTIVAS: hacen función de substantivo respecto de la principal.

ADJETIVAS: hacen función de adjetivo.

ADVERBIALES: hacen función de adverbio.

ORACIONES SUBORDINADAS SUBSTANTIVAS:

De **sujeto** de la principal: se introducen mediante la conjunción **que**, excepto cuando el verbo está en infinitivo, o tratándose de interrogativas indirectas. Así: Conviene mucho *que lo sepa*.

De **predicado nominal:** son las que están unidas al sujeto por el verbo copulativo. Así: Esto es *darse buena vida*.

De **complemento de la principal:** dependen de verbos de:

entendimiento *(creer...)*,
lengua *(decir...)*,
sentido *(sentir...)*,
voluntad *(querer...)*.

Pueden ir en:

Estilo directo: expresan lo que dijo el sujeto con sus propias palabras. Así: Entonces nos dijo: «*Estáos quietos*».

Estilo indirecto: expresa una persona a su manera lo que dijo el sujeto. Así: Entonces nos dijo *que estuviéramos quietos*.

De **complemento indirecto,** o FINALES: indican la finalidad de la acción del verbo principal. Así: Ve *a que te reconozcan*.

De **complemento circunstancial:** indican las circunstancias en que se desarrolla la acción del verbo principal. Así: Juan se enteró *sin que yo se lo dijera*.

De **complemento del nombre:** complementan a un nombre o adjetivo de la oración principal.

Nota.—Cuando complementan a un *nombre*, se introducen mediante la frase conjuntiva «de que». Cuando complementan a un *adjetivo*, puede usarse cualquiera de las frases conjuntivas «de que», «con que», «en que», «a que». Así: El temor *de que te enfades* se lo impedirá. Tu padre estaba siempre dispuesto *a que le mandaran algo difícil.*

ORACIONES SUBORDINADAS ADJETIVAS (O DE RELATIVO): van introducidas por un pronombre relativo que se coloca junto a su antecedente.

Las ESPECIFICATIVAS equivalen a un adjetivo determinativo. Así: Los niños *que están enfermos* no pueden ir a la escuela. (De entre todos los niños, se refiere concretamente a los enfermos.)

Las EXPLICATIVAS equivalen a un adjetivo explicativo. Así: Los niños, *que están enfermos*, no pueden ir a la escuela. (Aclara la razón de no poder ir los niños a la escuela. Tienen un matiz causal estas oraciones explicativas.)

ORACIONES SUBORDINADAS ADVERBIALES.

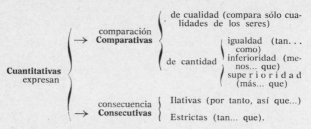

Ejemplos de estas oraciones:

Es tal cual lo buscabas (**comparativa de cualidad**).

Tengo tantos cartuchos como compró Diego (**comparativa de cantidad ⟶ igualdad**).

Llevan más maletas que necesitan (**comparativa de cantidad ⟶ superioridad**).

Esperan menos recompensas que tú anhelas (**comparativa de cantidad ⟶ inferioridad**).

Corre tanto que parece una gacela (**consecutiva estricta**).

No tengo dinero, por tanto no voy al cine (**consecutiva ilativa**).

Causales expresan siempre la causa o razón de lo explicado en la principal. Van con: «porque», «ya que», «puesto que», «dado que»... Así: No vino, *porque no pudo*.

Condicionales indican que, si no se cumple lo que dice la subordinada, no podrá acontecer lo expresado en la principal. Van con: «si», «siempre que», «con tal que»... Así: Lo encontrarán, *si lo buscan. Como no llegue a tiempo*, me enfadaré. *Con tal que no gritéis*, haced lo que queráis.

Concesivas expresan un obstáculo, a pesar del cual se concede o cumple lo indicado en la principal. Su nexo característico es «aunque», siendo menos frecuentes las frases conjuntivas: «a pesar de que», «si bien», «aun cuando», «por más que»... Así: *Aunque parezca mentira*, lo hizo de esa forma.

Circunstanciales expresan las tres circunstancias fundamentales de **lugar** (donde), **tiempo** (cuando, después que...), **modo** (como, según...). Ejemplos respectivos de cada una de estas tres oraciones: *Hacia donde tú vives*, también llegó la tormenta. Lo hizo *como deseabas. Cuando quieras*, marcharemos.

ORACIONES COMPUESTAS

YUXTAPUESTAS: Oraciones sin enlace.

COORDINADAS
- **Copulativas** ... «y», «e», «ni».
- **Disyuntivas** ... «o», «u».
- **Distributivas** ... «bien... bien», «ya... ya».
- Adversativas
  - Exclusivas ... «pero», «más»...
  - Restrictivas ... «sino»...

SUBORDINADAS

Sustantivas
- Sujeto ... «que».
- Predicado nominal
- Complemento directo ... «que», «a que»...
- Complemento indirecto, o **finales** ... «para que», «a que»...
- Complemento circunstancial ... «sin», «de», «con que»...
- Complemento del { nombre / adjetivo ... «de que», «de», «con», «en», «a... que»...

Adjetivas
- { Explicativas / Especificativas } ... pronombres relativos.

Cuantitativas
- Comparativas { de cualidad ... «como», «cual»...
  de cantidad ... «tan como», «más, menos.... que»
- Consecutivas { Ilativas ... «por tanto», «así que»...
  Estrictas ... «tan... que».

Adverbiales
- Circunstancias
  - Causales ... «porque», «ya que»...
  - Condicionales ... «si», «con tal que»...
  - Concesivas ... «aunque», «por más que»...
  - de lugar ... «donde».
  - de tiempo ... «cuando», «después que»...
  - de modo ... «como», «según»...

FUNCIÓN DE LAS FORMAS NO PERSONALES DEL VERBO

EL INFINITIVO ejerce en la oración el oficio de:

a) **Substantivo**, desempeñando todas las funciones del nombre.

Puede

llevar

- artículo: *El beber* me engorda.
- adjetivo: *El gritar incesante de los azotados...*

hacer de

- sujeto: *Andar* es muy sano.
- predicado nominal: Eso sí que es *cantar*.
- complemento de un nombre: Tuvo ganas *de escapar*.
- complemento de un adjetivo: Es muy útil *para trabajar*.
- complemento directo: Le prohibieron *marchar*.
- complemento circunstancial: No se irá *sin saludarle*.
- complemento predicativo: Le oí *discutir*.

b) **Verbo**, llevando sujeto, complementos... y formando con ellos una *oración substantiva*. Así: *Andar los niños solos por la calle*, es peligroso. (Construcción de infinitivo con valor de sujeto.)

Nota.—El infinitivo puede formar multitud de frases verbales.

EL GERUNDIO se utiliza en construcciones equivalentes a una oración adverbial.

a) **Gerundio conjunto** es aquella construcción en que el sujeto del gerundio forma parte de la oración principal. Así: El niño, *dejando de jugar*, corrió hacia su padre.

b) **Gerundio absoluto** es aquella construcción en la que el sujeto del gerundio no es el mismo de la oración principal. Así: *Siendo tan claro*, nadie lo ve.

Nota.—El gerundio forma también frases verbales, cuando acompaña a otros verbos auxiliares.

EL PARTICIPIO:

a) Con verbos auxiliares forma frases verbales.

b) Puede acompañar a un nombre, como si se tratase de un adjetivo, y entonces desempeña los oficios de éste

12

c) Si lleva sujeto o complementos forma **construcciones de participio:**

conjunto
{
explicativo: Los obreros, *reunidos en la sala*, le votaron (todos los obreros).

especificativo: Los obreros *reunidos en la sala*, le votaron (sólo le votaron los reunidos).
}

absoluto: equivale a una oración adverbial temporal o causal. Así: Su madre, *fracasados ya todos los remedios*, confió sólo en un milagro de Dios.

FORMAS NO PERSONALES DEL VERBO:

Infinitivo
{
substantivo (todos los oficios que desempeña el substantivo).

verbo (forma oraciones substantivas).

frases verbales.
}

Gerundio
{
conjunto (su sujeto es el mismo de la oración principal).

absoluto (su sujeto es distinto del que lleva la principal).
}

Participio
{
frases verbales

funciones de adjetivo

construcciones de participio
{
conjunto { explicativo / especificativo }

absoluto
}
}

METRICA

ARTE MÉTRICA es la colección de normas que se refieren a la versificación.

VERSIFICACIÓN es la realización de una obra literaria en verso.

VERSO es cada uno de los fragmentos armónicos en que, sucesivamente, se dispone un poema.

ESTROFA es la agrupación ordenada de varios versos que tienen entre sí cierta relación.

Según las normas de versificación silábica, los versos pueden componerse teniendo en cuenta:

a) El número de **sílabas** de cada uno.
b) La distribución de los **acentos.**
c) La coincidencia de **sonidos** al final de los versos.

ACENTO en Métrica es un elemento integrante del verso, que requiere la acentuación de ciertas sílabas. En las literaturas modernas los versos llevan uno o varios acentos **predominantes,** que vienen a ser señales rítmicas a lo largo de cada una de las porciones versificadas.

RIMA es la igualdad o semejanza de sonidos desde la última sílaba acentuada hasta el final de la palabra. La rima puede ser:

Consonante, si hay coincidencia total de sonidos. Así: Llave, grave, arquitrabe.

Asonante, cuando sólo coinciden las vocales. Así: Acompañan, plata. Respecto de esta rima, las palabras esdrújulas basta que tengan iguales la vocal tónica y la última. Así, rimarán: Huérfana, eléctrica; y, si hay diptongo, la vocal débil no cuenta. Así, rimarán: Francia, plata.

LICENCIAS POÉTICAS

Sinalefa es la unión fónica de la última vocal de una palabra con la primera de la palabra siguiente: Así: Marcha _ al (forma dos sílabas: mar-chal).

Sinéresis es la unión fónica de dos vocales que no forman diptongo, en una sola sílaba. Así: A-é-re-o, pronunciado con sinéresis será: A-é-reo; le-al, leal.

Diéresis es la separación fónica de dos vocales de un diptongo, a fin de formar dos sílabas. Así: Cam-bia-ban, pronunciado con diéresis será: Cam-bi-a-ban.

ACENTO FINAL.—Si el verso acaba en palabra **llana,** el número de sílabas será el que en realidad se ha contado.

— Si el verso acaba en palabra **aguda,** tendrá una sílaba menos.

(**Nota.**—Las palabras monosílabas se consideran agudas).

— Si el verso acaba en palabra **esdrújula,** tendrá una sílaba más.

HEMISTIQUIOS son las dos partes en que se divide un verso largo, que se separan por una pausa, llamada **cesura.** A efectos de medida de sílabas, cada hemistiquio se considera como un verso independiente y se somete a las normas de los acentos. Así: La tarde se amasaba / como espumosa harina.

ARTE MENOR: Versos que tienen de dos a ocho sílabas. Se denominan bisílabos, trisílabos, tetrasílabos, pentasílabos, hexasílabos, heptasílabos y octasílabos.

ARTE MAYOR: Versos que tienen de nueve sílabas en adelante. Reciben el nombre de eneasílabos, decasílabos, endecasílabos, dodecasílabos, etc. He aquí los principales:

Propio o común: Con acento en la sexta sílaba (Endecasílabo).

Sáfico: Con acento en las sílabas cuarta y octava (Endecasílabo).

De gaita gallega: Con acento en las sílabas primera, cuarta y séptima (Eneasílabo).

Alejandrino es el verso de catorce sílabas que consta de dos hemistiquios de siete sílabas cada uno.

ESTROFAS DE RIMA CONSONANTE

2 versos **Pareado:** aa o AA (1).

3 versos **Terceto:** ABA (generalmente endecasílabos).
Terceto encadenado: ABA — BCB — CDC... (2).

4 versos **Redondilla:** abba (generalmente octosílabos).
Cuarteta: abab (generalmente octosílabos).
Tetrástrofo monorrimo o **cuaderna vía:** AAAA (alejandrinos).
Cuarteto: ABBA (generalmente endecasílabos).
Serventesio: ABAB (generalmente endecasílabos).

5 versos **Quintilla** (generalmente octosílabos que riman a voluntad del poeta, pero no pueden darse tres rimas seguidas, ni quedar algún verso libre, ni formar pareado los dos últimos).
Lira: 7a — 11B — 7a — 7b — 11B.

6 versos **Estrofa manriqueña:** 8a — 8b — 4c — 8a — 8b — 4c **(Versos de pie quebrado).**
Sextina: ABABCC (endecasílabos).

8 versos **Octavilla:** abbc, deec...
Copla de arte mayor: ABBAACCA (dodecasílabos).
Octava real: ABABABCC (endecasílabos).
Octava italiana: ABBCDEEC (endecasílabos).

10 versos **Décima** o **Espinela:** abbaaccddc (octosílabos).

14 versos **Soneto:** Dos cuartetos y dos tercetos (3).

Número indefinido de versos:
Estancia: Estrofas iguales de 7 y 11 sílabas. Suelen ser canciones, odas, églogas, etc.
Silva: Serie indefinida de versos de 7 y 11 sílabas. La rima puede ser asonante o consonante.

ESTROFAS DE RIMA ASONANTE (de tipo popular).

4 versos **Copla:** abcb.
Seguidillas: 7a — 5b — 7c — 5b. A veces se le añade 5d — 7e — 5d.

Número indefinido de versos:
Serie monorrima: Suelen ser de 14, 15 y 13 sílabas y en asonante. Cada verso consta de dos hemistiquios.

Romance: Serie de octosílabos con rima asonante en los pares.

Romance heroico: Romance, pero con versos endecasílabos.

Romancillo: Romance, pero con versos de 6 sílabas.

Endecha: Romance, pero con versos de 7 sílabas.

(1) Para indicar la rima de las estrofas se utilizan siempre letras. Se usan las **mayúsculas** cuando el verso es de arte mayor; **minúsculas,** si es de arte menor.
Cuando dos, tres, etc., versos coinciden en la rima, hay también coincidencia en las letras que los representan. Al aparecer rima nueva, cambia la letra, que se volverá a repetir siempre que aparezca su misma rima en la estrofa.

(2) Al último terceto se le añade un verso más, que rima con el segundo, a fin de que éste no quede suelto; se forma, así, un serventesio.

(3) Los poetas sustituyen, a veces, los cuartetos por serventesios.

ESTROFAS CON ESTRIBILLO (de tipo popular).

Zéjel: aa (estribillo) — bbb (mudanza) a (vuelta) — aa; es decir, aa — bbba — aa.

Villancico: abb — cddc — cbb; es decir, estribillo (3 versos), mudanza (4 versos), enlace (un verso), vuelta (un verso) y tercer verso de estribillo.

Letrilla: Como el villancico, pero de tono satírico y con un estribillo más breve.

Cantar paralelístico: Son pareados seguidos de estribillo.

ESTROFAS SIN RIMA.

Estrofa sáfico-adónica: Consta de cuatro versos; los tres primeros de 11 sílabas y el cuarto de 5.

Combinaciones seguidas: Versos, por lo general de arte mayor, que se suceden indefinidamente.

Estrofas de versificación libre: Arbitraria sucesión de versos en número variadísimo de sílabas, muy en boga entre los poetas actuales.

GEMOSO-SA. adj. Aplícase al madero que tiene gema.

GENCIANA. f. Planta medicinal, tónica y febrífuga.

GENDARME. m. Guardia civil de Francia y otros países.

GENDARMERÍA. f. Cuerpo o cuartel de gendarmes.

GENEALOGÍA. f. Serie de ascendientes de un individuo.

GENEALÓGICO-CA. adj. Relativo a la genealogía.

GENEALOGISTA. com. Persona versada en genealogía.

GENEÁTICO-CA. adj. s. Que pretende adivinar por el nacimiento de los hombres.

GENERABLE. adj. Que se puede producir por generación.

GENERACIÓN. f. Acción de engendrar. Línea de descendientes directos. Conjunto de coetáneos.

GENERADOR-RA. adj. s. Que engendra.

GENERAL. adj. Común a muchos. Superior de una orden religiosa.

GENERALA. f. Mujer del general. Mil. Toque de alarma.

GENERALATO. m. Empleo de general.

GENERALIDAD. f. Extensión a muchos.

GENERALÍSIMO. m. Mil. General en jefe.

GENERALIZABLE. adj. Que puede generalizarse.

GENERALIZACIÓN. f. Acto de generalizar.

GENERALIZAR. tr. r. Hacer general o común una cosa. Entender, ampliar.

GENERALMENTE. adv. Con generalidad, en general.

GENERAR. tr. Engendrar.

GENERATIVO-VA. adj. Que tiene virtud de engendrar.

GENERATRIZ. adj. s. Geom. Generadora. f. Recta contenida en una superficie.

GENÉRICO-CA. adj. Común a varias especies.

GÉNERO. m. Conjunto de seres con caracteres esenciales comunes. Clase, modo. Accidente gramatical.

GENEROSIDAD. f. Calidad de generoso. Nobleza. Liberalidad.

GENEROSO-SA. adj. De ilustre prosapia. Noble, liberal, dadivoso.

GENESÍACO-CA. adj. Perteneciente o relativo a la génesis.

GENÉSICO-CA. adj. Relativo a la generación.

GÉNESIS. m. Origen de algo. Libro de la Biblia.

GENÉTICA. f. Parte de la biología que trata de los problemas de la herencia.

GENETLÍACA. f. Práctica de pronosticar a uno su suerte por el día en que nace.

GENIAL. adj. Propio del genio.

GENIALIDAD. f. Singularidad del carácter de uno.

GENIALMENTE. adv. m. De manera genial.

GENIO. m. Carácter de uno. Actitud del que posee fuerza creadora.

GENITAL. adj. Que sirve para la generación.

GENITIVO-VA. adj. Capaz de engendrar. Gram. Caso de la declinación que expresa posesión.

GENOCITO. m. Célula o elemento sexual.

GENOL. m. Mar. Cada una de las piezas que se amadrinan a las verengas para formar las cuadernas.

GENOVÉS-SA. adj. s. De Génova.

GENTE. f. Pluralidad de personas. Nombre colectivo que se da a cualquier clase social.

GENTIL. adj. s. Pagano. Gracioso.

GENTILEZA. f. Galanura. Urbanidad, cortesía.

GENTILHOMBRE. m. Buen mozo. Noble que servía en palacio real.

GENTILICIO-CIA. adj. Relativo a las gentes o naciones al linaje o familia.

GENTÍLICO-CA. adj. Relativo a los gentiles.

GENTILIDAD. f. Falsa religión que profesan los gentiles o idólatras.

GENTILISMO. m. Religión de los gentiles.

GENTÍO. m. Concurrencia de mucha gente.

GENTUZA. f. Gente despreciable.

GENUFLEXIÓN. f. Acto de doblar la rodilla en reverencia.

GENUINO-NA. adj. Puro, legítimo.

GEOCÉNTRICO-CA. adj. Relativo al centro de la tierra.

GEODESIA. f. Ciencia que determina la posición de puntos en la tierra.

GEODÉSICO-CA. adj. Perteneciente o relativo a la geodesia.

GEODESTA. m. Quien se dedica a la geodesia.

GEÓFAGO-GA. adj. s. Que come tierra.

GEOFÍSICA. f. Parte de la geología que estudia la física terrestre.

GEOGENIA. f. Parte de la geología que trata del origen y formación de la tierra.

GEOGNOSIA. f. Tratado de la disposición de los elementos de la tierra.

GEOGRAFÍA. f. Ciencia que describe la tierra.

GEOGRÁFICAMENTE. adv. m. Según las reglas de la geografía.

GEÓGRAFO-FA. s. Quien se dedica a la geografía.

GEOIDE. m. Forma teórica de la Tierra determinada por la geodesia.

GEOLOGÍA. f. Ciencia que estudia la constitución y origen de la tierra.

GEÓLOGO-GA. s. Persona dedicada a la geología.

GEOMANCIA. f. Adivinación supersticiosa que se hace valiéndose de los cuerpos terrestres o con líneas, círculos o puntos trazados en la tierra.

GEÓMETRA. m. Persona dedicada a la geometría.

GEOMETRÍA. f. Ciencia de la extensión.

GEOMÉTRICO-CA. adj. Relativo a la geometría.

GEONOMÍA. f. Ciencia que estudia las propiedades de la tierra vegetal.

GEÓRGICA. f. Obra poética sobre la agricultura.

GÉPIDO-DA. adj. s. De un antiguo pueblo de la Germania.

GERANIO. m. Planta de jardín de flor zigomorfa.

GERENCIA. f. Cargo y oficina de gerente.

GERENTE. m. Director de una empresa.

GERIATRÍA. f. Parte de la Medicina que trata de las enfermedades de la vejez.

GERIFALTE. m. Ave rapaz usada en cetrería.

GERMANÍA. f. Dialecto de gitanos, rufianes y ladrones.

GERMÁNICO-CA. adj. s. De Alemania.

GERMANIO. m. Metal blanco grisáceo.

GERMANISMO. m. Giro propio del alemán.

GERMANO-NA. adj. Alemán. De Germania.

GÉRMEN. m. Principio orgánico. Semilla.

GERMINACIÓN. f. Acto de germinar.

GERMINAL. adj. Relativo al gérmen. Séptimo mes del calendario republicano francés.

GERMINAR. intr. Brotar, comenzar a crecer las plantas.

GERMINATIVO-VA. adj. Que tiene virtud germinadora.

GERUNDENSE. adj. De Gerona.

GERUNDIO. m. Gram. Una de las formas verbales del infinitivo.

GESTA. f. Conjunto de hechos memorables de alguien.   [preñez.

GESTACIÓN. f. Tiempo que dura la

GESTATORIO-RIA. adj. Que se lleva a brazos.

GESTICULACIÓN. f. Movimiento del rostro, que indica afecto o pasión.

GESTICULAR. tr. Relativo al gesto. Intr. Hacer gestos.

GESTIÓN. f. Acción de gestionar.

GESTIONAR. intr. Hacer diligencias para conseguir algo.

GESTO. m. Expresión del rostro. Mueca.

GESTOR-RA. adj. s. Que gestiona. m. Gerente.

GÉTICO-CA. adj. Relativo a los getas.

GÉTULO-LA. adj. s. De la antigua Getulia.

GIBA. f. Corcova. Molestia.

GIBAR. tr. Corcovar. Fastidiar.

GIBELINO-NA. adj. s. Partidario del emperador alemán contra los Papas.

GIBELINO-NA. adj. s. Partidarios de los emperadores alemanes en la Edad Media.

GIBÓN. m. Simio de brazos largos, gran trepador.

GIBOSIDAD. f. Protuberancia en forma de giba.

GIBOSO-SA. adj. Corcovado.

GIGANTA. f. Mujer muy alta.

GIGANTE. adj. Gigantesco. m Hombre muy alto.

GIGANTESCO-CA. adj. Perteneciente a los gigantes. fig. Excesivo o muy sobresaliente en su línea.

GIGANTEZ. f. Tamaño que excede mucho de lo regular.

GIGANTISMO. m. Med. Exceso de crecimiento. Med. Tamaño excesivo de una célula o núcleo.

GIGANTÓN-NA. m. f. Figura de grandes proporciones que sale en las fiestas.

GIGOTE. m. Guisado de carne picada rehogado con manteca.

GIJONÉS-SA. adj. s. Natural de Gijón.

GILÍ. adj. fam. Tonto, lelo.

GIMNASIA. f. Arte de desarrollar el cuerpo mediante el ejercicio.

GIMNASIO. m. Lugar destinado a hacer gimnasia.

GIMNASTA. m. Ejercitado en la gimnasia.

GÍMNICO-CA. adj. Perteneciente a la lucha de los atletas.

GIMNOTO. m. Pez teleosteo, que produce descargas eléctricas.

GIMOTEAR. intr. Gemir frecuentemente.

GINANDRA. adj. Bot. Plantas con flores hemafroditas cuyos estambres están soldados con el pistilo.

GINEBRA. f. Alcohol aromatizado con bayas de enebro.

GINEBRINO-NA. adj. s. Natural de Ginebra. Perteneciente a esta ciudad Suiza.

GINECEO. m. Aposento de las mujeres entre los griegos.

GINECOLOGÍA. f. Med. Estudio de las enfermedades propias de la mujer.

GINECÓLOGO. m. Persona que ejerce la ginecología.

GINGIVAL. adj. Relativo o perteneciente a las encías.

GINGIVITIS. f. Inflamación de las encías.

GIRA. f. Paseo, excursión que realiza un grupo de personas con fines recreativos o de estudios.

GIRALDA. f. Veleta de forma animal.

GIRALDILLA. f. Veleta de torre. Baile popular de Asturias.

GIRÁNDULA. f. Rueda de cohetes

GIRAR. intr. Dar vueltas. Expedir letras de cambio.

GIRASOL. m. Planta compuesta de semilla oleaginosa comestible.

GIRATORIO-RIA. adj. Que gira.

GIRO. m. Acción de girar. Movimiento circular.

GIRÓMETRO. m. Aparato para medir la velocidad de rotación de una máquina.

GIRONDINO-NA. adj. s. Relativo al partido girondino.

GIROSCOPIO. m. Fís. Aparato que sirve para demostrar el movimiento de rotación de la tierra.

GIRÓSTATO. m. Fís. Aparato que está constituído por un volante pesado que gira con rapidez y tiende a conservar el plano de rotación reaccionando contra cualquier fuerza que le aparte de dicho plano.

GITANADA. f. Acción propia de gitanos.

GITANEAR. intr. fig. Halagar con gitanería para conseguir lo que se desea.

GITANERÍA. f. Mimo interesado. Reunión de gitanos.

GITANO-NA. adj. s. De un pueblo nómada que se cree procedente de Oriente.

GLACIAL. adj. Helado.

GLACIAR. m. Masa considerable de hielo en las montañas y cuya parte inferior se desliza muy lentamente, como si fuera un río de hielo.

GLACIS. m. Fort. Explanada.

GLADIADOR. m. Luchador en los juegos públicos romanos.

GLADIOLO. m. Bot. Espadaña.

GLANDE. m. Bálano extremo del pene. Bellota, fruto.

GLANDÍFERO-RA. adj. Bot. Que lleva o da bellotas.

GLÁNDULA. f. órgano, secretor de humores.

GLANDULAR. adj. Propio de las glándulas.

GLANDULOSO-SA. adj. Que tiene glándulas.

GLASÉ. m. Tafetán brillante

GLASEAR. tr. Satinar el papel.

GLASTO. m. Planta de cuyas hojas se obtiene un color parecido al añil.

GLAUCIO. m. Hierba papaverácea, de flores de cuatro pétalos amarillos.

GLAUCO. adj. De color verde claro.

GLAUCOMA. m. Tumor en el ojo.

GLEBA. f. Terrón que levanta el arado.

GLICERINA. f. Líquido incoloro, dulce, obtenido por saponificación de las grasas.

GLICINA. f. Planta leguminosa de jardín con flores en racimos de color azul.

GLICÓGENO-NA. adj. Glucógeno.

GLÍPTICA. f. Arte de grabar en piedras preciosas.

GLOBO. m. Cuerpo esférico. Aerostato.

GLOBOSO-SA. adj. En forma de globo.

GLOBULAR. adj. De figura de glóbulo. Compuesto de ellos.

GLÓBULO. m. Corpúsculo esférico. Célula libre redondeada de algunos líquidos animales.

GLOBULOSO-SA. adj. Compuesto de glóbulos.

GLORIA. f. Bienaventuranza. Fama, reputación. Esplendor.

GLORIA PATRI. ,Liturg. Gloria al Padre). m. Versículo latino que se dice después del padrenuestro y avemaría y al final de salmos e himnos de la Iglesia. Cuenta más gruesa que se pone en el rosario para separar los Misterios.

GLORIAR. tr. Tributar gloria u honor.

GLORIETA. f. Plazoleta. Cenador.

GLORIFICACIÓN. f. Acción y efecto de glorificar

GLORIFICADOR-RA. adj. s. Que glorifica. Que da la Gloria.

GLORIFICAR. tr. Dar gloria. Reconocerla. r. Gloriarse.

GLORIOSO-SA. adj. Digno de gloria

GLOSA. f. Explicación de un texto.

GLOSAR. tr. Explicar, comentar.

GLOSARIO. m. Diccionario de palabras desusadas. Vocabulario de un autor.

GLOSILLA. f. dim. de Glosa. Impr. Tipo de letra menor que la de breviario.

GLOSITIS. f. Inflamación de la lengua.

GLOSOPEDA. f. Enfermedad del ganado, caracterizada por fiebre y desarrollo de vesículas en boca y entre las pezuñas. Fiebre Aftosa.

GLÓTICO-CA. adj. Zool. Perteneciente o relativo a la glotis.

GLOTIS. f. Anat. Abertura superior de la faringe.

GLOTÓN-NA. adj. Que come con exceso.

GLOTONERIA. f. Calidad de glotón. Voracidad.

GLUCEMIA. f. Med. Presencia de azúcar en la sangre.

GLUCINA. f. Quím. Óxido de glucinio.

GLUCINIO. m. Metal parecido al aluminio.

GLUCÓGENO-NA. adj. Que engendra azúcar o glucosa.

GLUCÓMETRO. m. Aparato para medir el azúcar de un líquido.

GLUCOSA. f. Azúcar que se encuentra en los frutos, miel y organismos animales.

GLUTEN. m. Substancia adhesiva que se encuentra en la harina.

GLÚTEO-A. adj. Relativo a la nalga.

GLUTINOSO-SA. adj. Pegajoso.

GNEIS. m. Roca pizarrosa.

GNEÍSICO-CA. adj. Perteneciente o relativo al gneis.

GNÓMICO-CA. adj. Dícese de los poetas que escriben sentencias y reglas morales y de las poesías de este género.

GNOMO. m. Ser fantástico que representa en figura de enano, que guarda o trabaja los veneros de las minas.

GNOSTICISMO. m. Doctrina filosófica, especie de panteísmo.

GNÓSTICO-CA. adj. Relativo al gnosticismo.

GOA. f. Min. Masa de hierro según sale de la hornaza.

GOBELINO. m. Tapicería de alto lizo.

GOBERNACIÓN. f. Gobierno.

GOBERNADOR-RA. adj. s. Que gobierna.

GOBERNADORCILLO. m. Juez pedáneo en las Filipinas.

GOBERNALLE. m. Timón de la nave.

GOBERNANTE. p. a. de Gobernar. Que gobierna. m. fam. El que se mete a gobernar una cosa.

GOBERNAR. tr. Dirigir, regir, mandar.

GOBIERNA. f. Veleta que señala la dirección del viento.

GOBIERNO. m. Acción de gobernar. Consejo de ministros. Empleo de gobernador.

GOBIO. m. Pez acantopterigio de río, comestible.

GOCE. m. Acción y efecto de gozar.

GOCETE. m. Sobaquera de malla para proteger las axilas.

GOCHO-CHA. m. y f. Cochino, cerdo.

GODESCO-CA. adj. Alegre. placentero.

GODO-DA. adj. s. De la Gocia.

GOFIO. m. Pasta de harina de maíz y dulce.

GOFO-A. adj. Necio.

GOL. (Inglés goal). Entrada del balón en la portería.

GOLA. f. Garganta. Pieza de la armadura que cubría la garganta.

GOLDRE. m. Carcaj en que se llevan las saetas.

GOLETA. f. Velero de dos o tres palos, de borda poco elevada.

GOLF. m. Juego que consiste en meter una bola en algunos agujeros.

GOLFEAR. intr. Vivir como un golfo.

GOLFERÍA. f. Conjunto de golfos o pilluelos.

GOLFO-FA. m. y f. Pilluelo,, vagabundo, embaidor.

GOLFO. m. Gran extensión de mar que se adentra en la tierra. Toda la extensión del mar. Cierto juego de envite.

GOLILLA. f. Cuello de algunos tocados. m. Ministro togado.

GOLONDRINA. f. Pájaro fisirrostro de alas puntiagudas y cola ahorquillada.

GOLONDRINO. m. Pollo de golondrina. Infarto glandular en el sobaco.

GOLOSAMENTE. adv. m. Con golosina.

GOLOSINA. f. Manjar delicado. Apetito, deseo de algo.

GOLOSO-SA. adj. s. Aficionado a las golosinas.

GOLPAZO. m. aum. de Golpe. Golpe violento o ruidoso.

GOLPE. m. Encuentro violento de dos cuerpos. Infortunio, desgraciada imprevista.

GOLPEADERO. m. Parte donde se golpea mucho. Ruido que resulta cuando se dan muchos golpes.

GOLPEAR. tr. Dar golpes.

GOLPETE. m. Palanca metálica que mantiene abierta una hoja de puerta o ventana.

GOLPETEAR. tr. intr. Golpear viva y continuamente.

GOLLERÍA. f. Manjar exquisito. Delicadeza. Demasía.

GOLLETAZO. m. Golpe que se da en el gollete de una botella cuando no se puede abrir. Taurom. Estocada que penetra en el pecho y atraviesa los pulmones.

GOLLETE. m. Cuello estrecho de una vasija. Parte superior de la garganta.

GOLLIZNO. m. Garganta de un río, desfiladero.

GOMA. f. Substancia amorfa de algunas plantas. Tira de caucho.

GOMECILLO. m. fam. Lazarillo.

GOMISTA. com. Persona que trafica en objetos de goma.

GOMORRESINA. f. Substancia exudada por algunas plantas.

GOMOSERÍA. f. Calidad de gomoso o lechuguino.

GOMOSO-SA. adj. Que se parece a la goma. m. Pisaverde.

GÓNDOLA. f. Embarcación de recreo usada en Venecia.

GONDOLERO. m. Quien dirige una góndola.

GONELA. f. Túnica antigua de piel o de seda.

GONG. m. Batintín o tantán.

GONGORINO-NA. adj. s. Que imita o sigue la manera de Góngora.

GONGORISMO. m. Culteranismo.

GONIÓMETRO. m. Instrumento para medir ángulos.

GONOCOCO. m. Gérmen patógeno de la gonorrea.

GONORREA. f. Blenorragia crónica.

GORDAL. adj. Que excede de gordura a las cosas de su especie.

GORDIANO. (NUDO). Dícese de un nudo imposible de desatar.

GORDINFLÓN-NA. adj. Muy grueso pero de carnes flojas.

GORDO-DA. adj. De muchas carnes. Graso. Abultado.

GORDOLOBO. m. Planta escrofulariácea, de flores amarillas.

GORDURA. f. Grasa delicada del cuerpo. Exceso de carnes.

GORGA. f. Alimento para las aves de cetrería.

GORGOJO. m. Dícese de varios insectos coleópteros. Persona muy chica.,

GORGÓNEO-A. adj. Perteneciente a las Gorgonas.

GORGORAN. m. Tela de seda con cordoncillo.

GORGORITA. f. Burbuja pequeña.

GORGORITO. m. Quiebro que se hace con la voz en la garganta.

GORGOROTADA. f. Porción de un licor que se bebe de un golpe.

GORGOTEO. m. Ruido de líquido o gas en una cavidad.

GORGUERA. f. Adorno del cuello. Involucro.

GORIGORI. m. fam. Canto de los entierros.

GORILA. m. Mono antropomorfo.

GORJA. f. Garganta.

GORJAL. m. Parte del vestido sacerdotal que rodea el cuello.

GORJEAR. intr. Hacer gorjeo. Cantar el pájaro.

GORJEO. m. Quiebro que se hace con la voz en la garganta. Canto del pájaro.

GORMADOR. m. El que gorma o vomita.

GORRA. f. Prenda para abrigar la cabeza. fig. Gorrón.

GORRERÍA. f. Taller donde se hacen gorras. Establecimiento donde se venden.

GORRERO-RA. m. Persona que hace o vende gorras.

GORRETADA. f. Cortesía hecha con la gorra.

GORRINERA. f. Choza para cerdos.

GORRINERÍA. f. Porquería.

GORRINO-NA. m. Cerdo pequeño. Cerdo.

GORRIÓN. s. Pájaro conirrostro con plumaje gris oscuro.

GORRIONA. f. Hembra del gorrión.

GORRISTA. m. Gorrón.

GORRO. m. Prenda de tela o punto para abrigar la cabeza.

GORRÓN-NA. adj. s. Que vive o se divierte a costa ajena.

GORRONEAR. intr. Vivir de gorra.

GORULLO. m. Burujo.

GOTA. f. Glóbulo de cualquier líquido. Afección artrítica debida al ácido úrico.

GOTEAR. intr. Caer gota a gota.

GOTERA. f. Grieta o agujero por donde cae el agua del tejado.

GOTERÓN. m. Gota grande de tinta. Canal en la parte inferior de la cornisa.

GÓTICO-CA. Ojival. Relativo a los godos.

GOTOSO-SA. adj. s. Que padece gota.

GOYESCO. adj. Propio y característico de Goya.

GOZAR. tr. intr. Tener o poseer algo. intr. r. Sentir placer.

GOZNE. m. Herraje articulado para fijar puertas y ventanas que giren.

GOZO. m. Emoción. Alegría, júbilo.

GOZOSAMENTE. adv. m. Con gozo.

GOZOSO-SA. adj. Alegre.

GOZQUE. adj. s. Perro pequeño, muy ladrador.

GRABADO. m. Arte y acción de grabar. Estampa.

GRABADOR-RA. s. Que graba por oficio.

GRABAR. tr. Esculpir o señalar algo con el buril.

GRACEJAR. intr. Hablar o escribir con gracejo. Decir chistes.

GRACEJO. m. Gracia y donaire festivo al hablar o escribir.

GRACIA. f. Ayuda sobrenatural. Don. Atractivo. Garbo.

GRACIABLE. adj. Afable en el trato. Que se puede conceder graciosamente.

GRÁCIL. adj. Sutil, menudo.

GRACIOSIDAD. f. Gracia, hermosura, chiste.

GRACIOSO-SA. adj. Con gracia. Gratuito. Chistoso, agudo.

GRADA. f. Peldaño. Asiento colectivo. Instrumento agrícola para allanar la tierra.

GRADACIÓN. f. Serie de cosas en escala o progresión.

GRADAR. tr. Allanar con la grada la tierra después de arada.

GRADEO. m. Acción de gradar.

GRADERÍA. f. Conjunto de gradas.

GRADILLA. f. Escalerilla portátil. Marco para hacer ladrillos.

GRADÍOLO. m. Gladíolo.

GRADO. m. Escalón. Ascenso. Título que se da a quien se gradúa.

GRADUABLE. adj. Que puede graduarse.

GRADUACIÓN. f. Acción de graduar.

GRADUADOR-RA. adj. s. Que gradúa.

GRADUAL. adj. Que va por grados.

GRADUALMENTE. adv. m. Sucesivamente, por partes.

GRADUAR. tr. Dar a una cosa el grado debido. Conferir el grado.

GRAFÍA. f. Modo de escribir una palabra con respecto a las letras que entran en ella.

GRÁFICO-CA. adj. Que se representa por figuras.

GRAFILA. f. Orlita de las monedas.

GRAFIO. m. Instrumento para dibujar sobre una superficie estofada.

GRAFIOLES. m. pl. Melindres, en figura de "s".

GRAFITO. m. Mineral de carbono, compacto, negro y untuoso.

GRAFÓFONO. m. Fonógrafo perfeccionado.

GRAFOLOGÍA. f. Arte de conocer el carácter de una persona por su escritura.

GRAFOMANÍA. f. Manía de escribir libros, artículos, etc.

GRAFÓMETRO. m. Semicírculo graduado que sirve para medir ángulos en las operaciones topográficas.

GRAGEA. f. Confite muy menudo.

GRAJEAR. intr. Cantar o chillar los grajos.

GRAJO. m. Pájaro córvido, de plumaje negro, pico y pies rojos y uñas negras.

GRAMA. f. Planta medicinal de tallo rastrero.

GRAMALLA. f. Vestidura antigua parecida a una bata. Cota de malla.

GRAMÁTICA. f. Arte de hablar y escribir bien un idioma.

GRAMATICAL. adj. Relativo a la gramática.

GRAMATICALMENTE. adv. m. Conforme a las reglas de la gramática.

GRAMÁTICO-CA. m. Quien entiende en gramática.

GRAMIL. m. Instrumento para trazar líneas paralelas.

GRAMILLA. f. Tabla donde se colocan los manojos de lino o cáñamo para agramarlos.

GRAMÍNEAS. f. pl. Bot. Familia de plantas a la que pertenecen los cereales.

GRAMO. m. Unidad de peso del sistema métrico decimal.

GRAMÓFONO. m. Fonógrafo perfeccionado.

GRAMOLA. f. Gramófono eléctrico.

GRAN. adj. Apócope de grande.

GRANA. f. Granazón. Cochinilla. Quermes.

GRANADA. f. Fruto del granado. Globo lleno de pólvora.

GRANADERA. f. Bolsa que llevan los granaderos para guardar las granadas de mano.

GRANADERO. m. Soldado que arroja granadas.

GRANADILLA. f. Flor de la pasionaria.

GRANADINO-NA. adj. s. De Granada.

GRANADO-DA. adj. Notable, Principal, ilustre. Árbol de flores rojas cuyo fruto es la granada.

GRANALLA. f. Metal reducido a granos menudos.

GRANAR. intr. Formar y crecer el grano de ciertos frutos.

GRANATE. m. Color rojo oscuro. Rubí ordinario.

GRANAZÓN. f. Acción de granar.

GRANCE. adj. Dícese del color rojo que resulta al teñir con raíz de rubia o granza.

GRANDE. adj. Que excede a lo común o regular. s. Prócer.

GRANDEZA. f. Tamaño excesivo de algo. Majestad. Dignidad.

GRANDILOCUENCIA. f. Elocuencia muy elevada. Estilo sublime.

GRANDILOCUENTE. adj. Que habla o escribe con grandilocuencia.

GRANDÍLOCUO-CUA. adj. Que habla o escribe con grandilocuencia.

GRANDIOSIDAD. f. Magnificencia, grandeza admirable.

GRANDIOSO - SA. adj. Sobresaliente, magnífico.

GRANDOR. m. Tamaño de las cosas.

GRANDULLÓN-NA. adj. Grandillón.

GRANEADO-DA. adj. Reducido a grano. Salpicado de pintas.

GRANEADOR. m. Criba para granear la pólvora.

GRANEAR. tr. Esparcir en grano en la siembra.

GRANEL. (A). m. adv. Sin orden, número ni medida.

GRANERO. m. Sitio donde se guarda el grano. Terreno muy abundante en grano.

GRANGUARDIA. f. Mil. Guardia avanzada de caballería.

GRANILLA. f. Granillo que por el revés tiene el paño.

GRANILLO. m. Tumor pequeño en la rabadilla de las aves.

GRANÍTICO-CA. adj. Relativo o semejante al granito.

GRANITO. m. Roca granular cristalina compuesta de feldespato, cuarzo y mica.

GRANIZADA. f. Copia de granizo que cae de una vez.

GRANIZAR. intr. Caer granizo.

GRANIZO. m. Agua congelada que cae en granos duros y gruesos.

GRANJA. f. Hacienda rústica con caserío.

GRANJEAR. tr. Adquirir traficando. tr. r. Conseguir, captar.

GRANJEO. m. Acción y efecto de granjear.

GRANJERÍA. f. Beneficio de las haciendas del campo.

GRANJERO-RA. s. Persona que cuida de una granja.

GRANO. m. Semilla, fruto de las mieses. Pequeño tumor que cría materia.

GRANOSO-SA. adj. De superfiice cubierta de granos.

GRANUJA. m. Muchacho vagabundo. Uva desgranada.

GRANUJERÍA. f. Conjunto de granujas o de pillos.

GRANUJIENTO-TA. adj. Que tiene muchos granos.

GRANULACIÓN. f. Acción de granular.

GRANULAR. adj. Que presenta granos. Quím. Reducir a granos una masa.

GRÁNULO. m. Bolita de azúcar y goma arábiga con pequeña dosis de algún medicamento.

GRANULOSO-SA. adj. Que tiene granillos.

GRANZA. f. Rubia. Deshechos del yeso al cernerlo.

GRANZÓN. m. Granza grande.

GRAÑÓN. m. Especie de sémola hecha de trigo cocido en grano. El mismo grano cocido.

GRAO. m. Desembarcadero.

GRAPA. f. Pieza metálica cuyos dos extremos doblados se clavan para unir dos cosas.

GRASA. f. Sebo del animal.

GRASERO. m. Escombrera, escorial.

GRASEZA. f. Calidad de graso.

GRASIENTO-TA. adj. Untado y lleno de grasa.

GRASILLA. f. Polvo de sandáraca.

GRASO-SA. adj. Pingüe, mantecoso.

GRASOSO-SA. adj. Grasiento.

GRASPO. m. Especie de brezo.

GRATA. f. Escobilla de metal para gratar.

GRATAR. tr. Limpiar o bruñir un metal con la grata.

GRATIFICACIÓN. f. Recompensa pecuniaria de un servicio.

GRATIFICADOR-RA. adj. s. Que gratifica.

GRATIFICAR. tr. Recompensar un servicio con gratificación. Complacer.

GRATIL. m. Mar. Orillo de la vela.

GRATIN. (Voz francesa). m. Salsa espesa con que se cubren algunas viandas y que después de tostada al horno se sirve.

GRATIÓN. m. Situado en la línea media del maxilar inferior.

GRATIS. adv. m. De balde.

GRATITUD. f. Agradecimiento de un favor.

GRATO-TA. adj. Gustoso, agradable. Gratuito, gracioso.

GRATUITAMENTE. adv. m. De gracia, sin interés. Sin fundamento.

GRATUITO-TA. adj. De balde. Arbitrario, infundado.

GRATULAR. tr. Dar el parabien a uno. r. Complacerse.

GRAVA. f. Guijo.

GRAVAMEN. m. Carga.

GRAVAR. tr. Cargar.

GRAVATIVO-VA. adj. Que grava.

GRAVE. adj. Que pesa. fig. Serio. Arduo. Gram. Palabra que se acentúa en la penúltima sílaba.

GRAVEAR. intr. Gravitar.

GRAVEDAD. f. Fuerza de atracción hacia el centro de la Tierra. Calidad de grave.

GRAVEDOSO-SA. adv. Serio, con afectación.

GRAVIDEZ. f. Preñez.

GRÁVIDO-DA. adj. Cargado, lleno, abundante.

GRAVÍMETRO. m. Fís. Instrumento para determinar el peso especifico de los cuerpos.

GRAVITACIÓN. f. Fuerza de atracción universal.

GRAVITAR. intr. Descansar o pesar una cosa sobre otra. Gravear. Servir de gravamen.

GRAVOSO-SA. adj. Molesto, pesado. Oneroso, costoso.

GRAZNAR. intr. Dar graznidos.

GRAZNIDO. m. fig. Canto que disuena mucho al oído.

GREBA. f. Pieza de la armadura que cubría la pierna.

GRECA. f. Adorno que consiste en una faja que desdoblándose en ángulos rectos, forma cadena.

GRECIZAR. tr. Dar forma griega a voces de otro idioma.

GRECO-CA. adj. s. Griego.

GRECORROMANO-NA. adj. Común a griegos y romano.s

GREDA. f. Arcilla arenosa usada para quitar manchas.

GREDAL. m. Nordeste. Terreno que abunda en greda.

GREDOSO-SA. adj. Relativo a la greda.

GREGAL. m. Viento que viene entre levante y trasmontana.

GREGARIO-RIA. adj. Que está en compañía de otros sin distinción. Que sigue servilmente las ideas ajenas.

GREGORIANO-NA. adj. Canto religioso reformado por el Papa Gregorio I. Dícese del año, calendario, cómputo y era que reformó Gregorio XIII.

GREGUERIA. f. Algarabía.

GREGÜESCOS. m. pl. Calzones muy anchos usados antiguamente.

GREMIAL. adj. Relativo al gremio.

GREMIO. m. Corporación de maestros, oficiales y aprendices de un mismo oficio.

GRENA. f. Cabellera revuelta. Lo enredado.

GREÑUDO. adj. Que tiene grenas.

GRES. m. Pasta de arcilla y arena.

GRESCA. f. Bulla, riña.

GREY. m. Rebaño grande.

GRIAL. m. Copa mística en que se instituyó la Eucaristía.

GRIEGO-GA. adj. s. De Grecia.

GRIETA. f. Abertura, quiebra. Hendidura de la piel.

GRIETARSE. f. Abrirse un cuerpo sólido, en forma de grietas.

GRIFA. f. Plantilla para dar formas variadas al hierro caldeado.

GRIFALTO. m. Especie de culebrina de calibre muy pequeño.

GRIFERIA. f. Conjunto de grifos o llaves. Establecimiento donde se venden.

GRIFO-FA. adj. Crespo. Letra aldina. m. Animal fabuloso.

GRILLA. f. Hembra del grillo.

GRILLAR. r. Echar grillos las semillas.

GRILLERA. f. Agujero o jaula de grillos.

GRILLERO. m. El que pone grillos a los presos.

GRILLETE. m. Aro de hierro que asegura al pie la cadena del presidiario.

GRILLO. m. s. Insecto ortóptero, cuyo macho produce sonido agudo frotando los élitros.

GRIMA. f. Horror, desazón.

GRIMPOLA. f. Mar. Gallardete corto.

GRINGO-GA. adj. s. Extranjero.

GRIÑÓN. m. Toca de monja. Variedad de melocotón.

GRIPAL. adj. Relativo a la gripe.

GRIPE. f. Enfermedad infecciosa epidémica.

GRIS. adj. s. Color mezcla de blanco y negro. Triste.

GRISÁCEO-CEA. adj. Que tira a gris.

GRISETA. f. Tela de seda con flores menudas.

GRISÚ. m. Mofeta, gas.

GRITA. f. Gritería.

GRITAR. intr. Levantar la voz. Dar gritos.

GRITERÍA. f. Confusión de voces altas y desentonadas.

GRITO. m. Efecto de gritar.

GRO. m. Tela de seda sin brillo.

GROERA. f. Mar. Agujero hecho para dar paso a un cabo.

GROG. m. Bebida de ron, agua caliente, azúcar y limón.

GROMO. m. Yema o cogollo en los árboles. Ast. Rama de árgoma.

GROOM. m. Lacayo joven.

GROPOS. m. pl. Cendales del tintero.

GROSELLA. f. Fruto del grosellero, de sabor agridulce.

GROSELLERO-RA. m. Arbusto saxifragáceo, cuyo fruto es la grosella.

GROSERÍA. f. Tosquedad, descortesía.

GROSERO-RA. Basto, ordinario, descortés.

GROSOR. m. Espesor de un cuerpo.

GROSURA. f. Substancia grasa.

GROTESCAMENTE. adv. m. De maneda grotesca.

GROTESCO-CA. adj. Ridículo, extravagante.

GRÚA. f. Cabria con eje vertical giratorio y un brazo para levantar pesos.

GRUESA. f. Doce docenas.

GRUESAMENTE. adv. m. A. bulto, en grueso. De un modo grueso.

GRUESO-SA. adj. Corpulento, recio, grande. Abultado.

GRUIR. intr. Gritar las aves.

GRUJIDOR. m. Barra cuadrada con muescas en los extremos.

GRUJIR. tr. Igualar el borde los vidrios con el grujidor.

GRULLA. f. Ave zancuda de pico cónico y cuello largo.

GRULLADA. f. Gurullada. Perogrullada.

GRUMADA. f. Despojos de los árboles cortados y labrados.

GRUMETE. m. Mar. Aprendiz de marinero.

GRUMO. m. Cuajarón, coágulo.

GRUMOSO-SA. adj. Que tiene grumos.

GRUÑIDO. m. Voz del cerdo. Sonido inarticulado de una persona.

GRUÑIDOR-RA. adj. Que gruñe.

GRUÑIR. intr. Dar gruñidos. Mostrar disgustos.

GRUÑÓN. adj. Que gruñe con frecuencia.

GRUPA. f. Anca del caballo.

GRUPERA. f. Baticola. Almohadilla que se pone detrás de la silla de montar.

GRUPO. m. Conjunto de varios seres.

GRUTA. f. Cavidad en la roca o en la tierra.

GRUTESCO-CA. adj. Relativo a la gruta.

GUABO. m. Guamo, árbol.

GUACA. f. Sepulcro de los antiguos indios, donde se encuentra a menudo objetos de valor. Amér. Merid. Tesoro escondido o enterrado.

GUACAMAYO. f. Ave prensora americana, de plumaje rojo, azul y amarillo.

GUACIA. f. Acacia. Goma de este árbol.

GUACHAPEAR. tr. Agitar con los pies el agua.

GUACHARRADA. f. Caída de golpe de alguna cosa en el agua o en el lodo.

GUACHARRO. m. Guacho, pollo.

GUADAMECÍ. m. Cuero adobado y adornado, con dibujos o relieves.

GUADAÑA. f. Cuchillo grande enastado en mango largo, para segar.

GUADAÑAR. tr. Segar hierba.

GUADAPERO. m. Mozo que lleva la comida a los segadores.

GUADARNÉS. m. Sitio en que se guardan los arneses.

GUADUA. f. Bambú grueso del Perú.

GUAGUA. f. Cosa baladí.

GUAIRA. f. Hornillo de barro para fundir mineral de plata.

GUAIRO. m. Mar. Embarcación cubana.

GUAITA. f. Soldado que acechaba por la noche.

GUAJARAS. f. pl. Fragosidad de una sierra.

GUAJIRO-RA. adj. s. Campesino blanco en Cuba.

GUALDA. f. Hierba resedácea de hoja amarilla.

GUALDERA. f. Tablones laterales que forman una escalera.

GUALDO-DA. adj. De color amarillo dorado.

GUALDRAPA. f. Cobertura para las ancas de la caballería.

GUALDRAPAZO. m. Mar. Golpe de la vela contra el palo.

GUALDRAPEAR. intr. Dar gualdrapazos.

GUALDRAPERO-RA. adj. Andrajoso, haraposo.

GUAMO. m. Árbol de la familia de las leguminosas y que se planta para dar sombra al café. Su fruto es la guama.

GUANÁBANA. f. Fruta del guanábano.

GUANÁBANO. Árbol, de fruto acorazonado y muy sabroso.

GUANACO. m. Rumiante camélico de los Andes.

GUANAJO. m. Hist. Nat. Pavo común.

GUANAY. m. Cormorán de las costas del Perú.

GUANCHES. m. Primitivos pobladores de las Canarias.

GUANERA. f. Sitio en que hay guano.

GUANO. m. Excremento de aves marinas, usado como abono.

GUANTADA. f. Guantazo. Bofetada.

GUANTE. m. Prenda que se adapta a la mano.

GUANTELETE. m. Manopla.

GUANTERÍA. f. Tienda donde venden o hacen guantes.

GUANTERO-RA. s. Quien hace o vende guantes.

GUAPAMENTE. adv. m. Con guapeza. Muy bien.

GUAPEAR. intr. fam. Ostentar ánimo y bizarría en los momentos de peligro.

GUAPEZA. f. Bizarría, ostentación en el vestir.

GUAPO-PA. adj. Bien parecido. Que tiene guapeza.

GUAPURA. f. fam. Cualidad de guapo o bien parecido.

GUARACHA. m. Baile zapateado.

GUARAPO. m. Jugo de la caña de azúcar.

GUARDA. s. Persona que guarda una cosa. Acto de guardar.

GUARDABARRERA. com. El que cuida de un paso a nivel.

GUARDABARROS. m. pl. Pieza que cubre la rueda.

GUARDABOSQUE. m. Guarda de bosque.

GUARDABRISA. f. Fanal en que se colocan las velas.

GUARDACANTÓN. m. Piedra para resguardar las esquinas de las calles. Poste de piedra.

GUARDACOSTAS. m. Mar. Buque pequeño que defiende el litoral.

GUARDADOR-RA. adj. s. Que guarda.

GUARDAFRENO. s. Empleado que maneja los frenos del tren.

GUARDAGUAS. m. Mar. Listón que se clava sobre las portas para evitar que entre el agua.

GUARDAGUJAS. m. Empleado que en los ferrocarriles tiene la misión de cambiar las agujas. No varía en pl.

GUARDAINFANTE. m. Tontillo que llevaban las mujeres bajo la basquiña.

GUARDAJOYAS. s. Quien guarda las joyas. Sitio en que se guardan.

GUARDALADO. m. Petril.

GUARDAMONTE. m. En las armas de fuego, pieza de metal sobre el disparador para protegerlo.

GUARDAMUEBLES. m. Local para guardar muebles.

GUARDAPELO. m. Medallón para guardar pelo.

GUARDAPIÉS. m. Brial.

GUARDAPOLVO. m. Resguardo contra el polvo.

GUARDAPUNTAS. m. Contera para

GUARDAR. tr. Cuidar, vigilar. Cumplir. Conservar.

GUARDARROPA. m. Local para cuidar ropa. Que está frente a él.

GUARDARROPÍA. f. Conjunto de muebles y accesorios para una representación teatral.

GUARDARRUEDAS. m. Guardacantón.

GUARDASELLOS. m. Quien guarda los sellos de los reyes.

GUARDAVELA. m. Mar. Cabo que trinca las velas de gavia a los calceses de los palos.

GUARDAVÍA. m. Quien vigila la vía férrea.

GUARDERÍA. f. Institución destinada al cuidado de niños en ausencia de sus padres.

GUARDÉS. f. Encargada de la custodia de algo.

GUARDIA. f. Defensa. Modo de defenderse en esgrima.

GUARDIAMARINA. f. Cadete de la armada.

GUARDIÁN-NA. s. Quien guarda algo.

GUARDILLA. f. Buhardilla. Púa gruesa del peine.

GUARECER. tr. Socorrer, acoger, preservar.

GUARIDA. f. Refugio en que se guarecen los animales.

GUARIR. intr. Subsistir o mantenerse.

GUARISMO. m. Cifra arábiga que expresa una cantidad.

GUARNECEDOR-RA. s. Que guarnece.

GUARNECER. tr. Poner guarnición a algo. Adornar.

GUARNECIDO. m. Revoque.

GUARNICIÓN. f. Adorno en las ropas. Tropa que defiende una plaza. pl. Arreos de las caballerías.

GUARNICIONAR. tr. Mil. Poner guarnición.

GUARNICIONERÍA. f. Tienda de guarnicionero.

GUARNICIONERO. m. Quien hace o vende guarniciones para caballerías.

GUARNIEL. m. Bolsa de cuero que traen los arrieros sujeta al cinto.

GUARNIGÓN. m. Pollo de codorniz.

GUARNIR. tr. Guarnecer. Mar. Colocar los cuadernales.

GUARRERÍA. f. Porquería, suciedad. Acción sucia.

GUARRO-RRA. s. adj. Cochino.

GUASA. f. Falta de gracia. Burla.

GUASEARSE. r. Chancearse.

GUASÓN-NA. adj. s. Soso. Burlón.

GUATA. f. Manta de algodón en rama.

GUATEMALTECO-CA. adj. s. Natural de Guatemala. Perteneciente a esta república.

GUATEQUE. m. fam. Convite, baile bullanguero.

GUAU. Onomatopeya de la voz del perro.

¡GUAY! interj. ¡Ay!

GUAYA. f. Lloro o lamento.

GUAYABA. f. Baya aovada del guayabo. Jalea hecha con ella.

GUAYABERA. f. Chaquetilla corta de tela ligera.

GUAYABO. m. Arbusto mirtáceo, cuyo fruto es la guayaba.

GUAYACO. m. Árbol cuya madera cocida en agua, da un líquido sudorífico.

GUAYACOL. m. Fenol derivado de la bencina.

GUBERNAMENTAL. adj. Relativo al gobierno del Estado.

GUBERNATIVO-VA. adj. Perteneciente al Gobierno.

GUBIA. f. Formón de media caña.

GUEDEJA. f. Cabellera larga.

GUEDEJUDO-DA. adj. Que tiene guedejas.

GÜELDO. m. Cebo de pescadores.

GÜELFO-FA. adj. s. Partidario del Papa en la Edad Media.

GUERRA. f. Lucha armada entre naciones o partidos. Oposición.

GUERREAR. intr. Hacer guerra. Contradecir.

GUERRERA. f. Chaqueta de uniforme.

GUERRERO-RA. adj. Relativo a la guerra. Marcial.

GUERRILLA. f. Partida de tropa ligera o de paisanos que hostilizan al enemigo.

GUERRILLERO. m. Paisano que sirve en guerrilla.

GUÍA. com. Persona que encamina o dirige.

GUIAR. tr. Mostrar el camino, dirigir, conducir.

GUIGUÍ. m. Especie de ardilla de Filipinas.

GUIJA. f. Piedra pelada y pequeña a la orilla del río.

GUIJARRAL. m. Terreno lleno de guijarros.

GUIJARRAZO. m. Golpe dado con guijarro.

GUIJARRO. m. Piedra lisa y no muy grande.

GUIJARROSO-SA. adj. Que abunda en guijarros.

GUIJO. m. Conjunto de guijas para consolidar un camino.

GUILLA. f. Cosecha abundante.

GUILLADURA. f. Chifladura.

GUILLAME. m. Cepillo estrecho de carpintero.

GUILLARSE. r. Irse. Chiflarse, alelarse.

GUILLÍN. m. Huillín, especie de nutria.

GUILLOTINA. f. Máquina usada en Francia para decapitar. Impr. Máquina para cortar papel.

GUILLOTINAR. tr. Ajusticiar con guillotina. Cortar papel con guillotina.

GUIMBALETE. m. Palanca con que se mueve la bomba aspirante.

GUINCHAR. tr. Picar con la punta de un palo.

GUINCHO. m. Aguijón o punta aguada de palo.

GUINDA. f. Fruto ácido del guindo.

GUINDAL. m. Guindo.

GUINDALERA. f. Terreno poblado de guindos.

GUINDALETA. f. Cuerda gruesa de cáñamo.

GUINDAR. tr. Colgar de lo alto una cosa. fam. Ahorcar.

GUINDILLA. f. Pimiento pequeño encarnado, muy picante.

GUINDO. m. Árbol rosáceo, cuyo fruto es la guinda.

GUINEA. f. Antigua moneda inglesa de oro.

GUIÑADA. f. Acción de guiñar.

GUIÑAPO. m. Andrajo. Persona andrajosa.

GUIÑAR. tr. Cerrar un ojo momentáneamente.

GUISO. m. Guiñada.

GUIÓN. m. Cruz, pendón que precede al prelado. Signo ortográfico que divide una palabra o marca un inciso.

GUIPAR. tr. fam. Ver, adivinar.

GUIPUR. m. Encaje de malla ancha.

GUIPUZCOANO-NA. adj. s. De Guipúzcoa.

GÜIRA. f. Árbol tropical de fruto globoso y corteza dura. Fruto de este árbol.

GUIRIGAY. m. Gritería. Lenguaje ininteligible.

GUIRINDOLA. f. Chorrera.

GUIRLACHE. m. Turrón de almendras y caramelos.

GUIRNALDA. f. Corona de flores o de follaje.

GUISA. f. Modo o semejanza. Voluntad. Clase.

GUISADO. m. Cualquier preparado con salsa.

GUISANDERO-RA. s. Persona que guisa.

GUISANTE. m. Hierba papilonácea con zarcillos y fruto en vaina. Semilla de ésta.

GUISAR. tr. Preparar los manjares por medio del fuego.

GUISO. m. Manjar guisado.

GUISOTE. m. Guisado ordinario y grosero.

GUITA. f. Cuerda fina de cáñamo. Dinero.

GUITARRA. f. Mús. Instrumento de cuerda compuesto de una caja de madera y un mástil con trastes.

GUITARRAZO. m. Golpe de guitarra.

GUITARRERO-RA. s. Quien hace o vende guitarras.

GUITARRILLO. m. Guitarra pequeña de cuatro cuerdas.

GUITARRISTA. com. Quien toca la guitarra.

GUITARRO. m. Guitarrillo.

GUITÓN-NA. adj. s. Pícaro.

GULA. f. Exceso en la comida y bebida.

GULES. m. pl. Blas. Color rojo.

GULUSMEAR. tr. Andar oliendo lo que se guisa.

GUMIA. f. Daga mora encorvada.

GUMÍFERO-RA. adj. Que lleva o produce goma.

GURBIÓN. m. Goma del euforbio.

GURDO-DA. adj. Necio. Simple.

GURRIATO. m. Pollo del gorrión.

GURRUMINA. f. Condescendencia excesiva con la esposa.

GURRUMINO-NA. adj. Ruín. Quien tiene gurrumina.

GURRULLADA. f. Grupo de gente de baja estofa.

GUSANEAR. intr. Hormiguear.

GUSANERA. f. Sitio donde se crían gusanos. Pasión dominante.

GUSANILLO. m. Labor menuda en algunas telas. Hilo ensortijado.

GUSANO. m. Animal metazoo, celomado, cuerpo blando y sin patas y sistema nervioso ganglionar.

GUSARAPO. s. Animal de forma de gusano.

GUSTACIÓN. f. Acción y efecto de gustar.

GUSTAR. tr. Sentir el sabor de algo en el paladar.

GUSTATIVO-VA. adj. Relativo al gusto.

GUSTAZO. m. Gusto grande.

GUSTILLO. m. Saborcillo.

GUSTO. m. Sentido corporal por el que sentimos sabor. Sabor de las cosas. Placer por algo. Propia voluntad.

GUSTOSO-SA. adj. Agradable. Sabroso. Que hace algo con gusto.

GUTAPERCHA. f. Goma traslúcida, flexible, que se obtiene de algunos árboles sapotáceos.

GUTIAMBAR. f. Cierta goma de color amarillo.

GUTURAL. adj. Relativo a la garganta.

GUZLA. f. Mús. Instrumento de una sola cuerda.

GUZPATARRA. f. Cierto juego antiguo de muchachos.

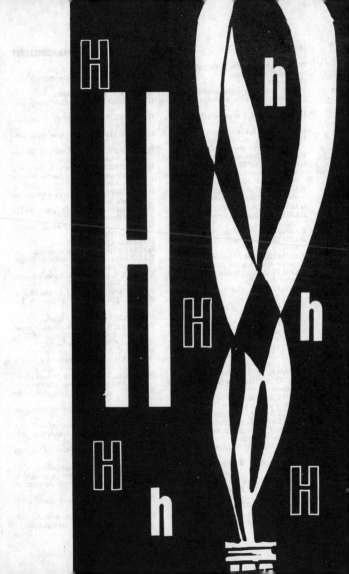

H. f. Hache, novena letra del alfabeto español. Sin sonido.

¡HA! interj. ¡Ah!

HABA. f. Planta anual herbácea, leguminosa, con fruto en vaina, comestibles.

HABANERA. f. Danza de la Habana. Su música.

HABANERO-RA. adj. De la Habana.

HABANO-NA. m. De color de tabaco claro. Cigarro puro de Cuba.

HABAR. m. Terreno sembrado de habas.

HABEAS CORPUS. m Ley que impone al juez comprobar la legalidad de una detención en plazo de tres días.

HABER. m. Hacienda. tr. Poseer. Verbo auxiliar. Imper. Acaecer.

HABICHUELA. f. Alubia.

HÁBIL. adj. Dispuesto para hacer algo. Capaz.

HABILIDAD. f. Calidad de hábil.

HABILIDOSO-SA. adj. Que tiene habilidad.

HABILITACIÓN. f. Acción de habilitar. Cargo u oficina del habilitado.

HABILITADO. m. Quien recauda los haberes de cuerpo.

HABILITAR. tr. Hacer a una persona o cosa, hábil.

HABILLADO-DA. adj. Vestido y ataviado.

HABITABLE. adj. Que puede habitarse.

HABITACIÓN. f. Vivienda. Aposento. Acción de habitar.

HABITÁCULO. m. Donde se vive.

HABITANTE. m. Persona que habita en una ciudad, casa, etc.

HABITAR. tr. Vivir, morar.

HÁBITO. m. Traje de cada cual. Costumbre.

HABITUAL. adj. Que se hace, posee o padece por costumbre.

HABITUAR. tr. Acostumbrar.

HABITUDINAL. adj. Habitual.

HABLA. f. Facultad y acto de hablar. Lenguaje. Idioma.

HABLADOR-RA. adj. Que habla demasiado.

HABLADURÍA. f. Dicho inoportuno. Hablilla.

HABLANTÍN-NA. adj. fam. Hablador.

HABLAR. intr. Hacerse entender por palabras. Articularlas. Perorar.

HABLILLA. f. Rumor. Murmuración.

HABLISTA. com. Persona que se distingue por la elegancia del lenguaje.

HABÓN. m. Roncha en la piel.

HACÁN. m. Persona docta entre los judíos.

HACANEA. f. Jaca robusta.

HACEDERO-RA. adj. Que puede hacerse.

HACEDOR-RA. adj. Que hace. Se aplica solo a Dios.

HACENDADO-DA. adj. Que tiene bienes raíces.

HACENDAR. tr. Dar el dominio de hacienda o bienes raíces.

HACENDERA. f. Trabajo de beneficio común y que realizan todos los vecinos conjuntamente.

HACENDISTA. m. Persona versada en hacienda pública.

HACENDOSO-SA. adj. Diligente en las faenas domésticas.

HACER. tr. Producir. Formar. Disponer. Arreglar. Obrar.

HACERA. f. Acera.

HACIA. prep. Que indica dirección.

HACIENDA. f. Finca rústica. Bienes que uno posee.

HACINA. f. Conjunto de haces amontonados. Montón.

HACINADOR-RA. m. y f. El que hacina.

HACINAMIENTO. m. Acción de hacinar.

HACINAR. tr. Apilar los haces.

HACHA. f. Vela de cera ancha y gruesa. Herramienta cortante.

HACHAZO. m. Golpe de hacha.

HACHE. f. Nombre de la letra "H".

HACHERO. m. Candelero para el hacha. El que hachea.

HACHO. m. Tea o manojo de para alumbrar. Sitio elevado junto a la costa.

HACHÓN. m. Hacha, vela grande de cera.

HADA. f. Ser fantástico en forma de mujer.

HADARIO-RIA. adj. Desgraciado.

HADO. m. Fuerza que disponía el porvenir. Destino.

HADROSAURO. m. Género de reptiles dinosaurios, fósil.

HAFIZ. m. Guarda, conservador.

HAGIOGRAFÍA. f. Biografía de santos.

HAGIÓGRAFO. m. Escritor de vidas de Santos.

HAGIOLATRÍA. f. Culto dado a los santos.

HAIDINGERIT. f. Miner. Arseniato hidrato de cal, blanco y transparente.

¡HALA! interj. Para dar prisa.

HALAGAR. tr. Dar muestras de afecto. Adular.

HALAGO. m. Acción de alagar. Lo que halaga.

HALAGÜEÑO-ÑA. adj. Que alaga o atrae con dulzura.

HALAR. tr. Mar. Tirar de un cabo, remo, etc.

HALCÓN. m. Ave rapaz falcónica, diurna, usada en cetrería.

HALCONERA. f. Lugar donde se guardan los alcones.

HALCONERO. m. Quien cuida los alcones.

HALDA. f. Falda.

HALDADA. f. Lo que cabe en el halda.

HALDEAR. intr. Andar de prisa las personas con faldas.

HALDETA. f. Pieza que cuelga desde la cintura de un traje.

HALE. interj. Para estimular o meter prisa.

HALITA. f. Miner. Silicato hidratado de aluminio. Sal gema.

HÁLITO. m. Aliento de animal. Vapor que arroja algo.

HALO. m. Corona lunar o solar.

HALÓFILO-LA. adj. Boot. Plantas que viven en terrenos salinos.

HALÓGENO. Quím. Dícese de los metales que forman sales haloidas.

HALOIDEO. adj. Que parece sal.

HALÓN. m. Halo.

HALOQUÍMICA. f. Quím. Parte de la Química que trata de las sales.

HALOTECNIA. f. Estudio de la explotación industrial de las sales.

HALLADA. f. Hallazgo. Acción de hallar.

HALLADO-DA. m. y f. adj. Con los advs. tan, bien, mal, familiarizado o avenido.

HALLAR. tr. Encontrar una persona o cosa. Inventar.

HALLAZGO. m. Acción de hallar. Lo hallado.

HAMACA. f. Red que colgada, sirve de cama o vehículo.

HAMADRÍADA. f. Mit. gr. Ninfa de los árboles.

HÁMAGO. m. Sustancia correosa y amarga que labran las abejas. Fastidio o náusea.

HAMAQUERO. m. El que hace hamacas. Quien las lleva.

HAMBRE. f. Ganas de comer. Deseo de una cosa. Escasez.

HAMBREAR. tr. Causar hambre. Intr. Padecerla.

HAMBRIENTO-TA. adj. Que tiene hambre. Deseo.

HAMBRÓN-NA. adj. Que anda siempre hambriento.

HAMO. m. Anzuelo de pescar.

HAMPA. f. Vida de maleantes. Conjunto de ellos.

HAMPÓN. adj. Valentón. Haragán.

HANDICAP. m. Carrera de caballos en que se proporcionan los pesos.

HANEGA. f. Fanega.

HANGAR. m. Cobertizo en especial para aviones.

HAPLOLOGÍA. f. Simplificación de la estructura de una palabra.

HARAGÁN-NA. adj. Que huye del trabajo.

HARAGANEAR. intr. Huir del trabajo, estar ocioso.

HARAGANERIA. f. Holgazanería.

HARAPIENTO-TA. adj. Andrajoso.

HARAPO. m. Andrajoso.

HARAPOSO-SA. adj. Harapiento.

HARCA. f. Cuerpo de fuerzas irregulares marroquíes.

HARÉN. m. Departamento de casa árabe donde viven las mujeres.

HARIJAS. f. Polvillo que el aire levanta del grano cuando se muele o de la harina cuando se cierne.

HARINA. f. Polvo resultante de moler algunas semillas, tubérculos, legumbres, etc.

HARINERO-RA. adj. Relativo a la harina. Sitio en que se guarda.

HARINOSO-SA. adj. Que tiene harina.

HARISCARSE. intr. Hariscarse, ponerse arisco.

HARMALAS. f. Bot. Gamarza o alharma.

HARMONÍA. f. Armonía.

HARONÍA. f. Pereza, poltronería.

HARPA. f. Arpa.

HARPÍA. f. Arpía.

HARPILLERA. f. Tejido de estopa basta.

HARRADO. m. Rincón o ángulo entrante que forma la bóveda esquifada.

HARRIERO. m. Arriero. Ave trepadora de Cuba.

HARTAR. tr. Saciar el apetito. Cansar.

HARTAZGO. m. Repleción, molestia que resulta de hartarse con exceso.

HARTO-TA. adj. Repleto. Bastante. adv. Bastante.

HARTURA. f. Hartazgo. Abundancia.

HASTA. prep. Que indica el término o cantidad a la que puede llegar algo. conj. También, aun.

HASTIAL. m. Fachada terminada por las vertientes del tejado. Hombrón rústico.

HASTIAR. tr. Fastidiar.

HASTÍO. m. Tedio. Repugnancia a la comida.

HATACA. f. Cuchara grande de palo.

HATAJAR. tr. Dividir el ganado en hatajos.

HATAJO. m. Porción pequeña de ganado. Conjunto.

HATEAR. intr. Recoger uno el hato cuando está de viaje.

HATERÍA. f. Provisión de víveres que se da a los pastores, jornaleros y mineros para algunos días.

HATIJO. m. Cubierta de esparto o materia semejante para tapar la boca de las colmenas.

HATO. m. Pequeño ajuar. Hatería. Hatajo.

HAYA. f. Árbol copulífero, cuyo fruto es el hayuco.

HAYAL. m. Terreno poblado de hayas.

HAYUCO. m. Fruto del haya, comestible.

HAZ. m. Porción atada de mies, hierba, leña, etc. Faz.

HAZA. f. Terreno labrantío.

HAZAÑA. f. Hecho heroico.

HAZAÑERÍA. f. Demostración afectada de admiración.

HAZAÑOSO-SA. adj. Aplícase al que ejecuta hazañas.

HAZMERREIR. m. Persona ridícula.

HE. adv. demostrativo que sirve para señalar, con otros adverbios o pronombres.

HEBDÓMADA. f. Semana.

HEBDOMADARIO-RIA. adj. Semanal.

HEBIJÓN. m. Clavo o púa de la hebilla.

HEBILLA. f. Broche con una charnela.

HEBILLERO-RA. m. y f. Persona que hace o vende hebillas.

HEBRA. f. Porción de hilo que se pone a una aguja, hilo.

HEBRAICO-CA. adj. Hebreo.

HEBRAISMO. m. Sistema religioso judío, de Moisés.

HEBRAISTA. m. El que estudia la lengua y literatura hebreas.

HEBRAIZANTE. m. Judaizante.

HEBREO-A. adj. Pueblo semítico que habitó en Palestina.

HEBRERO. m. Hebrero o esófago de los rumiantes.

HEBROSO-SA. adj. Fibroso.

HECATOMBE. f. Sacrificio de cien víctimas, casi siempre bueyes, que hacían los paganos. Matanza.

HECTÁREA. f. Cien áreas.

HÉCTICO-CA. adj. Hético. Fiebre propia de las enfermedades consuntivas.

HECTIQUEZ. f. Med. Estado morboso, crónico, caracterizado por consunción y fiebre héctica.

HECTO. Prefijo griego que significa cien.

HECTÓGRAFO. m. Aparato con el que se sacan copias de un escrito o dibujo.

HECTOGRAMO. m. Cien gramos.

HECTOLITRO. m. Cien litros.

HECTÓMETRO. m. Cien metros.

HECHA. (De ésta). adv. Desde ahora, desde esta fecha.

HECHICERÍA. f. Arte de hechizar. Hechizo.

HECHICERO-RA. adj. Que practica la hechicería. Que cautiva.

HECHIZAR. tr. Encantar, embelesar.

HECHIZO-ZA. adj. Fingido, postizo. Artificioso. Embeleso.

HECHO-CHA. p. p. irreg. de Hacer. adj. Perfecto. m. Acción, obra, suceso, etc.

HECHURA. f. Acción y efecto de hacer.

HEDENTINA. f. Olor malo.

HEDER. intr. Despedir mal olor.

HEDIONDAMENTE. adv. m. Con hedor.

HEDIONDEZ. f. Cosa hedionda. Hedor.

HEDIONDO-DA. adj. Que hiede. Repugnante, molesto.

HEDONISMO. m. Doctrina filosófica que considera el placer como único fin de la vida.

HEDOR. m. Olor desagradable.

HEGELIANISMO. m. Sistema filosófico del alemán Hégel.

HEGEMONÍA. f. Supremacía de un Estado sobre otro.

HÉGIRA. f. Héjira.

HÉJIRA. f. Era musulmana que empieza el 15 de julio de 622 después de Jesucristo.

HELABLE. adj. Que se puede helar.

HELADA. f. Congelación de los líquidos producida por la frialdad del tiempo.

HELADERÍA. f. Tienda donde se hacen o venden helados.

HELADERO. m. Vendedor de helados.

HELADO-DA. adj. Muy frío. Pasmado, esquivo.

HELADORA. adj. Que hiela. Máquina para hacer helados.

HELADURA. f. Atronadura producida por el fin.

HELAJE. m. Frío intenso.

HELAR. tr. Congelar. Pasmar.

HELEAR. tr. Ahelear.

HELECHAL. m. Lugar poblado de helechos.

HELECHO. m. Planta filical. Plantas de frondas largas y rizoma carnosa.

HELENA. f. Fuego de Santelmo cuando tiene una llama sola.

HELÉNICO-CA. adj. De Grecia.

HELENIO. m. Planta medicinal, compuesta de flores amarillas, raíz amarga y aromática.

HELENISMO. m. Empleo de giros propios del griego.

HELENISTA. m. Persona versada en la cultura helénica.

HELENIZAR. tr. Introducir las costumbres, arte y cultura griegos.

HELENO-NA. adj. Griego.

HELERA. f. Granillo de las aves.

HELERO. f. Glaciar.

HELGADO-DA. adj. De dientes desiguales.

HELGADURA. f. Desigualdad de los dientes. Espacio entre dos de ellos.

HELÍACO-CA. adj. Astron. Orto u ocaso de los astros que salen o se ponen una hora antes o después que el Sol.

HELIANTO. m. Bot. Planta compuesta.

HÉLICE. f. Curva que da vueltas a una superficie cilíndrica formada por ángulos iguales con la generatriz.

HELICOIDAL. adj. En forma de hélice.

HELICOIDE. m. Geom. Superficie alabeada engendrada por una recta que se mueve apoyándose en una hélice y en el eje del cilindro que la contiene.

HELICÓN. m. Lugar en que reside la inspiración poética.

HELICÓPTERO. m. Aparato de aviación

que se eleva por dos hélices que giran horizontalmente.

HELIO. m. Elemento gaseoso de la atmósfera solar y la emanación del radio.

HELIOCÉNTRICO - CA. adj. Astron. Aplícase a los lugares y medidas astronómicas referidos al centro del Sol.

HELIOGÁBALO. m. fig. Hombre dominado por la gula.

HELIOGRABADO. m. Grabado en relieve por la acción de la luz solar.

HELIOGRAFÍA. f. Sistema de transmisión de señales por medio de heliógrafo.

HELIÓGRAFO. m. Instrumento para hacer señales telegráficas por medio de la reflexión de un rayo de sol en un espejo plano.

HELIÓMETRO. m. Instrumento que sirve para medición de distancias angulares entre dos astros.

HELIÓN. m. Núcleo de helio o partículas "alfa".

HELIOSCOPIO. m. Telescopio para mirar al Sol.

HELIOSIS. f. Pat. Insolación.

HELIÓSTATO. m. Instrumento geodésico.

HELIOTELEGRAFÍA. f. Telegrafía por medio del heliógrafo.

HELIOTERAPIA. f. Método curativo consistente en exponer el cuerpo o parte de él a la acción de los rayos solares.

HELIOTROPO. m. Planta borraginácea de hermosas flores y grato aroma.

HELMÍNTICO-CA. adj. Relativo a los helmintos.

HELMINTO. m. Zool. Gusano parásito del intestino.

HELMINTOLOGÍA. f. Parte de la Zoología que trata de la descripción y estudio de los gusanos.

HELVÉTICO-CA. adj. De Helvecia, hoy Suiza.

HEMATEMESIS. f. Med. Vómito de sangre.

HEMATERO. adj. Dícese de todo animal de sangre caliente.

HEMATÍE. m. Med. Glóbulo rojo de la sangre.

HEMATITES. f. Mineral de hierro oxidado rojo que sirve para bruñir metales.

HEMATÓFAGO. adj. El animal que se

alimenta de sangre, como los insectos chupadores.

HEMATOMA. m. Tumor sanguíneo.

HEMATOSIS. f. Conversión de la sangre venosa en arterial.

HEMATOZOARIO. m. Animal parásito de la sangre.

HEMATURIA. f. Med. Fenómeno consistente en orinar sangre.

HEMBRA. f. Animal del sexo femenino. Mujer.

HEMBRILLA. f. De hembra. En algunos artefactos, pieza pequeña en que otra se introduce.

HEMERALOPE. adj. El que de noche pierde total o parcialmente la visión.

HEMEROTECA. f. Colección de periódicos. Lugar en que se guarda y consulta.

HEMICICLO. m. Sala o gradería semicircular.

HEMICRÁNEA. f. Med. Jaqueca.

HEMINA. f. Medida antigua para líquidos, equivalente a medio sextario.

HEMIPLEJÍA. f. Parálisis de la mitad del cuerpo.

HEMÍPTERO-RA. adj. Zool. Insectos que tienen casi siempre cuatro alas, las dos anteriores coriáceas. m. Orden de estos insectos.

HEMISFÉRICO-CA. adj. Perteneciente o relativo al hemisferio.

HEMISFERIO. m. Geom. Mitad de una esfera.

HEMISTIQUIO. m. Mitad de un verso.

HEMOFILIA. f. Enfermedad hereditaria con tendencia a la hemorragia espontánea.

HEMOGLOBINA. f. Parte esencial de los glóbulos rojos de la sangre, que fija el oxígeno y lo transporta a los tejidos.

HEMOLISINA. f. Biol. Sustancia que destruye los glóbulos rojos de la sangre.

HEMOPATÍA. f. Enfermedad de la sangre en general.

HEMOPTÍSICO-CA. adj. Pat. Atacado de hemoptisis.

HEMOPTISIS. f. Med. Hemorragia pulmonar.

HEMORRAGIA. f. Flujo de sangre.

HEMORREA. f. Hemorragia no directamente provocada.

HEMORROIDA. f. Med. Hemorroide.

HEMORROIDAL. adj. Relativo a las almorranas.

HEMORROIDE. f. Med. Almorrana.

HEMORROISA. f. Mujer que padece flujo de sangre.

HEMORROO. m. Ceraste.

HEMÓSTASIS. f. Pat. Estancamiento de la sangre.

HEMOSTÁTICO-CA. adj. Med. Que corta las hemorragias.

HEMOTACÓMETRO. m. Aparato para medir la velocidad de la sangre.

HENAL. m. Henil.

HENAR. m. Sitio poblado de heno.

HENCHIDOR-RA. adj. Que hinche.

HENCHIR. tr. Llenar, ocupar plenamente, colmar.

HENDEDOR-RA. adj. Que hiende.

HENDER. tr. Hacer o causar una hendidura.

HENDIDURA. f. Abertura en un cuerpo sólido, cuando no llega a dividirlo del todo.

HENDIR. tr. Hender.

HENEQUÉN. m. Pita, planta.

HÉNIDE. f. poét. Ninfa de los prados.

HENIFICAR. tr. Secar forrajes al sol para convertirlos en heno.

HENIL. m. Lugar donde se guarda el heno.

HENO. m. Planta gramínea de hojas estrechas y flores en panoja.

HENOJIL. m. Cenojis.

HEÑIR. tr. Sobar la masa con los puños.

HEPÁTICA. f. Planta medicinal, flores azuladas o rojizas.

HEPÁTICO-CA. adj. Perteneciente al hígado.

HEPATITIS. f. Inflamación del hígado.

HEPATOLOGÍA. f. Med. Tratado del hígado y sus enfermedades.

HEPTACORDO. m. Mús. Escala usual compuesta de las siete notas.

HEPTAGONAL. adj. De forma de heptágono.

HEPTÁGONO-NA. adj. Geom. Polígono de siete lados.

HEPTARQUÍA. f. País dividido en siete reinos.

HEPTASÍLABO-BA. adj. Que consta de siete sílabas.

HEPTATEUCO. m. Parte de la Biblia, que comprende el Pentateuco y los dos siguientes libros de Josué y de los Jueces.

HERÁLDICA. f. Ciencia del blasón.

HERÁLDICO-CA. adj. Relativo al blasón y su ciencia.

HERALDO. m. Rey de armas. Mensajero.

HERBÁCEO-CEA. adj. Que tiene naturaleza de hierba.

HERBAJAR. tr. Apacentar el ganado en prado o dehesas.

HERBAJE. m. Hierba de los prados. Derecho de pasto por ganado forastero.

HERBAJERO. m. El que arrienda un prado o dehesa.

HERBAR. tr. Untar o adobar con hierbas las pieles o cueros.

HERBARIO-RIA. adj. Relativo a la hierba. Colección de plantas secas.

HERBAZAL. m. Sitio poblado de hierbas.

HERBÍVORO-RA. adj. Que se alimenta de vegetales.

HERBOLARIO-RIA. adj. Quien sin conocimientos científicos recoge y vende hierbas y plantas medicinales.

HERBORISTA. com. Galicismo por herbolario.

HERBORISTERÍA. f. Tienda de hierbas medicinales.

HERBORIZACIÓN. f. Bot. Acción y efecto de herborizar.

HERBORIZAR. intr. Bot. Reconocer y recoger hierbas y plantas en montes, valles y campos.

HERBOSO-SA. adj. Lleno de hierba.

HERCIANO-NA. adj. Dícese de las ondas electromagnéticas.

HERCÚLEO-A. adj. Relativo a Hércules. Forzudo.

HERDERITA. f. Miner. Fluofosfato de calcio y glucinio.

HEREDAD. f. Terreno cultivado perteneciente a un mismo dueño.

HEREDAR. tr. Suceder por disposición legal o testamentaria.

HEREDERO-RA. adj. Que tiene derecho a una herencia.

HEREDÍPETA. com. Persona que con astucia procura conseguir herencias o legados.

HEREDITARIO-RIA. adj. Perteneciente a la herencia.

HEREJE. s. Cristiano que disiente de la Iglesia Católica.

HEREJÍA. f. Error dogmático.

HERÉN. f. Yeros.

HERENCIA. f. Bienes y derechos que se heredan. Derecho de heredar.

HERESIARCA. m. Autor de una herejía.

HERÉTICO-CA. adj. Relativo a la herejía.

HERIDA. f. Lesión. Ofensa, agravio.

HERIDO-DA. adj. Con el adv. mal gravemente herido.

HERIL. adj. Perteneciente o relativo al amo.

HERIR. tr. Hacer heridas. Dar la luz del sol. Ofender.

HERMA. m. Busto sin brazos colocado sobre un estípite.

HERMAFRODITA. adj. Que tiene órganos reproductores de los dos sexos.

HERMAFRODITISMO. m. Calidad de hermafrodita.

HERMANAL. adj. Fraternal.

HERMANAR. tr. Unir. Hacer hermano espiritual a uno de otro.

HERMANASTRO-TRA. m. y f. Hijo de un cónyuge respecto al del otro.

HERMANAZGO. m. Hermandad.

HERMANDAD. f. Asociación de diversos caracteres.

HERMANEAR. intr. Dar el tratamiento de hermano.

HERMANO-NA. m. y f. Nacido de los mismos padres. Individuo de una cofradía.

HERMENEUTA. m. Persona que profesa la hermenéutica.

HERMENÉUTICA. f. Arte de interpretar textos.

HERMÉTICAMENTE. adv. m. De manera hermética.

HERMÉTICO-CA. adj. Que cierra perpectamente. Impenetrable.

HERMOSAMENTE. adv. m. Con hermosura.

HERMOSEADOR-RA. adj. Que hermosea.

HERMOSEAR. tr. Hacer o poner hermosa.

HERMOSO-SA. adj. Perfecto, bello. Despejado.

HERMOSURA. f. Belleza.

HERNIA. f. Eventración de una víscera fuera de su cavidad.

HERNIARIO-RIA. adj. Relativo a la hernia.

HÉRNICO-CA. adj. Individuo de un antiguo pueblo del Lacio.

HERNISTA. m. Cirujano que cura hernias.

HERNUTA. com. Individuo de una secta cristiana cuyo culto en gran parte consiste en el canto.

HÉROE. m. Varón ilustre. Protagonista de un poema.

HEROICAMENTE. adv. m. Con heroicidad.

HEROICIDAD. f. Calidad de heroico. Acción heroica.

HEROICO-CA. adj. Famoso por sus hazañas o virtudes. Épico.

HEROÍNA. f. Mujer heroica. Protagonista.

HEROISMO. m. Conjunto de cualidades propias del héroe.

HERPE. amb. Erupción cutánea acompañada de comezón.

HERPÉTICO-CA. adj. Que padece herpes o relativo a él.

HERPETISMO. m. Estado del que sufre herpe continua.

HERPETOLOGÍA. f. Tratado de los reptiles.

HERPIL. m. Saco de red de tomiza destinado a portear paja, melones, etc.

HERRADA. f. Cubo de madera con aros de hierro.

HERRADERO. m. Acción de señalar con el hierro al ganado. Sitio donde se hierra al ganado.

HERRADO. m. Operación de herrar a los cuadrúpedos.

HERRADOR. m. Quien tiene por oficio herrar caballerías.

HERRADURA. f. Hierro que se clava a las caballerías en el casco.

HERRAJE. m. Conjunto de piezas metálicas de un artefacto.

HERRAMIENTA. f. Instrumentos con que trabajan los artesanos.

HERRAR. tr. Ajustar y clavar las herraduras.

HERRÉN. m. Forraje que se da al ganado.

HERRENAL. m. Terreno sembrado de herrén.

HERRERA. f. Mujer del herrero.

HERRERÍA. f. Oficio, fragua y tienda del herrero.

HERRERO. m. Quien tiene por oficio labrar el hierro.

HERRERÓN. m. despect. Herrero que no sabe bien su oficio.

HERRERUELO. m. Pájaro insectívoro.

HERRETE. m. Cabo metálico que adorna los extremos de los cordones.

HERRETEAR. tr. Poner herretes

HERRIAL. adj. Especie de uva gruesa y tinta, y vid que la produce.

HERRÍN. m. Herrumbre.

HERRÓN. m. Tejo de hierro con un agujero en el centro con el cual se tiraba desde cierta distancia, en el juego antiguo llamado herrón, para introducirlo en un clavo hincado en el suelo.

HERRONADA. f. Golpe dado con herrón.

HERRUMBRE. f. Orín del hierro.

HERRUMBROSO-SA. adj. Que cría herrumbre.

HERTZIANA. adj. Fís. Onda hertziana.

HÉRULO-LA. adj. Individuo perteneciente a la gran confederación de los suevos que con otros tomó parte en la invesión del imperio romano, durante el siglo V.

HERVENTAR. tr. Cocer en agua.

HERVIDERO. m. Hervor. Muchedumbre. Manantial de agua burbujeante.

HERVIR. intr. Agitarse un líquido que ha entrado en ebullición, por su gran temperatura.

HERVOR. m. Acción de hervir. Fogosidad.

HERVOROSO-SA. adj. Fogoso, impetuoso, ardoroso. Que hierve.

HESITACIÓN. f. Duda, vacilación.

HESITAR. intr. Duda.

HESPÉRICO-CA. adj. Occidental. Dícese de las penínsulas, España e Italia.

HESPERIDINA. f. Quím. Glucósido. que se obtiene de la corteza de la naranja.

HESPERIDIO. m. Bot. Fruto carnoso de corteza gruesa, dividido en varias celdas; como la naranja y el limón.

HÉSPERO. m. El planeta Venus cuando aparece en el Occidente por la tarde.

HETERA. f. Cortesana de la antigua Grecia.

HETERÓCLITO-CA. adj. Gram. Irregular.

HETERODOXIA. f. Calidad de heterodoxo.

HETERODOXO-XA. adj. Hereje. Quien se separa de la ortodoxia.

HETEROGENEIDAD. f. Calidad de heterogéneo.

HETEROGÉNEO-A. adj. De partes de diversa naturaleza.

HETEROMANCIA. f. Adivinación supersticiosa por el vuelo de las aves.

HETERÓPSIDO - DA. adj. Sustancias metálicas sin brillo propio del metal.

HÉTICO-CA. adj. Tísico. Perteneciente a este enfermo.

HEURÍSTICA. f. Arte de inventar.

HEXACORDO. m. Mús. Escala para canto llano compuesta de las seis primeras notas usuales.

HEXAEDRO. m. Geom. Sólido de seis caras. Cubo.

HEXAGONAL. adj. De figura de hexágono.

HEXÁGONO. adj. Polígono de seis lados.

HEXAMETRO. adj. Verso clásico que consta de seis pies.

HEXPODO-DA. adj. Que tiene seis patas.

HEZ. f. Sedimento de un líquido. Excremento. Lo más vil.

HIADES. f. pl. Astron. Grupo de estrellas en la cabeza de Tauro.

HIALINO-NA. adj. Transparente.

HIALOGRAFÍA. f. Arte de dibujar en vidrio.

HIALOIDEO-A. adj. Que se parece al vidrio, o que tiene sus propiedades.

HIALOTECNIA. f. Arte de fabricar y de trabajar el vidrio.

HIATO. m. Encuentro de dos vocales en sílabas consecutivas sin formar diptongo.

HIBERNAL. adj. Invernal.

HIBERNÉS-SA. adj. Natural de Hibernia, hoy Irlanda.

HIBÉRNICO-CA. adj. Perteneciente a Hibernia.

HIBRIDACIÓN. f. Producción de seres híbridos.

HÍBRIDO-DA. adj. Que proviene de dos especies o variedades distintas.

HICOTEA. f. Especie de tortuga de agua dulce comestible.

HIDALGAMENTE. adv. m. Con generosidad, con nobleza.

HIDALGO-GA. m. y f. Persona de ilustre nacimiento. Generoso.

HIDALGUÍA. f. Calidad de hidalgo. Generosidad.

HIDARTROSIS. f. Acumulación de líquido seroso en una articulación.

HIDNÁCEOS m. Hongos de la familia himenomicetos.

HIDRA. f. Monstruo fabuloso de seis cabezas. Culebra acuática venenosa,

suele encontrarse en las costas del Pacífico y de las Indias.

HIDRÁCIDO. m. Quím. Acido que no tiene oxígeno.

HIDRARGIRISMO. m. Med. Intoxicación crónica por absorción de mercurio.

HIDRARGIRO. m. Quím. Mercurio o azogue.

HIDRATAR. Quím. Combinar un cuerpo con el agua.

HIDRATO. m. Combinación del agua con un óxido metálico.

HIDRÁULICA. f. Parte de la mecánica que estudia los flúidos.

HIDRÁULICO-CA. adj. Perteneciente a la hidráulica.

HIDRIA. f. Vasija antigua de gran tamaño.

HIDROAVIÓN. m. Aeroplano con flotadores para descender en el agua.

HIDROBIOLOGIA. f. Ciencia que estudia la vida de los animales que pueblan las aguas dulces.

HIDROCARBURO. m. Carburo de hidrógeno.

HIDROCEFALIA. f. Hidropesía de la cabeza.

HIDROCÉFALO-LA. adj. Que padece hidrocefalia.

HIDROCELE. f. Med. Tumor seroso de los testículos.

HIDROCLÓRICO-CA. adj. Quím. Clorhidrato.

HIDRODINÁMICA. f. Dinámica de los líquidos.

HIDROELÉCTRICO-CA. adj. Energía eléctrica obtenida por fuerza hidráulica.

HIDRÓFILO-LA. adj. Que absorbe agua.

HIDROFOBIA. f. Horror al agua que sienten los que han sido mordidos de animales rabiosos.

HIDRÓFOBO-BA. adj. Que padece hidrofobia.

HIDROFTALMÍA. f. Hidropesía del ojo.

HIDRÓGENO. m. Quím. Elemento gaseoso, incoloro, muy ligero.

HIDROGOGIA. f. Arte de canalizar aguas.

HIDROGRAFÍA. f. Geografía de los mares y corrientes de aguas.

HIDROHEMIA. f. Enfermedad ocasionada por exceso de suero en la sangre.

HIDROLISIS. f. Descomposición de sustancias disueltas en agua por la electricidad.

HIDROLOGÍA. f. Ciencia que trata del agua.

HIDRÓLOGO-GA. adj. Persona versada en hidrología.

HIDROMANCIA. f. Superstición de adivinar por los movimientos y observación del agua.

HIDROMEL. m. Aguamiel.

HIDROMETRÍA. f. Parte de la hidrodinámica que enseña a medir el caudal, velocidad o fuerza de los líquidos en movimiento.

HIDRÓMETRO. m. Instrumento que sirve para medir el caudal, la velocidad o la fuerza de un líquido en movimiento.

HIDRÓPATA. m. Med. Quien profesa la hidropatía.

HIDROPATÍA. f. Med. Modo de curar por medio del agua.

HIDROPESÍA. f. Med. Acumulación anormal de suero en el cuerpo.

HIDRÓPICO-CA. adj. Que padece hidropesía.

HIDROPLANO. m. Hidroavión.

HIDROQUINONA. f. Elemento usado en fotografía como revelador.

HIDROSCOPIA. f. Arte de averiguar la existencia y condiciones de las aguas ocultas.

HIDROSFERA. f. Envoltura acuosa de la tierra.

HIDROSTÁTICA. f. Estática de los flúidos.

HIDROSTÁTICO-CA. adj. Relativo al equilibrio de los líquidos.

HIDROTECNIA. f. Arte de construir máquinas y aparatos hidráulicos.

HIDROTERAPIA. f. Hidropatía.

HIEDRA. f. Planta trepadora, de la familia de las araliáceas.

HIDRURO. m. Combinación hidrogenada de los metales.

HIEL. f. Bilis. Fig. Amargura. Disgustos.

HIELO. m. Agua solidificada por el frío.

HIENA. f. Mamífero carnívoro, nocturno que vive en Asia y Africa.

HIERÁTICO-CA. adj. Relativo a las cosas sagradas. Escritura egipcia.

HIERBA. f. Planta que no desarrolla tejido leñoso. Pastos.

HIERBABUENA. f. Planta labiada herbácea aromática.

HIEROFANTE. m. Sacerdote que inicia-

ba en los antiguos misterios en el templo de Ceres.

HIEROS. m. pl. Yerros.

HIERRO. m. Metal gris dúctil, maleable, tenaz, oxidable.

HIGA. f. Dije en forma de puño usado como amuleto. Burla.

HÍGADO. m. órgano glandular con funciones metabólicas antitóxicas. Ánimo, valor.

HIGIENE. f. Med. Ciencia que trata de la salud del cuerpo y reglas para conservar ésta.

HIGIÉNICO-CA. adj. Relativo a la higiene.

HIGIENISTA. adj. Persona versada en higiene.

HIGO. m. Segundo fruto de la higuera.

HIGROMETRÍA. f. Parte de la Física que estudia las causas de la humedad del aire.

HIGRÓMETRO. m. Aparato para determinar la humedad de la atmósfera.

HIGROSCOPICIDAD. f. Fís. Propiedad que tiene algunos cuerpos inorgánicos, y todos los orgánicos de absorber y exhalar la humedad.

HIGROSCOPIO. m. Aparato para medir el estado higrométrico del aire.

HIGUERA. f. Árbol moráceo de savia lechosa e infrutescencia en sicono.

HIGUERAL. m. Sitio poblado de higueras.

HIJASTRO-TRA. m. y f. Hijo o hija de un cónyuge respeto del otro que no los procreó.

HIJO-JA. m. y f. Cualquier persona o animal respeto de sus padres.

HIJODALGO. m. Hidalgo.

HIJUELA. f. Parte de cada heredero en una herencia. Canal que une dos acequias.

HIJUELO. m. Retoño.

HILA. f. Hilera, hilada. Hebras del lienzo. Acto de hilar.

HILACHA. f. Hila que se desprende de la tela.

HILADA. f. Hilera, formación en línea.

HILADILLO. m. Hilo de la estopa de la seda. Cinta estrecha.

HILADIZO-ZA. adj. Que se puede hilar.

HILADO. m. Acción de hilar.

HILADOR-RA. m. y f. Persona que hila.

HILANDERÍA. f. Fábrica de hilados.

HILANDERO-RA. m. y f. Persona que hila.

HILAR. tr. Reducir a hilo. Echar hebras los insectos.

HILARANTE. adj. Que produce risa.

HILARIDAD. f. Risa, algazara.

HILATURA. f. Arte de hilar la lana, el algodón y otras materias.

HILAZA. f. Hilado. Hilo basto.

HILERA. f. Línea de personas o cosas. Aparato para reducir a hilo un metal.

HILIO. m. Depresión en el pulmón y otros órganos.

HILO. m. Hebra larga y delgada. Tela de lino. Alambre. Filo.

HILVÁN. m. Costura provisional.

HILVANAR. tr. Coser con hilván. Proyectar una cosa.

HIMENEO. m. Casamiento. Epitalamio.

HIMENÓPTERO-RA. adj. Zool. Insectos que tienen cuatro alas membranosas con pocos nervios.

HIMNARIO. m. Colección de himnos.

HIMNO. m. Canto en honor de alguien o algo.

HIMPLAR. intr. Emitir su voz natural la onza o la pantera.

HINCADURA. f. Acción y efecto de hincar o fijar una cosa.

HINCAPIÉ. f. Acción de hincar el pie. Insistir.

HINCAR. tr. Introducir, apoyar con fuerza.

HINCHA. f. Enemistad.

HINCHAR. tr. Dilatar una cosa. Envanecerse.

HINCHAZÓN. f. Efecto de hincharse. Vanidad, soberbia.

HINIESTA. f. Retama.

HINOJAL. m. Sitio poblado de hinojos.

HINOJO. m. Planta umbelífera aromática. Rodilla.

HINTERO. m. Mesa que usan los panaderos para heñir el pan.

HIOIDES. m. Zool. Hueso situado encima de la laringe.

HIPAR. intr. Dar hipos. Gimotear.

HIPER. prep. insep. que significa superioridad o exceso.

HIPERBÁTICO-CA. adj. Que tiene hipérbaton.

HIPÉRBATON. m. Gram. Alteración del orden sintáctico de las palabras.

HIPÉRBOLA. f. Geom. Curva cónica formada por dos ramas abiertas que se aproximan indefinidamente a dos rectas.

HIPÉRBOLE. f. Figura que aumenta exageradamente algo.

HIPERBÓLICO-CA. adj. Perteneciente a la hipérbole; que la encierra o incluye.

HIPERBÓREO-A. adj. Septentrional.

HIPERCLORHIDRIA. f. Exceso de ácido clorhídrico en el jugo gástrico.

HIPERCRÍTICO. m. Crítico que nada perdona.

HIPERDULIA. f. Culto de hiperdulia.

HIPEREMIA. f. Med. Congestión sanguínea.

HIPERESTESIA. f. Exceso de dolorosa sensibilidad.

HIPERTENSIÓN. f. Med. Tensión muy alta de la sangre.

HIPERTROFIA. f. Med. Aumento del volumen de un órgano.

HÍPICO-CA. adj. Relativo al caballo.

HÍPIDO. m. Acción y efecto de hipar o gimotear.

HIPNAL. m. Áspid muy venenosa que causa un sueño mortal.

HIPNOSIS. f. Estado del sistema nervioso parecido al sueño.

HIPNÓTICO-CA. adj. Relativo al hipnotismo.

HIPNOTISMO. m. Sueño letárgico provocado artificialmente mediante influjo personal.

HIPNOTIZADOR-RA. adj. Que hipnotiza.

HIPNOTIZAR. tr. Producir la hipnosis.

HIPO. m. Movimiento convulsivo del diafragma.

HIPOCAMPO. m. Caballo marino, pez lofobranquio.

HIPOCAUSTO. m. Habitación que entre los romanos se calentaban por debajo del pavimento.

HIPOCONDRIA. f. Depresión de ánimo morboso.

HIPOCONDRÍACO-CA. adj. Que padece hipocondría. Relativo a ella.

HIPOCONDRIO. m. Partes laterales de la región epigástrica, debajo de las costillas falsas.

HIPOCRESÍA. f. Fingimiento de cualidades buenas.

HIPÓCRITA. adj. Que finge o aparenta lo que no es o lo que no siente.

HIPODÉRMICO-CA. adj. Que está o se pone debajo de la piel.

HIPÓDROMO. m. Lugar para carreras de caballos.

HIPOFAGIA. f. Costumbre de comer carne de caballo.

HIPÓFAGO-GA. adj. Que come carne de caballo.

HIPOGASTRICO-CA. adj. Zool. Perteneciente al hipogastrio.

HIPOGASTRIO. m. Zool. Parte inferior del vientre.

HIPOGEO. m. Sepulcro subterráneo.

HIPOGLOSO-SA. adj. Zool. Situado debajo de la lengua.

HIPOGRIFO. m. Animal fabuloso, mitad caballo y mitad águila con alas.

HIPÓLOGO. m. Veterinario de caballos.

HIPÓMETRO. m. Instrumento para medir la alzada de los caballos.

HIPOPÓTAMO. m. Paquidermo de piel gruesa que vive en los ríos africanos.

HIPOSO-SA. adj. Que tiene hipo.

HIPÓSTASIS. f. Teol. Supuesto o persona.

HIPOSTÁTICO-CA. adj. Teol. Dícese comúnmente de la unión de la naturaleza humana con el Verbo divino en una sola persona.

HIPOSULFUROSO. adj. Quím. Se dice de uno de los ácidos que se obtienen por la combinación del azufre con el oxígeno, y que es el menos oxigenado de todos.

HIPOTECA. f. Finca por la que se garantiza un pago.

HIPOTECAR. tr. Garantizar un crédito con bienes inmuebles.

HIPOTECARIO-RIA. adj. Relativo a la hipoteca.

HIPOTECNIA. f. Ciencia relativa a la crianza y educación del caballo.

HIPOTENSIÓN. f. Reducción de la tensión sanguínea.

HIPOTENUSA. f. Geom. Lado opuesto al ángulo recto en el triángulo rectángulo.

HIPÓTESIS. f. Suposición.

HIPOTÉTICO-CA. adj. Relativo a la hipótesis.

HIPSÓMETRO. m. Termómetro muy sensible que sirve para medir la altitud de un lugar observando la temperatura a que allí empieza a hervir el agua.

HIRCANO-NA. adj. Natural de Hircania, antiguo país de Asia.

HIRCO. m. Cabra montés.

HIRCOCERVO. m. Animal quimérico, compuesto de macho cabrío y cerdo.

HIRSUTO-TA. adj. Pelo duro, áspero y ralo.

HIRUNDINARIA. f. Celidonia.

HIRVIENTE. p. a. de Hervir. Que hierve.

HISCA. f. Liga, visco.

HISCAL. m. Cuerda de esparto de tres cabos.

HISOPADA. f. Rociada de agua echada con el hisopo.

HISOPAZO. m. Hisopada. Golpe dado con el hisopo.

HISOPEAR. tr. Rociar con el hisopo.

HISOPILLO. m. Muñequilla de trapo que sirve para humedecer y refrescar la boca y garganta de los enfermos.

HISOPO. m. Aspersorio para agua bendita. Mata labiada olorosa.

HISPALENSE. adj. De Sevilla.

HISPÁNICO-CA. adj. De España.

HISPANIDAD. f. Conjunto y comunidad de los pueblos hispanos.

HISPANISMO. m. Giro propio de la lengua española.

HISPANISTA. com. Quien cultiva la lengua y literatura españolas.

HISPANO-NA. adj. s. Español.

HISPANOAMERICANO-NA. adj. De la América española.

HISPANÓFILO-LA. adj. Extranjero aficionado a las cosas de España.

HÍSPIDO-DA. adj. De pelo áspero.

HISTÉRICO-CA. adj. Relativo al histerismo. El que lo padece.

HISTERISMO. m. Estado patológico de excitación con convulsiones.

HISTOLOGÍA. f. Ciencia que estudia los tejidos orgánicos.

HISTÓLOGO-GA. m. Quien se dedica a la histología.

HISTORIA. f. Exposición sistemática de los hechos notables de un país.

HISTORIADO-DA. adj. fig. Recargado de adornos y colores sin gusto alguno.

HISTORIADOR-RA. m. y f. Quien escribe historia.

HISTORIAL. adj. Histórico. Reseña de los antecedentes de los servicios o carrera de un funcionario.

HISTORIAR. tr. Contar o escribir una historia.

HISTORICIDAD. f. Calidad de histórico.

HISTÓRICO-CA. adj. Perteneciente a la historia. Comprobado, cierto.

HISTORIETA. f. d. de Historia. Relación breve de aventura de poca importancia.

HISTORIOGRAFÍA. f. Arte de escribir historia.

HISTRIÓN. m. Comediante.

HISTRIONISA. f. Mujer que representaba o bailaba en el teatro.

HISTRIONISMO. m. Conjunto de las personas dedicadas a este oficio.

HITA. f. Clavo pequeño sin cabeza, que queda embutido en la pieza que asegura. Mojón.

HITAR. tr. Amojonar.

HITO-TA. adj. Fijo, inmediato.

HOBACHÓN-NA. adj. Que tiene muchas carnes pero es flojo y para poco trabajo.

HOBACHONERÍA. f. Pereza, holgazanería, desidia.

HOCICADA. f. Golpe dado con el hocico.

HOCICAR. tr. Hozar. intr. Dar con el hocico.

HOCICO. m. Parte de la cara en que está la boca y narices. Gesto de enojo.

HOCICUDO-DA. adj. Que tiene mucho hocico.

HOCINO. m. Hoz para cortar leña.

HODÓMETRO. m. Podómetro o cuentapasos.

HOGAÑO. adv. t. fam. En esta época o año.

HOGAR. m. Sitio en que se enciende la lumbre. Casa. Vida de familia.

HOGAREÑO-NA. adj. Que ama el hogar y la familia.

HOGAZA. f. Pan grande.

HOGUERA. f. Materias que arden.

HOJA. f. Parte verde, plana y delgada que nace en la cubierta externa del tallo y ramas. Pétalo. Parte movible de puerta y ventana. Folio.

HOJALATA. f. Lámina de hierro estañado.

HOJALATERÍA. f. Taller donde se hacen o tienda donde se venden objetos de hojalata.

HOJALATERO. m. Quien hace o vende piezas de hojalata.

HOJALDRADO-DA. adj. Semejante al hojaldre.

HOJALDRAR. tr. Dar forma de hojaldre.

HOJALDRE. amb. Masa sobada con manteca, cocida y en forma de hojas delgadas.

HOJARASCA. f. Conjunto de hojas caídas. Cosa inútil.

HOJEAR. tr. Leer por encima algo.

HOJOSO-SA. adj. Que tiene muchas hojas.

HOJUELA. f. d. de Hoja. Frito de sartén.

¡HOLA! intrej. Denota exclamación. Saludo.

HOLANDA. f. Lienzo muy fino para hacer sábanas, camisas, etc.

HOLANDÉS-SA. adj. Natural de Holanda.

HOLCO. m. Heno blanco.

HOLGADAMENTE. adv. m. Con holgura.

HOLGADO-DA. adj. Ancho. Que vive con bienestar.

HOLGANZA. f. Descanso, ociosidad, placer.

HOLGAR. intr. Descansar, estar ocioso. Alegrarse.

HOLGAZÁN-NA. adj. Vagabundo, ocioso.

HOLGAZANEAR. intr. Estar ocioso.

HOLGAZANERÍA. f. Aversión al trabajo.

HOLGORIO. m. Regocijo, diversión bulliciо.

HOLGURA. f. Holgorio. Anchura.

HOLOCAUSTO. m. Sacrificio en que el fuego consumía la víctima.

HOLÓGRAFO. adj. Testamento escrito por el testador.

HOLÓMETRO. m. Instrumento para medir la altura angular de un punto sobre el horizonte.

HOLLADERO-RA. adj. Parte de un camino por donde más se transita.

HOLLADURA. f. Acción de hollar.

HOLLAR. tr. Pisar algo. Abatir, humillar.

HOLLEJO. m. Pellejo de algunas frutas.

HOLLÍN. m. Substancia negra dejada por el humo.

HOMBRACHO. m. Hombre fuerte.

HOMBRADA. f. Acto propio de hombre valiente.

HOMBRE. m. Ser formado de cuerpo y alma. Animal racional. Varón. Llegado a la edad viril.

HOMBREAR. intr. Echárselas de hombre.

HOMBRECILLO. m. d. de Hombre. Lúpulo.

HOMBRERA. f. Pieza de la armadura sobre el hombro.

HOMBRO. m. Parte superior del tronco, donde nace el brazo.

HOMBRUNO-NA. adj. Dícese de la mujer que se parece al hombre por alguna cualidad.

HOMENAJE. m. Juramento de fidelidad. Sumisión. Acto público en honor de alguien.

HOMEÓPATA. m. Médico que profesa la homeopatía.

HOMEOPATÍA. f. Sistema curativo que combate a las enfermedades con substancias que producen fenómenos análogos a los síntomas de aquellas.

HOMICIDA. adj. Que causa la muerte de alguien.

HOMICIDIO. m. Muerte de una persona causada por otra.

HOMILÍA. f. Plática religiosa.

HOMILIARIO. m. Libro que contiene homilías.

HOMINAL. adj. Hist. Relativo al hombre.

HOMINICACO. m. fam. Hombre pusilánime y de poco valor.

HOMOCENTRO. m. Centro común a dos o más círculos.

HOMOFOCAL. adj. Geom. Se dice de las figuras que tienen los mismos focos.

HOMÓFONO-NA. adj. Se pronuncia igual con distinto significado.

HOMOGENEIDAD. f. Calidad de homogéneo.

HOMOGÉNEO-A. adj. De un mismo género. Formado por partes de igual naturaleza.

HOMÓGRAFO-FA. adj. Palabras de distinto significado que se escriben de igual manera.

HOMOLOGAR. tr. For. Confirmar el juez ciertos actos y convenios de las partes, para hacerlos más firmes.

HOMÓLOGO-GA. adj. Geom. Dícese de los lados que en cada una de dos o más figuras semejantes están colocados en el mismo orden.

HOMÓNIMO-MA. adj. Que tienen el mismo nombre.

HOMOPÉTALO-LA. adj. Flores de pétalos semejantes entre sí.

HOMOSEXUAL. adj. El que busca placeres carnales con persona de su mismo sexo.

HOMOSEXUALIDAD. f. Calidad de homosexual.

HONCEJO. m. Hocino, instrumento agrícola.

HONDA. f. Tira flexible para arrojar piedras.

HONDAMENTE. adv. Profundamente.

HONDAZO. m. Tiro de honda.

HONDEAR. intr. Disparar la honda. Tantear.

HONDERO. m. Soldado que usaba honda.

HONDO-DA. adj. Que tiene profundidad. Intenso.

HONDÓN. m. Suelo interior de una cosa hueca. Ojo de la aguja.

HONDONADA. f. Terreno hondo.

HONDURA. f. Profundidad de algo.

HONESTAMENTE. adv. m. Con honestidad o castidad.

HONESTIDAD. f. Decoro, pudor, urbanidad.

HONESTO-TA. adj. Decente, recatado, honrado.

HONGO. m. Bot. Planta talofita de color vario y nunca verde y de forma de sombrero, por lo regular. Sombrero de copa aovada.

HONOR. m. Cualidad moral que nos lleva a cumplir con el deber. Gloria, celebridad. Dignidad.

HONORABILIDAD. f. Cualidad de la persona honorable.

HONORABLE. adj. Digno de ser honrado.

HONORARIO-RIA. adj. Que honra. m. Sueldo.

HONORÍFICO-CA. adj. Que da honor. Honorario.

HONORIS CAUSA. loc. lat. Que significa por razón o causa del honor.

HONRA. f. Buena reputación. pl. Exequias fúnebres.

HONRADAMENTE. adv. m. Con honradez.

HONRADEZ. f. Probidad. Cualidad de honrado.

HONRADO-DA. adj. Que procede con rectitud.

HONRAR. tr. Respetar, enaltecer. Dar honor.

HONRILLA. m. Vergüenza, pundonor.

HONROSO-SA. adj. Que da honra. Decoroso, decente.

HONTANAR. m. Sitio en que nacen fuentes o manantiales.

HOPA. f. Túnica cerrada. Saco de los ajusticiados.

HOPALANDA. f. Túnica larga y amplia.

HOPEAR. intr. Mover la cola los animales cuando los persiguen.

HOPO. m. Copete o mechón de pelo.

HORA. f. Vigésimacuarta parte de día.

HORACIANO-NA. adj. Relativo a Horacio.

HORADAR. tr. Agujerear de parte a parte.

HORARIO-RIA. adj. Relativo a la hora.

HORCA. f. Sostén del que se colgaba al ahorcado. Ristra.

HORCADO-DA. adj. Que tiene forma de horca.

HORCAJADAS (A). adv. m. Con una pierna de cada lado.

HORCAJADURA. f. Ángulo que forman las dos piernas.

HORCAJO. m. Horca que se pone al pescuezo de las mulas.

HORCO. m. Riestra de ajos o cebollas.

HORCÓN. m. Horca para sostener las ramas de un árbol.

HORCONADA. f. Golpe dado con un horcón.

HORCHATA. f. Bebida de chufas, almendras, etc., machacadas con agua y azúcar.

HORCHATERÍA. f. Tienda de horchatero.

HORCHATERO-RA. m. y f. Quien hace o vende horchata.

HORDA. f. Comunidad nómada. Grupo de gente armada.

HORDIATE. m. Cebada mondada. Bebida hecha de cebada.

HORIZONTAL. adj. Paralelo al horizonte.

HORIZONTALIDAD. f. Calidad de horizontal.

HORIZONTE. m. Línea que vemos en la lejanía y en que parece se junta el cielo con la tierra. Círculo máximo de la esfera celeste.

HORMA. f. Molde en que se forma algo. Pared de piedra seca. Molde que usan los zapateros para hacer los zapatos.

HORMAZO. m. Golpe dado con una horma.

HORMERO. m. El que hace o vende hormas.

HORMIGA. f. Insecto himenóptero, de cabeza gruesa, tórax y abdomen de unos cinco milímetros. Vive en sociedad.

HORMIGÓN. m. Mezcla de piedra menuda y argamasa.

HORMIGONERA. f. Aparato para mezclar los materiales con que se hace el hormigón.

HORMIGUEAR. intr. Sentir un conquilleo en el cuerpo.

HORMIGUEO. m. Acción de hormiguear.

HORMIGUERO. m. Lugar donde se crían hormigas.

HORMIGUILLO. m. Enfermedad del casco de las caballerías.

HORMILLA. f. Pieza circular, que forrada forma un botón.

HORMÓN. m. Producto de secreción interna de algunos órganos que es capaz de estimular, disminuir o suspender la función de otros.

HORMONA. f. Med. Hormón.

HORNABLENDA. f. Anfíbol en masas hojosas y brillantes.

HORNACINA. f. Arq. Nicho en un muro en forma de arco.

HORNACHO. m. Excavación para extraer tierra o minerales.

HORNADA. f. Lo que se cuece de una vez en el horno.

HORNAGUERA. f. Carbón de piedra.

HORNAGUERO-RA. adj. Holgado. Terreno que tiene hornaguera.

HORNAJE. m. Lo que se paga en los hornos por cocer el pan.

HORNEAR. intr. Hacer oficio de hornero.

HORNERA. f. Suelo del horno. Mujer del hornero.

HORNERO-RA. m. y f. Quien por oficio cuece pan.

HORNIJA. f. Leña menuda.

HORNILLA. f. Hueco en un hogar con rejilla y respiradero.

HORNILLO. m. Horno manual.

HORNO. m. Fábrica abovedada para caldear.

HORÓN. m. Serón grande y redondo.

HORÓPTER. m. Opt. Línea recta tirada por el punto donde concurren los dos ejes ópticos, paralelamente a la que une los centros de los dos ojos del observador.

HORÓSCOPO. m. Pronóstico supersticioso fundado en las circunstancias del nacimiento.

HORQUETA. f. Ángulo agudo entre un tronco y una rama.

HORQUILLA. f. Alfiler doblado para sujetar el pelo.

HORRENDAMENTE. adv. m. De modo horrendo.

HORRENDO-DA. adj. Que causa horror.

HÓRREO. m. Granero, de cuatro pilares, en Asturias y Galicia.

HORRIBLE. adj. Horrendo.

HORRIDEZ. f. Calidad de hórrido.

HÓRRIDO-DA. adj. Horrendo.

HORRIPILACIÓN. f. Acto de erizarse el cabello.

HORRIPILAR. tr. Causar horripilación u horror.

HORRÍSONO-NA. adj. Horrible por el sonido.

HORRO-RRA. adj. Dícese del esclavo liberto.

HORROR. f. Profunda aversión causada por una cosa repugnante.

HORRORIZAR. tr. Causar horror. Sentirlo.

HORROROSO-SA. adj. Que causa horror. Muy feo.

HORTAL. m. Huerto.

HORTALIZA. f. Planta hortense comestible.

HORTELANA. f. Mujer del hortelano.

HORTELANO-NA. adj. Perteneciente a las huertas. Quien las cultiva.

HORTENSE. adj. Propio de la huerta.

HORTENSIA. f. Arbusto saxifragáceo, de jardín.

HORTERA. f. Escudilla de palo. m. Dependiente de comercio.

HORTICULTOR-RA. m. y f. Que se dedica a la horticultura.

HORTICULTURA. f. Arte que enseña el cultivo de los huertos.

HOSANNA. m. Exclamación de júbilo que se usa en la liturgia católica.

HOSCO-CA. adj. Moreno, obscuro. Áspero.

HOSPEDADOR-RA. adj. Que hospeda.

HOSPEDAJE. m. Alojamiento. Cantidad que se cobra por él.

HOSPEDAR. tr. Recibir huéspedes en casa. Dar alojamiento o alojarse.

HOSPEDERÍA. f. Casa para alojamiento.

HOSPEDERO-RA. m. y f. Persona que cuida huéspedes.

HOSPICIANO-NA. m. y f. Asilado en un hospicio.

HOSPICIO. m. Asilo de gente menesterosa.

HOSPITAL. m. Establecimiento benéfico para curar enfermos.

HOSPITALARIO-RIA. adj. Que socorre a los necesitados.

HOSPITALERO-RA. m. y f. Persona encargada del cuidado de un hospital.

HOSPITALIDAD. f. Virtud de recoger a los pobres.

HOSPITALIZAR. tr. Admitir en un hospital.

HOSTAL. m. Hostería.

HOSTELERO-RA. s. Encargado de una hostelería.

HOSTERÍA. f. Casa en que se aloja y se da de comer por dinero.

HOSTIA. f. Forma de pan ázimo para consagrar en el sacrificio de la Misa.

HOSTIARIO. m. Caja para guardar hostias.

HOSTIGADOR-RA. adj. Que hostiga.

HOSTIGAR. tr. Azotar, perseguir.

HOSTIL. adj. Enemigo o contrario.

HOSTILIDAD. f. Calidad de hostil. Acto hostil.

HOSTILIZAR. tr. Acometer al enemigo.

HOSTILMENTE. adv. m. Con hostilidad.

HOTEL. m. Fonda de lujo.

HOTELERO-RA. m. y f. Persona que administra un hotel.

HOTENTOTE-TA. adj. De una raza negroide del sur de África.

HOVERO-RA. adj. Overo, de color parecido al del melocotón.

HOY. adv. t. En el día presente.

HOYA. f. Hoyo grande. Sepultura. Hornera.

HOYADA. f. Terreno bajo.

HOYO. m. Concavidad en una superficie. Sepultura.

HOYUELA. f. d. de Hoya. Hoyo en la parte inferior de la garganta.

HOZ. f. Instrumento corvo para segar. Angostura de un valle o río.

HOZADERO. m. Sitio donde van a hozar jabalíes o puercos.

HOZADURA. f. Hoyo o señal que deja el animal al hozar.

HOZAR. tr. Remover la tierra con el hocico.

HUACATAY. m. Especie de hierbabuena usada como condimento.

HUCHA. f. Arca de labrador. Alcancía.

HUCHEAR. intr. Llamar, dar gritos. Lanzar los perros con voces.

HUEBRA. f. Yugada. Barbecho. Yunta y mozo alquilados.

HUEBRERO. m. Mozo que trabaja con la huebra.

HUECO-CA. adj. Cóncavo. Presumido, afectado.

HUECOGRABADO. m. Procedimiento para obtener fotograbados que pueden tirarse en máquinas rotativas.

HUÉLFAGO. m. Respiración difícil y apresurada de los animales por trastorno pulmonar y cardíaco.

HUELGA. f. Tiempo que no se trabaja. Cese en el trabajo de trabajadores de un mismo oficio, hecho de común acuerdo para imponer ciertas condiciones a sus patronos. Recreación.

HUELGO. m. Aliento, respiración. Holgura, anchura.

HUELGUISTA. m. Obrero que participa en una huelga.

HUELLA. f. Señal que deja algo. Vestigio.

HUELLO. m. Sitio o terreno que se pisa.

HUÉRFANO-NA. adj. Que ha perdido a uno de los padres.

HUERO-RA. adj. Vacío, sin substancia.

HUERTA. f. Terreno destinado al cultivo de árboles frutales y legumbres.

HUERTANO-NA. adj. De la huerta.

HUERTO. m. Lugar pequeño en que se cultiva verduras, legumbres, etc.

HUESA. f. Sepultura.

HUESILLO. m. d. de Hueso.

HUESERA. f. Osario.

HUESO. m. Cualquiera de las partes del esqueleto de los vertebrados. Cosa difícil.

HUESOSO-SA. adj. Relativo al hueso.

HUÉSPED-DA. m. y f. El alojado en casa ajena. Persona que hospeda a otra.

HUESTE. f. Ejército en campaña. Grupo de secuaces.

HUESUDO-DA. adj. Que tiene mucho hueso.

HUEVA. f. Masa de huevecillos de peces.

HUEVAR. intr. Comenzar el ave a tener huevos.

HUEVERA. f. Mujer que trata en huevos. Copa especial para poner el huevo.

HUEVERÍA. f. Tienda de huevero.

HUEVERO. m. El que trata en huevos. Utensilio para guardar huevos.

HUEVO. m. Cuerpo de forma más o menos esférica, engendrado por las hembras de algunos animales para la reproducción de la especie.

¡HUF! interj. ¡Uf!

HUGONOTE-TA. adj. s. Calvinista francés.

HUIDA. f. Acto de huir.

HUIDIZO-ZA. adj. Que huye con facilidad.

HUIR. intr. Alejarse para evitar un daño.

HUJIER. m. Ujier.

HULE. m. Tela barnizada, permeable.

HULLA. f. Carbón de piedra.

HULLERA. f. Mina de hulla.

HUMANAMENTE. adv. m. Con humanidad.

HUMANAR. tr. r. Hacer humano.

HUMANIDAD. f. Condición de humano. Género humano.

HUMANISMO. m. Cultivo de las humanidades.

HUMANISTA. com. Persona instruida en humanidades.

HUMANITARIO-RIA. adj. Que procura el bien de la humanidad.

HUMANITARISMO. m. Compasión de las desgracias ajenas.

HUMANIZAR. tr. Humanar. r. Ablandarse.

HUMANO-NA. adj. Relativo al hombre. Generoso.

HUMAREDA. f. Abundancia de humo.

HUMAZGA. f. Contribución que se pagaba por cada hogar o chimenea.

HUMAZO. m. Humo denso.

HUMEAR. intr. r. Echar humo o vaho.

HUMECTACIÓN. f. Acción de humedecer.

HUMECTATIVO-VA. adj. Que causa humedad.

HUMEDAD. f. Calidad de húmedo. Agua que impregna un cuerpo o que, evaporizada, se mezcla con el aire.

HUMEDAL. m. Terreno húmedo.

HUMEDECER. tr. r. Producir humedad.

HÚMEDO-DA. adj. Ligeramente impregnado de un líquido.

HUMEÓN. m. Mata compuesta, con ramas cubiertas de borra, y flores en cabezuela.

HUMERAL. adj. Zool. Relativo al húmero. m. Paño que se pone en el sacerdote sobre los hombros para coger la custodia o el copón.

HÚMERO. m. Hueso del brazo entre el hombro y el codo.

HUMERO. m. Cañón de la chimenea, por donde sale el humo.

HUMILDAD. f. Virtud consistente en reconocer nuestra bajeza. Condición inferior.

HUMILDE. adj. Que tiene humildad.

HUMILDEMENTE. adv. m. Con humildad.

HMUILLACIÓN. f. Acción de humillar.

HUMILLADERO. m. Lugar a la entrada de un pueblo con una cruz o imagen.

HUMILLANTE. p. a. de Humillar. Que humilla. adj. Degradante.

HUMILLAR. tr. Inclinar algo en señal de acatamiento. Abatir el orgullo de uno. ,

HUMILLO. m. fig. Vanidad, presunción.

HUMITA. f. Pasta de maíz tierno, rallado, cocido y tostado.

HUMO. m. Producto gaseoso de la combustión incompleta.

HUMOR. m. Líquido del cuerpo del animal o planta. fig. Genio, carácter.

HUMORADA. f. Dicho o hecho festivo.

HUMORADO-DA. adj. Que tiene humores.

HUMORAL. adj. Perteneciente a los humores.

HUMORISMO. m. Estilo literario en que se unen la gracia y la ironía, lo alegre y lo triste.

HUMORISTA. adj. Autor en cuya obra predomina el humorismo.

HUMORÍSTICO-CA. adj. Perteneciente o relativo al humorismo en literatura.

HUMOSO-SA. adj. Que echa humo. Se dice del sitio que contiene humo.

HUMUS. m. Parte orgánica del suelo.

HUNDIMIENTO. m. Acción de hundir o hundirse.

HUNDIR. tr. Meter en lo hondo. fig. Abatir. r. Arruinar.

HÚNGARO-RA. adj. s. De Hungría.

HUNO-NA. adj. s. Dícese de un pueblo bárbaro asiático.

HURA. f. Carbunclo que sale en la cabeza. Agujero.

HURACÁN. m. Viento impetuoso que gira en torbellino.

HURACANADO-DA. adj. Que tiene la fuerza o el carácter del huracán.

HURASÍA. f. Repugnancia que uno tiene al trato de gentes.

HURAÑO-ÑA. adj. Que huye del trato de las gentes.

HURERA. f. Agujero, huronera.

HURGADOR-RA. adj. Que hurga.

HURGAMIENTO. m. Acción de hurgar.

HURGAR. tr. Remover algo. Incitar.

HURGÓN. m. Útil para remover y atizar la lumbre.

HURGONEAR. tr. Remover con el hurgón.

HURGUILLAS. com. Persona bullidora y apremiante.

HURÍ. f. Mujer que habita el paraíso de Mahoma.

HURÓN. m. Mamífero carnívoro mustélico. fig. Persona que averigua y descubre lo secreto.

HURONEAR. tr. Cazar con hurón. Escudriñar todo.

HURONERO. m. El que cuida de los hurones.

¡HURRA! interj. De entusiasmo.

HURTADILLAS (A). loc. adv. De modo furtivo; sin que se note.

HURTAGUA. f. Especie de regadera con los agujeros en el fondo.

HURTAR. tr. Robar a escondidas. Apartar. Ocultarse.

HURTO. m. Acción de hurtar. Lo hurtado.

HUSADA. f. Porción de lino, lana, etc., que ya hilado cabe en el huso.

HÚSAR. m. Soldado de caballería ligera.

HUSERO. m. Cuerna recta que tiene el gamo de un año.

HUSILL. m. Tornillo de la prensa.

HUSITA. adj. s. Dícese del que seguía la doctrina de Juan de Hus.

HUSMEADOR-RA. adj. Que husmea.

HUSMEAR. tr. Rastrear con el olfato.

HUSO. m. Instrumento para arrollar el hilo e hilar.

HUTA. f. Choza de monteros.

¡HUY! interj. Que denota dolor o asombro.

I. f. Décima letra y tercera vocal del alfabeto español.

IACETANOS. m. pl. Hist. Pueblo iberai, al que varios autores antiguos, afir, man, habitaba al norte de Huesca.

IBÉRICO-CA. adj. Ibero-ra.

IBERO-RA. adj. De Iberia (España).

IBICE. m. Cabra montés.

IBICENCO-CA. adj. s. De Ibiza.

IBIDEM. adv. lat. que significa "Allí mismo".

IBIS. f. Ave zancuda de pico largo, venerada por los egipcios.

IBÓN. m. Lago de las vertientes del Pirineo.

ICARIO-RIA. adj. Relativo a ícaro.

ICÁSTICO. adj. Natural.

ICEBERG. m. Masa flotante de hielo.

ICNOGRAFIA. f. Trazado de la planta de un edificio.

ICNOGRÁFICO. adj. Arq. Perteneciente a la icnografía.

ÍCONO. m. Imagen religiosa pintada en madera o metal.

ICONOCLASTA. adj. s. Quien niega el culto de las imágenes.

ICONOGRAFÍA. f. Descripción de imágenes, monumentos, estatuas, etc.

ICONOLOGÍA. f. Esc. Pint. Representación de cosas morales o naturales con la figura o apariencia de personas.

ICONOSTASIO. m. Biombo que se coloca en las iglesias griegas delante del altar para ocultar al sacerdote durante la consagración.

ICOR. m. Serosidad que cubre las úlceras malignas.

ICOSAEDRO. m. Sólido de veinte caras.

ICTERICIA. f. Méd. Enfermedad producida por exceso de pigmentos biliares en la sangre.

ICTERICIADO-DA. adj. s. Med. Que padece ictericia.

ICTÉRICO-CA. adj. s. Que pedece ictericia.

ICTINEO. m. Buque submarino.

ICTIÓFAGA-GA. adj. Que se alimenta de peces.

ICTIOL. m. Aceite medicinal procedente de peces fósiles.

ICTIOLOGÍA. f. Zool. Tratado de los peces.

ICTIÓLOGO. m. El que profesa la ictiología.

ICTIOSIS. m. Enfermedad de la piel que consiste en cubrirse ésta con un tejido escamoso.

ICHO. m. Planta gramínea de la cordillera de los Andes.

IDA. f. Acto de ir.

IDEA. f. Conocimiento de una cosa. Intención. Plan. Opinión.

IDEAL. adj. Que constituye una idea. Prototipo.

IDEALIDAD. f: Calidad de ideal.

IDEALISMO. m. Tendencia a idealizar.

IDEALISTA. adj. Relativo al idealismo. adj. s. Partidario de él.

IDEALIZAR. tr. Atribuir a algo, caracteres ideales.

IDEAR. tr. Formar idea o propósito de algo.

IDEARIO. m. Repertorio de las principales ideas de un autor, de una escuela o de una colectividad.

IDEM. adv. significa "lo mismo".

IDÉNTICAMENTE. adv. m. De manera idéntica, con identidad.

IDÉNTICO-CA. adj. s. Que es lo mismo que otra cosa.

IDENTIDAD. f. Calidad de idéntico. Mat. Igualdad que tiene idénticos sus dos miembros.

IDENTIFICACIÓN. f. Acto de identificar.

IDENTIFICAR. tr. r. Reconocer la identidad de una cosa con otra.

IDEOGRAFÍA. f. Representación de las ideas por imágenes.

IDEOGRAMA. m. Signo que sustituye la idea con signos fonéticos.

IDEOLOGÍA. f. Ciencia de las ideas.

IDEOLÓGICO-CA. adj. Relativo a la ideología.

IDÍLICO-CA. adj. Relativo al idilio.

IDILIO. m. Poema bucólico de carácter amoroso.

IDIOMA. m. Lengua de una nación o país.

IDIOMATICO-CA. adj. Propio y peculiar de una determinada lengua.

IDIOSINCRASIA. f. Temperamento y carácter de un individuo.

IDIOTA. adj. s. Que pedece idiotez. Estúpido.

IDIOTEZ. f. Imbecilidad, estupidez.

IDIOTISMO. m. Ignorancia. Locución peculiar de alguna lengua.

IDÓLATRA. adj. s. Que adora ídolos.

IDOLATRAR. tr. Adorar ídolos.

IDOLATRÍA. f. Adoración a ídolos. Amor excesivo.

IDOLEJO. m. dim. de ídolo.

ÍDOLO. m. Falsa deidad. Figura que la representa.

IDOLOGÍA. f. Ciencia que trata de los ídolos.

IDONEIDAD. f. Calidad de idóneo.

IDÓNEO-A. adj. s. Adecuado, que tiene aptitud para algo.

IDUMEO-A. adj. s. Natural de Idumea. Perteneciente a este país de Asia antigua.

IDUS. m. pl. En el antiguo cómputo romano y en el eclesiástico, el día 15 de marzo, mayo, julio, y octubre y el 13 de los demás meses.

IGLESIA. f. Congregación de fieles. Clero. Templo.

IGLÚ. m. Cabaña de hielo de los esquimales.

IGNACIANO-NA. adj. Perteneciente a la doctrina de San Ignacio de Loyola o las instituciones por él fundadas.

IGNARO-RA. adj. Ignorante.

IGNAVIA. f. Pereza.

IGNOVO-VA. adj. Indolente, flojo, cobarde.

ÍGNEO-A. adj. De fuego. De color de fuego.

IGNICIÓN. f. Acto de arder.

IGNÍFERO-RA. adj. poét. Que contiene o arroja fuego.

IGNÍFUGO-GA. adj. Que protege contra el incendio.

IGNÍVOMO-MA. adj. Que vomita fuego.

IGNOMINIA. f. Afrenta pública de una persona.

IGNOMINIOSO-SA. adj. Que causa ignominia.

IGNORANCIA. f. Falta de instrucción o conocimiento de algo.

IGNORANTE. adj. s. Que ignora.

IGNORANTEMENTE. adv. m. Con ignorancia.

IGNORAR. tr. No saber algo.

IGNOTO-TA. adj. No conocido.

IGORROTE. m. Pueblo malayo.

IGUAL. adj. De la misma naturaleza. Equivalente. Liso.

IGUALA. f. Ajuste, estipendio. Acción de igualar.

IGUALADO-DA. adj. Se dice de ciertas aves que ya han arrojado el plumón y tienen igual la pluma.

IGUALAMIENTO. m. Acción y efecto de igualar.

IGUALAR. tr. r. Poner una cosa al igual de otra. Allanar. Convenirse.

IGUALDAD. f. Condición de ser igual. Mat. Expresión de la equivalencia de dos cantidades.

IGUALATORIO-RIA. adj. Que entraña igualdad o atiende a ella.

IGUALÓN-NA. adj. Dícese del pollo de la perdiz cuando ya se asemeja a sus padres.

IGUANA. f. Reptil saurio.

IGUÁNIDO. adj. Zool. Reptiles cuyo tipo es la iguana. m. pl. Familia de estos reptiles.

IGUANODONTE. m. Paleont. Reptil dinosaurio, hasta 10 m. de largo perteneciente al jurásico superior.

IJADA. f. Cavidad entre las costillas falsas y las caderas.

IJAR. m. Ijada.

ILACIÓN. f. Acto de inferir. Consecuencia.

ILAPSO. m. Éxtasis contemplativo.

ILATIVO-VA. adj. Que puede inferirse.

ILEABANES. m. pl. Tribu de igorrotes, islas Filipinas.

ILECEBRA. f. Halago engañoso, ficción cariñosa que atrae y convence.

ILEGAL. adj. Contrario a la ley.

ILEGALIDAD. f. Calidad de ilegal.

ILEGIBLE. adj. Que no se puede leer.

ILEGISLABLE. adj. No legislable.

ILEGITIMAR. tr. Privar de la legitimidad a uno.

ILEGITIMIDAD. f. Falta de legitimidad.

ILEGÍTIMO-MA. adj. No legítimo.

ÍLEO. m. Med. Oclusión intestinal gravísima.

ILEOCECAL. adj. Relativo al intestino íleon y al ciego.

ÍLEON. m. Anat. Última sección del intestino delgado.

ILERDA. Geogr. Hist. Ciudad de la España carrocense, hoy Lérida.

ILERDENSE. adj. s. Natural de Ilerda, hoy Lérida. Perteneciente a esta ciudad. Leridiano.

ILERGETE. adj. s. Natural de una región de la España Tarraconense que comprendía parte de las provincias de Huesca, Zaragoza y Lérida.

ILESO-SA. adj. Que no ha recibido lesión.

ILETRADO-DA. adj. Falto de cultura.

ILÍACO-CA. adj. Relativo al íleon.

ILIBERAL. adj. No liberal.

ILICÍNEO-A. adj. Bot. Se dice de los árboles y arbustos dicotiledóneos siempre verdes, con hojas alternas, enteras o dentadas, flores pequeña s y blancas y fruto en drupas bayadas poco carnosas con tres o más huesecillos como el acebo.

ILÍCITAMENTE. adv. m. Contra razón, justicia y derecho.

ILICITANO-NA. adj. s. Natural de la antigua flici, hoy Elche. Perteneciente a esta población.

ILÍCITO. adj. No permitido.

ILIENSE. adj. s. Troyano.

ILIMITADAMENTE. adv. Que no tiene límites.

ILION. m. Hueso del coxal que forma la cedra.

ILIQUIDO-DA. adj. Dícese de la cuenta, deuda, etc.

ILIRIO-RIA. adj. de la Iliria.

ILITERATO-TA. adj. Ignorante en letras.

ILÓGICO-CA. adj. Que va contra la lógica.

ILOTA. com. Esclavo de la antigua Lacedemonia. Que está desposeído de los derechos de ciudadano.

ILUDIR. tr. Burlar.

ILUMINACIÓN. f. Acción y efecto de iluminar. Adornar con luces. Especie de pintura al temple.

ILUMINADO-DA. adj. Que ilumina.

ILUMINADOR-RA. adj. s. Que ilumina. m. y f. Persona que adorna libros, estampas, etc. con colores.

ILUMINAR. tr. Alumbrar, adornar con luces.

ILUMINARIA. f. Luminaria en señal de fiestas.

ILUSAMENTE. adv. m. Falsa, engañosamente.

ILUSIÓN. f. Falsa percepción de un objeto. Esperanza sin fundamento.

ILUSIONAR. tr. Causar ilusión.

ILUSIONISTA. com. Prestidigitador.

ILUSIVO-VA. adj. Falso, engañoso, aparente.

ILUSO-SA. adj. s. Seducido, propenso a ilusionarse.

ILUSORIO-RIA. adj. Capaz de engañar.

ILUSTRACIÓN. f. Acción de ilustrar.

Cultura. Estampa o grabado de un libro.

ILUSTRADO-DA. adj. Dícese de la persona de entendimiento e instrucción.

ILUSTRAR. tr. r. Dar luz al entendimiento. Instruir.

ILUSTRATIVO-VA. adj. Que ilustra.

ILUSTRE. adj. De origen y prosapia distinguido. Insigne, célebre.

ILUSTRÍSIMO-MA. Tratamiento de obispo y otras personas con dignidad.

IMAGEN. f. Apariencia visible de una cosa. Figura, reproducción.

IMAGINABLE. adj. Que puede imaginar.

IMAGINACIÓN. f. Facultad del alma de formar imágenes.

IMAGINAR. intr. r. Formar imagen de algo. tr. Sospechar. Crear en la imaginación.

IMAGINARIA. f. Mil. Guardia suplente.

IMAGINARIO-RIA. adj. Que solo existe en la imaginación.

IMAGINATIVA. f. Facultad de imaginar. Sentido común.

IMAGINERÍA. f. Talla o pintura de imágenes sagradas.

IMAGINERO. m. Escultor o pintor de imágenes.

IMÁN. m. Mineral que atrae el hierro.

IMANACIÓN. f. Acción y efecto de imanar o imanarse.

IMANAR. tr. r. Magnetizar.

IMANTACIÓN. f. Acto de imantar.

IMANTAR. tr. r. Magnetizar.

IMBÉCIL. m. Alelado, escaso de razón.

IMBECILIDAD. f. Alelamiento, escasez de razón.

IMBELE. adj. Incapaz de guerrear.

IMBERBE. adj. Que no tiene barba.

IMBIBICIÓN. f. Acción de embeber.

IMBORNAL. Agujero por donde sale el agua de lluvia de un terrado.

IMBORRABLE. adj. Indeleble.

IMBRICACIÓN. f. Arq. Adorno arquitectónico que imita escamas de pez.

IMBRICADO-DA. adj. Formado según las escamas de un pez.

IMBUIR. tr. Infundir, persuadir.

IMBUNCHE. m. Brujo o ser maléfico, que según los araucanos, roba a los niños pequeños.

IMITABLE. adj. Que puede imitar. Digno de imitación.

IMITACIÓN. f. Acción y efecto de imitar.

IMITADO-DA. adj. Hecho a imitación de otra cosa.

IMITAR. tr. Hacer algo a semejanza con otra cosa.

IMITATORIO-RIA. adj. Perteneciente a la imitación.

IMOSCAPO. m. Arq. Parte inferior del fuste de la columna.

IMPACCIÓN. f. Choque con penetración.

IMPACIENCIA. f. Falta de paciencia.

IMPACIENTAR. tr. r. Hacer perder la paciencia.

IMPACIENTE. adj. Que no tiene paciencia.

IMPACIENTEMENTE. adv. m. Con impaciencia.

IMPACTO. m. Choque con un proyectil. Señal que deja.

IMPAGABLE. adj. Que no se puede pagar.

IMPALPABLE. adj. Que no causa sensación al tacto.

IMPANACIÓN. f. Doctrina luterana.

IMPAR. adj. Que no tiene igual. Que no es divisible por dos.

IMPARCIAL. adj. s. Que obra con imparcialidad.

IMPARCIALIDAD. f. Falta de prevención en favor o en contra de personas o cosas.

IMPARISILABO - BA. adj. Nombres griegos o latinos que en ciertos casos tiene mayor número de sílabas que el nominativo.

IMPARTIBLE. adj. Que no puede partirse.

IMPARTIR. tr. Repartir. Comunicar.

IMPASIBILIDAD. f. Calidad de impasible.

IMPASIBLE. adj. Que no puede padecer.

IMPÁVIDAMENTE. adv. m. Sin temor ni pavor.

IMPAVIDEZ. f. Valor, denuedo, entereza.

IMPÁVIDO-DA. adj. Imperturbable.

IMPECABLE. adj. Que no puede pecar.

IMPEDIDO-DA. adj. Tullido, paralítico.

IMPEDIENTE. p. a. de Impedir. Que impide.

IMPEDIMENTA. f. Bagaje.

IMPEDIMENTO. m. Obstáculo, estorbo.

IMPEDIR. tr. Estorbar. Privar. Prohibir.

IMPEDITIVO-VA. adj. Dícese de lo que impide o embaraza.

IMPELENTE. p. a. de Impeler. Que impele.

IMPELER. tr. Dar impulso.

IMPENETRABILIDAD. f. Propiedad de los cuerpos que impide que no esté donde está el otro.

IMPENETRABLE. adj. Que no pude penetrar.

IMPENITENCIA. f. Obstinación en el pecado. Impenitencia final. Que dura hasta la muerte.

IMPENITENTE. adj. s. Que tiene impenitencia. Que se obstina.

IMPENSADAMENTE. adv. m. Sin pensar en ello, sin esperar.

IMPENSADO-DA. adj. Que sucede sin pensar.

IMPERANTE. p. a. de Imperar. Que impera.

IMPERAR. intr. Ejercer dignidad imperial. Dominar.

IMPERATIVO-VA. adj. Que impera o manda.

IMPERATORIO-RIA. adj. Perteneciente al emperador o a la majestad imperial.

IMPERCEPTIBLE. adj. Que no puede percibirse.

IMPERDIBLE. m. Alfiler en forma de broche. adj. Que no se puede perder.

IMPERDONABLE. adj. Que no puede perdonarse.

IMPERECEDERO. adj. Inmortal, que no perece.

IMPERFECCIÓN. f. Falta de perfección.

IMPERFECTAMENTE. adv. m. Con Imperfección.

IMPERFECTO-TA. adj. Que no es perfecto.

IMPERFORACIÓN. f. Med. Defecto orgánico consistente en tener cerrados órganos o conductos que deben estar abiertos.

IMPERIAL. adj. Relativo al emperador o al imperio.

IMPERIALISMO. m. Sistema que pretende la dominación de un estado sobre otros.

IMPERICIA. f. Falto de pericia.

IMPERIO. m. Acto de imperar. Tiempo de gobierno.

IMPERIOSO-SA. adj. Que manda con imperio. Necesario.

IMPERITAMENTE. adv. m. Con impericia.

IMPERMEABILIDAD. f. Calidad de impermeable.

IMPERMEABILIZAR. tr. Hacer impermeable alguna cosa.

IMPERMEABLE. adj. Impermeable a un fluido.

IMPERMUTABLE. adj. Que no puede permutarse.

IMPERSONAL. adj. Que no tiene personalidad o no se aplica a nadie.

IMPERSONALIZAR. tr. Gram. Emplear como impersonal algún verbo que por su índole no lo es.

IMPERSONALMENTE. adv. m. Con tratamiento impersonal. Gram. Sin determinación de persona.

IMPERTÉRRITO-TA. adj. Que no es intimidado por nadie.

IMPERTINENCIA. f. Importunidad. Curiosidad.

IMPERTINENTE. adj. Que no viene al caso. Que hace impertinencias.

IMPERTURBABILIDAD. f. Calidad de imperturbable.

IMPÉTIGO. m. Erupción cutánea infecciosa.

IMPRETA. f. Facultad, permiso.

IMPRETACIÓN. f. Acción y efecto de impretar.

IMPETRANTE. p. a. de Impetrar. Que impetra.

IMPETRAR. tr. Solicitar algo con ahinco.

IMPETRATORIO-RIA. adj. Que sirve para impetrar.

ÍMPETU. m. Movimiento violento. Fuerza, violencia.

IMPETUOSIDAD. f. Ímpetu.

IMPETUOSO-SA. adj. Violento.

IMPÍAMENTE. adv. m. Con impiedad, sin religión. Sin compasión, cruelmente.

IMPIEDAD. f. Falta de piedad.

IMPÍO-O. adj. Que no tiene piedad.

IMPLA. f. Velo de la cabeza usado antiguamente. Tela con que se hacían estos velos.

IMPLACABLE. adj. Que no puede aplacarse.

IMPLANTACIÓN. f. Acción y efecto de implantar.

IMPLANTAR. tr. Establecer.

IMPLATICABLE. adj. Que no admite plática o conversación.

IMPLICACIÓN. f. Contradicción, oposición de los términos entre sí.

IMPLICANTE. p. a. de Implicar. Que implica.

IMPLICAR. tr. r. Envolver. tr. Incluir. intr. Obstar.

IMPLICATORIO-RIA. adj. Que contiene sí implicación.

IMPLÍCITO-TA. adj. Que se entiende incluido en algo.

IMPLORACIÓN. f. Acción de implorar.

IMPLORAR. tr. Pedir con ruegos.

IMPLOSIÓN. f. Gram. Modo de articulación propio de las consonantes implosivas y parte de la pronunciación de los sonidos oclusivos correspondiente al momento en que se forma la oclusión.

IMPLUME. adj. Sin pluma.

IMPLUVIO. m. En las antiguas casas romanas, por donde entraban las aguas de la lluvia.

IMPOLÍTICA. f. Descortesía.

IMPOLÍTICO-CA. adj. Falto de política o contrario a ella.

IMPOLUTO-TA. adj. Limpio, sin mancha.

IMPONDERABLE. adj. Que no puede pesarse.

IMPONENTE. adj. s. Que impone.

IMPONER. tr. Poner una carga, obligación. Imputar.

IMPONIBLE. adj. Que se puede gravar con impuesto o tributo.

IMPOPULAR. adj. Que no es popular.

IMPOPULARIDAD. f. Calidad de impopular.

IMPORTACIÓN. f. Com. Introducción de géneros extranjeros.

IMPORTADOR-RA. adj. s. Que hace importaciones.

IMPORTANCIA. f. Calidad de importante.

IMPORTANTE. adj. Que importa. Interesante.

IMPORTAR. intr. Convenir. Interesar. tr. Valer, implicar.

IMPORTE. m. Precio.

IMPORTUNAMENTE. adv. m. Con importunidad. Fuera de tiempo o de propósito.

IMPORTUNAR. tr. Incomodar con una solicitud.

IMPORTUNIDAD. f. Calidad de importuno.

IMPORTUNO-NA. adj. Fuera de tiempo o propósito. Molesto.

IMPOSIBILIDAD. f. Falta de posibilidad.

IMPOSIBILITADO-DA. adj. Tullido.

IMPOSIBILITAR. tr. Quitar una posibilidad. r. Quedar tullido.

IMPOSIBLE. adj. No posible. Difícil.

IMPOSICIÓN. f. Acción de imponer Tributo.

IMPOSTA. f. Arq. Hilada de sillares sobre la que se sita un arco.

IMPOSTOR-RA. adj. s. Que calumnia o engaña.

IMPOSTURA. adj. Imputación falsa.

IMPOTABLE. adj. No potable.

IMPOTENCIA. f. Falta de potencia. Incapacidad de procrear.

IMPOTENTE. adj. Que no tiene potencia.

IMPRACTICABLE. adj. Que no se puede practicar.

IMPRECACIÓN. f. Acción de imprecar.

IMPRECAR. tr. Proferir palabras manifestando deseo de que alguien sea perjudicado.

IMPRECATORIO-RIA. adj. Que implica o denota imprecación.

IMPRECISIÓN. f. Falta de precisión.

IMPREGNABLE. adj. Se dice de los cuerpos capaces de ser impregnados.

IMPREGNAR. tr. r. Introducir moléculas de un cuepo entre las de otro.

IMPREMEDITACIÓN. f. Falta de premeditación.

IMPREMEDITADO-DA. adj. No premeditado. Irreflexivo.

IMPRENTA. f. Arte de imprimir. Lugar donde se imprime. Impresión.

IMPRESCINDIBLE. adj. Dícese de aquello que no se puede prescindir.

IMPRESCRIPTIBLE. adj. Que no puede prescribir.

IMPRESENTABLE. adj. Que no es digno de presentarse o de ser presentado.

IMPRESIÓN. f. Acción de imprimir. Señal que deja una cosa en otra.

IMPRESIONABLE. adj. Fácil de impresionarse o de recibir una impresión.

IMPRESIONAR. tr. r. Persuadir. Actuar la luz sobre una placa fotográfica.

IMPRESIONISMO. m. Sistema artístico o literario de considerar y reproducir la naturaleza atendiendo más que a su realidad a la impresión que produce.

IMPRESIONISTA. com. Partidario del impresionismo.

IMPRESO. m. Obra impresa. Imprimir.

IMPRESOR. m. El que imprime.

IMPREVISIBLE. adj. Que no se puede prever.

IMPREVISIÓN. f. Falta de previsión.

IMPREVISTO-TA. adj. No previsto.

IMPRIMAR. tr. Preparar con los ingredientes necesarios lo que se ha de pintar o imprimir.

IMPRIMATUR. m. Licencia que da la autoridad eclesiástica para imprimir un escrito.

IMPRIMIR. tr. Señalar las letras u otros caracteres en el papel, por medio de la presión.

IMPROBABLE. adj. No probable.

IMPROBABLEMENTE. adv. m. Con improbabilidad.

IMPROBIDAD. f. Falta de probidad.

IMPROBO-BA. adj. Falto de probidad. Trabajo excesivo y continuado.

IMPROCEDENCIA. f. Calidad de improcedente.

IMPROCEDENTE. adj. No conforme a derecho. Inadecuado.

IMPRODUCTIVO-VA. adj. Dícese de lo que no produce.

IMPROFANABLE. adj. Que no se puede profanar.

IMPROMPTU. m. Mús. Composición improvisada.

IMPRONTA. f. Reproducción de imágenes en hueco o de relieve en cualquier materia blanda.

IMPRONUNCIABLE. adj. Muy difícil o imposible de pronunciar.

IMPROPERIO. m. Injuria de propiedad en el lenguaje.

IMPROPIO-PIA. adj. Falto de las cualidades convenientes.

IMPRORROGABLE. adj. Que no se puede prorrogar.

IMPRÓSPERO-RA. adj. No próspero.

IMPRÓVIDAMENTE. adv. m. Sin previsión.

IMPRÓVIDO-DA. ad. Desprevenido.

IMPROVISACIÓN. f. Acción de improvisar. Cosa improvisada.

IMPROVISAMENTE. adv. m. De repente, sin prevención.

IMPROVISAR. tr. Hacer algo de pronto, sin estudio ni preparación.

IMPROVISO-SA. adj. Que no se prevé o previene.

IMPRUDENCIA. f. Falta de prudencia. Acción imprudente.

IMPRUDENTE. adj. s. Que no tiene prudencia.

IMPÚBER. adj. s. Que no ha llegado a la pubertad.

IMPUDENCIA. f. Calidad de impudente. Descaro.

IMPUDENTE. adj. Desvergonzado, sin pudor.

IMPÚDICAMENTE. adv. m. Deshonestamente, sin pudor.

IMPUDICIA. f. Deshonestidad.

IMPÚDICO-CA. adj. Con impudor.

IMPUDOR. m. Falta de pudor y de honestidad. Cinismo.

IMPUESTO. m. Tributo, carga.

IMPUGNABLE. adj. Que se puede impugnar.

IMPUGNACIÓN. f. Acción de impugnar.

IMPUGNAR. tr. Combatir, refutar.

IMPULSAR. tr. Impeler.

IMPULSIÓN. tr. Impulso.

IMPULSIVO-VA. adj. Que impele.

IMPULSO. m. Acción de impeler. Incitación, instigación.

IMPULSOR-RA. adj. s. Que impele.

IMPUNE. adj. Que queda sin castigo.

IMPUNIDAD. f. Falta de castigo.

IMPUREZA. f. Falta de pureza o castidad.

IMPURIFICAR. tr. Hacer impuro. Causar impureza.

IMPURO-RA. adj. No puro.

IMPUTABLE. adj. Que se puede imputar.

IMPUTACIÓN. f. Acción de imputar. Cosa imputada.

IMPUTAR. tr. Atribuir a otro una culpa o delito.

IMPUTRESCIBLE. adj. Que no puede corromperse.

IN, pr. insep. Que indica negación, privación o inversión.

INABORDABLE. adj. Que no se puede abordar.

INACCESIBLE. adj. No accesible.

INACCIÓN. f. Falta de acción.

INACEPTABLE. adj. No aceptable.

INACTIVIDAD. f. Falta de actividad.

INACTIVO-VA. adj. Sin acción.

INADAPTABILIDAD. f. Calidad de inadaptable.

INADAPTABLE. adj. No adaptable.

INADECUADO-DA. adj. No adecuado.

INADMISIBLE. adj. No admisible.

INADVERTENCIA. f. Falta de advertencia.

INADVERTIDO-DA. adj. Que no repara en las cosas que debiera.

INAFECTADO-DA. adj. No afectado.

INAGOTABLE. adj. Que no puede agotarse.

INAGUANTABLE. adj. Que no puede aguantarse.

INAJENABLE. adj. Inalienable.

INALÁMBRICO-CA. adj. Aplícase a todo sistema de comunicación eléctrica sin alambres conductores.

IN ALBIS. m. adj. En blanco, sin conseguir lo que se esperaba o sin comprender lo que se oye.

INALIENABLE. adj. Que no se puede enajenar.

INALTERABLE. adj. Que no puede alterarse.

INAMENO-NA. adj. Falto de amenidad.

INAMOVIBLE. adj. No amovible.

INAMOVILIDAD. f. Calidad de inamovible.

INANE. adj. Vano, inútil.

INANICIÓN. f. Debilidad física. Hambre.

INANIMADO-DA. adj. Que carece de vida.

IN ÁNIMA VILI. loc. lat. Que significa en ánima vil y que se usa en Medicina e indica que los experimentos deben hacerse antes en animales irracionales que en las personas.

INANIME. adj. Inanimado.

INAPEABLE. adj. Que no se puede apear.

INAPELABLE. adj. Que no se puede apelar.

INAPETENCIA. f. Falta de apetito.

INAPETENTE. adj. Que no tiene apetencia.

INAPLAZABLE. adj. Que no se puede aplazar.

INAPRECIABLE. adj. Que no puede apreciarse.

INAPTITUD. f. Ineptitud.

INAPTO-TA. adj. s. Inepto.

INARMÓNICO-CA. adj. Falto de armonía.

INARTICULADO-DA. adj. No articulado.

IN ARTÍCULO MORTIS. exp. lat. For. En el artículo de la muerte. Dícese del matrimonio que se celebra cuando uno de los contrayentes está en peligro de muerte o próximo a ella.

INASEQUIBLE. adj. No asequible.

INASIBLE. adj. Que no se puede asir o coger.

INAUDITO-TA. adj. Nunca oído. Monstruoso.

INAUGURACIÓN. f. Acto de inaugurar.

INAUGURAL. adj. Perteneciente a la inauguración.

INAUGURAR. tr. Dar principio a una cosa.

INCA. m. Monarca de los antiguos peruanos. Moneda de oro de la república del Perú.

INCALCULABLE. adj. Que no se puede calcular.

INCALIFICABLE. adj. Que no puede calificarse. Muy vituperable.

INCALMABLE. adj. Que no se puede calmar.

INCANDESCENCIA. f. Calidad de incandescente.

INCANDESCENTE. adj. Candente.

INCANSABLE. adj. Incapaz de cansarse.

INCAPACIDAD. f. Falta de capacidad. Carencia de medios.

INCAPACITAR. tr. Imposibilitar a uno la acción de algo.

INCAPAZ. adj. Falto de cabida o medios.

INCARDINAR. tr. Admitir un obispo como súbdito propio a un eclesiástico de otra diócesis.

INCASABLE. adj. Que no puede casarse. Que tiene repugnancia al matrimonio.

INCAUTACIÓN. f. Acción de incautarse.

INCAUTARSE. r. Posesionarse la autoridad de bienes ajenos.

INCAUTO-TA. adj. Que no tiene cautela.

INCENDAJA. f. Materia muy combustible.

INCENDIAR. tr. r. Provocar el incendio de algo.

INCENDIARIO-RIA. adj. s. Que se incendia. Subversivo.

INCENDIO. m. Fuego que quema lo que no está destinado a arder.

INCENSAR. tr. Echar con el incensario. Adular.

INCENSARIO. m. Braserillo cubierto, con cadenillas, para quemar incienso.

INCENSURABLE. adj. Que no se puede censurar.

INCENTIVO. m. Lo que excita a algo.

INCERTIDUMBRE. f. Duda.

INCESABLE. adj. Que no cesa o no puede cesar.

INCESANTE. adj. Que no cesa.

INCESTO. m. Cópula prohibida entre parientes.

INCESTUOSO-SA. adj. s. Relativo al incesto. Que lo comete.

INCIDENCIA. f. Lo que sobreviene en el curso de un asunto.

INCIDENTAL. adj. Incidente.

INCIDENTE. adj. s. Que sobreviene en el curso de un asunto.

INCIDIR. intr. Incurrir o caer en una falta.

INCIENSO. Gomorresina aromática.

INCIERTO-TA. adj. No cierto, inseguro.

INCINERACIÓN. f. Acción de incinerar.

INCINERAR. tr. Reducir a cenizas. Alguna cosa.

INCIPIENTE. adj. Que empieza.

INCIRCUNCISO-SA. adj. No circuncidado.

INCIRCUNSCRIPTO-TA. adj. Que no está dentro de determinados límites.

INCISIÓN. f. Hendedura que se hace con un instrumento cortante.

INCISIVO-VA. adj. Acto para abrir o cortar.

INCISO. adj. Cortado. m. Gram. Miembro del período que encierra un sentido parcial.

INCISURA. f. Med. Hendidura, fisura.

INCITACIÓN. f. Acción de incitar.

INCITAR. tr. Estimular.

INCIVIL. adj. Falto de civilidad.

INCLAUSTRACIÓN. f. Ingreso en una orden monástica.

INCLEMENCIA. f. Falta de clemencia, rigor.

INCLEMENTE. adj. Falto de clemencia.

INCLINACIÓN. f. Acción de inclinar. Disposición del ánimo.

INCLINAR. tr. r. Apartar una cosa de su posición. Persuadir. r. Propender a algo.

ÍNCLITO-A. adj. Ilustre.

INCLUIR. tr. Poner una cosa dentro de otra.

INCLUSA. f. Casa en que se recogen y crían niños expósitos.

INCLUSERO-RA. s. adj. Que se cría o se ha criado en la inclusa.

INCLUSIÓN. f. Acción de incluir.

INCLUSIVE. adv. m. Inclusión.

INCLUSO-SA. p. p. irre. de Incluir.

INCOAR. tr. Comenzar algo.

INCOATIVO-VA. adj. Que denota principio de algo.

INCOBRABLE. adj. De muy difícil cobro.

INCOERCIBLE. adj. Que no puede ser coercido.

INCÓGNITA. f. Cantidad desconocida. Cosa o razón oculta.

INCÓGNITO-TA. adj. No conocido.

INCOGNOSCIBLE. adj. Que no se puede conocer.

INCOHERENCIA. f. Falta de coherencia.

INCOHERENTE. adj. No coherente.

ÍNCOLA. m. Habitante de un pueblo o lugar.

INCOLORO-RA. adj. Que no tiene color.

INCÓLUME. adj. Sin lesión. Sano.

INCOMBUSTIBILIDAD. f. Calidad de incombustible.

INCOMBUSTIBLE. adj. Que no se puede quemar.

INCOMIBLE. adj. Que no se puede comer.

INCOMODADOR-RA. Molesto, enfadoso.

INCOMODAR. tr. r. Causar incomodidad.

INCOMODIDAD. f. Molestia, disgusto.

INCÓMODO-DA. adj. Que incomoda. Falto de comodidad.

INCOMPARABLE. adj. Que no admite comparación.

INCOMPATIBILIDAD. f. Calidad de incompatible. Imposibilidad para ejercer una función.

INCOMPATIBLE. adj. No compatible.

INCOMPETENCIA. f. For. Falta de competencia.

INCOMPLEJO-A. adj. Desunido, incomplexo.

INCOMPLETO-TA. adj. No completo.

INCOMPLEXO-XA. adj. Desunido, sin trabazón.

INCOMPRENSIBLE. adj. Que no se puede comprender.

INCOMPRENSIÓN. f. Falta de comprensión.

INCOMUNICABLE. adj. No comunicable.

INCOMUNICACIÓN. f. Falta de comunicación. Aislamiento.

INCOMUNICADO-DA. adj. Que no tiene comunicación.

INCOMUNICAR. tr. r. Privar de comunicación.

INCONCEBIBLE. adj. Que no puede conciliarse.

INCONCUSO-SA. adj. Sin duda ni contradicción.

INCONDICIONAL. adj. Sin restricción.

INCONEXO-XA. adj. Falto de conexión.

INCONFESABLE. adj. Vergonzoso, que no puede manifestarse.

INCONFESO-SA. adj. Que no confiesa el delito.

INCONFIDENCIA. f. Desconfianza.

INCONFUNDIBLE. adj. No confundible.

INCONGRUENCIA. f. Falta de congruencia.

INCONGRUENTE. f. Calidad de inconmensurable.

INCONMENSURABLE. adj. No conmensurable.

INCONMOVIBLE. adj. Que no puede alterarse.

INCONMUTABLE. adj. Inmutable. No conmutable.

INCONQUISTABLE. adj. Que no se puede conquistar. fig. Que no se deja vencer ni con ruegos ni con dádivas.

INCONSCIENCIA. f. Estado en que no se tiene exacta conciencia.

INCONSCIENTE. adj. No consciente.

INCONSECUENCIA. f. Falta de consecuencia.

INCONSECUENTE. adj. Que obra con inconsecuencia.

INCONSIDERADO-DA. adj. No considerado.

INCONSISTENCIA. f. Falta de consistencia.

INCONSISTENTE. adj. Falto de consistencia.

INCONSOLABLE. adj. Que no puede consolarse.

INCONSTANCIA. f. Ligereza, veleidad.

INCONSTANTE. adj. Que no tiene constancia.

INCONSÚTIL. adj. Sin costura.

INCONTABLE. adj. Que no puede contarse; numerosísimo.

INCONTAMINADO-DA. adj. Que no está contaminado.

INCONTESTABLE. adj. Indudable.

INCONTINENCIA. f. Falta de continencia.

INCONTINENTE. adj. Desenfrenado en las pasiones de la carne.

INCONTINENTI. adv. t. Al instante.

INCONTRASTABLE. adj. Que no puede contrastarse o ser convencido.

INCONTROVERTIBLE. adj. Indiscutible.

INCONVENIENCIA. f. Incomodidad, grosería.

INCONVENIENTE. adj. No conveniente. m. Impedimento.

INCORDIO. m. Bubón. Persona importuna.

INCORPORACIÓN. f. Acción de incorporar.

INCORPORAR. tr. r. Unir una cosa a otras. Levantar la parte superior del cuerpo.

INCORPÓREO-REA. adj. No corpóreo.

INCORRECCIÓN. f. Calidad de incorrecto. Cosa incorrecta.

INCORRECTO-TA. adj. No correcto.

INCORREGIBLE. adj. No corregible.

INCORRUPCIÓN. f. Estado de una cosa que no se corrompe.

INCORRUPTO-TA. adj. Que está sin corromper.

INCRASAR. tr. Med. Engrasar.

INCREADO-DA. adj. No creado.

INCREDIBILIDAD. f. Imposibilidad que hay para que sea creída una cosa.

INCREDULIDAD. f. Falta de fe. Repugnancia en creer algo.

INCRÉDULO-LA. adj. s. Que no cree con facilidad.

INCREÍBLE. adj. No creíble.

INCREMENTO. m. Aumento, acrecentamiento.

INCREPAR. Reprender con dureza.

INCRIMINAR. tr. Acriminar con fuerza.

INCRUENTAMENTE. adv. m. Sin derramamiento de sangre.

INCRUENTO-TA. adj. No sangriento.

INCRUSTACIÓN. f. Acto de incrustar. Lo incrustado.

INCRUSTANTE. adj. Que incrusta.

INCRUSTAR. tr. r. Cubrir con una costra dura. Embutir piedras, metales, etc., en una superficie.

INCUBACIÓN. f. Acto de incubar.

INCUBADORA. f. Aparato para incubar artificialmente.

INCUBAR. intr. Encobar. Empollar el ave los huevos.

INCUESTIONABLE. adj. No cuestionable.

INCULCAR. tr. Repetir con empeño una cosa.

INCULPABILIDAD. f. Falta de culpa.

INCULPABLEMENTE. adv. m. Sin culpa; de modo que no se puede culpar.

INCULPACIÓN. f. Acto de inculpar.

INCULPAR. tr. Acusar.

INCULTO-TA. adj. Que no tiene cultura. Rústico.

INCULTURA. f. Falta de cultivo o de cultura.

INCUMBENCIA. f. Obligación de hacer una cosa.

INCUMBIR. intr. Estar una cosa a cargo de alguno.

INCUMPLIDO. adj. No llevado a efecto.

INCUMPLIR. tr. No llevar a efecto, dejar de cumplir.

INCUNABLE. m. Libro impreso hasta el año 1500 inclusive.

INCURABLE. adj. Que no puede curarse.

INCURIA. f. Negligencia.

INCURRIR. intr. Caer en culpa, error, etc.

INCURSIÓN. f. Acto de incurrir. Correría.

INCURSO-SA. s. Que incurre.

INCURSAR. tr. Acusar, imputar.

INDAGACIÓN. f. Acción de indagar.

INDAGAR. tr. Averiguar.

INDAGATORIA. f. Declaración que se hace prestar al reo.

INDAGATORIO-RIA. adj. For. Que tiende o conduce a indagar.

INDEBIDO-DA. adj. Que no es obligatorio.

INDECENCIA. f. Falta de decencia. Acto vituperable.

INDECENTE. adj. No decente, indecoroso.

INDECIBLE. adj. Que no se puede decir o explicar.

INDECISIÓN. f. Falta de decisión.

INDECISO-SA. adj. Pendiente de resolución.

INDECISORIO. adj. Juramento cuyas afirmaciones sólo se aceptan como decisivas en cuanto perjudican al jurador.

INDECLINABLE. adj. Que tiene que hacerse o cumplirse.

INDECOROSO-SA. adj. Falto de decoro.

INDEFECTIBLE. adj. Que no puede faltar o dejar de ser.

INDEFENSIÓN. f. Falta de defensa; situación del que está indefenso.

INDEFENSO-SA. adj. Que carece de defensa.

INDEFINIBLE. adj. Que no se puede definir.

INDEFINIDO-DA. adj. No definido. Que no tiene término señalado.

INDEHISCENCIA. f. Falta de dehiscencia.

INDEHISCENTE. adj. Bot. No dehiscente.

INDELEBLE. adj. Que no se puede borrar o quitar.

INDELIBERADO-DA. adj. Hecho sin reflexión.

INDEMNE. adj. Libre o exento de daño.

INDEMNIDAD. f. Situación del que está libre de padecer daño.

INDEMNIZACIÓN. f. Acto de indemnizar.

INDEMNIZAR. tr. r. Resarcir de un daño.

INDEMOSTRABLE. adj. No demostrable.

INDEPENDENCIA. f. Libertad. Falta de dependencia.

INDEPENDIENTE. adj. Autónomo. No dependiente.

INDESCIFRABLE. adj. Que no puede describirse.

INDESEABLE. adj. Dícese de la persona, especialmente extranjera, cuya permanencia en un país consideran peligrosa para la tranquilidad pública las autoridades de éste.

INDESIGNABLE. adj. Muy difícil o imposible de señalar.

INDESTRUCTIBLE. adj. Que no puede destruirse.

INDETERMINACIÓN. f. Falta de resolución.

INDETERMINADO-DA. adj. No determinado.

INDETERMINISMO. m. Filos. Sistema filosófico que admite el libre albedrío en el hombre.

INDEVOTO-TA. adj. Falto de devoción. No afecto a una persona o cosa.

INDIA. f. Fig. Abundancia de riquezas.

INDIANA. f. Tela de hilo o algodón, estampada por un lado.

INDIANO-NA. adj. s. De América.

INDICACIÓN. Acción de indicar.

INDICADOR-RA. adj. s. Que indica.

INDICAR. tr. Dar a entender, esbozar.

INDICATIVO-VA. adj. Que indica. Gram. Modo que expresa afirmación absoluta.

INDICCIÓN. f. Convocación para una junta eclesiástica.

ÍNDICE. m. Señal. Primer dedo después del pulgar.

INDICIARIO-RIA. adj. For. Relativo a indicios o derivados de ellos.

INDICIO. m. Señal que da a conocer lo oculto.

ÍNDICO-CA. adj. de la India.

INDIFERENCIA. f. Falta de inclinación o repugnancia a algo.

INDIFERENTE. adj. Que siente indiferencia.

INDIFERENTISMO. m. Sistema religioso fundado en la indiferencia hacia todo.

INDÍGENA. adj. s. Natural del país de que se trata.

INDIGENCIA. f. Falta de recursos.

INDIGENTE. adj. s. Falto de medios.

INDIGESTARSE. intr. Sufrir indigestión.

INDIGESTIÓN. f. Digestión defectuosa.

INDIGESTO-TA. adj. Que no se digiere.

INDIGNACIÓN. f. Ira contra alguien o algo.

INDIGNAR. tr. r. Irritar.

INDIGNIDAD. f. Calidad de indigno.

INDIGNO-NA. adj. Que no merece algo. Ruin.

ÍNDIGO. m. Añil.

INDIO-DIA. adj. s. De la India. De color azul.

INDIRECTA. f. Medio indirecto para significar algo.

INDIRECTO-TA. adj. Que no se dirige directamente al fin.

INDISCIPLINA. f. Falta de disciplina.

INDISCIPLINARSE. r. Quebrantar la disciplina.

INDISCRECIÓN. f. Falta de discreción. Acto indiscreto.

INDISCRETO-TA. adj. s. Que se hace u obra sin discreción.

INDISCULPABLE. adj. Que no tiene disculpa.

INDISCUTIBLE. adj. No discutible.

INDISOLUBILIDAD. f. Calidad de indisoluble.

INDISOLUBLE. adj. Que no se puede disolver.

INDISPENSABLE. adj. Necesario.

INDISPONER. tr. r. Privar de la disposición conveniente.

INDISPOSICIÓN. f. Falta de disposición. Alteración de la salud.

INDISPUESTO-TA. adj. Que se siente enfermo.

INDISPUTABLE. adj. Que no admite disputa.

INDISTINGUIBLE. adj. Que no se puede distinguir. Muy difícil de distinguir.

INDISTINTO-TA. adj. Que no se diferencia de algo.

INDIVIDUAL. adj. Relativo al individuo. Característico.

INDIVIDUALIDAD. f. Calidad particular de uno.

INDIVIDUALISMO. m. Doctrina social que favorece la libertad del individuo.

INDIVIDUALISTA. adj. com. Partidario al individualismo. Relativo a él.

INDIVIDUALMENTE. adv. m. Con individualidad. Uno a uno, individuo por individuo.

INDIVIDUO-DUA. adj. Individual. Indivisible. m. Cualquier ser organizado.

INDIVISIBILIDAD. f. Calidad de indivisible.

INDIVISIBLE. adj. Que no se puede dividir.

INDIVISIÓN. f. Carencia de división.

INDIVISO-SA. adj. s. No dividido.

INDÓCIL. adj. Falto de docilidad.

INDOCTO-TA. adj. Inculto. Falto de instrucción.

INDOCUMENTADO-DA. adj. Que carece de documentación.

INDOEUROPEO-A. adj. Aplícase a cada una de las razas y lenguas procedentes de un origen común y extendidas desde la India hasta el occidente de Europa.

ÍNDOLE. f. Inclinación natural de uno. Condición de las cosas.

INDOLENCIA. f. Calidad de indolente.

INDOLENTE. m. Que no duele.

INDOLORO-RA. adj. Que no causa dolor.

INDOMABLE. adj. Que no puede domarse.

INDOMESTICABLE. adj. Que no se puede domesticar.

INDÓMITO-TA. adj. No domado.

INDOSTÁNICO-CA. adj. Perteneciente o relativo al Indostán.

INDOTACIÓN. f. Falta de dotación.

INDUBITABLE. adj. Indudable.

INDUBITADO-DA. adj. Cierto y que no admite duda.

INDUCCIÓN. f. Acto de inducir.

INDUCIDO. m. Fís. Circuito que gira en el campo magnético de una dínamo y en el cual se desarrolla una corriente por efecto de su rotación.

INDUCIDOR-RA. adj. s. Que induce a una cosa.

INDUCIR. tr. Instigar. Inferir por inducción.

INDUCTIVO-VA. adj. Que se realiza por inducción.

INDUCTOR-RA. adj. Que induce. m. Fís. Órgano de las máquinas eléctricas destinadas a producir la inducción magnética.

INDUDABLE. adj. Que no puede dudarse.

INDULGENCIA. f. Facilidad en perdonar. Remisión de la pena temporal del pecado.

INDULGENTE. adj. Fácil de perdonar.

INDULGENTEMENTE. adv. m. De manera indulgente.

INDULTAR. tr. Perdonar una pena impuesta.

INDULTO. m. Perdón, remisión de la pena.

INDUMENTARIA. f. Estudio de los trajes antiguos. Vestido.

INDUMENTO. m. Vestidura.

INDURACIÓN. f. Endurecimiento.

INDUSTRIA. f. Maña, destreza o artificio para hacer una cosa. Conjunto de operaciones materiales necesarias para la obtención, transformación o transporte de uno o varios productos naturales. Conjunto de industrias de un país.

INDUSTRIAL. adj. Perteneciente a la industria. m. El que ejerce una industria.

INDUSTRIALIZACIÓN. f. Acción y efecto de industrializar.

INDUSTRIAR. tr. Instruir, enseñar a uno. r. Ingeniar.

INDUSTRIOSO-SA. adj. Que obra con

industria. Que se hace con industria. Que trabaja con ahinco.

INEDIA. f. Estado del que pasa mucho tiempo sin alimentarse.

INÉDITO-TA. adj. No publicado.

INEDUCACIÓN. f. Carencia de educación.

INEDUCADO-DA. adj. Falto de educación.

INEFABLE. adj. Que no se puede explicar con palabras.

INEFABLEMENTE. adv. m. Sin poderse explicar.

INEFICACIA. f. Falta de eficacia.

INEFICAZ. adj. No eficaz.

INELEGANTE. adj. No elegante.

INELUCTABLE. adj. Dícese de aquello contra lo cual no puede lucharse Inevitable.

INELUDIBLE. adj. Que no puede eludirse.

INEMBARGABLE. adj. Que no puede ser objeto de embargo.

INENARRABLE. adj. Inefable.

INEPCIA. f. Necedad.

INEPTITUD. f. Falta de capacidad.

INEPTO-TA. adj. s. No apto. Incapaz. Necio.

INEQUÍVOCO-CA.. adj. Que no admite duda.

INERCIA. f. Inacción, falta de energía.

INERME. adj. Sin armas.

INERRABLE. adj. Que no se puede errar.

INERTE. adj. Que tiene inercia.

INERVACIÓN. f. Fisiol. Conjunto de las funciones nerviosas. Distribución de los nervios en el organismo.

INESCRUTABLE. adj. Que no puede averiguarse.

INESPERADO-DA. adj. Que ocurre sin esperarse.

INESTABLE. adj. No estable.

INESTIMABLE. adj. Que no puede estimarse.

INEVITABLE. adj. Que no puede evitarse.

INEXACTITUD. f. Falta de exactitud.

INEXACTO-TA. adj. No exacto.

INEXCUSABLE. adj. Que no puede excusarse.

INEXHAUSTO-TA. adj. Que no se agota.

INEXISTENCIA. f. Falta de existencia.

INEXISTENTE. adj. Que no existe.

INEXORABLE. adj. Rígido, que no se deja vencer por ruegos.

INEXPERIENCIA. f. Falta de experiencia.

INEXPERTO-TA. adj. No experto.

INEXPLICABLE. adj. Que no puede explicarse.

INEXPLORABLE. adj. Que no se puede explorar.

INEXPLORADO-DA. adj. No explorado.

INEXPRESABLE. adj. Que no se puede expresar.

INEXPRESIVO-VA. adj. Que carece de expresión.

INEXPUGNABLE. adj. Que no puede vencerse.

INEXTENSIBLE. adj. Fís. Que no se puede extender.

INEXTENSO-SA. adj. Que carece de extensión.

INEXTINGUIBLE. adj. Que no es extinguible.

IN EXTREMIS. loc. lat. En los últimos momentos.

INEXTRICABLE. adj. Muy intrincado y confuso.

INFABILIDAD. f. Calidad de infalible.

INFALIBLE. adj. Que no puede engañar ni engañarse.

INFALSIFICABLE. adj. Que no se puede falsificar.

INFAMACIÓN. f. Acción y efecto de infamar.

INFAMADOR-RA. adj. s. Que infama.

INFAMAR. tr. r. Quitar la honra, cubrir de ignominia.

INFAMATORIO-RIA. adj. Dícese de lo que infama.

INFAME. adj. Que carece de honra, crédito y estimación.

INFAMIA. f. Descrédito, deshonra. Maldad, vileza.

INFANCIA. f. Edad del niño desde que nace hasta los siete años. Conjunto de niños de esa edad.

INFANTADO. m. Territorio de un infante o infanta.

INFANTE-TA. s. Niño o niña menor de siete años.

INFANTERÍA. Mil. Tropa que sirve a pie.

INFANTICIDA. adj. s. Dícese del que mata a un infante.

INFANTICIDIO. m. Muerte dada violentamente a un niño.

INFANTIL. adj. Perteneciente a la infancia.

INFANTILISMO. f. Calidad de infantil. Anomalía del desarrollo.

INFANZÓN-NA. m. f. Hijodalgo o hijadalgo.

INFARTAR. tr. Causar un infarto.

INFARTO. m. Med. Hinchazón u obstrucción de un órgano.

INFATIGABLE. adj. Incansable.

INFATUAR. tr. r. Volver a uno fatuo, engreírle.

INFAUSTO-TA. adj. Desgraciado.

INFEBRIL. adj. Sin fiebre.

INFECCIÓN. f. Acción de infectar.

INFECCIOSO-SA. adj. Que es causa de infección.

INFECTAR. tr. r. Inficionar. Contaminar con los gérmenes de una enfermedad.

INFECTO-TA. adj. Inficionado, contagiado.

INFECUNDO-DA. adj. No fecundo.

INFELICIDAD. f. Desgracia.

INFELIZ. adj. s. Desgraciado.

INFERENCIA. f. Ilación.

INFERIOR. adj. Que está debajo o más bajo.

INFERIORIDAD. f. Calidad de inferior.

INFERIR. tr. Sacar una consecuencia de algo.

INFERNÁCULO. m. Juego de muchachos parecido a la rayuela.

INFERNAL. adj. Del infierno o perteneciente a él. Muy malo.

INFERNILLO. m. Cocinilla de alcohol.

INFERO. adj. Dícese del ovario situado debajo de los demás vertilicios de la flor.

INFESTAR. tr. Causar estragos. tr. Apestar, propagarse una infección.

INFICIONAR. tr. Corromper, contagiar.

INFIDELIDAD. f. Carencia de fe. Conjunto de infieles.

INFIDENCIA. f. Falta a la confianza y fe debida a otro.

INFIEL. adj. Falta de fidelidad. Que no profesa la fe verdadera.

INFIERNO. m. Lugar destinado a castigo de los réprobos.

INFILTRACION. f. Acción de infiltrar.

INFILTRAR. tr. Penetrar un líquido por los poros de un sólido. Infundir una doctrina.

ÍNFIMO-A. adj. Que está muy bajo. Lo último.

INFINIBLE. adj. Que no se acaba o no puede tener fin.

INFINIDAD. f. Calidad de infinito. Muchedumbre.

INFINITESIMAL. adj. Mat. De las cantidades infinitamente pequeñas.

INFINITIVO. m. Gram. Del modo que indica la idea verbal sin relación de tiempo, número ni persona.

INFINITO-TA. adj. Que no tiene ni puede tener fin. Numeroso, grande.

INFINITUD. f. Infinidad, calidad de infinito.

INFLACIÓN. f. Acción de inflar. Aumento extraordinario de la circulación fiduciaria.

INFLAMABLE. adj. Fácil de inflamarse.

INFLAMACIÓN. f. Acción de inflamar.

INFLAMAR. tr. Encender levantando llama. r. Producirse inflamación en una parte del organismo.

INFLAMATORIO-RIA. adj. Que causa inflamación.

INFLAR. tr. r. Hinchar. fig. Ensoberbecer, engreír.

INFLEXIBILIDAD. f. Calidad de inflexible. Entereza.

INFLEXIBLE. adj. Incapaz de torcerse o doblarse. De ánimo firme.

INFLEXIÓN. f. Torcimiento de una cosa que estaba plana. Elevación o atenuación de la voz.

INFLIGIR. tr. Imponer o producir un daño o castigo.

INFLORESCENCIA. f. Disposición en que se presentan y desarrollan las flores en una planta.

INFLUENCIA. f. Acción de influir.

INFLUIR. tr. Causar una cosa ciertos efectos en otra. Contribuir a un éxito.

INFLUJO. m. Influencia. Flujo.

INFLUYENTE. adj. Que influye. Que goza de influencia y poder.

INFOLIO. m. Libro en folio.

INFORMACIÓN. f. Acción de informar. Noticia o sección de ellas.

INFORMAL. adj. Que carece de formalidad.

INFORMALIDAD. f. Calidad de informal. Cosa reprimible.

INFORMAR. tr. Enterar, dar noticia de algo. Hablar en estrados.

INFORMATIVO-VA. adj. Dícese de lo que informa.

INFORME. m. Noticia sobre algo. Acción de informar.

INFORTUNA. f. Astrol. Influjo adverso de los astros.

INFORTUNADO-DA. adj. Desafortunado.

INFORTUNIO. m. Hecho o acaecimiento desgraciado. Estado desgraciado de una persona.

INFRACCIÓN. f. Quebrantamiento de una ley.

INFRACTOR-RA. adj. s. Transgresor.

IN FRAGANTI. m. adv. En flagrante.

INFRANGIBLE. adj. Que no se puede quebrantar.

INFRANQUEABLE. adj. Imposible de franquear.

INFRAOCTAVA. f. Período de seis días comprendido entre el primero y el último de la octava.

INFRARROJO-JA. adj. Zona invisible del espectro solar situada más allá de las radiaciones rojas.

INFRASCRITO-TA. adj. s. Que firma el fin del escrito.

INFRECUENTE. adj. Que no es frecuente.

INFRINGIR. tr. r. Violar una ley, pacto, etc.

INFRUCTÍFERO-RA. adj. Que no produce fruto. Fig. Que no es de utilidad.

INFRUCTUOSO-SA. adj. Ineficaz.

INFRUTESCENCIA. f. Bot. Agrupación de frutillos con apariencia de unidad.

ÍNFULA. f. Adorno de lana blanca de los sacerdotes paganos. Vanidad, presunción.

INFUNDADO-DA. adj. Sin fundamento.

INFUNDIO. m. Mentira, patraña.

INFUNDIR. tr. Comunicar Dios un don al alma. Causar un impulso en el alma.

INFUSIÓN. f. Acción de infundir. Cocimiento.

INFUSORIO-RIA. adj. s. Protozoos que viven en los líquidos.

INGENIAR. tr. Trazar con ingenio. Inventar.

INGENIERÍA. f. Ciencia del ingeniero.

INGENIERO. m. Facultativo que entiende en la construcción de la técnica industrial.

INGENIO. m. Facultad de crear. Quien la tiene. Plantación de caña de azúcar.

INGENIOSIDAD. f. Calidad de ingenioso. Idea sutil.

INGENIOSO-SA. adj. Que tiene ingenio.

INGÉNITO-TA. adj. No engendrado.

INGENTE. adj. Muy grande.

INGENUIDAD. f. Candor, sinceridad.

INGENUO-NUA. adj. s. Candoroso, sin doblez.

INGERENCIA. f. Acción de ingerirse.

INGERIR. tr. r. Introducir. Entremeterse en un asunto.

INGESTIÓN. f. Acto de ingerir.

INGLE. f. Parte del cuerpo en que se juntan los muslos con el vientre.

INGLÉS-SA. adj. s. De Inglaterra. Lengua inglesa.

INGLETE. m. Ángulo de cuarenta y cinco grados que la hipotenusa del cartabón forma con cada uno de los catetos. Unión a escuadra de los trozos de una moldura.

INGOBERNABLE. adj. Que no puede gobernarse.

INGRATITUD. f. Desagradecimiento.

INGRATO-TA. adj. Desagradecido. Desagradable.

INGRAVIDEZ. f. Calidad de ingrávido.

INGRÁVIDO-DA. adj. Ligero.

INGREDIENTE. m. Elemento de un compuesto.

INGRESAR. intr. Entrar. Suele decirse del dinero. Entrar a formar parte de una corporación.

INGRESO. m. Entrada. Caudal que entra en poder de uno.

INGUINAL. adj. Relativo a la ingle.

INGURGITAR. tr. Engullir.

INHÁBIL. adj. Torpe, inepto. Dícese del día festivo.

INHABILITAR. tr. Incapacitar, declarar inhábil.

INHABITABLE. adj. No habitable.

INHABITADO-DA. adj. No habitado.

INHACEDERO-RA. adj. No hacedero.

INHALACIÓN. f. Acción de inhalar.

INHALAR. tr. Med. Aspirar un gas o líquido con un fin terapéutico.

INHERENCIA. f. Fil. Unión de cosas inseparables por su naturaleza.

INHERENTE. adj. Unido por naturaleza a una cosa. Esencial.

INHIBICIÓN. f. Acto de inhibir.

INHIBIR. tr. Impedir que un juez intervenga en una causa. Apartarse de un asunto.

INHIBITORIO-RIA. adj. Aplícase al despacho, decreto o letras que inhiben al juez.

INHOSPEDABLE. adj. Inhospitable.

INHOSPITALARIO-RIA. adj. Falta de hospitalidad. Que no ofrece abrigo.

INHUMACIÓN. f. Acción de inhumar.

INHUMANIDAD. f. Crueldad.

INHUMANO-NA. adj. Cruel, no humano.

INHUMAR. tr. Enterrar un cadáver.

INICIACIÓN. f. Acción de iniciar.

INICIADOR-RA. adj. s. Que inicia.

INICIAL. adj. Relativo al origen.

INICIAR. tr. Admitir en algo secreto. Instruir. Comenzar.

INICIATIVA. f. Facultad de hacer propuestas. Cualidad que inclina a esta acción.

INICUO-A. adj. Injusto, malvado.

IN ILLO TÉMPORE. loc. lat. En otro tiempo o hace mucho tiempo.

INIMAGINABLE. adj. No imaginable.

INIMITABLE. adj. No imitable.

ININTELIGIBLE. adj. No inteligible.

INIQUIDAD. f. Injusticia, maldad.

INJERENCIA. f. Acción y efecto de injerirse.

INJERIDURA. f. Parte por donde se injertó el árbol.

INJERIR. tr. Introducir una cosa en otra. r. Entremeterse en una dependencia o negocio.

INJERTAR. tr. Unir una parte de un vegetal con yemas a otro.

INJERTO. m. Acto de injertar. Modo de hacerlo.

INJURIA. f. Afrenta, agravio.

INJURIANTE. p. a. de Injuriar. Que injuria.

INJURIAR. tr. Ofender, agraviar.

INJURIOSO-SA. adj. Que injuria.

INJUSTICIA. f. Acto opuesto a la justicia.

INJUSTIFICABLE. adj. Que no puede justificarse.

INJUSTIFICADO-DA. adj. No justificado.

INJUSTO-TA. adj. No justo.

INMACULADA. f. Purísima.

INMACULADO-DA. adj. Que no tiene mancha.

INMANENCIA. f. Calidad de inmanente.

INMANENTE. adj. Inherente a un ser.

INMARCESIBLE. adj. Que no puede marchitarse.

INMARCHITABLE. adj. Inmarcesible.

INMATERIAL. adj. No material.

INMATURO-RA. adj. No maduro.

INMEDIACIÓN. f. Calidad de inmediato. Contigüidad.

INMEDIATO-TA. adj. Muy cercano.

INMEJORABLE. adj. Que no se puede mejorar.

INMEMORABLE. adj. Muy antiguo. Que no se recuerda el origen.

INMEMORIAL. adj. Tan antiguo, que no hay memoria de cuando principió.

INMENSIDAD. f. Calidad de inmenso.

INMENSO. adj. Muy grande. Que no se puede medir.

INMERECIDO-DA. adj. No merecido.

INMÉRITO-TA. adj. Inmerecido, injusto.

INMERSIÓN. f. Acto de introducir una cosa en un líquido.

INMERSO-SA. adj. Sumergido, abismado.

INMIGRACIÓN. f. Acto de inmigrar.

INMIGRAR. intr. Llegar a un sitio para establecerse.

INMINENCIA. f. Calidad de inminente.

INMINENTE. adj. Que va a suceder pronto. Que amenaza.

INMISCUIR. tr. r. Mezclar. Entremeterse en un asunto.

INMOBLE. adj. Que no se mueve. Firme.

INMODERADO-DA. adj Que no tiene moderación.

INMODESTIA. f. Falta de modestia.

INMODESTO-TA. adj. No modesto.

INMOLACIÓN. f. Acción de inmolar.

INMOLAR. tr. Sacrificar. Dar la vida en provecho de otro.

INMORAL. adj. Opuesto a la moral.

INMORALIDAD. f. Falta de moralidad. Acto inmoral.

INMORTAL. adj. No mortal.

INMORTALIDAD. f. Calidad de inmortal.

INMORTALIZAR. tr. r. Perpetuar en la memoria de los hombres.

INMOTIVADO-DA. adj. Sin motivo.

INMÓVIL. adj. Que no se mueve.

INMOVILIDAD. f. Calidad de inmóvil.

INMOVILIZAR. tr. Poner en estado de inmóvil.

INMUEBLE. adj. Dícese de los bienes raíces.

INMUNDICIA. f. Suciedad, basura.

INMUNDO-DA. adj. Sucio, impuro.

INMUNE. adj. Exento, libre de ciertos oficios, cargos gravámenes o penas. No atacable por ciertas enfermedades.

INMUNIDAD. f. Calidad de inmune.

INMUNIZAR. tr. Preservar de una enfermedad.

INMUTABLE. adj. No mudable.

INMUTAR. tr. r. Alterar. Sentir una conmoción repentina.

INMUTATIVO-VA. adj. Que inmuta o tiene la virtud de inmutar.

INNATO-TA. adj. Perteneciente a la naturaleza de un ser.

INNATURAL. adj. Que no es natural.

INNAVEGABLE. adj. Que no es navegable.

INNECESARIO-RIA. adj. No necesario.

INNEGABLE. adj. Que no puede negarse.

INNOBLE. adj. No noble.

INNOCUIDAD. f. Calidad de innocuo.

INNOCUO. adj. Que no hace daño.

INNOMINADO-DA. adj. Sin nombre.

INNOVACIÓN. f. Acción de innovar.

INNOVAR. tr. Introducir novedades.

INNUMERABLE. adj. Que no puede reducirse a número.

INNÚMERO-RA. adj. Innumerable.

INOBEDIENCIA. f. Falta de obediencia.

INOBEDIENTE. adj. No obediente.

INOBSERVANCIA. f. Falto de observancia.

INOCENCIA. f. Condición de inocente.

INOCENTADA. f. Acción simple. Engaño en que se cae por falta de malicia.

INOCENTE. adj. s. Libre de culpa. Que no conoce el mal. Sin malicia.

INOCENTÓN-NA. adj. Fácil de ser engañado.

INOCUIDAD. f. Calidad de inocuo.

INOCULABLE. adj. Que puede inocularse.

INOCULAR. tr. r. Comunicar de modo artificial una enfermedad contagiosa.

INODORO-RA. adj. Que no tiene olor.

INOFENSIVO-VA. adj. Incapaz de ofender.

INOFICIOSO-SA. adj. No oficioso.

INOLVIDABLE. adj. Que no se puede olvidar.

INOPIA. f. Indigencia, pobreza, escasez.

INOPINADO-DA. adj. Que sucede sin pensar o sin esperarse.

INOPORTUNIDAD. f. Falta de oportunidad.

INOPORTUNO-NA. adj. Fuera de tiempo.

INORGÁNICO-CA. adj. No orgánico.

INOXIDABLE. adj. Que no se puede oxidar.

IN PERPÉTUUM. loc. lat. Perpetuamente, para siempre.

INQUEBRANTABLE. adj. Que no se quebranta.

INQUIETAR. tr. r. Turbar el sosiego.

INQUIETO-TA. adj. No quieto. fig. Desasosegado.

INQUIETUD. f. Falta de quietud.

INQUILINATO. m. Arriendo de una casa o parte de ella.

INQUILINO-NA. m. Persona que alquila una casa para habitarla.

INQUINA. f. Aversión, mala voluntad.

INQUIRIR. tr. Indagar, examinar con cuidado algo.

INQUISICIÓN. f. Acción de inquirir. Tribunal eclesiástico.

INQUISIDOR-RA. adj. s. Inquiridor. m. Juez del tribunal de la Inquisición.

INQUISITORIAL. adj. Relativo a la Inquisición.

INRI. m. Rótulo de la Santa Cruz en latín.

INSACIABLE. adj. Que no puede saciarse.

INSACULAR. tr. Poner en una urna números o nombres para sortear.

INSALIVACIÓN. f. Acción de insalivar.

INSALIVAR. tr. Mezclar los alimentos con la saliva.

INSALUBRE. adj. Malsano.

INSANIA. f. Locura.

INSANO-NA. adj. Malsano, loco.

INSATISFECHO-CHA. adj. No satisfecho.

INSCRIBIBLE. adj. For. Que puede inscribirse.

INSCRIBIR. tr. Grabar en metal, piedra, etc. Tomar razón de un registro.

INSCRIPCIÓN. f. Acción de inscribir. Letrero grabado.

INSCRIPTO. p. p. irreg. Inscribir.

INSECTICIDA. adj. s. Que sirve para matar insectos.

INSECTÍVORO-RA. adj. Que se alimenta de insectos. Orden de éstos.

INSECTO. m. Artrópodo de respiración traqueal.

INSEGURIDAD. f. Falta de seguridad.

INSEGURO-RA. adj. Falto de seguridad.

INSENESCENCIA. f. Calidad de lo que no envejece.

INSENSATEZ. f. Necedad. Acto insensato.

INSENSATO-TA. adj. s. Necio, sin sentido.

INSENSIBILIDAD. f. Falta de sensibilidad.

INSENSIBLE. adj. Que no tiene sensibilidad. Privado de sentido.

INSEPARABLE. adj. Que no puede separarse fácilmente.

INSEPULTO-TA. adj. No sepultado.

INSERCIÓN. f. Acción y efecto de insertar.

INSERTAR. tr. Incluir una cosa en otra. r. Estar un órgano dentro de otro.

INSERTO-TA. p.p. irreg. de Inserir.

INSERVIBLE. adj. No servible.

INSIDIA. f. Asechanza.

INSIDIOSO-SA. adj. Que se hace con asechanzas.

INSIGNE. adj. Famoso, ilustre.

INSIGNIA. f. Distintivo, bandera, pendón.

INSIGNIFICANCIA. f. Calidad de insignificante.

INSIGNIFICANTE. adj. Que no significa nada. Pequeño.

INSINCERIDAD. f. Falta de sinceridad.

INSINUACIÓN. f. Acción de insinuar. Ret. Parte del exodio para atraerse a los oyentes.

INSINUAR. tr. Dar a entender una cosa no haciendo más que iniciarla. For. Hacer insinuación ante juez competente. r. Introducirse, habilidosamente en el ánimo de alguno.

INSIPIDEZ. f. Calidad de insípido.

INSÍPIDO-DA. adj. Que no tiene sabor. Soso.

INSIPIENCIA. f. Falta de sabiduría.

INSIPIENTE. adj. s. Falto de sabiduría o de juicio.

INSISTENCIA. f. Porfía. Acto de insistir.

INSISTIR. intr. Instar reiteradamente. Descansar una cosa en otra.

INSITO-TA. adj. Propio y connatural de una cosa y como nacido en ello.

INSOCIABLE. adj. Intratable.

INSOLACIÓN. f. Enfermedad causada por el ardor del sol en la cabeza.

INSOLENCIA. f. Calidad de insolente. Acto insolente.

INSOLENTAR. tr. r. Hacer insolente.

INSOLENTE. adj. Que falta al respeto.

INSÓLITO-TA. adj. s. No común, desusado.

INSOLUBILIDAD. f. Calidad de insoluble.

INSOLUBLE. adj. Que no puede disolverse.

INSOLVENCIA. f. Calidad de insolvente.

INSOLVENTE. adj. s. Que no puede pagar una deuda.

INSOMNE. adj. Que no duerme, desvelado.

INSOMNIO. m. Vigilia, desvelo, falta de sueño.

INSONDABLE. adj. Que no se puede sondear o averiguar.

INSOPORTABLE. adj. Intolerable, muy molesto.

INSOSPECHADO-DA. adj. No sospechado.

INSOSTENIBLE. adj. Que no puede sostenerse.

INSPECCIÓN. f. Acto de inspeccionar. Cargo u oficio de inspector.

INSPECCIONAR. tr. Examinar, reconocer algo.

INSPECTOR-RA. adj. s. Que inspecciona. Empleado que vigila un ramo.

INSPIRACIÓN. f. Acto de inspirar. Movimiento sobrenatural. Lo inspirado.

INSPIRAR. tr. Aspirar el aire los pulmones. Sugerir ideas. Iluminar Dios el entendimiento.

INSTABILIDAD. f. Inestabilidad.

INSTABLE. adj. Inestable.

INSTALACIÓN. f. Acción de instalar. Cosas instaladas.

INSTALAR. tr. r. Colocar, situar. r. Establecerse.

INSTANCIA. f. Acción de instar. Solicitud escrita. Memorial, petición.

INSTANTÁNEA. f. Placa fotográfica que se impresiona en un instante.

INSTANTÁNEO-NEA. adj. Que dura solo un instante.

INSTANTE. m. Parte brevísima de tiempo.

INSTAR. tr. Insistir en una súplica. intr. Urgir.

INSTAURACIÓN. f. Acción y efecto de instaurar.

INSTAURAR. tr. Restaurar, renovar.

INSTIGACIÓN. f. Acción y efecto de instigar.

INSTIGAR. tr. Inducir a que haga algo.

INSTILACIÓN. f. Acción y efecto de instilar.

INSTILAR. tr. Farm. Echar gota a gota. Infundir en el ánimo algo.

INSTINTIVO-VA. adj. Que es obra del instinto.

INSTINTO. m. Impulso que determina los actos de los animales.

INSTITUCIÓN. f. For. Acto de instituir. Nombramiento. Establecimiento o fundación.

INSTITUIR. tr. Fundar, enseñar.

INSTITUTO. m. Regla, estatuto. Corporación. Establecimiento de 2.ª Enseñanza.

INSTITUTOR-RA. adj. s. Que instituye.

INSTITUTRIZ. f. Maestra de uno o más niños en la casa de éstos.

INSTRUCCIÓN. f. Caudal de conocimientos adquiridos. Conjunto de reglas para algún fin.

INSTRUCTIVO-VA. adj. Dícese de lo que instruye.

INSTRUCTOR-RA. adj. s. Que instruye.

INSTRUIR. tr. r. Enseñar. Informar. Comunicar conocimientos.

INSTRUMENTACIÓN. f. Acción y efecto de instrumentar.

INSTRUMENTAL. adj. Relativo a los instrumentos.

INSTRUMENTISTA. m. Músico que toca un instrumento.

INSTRUMENTO. m. Aquello de que nos servimos para hacer algo. Escritura o documento en que se prueba algo.

INSUAVE. adj. Desapacible a los sentidos.

INSUBORDINACIÓN. f. Falta de subordinación.

INSUBORDINAR. tr. Provocar insubordinación. r. Sublevarse.

INSUBSTANCIAL. adj. De poca substancia.

INSUDAR. intr. Afanarse o poner mucho trabajo en una cosa.

INSUFICIENCIA. f. Falta de suficiencia.

INSUFICIENTE. adj. No suficiente.

INSUFLAR. tr. Med. Introducir gas en el cuerpo.

INSUFRIBLE. adj. Difícil de sufrir.

ÍNSULA. f. Isla.

INSULAR. adj. s. Isleño.

INSULINA. f. Hormona segregada por el páncreas.

INSULSEZ. f. Calidad de insulso. Dicho insulso.

INSULSO-SA. adj. Insípido.

INSULTAR. tr. Ofender, provocar.

INSULTO. m. Acción y efecto de insultar.

INSUMERGIBLE. adj. No sumergible.

INSUMISO-SA. adj. No sumiso.

INSUPERABLE. adj. No superable.

INSURGENTE. adj. s. Rebelde.

INSURRECCIÓN. f. Acto de insurreccionarse.

INSURRECCIONAR. tr. r. Provocar insurrección. Sublevarse.

INSURRECTO-TA. adj. s. Rebelde.

INSUSTANCIAL. adj. Insubstancial.

INSUSTITUIBLE. adj. Que no puede substituirse.

INTACTO-TA. adj. No tocado. Puro. Que no ha sufrido alteración.

INTACHABLE. adj. Que no admite tacha.

INTANGIBLE. adj. Que no puede tocarse.

INTEGÉRRIMO-MA. adj. sup. de íntegro.

INTEGRACIÓN. f. Mat. Acción de integrar. Realizar el cálculo de una integral.

INTEGRAL. adj. Partes de un todo o signo con que se indica la integración.

INTEGRANTE. adj. Que integra. Mat. Integral.

INTEGRAR. tr. Dar integridad. Determinar una expresión de la que solo se conoce la diferencial.

INTEGRIDAD. f. Calidad de íntegro.

ÍNTEGRO-GRA. adj. Incorruptible. Probo. Que tiene todas sus partes.

INTELECTIVA. f. Que puede entender.

INTELECTO. m. Entendimiento.

INTELECTUAL. m. Relativo al entendimiento. s. Persona. dedicada al trabajo intelectual.

INTELECTUALIDAD. f. Conjunto de personas cultas de un país o región.

INTELIGENCIA. f. Acto de comprender algo. Facultad de comprender.

INTELIGENTE. adj. s. Instruído. Que tiene inteligencia.

INTELIGIBLE. adj. Que se puede entender. Que se oye claramente.

INTEMPERANCIA. f. Falta de templanza.

INTEMPERANTE. adj. Descomedido.

INTEMPERIE. f. Destemplanza del tiempo.

INTEMPESTIVO-VA. adj. Fuera de tiempo.

INTENCIÓN. f. Determinación de la voluntad a un fin. Instinto dañino. Propósito, deseo.

INTENCIONADO-DA. adj. Que tiene intención.

INTENCIONAL. adj. Deliberado. Relativo a los actos del alma.

INTENDENCIA. f. Dirección de un cosa. Empleo u oficina de intendente.

INTENDENTE. m. Jefe económico. Jefe de fábricas, empresas, etc., explotadas por el Estado.

INTENSIDAD. f. Magnitud de una fuerza, sonido, etc.

INTENSIVO-VA. adj. Intenso.

INTENSO-SA. adj. Que tiene intensidad. Muy vivo.

INTENTAR. tr. Procurar algo. Preparar.

INTENTO. m. Propósito, cosa intentada.

INTENTONA. f. Intento temerario.

ÍNTER. adv. t. Interín. Ú. t. c. s. En el ínter.

ÍNTER. prep. insp. Que significa entre o en medio. Tiene uso por sí sola en la locución latina Inter nos.

INTERCADENCIA. f. Desigualdad en la conducta, o en los afectos.

INTERCALACIÓN. f. Acción de intercalar.

INTERCAMBIO. m. Reciprocidad de servicios. Comercio entre dos países.

INTERCEDER. intr. Pedir una gracia para otro.

INTERCEPTAR. tr. Detener una cosa en el camino. Destruir una comunicación.

INTERCESIÓN. f. Acción de interceder.

INTERCESOR-RA. adj. s. Que interceede.

INTERCOLUMNIO. m. Arq. Espacio entre dos columnas.

INTERCONTINENTAL. adj. Que está entre dos continentes.

INTERCOSTAL. adj. Que está entre las costillas.

INTERDENTAL. adj. Dícese del sonido articulado entre los dientes, como la c seguida de e o i.

INTERDICTO. m. Entredicho.

INTERDIGITAL. adj. Dícese de las membranas, músculos, etc., situadas entre los dedos.

INTERÉS. m. Provecho, utilidad. Rédito.

INTERESADO-DA. adj. Que tiene interés en algo.

INTERESANTE. adj. Que interesa.

INTERESAR. tr. Dar parte en un negocio. Afectar. Despertar interés.

INTERFERENCIA. f. Fís. Acción recíproca de las ondas.

INTERFOLIAR. tr. Intercalar entre las hojas de un libro, otras hojas en blanco.

INTERFONO. m. Aparato de comunicación interior.

INTERÍN. adj. Entre tanto.

INTERINAR. tr. Desempeñar interinamente un cargo o empleo.

INTERINIDAD. f. Calidad de interino.

INTERINO-NA. adj. s. Que sirve algún tiempo en sustitución de otro.

INTERIOR. adj. Que está adentro. Ánimo o espíritu.

INTERIORIDAD. f. Calidad de interior. f. pl. Cosas privadas.

INTERJECCIÓN. f. Gram. Voz que expresa un estado afectivo.

INTERLINEAR. tr. Escribir entre líneas.

INTERLINEAR. tr. Escribir entre dos líneas.

INTERLOCUCIÓN. f. Diálogo, coloquio.

INTERLOCUTOR-RA. s. Persona que toma parte en un diálogo.

INTERLOCUTORIO-RIA. adj. For. Auto o sentencia que se da antes de la definitiva.

INTÉRLOPE. adj. Comercio fraudulento de una nación con las colonias de otro.

INTERLUDIO. m. Composición a modo de preludio, intermedio, etc.

INTERMEDIAR. intr. Existir una cosa en medio de otras.

INTERMEDIARIO-RIA. adj. s. Que media entre dos o más personas.

INTERMEDIO-A. adj. Que está en medio.

INTERMINABLE. adj. Que no tiene fin.

INTERMISIÓN. f. Interrupción.

INTERMITENCIA. f. Calidad de intermitente.

INTERMITENTE. adj. Que se interrumpe y prosigue.

INTERMITIR. tr. Suspender por algún tiempo una cosa.

INTERNACIÓN. f. Acción y efecto de internar. o internarse.

INTERNACIONAL. adj. Relativo a dos o más naciones.

INTERNACIONALISMO. m. Sistema socialista que preconiza la asociación internacional de los obreros para conseguir ciertas reivindicaciones.

INTERNADO. m. Conjunto de alumnos internos. Sitio en que residen.

INTERNAR. tr. Conducir tierra adentro.

INTERNO-NA. adj. Interior.

ÍNTER NOS. loc. lat. Que significa entre nosotros y se usa familiarmente en frases como la siguiente. Acá ínter nos te diré lo que ha sucedido.

INTEROCEÁNICO-CA. adj. Que está entre dos oceanos.

INTERPAGINAR. tr. Interfoliar.

INTERPELACIÓN. f. Acción de interpelar.

INTERPELAR. tr. Dirigir la palabra a uno. Compeler a explicarse.

INTERPLANETARIO-RIA. adj. Espacio entre los planetas.

INTERPOLAR. tr. Poner una cosa entre otras.

INTERPONER. tr. Interpolar. r. Interceder.

INTERPOSICIÓN. f. Acción de interponer.

INTERPRETACIÓN. f. Acción de interpretar.

INTERPRETAR. tr. Interpolar. r. Interceder.

INTÉRPRETE. com. Persona que interpreta o traduce una conversación.

INTERPUESTO-TA. p.p. irreg. de Interponer.

INTERREGNO. m. Tiempo en que un reino no tiene soberano.

INTERROGACIÓN. f. Pregunta. Signo ortográfico. (¿ ?)

INTERROGAR. tr. Preguntar.

INTERROGATIVO-VA. adj. Que denota pregunta.

INTERROGATORIO. m. Serie de preguntas. Documento que las contiene.

INTERRUMPIR. tr. Suspender. Impedir la continuación de algo.

INTERRUPCIÓN. f. Acción de interrumpir.

INTERRUPTOR-RA. adj. s. Que interrumpe.

INTERSECARSE. rec. Geom. Cortarse dos líneas o superficies entre sí.

INTERSECCIÓN. f. Encuentro de dos líneas o superficies que se cortan.

INTERSICIO. m. Espacio pequeño entre dos cuerpos.

INTERTROPICAL. adj. Situado entre los trópicos.

INTERURBANO-NA. adj. Dícese de las relaciones entre dos poblaciones.

INTERVALO. m. Espacio entre un tiempo y otro.

INTERVENCIÓN. f. Acción de intervenir.

INTERVENCIONISTA. adj. Partidario de la intervención. en los asuntos políticos de otro país.

INTERVENIR. intr. Tomar parte en algo. Mediar.

INTERVENTOR-RA. adj. s. Que interviene. m. Funcionario que fiscaliza algunas operaciones.

INTERVIEW. m. Entrevista.

INTERVOCÁLICO-CA. adj. Dícese de la consonante que se halla entre dos vocales.

INTESTADO-DA. adj. s. For. Que muere sin testar.

INTESTINAL. adj. Relativo al intestino.

INTESTINO-NA. adj. Interno, civil. m. Porción tubular del aparato digestivo.

INTIMACIÓN. f. Acción y efecto de intimidar.

INTIMAR. tr. Notificar. r. intr. Captar el afecto de otro.

INTIMIDACIÓN. f. Acción de intimidar.

INTIMIDAD. f. Amistad, íntima.

INTIMIDAR. tr. r. Causar miedo.

ÍNTIMO-MA. adj. Más interior. Amigo de confianza.

INTITULAR. tr. Poner título o darlo.

INTOLERABLE. adj. Que no puede tolerarse.

INTOLERANCIA. f. Falta de tolerancia.

INTOLERANTE. adj. s. No tolerante.

INTONSO-SA. adj. Que no tiene cortado el pelo. Dícese del libro que se encuaderna sin cortar las barbas a los pliegos.

INTOXICACIÓN. f. Acción de intoxicar.

INTOXICAR. tr. r. Envenenar.

INTRADÓS. m. Cara cóncava de una novela, arco o bóveda.

INTRAMUROS. adv. l. Dentro de la población.

INTRANQUILO-LA. adj. Falto de tranquilidad.

INTRANSFERIBLE. adj. No transferible.

INTRANSIGENTE. adj. Que no transige.

INTRANSITABLE. adj. Sitio por donde no se puede transitar.

INTRANSITIVO-VA. adj. s. Gram. Verbo cuya significación no pasa o se transmite de una persona o cosa a otra.

INTRANSMUTABLE. adj. Que no se puede transmutar.

INTRASMITIBLE. adj. Intransmisible.

INTRATABLE. adj. Insociable, no tratable.

INTREPIDEZ. f. Arrojo, osadía.

INTRÉPIDO-DA. adj. Que obra con intrepidez.

INTRIGA. f. Enredo, manejo cauteloso.

INTRIGAR. tr. r. Intrincar. intr. Ejercitarse en intrigas.

INTRINCABLE. adj. Que se puede intrincar.

INTRINCADO-DA. adj. Enredado, complicado, confuso.

INTRINCAR. tr. r. Enredar, confundir.

INTRÍNGULIS. m. Razón oculta, dificultad.

INTRÍNSECAMENTE. adv. m. Interiormente, esencialmente.

INTRÍNSECO-CA. adj. Esencial, íntimo.

INTRODUCCIÓN. f. Acción de introducir.

INTRODUCIR. tr. r. Dar entrada. Poner en uso. Ocasionar.

INTRODUCTOR-RA. adj. s. Que introduce.

INTROITO. m. Principio. Oración al principio de la misa.

INTROMISIÓN. f. Acción de entremeter.

INTROSPECCIÓN. f. Observación interna del alma o de sus actos.

INTROVERSIÓN. f. Efecto de penetrar el alma en sí mismo.

INTRUSIÓN. f. Acto de introducirse sin derecho.

INTRUSO-SA. adj. Introducido sin derecho.

INTUBACIÓN. f. Med. Colocación de un tubo en la laringe para evitar la asfixia.

INTUICIÓN. f. Conocimiento inmediato de algo.

INTUIR. tr. Percibir clara e instantáneamente una idea o verdad.

INTUITIVO-VA. adj. Relativo a la intuición.

INTUMESCENCIA. f. Hinchazón.

INTUSUSCEPCIÓN. f. Hist. Nat. Crecimiento de los seres orgánicos por los elementos que asimilan interiormente.

INULTO-TA. adj. Poét. No vengado.

INUNDACIÓN. f. Acción de inundar.

INUNDAR. tr. r. Cubrir el agua un lugar. Llenar un lugar de cosas o gentes extrañas.

INUSITADO-DA. adj. No usado.

INÓTIL. adj. No útil.

INUTILIDAD. f. Calidad de inútil.

INUTILIZAR. tr. r. Hacer inútil.

INVADIR. tr. Ocupar por fuerza un territorio, lugar, etc.

INVALIDACIÓN. f. Acción de invalidar.

INVALIDAR. tr. Hacer inválido algo.

INVÁLIDO-DA. adj. Que no tiene fuerzas. Nulo.

INVARIABILIDAD. f. Calidad de invariable.

INVARIABLE. adj. Que no tien variación.

INVASIÓN. f. Acción de invadir.

INVASOR-RA. adj. Que invade.

INVECTIVA. f. Discurso acre y vehemente.

INVENCIBLE. adj. Que no puede ser vencido.

INVENCIÓN. f. Acto de inventar. Invento. Hallazgo.

INVENTAR. tr. Descubrir con ingenio y estudio. Crear.

INVENTARIAR. tr. Hacer inventario.

INVENTARIO. m. Asiento ordenado de los bienes de alguien. Documento en que se detallan.

INVENTIVA. f. Facultad y disposición para inventar.

INVENTO. m. Invención.

INVENTOR-RA. adj. s. Que inventa.

INVERECUNDO-DA. adj. s. Que no tiene vergüenza.

INVERISÍMIL. m. Inverosímil.

INVERISIMILITUD. f. Inverosimilitud.

INVERNÁCULO. m. Lugar a propósito para resguardar del frío a las plantas.

INVERNADA. f. Estación de invierno.

INVERNADERO. m. Invernáculo.

INVERNAL. adj. Relativo al invierno. Establo en los invernaderos.

INVERNAR. intr. Pasar el invierno en un sitio.

INVERNIZO-ZA. adj. Que tiene las propiedades del invierno.

INVEROSÍMIL. adj. Que no tiene apariencias de verdad.

INVEROSIMILITUD. f. Calidad de inverosímil.

INVERSAMENTE. adv. m. A la inversa.

INVERSIÓN. f. Acto de invertir.

INVERSO-SA. adj. Alterado, trastornado.

INVERSOR. adj. s. Que invierte.

INVERTEBRADO-DA. adj. Zool. Que carece de columna vertebral.

INVERTIR. tr. Trastornar las cosas. Emplear caudales; gastarlos.

INVESTIDURA. f. Acción de investir.

INVESTIGACIÓN. f. Acción y efecto de investigar.

INVESTIGAR. tr. Hacer diligencias para descubrir una cosa.

INVESTIR. tr. Conferir una dignidad o cargo importante.

INVETERADO-DA. adj. Antiguo, arraigado.

INVICTO-TA. adj. No vencido. Siempre victorioso.

INVIERNO. m. Estación del año comprendida entre el solsticio del mismo, y el equinocio de primavera.

INVIOLABILIDAD. f. Calidad de inviolable.

INVIOLABLE. adj. Que no se puede o debe violar o profanar. Que goza esa prerrogativa.

INVISIBILIDAD. f. Calidad de invisible.

INVISIBLE. adj. Que no puede ser visto.

INVITACIÓN. f. Acto de invitar. Tarjeta con que se invita.

INVITADO-DA. m. f. Persona que ha recibido invitación.

INVITAR. tr. Convidar, incitar a algo.

INVOCACIÓN. f. Acción de invocar.

INVOCAR. tr. Pedir con ruegos. Alegar una ley para acogerse a ella.

INVOLUCRAR. tr. Injerir en un discurso o escrito algo extraño a su objeto.

INVOLUCRO. m. Verticilo de brácteas.

INVOLUNTARIEDAD. f. Calidad de involuntario.

INVOLUNTARIO-RIA. adj. No voluntario ni intencionado.

INVULNERABLE. adj. Que no puede ser herido.

INYECCIÓN. f. Acción de inyectar. Cosa inyectada.

INYECTAR. tr. r. Introducir algún líquido en el cuerpo con un instrumento.

INYECTOR. m. Aparato que sirve para inyectar el agua en las calderas de las máquinas de vapor.

ION. m. Quím. Radical que da a las disoluciones el carácter de la conductibilidad eléctrica.

IONIZACIÓN. f. Quím. Electrolisis.

IOTA. f. Letra griega equivalente a nuestra "J".

IPECACUANA. f. Planta rubiácea cuya raíz es muy usada en medicina.

IPSO FACTO. lat. En el acto, inmediatamente.

IR. intr. r. Caminar. Moverse de un lugar hacia otro.

IRA. f. Pasión violenta. Indignación, enojo. Furia.

IRACUNDIA. f. Propensión a la ira. Cólera o enojo.

IRACUNDO-DA. adj. Propenso a la ira.

IRASCIBLE. adj. Propenso a irritarse.

IRÍDEO-A. Bot. adj. Ciertas plantas semejantes al lirio.

IRIDIO. m. Metal blanco amarillento, bastante quebradizo, casi tan pesado como el oro y muy resistente a la fusión.

IRIDISCENTE. adj. Que presenta los colores del iris.

IRIS. m. Arco luminoso que ostenta los siete colores. Disco en cuyo centro está la pupila del ojo.

IRISACIÓN. f. Propiedad de reflejar la luz descomponiéndola.

IRISADO-DA. adj. Que tiene los colores del iris.

IRISAR. intr. Despedir destellos con los colores del iris.

IRITIS. f. Inflamación del iris.

IRLANDÉS-SA. adj. s. De Irlanda.

IRONÍA. f. Ret. Figura por la que se da a entender lo contrario de lo que se dice.

IRÓNICO-CA. adj. Que contiene ironía.

IRONISTA. com. Persona que habla o escribe con ironía.

IRRACIONAL. f. Falto de razón.

IRRADIACIÓN. m. Acción de irradiar.

IRRADIAR. tr. Despedir un cuerpo rayos de luz.

IRRAZONABLE. adj. No razonable.

IRREAL. adj. Falto de rrealidad.

IRREALIDAD. f. Calidad de lo que no es real.

IRREALIZABLE. adj. No realizable.

IRREBATIBLE. adj. No rebatible.

IRRECONCILIABLE. adj. No reconciliable. Incompatible.

IRRECUSABLE. adj. Que no se puede recusar.

IRREDENTO-TA. adj. Que permanece sin redimir. Dícese especialmente del país que una nación pretende anexionarse por razones históricas, de raza, de lengua, etc.

IRREDIMIBLE. adj. Que no se puede redimir.

IRREDUCIBLE. adj. Que no se puede reducir.

IRREDUCTIBLE. adj. Irreducible.

IRREFLEXIÓN. f. Falta de reflexión.

IRREFLEXIVO-VA. adj. Que no reflexiona.

IRREFORMABLE. adj. Que no se puede reformar.

IRREFRAGABLE. adj. Que no se puede contrarrestar.

IRREFRENABLE. adj. Que no se puede refrenar.

IRREFUTABLE. adj. Que no se puede refutar.

IRREGULAR. adj. Que no tiene regla. Que no sucede ordinariamente.

IRREGULARIDAD. f. Calidad de irregular.

IRRELIGIÓN. f. Falta de religión.

IRRELIGIOSO-SA. adj. Falto de religión.

IRREMEDIABLE. adj. Que no se puede remediar.

IRREMISIBLE. adj. Que no se puede perdonar o remitir.

IRRENUNCIABLE. adj. Que no se puede renunciar.

IRREPARABLE. adj. Que no se puede reparar.

IRREPRENSIBLE. adj. Que no es digno de represión.

IRREPROCHABLE. adj. No reprochable.

IRRESISTIBLE. adj. Que no se puede resistir.

IRRESOLUBLE. adj. Que no se puede resolver.

IRRESOLUCIÓN. f. Falta de resolución.

IRRESOLUTO-TA adj. Falto de resolución.

IRRESPETUOSO. adj. No respetuoso.

IRRESPIRABLE. adj. Que no puede respirarse.

IRRESPONSABILIDAD. f. Falta de responsabilidad.

IRRESPONSABLE. adj. No responsable.

IRREVERENCIA. f. Falta de reverencia.

IRREVERENTE. adj. Contrario a la reverencia.

IRREVOCABLE. adj. Que no se puede revocar.

IRRIGACIÓN. f. Acto de irrigar.

IRRIGADOR. m. Med. Instrumento propio para irrigar.

IRRIGAR. tr. r. Med. Rociar con un líquido alguna parte del cuerpo.

IRRISIÓN. f. Burla, desprecio.

IRRISORIO-RIA. adj. Que mueve a risa y burla.

IRRITAILIDAD. f. Propensión a irritarse.

IRRITABLE. adj. Que puede irritarse.

IRRITACIÓN. f. Acción y efecto de irritar o irritarse.

IRRITANTE. p.a. de Irritar. Que irrita.

IRRITAR. tr. r. Hacer sentir ira. Excitar vivamente otros objetos.

IRRITO-TA. adj. Inválido, nulo.

IRROGAR. tr. r. Causar, ocasionar perjuicio o daño.

IRROMPIBLE. adj. Que no puede romperse.

IRRUMPIR. intr. Entrar violentamente en un lugar.

IRRUPCIÓN. f. Acometimiento impetuoso e inesperado.

ISABELINO-NA. adj. Relativo a Isabel II.

ISAGOGE. f. Exordio. Introducción.

ISBA. f. Casa rústica de madera de abeto de algunos pueblos septentrionales del antiguo continente.

ISIDORIANO-NA. adj. Relativo a San Isidoro.

ISLA. f. Tierra rodeada de agua.

ISLAM. m. Islamismo. Conjunto de pueblos que profesan esta religión.

ISLAMISMO. m. Dogmas y preceptos de la religión de Mahoma.

ISLAMITA. adj. s. Que profesa el islamismo.

ISLANDÉS-SA. adj. s. De Islandia.

ISLEÑO-ÑA. adj. s. Natural de una isla. Perteneciente a una isla.

ISLETA. f. Isla pequeña.

ISLILLA. f. Axila. Clavícula.

ISLOTE. m. Isla pequeña.

ISMAELITA adj. s. Descendiente de Ismael.

ISÓBARA. f. Dícese de la línea imaginaria que pasa por todos los puntos de la superficie que tiene la misma altura barométrica.

ISOCRONISMO. m. Fís. Igualdad de duración de los movimientos de un cuerpo.

ISÓCRONO. adj. Fís. Dícese de lo que se hace en tiempos de igual duración.

ISODÁCTILO-LA. adj. Que tiene los dedos iguales.

ISÓGONO-NA. adj. Cuerpos cristalizados de ángulos iguales.

ISÓMERO-RA. adj. De igual constitución química y diferentes propiedades físicas.

ISOMORFO-FA. adj. Distinta composición química e igual formación cristalina.

ISÓPODO-DA. adj. s. Zoo. Que tiene semejantes todas sus patas.

ISOQUÍMENO-NA. adj. Meteor. Se aplica a la línea que pasa por todos los puntos de la Tierra que tienen la misma temperatura media en el invierno.

ISÓSCELES. adj. Geom. Triángulo que tiene iguales dos lados.

ISOTERMO-MA. adj. De igual temperatura.

ISÓTERO-RA. adj. Línea que pasa por todos los puntos de la Tierra que tienen la misma temperatura media en el verano.

ISQUION. m. Anat. Hueso ínfero-posterior de los tres que forman el coxal.

ISRAELITA. adj. s. Hebreo.

ISTMEÑO-ÑA. adj. Natural de un istmo.

ISTMICO-CA. adj. Relativo al istmo.

ISTMO. m. Lengua de tierra que une dos continentes o una península con un continente.

ITALIANO-NA. adj. s. De Italia.

ITALICENSE. adj. De Itálica.

ITÁLICO-CA. adj. s. Relativo a Italia.

ITERABLE. adj. Capaz de repetirse.

ITERATIVO-VA. adj. Que tiene la condición de reiterarse.

ITINERARIO-RIA. adj. Relativo a caminos.

ITRIA. f. Óxido de itrio, sustancia blanca que se extrae de algunos minerales poco comunes.

ITRIO. m. Metal perteneciente al grupo de las tierras raras que forma un polvo brillante y negruzco.

IZAGA. f. Terreno poblado de juncos.

IZAR. tr. Mar. Hacer que una cosa suba tirando de un cabo que pasa por un lugar más alto.

IZQUIERDA. f. Siniestra. Mano izquierda.

IZQUIERDO. adj. Opuesto al derecho. Zurdo.

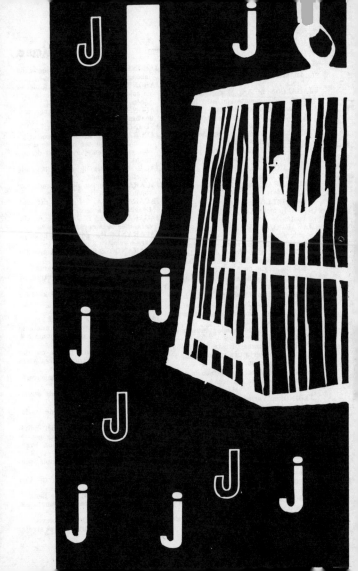

J. f. Undécima letra y octava consonante del alfabeto español. Su nombre es "jota".

JABALCÓN. m. Arq. Madero que se ensambla oblicuamente con otro horizontal para apear un tercero.

JABALCONAR. tr. Formar con jabalcones el tendido del tejado.

JABALÍ. m. Mamífero paquidermo, especie de cerdo salvaje.

JABALINA. f. Hembra del jabalí. f. Dardo largo y delgado arrojadizo.

JABALINERO-RA. adj. Perro adiestrado para la caza del jabalí.

JABARDEAR. intr. Dar jabardos las colmenas.

JABARDILLO. m. Bandada de insectos. Remolino de gente que mueve confusión.

JABARDO. m. Enjambre pequeño de una colmena.

JABATO. m. Cachorro de la jabalina.

JABECA. f. Min. Horno de destilación que antiguamente se usaba en las minas de azogue de Almadén.

JÁBEGA. f. Red larga que se tira desde tierra. Embarcación de pesca.

JABEGOTE. m. Cada uno de los hombres que tiran de la jábega.

JABEQUE. m. Embarcación de tres palos con velas latinas.

JABERA. f. Canto popular andaluz en compás de 3 por 8.

JABÍ. adj. Manzana silvestre y pequeña, y también cierta uva pequeña que se cría en Granada.

JABILLO. m. Árbol euforbiáceo de América tropical, de fruto en caja y madera blanca.

JABINO. m. Variedad enana del enebro.

JABLE. m. Ranura donde se encajan las tiestas de las cubas, etc.

JABÓN. m. Pasta detersoria compuesta de un álcali y aceite.

JABONADO. m. Jabonadura. Acción de jabonar.

JABONADURA. f. Acción y efecto de jabonar. Espuma que se forma al jabonar.

JABONAR. tr. Fregar con jabón y agua. Humedecer la cara con agua y jabón.

JABONCILLO. m. Pastilla de jabón aromatizada.

JABONERA. f. Mujer que hace o vende jabón. Caja para el jabón.

JABONERÍA. f. Fábrica o tienda de jabón.

JABONERO-RA. adj. Toro cuya piel es de color blanco sucio. El que fabrica jabón.

JABONETE. m. Jaboncillo, jabón aromatizado.

JABONOSO-SA. adj. De jabón.

JABORANDI. m. Árbol rutáceo, originario del Brasil, con hojas que tienen olor y sabor semejantes a las del naranjo.

JACA. f. Caballo de menos de siete cuartas de alzada.

JÁCARA. f. Romance alegre. Ronda nocturna. Cuento.

JACARANDANA. f. Junta de rufianes. Lenguaje rufianesco.

JACARANDINA. f. Jacarandana. Jácara, música para cantar o bailar.

JACARANDO-DA. adj. Propio de la jácara o relativo a ella.

JACARANDOSO-SA. adj. Desenvuelto, alegre.

JACAREAR. intr. Cantar jácaras.

JACARERO-RA. adj. Quien canta jácaras. Chancero, alegre.

JÁCARO-RA. adj. Relativo al guapo y baladrón.

JÁCENA. f. Arq. Viga maestra.

JACERINA. f. Cota de malla.

JACILLA. f. Huella que deja una cosa sobre la tierra en que ha estado mucho tiempo.

JACINTO. m. Planta liliácea de flor acampanada, de varios colores, tiene grato olor.

JACO. m. Cota de malla de manga corta Caballo ruin.

JACOBEO-A. adj. Perteneciente o relativo al apóstol Santiago.

JACOBINISMO. m. Doctrina de los jacobinos.

JACOBINO-NA. adj. Dícese del individuo del partido más demagógico y sanguinario en la Revolución Francesa.

JACTANCIA. f. Alabanza propia, presunción.

JACTANCIOSAMENTE. adv. m. Con jactancia.

JACTACIOSO-SA. adj. Que se jacta.

JACTARSE. r. Alabarse presuntuosamente.

JACULATORIA. f. Oración breve.

JÁCULO. m. Dardo, arma que se arroja.

JACHALÍ. m. Árbol anonáceo de América, de fruto drupáceo, aromático y sabroso.

JADE. m. Piedra de silicato de calcio y magnesio, compacta.

JADEANTE. p.a. de jadear. Que jadea.

JADEAR. intr. Respirar anhelosamente.

JADEO. m. Acción de jadear.

JAECERO-RA. m. y f. Persona que hace jaeces.

JAÉN. adj. Uva blanca de hollejo grueso y duro.

JAENÉS-SA. adj. Natural de Jaén.

JAEZ. m. Adorno de la caballería.

JAEZAR. tr. Enjaezar.

JAFÉTICO-CA. adj. Perteneciente a los pueblos y razas que descienden de Jafet.

JAGUAR. m. Mamífero carnicero de América, parecido a la pantera.

JAGUARZO. m. Planta ramosa, que abunda en España.

JAGÜEY. m. Balsa grande. Pozo o zanja llena de agua.

JAHARÍ. adj. Especie de higos que se crían en Andalucía.

JAHARRAR. tr. Cubrir con yeso o mortero el paramento de una pared.

JAIQUE. m. Capa árabe con capucha.

¡JA, JA, JA! interj. con que se expresa la risa.

JALAPA. f. Raíz purgante de una planta americana.

JALAR. tr. fam. Halar. Tirar, atraer.

JALBEGADOR-RA. adj. Que jalbega.

JALBEGAR. tr. Enjalbegar.

JALBEGUE. m. Blanqueo hecho con cal. Lechada de cal para enjalbegar.

JALDE. adj. Amarillo subido.

JALDO-DA. adj. Jalde.

JALEA. f. Conserva de frutas congelada y transparente.

JALEADOR-RA. adj. Que jalea.

JALEAR. tr. Llamar a los perros en la caza. Animar.

JALECO. m. Jubón de paño con mangas hasta los codos.

JALEO. m. Acción y efecto de jalear. Alboroto. Jarana.

JALIFA. m. Antigua autoridad suprema marroquí, del protectorado español en Marruecos.

JALIFATO. m. Territorio gobernado por por el califa.

JALMA. f. Enjalma.

JALMERÍA. f. Arte u obra de los jalmeros.

JALMERO. m. Enjalmero.

JALÓN. m. Topogr. Estaca que clava en tierra para determinar puntos fijos.

JALONAR. tr. Alinear por medio de jalones.

JALOQUE. m. Viento del Sud-este.

JAMAR. tr. fam. Comer.

JAMÁS. adv. t. Nunca.

JAMBA. f. Arq. Pieza que sostiene el dintel de una puerta o ventana.

JAMBAJE. m. Arq. Conjunto de dos jambas y el dintel.

JÁMBICO-CA. adj. Yámbico.

JAMELGO. m. fam. Caballo flaco o de mala facha.

JAMERDANA. f. Paraje donde se arrojan los residuos de los mataderos.

JAMERDAR. tr. Limpiar los vientres de las reses.

JAMETE. m. Rica tela de seda entretejida de oro.

JAMÓN. m. Pernil curado de cerdo.

JAMONA. adj. fam. Dícese de la mujer gruesa que ha pasado de la juventud.

JAMUGA. f. Silla de tijera para montar sobre el aparejo de las caballerías y cabalgar a mujeriegas.

JAMURAR. tr. Achicar el agua.

JANDALO-LA. adj. fam. Aplícase a los andaluces por su pronunciación gutural.

JANGADA. f. Mar. Balsa. Idea necia.

JANSENISMO. m. Doctrina de Cornelio Jansen.

JANSENISTA. adj. Sectario del jansenismo.

JAPONÉS-SA. adj. De Japón.

JAPUTA. f. Pez acantopterigio, de color plomizo, que vive en el Mediterráneo.

JAQUE. m. Lance del ajedrez. Valentón.

JAQUEAR. tr. Dar jaques en el juego de ajedrez.

JAQUECA. f. Dolor intermitente de cabeza.

JAQUECOSO-SA. adj. fig. Cargante, fastidioso.

JAQUEL. m. Escaque de blasón.

JAQUELADO-DA. adj. Blas. Dividido en escaques.

JAQUERO. m. Peine pequeño antiguo.

JAQUÉS-SA. adj. Natural de Jaca.

JAQUETÓN. m. fam. Jaque, valentón.

JÁQUIMA. f. Cabezada de cordel.

JAQUIMAZO. m. Golpe dado con la jáquima.

JAQUIMERO. m. El que hace o vende jáquimas.

JARA. f. Arbusto cistíneo, de flor amarilla.

JARABE. m. Bebida compuesta de azúcar, agua, substancias medicinales. Bebida muy dulce.

JARABEAR. tr. Tratar a un enfermo con jarabes.

JARAÍZ. m. Lagar.

JARAL. m. Terreno poblado de jaras.

JARAMAGO. m. Planta crucífera que crece entre los escombros.

JARAMEÑO-ÑA. adj. Perteneciente al río Jarama o a sus riberas.

JARAMUGO. m. Pececillo nuevo.

JARANA. f. Bullicio, algaraza, tumulto.

JARANEAR. intr. Andar en jaranas.

JARANERO-RA. adj. Aficionado a jaranas.

JARAZO. m. Golpe o herida hecha con la jara.

JARCIA. f. Carga de cosas diversas para un fin. Mar. Aparejo o cabo.

JARDÍN. m. Terreno en que se cultivan plantas ornamentales.

JARDINERA. f. Cesta para las plantas de adorno.

JARDINERÍA. f. Arte y oficio de jardinero.

JARDINERO-RA. m. Quien cuida un jardín.

JARETA. f. Dobladillo para meter una cinta.

JARETÓN. f. Dobladillo muy ancho.

JARIFO-FA. adj. Rozagante, bien compuesto o adornado.

JARILLO. m. Jaro, planta arcídea.

JARO-RA. adj. Animal de pelo rojizo. Mancha en los montes bajos.

JAROCHO-CHA. m. y f. De modales bruscos y algo insolente.

JAROPAR. tr. Dar jaropes.

JAROPE. m. Jarabe. Bebida desabrida.

JAROPEAR. tr. Jaropar.

JAROSO-SA. adj. Lleno de jaras.

JARRA. f. Vasija de cuello ancho con una o dos asas.

JARRAZO. aum. de Jarro. Golpe dado con jarra o jarro.

JARREAR. intr. fam. Sacar frecuentemente agua o vino con el jarro.

JARRERO. m. El que hace o vende jarros.

JARRETAR. tr. fig. Quitar las fuerzas o el ánimo.

JARRETE. m. Corva. Parte alta de la pantorrilla.

JARRETERA. f. Liga con hebilla. Orden militar inglesa.

JARRO. m. Jarra con una sola asa.

JARRÓN. m. Adorno en forma de jarro. Vaso labrado.

JASPE. m. Calcedonia opaca.

JASPEADO-DA. adj. Que tiene vetas.

JASPEAR. tr. Pintar imitando al jaspe.

JASPÓN. m. Mármol de grano grueso.

JATO-TA. m. y f. Ternero-ra.

JAUJA. f. Nombre con que se quiere presentar tipo de prosperidad y abundancia.

JAULA. f. Caja para encerrar animales.

JAULILLA. f. Adorno para la cabeza, que se usaba antiguamente.

JAULÓN. m. aum. de Jaula.

JAURÍA. f. Conjunto de perros de caza.

JAYÁN-NA. m. y f. Persona alta y fuerte.

JAZMÍN. m. Arbusto oláceo de flor blanca olorosa.

JEBE. m. Alumbre.

JEDIVE. m. Virrey de Egipto.

JEFA. f. Superiora de un cuerpo u oficio.

JEFATURA. f. Cargo de jefe. Puesto de guardia.

JEFE. m. Superior de un cuerpo u oficio.

JEHOVÁ. m. Nombre de Dios en hebreo.

JEITO. m. Red de pesca para anchoas y sardinas.

¡JE, JE, JE! interj. Que denota risa.

JEJÉN. m. Insecto díptero, abundante en América.

JEMA. f. Gema.

JEMAL. adj. Que tiene la distancia y longitud del jeme.

JEME. m. Distancia entre los dedos pulgar e índice.

JENGIBRE. m. Planta cingibarácea. Su rizoma aromático.

JENÍZARO. m. Soldado turco.

JEQUE. m. Régulo árabe.

JERAPELLINA. f. Vestido viejo.

JERARCA. m. Superior en la jerarquía eclesiástica.

JERARQUÍA. f. Orden o grado.

JERÁRQUICO-CA. adj. Relativo a la jerarquía.

JERARQUIZAR. tr. Organizar jerárquicamente algo.

JERBO. m. Mamífero roedor, del norte de África.

JEREMIADA. f. Lamentación exagerada de dolor.

JEREMÍAS. com. fig. Persona que de continuo se está lamentando.

JEREZANO-NA. adj. De Jerez.

JERGA. f. Tela tosca. Lenguaje especial de algunos individuos.

JERGÓN. m. Colchón de paja, esparto, etc., y sin bastas.

JERGUILLA. f. Tela delgada parecida a la jerga.

JERIBEQUE. m. Guiño, visaje, contorsión.

JERIFE. m. Descendiente de Fátima, hija de Mahoma.

JERIFIANO-NA. adj. Relativo al jerife.

JERIGONZA. f. Lenguaje de mal gusto, jerga. Acción ridícula.

JERINGA. f. Útil para aspirar o impeler líquidos.

JERINGAR. tr. Inyectar con jeringa. Molestar.

JERINGAZO. m. Acción de arrojar el líquido introducido en la jeringa.

JERINGUILLA. f. d. de Jeringa. Instrumento que sirve para inyectar substancias medicamentosas.

JEROGLÍFICO-CA. adj. Escrituras en que se usan figuras o símbolos. Conjunto de símbolos y figuras con que se expresa una frase.

JERPA. f. Sarmiento estéril.

JERRICOTE. m. Guisado de almendras azúcar, salvia y jengibre cocido con caldo de gallina.

JERSEY. m. Especie de jubón o elástica de lana.

JESNATO-TA. adj. Díjose de la persona que fué dedicada a Jesús desde su nacimiento.

JESUCRISTO. m. El Hijo de Dios hecho hombre.

JESUITA. adj. Religioso de la Compañía de Jesús.

JESÚS. m. Nombre que se da a la segunda persona de la Santísima Trinidad, hecha hombre.

JETA. f. Boca saliente. Hocico del cerdo. fam. Cara.

JETUDO-DA. adj. Que tiene jeta.

JI. f. Letra griega que en latín se presenta por ch y en los idiomas neolatinos con la ch o solo con c o qu.

JÍBARO-RA. adj. Campesino.

JIBIA. f. Molusco cefalópodo parecido al calamar.

JIBIÓN. m. Pieza caliza de la jibia.

JÍCARA. f. Taza pequeña.

JICARAZO. m. Golpe de jícara. Propinación de veneno.

JICOTE. m. Avispa grande de Honduras.

JIFA. f. Desperdicio de descuartizar las reses.

JIFERÍA. f. Ejercicio de matar y desollar las reses.

JIFERO-RA. adj. Perteneciente al matadero. m. Cuchillo para matar las reses. El que las mata.

JIGOTE. m. Guisado con carne picada.

JIJALLAR. m. Monte poblado de jijallos.

JIJALLO. m. Caramillo, planta.

¡JI, JI, JI! interj. con que se expresa la risa.

JIJONA. f. Variedad de trigo álaga. m. Turrón fino fabricado en la ciudad de este nombre.

JILGUERA. f. Hembra de jilguero.

JILGUERO. m. Pájaro fringílido cantor.

JIMELGA. f. Mar. Reguerzo de madera en forma de teja.

JINESTADA. f. Salsa de leche, harina de arroz, especias y otros ingredientes.

JINETA. f. Arte de montar a caballo con los estribos cortos y las piernas en posición vertical desde las rodillas abajo.

JINETADA. f. p. us. Jactancia impropia del que la ejecuta.

JINETE. m. Soldado que monta a la jineta. Quien monta a caballo.

JINETEAR. intr. Andar a caballo alardeando de gala y primor.

JINGLAR. intr. Mecerse.

JINGOISMO. m. Patriotería exaltada contra las demás naciones.

JINGOISTA. com. Partidario de jingoismo.

JIPIJAPA. m. Sombrero de paja fina.

JIQUILETE. m. Planta leguminosa de la cual se obtiene añil.

JIRA. f. Pedazo largo rasgado de una tela. Merienda campestre entre amigos.

JIRAFA. f. Animal rumiante notable por su cuello largo.

JIREL. m. Gualdrapa lujosa.

JÍRIDE. m. Planta irídea, cuyo rizoma se usó en medicina.

JIROFINA. f. Salsa de bazo de carnero, pan tostado y otros ingredientes.

JIRÓN. m. Trozo desgarrado de una tela. Faja que se echa en el ruedo del sayo o saya.

JIRONADO-DA. adj. Roto hecho jirones.

JOB. m. Por antonomasia, hombre de mucha paciencia.

JOCKEY. m. Jinete en las carreras de caballos.

JOCÓ m. Orangután.

JOCOSAMENTE. adv. m. Con jocosidad, chistosamente.

JOCOSIDAD. f. Calidad de jocoso. Chiste.

JOCOSO-SA.. adj. Gracioso, festivo.

JOCUNDIDAD. f. Alegría, apacibilidad.

JOCUNDO-DA. adj. Plácido, alegre y agradable.

JOFAINA. f. Vasija ancha poco profunda.

JOLGORIO. m. Holgorio.

JOLITO. m. Calma, suspensión.

JOLANO-NA. adj. De las islas Joló.

JOLLÍN. m. fam. Gresca, jolgorio.

JÓNICO-CA. adj. De las islas Jónicas.

JONJABAR. tr. fam. Engatusar, lisonjear.

JORDÁN. m. fig. Lo que remoza, hermosea y purifica.

JORFE. m. Muro para el sostenimiento de tierras.

JORGUÍN-NA. m. y f. Brujo o bruja.

JORNADA. f. Camino que se anda en un día. Todo el camino o viaje.

JORNAL. m. Estipendio que gana el trabajador por una jornada de trabajo.

JORNALERO-RA. m. y f. Persona que trbaja a jornal.

JOROBA. f. Corcova, fam. Molestia.

JOROBADO-DA. adj. Corcovado.

JOROBAR. tr. fig. Molestar, fastidiar.

JOSA. f. Heredad sin cerca plantada de vides y frutales.

JOSTRADO-DA. adj. Aplícase al virote guarnecido de un cerco de hierro.

JOTA. f. Nombre de la letra "J". Baile popular.

JOULE. m. Fís. Nombre del julio, en la nomenclatura internacional.

JOVEN. adj. De poca edad.

JOVENADO. m. Tiempo que los profesos están bajo la dirección del maestro.

JOVENZUELO-LA. adj. d. De joven.

JOVIAL. adj. Relativo a Júpiter. Alegre, festivo.

JOVIALIDAD. f. Alegría.

JOYA. f. Objeto de metales y piedras preciosas usado para adorno.

JOYANTE. adj. Que se aplica a la seda muy fina y lustrosa.

JOYEL. m. Joya pequeña.

JOYELERO. m. Guardajoyas joyero.

JOYERÍA. f. Tienda de joyero. Taller donde se construyen joyas.

JOYERO. m. Quien hace o vende joyas. Caja para guardarlas.

JOYO. m. Cizaña. Luello.

JUANAS. f. pl. Palillos empleados por los guanteros para abrir los dedos de los guantes.

JUANETE. m. Hueso del dedo grueso del pie, cuando sobresale.

JUANETUDO-DA. adj. Que tiene juanetes.

JUARDA. f. Suciedad del paño mal desengrasado.

JUARDOSO-SA. adj. Que tiene juarda.

JUBETE. m. Coleto cubierto de malla metálica que usaban los soldados españoles.

JUBETERÍA. f. Tienda donde se vendían jubones y jubetes.

JUBETERO. m. El que hacía jubetes y jubones.

JUBILACIÓN. f. Acción y efecto de jubilar. Haber pasivo del jubilado.

JUBILAR. tr. Eximir de un servicio por imposibilidad física o ancianidad, conservándole pensión.

JUBILEO. m. Indulgencia plenaria universal concedida por el Papa. Fiesta pública hebrea.

JÚBILO. m. Alegría con signos exteriores.

JUBILOSAMENTE. adv. m. Con júbilo.

JUBILOSO-SA. adj. Lleno de júbilo.

JUBO. m. Culebra pequeña.

JUBÓN. m. Prenda de vestir a modo de chaleco.

JUBONERO. m. El que hace jubones.

JÚCARO. m. Árbol combretáceo, de flor sin corola, fruto muy parecido a la aceituna y madera muy dura.

JUDAICO-CA. adj. Relativo a los judíos.

JUDAÍSMO. m. Religión de los judíos.

JUDAIZACIÓN. f. Acción y efecto de judaizar.

JUDAS. m. fig. Hombre traidor.

JUDERÍA. f. Barrio de judíos.

JUDIA. f. Planta de tallo voluminoso y fruto comestible.

JUDIADA. f. Acto propio de judíos. Lucro excesivo.

JUDIAR. m. Tierra sembrada de judías.

JUDICATURA. f. Ejercicio de juzgar. Empleo del juez.

JUDICIAL. adj. Relativo a la judicatura.

JUDICIALMENTE. adv. m. Por procedimiento judicial.

JUDICIARIO-RIA. adj. Relativo a la astrología. Judiciaria.

JUDÍO-A. adj. Hebreo, de Judea. fig. Avaro.

JUDIÓN. m. Variedad de judías de vainas anchas.

JUEGO. m. Acción de jugar. Entretenimiento.

JUERGA. f. fam. Holgorio.

JUERGUISTA. adj. Aficionado a las juergas.

JUEVES. m. Quinto día de la semana.

JUEZ. m. Quien juzga y sentencia.

JUGADA. f. Acción de jugar. Cada lance del juego.

JUGADOR-RA. adj. Que juega.

JUGAR. intr. Hacer algo para entretenerse. Retozar.

JUGARRETA. f. Mala pasada.

JUGLAR. m. Quien cantaba o recitaba por un estipendio. Trovador.

JUGLARESA. f. Mujer juglar.

JUGLARÍA. f. Juglería.

JUGO. m. Zumo de alguna substancia.

JUGOSO-SA. adj. Que tiene jugo. Substancioso.

JUGUETE. m. Objeto para jugar.

JUGUETEAR. intr. Jugar. Retozar.

JUGUETEO. m . Acción de juguetear.

JUGUETERÍA. f Comercio de juguetes.

JUGUETÓN-NA. adj. Que juega y retoza.

JUICIO. m. Facultad de distinguir el bien del mal y lo verdadero de lo falso. Cordura. Opinión.

JUICIOSAMENTE. adv. m. Con juicio.

JUICIOSO-SA. adj. Que tiene juicio.

JULEPE. m. Farm. Poción de agua, jarabe, etc. Juego de naipes. Castigo.

JULIANO-NA. adj. Relativo a Julio César.

JULIO. m. Séptimo mes del año. Fís. Unidad de medida del trabajo eléctrico.

JULO. m. Res o caballería que va delante en el ganado o en la recua.

JUMEL. m. Algodón egipcio, de fibra larga.

JUMENTA. f. Asna, hembra del asno.

JUMENTAL. adj. Perteneciente al jumento.

JUMENTO. m. Asno.

JUNCADA. f. Fruta de sartén de figura cilíndrica y larga.

JUNCAL. adj. Relativo al junco. Flexible. m. Juncar.

JUNCAR. m. Sitio poblado de junqueras.

JUNCIA. f. Planta ciperácea medicinal.

JUNCIAL. m. Sitio poblado de juncias.

JUNCO. m. Planta de tallos lisos, flexibles y puntiagudos.

JUNCOSO-SA. ad. Parecido al junco.

JUNGLA. f. Selva virgen.

JUNIO. m. Sexto mes del año.

JÚNIOR. m. Joven profeso.

JUNQUERA. f. Junco, planta.

JUNQUILLO. f. Planta de flor olorosa y tallo liso, especie de narciso.

JUNTA. f. Reunión de personas para tratar algo. Unión de dos o más cosas. Juntura.

JUNTAR. tr. Unir unas cosas con otras. Congregar.

JUNTERA. f. Garlopa para cepillar el canto de las tablas.

JUNTO-TA. adj. Unido. adv. Cerca.

JUNTURA. f. Punto donde se unen dos o más cosas.

JÚPITER. m. El planeta mayor del sistema solar.

JURA. f. Juramento.

JURADO. m. Juez o tribunal que juzga del hecho cuya pena fija el juez.

JURADOR-RA. adj. Que tiene el vicio de jurar. For. Que declara en juicio con juramento.

JURADURÍA. f. Dignidad de jurado.

JURAMENTAR. tr. Tomar juramento. r. Obligarse por él.

JURAMENTO. m. Afirmación solemne de algo. Voto. Blasfemia.

JURAR. tr. Afirmar algo con juramento. Acatar.

JURATORIO. m. Instrumento en que se hacía constar el juramento prestado por los magistrados de Aragón.

JURDÍA. f. Especie de red para pescar.

JUREL. m. Pez acantopterigio marino.

JURÍDICAMENTE. adv. m. En forma de juicio o de derecho. Por vía judicial.

JURÍDICO-CA. adj. Que atañe al derecho.

JURISCONSULTO. m. Quien profesa la ciencia del Derecho.

JURISDICCIÓN. f. Potestad de juzgar. Territorio en que se ejerce. Autoridad.

JURISDICCIONAL. adj. Relativo a la jurisdicción.

JURISPERICIA. f. Jurisprudencia.

JURISPERITO. m. Persona versada en derecho civil y canónico.

JURISPRUDENCIA. f. Ciencia del Derecho.

JURISTA. m. Quien se dedica al Derecho.

JURO. m. Derecho perpetuo de propiedad.

JUSBARBA. f. Brusco, planta.

JUSELLO. m. Potaje con carne, perejil, queso, huevo y caldo.

JUSTA. f. Combate singular a caballo, con lanza.

JUSTAMENTE. adv. m. Cabalmente, ni más ni menos.

JUSTAR. intr. Pelear en justa.

JUSTICIA. f. Virtud que inclina a obrar el bien. Una de las cuatro virtudes cardinales. Magistrado.

JUSTICIAR. tr. Condenar, sentenciar.

JUSTICIERO-RA. adj. Que obra con justicia.

JUSTIFICABLE. adj. Que se puede justificar.

JUSTIFICACIÓN. f. Acción y efecto de justificar.

JUSTIFICADO-DA. adj. Conforme a justicia y razón.

JUSTIFICANTE. adj. s. Que justifica.

JUSTIFICAR. tr. Probar algo con razones. Hacer Dios a uno justo por la gracia. Rectificar algo.

JUSTIFICATIVO-VA. adj. Que sirve para justificar.

JUSTILLO. m. Prenda interior de vestir, sin mangas y ceñida al pecho.

JUSTIPRECIACIÓN. f. Acción y efecto de justipreciar.

JUSTIPRECIAR. tr. Apreciar algo con rigor. Tasar en su justo precio.

JUSTO-TA. adj. Que obra con justicia. Exacto, cabal.

JUVENIL. adj. Relativo a la juventud.

JUVENTUD. f. Edad entre la niñez y la virilidad. Conjunto de jóvenes.

JUZGADO. m. Junta de jueces. Sitio en donde se juzga.

JUZGADOR-RA. adj. Que juzga.

JUZGAMUNDOS. com. fig. y fam. Persona murmuradora.

JUZGANTE. p. a. de Juzgar. Que juzga.

JUZGAR. tr. Dar sentencia como juez. Formar dictamen. Creer. Afirmar o negar algo.

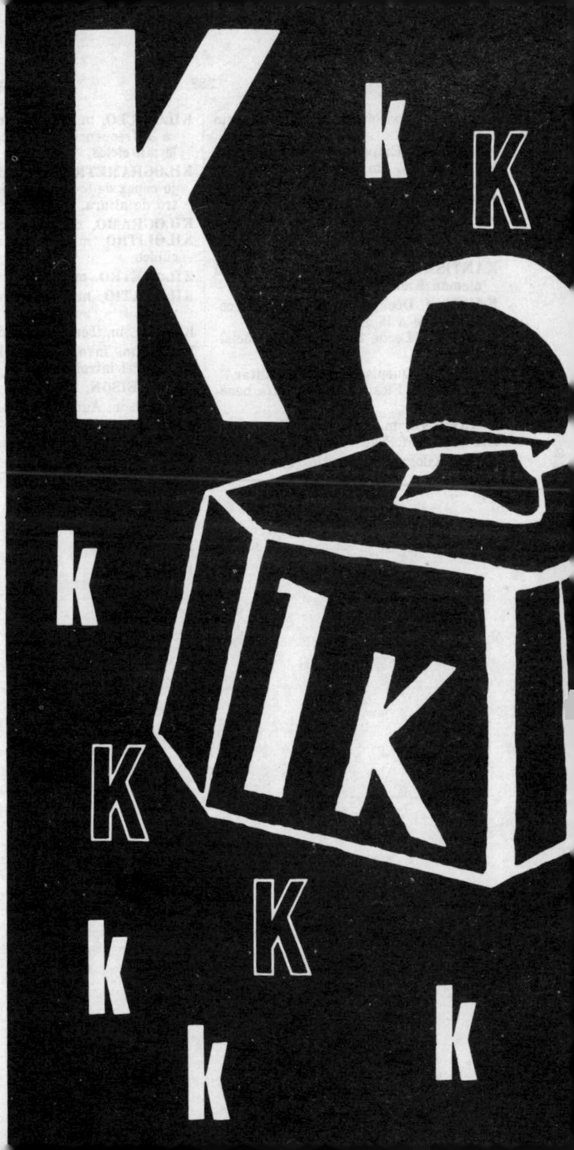

K. f. Ka. Duodécima letra del alfabeto español.

KAISER. m. Emperador alemán.

KAKEMONO. m. Cuadro arrollable, pintado sobre papel o seda japonesa.

KALIUM. m. Potasio.

KAN. m. Príncipe o jefe tártaro.

KANTIANO-NA. adj. Relativo al kantismo.

KANTISMO. m. Sistema filosófico del alemán Kant.

KAPPA. f. Décima letra griega, que corresponde a la K.

KEFIR. m. Leche fermentada artificialmente.

KEPIS. m. Quepis. Gorra de militar.

KERMÉS. f. Fiesta popular. Rifa benéfica.

KEROSENE. m. Amér. Petróleo.

KILIÁREA. f. Equivalente a mil áreas.

KILO. Kilogramo. Prefijo que indica mil.

KILOCICLO. m. Unidad de medida para la frecuencia de una corriente. Vale mil ciclos.

KILOGRÁMETRO. m. Unidad de trabajo capaz de levantar un kilo a un metro de altura.

KILOGRAMO. m. Mil gramos de peso.

KILOLITRO. m. Mil litros. Un metro cúbico.

KILÓMETRO. m. Mil metros.

KILOVATIO. m. Medida eléctrica. Mil vatios.

KIOSCO. m. Templete, estilo oriental.

KIRIE. m. Invocación de la misa después del introito.

KIRIELEISÓN. m. Kirie.

KIRSCH. m. Aguardiente alemán de cerezas.

KOBO. m. Antílope africano.

KRAUSISMO. m. Sistema filosófico de Krausse.

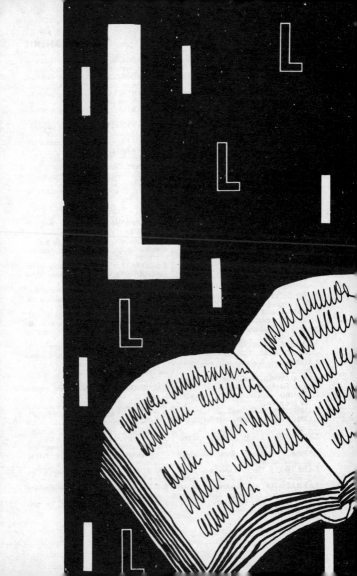

L. f. Décimocuarta letra del alfabeto español. Ele.

I.A. Art. det. f. sing. Mús. Sexta nota de la escala musical.

LÁBARO. m. Estandarte de los emperadores romanos.

LABELO. m. Bot. Pétalo superior de las orquídeas.

LABERÍNTICO-CA. adj. Relativo al laberinto. fig. Enmarañado.

LABERINTO. m. Lugar formado con arte de calles de difícil salida.

LABIA. f. Persuasión y gracia en el hablar.

LABIADO-DA. adj. Aplícase a ciertas plantas, que tienen la corola en forma de labio.

LABIALIZAR. tr. Fon. Dar carácter labial a un sonido.

LABIHENDIDO-DA. adj. Que tiene hendido o partido el labio superior.

LÁBIL. adj. Que resbala o se desliza con facilidad. Caduco, débil. Quím. Compuesto fácil de transformar en otro más estable.

LABIO. m. Cada una de las dos partes carnosas en la boca que cubren los dientes.

LABIODENTAL. adj. s. Gram. Dícese de la consonante que se articula acercando el labio inferior al borde de los incisivos superiores.

LABOR. f. Trabajo. Labranza en especial, siembra.

LABORABLE. adj. Que se puede laborar o trabajar.

LABORAR. tr. Labrar. intr. Gestionar, intrigar.

LABORATORIO. m. Local para hacer experimentos científicos.

LABOREO. m. Cultivo, arte de explotar las minas.

LABORÍO. m. Labor, trabajo.

LABORIOSIDAD. f. Inclinación al trabajo.

LABORIOSO-SA. adj. Aficionado al trabajo, trabajador.

LABRA. f. Acción y efecto de labrar piedra o madera.

LABRADA. f. Tierra barbechada y dispuesta para labrarla al año siguiente.

LABRADO-DA. adj. Aplícase a las telas o géneros que tienen alguna labor en contraposición de los lisos. m. Campo labrado.

LABRADOR-RA. adj. s. Que labra la tierra. Apto para el trabajo.

LABRADORITA. f. Feldespato laminar, silicato de alúmina y cal.

LABRANDERA. f. Mujer que sabe hacer labores mujeriles.

LABRANTÍN. m. Labrador de poco caudal.

LABRANTIO-TÍA. adj. Dícese de la tierra de labor.

LABRANZA. f. Cultivo de campos o tierras de labor.

LABRAR. tr. Trabajar, cultivar la tierra, arar. Coser, bordar.

LABRIEGO-GA. s. Labrador rústico.

LABRUSCA. f. Vid silvestre.

LACA. f. Resina traslúcida encarnada. Barniz hecho con ella.

LACAYO. m. Criado de librea.

LACAYUNO-NA. adj. Propio de lacayo.

LACEDEMONIO-NIA. adj. s. De Lacedemonia.

LACERACIÓN. f. Acción de lacerar.

LACERAR. tr. Lastimar, magullar, herir. fig. Dañar, vulnerar.

LACERÍA. f. Conjunto de lazos.

LACERIOSO-SA. adj. Que padece lacería o miseria.

LACERO. m. Persona diestra en el manejo del lazo. El que se dedica a coger con lazos la caza menor.

LACINIA. f. Bot. Cada una de las trillas de forma irregular en que se dividen las hojas o pétalos de algunas plantas.

LACIO-A. adj. Marchito. Flojo.

LACÓN. m. Brazuelo de cerdo y especialmente su carne curada.

LACÓNICO-CA. adj. Laconio. Breve, conciso.

LACONIO-NIA. adj. De Laconia, región griega.

LACONISMO. m. Calidad de lacónico.

LACRA. f. Señal de una enfermedad. Defecto, vicio físico.

LACRAR. tr. Contagiar, dañar la salud o los intereses. Cerrar con lacre.

LACRE. m. Pasta de laca y trementina con colorantes para sellar y cerrar cartas.

LACRIMAL. adj. Perteneciente a las lágrimas.

LACRIMÓGENO-NA. adj. Que produce lágrimas. Ciertos gases.

LACRIMOSAMENTE. adv. m. De manera lacrimosa.

LACRIMOSO-SA 391 LAGRIMAR

LACRIMOSO-SA. adj. Que tiene lágrimas. Lloroso.

LACTANCIA. f. Período en que se mama.

LACTANTE. adj. Que lacta o mama.

LACTAR. tr. r. Criar, amamantar.

LACTATO. m. Quím. Cuerpo que resulta de combinar ácido láctico con un radical simple o compuesto.

LACTEADO-DA. adj. Que unido al nombre harina, indica un polvo compuesto de leche concentrada al vacío, pan pulverizado y azúcar.

LACTEO-A. adj. Perteneciente o parecido a la leche.

LACTESCENCIA. f. Calidad de lactescente.

LACTESCENTE. adj. De aspecto de leche.

LACTICINIO. m. Leche, alimento con leche.

LÁCTICO. adj. Relativo a la leche.

LACTÍFERO-RA. adj. Que conduce o tiene leche.

LACTÓMETRO. m. Aparato para medir la densidad de la leche.

LACTINA. f. Quím. Azúcar de leche.

LACTOSA. f. Lactina, azúcar de la leche.

LACTUMEN. m. Med. Erupción que suelen padecer en la cabeza y cuerpo a los niños que maman.

LACUSTRE. adj. Relativo a los lagos.

LACHA. f. Vergüenza.

LADA. f. Jara.

LÁDANO. m. Resina de la jara.

LADEADO-DA. adj. Bot. Dícese de las partes de una planta cuando todas miran a un mismo lado.

LADEAR. tr. r. Inclinar, torcer. Andar por las laderas.

LADERA. f. Declive de un monte.

LADERO-RA. adj. Lateral.

LADILLA. f. Insecto anopluro, parásito del hombre.

LADINAMENTE. adv. m. De un modo ladino.

LADINO-NA. adj. Que habla varias lenguas. Astuto.

LADO. m. Costado. Sitio.

LADRA. f. Acción de ladrar.

LADRADOR-RA. adj. Que ladra.

LADRANTE. p. a. de Ladrar. Que ladra.

LADRAR. intr. Dar ladridos.

LADRIDO. m. Voz de perro. Murmuración, calumnia.

LADRILLADO. m. Solado de ladrillos.

LADRILLAR. m. Sitio donde se fabrican ladrillos.

LADRILLAZO. m. Golpe de ladrillo.

LADRILLEJO. m. dim. de Ladrillo.

LADRILLERO-RA. s. Quien hace o vende ladrillos.

LADRILLO. m. Masa prismática de arcilla para construir.

LADRILLOSO-SA. adj. Que es de ladrillo o se le asemeja.

LADRÓN-NA. adj. El que hurta o roba. Portillo en las presas.

LADRONERA. f. Donde se ocultan la drones. Latrocinio.

LADRONESCO-CA. adj. fam. Perteneciente a los ladrones.

LADRONICIO. m. Latrocinio.

LADRONZUELO-LA. m. y f. dim. de Ladrón. Ratero.

LADY. f. Tratamiento inglés equivalente a señora.

LAGAR. m. Donde se pisa la uva.

LAGARERO. m. El que trabaja en el lagar.

LAGARETA. f. Lagarejo. Charco de agua u otro líquido.

LAGARTA. f. Insecto lepidóptero que ataca las encinas.

LAGARTERA. f. Madriguera del lagarto.

LAGARTERO-RA. adj. Aplícase al animal que caza lagartos.

LAGARTIJA. f. Lagarto pequeño, veloz y espantadizo.

LAGARTIJERO-RA. adj. Aplícase a algunos animales que cazan y comen lagartos.

LAGARTO. m. Saurio ágil, inofensivo, útil a la agricultura.

LAGO. m. Gran extensión de agua rodeada de tierra.

LAGOTEAR. intr. Hacer lagoterías.

LAGOTERÍA. f. Zalamería, halago.

LAGOTERO-RA. adj. Quien hace lagoterías.

LÁGRIMA. f. Gota de humor que vierte el ojo.

LAGRIMABLE. adj. Digno de ser llorado.

LAGRIMAL. adj. Glándulas de secreción de lágrimas.

LAGRIMAR. intr. Llorar.

LAGRIMEAR. intr. Secretar con frecuencia lágrimas.

LAGRIMEO. m. Acción de lagrimar.

LAGRIMOSO-SA. adj. Dícese de los ojos húmedos.

LAGUNA. f. Depósito natural de agua.

LAGUNAJO. m. Charco que queda después de una lluvia o inundación.

LAGUNAR. m. Arq. Cada uno de los huecos que dejan los maderos con que se forma el techo artesonado.

LAGUNERO-RA. adj. Perteneciente a la laguna.

LAGUNOSO-SA. adj. Abundante en lagunas.

LAICAL. adj. Perteneciente a los legos.

LAICISMO. m. Movimiento para excluir la religión como función del Estado.

LAICIZAR. tr. Hacer laico o independiente de toda influencia religiosa.

LAICO-CA. adj. s. Lego. Dícese de la enseñanza que prescinde de la instrucción religiosa.

LAÍSMO. m. Vicio en que incurren los laístas.

LAÍSTA. adj. s. Gram. Aplícase a los que dicen siempre la y las, lo mismo en el dativo como en el acusativo del pronombre ella.

LAJA. f. Losa. Peña.

LAMA. f. Cieno o lodo. m. Sacerdote del lamaísmo.

LAMAÍSMO m. Secta del budismo en el Tíbet.

LAMBDA. f. Letra griega correspondiente a nuestra "L".

LAMBEL. m. Blas. Pieza como una faja con tres caídas cortas.

LAMBEO. m. Blas. Lambel.

LAMBREQUÍN m. Blas. Adorno que partiendo del casco rodea el escudo.

LAMBRIJA. f. Lombriz. fig. fam. Persona muy flaca.

LAMBUCEO. m. Ansia morbosa de lamer en el ganado vacuno.

LAMECULOS. com. fam. Adulón, quitamotas.

LAMEDAL. m. Terreno cenagoso.

LAMEDOR-RA. adj. Que lame. m. Jarabe. Halago fingido.

LAMEDURA. f. Acción de lamer.

LAMELIBRANQUIO. m. pl. Moluscos de simetría bilateral, branquias laminares y concha bivalva.

LAMELIFORME. adj. De forma de lámina.

LAMENTABLE. adj. Que es digno de lamentar.

LAMENTACIÓN. f. Queja dolorosa.

LAMENTADOR-RA. Que lamenta o se lamenta.

LAMENTAR. tr. r. Sentir con manifestación de dolor.

LAMENTO. m. Lamentación.

LAMEPLATOS. m. Persona golosa o que se alimenta de sobras.

LAMER. tr. Pasar la lengua por una cosa. fig. Adular.

LAMETÓN. m. Acción de lamer con ansia.

LAMIA. f. Monstruo fabuloso que se representa con cara de mujer y cuerpo de dragón. Tiburón.

LAMIDO-DA. adj. fig. Dícese de la persona flaca y de la muy pulida y limpia.

LAMÍN. m. Golosina.

LÁMINA. f. Plancha delgada. Estampa.

LAMINADOR-RA. adj. s. Máquina de dos cilindros que comprimiendo metales maleables los estira en láminas o planchas. m. El que tiene por oficio el hacer láminas de metal.

LAMINAR. adj. De forma de lámina. tr. Cubrir o adornar con láminas.

LAMINERO-RA. adj. El que hace láminas. Goloso.

LAMINOSO-SA. adj. Aplícase a los cuerpos cuya textura es laminar.

LAMOSO-SA. adj. Que tiene o cría lama.

LAMPACEAR. tr. Mar. Enjugar con el lampazo.

LÁMPARA. f. Utensilio para alumbrar. Cuerpo que despide luz.

LAMPARERÍA. f. Donde se hacen o venden lámparas.

LAMPARERO-RA. s. Quien hace, vende o cuida lámparas.

LAMPARILLA. f. Cerilla que se pone en aceite para alumbrar.

LAMPARISTA. com. Lamparero.

LAMPARÓN. m. Mancha de aceite. Escrófula en el cuello.

LAMPAZO. m. Planta compuesta.

LAMPIÑO-ÑA. adj. Que no tiene barba, poco peludo.

LAMPISTA. m. Lamparero.

LAMPISTERÍA. f. Lamparería.

LAMPO. m. Resplandor fugaz.

LAMPREA. f. Pez ciclostomo, de cuerpo cilíndrico, comestible.

LAMPREADO. m. Guiso chileno hecho con charqui y otros ingredientes.

LAMPREAR. tr. Guisar una vianda friéndola o asándola primero y cociéndola después en vino o agua con azúcar o miel y especias.

LAMPREILLA. f. Pez de río parecido a la lamprea de agua dulce.

LÁMPSANA. f. Bot. Planta compuesta de flores amarillas que se ha usado para curar las grietas de los pechos.

LAMPUGA. f. Pez marino, acantopterigio, de cuerpo comprimido y que llega a un metro de longitud. Es comestible pero poco apreciado.

LANA. f. Pelo de oveja, carnero y otros animales.

LANADA. f. Art. Instrumento para limpiar y refrescar el alma de las piezas de artillería después de haber disparado con ellas.

LANAR. adj. Dícese de la res que tiene lana.

LANARIA. f. Jabonera, planta coriofílea.

LANCE. m. Acto de lanzar. Trance. Suceso señalado.

LANCÉOLA. f. Llantén menor.

LANCEOLADO-DA. adj. En forma de lanza.

LANCERO. m. Soldado armado de lanza. El que usa lanza.

LANCETA. f. Cir. Instrumento para sangrar, abrir tumores.

LANCETADA. f. Lancetazo.

LANCETERO. m. Estuche en que se llevan las lancetas.

LANCINAR. tr. r. Punzar, desgarrar.

LANCURDIA. f. Trucha pequeña.

LANCHA. f. Losa natural. Bote. Embarcación auxiliar.

LANCHAZO. m. Golpe que se da de plano con una lancha de piedra.

LANCHERO. m. Conductor o patrón de una lancha.

LANCHÓN. m. Aum. de lancha.

LANDA. f. Páramo.

LANDGRAVE. m. Título nobiliario alemán.

LANDÓ. m. Coche de cuatro ruedas, descapotable.

LANDRE. f. Tumor en parte glandulosa.

LANDRILLA. f. Cresa de ciertos dípteros que se fija debajo de la lengua y

en las fosas nasales de diversos mamíferos.

LANERO-RA. adj. Relativo a las lanas. Tratante en ellas.

LANGOSTA. f. Insecto ortóptero saltador, que forma plagas.

LANGOSTINO. m. Crustáceo marino, comestible.

LANGOSTÓN. m. Insecto mayor que la langosta.

LÁNGUIDAMENTE. adv. m. Con languidez, con flojedad.

LANGUIDECER. intr. Perder el espíritu o el vigor.

LANGUIDEZ. f. Flaqueza, debilidad, falta de espíritu.

LÁNGUIDO-DA. adj. Flaco, débil, fatigado, de poco espíritu.

LANIFICACIÓN. f. Lanificio.

LANIFICIO m. Arte de labrar la lana. Obra hecha de lana.

LANILLA. f. Pelillo del paño. Tejido de lana fina.

LANOSIDAD. f. Pelusa de las hojas, frutas, etc.

LANOSO-SA. adj. Lanudo.

LANSQUENETE. m. Soldado alemán mercenario.

LANTANO. m. Metal de color plomizo, que descompone el agua a la temperatura ordinaria.

LANUDO-DA. adj. Que tiene mucha lana o vello.

LANUGINOSO-SA. ad. Que tiene lanosidad.

LANZA. f. Arma compuesta de un asta con punta de hierro.

LANZACABOS. adj. Dícese de un pequeño cañón que dispara un proyectil especial con un cabo delgado unido a otro más grueso con el cual se presta auxilio a los náufragos.

LANZADA. f. Golpe dado con la lanza.

LANZADERA. f. Instrumento que lleva la trama cuando se teje.

LANZADOR-RA. adj. Que lanza o arroja.

LANZAFUEGO. m. Art. Botafuego.

LANZALLAMAS. m. Aparato que arroja sustancias inflamables.

LANZAMIENTO. m. Acción de lanzar.

LANZAR. tr. Arrojar. Soltar.

LANZATORPEDOS. adj. Se dice de los tubos que emplean los buques de guerra para lanzar por ellos torpedos.

LANZÓN. m. Aum. de lanza.

LAÑA. f. Grapa.

LAÑADOR. m. El que por medio de lañas compone objetos rotos.

LAÑAR. tr. Afianzar con lañas.

LAPA. f. Gasterópodo que vive asido a las peñas.

LAPACHAR. m. Terreno cenagoso.

LaPAROTOMÍA. f. Cir. Apertura de la pared abdominal.

LAPICERO. m. Instrumento en que se pone el lápiz. Lápiz.

LÁPIDA. f. Piedra llana con una inscripción.

LAPIDACIÓN. f. Acción de lapidar.

LAPIDAR. tr. Matar a pedradas.

LAPIDARIO-RIA. adj. Relativo a piedras preciosas. El que las labra.

LAPÍDEO-A. adj. De piedra.

LAPIDIFICACIÓN. f. Quím. Acción y efecto de lapidificar.

LAPIDIFICAR. tr. r. Quím. Convertir en piedra.

LAPILLA. f. Ciniglosa.

LAPISLÁZULI. m. Mineral pétreo, de color azul.

LÁPIZ. m. Cualquiera de las sustancias minerales que sirven para dibujar.

LAPIZAR. m. Mina o cantera de lápiz plomo.

LAPO. m. Bastonazo, golpe.

LAPÓN-NA. adj. s. De la Laponia.

LAPSO. m. Transcurso de tiempo.

LAPSUS CALAMI. Exp. lat. Error cometido al correr de la pluma.

LAPSUS LINGUAE. Exp. lat. Error de lengua.

LAQUEADO-DA. adj. Cubierto o barnizado de laca.

LAR. m. Mit. Dios del hogar. Hogar.

LARDÁCEO-A. adj. Semejante o parecido al lardo.

LARDEAR. tr. Untar con grasa.

LARDERO. adj. Jueves que precede a las carnestolendas.

LARDO. m. Gordo del tocino. Grasa de los animales.

LARDÓN. m. Impr. Adición al margen.

LARDOSO-SA. adj. Grasiento.

LARGA. f. Trozo de suela que se agrega a la horma. pl. Dilación, demora.

LARGAMENTE. adv. m. Con extensión cumplidamente, sin estrechez.

LARGAR. tr. Soltar, aflojar, desplegar.

LARGO-GA. adj. Que tiene más o menos longitud.

LARGOMIRA. m. Catalejo.

LARGUERO. m. Palo a lo largo de una obra de carpintería.

LARGUEZA. f. Largura, liberalidad.

LARGUIRUCHO-CHA. adj. Desproporcionadamente largo.

LARGURA. f. Longitud.

LARICE. m. Alerce.

LARICINO-NA. adj. Perteneciente al lárice.

LARINGE. f. Anat. Tubo cartilaginoso que va desde la lengua a la tráquea.

LARÍNGEO-A. adj. Relativo a la laringe.

LARINGITIS. f. Inflamación de la laringe.

LARINGOLOGÍA. f. Ciencia que estudia las enfermedades de la laringe.

LARINGÓLOGO. m. Especialista dedicado al estudio y tratamiento de las enfermedades de la laringe.

LARINGOSCOPIA. f. Exploración de la laringe.

LARINGOSCOPIO. m. Aparato para la laringoscopia.

LARINGOTOMÍA. f. Abertura hecha en la laringe.

LARVA. f. Primera forma de un animal con metamorfosis.

LARVAL. adj. Perteneciente a la larva.

LAS. Acus. del pron. de tercera persona. f. y pl. Art. det.

LASCA. f. Trozo pequeño y delgado desprendido de una piedra.

LASCAR. tr. Mar. Arriar poco a poco un cabo.

LASCIVAMENTE. adv. m. Con lascivia.

LASCIVIA. f. Propensión a los placeres carnales.

LASCIVO-VA. adj. Perteneciente a la lascivia. Que tiene ese vicio.

LASERPICIO. m. Planta umbelífera, de flores blancas y frutos ovoideos.

LASITUD. f. Desfallecimiento, cansancio.

LASO-SA. adj. Cansado, falto de fuerzas, flojo.

LASTAR. tr. Suplir lo que otro debe pagar, con el derecho de reintegrarse.

LÁSTIMA. f. Compasión por los males ajenos. Objeto que la excita.

LASTIMADOR-RA. adj. Dícese de lo que lastima o hace daño.

LASTIMAR. tr. Herir, hacer daño. ofender, agraviar.

LASTIMERO-RA. adj. Quejas que mueven a compasión.

LASTIMOSO-SA. adj. Que mueve a lástima.

LASTO. m. Carta de pago que se da al que lasta por otro.

LASTÓN. m. Planta gramínea de hojas muy largas.

LASTRA. f. Lancha.

LASTRAR. tr. Afirmar una cosa con lastre.

LASTRE. m. Piedra, arena u otra cosa de peso que se pone en el fondo de las embarcaciones.

LATA. f. Bote hecho de hojalata. Discurso fastidioso.

LATAMENTE. adv. m. Con extensión, difusamente.

LATAZ. m. Nutria de las costas del Pacífico.

LATEBRA. f. Escondrijo, cueva, madriguera.

LATEBROSO-SA. adj. Que se oculta y no se deja conocer.

LATENTE. adj. Oculto, escondido.

LATERAL. adj. Que está al lado de una cosa.

LATERALMENTE. adv. m. De lado. De uno y otro lado.

LATERÍA. f. Conjunto de latas de conservas.

LATERO-RA. adj. Latoso.

LÁTEX. m. Jugo de algunos vegetales.

LATICÍFERO. adj. Bot. Dícese de los vasos de los vegetales que contienen latex.

LATIDO. m. Contracción y dilatación del corazón y arteria. Ladrido entrecortado que da el perro.

LATIENTE. p. a. de Latir. Que late.

LATIFUNDIO. m. Finca rústica de gran extensión.

LATIFUNDISTA. com. Persona que posee uno o varios latifundios.

LATIGAZO. m. Golpe o chasquido del látigo. fig. Daño.

LÁTIGO. m. Azote largo y flexible, de cuero o cuerda.

LATIGUEO. m. Acción de latiguear.

LATIGUERA. f. Látigo, cuerda o correa.

LATIGUILLO. m. Exceso declamatorio del orador o actor.

LATÍN. m. Lengua del Lacio usada por los romanos.

LATINAJO. m. fam. desp. Latín malo.

LATINAR. intr. Hablar o escribir en latín.

LATINEAR. intr. Latinar. fam. Emplear con frecuencia latinajos.

LATINIDAD. f. Lengua latina.

LATINISMO. m. Giro del latín.

LATINIZACIÓN. f. Acción y efecto de latinizar.

LATINIZAR. tr. Dar forma latina a voces de otra lengua.

LATINO-NA. adj. Natural del Lacio.

LATIR. intr. Dar latidos.

LATÍSIMAMENTE. adv. m. Muy latamente.

LATITUD. f. Anchura. Extensión.

LATITUDINAL. adj. Que se extiende a lo ancho.

LATITUDINARIO-RIA. adj. s. Teol. Aplícase al que sostiene que puede haber salvación fuera de la Iglesia Católica.

LATO-TA. adj. Dilatado. Amplio.

LATÓN. m. Aleación de cobre y cinc, amarillo.

LATONERÍA. f. Taller donde se hacen objetos de latón. Tienda donde se venden.

LATONERO-RA. adj. s. Quien hace o vende obras de latón.

LATOSO-SA. adj. s. Fastidioso, pesado, molesto.

LATRÉUTICO-CA. adj. Perteneciente o relativo a la latría.

LATRÍA. f. Adoración, culto dado sólo a Dios.

LATROCINIO. m. Hurto o costumbre de hurtar.

LAÚD. m. Mús. Instrumento de cuerda.

LAUDABLE. adj. Digno de alabanza.

LAUDABLEMENTE. adv. m. De modo laudable.

LÁUDANO. m. Extracto de opio.

LAUDAR. tr. Fallar o dictar sentencia.

LAUDATORIO-RIA. adj. Que alaba.

LAUDE. f. Lápida sepulcral.

LAUDES. f. pl. Una de las partes del Oficio divino, que se dice después de maitines.

LAUDO. m. Fallo que dictan los árbitros.

LAURÁGEO-A. adj. Parecido al laurel.

LAUREADO-DA. adj. s. Que ha sido recompensado con honor y gloria. Dícese especialmente de los militares a los que se concede la cruz de San Fernando, y tambin de esta insignia.

LAUREAR. tr. Coronar con laurel. fig. Premiar, honrar.

LAUREL. m. Árbol laureáceo, cuyas hojas se usan para condimentar y en farmacia.

LAURENTE. m. Oficial que en los molinos de papel asiste a las tinas con las formas y hace los pliegos.

LÁUREO-A. adj. De laurel o de hoja de laurel.

LAURÉOLA. f. Aureola. Corona de laurel.

LAURÍFERO-RA. adj. Que produce o lleva laurel.

LAURINEO-A. adj. Lauráceo.

LAURO. m. Laurel. Gloria. Triunfo.

LAUS DEO. loc. lat. que significa gloria a Dios y se emplea al terminar una obra.

LAVA. f. Materia en fusión que arrojan los volcanes.

LAVABLE adj. Puede lavarse.

LAVABO. m. Mueble para lavarse. Cuarto de aseo.

LAVACARAS. com. fig. y fam. Persona aduladora.

LAVADERO. m. Lugar en que se lava.

LAVADO. m. Pintura a la aguada hecha con un solo color.

LAVADURA. f. Acto de lavar. Lavanzas.

LAVAFRUTAS. m. Recipiente que se pone con agua en la mesa al final de la comida para lavar la fruta.

LAVAJO. m. Charco de agua llovediza.

LAVAMANOS. m. Depósito de agua para lavarse las manos.

LAVANDERO-RA. m. y f. Persona que lava la ropa.

LAVAOJOS. m. Copita de cristal que se adapta al ojo con el fin de aplicar a éste un líquido medicamentoso.

LAVAR. tr. r. Limpiar con agua u otro líquido. Dar color a un dibujo. Purificar.

LAVATIVA. f. Aparato manual para echar ayudas.

LAVATORIO. m. Acción de lavar. Ceremonia del J. Santo.

LAVAZAS. f. pl. Agua en que se ha lavado alguna cosa.

LAVE. m. Min. Lava de los metales.

LAVOTEAR. tr. fam. Lavar aprisa, mucho y mal.

LAVOTEO. m. Acción de lavotear.

LAXANTE. m. Que laxa. Medicamento para mover el vientre.

LAXAR. tr. Ablandar, aflojar.

LAXATIVO-VA. adj. Que laxa.

LAXISMO. m. Doctrina en que domina la moral laxa o relajada.

LAXITUD. f. Calidad de laxo.

LAXO-A. adj. Flojo, poco tenso. Libre, relajado.

LAY. m. Composición poética provenzal.

LAYA. f. Pala fuerte para remover la tierra. Calidad.

LAYAR. tr. Labrar la tierra con la laya.

LAZADA. f. Lazo, atadura o nudo.

LAZAR. tr. Coger con lazos.

LAZARETO. m. Lugar para hacer la cuarentena.

LAZARILLO. m. Muchacho que guía al ciego.

LAZARINO-NA. adj. Leproso.

LAZARISTA. s. De la orden de San Lázaro.

LAZO. m. Atadura o nudo de cintas para adornar. Lazada. Unión, vínculo.

LE. Dativo del pronombre personal de tercera persona en género masculino o femenino y número singular y acusativo del mismo pronombre en igual número y sólo en género masculino. Puede emplearse como subfijo: le pegué; pégale.

LEAL. adj. Que guarda fidelidad. Fidedigno.

LEALTAD. f. Calidad de leal.

LEBECHE. m. En el litoral mediterráneo, viento sudeste.

LEBENI. m. Bebida moruna que se prepara con leche agria.

LEBRADA. f. Cierto guiso de liebre.

LEBRATO. m. Liebre joven.

LEBREL-LA. adj. Se llama el perro a propósito para cazar.

LEBRIJANO-NA. adj s. Natural de Lebrija. Perteneciente a esta villa.

LEBRILLO. m. Barreño más ancho por el borde que por el fondo.

LEBRÓN. m. Liebre grande. Hombre tímido y cobarde.

LECCIÓN. f. Lectura. Lo que el maestro enseña. Amonestación.

LECTIVO-VA. adj. Dícese del tiempo y días de lección en los centros docentes.

LECTOR-RA. adj. Que lee.

LECTORADO. m. Orden de lector, segunda de las menores.

LECTORAL. adj. Dícese del canónigo que explica la Escritura.

LECTORÍA. f. Empleo de lector.

LECTURA. f. Acción de leer. Cosa leída.

LECHA. f. Licor seminal de los peces. Cada una de las dos bolsas que lo contienen.

LECHADA. f. Masa fina de cal o yeso para blanquear.

LECHAL. adj. Animal que aún mama.

LECHE. f. Líquido nutritivo de los pechos de las hembras de los animales mamíferos.

LECHERA. f. La que vende leche. Vasija en que se tiene o se sirve la leche.

LECHERÍA. f. Sitio donde se vende leche.

LECHERO-RA. adj. Lo que tiene leche o sus propiedades. Quien vende leche. f. Vasija para la leche.

LECHETREZNA. f. Planta de jugo lechoso.

LECHIGADA. f. Animales nacidos de un parto. fig. y fam. Cuadrilla de rufianes.

LECHINO. m. Hilas que se ponen en las heridas. Diviesos de las caballerías.

LECHO. m. Cama para dormir o descansar. Cauce de un río.

LECHÓN. m. Cerdo que aún mama. Hombre sucio.

LECHONA. f. Hembra del lechón. fig. y fam. Mujer sucia, desaseada.

LECHOSO-SA. adj. Parecido a la leche.

LECHUGA. f. Planta hortense, comestible.

LECHUGADO-DA. adj. Que tiene forma de hoja de lechuga.

LECHUGUERO-RA. m. y f. Persona que vende lechugas.

LECHUGUINA. f., fig. y fam. Persona que cuida con exceso seguir la moda.

LECHUGUINO. m. Joven muy compuesto que sigue la moda. Petimetre.

LECHUZA. f. Ave rapaz, nocturna.

LEDAMENTE. adv. m. Con alegría o plácidamente.

LEDO-DA. adj. Alegre, contento, plácido.

LEEDOR-RA. adj. s. Lector, que lee.

LEER. tr. Pasar la vista por un escrito. Dar lección. fig. Penetrar, adivinar.

LEGA. f. Monja exenta de coro.

LEGACIÓN. f. Legacía. Embajada.

LEGADO. m. Lo dejado por testamento. Embajador.

LEGADOR. m. Sirviente que ata de pies y manos las reses lanares para que las esquilen.

LEGADURA. f. Cuerda, cinta u otra cosa que sirve para liar o atar.

LEGAJO. m. Conjunto de papeles sobre un asunto.

LEGAL. adj. Prescrito por ley o conforme con ella.

LEGALIDAD. f. Calidad de legal.

LEGALISTA. adj. Que antepone a toda otra consideración la aplicación literal de las leyes.

LEGALIZACIÓN. f. Acto de legalizar.

LEGALIZAR. tr. Certificar la autenticidad de un documento. Dar estado legal.

LÉGAMO. m. Cieno, lodo.

LEGANAL. m. Charca de légamo.

LEGAÑA. f. Humor sebáceo de los párpados.

LEGAÑOSO-SA. adj. Que tiene legañas.

LEGAR. tr. Transmitir, dejar por testamento.

LEGATARIO. s. Quien recibe un legado.

LEGENDA. f. Historia o actas de la vida de un santo.

LEGENDARIO-RIA. adj. Relativo a las leyendas.

LEGIBLE. adj. Que se puede leer.

LEGIÓN. f. Nombre de cierta tropa. Muchedumbre.

LEGIONARIO-RIA. adj. Perteneciente a la legión.

LEGIONENSE. adj. s. Leonés.

LEGISLACIÓN. f. Leyes de un Estado. Ciencia de las leyes.

LEGISLADOR-RA. adj. Que legisla.

LEGISLAR. intr. Dar leyes.

LEGISLATIVO-VA. adj. Que tiene la misión de dar leyes.

LEGISLATURA. f. Tiempo que dura el cuerpo legislativo del Estado.

LEGISTA. m. Profesor de leyes.

LEGÍTIMA. f. Porción de la herencia atribuída por ley.

LEGITIMACIÓN. f. Acto de legitimar.

LEGÍTIMAMENTE. adv. m. Con legitimidad, debidamente.

LEGITIMAR. tr. Justificar la verdad conforme a la ley. Hacer legítimo al hijo natural.

LEGITIMIDAD. f. Calidad de legítimo.

LEGITIMISTA. adj. Partidario del legitimismo.

LEGÍTIMO-MA. adj. Conforme a la ley y a la razón. Cierto, verdadero.

LEGO-GA. adj. Sin órdenes clericales. Falto de letras.

LEGÓN. m. Azadón.

LEGRA. f. Instrumento para legrar.

LEGRAR. tr. Raer con la legra la superficie de los huesos.

LEGUA. f. Medida equivalente a 5.572 metros.

LEGULEYO. m. Quien trata sin saber de leyes.

LEGUMBRE. m. Fruto seco de vaina. Hortaliza.

LEGUMINOSO-SA. adj. De la naturaleza de las legumbres.

LEÍBLE. adj. Legible.

LEÍDA. f. Lectura, acción de leer.

LEÍDO-DA. adj. Que ha leído mucho. Erudito. Dícese de la persona que presume de instruida.

LEILA. f. Fiesta nocturna morisca.

LEÍSMO. m. Empleo de la forma le del pronombre como única en el acusativo masculino singular.

LEÍSTA. adj. s. Gram. Aplícase a los que sostienen que le debe ser único acusativo masculino del pronombre.

LEJANÍA. f. Punto visual remoto.

LEJANO-NA. adj. Distante.

LEJÍA. f. Agua con sales alcalinas disueltas.

LEJÍSIMOS. adv. l. y t. Muy lejos.

LELO. a. adj. Fatuo, simple.

LEMA. m. Tema, contraseña Teorema auxiliar.

LEMBARIO. m. Combatiente en los bajeles.

LEMNÁCEO-A. adj. Bot. Dícese de la planta monocotiladónea, acuática, natátil, con tallo y hojas transformadas en una fronda verde, pequeña y en forma de disco. Familia de estas plantas.

LEMNISCO. m. Cinta que acompañaba a las coronas de vencedores.

LEMOSÍN-NA. adj. Natural de Limoges.

LÉMUR. m. Macaco de hocico de zorra.

LÉMURES. m. Pl. Genios maléficos.

LENA. f. Aliento, vigor.

LENCERA. f. Quien comercia en lienzos.

LENCERÍA. f. Conjunto de lienzos. Donde se venden.

LENCERO-RA. m. Quien vende lienzos.

LENDEL. m. Huella circular que deja en el suelo la caballería que saca agua de la noria.

LENDRERA. f. Peina de púas fijas y apretadas.

LENDRERO. m. Lugar en que hay liendres.

LENE. adj. Suave o blando al tacto. Dulce, agradable. Leve, ligero.

LENEAS. f. pl. Fiestas en honor de Baco.

LENGUA. f. Órgano de la boca para deglutir, hablar y gustar. Idioma.

LENGUADO. m. Pez comestible de cuerpo comprimido.

LENGUAJE. m. Facultad del hombre de expresarse. Idioma.

LENGUARAZ. adj. Que habla bien varios idiomas. fig. Deslenguado.

LENGUAZ. adj. Que habla mucho con necedad.

LENGÜETA. f. Laminilla de algunos instrumentos. Fiel de balanza.

LENGÜETADA. f. Acción de lamer una cosa con la lengua.

LENGÜETERÍA. f. Conjunto de los registros del órgano que tienen lengüeta.

LENIDAD. f. Blandura. Poca exigencia.

LENIFICAR. tr. Suavizar, ablandar.

LENITIVO-VA. adj. Que ablanda o mitiga.

LENOCINIO. m. Alcahuetería.

LENTAMENTE. adv. m. Con lentitud.

LENTE. Amb. Cristal cóncavo o convexo usado en óptica. pl. Anteojos.

LENTEJA. f. Leguminosa papilonácea. Su semilla en forma de disco y alimenticia.

LENTEJUELA. f. Laminilla circular de metal usada para adornos. Coronilla.

LENTICULAR. adj. De figura de lenteja.

LENTISCAL. m. Terreno poblado de lentiscos.

LENTISCO. m. Arbusto de cuya fruta se saca aceite para el alumbrado.

LENTITUD. f. Tardanza. Poca velocidad.

LENTO-TA. adj. Tardo, pausado. Poco veloz.

LENZUELO. m. Pieza de lienzo fuerte.

LEÑA. f. Parte de árbol o mata destinado para lumbre.

LEÑADOR-RA. s. Quien corta leña.

LEÑAME. m. Madera. Provisión de leña.

LEÑAR. tr. Hacer o cortar leña.

LEÑAZO. m. fam. Garrotazo.

LEÑERA. f. Sitio donde se guarda la leña.

LEÑERO-RA. s. Quien vende leña.

LEÑO. m. Parte más consistente del tallo. Trozo de árbol, cortado y sin ramas.

LEÑOSO-SA. adj. De consistencia como de madera.

LEO. m. Signo de Zodíaco.

LEÓN. m. Mamífero carnicero. El macho, con gran melena. Hombre valiente.

LEONA. f. Hembra del león. fig. Mujer audaz, imperiosa y valiente.

LEONADO-DA. adj. Rubio, oscuro.

LEONERA. f. Jaula de leones. Cuarto con cosas en desorden.

LEONERÍA. f. Bizarría, bravata.

LEONÉS-SA. adj. s. De León.

LEONINA. f. Especie de lepra.

LEOPARDO. m. Mamífero felino, carnicero, pelo rojo con manchas negras.

LEOPOLDINA. f. Ros bajo sin orejeras.

LEPE. n. p. Saber más que lepe. fr. proverb. Ser muy perspicaz y advertido.

LEPIDÓPTERO-RA. adj. s. Insectos de metamorfosis complicada y cuatro alas con escamillas.

LEPISMA. Insecto tisanuro, nocturno.

LEPORINO-NA. adj. Relativo a la liebre.

LEPRA. f. Enfermedad infecciosa, caracterizada por manchas, tubérculos, úlceras y caquexia.

LEPROSERÍA. f. Hospital de leprosos.

LEPROSO-SA. adj. s. Que padece lepra.

LEPTORRINO-NA. adj. Que tiene la nariz larga y delgada. Zool. Dícese de los animales que tienen el pico y el hocico delgado y saliente.

LERCHA. f. Junquillo con que se ensartan aves o peces muertos.

LERDAMENTE. adv. m. Con pesadez y tardanza.

LERDO-DA. adj. Torpe.

LERDÓN. m. Veter. Tumor sinovial que padecen las caballerías cerca de la rodilla.

LERIDANO-NA. adj. s. De Lérida.

LES. Dat. pl. pron. personal de tercera persona.

LESBIO-A. adj. s. De la isla de Lesbos.

LESIÓN. f. Daño corporal. Perjuicio. Detrimento.

LESIONAR. tr. Causar lesión.

LESIVO-VA. adj. Que causa lesión.

LESNORDESTE. m. Viento medio entre el Este y el Nordeste. Parte de donde sopla este viento.

LESO-SA. adj. Lastimado. Agraviado.

LESSUESTE. m. Viento medio entre el Este y el Sudeste. Parte de donde sopla este viento.

LETAL. adj. Mortal.

LETANÍA. f. Plegaria formada por varias invocaciones cortas.

LETÁRGICO-CA. adj. Relativo al letargo.

LETARGO. m. Estado de somnolencia profunda.

LETÍFERO-RA. adj. Que da la muerte.

LETIFICAR. tr. Alegrar, regocijar.

LETÍFICO-CA. adj. Que alegra.

LETRA. f. Signo que representa un sonido de un idioma. Palabras del canto. Sentido propio.

LETRADA. f. fam. Mujer del letrado o abogado.

LETRADO-DA. adj. Sabio. Instruído. s. Abogado.

LETRERO. m. Inscripción.

LETRILLA. f. Poét. Composición de verso corto.

LETRINA. f. Lugar para expeler excrementos.

LETUARIO. m. Especie de mermelada.

LEUCEMIA. f. Med. Leucocitemia formación excesiva de leucocitos.

LEUCOCITO. m. Zool. Glóbulo blanco de la sangre.

LEUCOMA. m. Mancha blanca de la córnea.

LEUCORREA. f. M. Flujo mucoso por inflamación del útero.

LEUDAR. tr. r. Fermentar la masa con la levadura.

LEUDO-DA. adj. Fermentado con levadura.

LEVA. f. Acto de reclutar o de levar anclas.

LEVADA. f. En la cría del gusano de seda, porción de éstos que se alza y muda de una parte a otra. Esgr. Molinete que se hace con las lanzas, espadas, etc., antes de ponerse en guardia. Esgr. Lance que de una vez y sin intermisión juegan los dos que esgrimen.

LEVADIZO-ZA. adj. Que puede levantarse.

LEVADURA. f. Masa con microorganismos que hace fermentar el cuerpo con que se mezcla.

LEVANTADAMENTE. adv. m. Con elevación; de manera elevada.

LEVANTADO-DA. adj. Elevado.

LEVANTADOR-RA. adj. s. Que levanta. Sedicioso, amotinador.

LEVANTAMIENTO. m. Acción de levantar. Rebelión, sedición.

LEVANTAR. tr. Mover de abajo arriba. Poner en lugar más alto. Enderezar. Edificar.

LEVANTE. m. Oriente. Viento Este.

LEVANTINO-NA. adj. s. de Levante.

LEVANTISCO-CA. adj. De genio revoltoso.

LEVAR. tr. Mar. Recoger el ancla.

LEVE. adj. Ligero. De poca importancia.

LEVEDAD. f. Calidad de leve. Inconstancia de ánimo y ligereza en las cosas.

LEVEMENTE. adv. m. Ligeramente, venialmente.

LEVIATAN. m. Monstruo marino de la Biblia.

LEVIGAR. tr. Desleír en agua una materia en polvo.

LEVIRATO. m. Precepto de la ley mosaica, que obliga al hermano del que murió sin hijos a casarse con la viuda.

LEVITA. m. De la tribu de Leví. f. Traje de hombre.

LEVÍTICO-CA. adj. Relativo a los levitas. m. Tercer libro del Pentateúco.

LEVITÓN. m. aum. de Levita.

LEVÓGIRO-RA. adj. Quím. Que desvía a la izquierda la luz polarizada.

LEVULOSA. f. Azúcar de frutas.

LÉXICO. m. Diccionario. Vocabulario.

LEXICOGRAFIA. f. Arte de hacer diccionarios.

LEXICÓGRAFO. m. Autor de diccionarios.

LEXICOLOGÍA. f. Ciencia de las palabras.

LEXICÓLOGO-GA. s. El versado en lexicología

LEXICÓN. m. Léxico.

LEY. f. Regla universal e inmutable. Precepto. Lealtad, amor. Calidad, peso, etc.

LEYENDA. f. Lo que se lee. Inscripción en monedas o medallas, cuadros, etc. Relación de hechos.

LEYENTE. p. a. de Leer. Que lee.

LEZNA. f. Aguja de zapatero, con mango.

LÍA. f. Soga de esparto trenzado. Heces.

LIAR. tr. Atar con lías. Envolver algo. r. Pegarse.

LIÁSICO-CA. adj. s. Geol. Aplícase al terreno sedimentario que sigue en edad al triásico. Geol. Perteneciente a este terreno.

LIATÓN. m. Soguilla de esparto.

LIBACIÓN. f. Acto de libar.

LIBAMEN. m. Ofrenda en el sacrificio.

LIBAR. tr. Chupar un jugo. Probar un licor. intr. Hacer libación.

LIBATORIO. m. Vaso que los antiguos romanos usaban para las libaciones.

LIBELA. f. Moneda de plata, usada por los romanos.

LIBELISTA. com. Autor de libelos.

LIBELO. m. Escrito infamatorio. Memorial.

LIBÉLULA. f. Insecto arquíptero, de larvas acuáticas.

LÍBER. m. Bot. Parte interior de la corteza del tronco.

LIBERACIÓN. f. Acto de liberar.

LIBERAL. adj. Que obra o hace con libertad. adj. s. Partidario del liberalismo.

LIBERALIDAD. f. Generosidad. Virtud de distribuir sin esperar recompensa.

LIBERALISMO. m. Doctrina que propugna la libertad individual.

LIBERALIZAR. tr. Hacer liberal en el orden político a una persona o cosa.

LIBERALMENTE. adv. m. Con liberalidad. Con brevedad.

LIBERAR. tr. Libertar.

LIBÉRRIMO-MA. adj. sup. de Libre.

LIBERTAD. f. Ausencia de necesidad en el obrar. Facultad de escoger.

LIBERTADO-DA. adj. Osado, atrevido. Libre, sin sujeción.

LIBERTAR. tr. r. Poner en libertad. Eximir.

LIBERTARIO-RIA. adj. Que defiende la libertad absoluta.

LIBERTICIDA. adj. Que ataca a la libertad.

LIBERTINAJE. m. Desenfreno en la conducta.

LIBERTINO-NA. adj. s. Dado al libertinaje. Hijo de Liberto.

LIBERTO-TA. s. Esclavo libertado.

LIBIDINE. f. Lujuria, lascivia.

LIBIDINOSO-SA. adj. Lujurioso.

LIBIO-A. adj. s. De la Libia.

LIBRA. f. Unidad de peso variable. Signo de Zodíaco. Moneda de algunos países.

LIBRACIÓN. f. Oscilación de un cuerpo desequilibrado.

LIBRACO. m. Desp. Libro.

LIBRADO-DA. m. y f. Persona contra la que se gira una letra de cambio.

LIBRADOR-RA. adj. Que libra.

LIBRAMIENTO. Com. Orden de pago. m. Acción de librar.

LIBRANTE. p. a. de Librar. Que libra.

LIBRANZA. f. Orden de pago dado por carta.

LIBRAR. tr. r. Sacar de un peligro o trabajo. Com. Expedir. tr. Confiar. intr. Dar a luz.

LIBRATORIO. m. Locutorio de los conventos y cárceles.

LIBRAZO. m. Golpe dado con un libro.

LIBRE. adj. Que tiene libertad. Sin obstáculos.

LIBREA. f. Uniforme de algunos criados.

LIBREJO. m. dim. de Libro.

LIBREPENSADOR-RA. adj. s. Partidario del librepensamiento.

LIBREPENSAMIENTO. m. Doctrina que reclama la libertad del pensamiento religioso.

LIBRERÍA. f. Biblioteca. Tienda donde se venden libros.

LIBRERO-RA. s. Quien vende libros.

LIBRETA. f. Pan de una libra. Cuaderno pequeño.

LIBRETE. m. dim. de Libro.

LIBRETISTA. com. Autor de libretos.

LIBRETO. m. Obra dramática para ponerse en música.

LIBRILLO. m. Lebrillo.

LIBRO. m. Porción de pliegos de papel escritos, cosidos y encuadernados.

LIBROTE. m. Libro despreciable.

LICANTROPÍA. f. Locura de creerse convertido en lobo e imita los aullidos de dicho animal.

LICEÍSTA. com. Socio de un liceo.

LICENCIA. f. Permiso. Libertad abusiva.

LICENCIADO-DA. adj. Que se precia de entendido. s. Que ha obtenido la licenciatura. Soldado que ha recibido la licencia absoluta.

LICENCIAMIENTO. m. Acto de licenciar a los soldados.

LICENCIAR. tr. Dar licencia. Conferir la licenciatura.

LICENCIATURA. f. Grado que habilita para ejercer una facultad.

LICENCIOSAMENTE. adv. m. Con demasiada licencia y libertad.

LICENCIOSO-SA. adj. Libre, disoluto, atrevido.

LICEO. m. Gimnasio de Atenas donde enseñó Aristóteles. Sociedad literaria o recreativa.

LICITACIÓN. f. Acción de licitar.

LICITADOR-RA. s. El que licita.

LÍCITAMENTE. adv. m. Con justicia y derecho.

LICITAR. tr. Ofrecer precio en subasta o almoneda.

LÍCITO-TA. adj. Justo, legal, legítimo.

LICNOBIO-BIA. adj. s. Que hace vida ordinaria con luz artificial y duerme de día.

LICOR. m. Cuerpo líquido. Bebida espirituosa.

LICORERA. f. Útil de mesa para colocar botellas y copas de licor.

LICORISTA. com. Quien hace o vende licores.

LICOROSO-SA. adj. Vino rico en alcohol y aroma.

LICTOR. m. Aguacil romano que llevaba las fasces del cónsul.

LICUACIÓN. f. Acción y efecto de licuar.

LICUAR. tr. r. Derretir, fundir.

LICUEFACCIÓN. f. Licuación.

LICUEFACTIVO-VA. adj. Que tiene virtud de licuar.

LICURGO-GA. adj. fig. Inteligente, astuto, hábil. m. fig. Legislador.

LID. f. Pelea. Disputa. Combate.

LIDIA. f. Acción y efecto de lidiar.

LIDIADOR-RA. s. Quien lidia.

LIDIAR. intr. Pelear. Hacer frente a otro. tr. Torear.

LIDIO-DIA. adj. s. De lidia

LIEBRASTÓN. m. Lebrato.

LIEBRE. f. Mamífero roedor. Hombre cobarde.

LIENDRE. f. Huevecillo del piojo.

LIENTERA. f. Diarrea de cosas no digeridas.

LIENTO-TA. adj. Húmedo.

LIENZO. m. Tela de lino o cáñamo. Pintura sobre ella.

LIGA. f. Cinta para asegurar medias y calcetines. Unión o mezcla. Aleación. Alianza.

LIGADA. f. Mar. Ligadura, vuelta que se da para apretar algo con una atadura.

LIGADO. m. Enlace de las letras en la escritura.

LIGADURA. f. Acción de ligar. Sujeción. Venda.

LIGAMENTO. m. Ligación. Cordón fibroso que liga los huesos de las articulaciones.

LIGAMENTOSO-SA. adj. Que tiene ligamentos.

LIGAMIENTO. m. Acción y efecto de ligar. fig. Unión, conformidad en las voluntades.

LIGAR. tr. Atar. Unir, enlazar.

LIGAZÓN. f. Unión, trabazón, enlace.

LIGEREZA. f. Calidad de ligero. Agilidad, presteza.

LIGERO-RA. adj. Que pesa poco. Agil. Pronto. Leve.

LIGNARIO-RIA. adj. De madera o perteneciente a ella.

LIGNINA. f. Quím. Substancia que impregna los tejidos de la madera y les da consistencia.

LIGNITO. m. Carbón fósil que no produce coque cuando se calcina en vasos cerrados.

LIGNUM CRUCIS. m. Reliquia de la Cruz de Nuestro Señor Jesucristo.

LIGUILLA. f. Liga o venda estrecha.

LÍGULA. f. Bot. Estípula situada entre el limbo y el peciolo de las hojas de las gramíneas.

LIGURINO-NA. adj. s. De Liguria.

LIGUSTRE. m. Flor del ligustro.

LIGUSTRO. m. Alheña, arbusto.

LIJA. f. Pez escuálido marino. Su piel, seca y áspera.

LIJAR. tr. Pulir con lija.

LILA. f. Arbusto de flor olorosa morada. Su flor.

LILIÁCEO. f. Plantas monocotiledóneas de raíz bulbosa.

LILIPUTIENSE. s. Persona muy pequeña.

LIMA. f. Instrumento de acero para alisar metales.

LIMACO. m. Babosa.

LIMADOR. adj. s. Que lima.

LIMADURA. f. Acción de limar. pl. Partículas desprendidas al limar.

LIMAR. tr. Pulir, desbastar con lima. Suavizar algo.

LIMATÓN. m. Lima redonda y áspera.

LIMAZA. f. Babosa.

LIMAZO. m. Viscosidad.

LIMBO. m. Lugar donde van las almas de los que mueren sin uso de razón y sin bautizar.

LIMEÑO-ÑA. adj. s. de Lima.

LIMERA. f. Mar. Abertura en la bovedilla de la popa para dar paso a la caña del timón.

LIMERO-RA. m. y f. Quien vende limas. m. Arbol de fruto en esperidio.

LIMETA. f. Botella de gran vientre y cuello largo.

LIMITACIÓN. f. Término. Acción de limitar.

LIMITADO-DA. adj. Dícese del que tiene corto entendimiento.

LIMITAR. tr. Poner límites. tr. r. Reducir.

LIMITATIVO-VA. adj. Que limita.

LÍMITE. m. Término. Confín. Fin. Lindero.

LIMÍTROFE. adj. Colindante.

LIMO. m. Barro, lodo.

LIMÓN. m. Fruto del limonero, ovoideo de corteza amarilla, comestible de sabor ácido muy agradable.

LIMONADA. f. Bebida hecha con agua, azúcar y zumo de limón.

LIMONAR. m. Sitio plantado de limones.

LIMONERA. f. Cada una o las dos varas donde se coloca una caballería para tirar de un carruaje.

LIMONERO-RA. s. Quien vende limones. m. Árbol.

LIMOSIDAD. f. Calide de limo. Sarro de los dientes.

LIMOSNA. f. Dádiva caritativa.

LIMOSNERA. f. Escarcela.

LIMOSNERO-RA. adj. s. Caritativo. m. Quien recoge y distribuye limosnas.

LIMOSO-SA. adj. Lleno de lodo.

LIMPIA. f. Acción de limpiar.

LIMPIABARROS. m. Utensilio colocado a la entrada de las casas para limpiar el barro del calzado.

LIMPIABOTAS. com. Quien da lustre al calzado.

LIMPIACHIMENEAS. com. Quien deshollina chimeneas.

LIMPIADOR-RA. adj. s. Que limpia.

LIMPIAMENTE. adv. m. Con limpieza. fig. Con agilidad y destreza. fig. Con integridad, sin interés.

LIMPIAPLUMAS. m. Utensilio para limpiar las plumas.

LIMPIAR. tr. r. Quitar la suciedad. fig. Hurtar.

LIMPIATUBOS. m. Instrumento para limpiar tubos.

LIMPIDEZ. f. Calidad de límpido.

LÍMPIDO-DA. adj. Limpio, puro.

LIMPIEZA. f. Calidad de limpio. Limpia.

LIMPIO-A. adj. Que no tiene mancha. Sin culpa.

LIMPIÓN. m. Limpiadura ligera.

LINAJE. m. Ascendencia o descendencia de una familia.

LINAJISTA. m. El que sabe o escribe de linajes.

LINAJUDO-DA. adj. s. Que es de gran linaje.

LINARIA. f. Planta escrufuláriácea usada en medicina.

LINAZA. f. Simiente del lino.

LINCE. m. Mamífero, félido carnicero. Persona sagaz.

LINCHAMIENTO. m. Acto de linchar.

LINCHAR. tr. Ejecutar a uno tumultuosamente o sin juicio.

LINDANTE. p. a. de Lindar. Que linda.

LINDAR. intr. Estar contiguos dos terrenos o fincas.

LINDE. amb. Límite, término que divide una heredad de otra.

LINDERA. f. Linde o conjunto de linderos de un terreno.

LINDERO-RA. adj. Que linda. m. Linde.

LINDEZA. f. Calidad de lindo. Hecho o dicho gracioso.

LINDO-DA. adj. Grato a la vista. Exquisito.

LÍNEA. f. Geom. Extensión considerada en una sola dimensión. Límite. Raya. Vía. Renglón.

LINEAL. adj. Relativo a la línea.

LINEAMIENTO. m. Línea que indica una forma.

LINEOTIPIA. f. Linotipia.

LINEOTIPISTA. com. Linotipista.

LINFA. f. Humor acuoso que circula por los vasos linfáticos.

LINFÁTICO-CA. adj. Abundante en linfa.

LINFATISMO. m. Estado anormal de desarrollo del sistema linfático.

LINFOCITOS. m. Glóbulos blancos de la sangre.

LINGOTE. m. Trozo de metal bruto.

LINGOTERA. f. Molde de hierro para fundición.

LINGUAL. adj. Relativo a la lengua.

LINGÜISTA. m. El dedicado a la lingüística.

LINGÜÍSTICA. f. Ciencia del lenguaje.

LINIMENTO. m. Mezcla de aceite y bálsamo para fricciones.

LINO. m. Planta anual linácea, de fibra textil.

LINÓLEO. m. Tela impermeable de yute, barnizada.

LINÓN. m. Tela ligera de hilo, engomada.

LINOTIPIA. f. Impr. Máquina de componer de la cual sale la línea formando una sola pieza.

LINOTIPISTA. m. Persona que maneja la linotipia.

LINTERNA. f. Farol de mano, con un asa lateral.

LINTERNAZO. m. Golpe dado con una linterna. fig. Golpe en general.

LINTERNÓN. m. Aum. de Linterna. Mar. Farol de popa.

LISO. m. Hilera de plantas.

LÍO. m. Porción de cosas atadas. Embrollo.

LIONÉS-SA. adj., de Lyón.

LIOSA. f. Desorden, barahunda.

LIOSO-SA. adj. Embrollado, confuso.

LIPARITA. f. Roca volcánica.

LIPASA. f. Fermento del jugo pancreático.

LIPOIDEO. m. Substancia que tiene aspecto de grasa.

LIPOMA. m. Tumor adiposo.

LIPOTIMIA. f. Pérdida pasajera del sentido y del movimiento.

LIQUEN. m. Planta criptógama formada por asociación de hongo y alga.

LIQUIDABLE. adj. Que se puede liquidar.

LIQUIDACIÓN. f. Acción de liquidar.

LIQUIDADOR-RA. adj. s. Que liquida.

LIQUIDÁMBAR. m. Bálsamo del ocozol.

LÍQUIDAMENTE. adv. m. Con liquidación.

LIQUIDAR. tr. r. Hacer líquido un sólido. tr. Desistir.

LÍQUIDO-DA. adj. Cuerpos cuyas moléculas se adaptan a la forma de la cavidad que las contiene.

LIRA. f. Mús. Instrumento de cuerda. Moneda italiana. Nombre de dos combinaciones métricas. Astron. Constelación septentrional al sur de la Cabeza del Dragón y al occidente del Cisne.

LIRADO-DA. adj. Bot. De figura de lira.

LÍRICA. f. Poesía lírica.

LÍRICO-CA. adj. Relativo a la lira o a la poesía, propia para el canto.

LIRIO. m. Planta irídea de flor morada y a veces blanca.

LIRISMO. m. Abuso de la poesía lírica, o de su estilo.

LIRÓN. m. Mamífero roedor que pasa el invierno adormecido.

LIRONDO-DA. adj. Sin mezcla ni añadidura de otra cosa.

LIS. f. Lirio. Blas. Flor de lis.

LISA. f. Pez de río, malacopterigio, parecido a la locha.

LISAMENTE. adv. m. Con lisura. Lisa y llanamente. loc. adv. Sin ambages ni rodeos.

LISIADO-DA. adj. Que tiene alguna imperfección orgánica.

LISIAR. tr. r. Causar lesión.

LISIMAQUIA. f. Planta primulácea medicinal.

LISO-SA. adj. Sin aspereza o adorno.

LISONJA. f. Alabanza, adulación.

LISONJEANTE. p. a. de Lisonjear. Que lisonjea.

LISONJEAR. tr. Adular. fig. Deleitar, agradar.

LISONJERAMENTE. adv. m. Con lisonja.

LISONJERO-RA. adj. s. Que lisonjea.

LISTA. f. Tira, faja. Línea de color. Catálogo.

LISTADO-DA. adj. Que tiene o forma listas.

LISTAR. tr. Alistar, sentar en lista.

LISTERO. m. Capataz que hace la lista.

LISTEZA. f. Calidad de listo; prontitud, sagacidad.

LISTÍN. m. Lista pequeña o extractada de otra más extensa.

LISTO-TA. adj. Diligente, apercibido, sagaz.

LISTÓN. f. Cinta de seda. Pedazo de tela estrecho.

LISTONAR. tr. Carp. Hacer una obra con listones.

LISURA. f. Calidad de liso.

LITACIÓN. f. Acción de litar.

LITAR. tr. Hacer un sacrificio agradable a Dios.

LITARGIRIO. m. Óxido de plomo.

LITE. f. For. Pleito, litigio judicial.

LITERA. f. Vehículo para llevar a hombros o en caballerías. Mar. Cama fija de un buque.

LITERAL. adj. Conforme a la letra o sentido propio del texto.

LITERALMENTE. adv. m. Conforme a la letra o al sentido literal.

LITERARIAMENTE. adv. m. Según las reglas de la literatura.

LITERARIO-RIA. adj. Relativo a la literatura.

LITERATO-TA. adj. s. Persona versada en literatura.

LITERATURA. f. Conocimiento de las letras humanas.

LITIASIS. f. Med. Formación de cálculos.

LITIGACIÓN. f. Acción y efecto de litigar.

LITIGANTE. adj. s. Que litiga.

LITIGAR. tr. Pleitear. Altercar.

LITIGIO. m. Pleito, disputa.

LITIGIOSO-SA. adj. Propenso a litigar. Que se disputa.

LITINA. f. Óxido alcalino parecido a la sosa.

LITIO. m. Metal alcalino blanco ligero.

LITISCONSORTE. s. Colitigante.

LITISEXPENSAS. f. Pl. Gastos de un pleito.

LITISPENDENCIA. f. Estado del pleito antes de su terminación.

LITOCÁLAMO. m. Caña fósil.

LITOCLASA. f. Geol. Grieta de las rocas.

LITÓFAGO-GA. adj. Dícese de los moluscos que perforan las rocas.

LITOGENESIA. f. Parte de la geología que trata del origen de las rocas.

LITOGRAFÍA. f. Arte de dibujar o grabar sobre piedra para la reproducción de un dibujo.

LITOGRAFIAR. tr. Dibujar o reproducir por la litografía.

LITOGRÁFICO-CA. adj. Relativo a la litografía.

LITÓGRAFO-FA. s. Quien ejerce la litografía.

LITOLOGÍA. f. Min. Tratado de las rocas.

LITÓLOGO. m. El que profesa la litología.

LITORAL. adj. Relativo a la costa.

LITÓSFERA. f. Geol. Conjunto de las partes sólidas del globo terrestre.

LITOTOMÍA. f. Cir. Operación de la talla.

LITRO. m. Unidad de capacidad.

LITUANO-NA. adj. s. De Lituania.

LITURGIA. Orden y forma que ha aprobado la Iglesia para celebrar los oficios divinos.

LITÚRGICO-CA. adj. Relativo a la liturgia.

LIVIANDAD. f. Calidad de liviano.

LIVIANO-NA. adj. De poco peso. Inconstante. Lascivo.

LIVIDED. f. Calidad de lívido.

LÍVIDO-DA. adj. Amoratado.

LIVOR. m. Color cárdeno.

LIXIVIACION. f. Acción y efecto de lixiviar.

LIXIVIAR. tr. Quím. Tratar con un disolvente adecuado una substancia compleja para obtener la parte soluble de ella.

LIZA. f. Campo para la lid. Lid. Mujol.

LIZO. m. Hilo fuerte usado como urdimbre.

LO. Forma neutra del artículo determinado. Acus. de pron. pers. de 3.ª persona; gen; masculino o neutro y en singular.

LOA. f Alabanza. Prólogo de la función en el teatro antiguo.

LOABLE. adj. Laudable.

LOABLEMENTE. adv. m. De manera digna de alabanza.

LOANDA. f. Especie de escorbuto.

LOAR. tr. Alabar.

LOBA. f. Hembra del lobo. Sotana.

LOBANILLO. m. Tumor indolente superficial.

LOBATO. m. Cachorro del lobo.

LOBERA. f. Guarida de lobos.

LOBEZNO. m. Lobo pequeño. Lobato.

LOBINA. f. Róbalo.

LOBO. m. Mamífero carnicero muy voraz, pelo gris oscuro.

LÓBREGO-GA. adj. Obscuro, tenebroso.

LOBREGUEZ. tr. Hacer lóbrero algo. intr. Anochecer. [bulos.

LOBULADO-DA. adj. Dividido en lóbulos.

LÓBULO. m. Porción redondeada y saliente de un órgano.

LOBUNO-NA. adj. Perteneciente o relativo al lobo.

LOCACIÓN. f. For. Arrendamiento.

LOCAL. adj. Perteneciente al lugar. m. Sitio cerrado y cubierto.

LOCALIDAD. f. Calidad de local. Pueblo.

LOCALISMO. m. Excesivo cariño al lugar en que uno ha nacido. Vocablo o locución que sólo tiene uso en determinada localidad.

LOCALIZACIÓN. f. Acción y efecto de localizar.

LOCALIZAR. tr. r. Limitar en un punto determinado.

LOCAMENTE. adv. m. Con locura. Sin moderación.

LOCATIVO-VA. adj. Perteneciente o relativo al contrato de localización o arriendo.

LOCIÓN. f. Lavamiento.

LOCK-OUT. (Voz inglesa) m. Paro forzoso impuesto por los patronos coaligados para contrarrestar las peticiones de los obreros.

LOCO-CA. adj. s. Que ha perdido el juicio.

LOCOMOCIÓN. f. Traslación de un punto a otro.

LOCOMOTIVO-VA. adj. Propio de la locomoción.

LOCOMOTOR-RA. adj. s. Máquina de vapor montada sobre ruedas que puede trasladarse por sí misma de lugar.

LOCOMOTRIZ. adj. s. Locomotora.

LOCOMOVIBLE. adj. s. Que puede llevarse de un sitio a otro.

LOCOMÓVIL. adj. s. Locomovible.

LOCUACIDAD. f. Calidad de locuaz.

LOCUAZ. adj. Que habla mucho o demasiado.

LOCUCIÓN. f. Expresión, giro o modo de hablar.

LOCUELA. f. Tono particular de hablar de cada uno.

LOCURA. f. Privación del juicio o uso de la razón.

LOCUTOR-RA. s. Persona que habla en aparatos telefónicos o radiotelefónicos.

LOCUTORIO. m. Lugar para recibir visitas en cárceles y conventos.

LOCHA. f. Pez malacopterigio comestible.

LODAZAL. m. Sitio lleno de lodo.

LODO. m. Mezcla de tierra y agua.

LOFOBRANQUIO-QUIA. adj. s. Zool. Peces que tienen las branquias en forma de penacho, como el caballo de mar. m. pl. Zool. Orden de estos peces.

LOGARITMICO-CA. adj. Relativo al logaritmo.

LOGARITMO. m. Mat. Exponente a que hay que elevar la base, para obtener el número propuesto.

LOGIA. f. Local donde se reunen las fracmasones.

LÓGICA. f. Ciencia que trata de las leyes, modos y formas del raciocinio.

LOGICAMENTE. adv. m. Según las reglas de la lógica.

LÓGICO-CA. adj. Relativo a la lógica.

LOGOGRIFICO-CA. adj. Perteneciente o relativo al logogrifo. Difícil de entender.

LOGOGRIFO. m. Enigma.

LOGOMAQUIA. f. Discusión en que se atiende a las palabras y no al fondo del asunto.

LOGRAR. tr. Conseguir, obtener. Gozar.

LOGRERO-RA. s. Persona que da dinero a logro.

LOGRO. m. Acción de lograr. Lucro. Usura.

LOGROÑÉS-SA. adj. s. De Logroño.

LOISMO. m. Vicio de emplear la forma del pronombre lo de tercera persona en función de dativo.

LOÍSTA. adj. s. Gram. Aplícase al que usa siempre el lo para el acusativo masculino del pronombre él.

LOMA. f. Colina prolongada.

LOMBARDA. f. Bombarda. Variedad de berza.

LOMBARDEAR. tr. Disparar la lombarda contra un lugar.

LOMBARDERIA. f. Conjunto de piezas. de artillería llamadas lombardas.

LOMBARDERO. m. Soldado que disparaba lombardas.

LOMBARDO-DA. adj. s. De Lombardía.

LOMBRIGUERA. adj. s. Hierba medicinal.

LOMBRIZ. f. Gusano anélido, lucífugo, blanco rojizo.

LOMEAR. intr. Mover los caballos el lomo encorvándolo con violencia.

LOMERA. f. Correa que se acomoda al lomo de las caballerías.

LOMETA. f. Altozano, cerro poco elevado.

LOMILLO. m. Parte superior de la albarda.

LOMO. m. Parte inferior y central de la espalda. Todo el espinazo de los cuadrúpedos.

LONA. f. Tela fuerte y tupida para velas, toldos, etc.

LONCHA. f. Lancha, piedra lisa y plana. Loncha, cosa larga, ancha y delgada.

LONDINENSE. adj. s. De Londres.

LONGA. f. Mús. Nota que valía dos breves.

LONGANIMIDAD. f. Grandeza y constancia de ánimo, en las adversidades.

LONGANIMO-MA. adj. Que tiene longanimidad.

LONGANIZA. f. Embutido largo y angosto.

LONGEVIDAD. f. Larga vida.

LONGEVO-VA. adj. Muy anciano.

LONGITUD. f. La mayor de las dos dimensiones de una superficie.

LONGITUDINAL. adj. Relativo a la longitud.

LONGITUDINALMENTE. adv. m. A lo largo.

LONGOBARDO-DA. adj. s. Lombardo.

LONGUERA. f. Porción de tierra, larga y estrecha.

LONGUERIA. f. Dilación, prolijidad.

LONJA. f. Cosa larga, ancha y delgada Tienda de especias o drogas.

LONJISTA. com. Persona que tiene lonja o tienda de cacao, azúcar, etc.

LONTANANZA. f. Términos más lejanos del plano principal en un cuadro.

LOOR. m. Alabanza.

LOQUEAR. intr. Decir o hacer locuras. fig. Regocijarse con gran alboroto.

LOQUERO. s. Quien guarda por oficio locos.

LOQUIOS. m. pl. Líquido que evacuan los órganos genitales de la mujer, durante el puerperio.

LORANTÁCEAS. f. pl. Familia de plantas a la que pertenece el muérdago.

LORD. m. Título inglés que se da a la primera nobleza.

LORENÉS-SA. adj. s. De Lorena.

LORIGA. f. Coraza de laminillas de acero, imbricadas.

LORO-RA. adj. Amulatado. m. Papagayo.

LORZA. f. Alforza.

LOS-LAS. Artículo det. en gén. masc. v fem. y núm. pl.

LOSA. f. Piedra llana y poco gruesa. Sepultura.

LOSANGE. m. Rombo colocado de manera que la diagonal mayor, quede vertical.

LOSAR. tr. Enlosar.

LOSETA. f. Losa pequeña.

LOTE. m. Cada una de las partes de un todo que se ha de repartir.

LOTERÍA. f. Juego público en que se otorgan premios a números sacados por suerte.

LOTERO-RA. s. Persona encargada de una administración de lotería.

LOTO. m. Planta de flores olorosas de color blanco azulado.

LOXODROMIA. f. Mar Curva que en la superficie terrestre forma un mismo ángulo en su intersección con todos los meridianos y sirve para navegar con rumbo constante.

LOXODRÓMICO-CA. adj. Mar. Perteneciente o relativo a la loxodromia.

LOZA. f. Barro fino, cocido y barnizado.

LOZANEAR. intr. r. Ostentar lozanía.

LOZANÍA. f. Frondosidad en las plantas. Vigor.

LOZANO-NA. adj. Verde, frondoso.

LUBIGANTE. m. Bogavante, crustáceo.

LUBINA. f. Róbalo.

LUBRICACIÓN. f. Acción de lubricar.

LUBRICADOR. s. Que lubrica.

LUBRICÁN. m. Crepúsculo.

LUBRICANTE. adj. Toda sustancia útil para lubricar. [cosa.

LUBRICAR. tr. Hacer resbaladiza una

LUBRICIDAD. f. Calidad de lúbrico.

LÚBRICO-CA. adj. Resbaladizo. fig. Propenso a la lujuria.

LUCARNA. f. Ventana pequeña.

LUCERA. f. Ventana o claraboya.

LUCERNA. f. Araña grande para alumbrar. Lumbrera.

LUCERNÁCULA. f. Neguilla.

LUCERO. m. El planeta Venus.

LUCIDAMENTE. adv. m. Con lucimiento.

LUCIDEZ. f. Calidad de lúcido.

LUCIDO-DA. adj. Que hace las cosas con gracia y lucimiento.

LÚCIDO-DA. adj. Poét. Luciente. Claro.

LUCIDURA. f. Blanqueo que se da a las paredes.

LUCIÉRNAGA. f. Insecto coleóptero, cuya hembra despide luz fosforescente.

LUCIFER. m. El ángel malo.

LUCIFUGO-GA. adj. Que huye de la luz.

LUCILINA. f. Petróleo.

LUCIMIENTO. m. Acto de lucir.

LUCIO. m. Pez acantopterigio que vive en los ríos y lagos, parecido a la perca, de carne grasa y blanca muy estimada.

LUCIO-CIA. adj. Terso lúcido.

LUCIR. intr. Brillar, resplandecer. tr. Iluminar.

LUCRAR. tr. Lograr, conseguir lo que se desea. r. Sacar provecho a un negocio.

LUCRARSE. r. Sacar lucro de una cosa.

LUCRATIVO-VA. ladj. Que produce lucro.

LUCRO. m. Ganancia.

LUCTUOSO-SA. adj. Digno de llorarse.

LUCUBRACIÓN. f. Acción de lucubrar.

LUCUBRAR. tr. Trabajar velando y con aplicación de obras de ingenio.

LÚCUMA. f. Fruto del lúcumo.

LUCHA. f. Acto de luchar. Lid. Disputa.

LUCHADOR-RA. s. Quien lucha.

LUCHAR. intr. Pelear cuerpo a cuerpo.

LUDIBRIO. m. Escarnio, mofa.

LÚDICRO-CRA. adj. Perteneciente o relativo al juego.

LUDIMIENTO. m. Acto de ludir.

LUDIÓN. m. Aparato para estudiar el equilibrio de los cuerpos sumergidos en líquidos.   sí.

LUDIR. tr. r. Frotar dos cosas entre

LUDRIA. f. Nutria.

LÚE. f. Infección.

LUEGO. adv. t. Sin dilación, después.

LUENGO-GA. adj. Largo.

LUGAR. m. Paraje. Población menor que villa.

LUGAREJO. m. dim. de Lugar.

LUGAREÑO-ÑA. adj. s. De una población pequeña.

LUGARTENENCIA. f. Cargo de lugarteniente.

LUGARTENIENTE. m. El que sustituye a otro en un cargo.

LUGE. m. Dep. Trineo pequeño, usado en Suiza.

LUGRE. m. Embarcación pequeña de tres palos.

LÚGUBRE. adj. Triste, funesto.

LUICIÓN. f. Redención de censos.

LUIR. tr. Redimir censos.

LUIS. m. Moneda de oro, francesa.

LUISA. f. Planta aromática y medicinal.   [Fausto.

LUJO. m. Exceso en pompa y regalo.

LUJOSAMENTE. adv. m. Con lujo.

LUJOSO-SA. adj. Que tiene o gasta lujo.   [nado.

LUJURIA. f. Apetito carnal desorde-

LUJURIANTE. p. a. de Lujuriar. Que lujuria. adj. Lozano y con excesiva abundancia.

LUJURIAR. intr. Cometer pecado de lujuria.   [juria.

LUJURIOSO-SA. adj. s. Dado a la lu-

LULISMO. m. Sistema filosófico de Raimundo Lulio.   [lomos.

LUMBAGO. m. Dolor reumático de los

LUMBAR. adj. Relativo al lomo.

LUMBRADA. f. Fogata grande.

LUMBRE. f. Luz. Materia incandescente encendida.

LUMBRERA. f. Cuerpo que despide luz. Persona insigne.

LUMBRICAL. adj. Cada uno de los cuatro músculos que en las manos y pies mueven los dedos menos el pulgar.

LUMEN. m. Fís. Unidad de flujo luminoso.

LUMIA. f. Ramera.

LUMINAR. m. Astro luminoso.

LUMINARIA. f. Iluminación.

LUMÍNICO. m. Relativo a la luz.

LUMINISCENCIA. f. Propiedad de emitir una débil luz, sin calor.

LUMINOSO-SA. adj. Que despide luz.

LUMINOTECNIA. f. Arte de la iluminación con luz artificial para fines industriales o artísticos.

LUNA. f. Satélite de la Tierra. Cristal de un espejo.

LUNACIÓN. f. Tiempo entre dos conjunciones de la Luna con el Sol.

LUNAR. adj. Relativo a la Luna. m. Mancha en el cutis.

LUNÁTICO-CA. adj. s. Que padece locura intermitente.

LUNCH. m. Refacción ligera.

LUNES. m. Segundo día de la semana.

LUNETA. f. Lente de anteojo.

LUNETO. m. Bovedilla para dar luz a la bóveda principal.

LUPA. f. Lente de aumento.

LUPANAR. m. Mancebía.

LUPIA. f. Lobanillo.

LÚPULO. m. Planta canabiácea trepadora cuyo fruto, desecado, se usa para dar sabor a la cerveza.

LUPUS. m. Enfermedad cutánea de origen tuberculoso.

LUQUETE. m. Rodaja de limón o naranja, que se echa en el vino.

LUSITÁNICO-CA. adj. Perteneciente o relativo a los lusitanos.

LUSITANO-NA. adj. s. Portugués.

LUSITANISMO. m. Giro de la lengua portuguesa.

LUSTRACIÓN. f. Acto de lustrar.

LUSTRAR. tr. Dar lustre. Bruñir.

LUSTRE. m. Brillo de las cosas tersas y pulidas. Esplendor.

LUSTRINA. f. Tela vistosa de seda mezclada con oro y plata.

LUSTRO. m. Espacio de cinco años.

LUSTROSO-SA. adj. Que tiene lustre.

LÓTEO-A. adj. De lodo.   tero.

LUTERANISMO. m. Doctrina de Lu-

LUTERANO. adj. s. Que profesa la doctrina de Lutero.

LUTO. m. Duelo por la muerte de alguien.

LUX. f. Fís. Unidad de iluminación en el sistema M. T. S.

LUXACIÓN. f. Dislocación de un hueso.

LUZ. f. Energía que ilumina las cosas. Llama.

LUZBEL. m. Lucifer.

LL. f. Elle. Décimocuarta letra del alfabeto español.

LLÁBANA. f. Ast. Laja tersa y resbaladiza.

LLACA. f. Especie de zarigüeya de Chile y la Argentina, de pelo ceniciento y con una mancha negra sobre cada ojo.

LLAGA. f. Úlcera. Infortunio.

LLAGAR. tr. Hacer, causar llagas.

LLAMA. f. Masa gaseosa en combustión. Mamífero camélido propio de Sudamérica.

LLAMADA. f. Llamamiento, señal. Toque militar.

LLAMADERA. f. Aguijada del boyero.

LLAMADO. m. Llamamiento.

LLAMADOR-RA. adj. El que llama. m. Aldaba.

LLAMAMIENTO. m. Acto de llamar.

LLAMAR. tr. Dar voces a uno para que venga. Convocar.

LLAMARADA. f. Llama momentánea.

LLAMARGO. m. Turbera encharcada.

LLAMARÓN. m. Colomb. y Chile. Llamarada.

LLAMATIVO-VA. adj. m. Que excita la sed. Que llama la atención.

LLAMAZAR. m. Terreno pantanoso.

LLAMBRÍA. f. Plano muy inclinado de una roca.

LLAME. m. Chile. Lazo o trampa para cazar pájaros.

LLAMEANTE. p. a. de Llamear. Que llamea.

LLAMEAR. intr. Echar llamas.

LLANA. f. Herramienta para extender yeso o argamasa.

LLANADA. f. Llanura.

LLANAMENTE. adv. Con sencillez.

LLANCA. f. Chile. Mineral de cobre de color verde azulado.

LLANERO-RA. adj. Habitante de la llanura.

LLANEZA. f. fig. Sencillez, moderación.

LLANISCO-CA. adj. Natural de Llanes, Asturias.

LLANO-NA. adj. De forma plana, sin altos ni bajos.

LLANTA. f. Cerco de hierro de la rueda.

LLANTEAR. intr. tr. Llorará. Plañir.

LLANTÉN. m. Hierba plantaginácea, medicinal.

LLANTERA. f. fam. Llorera.

LLANTINA. f. fam. Llorera.

LLANTO. m. Efusión de lágrimas.

LLANURA. f. Igualdad de una superficie. Meseta o altiplanicie.

LLAPA. f. Min. Yapa.

LLAR. m. Fogón. f. pl. Cadena pendiente en el cañón de la chimenea para colgar la caldera.

LLATAR. m. Cercado de troncos.

LLAUPANGUE. m. Planta que cultivan en los jardines de Chile, y cuya raíz contiene bastante tanino.

LLAVE. f. Instrumento con guardas acomodadas a una cerradura para abrirla y cerrarla. Clave, defensa.

LLAVERO-RA. s. Quien guarda las llaves. m. Anillo en que se traen.

LLAVÍN. m. Llave pequeña con que se abre el picaporte.

LLECO-CA. adj. Tierra que no se ha labrado nunca.

LLEGADA. f. Acto de llegar.

LLEGAR. intr. Venir, arribar de un sitio a otro. Importar.

LLENA. f. Crecida de un río.

LLENADOR-RA. adj. Chile. Alimento o bebida que produce pronto hartura o saciedad.

LLENAR. tr. Ocupar un espacio vacío. Ocupar dignamente un lugar o empleo.

LLENERO-RA. adj. Cumplido, cabal, pleno.

LLENO-NA. adj. Ocupado o henchido de otra cosa. m. Hablando de la Luna, plenilunio. Concurrencia que ocupa todas las localidades en un espectáculo.

LLERADO. m. Pedregal en las orillas de los ríos y mar.

LLETA. f. Tallo recién nacido de una planta.

LLEVA. f. Llevada.

LLEVADERO-RA. adj. Tolerable, fácil de sufrir.

LLEVAR. tr. Conducir de una parte a otra. Guiar, cobrar.

LLORADERA. f. despect. Acción de llorar mucho con motivo liviano.

LLORADOR-RA. adj. Que llora.

LLORAR. intr. r. Derramar lágrimas. Destilar licor las plantas.

LLOREDO. m. Lauredal.

LLORERA. f. Lloro continuado y fuerte.

LLORIQUEAR. tr. Gimotear.

LLORIQUEO. m. Gimoteo.

LLORO. m. Acción de llorar. Llanto.

LLORÓN-NA. adj. Que llora mucho o fácilmente.

LLORONA. f. Plañidera.

LLOROSO-SA. adj. Que muestra haber llorado.

LLOSA. f. Ast. Terreno labrantío cercado y próximo a la casa a que pertenece.

LLOVEDIZO-ZA. adj. Techo defectuoso, que deja pasar el agua.

LLOVER. intr. Caer agua de las nubes.

LLOVIDO. m. Polizón, el que se embarca clandestinamente.

LLOVIZNA. f. Lluvia menuda.

LLOVIZNAR. itr. Caer llovizna.

LLUBINA. f. Lubina.

LLUECA. adj. Clueca.

LLUVIA. f. Acción de llover. Agua que cae de las nubes.

LLUVIOSO-SA. adj. Dícese del tiempo o país en que llueve mucho.

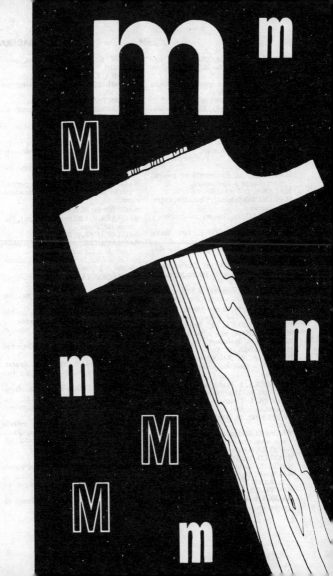

M. f. Eme. Décimoquinta letra y duodécima consonante del alfabeto español.

MACA. f. Señal que queda en la fruta por un daño recibido.

MACABEOS. m. Familia hebrea.

MACABRO-BRA. adj. Repulsivo como la muerte.

MACACA. f. Hembra del macaco.

MACACO. m. Mono catirrino con callosidades isquiáticas.

MACADAM. m. Macadán.

MACADAMIZAR. tr. Pavimentar con macadán.

MACADÁN. m. Pavimento de piedras machacadas y apisonadas.

MACANA. f. Porra. Broma.

MACANUDO-DA. adj. Chocante, extraordinario.

MACARELO. m. Hombre pendenciero y camorrista.

MACARENO-NA. adj. s. fam. Majo, guapetón.

MACARRÓN. m. Pasta de harina formando canutos.

MACARRÓNICO-CA. adj. Dícese del latín defectuoso, o de lenguaje vulgar incorrecto.

MACARSE. r. Empezar a pudrirse las frutas.

MACEADOR. m. El que macea.

MACEAR. tr. Dar golpes con el mazo.

MACEDÓNICO-CA. adj. Macedcnio.

MACEDONIO-A. adj. s. De Macedonia.

MACELO. m. Matadero.

MACERACIÓN. f. Acción de macerar.

MACERAR. tr. Ablandar algo estrujándolo o teniéndolo sumergido en un líquido.

MACERINA. f. Mancerina.

MACERO. m. Quien lleva la maza.

MACETA. f. Tiesto en que se siembran flores.

MACETERO. m. Pie para colocar macetas.

MACFARLÁN. m. Gabán sin mangas y con esclavina.

MACILENTO-TA adj. Flaco, triste.

MACILLO. m. Pieza del piano.

MACIS. f. Corteza de nuez moscada.

MACIPAR. tr. Rellenar bien apretado un hueco.

MACIZO-ZA. adj. s. Relleno, sólido.

MACOLLA. f. Conjunto de granos nacidos de un mismo grano.

MACÓN. m. Entre colmeneros, panal sin miel.

MACONA. f. Banasta grande.

MACROBIÓTICA. f. Arte de vivir muchos años.

MACROCOSMOS. m. El Universo.

MACUACHE. m. Indio mejicano, sin cultura.

MACUBA. f. Tabaco muy aromático de La Martinica.

MÁCULA. f. Mancha.

MACULAR. tr. Manchar, poner sucia una cosa.

MACULATURA. f. Impr. Pliego mal impreso.

MACUQUERO. m. El que sin permiso extrae metales de minas abandonadas.

MACUTO. m. Morral.

MACHACA. f. Útil para machacar. Persona fastidiosa.

MACHACADERA. f. Machaca.

MACHACANTE. m. Soldado destinado a servir a un sargento.

MACHACAR. tr. Quebrantar, desmenuzar a golpes.

MACHACÓN-NA. adj. s. Importuno, pesado.

MACHETAZO. m. Golpe dado con machete.

MACHETE. m. Arma corta de un filo.

MACHETEAR. tr. Dar machetazos.

MACHETERO. m. Quien abre paso en un bosque con machete.

MACHIEGA. adj. Dícese de la abeja reina.

MACHIHEMBRAR. tr. Carp. Ensamblar a caja y espiga o ranura y lengüeta.

MACHINA. f. Cabria del puerto. Martinete.

MACHO. m. Animal de sexo masculino. Mulo. Mazo de herrero.

MACHORRA. f. fam. Hembra estéril.

MACHUCAR. tr. Maltratar, magullar.

MACHUCHO-CHA. adj. Sosegado, juicioso.

MADAMA. f. Dama, señora.

MADAPOLÁN. m. Cierto percal blanco fino.

MADEJA. f. Manojo de hilo recogido en vueltas iguales.

MADERA. f. Parte sólida y fibrosa de los árboles.

MADERABLE. f. Conjunto de maderas que se transporta por un río.

MADERAJE. m. Conjunto de vigas y maderas de una construcción de madera.

MADERERÍA. f. Lugar donde se recoge la madera para su venta.

MADERERO-RA. adj. Relativo a la industria de la madera. El que trata en una madera.

MADERO. m. Pieza larga de madera, en rollo o en escuadra.

MADONA. f. Nombre que se da en Italia a la Virgen María.

MADOR. m. Ligera humedad parecida al sudor.

MADRAS. m. Tejido fino, con dibujos multicolores, para visillos.

MADRASTRA. f. Consorte del padre respecto a los hijos de éste.

MADRAZA. f. fam. Madre muy condescendiente con sus hijos.

MADRE. f. Hembra que ha parido. Título de las religiosas.

MADREARSE. m. Ahilarse la levadura, el vino, etc.

MADRECILLA. f. Ovario de las aves.

MADREÑA. f. Zueco.

MADREPERLA. f. Ostra que tiene perlas.

MADRÉPORA. f. Pólipo que forma un polípero pétreo y arborescente.

MADRESELVA. f. Planta caprofoliácea de flor olorosa.

MADRIGAL. m. Poét. Composición lírica breve, amorosa.

MADRIGUERA. f. Cueva en que viven animales.

MADRILEÑO-ÑA. adj. s. De Madrid.

MADRILLA. f. Boga.

MADRINA. f. Mujer que presenta o asiste a otra persona que recibe un sacramento.

MADRINAZGO. m. Acto de asistir como madrina.

MADRONCILLO. m. Fresa, fruto.

MADROÑAL. f. Sitio poblado de madroños.

MADROÑO. m. Arbusto ericáceo. Su fruto esférico, comestible.

MADRUGADA. f. El alba. Acción de madrugar.

MADRUGADOR-RA. adj. El que tie costumbre de madrugar.

MADRUGAR. intr. Levantarse al amanecer o muy temprano.

MADRUGÓN. adj. Madrugador. m. Madrugada grande.

MADURACIÓN. f. Acción de madurar.

MADURADERO. m. Sitio a propósito para madurar las frutas.

MADURAR. tr. Hacer maduro. Meditar. Supurar un tumor.

MADUREZ. f. Sazón de los frutos. Prudencia. Edad adulta.

MADURO-RA. adj. Que está sazonado. Juicioso. Entrado en años.

MAESE CORAL. m. Juego de manos de los prestidigitadores.

MAESILLA. f. Cordel usado en pasamanería.

MAESTRA. f. Mujer que enseña.

MAESTRAL. m. Viento del NO.

MAESTRANTE. m. Caballero de la maestranza.

MAESTRANZA. f. Sociedad de caballeros. Talleres en que se componen piezas de artillería.

MAESTRAZGO. m. Dignidad o territorio del maestre.

MAESTRE. m. Superior de una orden militar.

MAESTRESALA. m. Criado principal que asistía a la mesa.

MAESTRESCUELA. m. Dignatario de algunas catedrales.

MAESTRÍA. f. Destreza. Título de maestro.

MAESTRIL. m. Celdilla en que se convierte en insecto la larva de abeja maestra.

MAESTRO-A. adj. De mérito. s. Quien enseña. Director de un taller u obra.

MAFFIA. f. Asociación secreta italiana, especialmente siciliana.

MAGALLÁNICO-CA. adj. Relativo a Magallanes.

MAGANCERÍA. f. Engaño, trapacería.

MAGANEL. m. Antigua máquina militar para derribar murallas.

MAGANTO-TA. adj. Triste.

MAGAÑA. f. Ardid. Artill. Defecto del alma del cañón.

MAGARZUELA. f. Manzanilla hedionda.

MAGDALENA. f. Bollo pequeño.

MAGDALEÓN. m. Far. Rollito de un emplasto.

MAGIA. f. Ciencia de hacer cosas extraordinarias. Hechizo.

MAGIAR. adj. s. Dícese de un pueblo de Hungría.

MÁGICO-CA. adj. Relativo a la magia. Maravilloso.

MAGÍN. m. Imaginación.

MAGISMO. m. Religión de los magos.

MAGISTERIO. m. Profesión de maestro. Conjunto de maestros.

MAGISTRADO. m. Sujeto investido de alta autoridad civil.

MAGISTRAL. m. Relativo al magisterio. Hecho con maestría.

MAGISTRALÍA. f. Canonjía magistral.

MAGISTRALMENTE. adv. m. Con maestría.

MAGISTRATURA. f. Dignidad de magistrado. Tiempo que dura.

MAGMA. f. Masa viscosa de materias en fusión.

MAGNANIMIDAD. f. Grandeza de ánimo.

MAGNÁNIMO-MA. adj. Que tiene magnanimidad.

MAGNATE. m. Persona ilustre y principal.

MAGNESIA. f. óxido de magnesio, terroso, blanco.

MAGNÉSICO-CA. adj. Relativo al magnesio.

MAGNESIO. m. Metal de aspecto semejante a la plata, arde con facilidad.

MAGNESITA. f. Espuma de mar.

MAGNÉTICO-CA. adj. Relativo al imán.

MAGNETISMO. m. Fuerza de atracción de un imán.

MAGNETITA. f. óxido ferroso-férrico, que atrae al hierro.

MAGNETIZAR. tr. Convertir en imán a un cuerpo.

MAGNETO. m. Generador eléctrico.

MAGNETÓFONO. m. Registrador de reproducción del sonido por magnetización.

MAGNIFICAR. tr. Engrandecer, ensalzar.

MAGNÍFICAT. m. Cántico de la Vírgen.

MAGNIFICENCIA. f. Gran liberalidad. Ostentación.

MAGNÍFICO-CA. adj. Espléndido, suntuoso.

MAGNITUD. f. Tamaño o cantidad de un cuerpo.

MAGNO-A. adj. Grande.

MAGNOLIA. f. Árbol magnoliáceo de jardín.

MAGO-A. adj. s. Que ejerce la magia. Reyes Magos.

MAGOSTO. m. Hoguera para asar castañas.

MAGRA. f. Lonja de jamón.

MAGREZ. f. Calidad de magro.

MAGRO-A. adj. Flaco y enjuto. De poca grosura.

MAGUILLO. m. Manzano silvestre.

MAGULLADURA. m. Acción de magullar.

MAGULLAMIENTO. m. Acto de magullar.

MAGULLAR. tr. Causar contusión.

MAHARAJÁ. m. Rajá indio.

MAHERIR. tr. Señalar, prevenir.

MAHOMETANO-NA. adj. s. Que profesa el mahometismo.

MAHOMETISMO. m. Religión monoteísta de Mahoma.

MAHON. m. Tela fuerte de algodón.

MAHONA. f. Embarcación turca.

MAHONESA. f. Salsa hecha con huevo y aceite.

MAICILLO. m. Planta gramínea.

MAIDO. m. Maullido.

MAIMÓN. m. Mono de cola larga.

MAIMONISMO. m. Sistema filosófico de Maimónides.

MAITINADA. f. Alborada.

MAITINES. m. pl. Primera de las horas del oficio divino.

MAÍZ. m. Planta gramínea, de flor masculina en racimo y femenina en espiga.

MAIZAL. m. Terreno sembrado maíz.

MAJADA. f. Sitio en que se recoge de noche el ganado y los pastores.

MAJADEAR. intr. Hacer noche el ganado en la majada.

MAJADERÍA. f. Dicho o hecho necio.

MAJADERILLO. m. Bolillo.

MAJADERO-RA. adjs. Necio.

MAJADOR-RA. adj. Que maja.

MAJAL. m. Banco de peces. tunar.

MAJANO. m. Montón de cantos sueltos.

MAJAR. tr. Machacar, molestar, importunar.

MAJESTAD. f. Grandeza, magnificencia. Título dado a Dios y a los soberanos.

MAJESTUOSIDAD. f. Calidad de majestuoso.

MAJESTUOSO-SA. adj. Que tiene majestad.

MAJEZA. f. Calidad de majo.

MAJO-A. adj. Que afecta guapez y libertad. Lujoso.

MAJOLAR. m. Sitio poblado de majuelos.

MAJORCA. f. Mazorca.

MAJUELA. f. Fruto de majuelo. Correa con que se atan los zapatos.

MAJUELO. m. Espino de flor blanca de fruto rojo. Viña nueva que da fruto.

MAJZÉN. m. Gobierno superior de Marruecos.

MAKI. m. Mamífero lemúrido de cola larga.

MAL. adj. Apócope de malo. Dolencia. Contrario a lo debido.

MALA. f. Valija del correo en Francia. Segundo triunfo en el tresillo.

MALABARISMO. m. Ejercicios de equilibrio, agilidad y destreza.

MALABARISTA. com. Quien hace juegos malabares.

MALACATE. m. Cabrestante movido por una caballería.

MALACIA. f. Med. Perversión del apetito.

MALACITANO-NA. adj. Malagueño.

MALACOLOGÍA. f. Parte de la zoología que trata de los moluscos.

MALACONSEJADO-DA. adj. Que obra torpemente.

MALACOPTERIGIO. s. Peces de esqueleto óseo sin aletas abdominales.

MALACOSTUMBRADO-DA. adj. Que tiene malos hábitos.

MALAGUEÑA. f. Aire popular parecido al fandango.

MALAGUEÑO-ÑA. adj. Natural de Málaga.

MALAGUETA. f. Fruto de árbol tropical usado como especia.

MALAMENTE. adv. m. Mal.

MALANDANTE. adj. Desafortunado.

MALANDANZA. f. Desgracia.

MALANDRÍN-NA. adj. Perverso, maligno.

MALAQUITA. f. Carbonato de cobre, verde concrecionado.

MALAR. adj. Relativo a la mejilla.

MALARIA. f. Paludismo.

MALATERÍA. f. Antiguo hospital de leprosos.

MALATÍA. f. Lepra.

MALATO-TA. adj. Leproso.

MALAVENTURA. f. Infortunio, desventura.

MALAVENTURADO-DA. adj. Infeliz, desgraciado.

MALAVENTURANZA. f. Infortunio.

MALAYO-YA. adj. Naturales de Malaca.

MALBARATAR. tr. Vender a bajo precio, disipar.

MALCARADO-DA. adj. Que tiene mala cara.

MALCASADO-DA. adj. De los casados mal avenidos.

MALCASO. m. Traición.

MALCOMER. intr. Comer poco o mal.

MALCOMIDO-DA. adj. Poco alimentado.

MALCONTENTO-TA. adj. Descontento, rebelde.

MALCORTE. m. Saque ilegal de leña en monte alto.

MALCRIADO-DA. adj. Falta de educación, descortés.

MALCRIAR. tr. Educar mal.

MALDAD. f. Calidad de malo. Acto malo.

MALDECIR. tr. Echar maldiciones. intr. Denigrar.

MALDICIENTE. adj. s. Murmurador, detractor.

MALDICIÓN. f. Acto de maldecir. Imprecación.

MALDISPUESTO-TA. adj. Indispuesto. Sin buena disposición de ánimo.

MALDITO-TA. adj. Perverso, de mala intención.

MALEABILIDAD. f. Calidad de maleable.

MALEABLE. adj. Que puede extenderse en láminas.

MALEANTE. adj. Que malea, perverso. Ladrón.

MALEAR. tr. Dañar, pervertir.

MALECÓN. m. Murallón para defensa contra las aguas.

MALEDICENCIA. f. Acto de maldecir. Detracción, murmuración.

MALEFICENCIA. f. Hábito de hacer mal.

MALEFICIAR. tr. Causar daño.

MALEFICIO. m. Hecho o daño causado con él.

MALÉFICO-CA. adj. Que hace maleficios o causa daño.

MALEOLAR. adj. Zool. Relativo al maleólo.

MALEÓLO. m. Tobillo.

MALESTAR. m. Incomodidad, desazón, indisposición.

MALETA. f. Cofre de mano para viaje.

MALETERO. m. Quien hace o vende maletas. Mozo de equipajes.

MALETÍN. m. Maleta pequeña de viaje.

MALEVOLENCIA. f. Mala voluntad.

MALÉVOLO-A. adj. Inclinado a hacer mal.

MALEZA. f. Espesura de plantas y árboles. Abundancia.

MALGACHE. adj. Natural de Madagascar.

MALGAMA. f. Quim. Amalgama.

MALGASTADOR-RA. adj. Que malgasta.

MALGASTAR. tr. Gastar en cosas inútiles.

MALHABLADO-DA. adj. Desvergonzado en el hablar.

MALHADADO-DA. adj. Infeliz, desventurado.

MALHECHOR. adj. Que comete delitos.

MALHERIR. tr. Herir de gravedad.

MALHOJO. m. Desperdicios de plantas.

MALHUMORADO-DA. adj. Que tiene mal humor. Que lo está.

MALHUMORAR. tr. Poner a uno de mal humor.

MALICIA. f. Maldad, perversidad. Calidad de malo. Recelo.

MALICIADOR-RA. adj. Que malicia.

MALICIAR. tr. Sospechar. Recelar. Pensar con malicia.

MALICIOSO-SA. adj. Que contiene malicia. Que piensa con malicia.

MALIGNAR. tr. Viciar, inficionar.

MALIGNIDAD. f. Calidad de maligno.

MALIGNO-NA. adj. Propenso a pensar u obrar mal. Perniciosa, nocivo.

MALILLA. f. Juego de napes, en que la carta superior o malilla es para cada palo el nueve.

MALINTENCIONADO-DA. adj. s. Que tiene mala intención. dece.

MALMANDADO-DA. adj. Que no obedece.

MALO-A. adj. Falto de bondad. Propenso al mal. Enfermo.

MALOGRAR. tr. Desaprovechar una cosa. r. Frustrarse algo.

MALOGRO. m. Efecto de malograrse algo.

MALOLIENTE. adj. Que huele mal.

MALÓN. m. Felonía inesperada.

MALOQUERO-RA. adj. Algarero, salteador.

MALPARADO-DA. adj. Que ha sufrido gran menoscabo.

MALPARAR. tr. Poner en mal estado.

MALPARTO. m. Aborto.

MALPIGIACEO. s. Árbol dicotiledóneo americano.

MALQUERENCIA. f. Aversión, mala voluntad.

MALQUERER. tr. Tener mala voluntad.

MALQUISTAR. tr. Enemistar una persona ccn otra.

MALQUISTO-TA. adj. Que está mal con alguien.

MALROTADOR-RA. adj. Que malrota.

MALROTAR. tr. Malgastar, disipar.

MALSANO-NA. adj. Malo para la salud.

MALSÍN. m. Soplón, pícaro, bellaco.

MALSONANTE. adj. Que suena mal. Contrario a la decencia.

MALSUFRIDO-DA. adj. Que tiene poco sufrimiento.

MALTA. m. Cebada germinada artificialmente para fabricar cerveza. Cebada o trigo tostado.

MALTASA. f. Fermento que transforma la maltosa en glucosa.

MALTOSA. f. Disacárido formado por dos moléculas de glucosa.

MALTRAPILLO. m. Pilluelo mal vestido.

MALTRATAR. tr. Tratar mal, menoscabar.

MALTRECHO. adj. Malparado, maltratado.

MALTUSIANISMO. m. Teoría de Malthus, sobre el crecimiento de la población.

MALTUSIANO-NA. adj. Partidario de las teorías de Malthus.

MALVA. f. Planta de flor violácea usada en infusión.

MALVÁCEO-CEA. adj. Plantas de flores con brácteas formando un sobre cáliz.

MALVADAMENTE. adv. m. con maldad.

MALVADO-DA. adj. Perverso.

MALVAR. m. Sitio poblado de malvas.

MALVARROSA. f. Bot. Malvaloca.

MALVASÍA. f. Uva dulce. Vino hecho con ella.

MALVAVISCO. m. Planta malvácea de raíz emoliente.

MALVENDER. tr. Vender a bajo precio.

MALVERSACIÓN. f. Acción de malversar.

MALVERSADOR-RA. adj. Que malversa.

MALVERSAR. tr. Hacer uso ilícito de caudales ajenos.

MALVEZAR. tr. Acostumbrar mal.

MALVIVIR. intr. Vivir mal.

MALVIS. m. Tordo de plumaje verde, manchado de negro y rojo.

MALLA. f. Cuadrilátero que forma el tejido de la red.

MALLAR. intr. Hacer malla.

MALLO. m. Mazo. Juego de bolas.

MALLERO. m. El que hace malla.

MALLORQUÍN-NA. adj. s. de Mallorca.

MAMA. f. Anat. Teta.

MAMÁ. f. fam. Madre.

MAMADA. f. fam. Acto de mamar.

MAMADERA. f. Aparato para descargar el pecho de la mujer.

MAMANTÓN-NA. adj. Que mama todavía.

MAMAR. tr. Chupar la leche de los pechos con los labios.

MAMARIO-RIA. adj. Perteneciente a las mamas.

MAMARRACHO. m. Figura o cosa ridícula. Hombre informal.

MAMBRÚ. m. Mar. Chimenea del fogón de los buques.

MAMELUCO. m. Soldado egipcio. Hombre necio.

MAMELLA. f. Apéndices largos y ovalados en el cuello de algunos animales.

MAMEY. m. Árbol americano. Su fruto.

MAMÍFERO-RA. s. Animales vertebrados cuyas hembras tienen glándulas mamarias.

MAMITIS. f. Med. Inflamación de las mamas.

MAMOLA. f. Caricia debajo de la barba.

MAMÓN-NA. adj. s. Que aún mama.

MAMOTRETO. m. Libro muy voluminoso.

MAMPARA. f. Cancel movible.

MAMPARO. m. Tabique que divide dos compartimentos en un buque.

MAMPORRO. m. Golpe que hace poco daño.

MAMPOSTEAR. tr. Arq. Trabajar en mampostería.

MAMPOSTERÍA. f. Obra de piedras pequeñas y argamasa.

MAMPRESAR. tr. Empezar a domar las caballerías.

MAMPUESTA. f. Hilada de mampuesta.

MAMPUESTO. m. Material usado en mampostería.

MAMUT. m. Elefante fósil de la era cuaternaria.

MANÁ. m. Alimento milagroso de los israelitas en el desierto.

MANADA. f. Rebaño pequeño, cuadrilla.

MANANTIAL. m. Nacimiento de aguas. Origen de algo.

MANAR. intr. r. Brotar un líquido. Abundar.

MANATÍ. m. Mamífero sirenio herbívoro.

MANCAR. tr. r. Lisiar, estropear las manos.

MANCEBA. f. Concubina.

MANCEBIA. f. Casa de rameras. Mocedad.

MANCEBO. m. Mozo joven. Dependiente. Soltero.

MANCER. m. Hijo de prostituta.

MANCERA. f. Esteva del arado.

MANCERINA. f. Plato con abrazadera donde se sujeta la jícara del chocolate.

MANCILLA. f. Mancha, deshonra.

MANCILLADO-DA. adj. Bastardo.

MANCILLAR. tr. Amancillar.

MANCIPAR. tr. Sujetar, hacer esclavo.

MANCO-CA. adj. s. Falto de un brazo o de su uso.

MANCOMUNAR. tr. r. Unir dos o más cosas para algo.

MANCOMUNIDAD. f. Acción de mancomunar.

MANCORNAR. tr. Atar reses por los cuernos.

MANCUERDA. f. Tormento a base de ligaduras y una rueda.

MANCUERNA. f. Paraje de animales mancornados.

MANCHA. f. Señal que una cosa deje en un cuerpo, ensuciándolo. fig. Tacha, estigma.

MANCHADO-DA. adj. Que tiene manchas.

MANCHAR. tr. r. Hacer manchas.

MANCHEGO-GA. adj. s. De la Mancha.

MANCHÚ. adj. s. De la Manchuria.

MANDA. f. Oferta. Legado.

MANDADERA. s. Demandadero.

MANDADO. m. Mandamiento, comisión.

MANDAMIENTO. m. Orden de un superior.

MANDAR. tr. Ordenar. Legar. Enviar.

MANDARÍN. m. Gobernador en China.

MANDARINA. adj. Lengua sabia de la China. Naranja.

MANDATARIO-RIA. s. Persona a quien se hace una manda o acepta un contrato de mandato.

MANDATO. m. Orden o precepto. Encargo.

MANDÍBULA. f. Quijada.

MANDIL. m. Delantal tosco. Insignia de los masones.

MANDILAR. tr. Limpiar el caballo con un paño o mandil.

MANDILETE. m. Pieza de la armadura que protegía la mano.

MANDIOCA. f. Arbusto americano de cuya raíz se extrae almidón, harina y tapioca.

MANDO. m. Autoridad del superior. Persona que lo tiene.

MANDOBLE. m. Golpe dado con el arma cogida con las dos manos.

MANDOLINA. f. Mús. Instrumento de cuerda.

MANDÓN-NA. adj. s. Que manda más de lo que debe.

MANDRÁGORA. f. Planta solanácea, flor en forma de campana y fruto en baya.

MANDRIA. adj. s. Pusilánime.

MANDRIL. m. Mono catirrino cinoformo.

MANDRÓN. m. Proyectil de guerra antiguo.

MANDUCAR. tr. intr. Comer.

MANDUCATORIA. f. fam. Comida.

MANEA. f. Maniota.

MANEAR. tr. Poner maniotas.

MANECILLA. f. Broche para cerrar los libros. Saeta de reloj.

MANEJABLE. adj. Que se maneja fácilmente.

MANEJAR. tr. r. Traer entre manos. Gobernar.

MANEJO. m. Acto de manejar.

MANERA. f. Forma de hacer algo. pl. Modales.

MANERO-RA. adj. Azor o halcón amaestrado.

MANES. f. pl. Mit. Dioses infernales.

MANFLORITA. m. Barbarismo por hermafrodita.

MANGA. f. Parte del vestido que cubre el brazo. Tubo largo y flexible. Anchura del buque.

MANGANESA. f. Peróxido de manganeso.

MANGANESO. m. Metal duro de brillo acerado muy oxidable.

MANGANILLA. f. Treta. Varitero.

MANGLAR. m. Sitio poblado de mangles.

MANGLE. m. Arbusto rizofocáceo de raíces aéreas.

MANGO. m. Parte por donde se coge un instrumento.

MANGONADA. f. Golpe que se da con el brazo y la manga.

MANGONEAR. intr. Entremeterse. Mandar.

MANGONEO. m. Acción de mangonear.

MANGORRERO-RA. adj. Que anda entre las manos. Inútil.

MANGOSTA. f. Mamífero vivérrido carnicero.

MANGOTE. m. Mangas postizas que usan algunos oficinistas.

MANGUAL. m. Arma antigua.

MANGUERA. f. Manga de bomba o de riego.

MANGUERO. m. Quien maneja las mangas de las bombas.

MANGUITA. f. Funda.

MANGUITERÍA. f. Peletería.

MANGUITO. m. Rollo de papel, abierto en sus extremos para abrigar las manos.

MANÍ. m. Cacahuete.

MANÍA. f. Trastorno mental. Extravagancia. Ojeriza.

MANÍACO-CA. adj. s. Que padece manía.

MANIALBO-BA. adj. Se dice del caballo o yegua calzados de ambas manos.

MANIATAR. tr. Atar las manos.

MANIÁTICO-CA. adj. s. Que padece manías.

MANICOMIO. m. Hospital de enfermos mentales.

MANICURO-RA. s. Quien por su oficio cuida las manos.

MANIDO-DA. adj. Sobado. Pasado de sazón.

MANIEGO-GA. adj. Ambidiestro.

MANIFACERO-RA. adj. Revoltoso, y que se mete en todo.

MANIFESTACIÓN. f. Acto de manifestar. Demostración pública.

MANIFESTANTE. com. Que toma parte en una manifestación.

MANIFESTAR. tr. r. Dar a conocer algo. Descubrir.

MANIFIESTO-TA. adj. Patente. m. Alocución escrita.

MANIGUA. f. Terreno de la isla de Cuba cubierto de maleza.

MANIGUETA. m. Manija, mango.

MANIJA. f. Mango, puño o manubrio.

MANIJERO. m. El encargado de contratar obreros para el campo.

MANILARGO-GA. adj. Que tiene largas las manos.

MANILUVIO. m. Baño medicinal de las manos.

MANILLA. f. Grillete para las muñecas. Pulsera.

MANIOBRA. f. Operación con las manos. Evolución de las tropas.

MANIOBRAR. intr. Hacer maniobras.

MANIOTA. f. Cuerda para trabar las manos de un animal.

MANIPULACIÓN. f. Acción de manipular.

MANIPULADOR-RA. adj. s. Que manipula. Aparato telegráfico transmisor.

MANIPULAR. tr. Trabajar con las manos. Manejar aparatos o negocios.

MANÍPULO. m. Ornamento sagrado.

MANIQUEISMO. m. Secta de los maniqueos.

MANIQUEO-A. adj. s. Sectario del maniqueismo. Relativo a él.

MANIQUÍ. m. Figura articulada que se puede poner en varias actitudes.

MANIR. tr. Dejar que se ablande la carne antes de guisarla.

MANIRROTO-TA. adj. s. Pródigo, derrochador.

MANIVELA. f. Mec. Manubrio, cigüeñal.

MANJAR. m. Cualquier cosa comestible.

MANO. f. Parte del brazo desde la muñeca al extremo de los dedos.

MANOBRERO. m. Operario que trabaja en las acequias.

MANOJO. m. Haz que se puede coger de una vez con la mano.

MANOLO-LA. s. Mozo o moza del pueblo bajo de Madrid.

MAMÓMETRO. m. Fís. Aparato para medir la presión de los gases.

MANOPLA. f. Pieza que guarnece la mano de la armadura.

MANOSEAR. tr. Tocar mucho con las manos.

MANOTADA. f. Manotazo. m. Golpe con la mano.

MANOTAZO. m. Manotada.

MANOTEAR. tr. Dar manotadas. intr. Agitar las manos.

MANOTÓN. m. Manotada.

MANQUEDAD. f. Falta de mano o brazo o de su uso.

MANSALINO-NA. adj. Muy grande, extraordinario.

MANSALVA (A). m. adv. Sin peligro.

MANSAMENTE. adv. m. Con mansedumbre.

MANSEDUMBRE. f. Suavidad, benignidad de carácter.

MANSEJÓN-NA. adj. Animal muy manso.

MANSIÓN. f. Detención, estancia.

MANSO-SA. adj. Suave, apacible, tranquilo, sosegado.

MANSURRÓN-NA. adj. fam. Manso con exceso.

MANTA. f. Rectángulo de tejido grueso y tupido para abrigo.

MANTEAR. tr. Hacer saltar en el aire a alguien con una manta.

MANTECA. f. Gordura de un animal. Sbustancia crasa de la leche.

MANTECADA. f. Rebanada de pan untada con mantequilla.

MANTECADO. m. Bollo amasado con manteca. Sorbete de leche.

MANTECOSO-SA. adj. Que tiene mucha manteca. Parecido a ella.

MANTEL. m. Tejido con que se cubre la mesa.

MANTELERÍA. f. Conjunto de mantel y servilletas.

MANTELETA. f. Esclavina grande.

MANTELETE. m. Vestidura que usan los prelados sobre el roquete.

MANTELO. m. Especie de delantal que cubre la saya.

MANTELLINA. f. Mantilla de la cabeza.

MANTENEDOR. m. El que sostiene un torneo justa, etc.

MANTENER. tr. Conservar. Proveer del alimento necesario.

MANTENIENTE-A. m. adv. Con toda la fuerza y firmeza de la mano.

MANTENIMIENTO. m. Efecto de mantener. Alimento.

MANTEO. m. Capa larga de los eclesiásticos. Acción de mantear.

MANTEQUERA. m. Mujer que hace o vende manteca. Vasija para la manteca.

MANTEQUERÍA. f. Lugar donde se elabora o vende mantequilla.

MANTEQUERO. m. El que hace o vende manteca.

MANTEQUILLA. f. Grasa separada de la leche. Manteca de vaca batida con azúcar.

MANTERO. m. El que fabrica mantas o las vende.

MANTILLA. f. Prenda de tul o encaje para cubrir la cabeza de la mujer.

MANTILLO. m. Capa superior del suelo.

MANTILLÓN-NA. adj. Desaliñado, sin aseo.

MANTISA. f. Mat. Fracción decimal de un logaritmo.

MANTO. m. Capa suelta de las mujeres. Mantilla grande.

MANTÓN. m. Pañuelo grande de abrigo.

MANTUANO-NA. adj. s. de Mantua.

MANTUDO-DA. adj. Ave que tiene las alas caídas.

MANUABLE. adj. Manejable.

MANUAL. adj. Que se hace con las manos. m. Libro en compendio.

MANUBRIO. m. Mango de un instrumento, que sirve para hacer girar o dar vueltas a una rueda u otro mecanismo.

MANUELA. f. Coche de alquiler de dos asientos, abierto.

MANUFACTURA. f. Obra hecha a mano. Fábrica.

MANUMISIÓN. f. For. Acción de manumitir.

MANUMITIR. tr. Conceder la libertad al esclavo.

MANUSCRITO-TA. m. Papel o libro escrito a mano.   ner.

MANUTENCIÓN. f. Acción de mantener.

MANUTIGIO. m. Fricción ligera practicada con las manos.

MANZANA. f. Fruto en pomo del manzano. Pomo de la espada.

MANZANAR. m. Terreno plantado de manzanos.

MANZANIL. adj. Fruta parecida a la manzana.

MANZANILLA. f. Hierba compuesta de cabezuela solitaria usada en infusión.

MANZANILLO. m. Árbol americano de fruto venenoso. Gayuba.

MANZANO. m. Árbol cuyo fruto es la manzana.

MAÑANA. f. Tiempo desde la media noche al mediodía.

MAÑANEAR. intr. Madrugar.

MAÑANERO-RA. adj. Madrugador.

MAÑANICA. tr. f. Principio de la mañana.

MAÑO-ÑA. m. y f. fig. y fam. Aragonés, aragonesa.

MAÑOSO-SA. adj. Que tiene maña.

MAPA. m. Representación gráfica de un territorio.

MAPACHE. m. Pequeño oso americano.

MAPAMUNDI. m. Mapa que representa a la Tierra en dos hemisferios.

MAQUE. m. Laca.

MAQUEAR. tr. Adornar con maque.

MAQUETA. f. Arq. Modelo de pequeño tamaño.

MAQUÍ. m. Arbusto de fruto redondo y morado, comestible.

MAQUIAVÉLICO-CA. adj. Perteneciente al maquiavelismo.

MAQUIAVELISMO. m. Doctrina de Maquiavelo.

MAQUILA. f. Porción de grano o aceite que percibe el molinero por la molienda.

MAQUILAR. tr. Cobrar el molinero la maquila.

MAQUILLAR. tr. Galicismo por pintar el rostro.

MÁQUINA. f. Artificio para producir un trabajo.

MAQUINACIÓN. f. Acción de maquinar.

MAQUINAL. adj. No deliberado. Relativo al movimiento de la máquina.

MAQUINALMENTE. adv. m. fig. Indeliberadamente.

MAQUINAR. tr. Tramar algo ocultamente.

MAQUINARIA. f. Arte de hacer máquinas. Conjunto de ellas.

MAQUINISMO. m. Predominio de la máquina en la industria.

MAQUINISTA. com. Quien hace o dirige una máquina.

MAR. amb. Gran masa salada que cubre gran parte de la tierra.

MARABÚ. m. Ave zancuda africana.

MARABUTO. m. Morabito, ermita.

MARACA. m. Mús. Instrumento formado por una calabaza, con piedrecitas dentro.

MARACURE. m. Bejuco de Venezuela, del que se extrae el curare.

MARAGATERÍA. f. Conjunto de maragatos.

MARAGATO-TA. adj. s. De la Maragatería.

MARAJÁ. m. Rajá indio.

MARAÑA. f. Maleza. Enredo, embrollo.

MARAÑERO-RA. adj. Amigo de marañas.

MARAÑÓN. m. Árbol cuyo fruto es una nuez de cubierta cáustica.

MARASMO. m. Enflaquecimiento extremado.   [ñola.

MARAVEDÍ. m. Moneda antigua española.

MARAVILLA. f. Cosa extraordinaria. Admiración.

MARAVILLAR. tr. r. Admirar.

MARAVILLOSO-SA. adj. Extraordinario.

MARBETE. m. Cédula que se adhiere a las mercancías. Etiqueta. Perfil, filete.

MARCA. f. Distrito fronterizo. Señal, distintiva.

MARCACIÓN. f. Acción y efecto de marcar.

MARCAR. tr. Poner una marca, señalar. Ajustar el pliego en la máquina. Aplicar. Destinar.

MARCASITA. f. Sulfuro natural de hierro.

MARCEAR. tr. Esquilar al principio de la primavera.

MARCEÑO-ÑA. adj. Propio del mes de marzo.

MARCEO. m. Corte que hacen los colmeneros al entrar la primavera.

MARCIAL. adj. Relativo a la guerra. Varonil, franco.

MARCIALIDAD. f. Calidad de marcial.

MARCIANO-NA. adj. Relativo a Marte. Supuesto habitante de este planeta.

MARCO. m. Cerco de una puerta, ventana, cuadro, etc. Moneda alemana.

MARCONIGRAMA. m. Radiotelegrama.

MARCHA. f. Acto de marchar.

MARCHAMAR. tr. Marcar los géneros en la aduana.

MARCHAMO. m. Marca que se ponen a los fardos en las aduanas.

MARCHANTE. adj. Mercantil. m. Traficante.

MARCHAR. intr. Caminar, hacer viaje. Andar, funcionar.

MARCHITAR. tr. r. Ajar, deslucir.

MARCHITO-TA. adj. Ajado, falto de vigor.

MAREA. f. Flujo y reflujo del mar.

MAREAJE. m. Arte de marear o navegar.

MAREAR. tr. Dirigir una nave. Enfadar, molestar.

MAREJADA. f. Movimiento de olas grandes sin borrasca.

MAREMAGNUM. m. Abundancia, confusión.

MAREO. m. Efecto de marearse.

MAREÓGRAFO. m. Instrumento para medir el nivel de las aguas por efecto de las mareas.

MÁRFAGA. f. Marga.

MARFIL. m. Parte dura de los dientes de los mamíferos debajo del esmalte.

MARFILEÑO-ÑA. adj. De marfil.

MARFUZ-ZA. adj. Repudiado, desechado.

MARGA. f. Roca compuesta de arcilla y carbonato de cal.

MARGAL. m. Terreno margoso.

MARGALLÓ. m. Palmito, planta.

MARGAR. tr. Abonar las tierras con marga.

MARGARINA. f. Mezcla de palmitina y estearina.

MARGARITA. f. Perla. Planta herbácea compuesta de cabezuela amarilla y blanca.

MARGEN. amb. Orilla de una cosa. Ocasión, motivo.

MARGINAL. adj. Perteneciente al margen o que está en él.

MARGINAR. tr. Dejar margen. Apostillar.

MARGOSO-SA. adj. Terreno o roca en cuya composición entra la marga.

MARGRAVE. m. Título alemán.

MARGRAVIATO. m. Dignidad y territorio del margrave.

MARIANO-NA. adj. Relativo a la Virgen.

MARICA. f. Urraca. m. Hombre afeminado.

MARICASTAÑA. m. Personaje proverbial símbolo de remota antigüedad.

MARICÓN. m. **Marica.** Hombre afeminado. **Sodomita.**

MARIDAJE. m. Enlace, unión de los casados.

MARIDILLO. m. Braserito.

MARIDO. m. Hombre casado, con respecto a su esposa.

MARIMACHO. m. Mujer que parece un hombre.

MARIMANDONA. f. Mujer mandona y dominante.

MARIMBA. f. Especie de tambor.

MARIMOÑA. f. Francesilla, planta.

MARIMORENA. f. Camorra, pendencia, riña.

MARINA. f. Ciencia de navegar. Terreno junto al mar. Armada de un país.

MARINAJE. f. Marinería.

MARINAR. tr. Sazonar el pescado para guisarlo. Tripulación de un buque.

MARINEAR. intr. Trabajar de marinero.

MARINERÍA. f. Profesión o conjunto de marineros.

MARINERO-RA. adj. Dícese del barco fácil de gobernar. m. Hombre de mar que maniobra una nave.

MARINESCO-CA. adj. Relativo a los marineros.

MARINISMO. m. Gusto poético conceptuoso del siglo XVII.

MARINISTA. adj. Pintor de marinas.

MARINO-NA. adj. Perteneciente a la mar. Quien profesa la náutica.

MARIÓN. m. Esturión.

MARIONA. f. Danza antigua.

MARIONETA. f. Títere, fantoche.

MARIPOSA. f. Cualquier insecto lepidóptero. Lamparilla.

MARIPOSEAR. intr. Variar con frecuencia de gustos.

MARIPOSÓN. m. Hombre muy galanteador.

MARIQUITA. f. Insecto coleóptero, encarnado, con puntos negros.

MARISABIDILLA. f. Mujer que presume de sabia.

MARISCAL. m. Grado superior de algunos ejércitos.

MARISCALA. f. Mujer del mariscal.

MARISCALÍA. f. Dignidad de mariscal.

MARISCAR. intr. Coger mariscos.

MARISCO. m. Molusco comestible.

MARISMA. f. Terreno bajo a orillas del mar.

MARISTA. adj. Religioso de la congregación de sacerdotes de María.

MARITAL. adj. Perteneciente al marido o a la vida conyugal.

MARÍTIMO-MA. adj. Perteneciente al mar.

MARITORNES. f. Moza ordinaria de servicio.

MARJAL. m. Terreno bajo y pantanoso.

MARJOLETA. f. Fruto del marjoleto.

MARJOLETO. m. Majuelo. Espino de madera dura.

MARLOTA. f. Vestidura morisca.

MARMITA. f. Olla metálica con tapa ajustada.

MARMITÓN. m. Galopín o mozo de cocina.

MARMOL. m. Pieza caliza metamórfica. Obra artística hecha de ésta.

MARMOLEJO. m. Columna pequeña.

MARMOLILLO. m. Guardacantón.

MARMOLISTA. m. Quien trabaja en mármol.

MARMOLACIÓN. f. Estuco.

MARMÓREO-A. adj. De mármol. Parecido a él.

MARMOTA. f. Mamífero roedor que pasa el invierno dormido. Persona que duerme mucho.

MARO. m. Planta de olor muy fuerte, usada en medicina.

MAROJO. m. Parásito del olivo, parecido al muérdago.

MAROLA. f. Marejada de mar.

MAROMA. f. Cuerda gruesa.

MARÓN. m. Esturión.

MARONITA. adj. s. Cristiano del Líbano.

MAROTO. m. Morueco, carnero padre. Ánade silvestre.

MARQUÉS-SA. m. y f. Título nobiliario inferior al de duque.

MARQUESADO. m. Dignidad y territorio de marqués.

MARQUESINA. f. Cobertizo que cubre una puerta, escalinata, etc.

MARQUESITA. f. Pirita. Butaca pequeña.

MARQUETA. f. Pan de cera sin labrar

MARQUETERÍA. f. Ebanistería. Taracea.

MARQUILLA. f. Papel de tinta grueso, para dibujar.

MARRA. f. Mazo de hierro para romper piedras.

MARRAJO-JA. adj. Malicioso, astuto, cauto.

MARRANA. f. Eje de la rueda de la noria. Hembra del marrano.

MARRANILLO. m. Cochinillo.

MARRANO. m. Cerdo. Hombre sucio.

MARRAR. tr. Faltar, errar. fig. Desviarse de lo recto.

MARRAS (DE). adv. Tiempo en que sucedió algo.

MARRASQUINO. m. Licor de cerezas amargas y azúcar.

MARRAZO. m. Hacha de corte para hacer leña.

MARREAR. tr. Dar golpes con la marra.

MARRILLO. m. Palo corto y grueso.

MARRO. m. Juego de niños. Yerro, falta.

MARRÓN. m. Piedra que se arroja al jugar al marro. adj. color castaño.

MARROQUÍ. adj. De Marruecos.

MARRUBIAL. m. Terreno cubierto de marribios.

MARRUBIO. m. Planta medicinal.

MARRULLERÍA. f. Halago con astucia para engañar.

MARRULLERO-RA. adj. s. Que hace marrullerías.

MARSELLESA. f. Himno nacional francés.

MARSOPA. f. Cetáceo parecido al delfín.

MARSOPLA. f. Marsopa.

MARSUPIAL. adj. Mamífero no placentario cuyas hembras tienen una bolsa abdominal.

MARTA. f. Mamífero mustélido, carnicero de piel muy estimada.

MARTAGÓN-NA. adj. Persona astuta.

MARTE. m. Mit. Dios de la guerra. Planeta próximo a la Tierra.

MARTELLINA. m. Martillo de dientes prismáticos usado por los canteros.

MARTES. m. Tercer día de la semana.

MARTILLAR. tr. r. Golpear con el martillo.

MARTILLAZO. m. Golpe dado con el martillo.

MARTILLEAR. tr. Martillar.

MARTILLEO. m. Acto de martillar.

MARTILLO. m. Útil compuesto de una cabeza y un mango. Huesecillo del oído medio.

MARTINA. f. Pez malacopterigio del Mediterráneo, comestible.

MARTINETE. m. Ave zancuda con penacho blanco en el occipucio. Mazo o martillo mecánico.

MARTINGALA. f. Artimaña. Lance de juego del mote.

MARTINIEGA. f. Tributo que se debía pagar el día de San Martín.

MARTÍN-PESCADOR. m. Ave trepadora que se alimenta de peces.

MÁRTIR. com. Quien padece martirio.

MARTIRIO. m. Tormento sufrido por confesar su fe.

MARTIRIZAR. tr. Hacer padecer martirio. Atormentar.

MARTIROLOGIO. m. Catálogo de los mártires.

MARULLO. m. Mareta, movimiento de las olas del mar.

MARXISMO. m. Doctrina socialista de Carlos Marx.

MARXISTA. adj. Que profesa la doctrina de Carlos Marx.

MARZAL. adj. Relativo al mes de marzo.

MARZO. m. Tercer mes del año.

MARZOLETA. f. Fruto del marzoleto.

MARZOLETO. m. Majuelo.

MAS. adv. comp. Que indica mayor cantidad.

MASA. f. Agregación de partículas que forman un cuerpo.

MASADA. f. Casa de campo y labor.

MASAJE. Med. Amasamiento.

MASAJISTA. com. Quien da masaje.

MASAR. tr. Amasar.

MASCABADO-DA. adj. Dícese del azúcar que sale de la última cochura.

MASCAR. tr. Partir el alimento con los dientes.

MÁSCARA. f. Figura en forma de cara que cubre el rostro. Persona disfrazada.

MASCARADA. f. Fiesta de máscaras. Comparsa de ellas.

MASCARILLA. f. Máscara de la parte superior del rostro. Vaciado en yeso del rostro de una persona.

MASCARÓN. m. Cosa deforme usada como adorno.

MASCOTA. f. Algo a lo que se atribuye influencia benéfica.

MASCUJAR. tr. Mascar mal o con dificultad.

MASCULILLO. m. Cierto juego de muchachas.

MASCULINIDAD. f. Calidad de masculino.

MASCULINO. adj. Propio del varón.

MASCULLAR. tr. Hablar o pronunciar mal o entre dientes.

MASERA. f. Artesa para amasar.

MASETERO. m. Anat. Músculo elevador de la mandíbula.

MASÍA. f. Masada.

MASICOTE. m. Óxido de plomo.

MASILENSE. adj. Marsellés.

MASILLA. f. Mezcla de aceite de linaza y tiza para sujetar los cristales.

MASITA. f. Dinero retenido a los soldados para proveerlos de calzado, ropa, etcétera.

MASLO. m. Tronco de la cola del cuadrúpedo.

MASÓN. s. Francmasón.

MASONERÍA. f. Francmasonería.

MASÓNICO. adj. Relativo a la masonería.

MASTABA. f. Sepultura egipcia en forma de pirámide truncada.

MÁSTEL. m. Palo derecho para mantener una casa.

MASTELERO. m. Palo menor colocado sobre uno de los mayores.

MÁSTIC. m. Galicismo por mástique o masilla.

MASTICACIÓN. f. Acción de masticar.

MASTICAR. tr. Mascar.

MÁSTIL. m. Palo de un buque o de una bandera.

MASTÍN. m. Perro de un cuerpo membrudo, pecho ancho, patas rectas y pelo largo.

MÁSTIQUE. m. Almáciga.

MASTITIS. f. Inflamación de las mamas.

MASTO. m. Ar. Patrón en que se pone un injerto.

MASTODONTE. m. Mamífero fósil de la era terciaria.

MASTOIDES. m. Apófisis del hueso temporal.

MASTRANZO. f. Planta labiada aromática.

MASTUERZO. m. Planta crucífera de sabor picante. Hombre torpe.

MASTURBACIÓN. f. Onanismo.

MASTURBAR. r. Proporcionar solitariamente placeres sensuales.

MATA. f. Planta de tallo leñoso que vive varios años.

MATACÁN. m. Veneno para matar perros. Chaparro.

MATACANDELAS. m. Apagador para cirios altos.

MATACANDIL. Planta crucífera de terreno húmedo.

MATACHÍN. m. Hombre pendenciero. Matarife.

MATADERO. m. Sitio en que se mata el ganado.

MATADOR-RA. adj. Que mata. m. Taurom. Espada. torero.

MATAFUEGO. m. Instrumento para apagar los fuegos.

MATAGALLEGOS. m. Arzalla, planta compuesta.

MATAGALLINA. f. Torvisco.

MATAJUDÍOS. m. Mujol.

MATALAHÚVA. f. Anís.

MATALOBOS. m. Acónito.

MATALÓN-NA. adj. Dícese de la caballería flaca y con mataduras.

MATALOTAJE. m. Prevención de comida que se lleva en una embarcación.

MATALOTE. m. adj. Matalón. Buque anterior y posterior de los que forman una columna.

MATAMOROS. adj. Valentón. Matasiete.

MATAMOSCAS. m. Tira de papel pegajoso para matar moscas.

MATANZA. f. Acto de matar. Época de matar los cerdos.

MATAPOLVO. m. Lluvia o riego ligero.

MATAR. tr. r. Quitar la vida. Llagar un aparejo a la bestia.

MATARIFE. m. Jifero, carnicero.

MATARRATA. m. Juego de naipes. Aguardiente muy fuerte.

MATARRUBIA. f. Coscoja, encina achaparrada.

MATASANOS. m. fam. Médico malo.

MATASELLOS. m. Estampilla para inutilizar los sellos.

MATASIETE. m. Fanfarrón.

MATATÍAS. m. Prestamista, usurero.

MATCH. m. Contienda deportiva.

MATE. adj. Sin brillo. Lance del ajedrez en que termina la partida. Planta americana.

MATEAR. tr. Sembrar o plantar a cierta distancia.

MATEMÁTICAS. f. Ciencia que trata de la cantidad.

MATEMÁTICAMENTE. adv. Exactamente.

MATEMÁTICO-CA. adj. Relativo a las matemáticas. Exacta.

MATERIA. f. Substancia extensa, inerte, susceptible de toda clase de formas. Pus.

MATERIAL. adj. Relativo a la materia. Cosa necesaria para algo.

MATERIALIDAD. f. Calidad de materia.

MATERIALISMO. m. Doctrina según la cual no hay más realidad que la materia.

MATERIALISTA. adj. Partidario del materialismo.

MATERIALIZAR. tr. Considerar o hacer material una cosa.

MATERNAL. adj. Materno.

MATERNALMENTE. adv. Con afecto de madre.

MATERNIDAD. f. Estado o calidad de madre.

MATERNO-NA. adj. Perteneciente a la madre.

MATICO. m. Planta de cuyas hojas se obtiene aceite balsámico.

MATIDEZ. f. Calidad de mate.

MATIHUELO. m. Dominguillo.

MATINAL. adj. Matutino.

MATINÉE. Galicismo por función teatral vespertina y por peinador de mujer.

MATIZ. m. Unión de varios colores mezclados proporcionalmente.

MATIZAR. tr. Armonizar colores diversos. Graduar sonidos, expresiones, etc.

MATO. m. Matorral.

MATOJO. m. Planta barrilera muy corriente.

MATÓN. m. Espadachín, pendenciero.

MATONISMO. m. Conducta del que quiere imponerse por el terror.

MATORRAL. m. Terreno inculto lleno de malezas.

MATRACA. f. Instrumento de madera que sustituye a la campana en Semana Santa.

MATRACALADA. f. Muchedumbre de gente.

MATRAQUEAR. intr. Hacer ruido continuo con la matraca.

MATRAQUEO. m. Acción y efecto de matraquear.

MATRAZ. m. Vasija esférica de cuello estrecho y recto.

MATRERIA. f. Perspicacia astuta y suspicaz.

MATRERO-RA. adj. Sagaz, astuto, perspicaz.

MATRIARCADO. m. Sistema de organización social en que se da preferencia al parentesco por línea materna.

MATRICERÍA. f. Planta compuesta medicinal usada como antiespasmódico.

MATRICIDA. f. Persona que mata a su madre.

MATRICIDIO. m. Delito del matricida.

MATRÍCULA. f. Lista de las personas inscritas para un fin.

MATRICULADO-DA. adj. El que se halla inscrito en la matrícula.

MATRICULADOR. m. El que matricula.

MATRICULAR. tr. r. Inscribir algo en matrícula.

MATRIMONIAL. adj. Relativo al matrimonio.

MATRIMONIAR. intr. Contraer matrimonio.

MATRIMONIO. m. Unión legal de varón y mujer. Sacramento que establece esa unión.

MATRITENSE. adj. Madrileño.

MATRIZ. f. Órgano de las hembras de los mamíferos donde se desarrolla el feto. Principal generadora.

MATRONA. f. Madre de familia noble y virtuosa. Partera.

MATURRANGA. f. Marrullería, treta.

MATUSALÉN. m. Hombre longevo.

MATUTE. m. Introducción fraudulenta de géneros de consumo.

MATUTEAR. intr. Introducir matute.

MATUTERO-RA. s. Persona que se dedica a matutear.

MATUTINAL. adj. Matutismo.

MATUTINO-NA. adj. Relativo a la mañana.

MAULA. f. Cosa inútil, despreciable. Engaño, artificio.

MAULERÍA. f. Tienda en que se venden retazos de telas.

MAULERO-RA. m. y f. El que vende retales de telas diferentes.

MAULÓN. m. aum. De maula, persona tramposa y perezosa.

MAULLADOR-RA. adj. Que maulla mucho.

MAULLAR. intr. Dar maullidos.

MAULLIDO. m. Voz de gato.

MAÚLLO. m. Maullido.

MAUSEOLO. m. Mausoleo.

MAUSER. m. Fusil de repetición inventado por Mauser.

MAUSOLEO. m. Sepulcro monumental.

MAVORCIO-CIA. adj. Poet. Perteneciente a la guerra.

MAXILAR. adj. Perteneciente a la quijada o mandíbula.

MÁXIMA. f. Sentencia que encierra un precepto. Norma para obrar.

MÁXIMAMENTE. adv. m. En primer lugar, principalmente.

MÁXIME. adv. m. Principalmente.

MÁXIMO-MA. adj. Que no hay mayor. Límite superior de algo.

MAYA. f. Planta de flor única con centro amarillo.

MAYAL. m. Palo del molino, noria o malacate del que tira el caballo.

MAYAR. intr. Maullar.

MAYATE. m. Coleóptero mejicano de color negro.

MAYEAR. intr. Hacer tiempo propio del mes de mayo.

MAYESTATICO-CA. adj. Propio de la majestad.

MAYEÜTICA. f. Método dialéctico empleado por Sócrates.

MAYIDO. m. Maullido.

MAYO. m. Quinto mes del año.

MAYÓLICA. f. Loza de esmalte.

MAYONESA. f. Salsa de aceite y yemas de huevo.

MAYOR. m. Superior de una comunidad o jefe de un cuerpo. Libro de cuentas corrientes.

MAYORAL. m. Pastor principal. Quien gobierna una diligencia.

MAYORALA. f. Mujer del mayoral.

MAYORANA. f. Mejorana.

MAYORAZGO. m. Institución que perpetua en la familia la propiedad de ciertos bienes.

MAYORDOMIA. f. Cargo de mayordomo. Su oficina.

MAYORDOMO. m. Criado principal encargado del gobierno de una casa.

MAYORÍA. f. Calidad de mayor. Superioridad. Mayor edad.

MAYORIDAD. f. Mayoría, calidad de mayor o mayor edad.

MAYORISTA. adj. Dícese del comercio al por mayor. com. Quien se dedica a él.

MAYORITARIO-RIA. adj. Que está en mayoría o lo representa.

MAYORMENTE. adv. m. Principalmente, con especialidad.

MAYÚSCULO-LA. adj. Que excede mucho de lo común.

MAZA. f. Arma antigua de palo o hierro.

MAZACOTE. m. Barrilla. Hormigón. Objeto tosco.

MAZADA. f. Golpe que se da con maza o mazo.

MAZAMORRA. f. Poleadas de harina de maíz con azúcar o miel. Cosa desmenuzada.

MAZANETA. f. Pieza de figura de manzana, que antiguamente se ponía en las joyas.

MAZAPÁN. m. Pasta de almendras molidas y azúcar.

MAZAR. tr. Batir la leche para separar la manteca.

MAZARÍ. adj. Baldosa que se usa para solados.

MAZAZO. m. Golpe de maza.

MAZDEÍSMO. m. Religión de los antiguos persas.

MAZMORRA. f. Prisión subterránea.

MAZNAR. tr. Amasar. Machacar el hierro caliente.

MAZO. m. Martillo de madera. Porción de cosas unidas.

MAZONEAR. tr. p. us. Apisonar.

MAZONERÍA. f. Obra de cal y canto.

MAZORCA. f. Husada. Espiga de frutos muy juntos.

MAZORRAL. adj. Rudo, grosero,, basto.

MAZURCA. f. Danza polaca. Música de ésta.

MAZUT. m. Aceite pesado.

ME. Dativo o acusativo del pronombre "yo".

MEADA. f. Orina expedida de una vez. Señal que deja.

MEADERO. m. Urinario.

MEAJA. f. Antigua moneda castellana. Migaja.

MEANDRO. m. Recoveco de un río o de un camino.

MEATO. m. anti. Orificio, conducto de un cuerpo.

MEAUCA. f. Especie de garrota.

MECÁNICA. f. Parte de la física que trata de las fuerzas y sus efectos.

MECÁNICAMENTE. adv. m. De un modo mecánico.

MECANICISMO. m. Fil. Doctrina que explica los fenómenos naturales y vitales por leyes mecánicas.

MECÁNICO-CA. adj. Relativo a la mecánica. El que lo profesa. Quien arregla máquinas.

MECANISMO. m. Artificio o estructura de algún cuerpo.

MECANOGRAFÍA. f. Arte de escribir a máquina.

MECANOGRAFIAR. tr. Escribir con máquina.

MECANOGRÁFICO-CA. adj. Relativo a la mecanografía.

MECANOGRAFISTA. com. Persona diestra en la mecanografía.

MECANÓGRAFO-FA. s. Quien mecanografía por oficio.

MECAPAL. m. Faja de cuero que en Méjico sirve para llevar carga.

MECEDOR-RA. adj. Que mece. m. Instrumento de madera, para mecer líquidos.

MECEDORA. f. Silla de brazos que descansa en dos arcos.

MECEDURA. f. Acción de mecer.

MECENAS. m. Protector de las letras y las artes.

MECENAZGO. m. Protección dispensada a un escritor o artista.

MECER. tr. Revolver un líquido. tr. r. Mover de un lado a otro acompasadamente.

MECONIO. m. Jugo de las adormideras.

MECHA. f. Torcida de una bujía. Cuerda o tubo para dar fuego a un barreno, mina, etc.

MECHAR. tr. Introducir mechas de tocino gordo en la carne o viandas que se han de asar.

MECHAZO. m. Min. Combustión de una mezcla, sin inflamar el barreno.

MECHERA. adj. s. Aguja de mechar. Ladrona de tiendas.

MECHERO. m. Canutillo que contiene la mecha para alumbrar.

MECHINAL. m. Agujero que se deja en las paredes de un edificio para poner los andamios.

MECHOACAN. m. Raíz de una planta cuya fécula se usa como purgante.

MECHÓN. m. Porción de pelos o hilos.

MECHOSO-SA. adj. Que tiene mechas en abundancia.

MEDA. f. En León, hacina en que se amontonan los haces de trigo.

MEDALLA. f. Pedazo de metal acuñado, con algún emblema. Distinción honorífica. Condecoración.

MEDALLÓN. m. Bajo relieve en forma redonda o elíptica.

MÉDANO. m. Montón de arena. Duna.

MEDANOSO-SA. adj. Que tiene médanos.

MEDAR. tr. En Galicia, hacinar.

MEDIA. f. Calzado de punto que cubre el pie y la pierna. Cantidad comprendida entre dos o más.

MEDIACAÑA. f. Moldura cóncava. Formón de boca curva.

MEDIACIÓN. f. Acción de mediar.

MEDIADO-DA. adj. Lo que sólo contiene la mitad.

MEDIADOR-RA. adj. s. Que media.

MEDIAL. adj. Consonante que se halla en el interior de una palabra.

MEDIANA. f. Taco largo de billar. Geom. Recta que une el vértice de un triángulo con la mitad del lado opuesto.

MEDIANAMENTE. adv. m. Sin tocar en los extremos. No muy bien.

MEDIANERÍA. f. Pared común a dos casas contiguas.

MEDIANERO-RA. adj. Que está entre dos cosas. s. Mediador.

MEDIANÍA. f. Calidad de mediano.

MEDIANIDAD. f. Medianía.

MEDIANIL. m. Medianería.

MEDIANO-NA. adj. De calidad intermedia.

MEDIANOCHE. f. Hora en que está el sol en el punto opuesto al mediodía. Bollo relleno.

MEDIANTE. adj. Que media.

MEDIAR. intr. Llegar a la mitad. Interceder. Interponerse.

MEDIASTINO. m. Espacio entre dos pleuras.

MEDIATINTA. f. Media tinta; tono medio entre la luz y la sombra.

MEDIATO-TA. adj. Que está próximo a una cosa.

MÉDICA. f. Mujer que ejerce la medicina.

MEDICABLE. adj. Capaz de curarse con medicinas.

MEDICACIÓN. f. Empleo de medicamentos.

MEDICAMENTO. m. Sustancia de efectos curativos.

MEDICAMENTOSO-SA. adj. Que tiene virtud curativa.

MEDICASTRO. m. Médico malo.

MEDICINA. f. Ciencia de curar las enfermedades humanas.

MEDICINAL. adj. Relativo a la medicina.

MEDICINALMENTE. adv. m. Conforme lo requiere la medicina.

MEDICINAR. tr. r. Administrar los medicamentos.

MEDICIÓN. f. Acción y efecto de medir.

MÉDICO-CA. adj. Relativo a la medicina.

MEDICUCHO. m. Medicastro.

MEDIDA. f. Acto de medir. Instrumento para medir. Disposición. Prudencia.

MEDIDOR-RA. adj. s. Que mide.

MEDIERO-RA. s. Persona que hace o vende medias.

MEDIEVAL. adj. De la Edad Media.

MEDINENSE. adj. s. De Medina.

MEDIO-A. adj. Igual a la mitad de una cosa. m. Parte equidistante de dos extremos.

MEDIOCRE. adj. Mediano.

MEDIOCRIDAD. f. Medianía.

MEDIODÍA. m. Hora en que el sol está en el punto más alto sobre el horizonte.

MEDIOEVAL. adj. Medieval.

MEDIOMUNDO. m. Velo, aparejo para pescar.

MEDIOPAÑO. m. Tejido de lana más fino que el paño.

MEDIR. tr. Estimar una cantidad por comparación con la unidad de la misma especie.

MEDITABUNDO-DA. adj. Que medita.

MEDITACIÓN. f. Acción de meditar.

MEDITADOR-RA. adj. Que medita.

MEDITAR. tr. Pensar, reflexionar, discurrir.

MEDITATIVO-VA. adj. Relativo a la meditación.

MEDITERRÁNEO-A. adj. Que está rodeado de tierra. Relativo al Mediterráneo.

MÉDIUN. m. Persona que pretende comunicar con los espíritus.

MEDRANA. f. fam. Miedo, temor.

MEDRA. f. Progreso, aumento o mejoría.

MEDRAR. intr. Mejorar.

MEDRO. m. Medra.

MEDROSO-SA. adj. Temeroso, que causa miedo.

MÉDULA. f. Sustancia contenida en el interior de los huesos o troncos.

MEDULAR. adj. Relativo a la médula.

MEDULOSO-SA. adj. Que tiene médula.

MEDUSA. f. Celéntero originado por un pólito por gemación, en forma de campana.

MEFÍTICO-CA. adj. Que causa daño al ser aspirado. Apestoso.

MEGÁFONO. m. Tubo embudado para aumentar la voz.

MEGALÍTICO-CA. adj. Relativo al megalito.

MEGALITO. m. Monumento prehistórico de piedra.

MEGALOMANÍA. f. Manía o delirio de grandeza.

MEGALÓMANO-NA. adj. Que padece megalomanía.

MEGATÓN. m. Fuerza explosiva que equivale a un millón de toneladas de trilita.

MEGATERIO. m. Desdentado fósil del período cuaternario.

MEGO-GA. adj. Manso.

MEGUEZ. f. p. us. Caricia, halago.

MEHALA. f. Cuerpo de ejército regular de Marruecos.

MEJANA. f. Isleta de un río.

MEJICANISMO. m. Giro o modo de hablar de los mejicanos.

MEJICANO-NA. adj. s. De Méjico.

MEJIDO-DA. adj. Huevo batido con azúcar y disuelto en leche.

MEJILLA. f. Prominencia facial debajo del ojo.

MEJILLÓN. m. Molusco lamelibranquio marino comestible.

MEJOR. adj. comp. de bueno. Superior a otra cosa.

MEJORA. f. Medra, aumento. Puja.

MEJORABLE. adj. Que puede mejorarse.

MEJORAMIENTO. m. Acción de mejorar.

MEJORANA. f. Hierba labiada de flor olorosa.

MEJORAR. tr. Pasar una cosa de un estado a otro mejor.

MEJORÍA. f. Medra, mejora, alivio.

MEJUNJE. m. Cosmético o medicamento compuesto.

MELADO-DA. adj. De color de miel.

MELADUCHA. adj. Especie de manzana dulce.

MELAFIRO. m. Roca volcánica compuesta.

MELADO-DA. adj. De color de miel.

MELADUCHA. adj. Especie de manzana dulce.

MELAFIRO. m. Roca volcánica compuesta.

MELAMPO. m. Candelero del traspunte.

MELANCOLÍA. f. Tristeza grande y permanente.

MELANCÓLICAMENTE. adv. m. Con melancolía.

MELANCÓLICO-CA. adj. Relativo a la melancolía.

MELANCOLIZAR. tr. Entristecer a uno con una mala nueva.

MELANDRO. m. En Asturias tejón, mamífero.

MELANITA. f. Granate negro.

MELANOSIS. f. Alteración de los tejidos que toman color obscuro.

MELANURIA. f. Biol. Enfermedad que da coloración negra a la orina.

MELAPIA. f. Variedad de la manzana común.

MELAR. intr. Dar la segunda cochura al zumo de la caña de azúcar.

MELAZA. f. Residuo de la cristalización del azúcar.

MELCOCHA. f. Miel cocida, sobada y correosa.

MELENA. f. Cabello largo, suelto. Crin del león. Vómito de sangre negra.

MELENERA. f. Parte del testuz de los bueyes, en la que se coloca el yugo.

MELENO. adj. Toro que tiene un mechón de pelo en el testuz.

MELENUDO-DA. adj. Que tiene el pelo largo.

MELERA. f. Mujer que vende miel.

MELGACHO. m. Lija. Pez selacio.

MELGAR. m. Terreno poblado de mielgas.

MELGAREDO. m. Moneda de Bolivia.

MELIÁCEO-A. adj. Arboles dicotiledóneos tropicales de flor en panoja.

MÉLICO-CA. adj. Perteneciente al canto.

MELIFERO-RA. adj. poét. Que lleva o tiene miel.

MELIFICACIÓN. f. Acción de melificar.

MELIFICAR. intr. r. Hacer miel las abejas.

MELIFLUO-A. adj. Que tiene miel. Parecido a ella.

MELILOTO. m. Planta leguminosa papilonácea.

MELILLENSE. adj. Natural de Melilla.

MELINDRE. m. Fruta de sartén de miel y harina. Delicadeza afectada.

MELINDRERÍA. f. Hábito de melindrear.

MELINDROSO-SA. adj. s. Que hace melindres.

MELINITA. f. Explosivo de ácido pícrico.

MELIÓN. m. Pigarzo, ave rapaz.

MELISA. f. Toronjil.

MELISMA. m. Mús. Canción o melodía breve.

MELITO. m. Farm. Jarabe a base de miel.

MELOCOTÓN. m. Melocotonero. Su fruto.

MELOCOTONAR. m. Sitio plantado de melocotoneros.

MELOCOTONERO. m. Árbol variedad del pérsico, cuyo fruto es el melocotón.

MELODÍA. f. Mús. Dulzura de la voz o de un instrumento.

MELÓDICO-CA. adj. Relativo a la melodía.

MELODIOSO-SA. adj. Agradable al oído.

MELODRAMA. m. Drama musical. Drama popular que trata de conmover.

MELODRAMÁTICO-CA. adj. Relativo al melodrama.

MELODREÑA. adj. Dícese de la piedra de amolar.

MELOGRAFÍA. f. Arte de escribir música.

MELOJA. f. Levaduras de miel.

MELOJAR. m. Lugar poblado de melojos.

MELOJO. m. Árbol cupulífero semejante al roble albar.

MELOLONTA. s. Zool. Insectoc coleópteros, perjudiciales a las plantas.

MELÓMANO-NA. s. Fanático por la música.

MELÓN. m. Planta cucurbitácea. Su fruto.

MELONAR. m. Sitio sembrado de melones.

MELONCILLO. m. Mamífero carnicero nocturno.

MELONERO-RA. s. Quien cultiva o vende melones.

MELOPEYA. f. Arte de producir melodías.

MELOSIDAD. f. Calidad de meloso. Dulzura.

MELOSO-SA. adj. De naturaleza de miel. Blando.

MELOSILLA. f. Enfermedad del fruto de la encina.

MELSA. f. Flema, lentitud, pachorra. Bazo.

MELVA. f. Corviña.

MELLA. f. Rotura en el filo de un arma o en el borde de un objeto. Hueco, menoscabo.

MELLADO-DA. adj. Falto de uno o más dientes.

MELLADURA. f. Mella.

MELLAR. tr. Hacer mellas.

MELLIZO-ZA. adj. s. Gemelo.

MELLÓN. m. Manojo de paja encendido, a manera de hachón.

MEMBRANA. f. Piel delgada. Tejido delgado y flexible que envuelve algunos órganos.

MEMBRANOSO-SA. adj. Formado de membranas. Parecido a ellas.

MEMBRETE. m. Anotación provisional de algo. Nota.

MEMBRILLA. f. Variedad de membrillo.

MEMBRILLAR. m. Terreno plantado de membrillos.

MEMBRILLATE. m. Carne de membrillo.

MEMBRILLEROS. m. Membrillo (arbusto rosáceo).

MEMBRILLO. m. Arbusto rosáceo de fruto amarillo, comestible.

MEMBRUDO-DA. adj. Robusto de cuerpo.

MEMEZ. f. Simpleza.

MEMO-MA. adj. Tonto, simple.

MEMORABLE. adj. Digno de memoria.

MEMORÁNDUM. m. Libro de apuntes. Comunicación diplomática en que se recapitulan hechos.

MEMORAR. tr. Recordar una cosa.

MEMORIA. f. Facultad anímica por la que se reproducen objetos ya conocidos. Recuerdo.

MEMORIAL. m. Cuaderno de apuntes. Escrito en que se pide algo.

MEMORIALISTA. m. Quien escribe memoriales, cartas, etc.

MEMORIÓN. adj. s. Memorioso.

MEMORIOSO-SA. adj. s. Que tiene feliz memoria.

MEMORISMO. m. Sistema de aprenderlo todo de memoria.

MENA. f. Mineral tal como se extrae del criadero.

MÉNADE. f. Bacante. fig. Mujer frenética.

MENAJE. m. Conjunto de muebles y enseres de una casa.

MENCIÓN. f. Memoria que se hace de algo. Recompensa inferior al premio.

MENCIONAR. tr. Hacer mención.

MENCHEVIQUE. m. Partido revolucionario ruso.

MENDELEVIO. s. Elemento radioactivo.

MENDACIDAD. f. Costumbre de mentir.

MENDELIANO-NA. adj. Relativo al mendelismo.

MENDELISMO. m. Conjunto de leyes acerca de la herencia.

MENDICANTE. adjd. s. Que mendiga.

MENDICIDAD. f. Estado de mendigo. Acto de mendigar.

MENDIGAR. intr. Pedir limosna. Solicitar algo con importunidad.

MENDIGO-GA. s. Quien pide limosna.

MENDOSO-SA. adj. Errado o mentiroso.

MENDRUGO. m. Trozo de pan duro.

MENEAR. tr. r. Agitar.

MENEO. m. Acción de menear. Paliza, vapuleo.

MENESTER. m. Necesidad de algo.

MENESTEROSO-SA. adj. s. Necesitado.

MENESTRA. f. Guiso de hortalizas y carne.

MENESTRAL-A. m. y f. Persona que gana de comer en un oficio mecánico.

MENESTRETE. m. Mar. Instrumento de hierro para arrancar clavos.

MENGANO-NA. s. Voz para designar una persona cuyo nombre no se conoce o se calla.

MENGUA. f. Acción y efecto de menguar.

MENGUADAMENTE. adv. m. Deshonrada o cobardemente.

MENGUADO-DA. adj. Cobarde, pusilánime.

MENGUANTE. adj. Que mengua.

MENGUAR. intr. Disminuir o irse consumiendo.

MENGUE. m. Demonio.

MENHIR. m. Monumento megalítico, formado por una piedra vertical.

MENIANTO. m. Bot. Trébol de agua, planta gencanácea lacuestre.

MENINA. f. Señora que desde niña servía a la reina o a las infantas.

MENINGE. f. Cada una de las tres membranas que envuelve el encéfalo y la médula empinal.

MENINGEO-A. adj. Propio de las meninges.

MENINGITIS. f. Inflamación de las meninges.

MENINO. m. Caballero que desde niño servía a la reina o príncipes.

MENISCO. m. Vidrio cóncavo-convexo.

MENOLOGIO. m. Martirologio griego.

MENOPAUSIA. f. Cesación natural de la menstruación.

MENOR. adj. comp. de pequeño. Más pequeño.

MENORÍA. f. Inferioridad y subordinación. Menor edad.

MENORQUÍN-NA. adj. s. De Menorca.

MENORRAGIA. f. Med. Menstruación excesiva.

MENOS. adv. comp. que indica menor cantidad. m. Signo de la resta.

MENOSCABAR. tr. r. Quitar parte de algo. Disminuir.

MENOSCABO. m. Efecto de menoscabar.

MENOSCUENTA. f. Descuento, satisfacción de parte de una deuda.

MENOSPRECIAR. tr. Tener en menos algo de lo que se merece. Despreciar.

MENOSPRECIO. m. Poco aprecio. Desprecio.

MENSAJE. m. Recado de una persona a otra.

MENSAJERÍA. f. Carruaje para el servicio público y de correos.

MENSAJERO-RA. adj. s. Quien lleva mensajes.

MENSTRUACIÓN. f. Acto de menstruar. Menstruo.

MENSTRUAL. adj. Relativo al menstruo.

MENSTRUAR. intr. Evacuar el menstruo.

MENSTRUO. f. Sangre que evacuan mensualmente las hembras de algunos animales y las mujeres.

MENSUAL. adj. Que dura un mes. Que se repite cada mes.

MENSUALIDAD. f. Suma que se abona cada mes.

MENSUALMENTE. ad. m. Por meses o cada mes.

MÉNSULA. f. Repisa. Arq. Miembro saliente para sostener algo.

MENSURA. f. Medida.

MENSURABLE. adj. Que puede medirse.

MENSURADOR-RA. adj. Que mensura.

MENSURAL. adj. Que sirve para medir.

MENSURAR. tr. Medir.

MENTA. f. Hierbabuena.

MENTADO-DA. adj. Que tiene fama; célebre, famoso.

MENTAL. adj. Relativo a la mente.

MENTALIDAD. f. Capacidad mental. Modo de pensar.

MENTALMENTE. adv. m. Sólo con el pensamiento.

MENTAR. tr. Nombrar, mencionar.

MENTE. f. El entendimiento.

MENTECATERÍA. f. Necedad.

MENTECATO-TA. adj. s. Tonto, necio.

MENTIDERO. m. Sitio donde se reúnen gentes ociosas a conversar.

MENTIDO-DA. adj. Mentiroso, engañoso.

MENTIR. intr. Dar por cierto lo contrario a lo que se cree verdadero.

MENTIRA. f. Expresión contraria a la verdad.

MENTIROSAMENTE. adv. m. Fingidamente.

MENTIROSO-SA. adj. Que suele mentir.

MENTÍS. m. Voz con que se desmiente a alguien.

MENTOL. m. Parte sólida de la esencia de menta.

MENTÓN. m. Barbilla.

MENTOR. m. fig. Preceptor.

MENÚ. m. Minuta, lista de los platos de una comida.

MENUDEAR. intr. Suceder o hacer a menudo.

MENUDENCIA. f. Pequeñez. Esmero. f. pl. Despojos del cerdo.

MENUDEO. m. Acto de menudear. Venta al por menor.

MENUDERO-RA. m. y f. Persona que trata en menudos o los vende.

MENUDILLO. m. Articulación entre la caña y la cuartilla del cuadrúpedo.

MENUDO-DA. adj. Pequeño, despreciable, minucioso.

MENUZO. m. Pedazo menudo.

MESIQUE.. adj. s. Dícese del dedo más pequeño de la mano.

MEOLLAR. m. Mar. Cordel que se hace torciendo filásticas.

MEOLLO. m. Médula, encéfalo. Substancia de algo.

MEOLLUDO-DA. adj. Que tiene mucho meollo.

MEÓN-NA. adj. Que mea mucho.

MEQUETREFE. m. Hombre entrometido, de poco provecho.

MERAMENTE. adv. m. Solamente, sin mezcla de otra cosa.

MERAR. tr. Mezclar un licor con otro.

MERCA. f. fam. Compra.

MERCACHIFLE. m. Buhonero. Mercader de poca monta.

MERCADAMENTE. m. Mercader.

MERCADEAR. intr. Hacer trato y comercio de mercancías.

MERCADER. m. Comerciante.

MERCADERÍA. f. Mercancía.

MERCADO. m. Sitio público para comerciar. Concurrencia de mercaderes.

MERCADURÍA. f. Mercancía.

MERCANCÍA. f. Género vendible.

MERCANTE. adj. Mercantil.

MERCANTIL. adj. Relativo al comercio.

MERCANTILISMO. m. Espíritu aplicado a cosa que no deben ser objeto de comercio.

MERCANTILISTA. adj. Partidario del mercantilismo.

MERCANTILIZAR. tr. Infundir el mercantilismo.

MERCAR. tr. Comprar.

MERCED. f. Premio dado por el trabajo. Galardón.

MERCEDARIO-RIA. adj. s. Religioso o religiosa de la Orden de la Merced.

MERCENARIO-RIA. adj. s. Que sirva por estipendio.

MERCERÍA. f. Comercio de cosas menudas, de escaso valor.

MERCERIZAR. tr. Dar a los hilos y tejidos de algodón cierto brillo.

MERCERO-RA. s. Quien comercia en mercería.

MERCURIAL. adj. Relativo a Mercurio o al mercurio.

MERCÚRICO-CA. adj. Relativo al mercurio.

MERCURIO. m. astr. Planeta, el más próximo al Sol. Min. Azogue.

MERCHANTE. adj. Mercante.

MERDOSO-SA. adj. Sucio, lleno de inmundicia.

MERECEDOR-RA. adj. Que merece.

MERECER. tr. Hacerse digno de algo. Lograr.

MERECIDAMENTE. adv. m. Con razón y justicia.

MERECIDO. p. p. de Merecer. Justo, que se juzga digno.

MERECIENTE. p. a. de Merecer. Que merece.

MERECIMIENTO. m. Acción y efecto de merecer. Mérito.

MERENDAR. intr. Tomar la merienda. r. Apoderarse de algo.

MERENDERO. m. Sitio en que se merienda.

MERENDOLA. m. Merendina.

MERENDONA. f. Merienda opípara.

MERENGAR. tr. Batir la nata de la leche hasta que queda montada.

MERENGUE. m. Dulce de clara de huevo y azúcar.

MEREDIANO-NA. adj. Perteneciente a la ramera.

MERETRIZ. f. Ramera.

MEREY. m. Marañón.

MERGANSAR. m. Mergo.

MERGO. m. Cuervo marino.

MERICARPIO. m. Bot. Arquejonio en que se divide el fruto esquizocarpio.

MERIDIANO-A. adj. Relativo al mediodía. Clarísimo.

MERIDIONAL. adj. Relativo al Sur.

MERIENDA. f. Comida ligera a la tarde. merienda.

MERINDAD. f. Territorio o cargo de merino.

MERINO-NA. adj. Raza de ovejas de lana fina rizada. m. Juez puesto por el rey en un territorio.

MERIÑAQUE. m. Miriñaque.

MERITAMENTE. adv. m. Merecidamente.

MERITAR. intr. p. us. Hacer méritos.

MERITÍSIMO-MA. adj. sup. De Mérito.

MÉRITO. m. De hecho a premio o castigo. Lo que da valor a algo.

MERITORIAMENTE. adv. m. Por méritos.

MERITORIO-A. adj. Digno de premio. m. El que trabaja. Sin sueldo. Aprendiz.

MERLA. f. Mirlo, pájaro.

MERLO. m. Zorzal marino.

MERLUZA. f. Pez malacopterigio de carne blanca muy estimada.

MERMA. f. Acto de mermar. Porción que se gasta de algo.

MERMADOR-RA. adj. Que merma.

MERMAR. intr. r. Disminuir una cosa. tr. Quitar parte de algo.

MERMELADA. f. Conserva de frutas con miel y azúcar.

MERO-RA. adj. Simple, puro, sin mezcla. m. Pez acantopterigio de cuerpo casi oval.

MERODEAR. intr. Vagar una persona o cuadrilla.

MERODEO. m. Acción de merodear.

MEROSTOMA. m. Artrópodo marino.

MEROVINGIO-GIA. adj. s. De la dinastía de Meroveo.

MES. m. Cada una de las doce partes del año. Mensualidad.

MESA. f. Mueble formado por una tabla lisa sostenida por pies.

MESADA. f. Lo que se da o paga cada mes.

MESADURA. f. Acción de mesar o mesarse.

MESANA. f. Mar. Árbol de popa. Vela que en sí se pone.

MESAR. tr. r. Arrancar los cabellos c barbas con las manos.

MESCOLANZA. f. Mezcolanza.

MESEGUERÍA. f. Guarda de las mies

MESEGUERO-RA. adj. Perteneciente a las mieses.

MESENIO-A. adj. s. De Mesenia.

MESENTÉRICO-CA. adj. Relativo al mesenterio.

MESENTERIO. m. Repliegue del peritoneo.

MESENTERITIS. f. Med. Inflamación del mesenterio.

MESETA. f. Descansillo. Terreno elevado y llano en la cumbre de una altura.

MESIÁNICO-CA. adj. Perteneciente al Mesías.

MESIANISMO. m. Creencia en la venida del Mesías.

MESÍAS. m. Sujeto en cuyo advenimiento se tiene confianza.

MESIAZGO. m. Dignidad del Mesías.

MESIDOR. m. Décimo mes del calendario republicano francés.

MESILLA. d. Dinero dado por el rey a sus criados diariamente.

MESILLO. m. Primer menstruo en la mujer después del parto.

MESINÉS-SA. adj. s. De Mesina.

MESMEDAD. f. Naturaleza, esencia.

MESNADA. f. Compañía de hombres de armas que servía a un señor.

MESNADERÍA. f. Sueldo del mesnadero.

MESNADERO. adj. m. Quien servía en mesnada.

MESOCARPIO. m. Bot. Parte intermedia del pericarpio.

MESOCÉFALO. s. Persona de un índice craneal entre 0,77 y 0,80.

MESOCRACIA. f. Gobierno de la clase media.

MESOCRÁTICO-CA. adj. Relativo a la mesocracia.

MESÓN. m. Casa en que mediante pago, se da albergue.

MESONAJE. m. Lugar en que hay muchos mesones.

MESOTRÓN. m. Partículas intermedias en los núcleos atómicos.

MESONERO-RA. adj. Relativo al mesón. s. Dueño de él.

MESONIL. adj. Relativo al mesón o al mesonero.

MESOTÓRAX. m. Anat. Parte media del pecho.

MESOZOICO-CA. adj. De época secundaria.

MESTA. f. Antigua organización ganadera de Castilla, León y Extremadura.

MESTAL. m. Lugar poblado de mestos.

MESTEÑO-ÑA. adj. Relativo a la mesta.

MESTER. m. Arte, oficio. Género de poesía medieval.

MESTICIA. f. Tristeza.

MESTIZO-ZA. adj. s. Hijo de padres de diferentes razas.

MESTO. m. Vegetal producto del alcornoque y la encina.

MESURA. f. Moderación, comedimiento.

META. f. Término señalado a una carrera.

METABOLISMO. m. Cambios químicos y biológicos de una célula viva.

METACARPIANO. adj. Relativo al metacarpo.

METACARPO. m. Parte de la mano entre el carpo y los dedos.

METAFÍSICA. f. Ciencia de los primeros principios.

METAFÍSICO-CA. adj. Relativo a la metafísica. m. Quien la profesa.

METÁFORA. f. Ret. Tropo que traslada el sentido recto en otro figurado por comparación.

METAFÓRICAMENTE. adv. m. Por medio de metáfora.

METAFÓRICO-CA. adj. Relativo a la metáfora. Que la tiene.

METAFORIZAR. tr. Usar de metáforas.

METAL. m. Cuerpo simple conductor del calor y electricidad, dúctil y maleable de brillo.

METALARIO-RIA. s. Persona que trabaja en metales.

METALESCENCIA. f. Calidad de metalescente.

METALESCENTE. adj. Dícese de los cuerpos que presentan brillo especial.

METÁLICO-CA. adj. De metal. m. Dinero en especie amonedada.

METALÍFERO-RA. adj. Que contiene metal.

METALISTA. com. Metalario.

METALISTERÍA. f. Arte de trabajar en metales.

METALIZAR. tr. r. Quim. Hacer que una sustancia adquiera propiedades metálicas.

METALOGRAFÍA. f. Tratado acerca de los metales.

METALOIDE. m. Cuerpo simple no metal, mal conductor.

METALURGIA. f. Arte de obtener metales beneficiando los minerales que los contienen.

METALÚRGICO-CA. adj. Relativo a la metalurgia.

METALLA. f. Panes de oro usados por los doradores.

METÁMETRO. m. Porción del cuerpo de un animal segmentado.

METAMORFISMO. m. Geol. Transformación natural de un mineral.

METAMORFOSEAR. tr. r. Transformar.

METAMORFOSIS. f. Transformación.

METANO. m. Hidrocarburo gaseoso e incoloro, inflamable.

METAPLASMA. m. Contenido no vivo de una célula.

METAPLASMO. m. Gram. Cualquiera de las figuras de dicción.

METATARSO. m. Parte del pie entre el tarso y los dedos.

METÁTESIS. f. Gram. Metaplasmo consistente en alterar el orden de las letras de un vocablo.

METAZOO. m. Animal pluricelular, de cédulas diferenciadas.

METEDOR-RA. s. Quien introduce una cosa en otra.

METEDURÍA. f. Acción de introducir contrabando.

METEMPSICOSIS. f. Creencia en la transmigración de las almas.

METEMUERTOS. m. Encargado de retirar los muebles de la escena.

METEÓRICO-CA. adj. Relativo al meteoro.

METEORISMO. m. Distensión flatulenta del aparato digestivo.

METEORITO. m. Aerolito.

METEORIZACIÓN. f. Agr. Acción y efecto de meteorizarse la tierra.

METEORIZAR. tr. Med. Causar meteorismo. Agr. Recibir la tierra la influencia de los meteoros.

METEORO. m. Fenómeno atmosférico.

METEOROLOGÍA. f. Tratado de los meteoros.

METEOROLÓGICO-CA. adj. Relativo a la meteorología.

METEOROLOGISTA. adj. Persona que profesa la meteorología.

METER. tr. r. Introducir. Encerrar, incluir una cosa en otra. Poner.

METICULOSAMENTE. adv. m. De manera meticulosa.

METICULOSIDAD. f. Calidad de meticuloso.

METICULOSO-SA. adj. s. Medroso. Minucioso.

METIDO-DA. adj. Abundante en ciertas cosas.

METILENO. m. Carburo de hidrógeno, radical hopotético, de varios compuestos orgánicos.

METIMIENTO. m. Acción de introducir una cosa en otra.

METÓDICO-CA. adj. Que usa el método. Hecho con él.

METODISMO. m. Secta protestante inglesa.

METODISTA. adj. s. Que profesa el metodismo.

METODIZAR. tr. Poner método.

MÉTODO. m. Modo ordenado de proceder.

METODOLOGÍA. f. Tratado de los métodos.

METONIMIA. f. Ret. Tropo cometido al tomar la causa por el defecto.

METONÍMICO-CA. adj. Perteneciente a la metonimia.

METOPA. f. Arq. Espacio entre dos triglifos.

METOPOSCOPIA. f. Arte de adivinar el porvenir por las líneas del rostro.

METRALLA. f. Pedazos de metal con que se cargan algunos explosivos.

METRALLAZO. m. Disparo hecho con metralla.

MÉTRICA. f. Arte de la composición de los versos.

MÉTRICO-CA. adj. Relativo a la medida.

METRIFICAR. intr. r. Versificar.

METRITIS. f. Inflamación de la matriz.

METRO. m. Medida del verso. Unidad de longitud del sistema métrico decimal.

METROLOGÍA. f. Ciencia que estudia las pesas y medidas.

METRÓNOMO. m. Aparato para medir el tiempo y marcar el compás de la música.

METRÓPOLI. f. Ciudad principal. Iglesia arzobispal.

METROPOLITA. m. Arzobispo de la Iglesia rusa.

METROPOLITANO-NA. adj. Relativo a la metrópoli. m. Arzobispo.

METRORRAGIA. f. Hemorragia de la matriz.

MEZCAL. m. Variedad de pita.

MEZCLA. f. Acción de mezclar.

MEZCLABLE. adj. Que se puede mezclar.

MEZCLADO. m. Especie de paño que se hacía con mezclas.

MEZCLADOR-RA. m. y f. Persona que mezcla.

MEZCLADURA. f. Mezcla.

MEZCLAR. tr. r. Juntar, incorporar. r. Introducirse.

MEZCOLANZA. f. Mezcla confusa.

MEZQUINDAD. f. Calidad de mezquino.

MEZQUINO-NA. adj. Pobre. Avaro. Pequeño, diminuto.

MEZQUITA. f. Templo mahometano.

MI. m. Mús. Tercera nota de la escala.

MI. Forma del pron. pers. de primera persona en gén. masc. o f. y núm. sing. usado en los casos oblicuos.

MI-MIS. adj. Apócope del adj. posesivo mío.

MIAJA. f. Migaja.

MIALGIA. f. Med. Sensación de dolor en un músculo.

MIASMA. m. Efluvio maligno que despiden los cuerpos enfermos.

MIASMÁTICO. adj. Que produce o contiene miasmas.

MIAU. m. Maullido. Voz de gato.

MICA. f. Silicato nativo múltiple con láminas transparentes elásticas.

MICÁCEO-A. adj. Que contiene mica.

MICACITA. f. Roca compuesta por cuarzo y mica.

MICADO. m. Soberano del Japón.

MICCIÓN. f. Acción de mear.

MICELIO. m. Bot. Aparato de nutrición de los hongos.

MICER. m. Título antiguo honorífico.

MICO. m. Mono de cola larga. Hombre lujurioso.

MICOLOGÍA. f. Ciencia que trata de los hongos.

MICÓLOGO-GA. m. y f. El que se dedica al estudio de la micología.

MICOSIS. f. Enfermedad producida por hongos.

MICRA. f. Medida micrométrica, que equivale a la millonésima parte del metro.

MICROBIANO-NA. adj. Relativo a los microbios.

MICRÓBICO-CA. adj. Relativo a los microbios.

MICROBIO. m. Nombre genérico de los seres unicelulares microscópicos, que transforman y descomponen las sustancias animales o vegetales.

MICROBIOLOGÍA. f. Estudio de los microbios.

MICROCEFALIA. f. Calidad de microcéfalo.

MICROCÉFALO-LA. adj. s. De cabeza pequeña.

MICROCOCO. m. Microbio de forma esférica.

MICRÓFITO. m. Microbio.

MICRÓFONO. m. Aparato que aumenta la intensidad de los sonidos.

MICROGRAFÍA. f. Descripción de los objetos vistos con el microsopio.

MICRÓMETRO. m. Instrumento para medir cantidades lineales.

MICROMILÍMETRO. m. Medida micrométrica, equivalente a la milésima parte de un milímetro.

MICRÓN. m. Micromilímetro.

MICROORGANISMO. m. Microbio.

MICROSCÓPICO-CA. adj. Relativo al microscopio.

MICROSCOPIO. m. Instrumento óptico para observar objetos sumamente pequeños.

MICRÓTOMO. m. Instrumento para cortar los objetos que se han de mirar al microscopio.

MIDRIASIS. f. Dilatación anormal de la pupila que inmoviliza el iris.

MIEDO. m. Inquietud, angustia, temor de un peligro.

MIEDOSO-SA. adj. Medroso.

MIEL. f. Sustancia muy dulce, viscosa que elaboran las abejas.

MIELGA. f. Planta leguminosa usada como forraje.

MIELINA. f. Sustancia que envuelve y protege las fibras nerviosas.

MIELITIS. f. Inflamación de la médula espinal.

MIEMBRO. m. Parte del cuerpo que se articula con el tronco. Individuo de una comunidad.

MIENTE. f. Pensamiento, mente.

MIENTRAS. adv. t. En tanto; entre tanto.

MIERA. f. Aceite espeso muy amargo.

MIÉRCOLES. m. Cuarto día de la semana.

MIERDA. f. Excremento humano o de animales. Suciedad.

MIES. f. Cereal maduro.

MIGA. f. Migaja. Parte interior del pan. Substancia.

MIGAJA. f. Porción pequeña de algo.

MIGAJADA. f. Porción pequeña.

MIGAR. tr. Desmenuzar el pan en trozos muy pequeños.

MIGRACIÓN. f. Emigración. Viaje periódico de las aves de paso.

MIGRAÑA. f. Jaqueca.

MIGRATORIO-RIA. adj. Relativo a las migraciones.

MIGUELEAR. tr. Enamorar.

MIGUELETE. m. Miquelete.

MIGUERO-RA. adj. Relativo a las migas.

MIHRAB. m. Hornacina adonde han de mirar los que oran en las mezquitas.

MIJE. m. Árbol mirtáceo.

MIJO. m. Planta graminea de tallo robusto, flores en panojas terminales y grano redondo.

MIKADO. m. Micado.

MIL. adj. Diez veces ciento.

MILADI. f. Tratamiento dado a las inglesas de la nobleza.

MILAGRERÍA. f. Cuento de hechos maravillosos.

MILAGRERO-RA. adj. Que todo lo atribuye a milagro.

MILAGRO. m. Hecho sobrenatural. Exvoto.

MILAGRÓN. m. Espaviento.

MILAGROSO-SA. adj. Maravilloso, pasmoso.

MILANÉS-SA. adj. De Milán.

MILANO. m. Ave rapaz falcónica de cola y alas muy largas y plumaje rojizo.

MILDEU. m. Enfermedad de la vid causada por un hongo.

MILDO. m. Masa de avellanas molidas y miel.

MILENARIO-RIA. adj. Relativo al número mil. m. Espacio de mil años.

MILENARISMO. m. Doctrina de los milenarios.

MILENIO. m. Período de mil años.

MILENO-NA. adj. Tela de mil hilos.

MILENTA. m. fam. Millar.

MILÉSIMO-MA. adj. Que sigue en orden al nonagésimo nono.

MILESIO-A. adj. s. De Mileto.

MILGRANAR. m. Campo de granados.

MILHOJAS. m. Milenrama.

MILI. Prefijo que significa milésima parte.

MILIAR. adj. Parecido al grano de mijo.

MILIÁREA. f. Milésima parte de un área.

MILICIA. f. Arte de hacer la guerra. Profesión militar.

MILICIANO-NA. adj. Perteneciente a la milicia. Individuo perteneciente a ella.

MILICO. m. despect. Militar.

MILIGRAMO. m. Peso milésima parte de un gramo.

MILILITRO. m. Medida de capacidad, milésima parte de un litro.

MILÍMETRO. m. Medida de longitud. Milésima parte del metro.

MILITANTE. p. s. de Militar. Que milita.

MILITAR. adj. Relativo a la milicia. m. Individuo que profesa la milicia.

MILITAR. intr. Profesar la milicia.

MILITARA. f. fam. Esposa o viuda de militar.

MILITARISMO. m. Predominio de militares en el gobierno.

MILITARISTA. adj. Partidario del militarismo.

MILITARIZAR. tr. Someter a la disciplina militar.

MILMILLONÉSIMO-MA. adj. Se aplica a cada una de las millones de partes iguales de un todo.

MILOCA. f. Ave rapaz nocturna.

MILOCHA. f. prov. Cometa.

MILONGA. f. Canto popular argentino.

MILORD. m. Tratamiento dado a los nobles ingleses.

MILLA. f. Medida itineraria igual a un tercio de una legua, 1.852 m.

MILLAR. m. Conjunto de mil unidades.

MILLARADA. f. Cantidad como de mil.

MILLÓN. m. Mil millares.

MILLONADA. f. Como de un millón.

MILLONARIO-RIA. adj. Que posee uno o más millones.

MILLONÉSIMO-MA. adj. Se aplica a cada una del millón de partes iguales de un todo.

MIMAR. tr. Tratar con excesiva condescendencia y regalo.

MIMBRAL. m. Mimbreral.

MIMBRAR. tr. Humillar, abrumar.

MIMBRE. amb. Mimbrera. Rama de ésta usada en cestería.

MIMBREAR. intr. Moverse con flexibilidad.

MIMBREÑO-ÑA. adj. De naturaleza de mimbre.

MIMBRERA. f. Arbusto salicácio de fruto capsular de rama larga y flexible. Sauce.

MIMBRERAL. m. Sitio plantado de mimbres.

MIMBRÓN. m. Mimbre, arbusto.

MIMESIS. f. ret. Imitación del modo de hablar y gesticular de una persona.

MIMETISMO. m. Parecido exterior de algunos animales con el medio en que viven.

MÍMICA. f. Arte de expresarse por gestos o ademanes.

MÍMICO-CA. adj. Relativo al mimo o a la mímica.

MIMO. m. Farsa griega o romana. Halago. Condescendencia.

MIMODRAMA. f. Pantomima dramática.

MIMOSA. f. Planta mimosácea, de flor amarilla, cuyas hojas se pliegan al tacto.

MIMOSAMENTE. adv. Con mimo.

MIMOSO-SA. adj. Melindroso, delicado.

MINA. f. Criadero de algún mineral. Donde abunda algo.

MINADA. f. Reses vacunas dedicadas a la labranza.

MINADOR-RA. adj. Que mina. Mar. Barco para colocar minas.

MINAL. adj. Perteneciente a la mina.

MINAR. tr. Abrir minas. Destruir poco a poco. Mar. Colocar minas.

MINARETE. m. Alminar.

MINDANGO-GA. adj. prov. Despreocupado.

MINERA. f. Cante andaluz de los mineros.

MINERAJE. m. Labor y beneficio de las minas.

MINERAL. adj. Inorgánico. Substancia inorgánica.

MINERALIZAR. tr. r. Comunicar propiedades de minerales.

MINERALOGÍA. f. Ciencia que trata de los minerales.

MINERALOGISTA. com. Persona versada en mineralogía.

MINERÍA. f. Arte de laborear las minas.

MINERO-RA. s. Quien trabaja las minas.

MINEROMEDICINAL. adj. Dícese de las aguas minerales, usadas en medicina.

MINERVA. f. Mente, inteligencia.

MINERVISTA. com. Tipógrafo de una minerva.

MINGO. m. Bola de billar que se coloca a la cabecera de la mesa.

MINIAR. tr. Pint. Pintar de miniaturas.

MINIATURA. f. Pintura de pequeñas dimensiones.

MINIATURISTA. com. Pintor o pintora de miniaturas.

MINIFUNDIO. m. Finca pequeña, rústica.

MÍNIMA. f. Cosa muy pequeña. Mús. Nota que vale una semibreve.

MINIMALISTA. adj. Que se contenta con el mínimun de las reivindicaciones del partido comunista ruso.

MÍNIMUM. m. Mínimo, límite o extremo.

MININA. f. fam. La gata.

MININO. m. f. El gato.

MINIO. m. Óxido de plomo rojo, usado para pintar hierro.

MINISTERIAL .adj. Perteneciente al ministro o ministerio.

MINISTERIO. m. Funciones o cargos elevados. Empleo de ministro.

MINISTRA. f. Prelada de las monjas trinitarias.

MINISTRABLE. adj. Persona con aptitudes de ministro.

MINISTRANTE. m. Practicante de un hospital.

MINISTRAR. tr. intr. Servir un oficio. tr. Suministrar.

MINISTRIL. m. Ministro inferior de justicia.

MINISTRO. m. Quien ejerce un ministerio. Enviado.

MINO. Voz para llamar al gato.

MINORACIÓN. f. Acción y efecto de minorar.

MINORAR. tr. r. Disminuir.

MINORATIVO-VA. adj. Que minora.

MINORÍA. f. Parte menor de un conjunto.

MINORIDAD. f. Menor de edad.

MINORISTA. m. Clérigo que tiene órdenes menores. El que comercia al por menor.

MINORITA. m. Menor religioso franciscano.

MINOTAURO. Mit. Monstruo con cabeza de un toro y cuerpo de hombre.

MINSTRAL. adj. Maestral, hablando del viento.

MINUCIA. f. Menudencia, cosa fútil.

MINUCIOSAMENTE. adv. m. Con minuciosidad.

MINUCIOSIDAD. f. Calidad de minucioso.

MINUCIOSO-SA. adj. Que se detiene en cosas nimias.

MINUÉ. m. Baile francés.

MINUENDO. m. Mat. Cantidad de la que se resta otra.

MINUETE. m. Minué.

MINÚSCULO-LA. adj. Que es de poca dimensión.

MINUTA. f. Extracto de una escritura. Borrador.

MINUTAR. tr. Extracto de una consulta o contrato.

MINUTARIO. m. Cuaderno en que el notario hace los borradores de las escrituras.

MINUTERO. m. Manecilla del reloj que señala los minutos.

MINUTISA. f. Clavelilla de flores de colores variados.

MINUTO. f. Sexagésima parte del grado de círculo.

MIÑÓN. m. Soldado para la persecución de malhechores.

MIÑONA. f. Impr. Caracter de letra de siete puntos.

MIÑOSA. f. Lombriz.

MIO, MIA, MIOS, MIAS. Pronombres posesivos de primera persona en más y fem. y ambos números.

MIOCARDIO. m. Parte muscular del corazón.

MIOCARDITIS. f. Inflamación del miocardio.

MIOCENO. adj. s. Período de la era terciaria.

MIODINIA. f. Dolor de los músculos.

MIOGRAFÍA. f. Descripción de los músculos.

MIOLEMA. m. Zool. Tubos que contienen fibras musculares.

MIOLOGÍA. f. Anat. Tratado de los músculos.

MIOMA. m. Tumor muscular.

MIOPE. adj. s. El que padece miopía.

MIOPÍA. f. Defecto visual por el que la imagen de objetos lejanos se produce delante de la retina.

MIOSIS. f. Med. Contracción permanente de la retina ocular.

MIOSITIS. f. Med. Inflamación de un músculo, con fiebre alta y dolores.

MIOSOTA. f. Bot. Raspadilla.

MIQUELETE. m. Fusilero de montaña en Cataluña.

MIRA. f. Pieza para dirigir visuales. Top. Regla graduada.   [so..

MIRABEL. m. Planta sasolácea, gira-

MIRADA. f. Acto de mirar.

MIRADERO. m. Lugar desde donde se mira. Sitio a la vista de todos.

MIRADO-DA. adj. Cauto, circunspecto.

MIRADOR-RA. adj. Que mira. Corredor, galería.

MIRAGUANO. m. Palmera americana de cuyo fruto se obtiene una materia olgodonosa.

MIRAJE. m. Galicismo por espejismo.

MIRAMAMOLín. m. Dictado de algunos monarcas musulmanes.

MIRAMELINDOS. m. Planta gramínea balsámica.

MIRAMIENTO. m. Consideración de algo. Acción de mirar.

MIRANDA. f. Paraje alto y de gran vista.

MIRAR. tr. Fijar la vista en algo. Observar. Cuidar.

MIRASOL. m. Girasol.

MIRIA. Prefijo que significa diez mil.

MIRIADA. f. Diez mil unidades.

MIRIAGRAMO. m. Peso de diez mil gramos.

MIRIALITRO. m. Diez mil litros.

MIRIAMETRO. m. Diez mil metros.

MIRIAPODO. adj. Zool. Animal articulado de gran número de pies.

MIRIFICAR. tr. Enaltecer, ensalzar.

MIRÍFICO-CA. adj. Admirable.

MIRILLA. f. Abertura en la puerta o pared para mirar.

MIRIÑAQUE. m. Saya interior rígida para dar vuelo a las faldas.

MIRIÓPODO-DA. adj. Miriápodo.

MIRÍSTICA. f. Árbol que produce la nuez moscada.

MIRLO. m. Pájaro dentorrostro domesticable.

MIRMIDÓN. m. Hombre pequeño.

MIROBÁLANO. m. Arbol de la India, medicinal.

MIRRA. f. Gomorresina roja aromática de un árbol terebintáceo de Arabia.

MIRRADO-DA. adj. Compuesto de mirra.

MIRTÁCEO-A. adj. s. Arboles dicotiledóneos de flor tubulosa, fruto capsular y rico en esencia.

MIRTIDANO. m. Pimpollo del mirto.

MIRTIFORME. adj. De forma de hoja de mirto.

MIRTILO. m. Arándano.

MIRTO. m. Arrayán.

MISA. f. Sacrificio incruento en que el sacerdote ofrece el cuerpo y sangre de Cristo bajo las especies de pan y vino.

MISACANTANO. m. Sacerdote que celebra su primera misa.

MISAL. m. adj. s. Libro litúrgico, con ceremonias y oraciones de la misa.

MISANTROPÍA. f. Calidad de misántropo.

MISÁNTROPO. m. Individuo que siente aversión al trato humano.

MISAR. intr. fam. Decir u oir misa.

MISCELÁNEA. f. Mezcla de diversas cosas.

MISCELÁNEO-A. adj. Variado, compuesto de géneros diversos.

MISCIBLE. adj. Que se puede mezclar.

MISERABLE. adj. Pobre, infeliz, Perverso.

MISERAMENTE. adv. m. Miserablemente.

MISERERE. m. Salmo penitencial. Canto del mismo.

MISERIA. f. Desgracia. Pobreza extrema. Mezquindad.

MISERICORDIA. f. Virtud por la que se compadecen las miserias ajenas.

MISERICORDIOSO-SA. adj. s. Que tiene misericordia.

MÍSERO-RA. adj. Miserable.

MISÉRRIMO-MA. adj. sup. de mísero.

MISIÓN. f. Acto de enviar. Comisión, encargo.

MISIONAL. adj. Relativo a las misiones o misioneros.

MISIONERA. f. Religiosa que está en una misión.

MISIONERO. m. Predicador evangélico que hace misiones.

MISIVO-VA. adj. Que contiene un mensaje. Escrito que lo expresa.

MISMAMENTE. adv. Precisamente.

MISMO-MA. adj. Demostrativo. Igual.

MISÓGINO. adj. s. Que odia a la mujer.

MISONEISMO. m. Aversión a las novedades.

MISS. f. Tratamiento inglés que equivale a señorita.

MISTAGOGO. m. Sacerdote griego o romano que iniciaba los misterios.

MISTELA. f. Bebida de aguardiente, agua, azúcar y canela.

MÍSTER. m. Tratamiento inglés que equivale a señor.

MISTERIO. m. Rito secreto de religiones antiguas. Cosa secreta o incomprensible.

MISTERIOSO-SA. adj. Que tiene misterio.

MÍSTICA. f. Teol. Tratado de la unión del hombre con la divinidad.

MISTICISMO. m. Estado extraordinario del alma en unión inefable con Dios.

MÍSTICO-CA. adj. s. Relativo a la mística. Que trata de ella.

MISTIFICAR. tr. Galicismo por engañar, mofar, etc.

MISTRAL. adj. s. Viento entre poniente y Tramontana.

MISTURA. f. Mixtura.

MITAD. f. Cada una de las dos partes iguales de un todo.

MITADENCO. adj. Mezcla de trigo y centeno mitad y mitad.

MITAN. m. Lienzo.

MÍTICO-CA. adj. Relativo al mito.

MITIGAR. tr. r. Moderar, suavizar.

MITIN. m. Reunión público para discutir asuntos políticos.

MITO. m. Tradición fabulosa.

MITOGRAFÍA. f. Estudio de los mitos y su origen.

MITOLOGÍA. f. Conjunto de mitos.

MITOLÓGICO-CA. adj. Relativo a la mitología.

MITÓN. m. Guante de punto sin dedos.

MITRA. f. Toca de los antiguos persas. Prenda del obispo.

MITRADO-DA. adj. Religioso que puede usar mitra.

MITRAL. adj. Válvula de la parte izquierda el corazón.

MITRAR. intr. Obtener un obispado.

MIXTIFORI. m. Embrollo.

MIXTILÍNEO-A. adj. Figura de lados rectos y curvos.

MIXTIÓN. f. Mezcla.

MIXTO-TA. adj. Compuesto de elementos de naturaleza distinta.

MIXTURA. tr. Mezclar.

MIZAR. f. Astr. Estrella de la Osa Mayor.

MIZCAL. m. En Marruecos, moneda.

MIZCALO. m. Hongo comestible.

MNEMOTECNIA. f. Arte de desarrollar la memoria o fijar en ella los acontecimientos.

MNEMOTÉCNICO-CA. adj. Relativo a a la mnemotecnia.

MOABITA. adj. s. De la región de Moab, del antiguo Israel.

MOARÉ. m. Muaré.

MOBILIARIO-RIA. adj. Mueble. Efectos al portador. Moblaje.

MOBLAJE. m. Conjunto de muebles de una casa.

MOCA. m. Café de Arabia.

MOCÁN m. Arbol canario de la familia de las ternsmiáceas.

MOCARRA. fam. Mocoso, atrevido.

MOCARRO. m. Moco que cuelga de la nariz.

MOCASÍN. m. Calzado indio.

MOCEAR. tr. Portarse como un mozo.

MOCEDAD. f. Época de la vida entre la juventud y la edad adulta. Diversión deshonesta.

MOCERÍO. m. Conjunto de gente joven.

MOCETÓN-NA. s. Persona alta y robusta.

MOCIÓN. f. Acto de moverse. Alteración del ánimo.

MOCITO-TA. adj. s. Mozo muy joven.

MOCO. m. Humor pegajoso segregado por la membrana mucosa. Extremo del pabil.

MOCOSO-SA. adj. Que tiene muchos mocos. Insignificante.

MOCOSUELO-LA. adj. Joven inexperto.

MOCHADA. f. Topetada.

MOCHERA. f. Mostellar.

MOCHETA. f. Extremo opuesto a la punta o filo de ciertas herramientas.

MOCHETE. m. Carnícalo, ave rapaz.

MOCHILA. f. Caja de cuero o tela sujeta por correas a la espalda.

MOCHILERO. m. El que viaja a pie con mochila.

MOCHO-A. adj. Que no tiene punta o terminación. Pelado.

MOCHUELO. m. Ave rapaz estrígida nocturna. Asunto enojoso.

MODA. f. Uso pasajero en el modo de vestir, vivir, obrar.

MODAL. adj. Relativo al modo.

MODALIDAD. f. Modo de ser algo.

MODELACIÓN. f. Acto de modelar.

MODELADO. m. Acción y efecto de modelar.

MODELADOR-RA. adj. Que modela.

MODELAR. tr. Formar una figura con materia plástica.

MODELO. m. Lo que sirve de objeto de imitación.

MODERACIÓN. f. Acto de moderar. Templanza, cordura.

MODERADAMENTE. adv. m. Con templanza y razonablemente.

MODERADO-DA. adj. Que tiene moderación.

MODERAR. tr. r. Templar, evitar el exceso, contener, atenuar.

MODERATIVO-VA. adj. Que modera.

MODERNAMENTE. adv. m. Reciente, de poco tiempo a esta parte.

MODERNISMO. m. Aficionado a los gustos, estilos, etc., modernos.

MODERNISTA. adj. s. Relativo al modernismo.

MODERNO-NA. adj. Que pertenece a tiempo actual. Nuevo.

MODESTIA. f. Virtud moderadora de las acciones humanas.

MODESTO-TA. adj. s. Que tiene modestia.

MÓDICAMENTE. adv. m. Con escasez o estrechez.

MODICIDAD. f. Calidad de módico.

MÓDICO-CA. adj. Moderado, reducido.

MODIFICACIÓN. f. Acción de modificar..

MODIFICAR. tr. r. Cambiar caracteres no esenciales de una cosa. ca.

MODIFICATIVO-VA. adj. Que modifica.

MODILLÓN. m. Arq. Saliente que adorna por debajo una cornisa.

MODIO. m. Medida de capacidad para áridos (dos celemines).

MODISMO. m. Modo particular de hablar una lengua.

MODISTA. com. Persona que hace prendas de vestir para señoras.

MODISTERÍA. f. Oficio de modista.

MODISTILLA. f. Oficiala joven o aprendiza de modista.

MODISTO. m. Neologismo por modista en género m.

MODO. m. Cualidad accidental de un ser. Gram. Accidente del verbo.

MODORAR. f. Sueño pesado. Enfermedad del ganado lanar.

MODORRAR. tr. Ablandarse la fruta y cambiar de color.

MODORRO-RRA. adj. Que padece modorra. Torpe.

MODOSO. adj. Que guarda compostura.

MODREGO. m. Sujeto desmeñado.

MODULACIÓN. f. Mús. Acción y efecto de modular.

MODULAR. tr. Dar inflexiones variadas a la voz.

MÓDULO. m. Arq. Radio inferior de una columna. Mat. Cantidad expresiva de la medida de una función.

MODULOSO-SA. adj. Cadencioso.

MOFA. f. Burla, escarnio.

MOFAR. intr. r. Hacer mofa.

MOFETA. f Gas pernicioso desprendido de minas y lugares subterráneos.

MOFLETE. m. fam. Carrillo grueso.

MOFLUDO-DA. adj. Que tiene mofletes.

MOGATAZ. m. Soldado moro de los presidios españoles en Africa.

MOGATE. m. Baño, barniz.

MOGOL. adj. s. De Mogolia.

MOGÓLICO-CA. adj. Perteneciente al gran mogol.

MOGOLLÓN. m. Entretenimiento.

MOGÓN-NA. adj. Dícese de la res que le falta un asta.

MOGOTE. m. Montículo cónico y aislado, de punta roma.

MOGROLLO. m. Gorrista.

MOHARRA. f. Punta de la lanza.

MOHARRACHO. m. Persona ridiculamente disfrazada.

MOHATRA. f. Fraude. Venta simulada y usuraria.

MOHECER. tr. Enmohecer.

MOHEDA. m. Monte alto con malezas.

MOHENA. adj. Cierta especie de ortiga.

MOHICANO. m. Tribu india del bajo Hudson, extinguida.

MOHIENTO-TA. adj. Mohoso.

MOHÍN. m. Mueca, gesto.

MOHINA. f. Tristeza, enojo, disgusto, enfado.

MOHO. m. Hongo micoficeto, muy pequeño que se cría en la superficie de algunos cuerpos. Capa formada en la superficie de cuerpos metálicos.

MOHOSO-SA. adj. Cubierto de moho.

MOJADA. f. Acción de mojar o mojarse. Mojadura.

MOJADURA. f. Acción de mojar o mojarse.

MOJAMA. f. Cocina de atún.

MOJAR. tr. r. Humedecer con algún líquido.

MOJARRA. f. Pez marino acantopterigio comestible.

MOJARRILLA. com. Persona alegre.

MOJE. m. Caldo de cualquier guisado.

MOJEL. m. Instrumento marino para zarpar el ancla.

MOJICÓN. m. Bizcocho cortado en trozos y bañado.

MOJIGANGA. f. Fiesta de máscaras con disfraces ridículos.

MOJIGATERIA. f. Calidad de mojigato.

MOJIGATO-TA. adj. s. Disimulado, hipócrita. Beato.

MOJINETE. m. Caballete de un tejado. Golpe suave en la cara.

MOJÓN. m. Hito. Poste para señalar lindes. Montón.

MOJONA. f. Medida o amojonamiento de las tierras.

MOJONERO. m. Aforador.

MOKA. m. Café muy estimado, de Arabia.

MOLA. f. Harina de cebada tostada y sal, usada en sacrificios.

MOLAR. adj. Relativo a la muela. Muela.

MOLCAJETE. m. Mortero con tres pies .

MOLDAVO-VA. adj. s. Moldavia.

MOLDE. m. Objeto hueco para dar forma a la fundición.

MOLDEAR. tr. Hacer molduras. Sacar moldes de algo.

MOLDURA. f. Parte saliente y corrida, empleada como adorno en arquitectura, carpintería, etc.

MOLDURAR. tr. Hacer molduras.

MOLE. f. Cosa de gran corpulencia. adj. Blando.

MOLÉCULA. f. Agrupación definida de átomos, primer elemento de la composición del cuerpo.

MOLECULAR. adj. Relativo a la molécula.

MOLEDERA. f. Piedra que se muele. Molestia.

MOLEDOR-RA. adj. Persona que cansa con su pesadez.

MOLEDURA. f. Acto de moler. Molestia.

MOLEJÓN. m. Piedra de amolar.

MOLENDERO-RA. s. Quien muele o da de moler a un molino.

MOLEÑA. f. Pedernal. Variedad de cuarzo.

MOLER. tr. Reducir un cuerpo a partes menudas. Triturar.

MOLESTAR. tr. r. Causar molestia.

MOLESTIA. f. Incomodidad. Perturbación del bienestar, o tranquilidad por daño, fastidio, etc.

MOLESTO-TA. adj. Que causa o siente molestia.

MOLETA. f. Piedra para moler drogas, colores, etc. Aparato para pulir cristal.

MOLIBDENO. m. Metal plomizo maleable, poco fusible, usado en aceros especiales.

MOLICIE. f. Blandura, afición al ocio y regalo.

MOLIDO-DA. adj. Oro para iluminar libros y miniaturas.

MOLIENDA. f. Moledura. Lo que se muela de una vez. Molino.

MOLIFICAR. tr. Ablandar o suavizar.

MOLINERA. f. Mujer del molinero. La que tiene un molino.

MOLINERO-RA. adj. Propio del molino o de la molinería.

MOLINETE. m. Ruedecilla giratoria con aspas para ventilar.

MOLINILLO. m. Instrumento para moler pequeñas cantidades de algo.

MOLINISMO. m. Doctrina del padre Molina sobre el libre albedrío y la gracia.

MOLINO. m. Máquina para moler. Edificio en que está instalada.

MOLONDRO. m. fam. Hombre poltrón y sin enseñanza.

MOLONDRÓN. m. Golpe dado en o con la cabeza.

MOLOSO. m. Poet. Pie compuesto por tres sílabas largas.

MOLTURA. f. Molienda.

MOLTURAR. tr. Moler.

MOLUSCO. s. Metazoos de cuerpo blando insegmentado y concha calcárea.

MOLLA. f. Parte magra de la carne.

MOLLAR. adj. Blando, tierno. Lo que da mucha utilidad con poco trabajo.

MOLLEAR. intr. Ceder a la fuerza. Doblarse por su blandura.

MOLLEDO. m. Parte redondeada y carnosa de un miembro. Miga de pan.

MOLLEJA. f. Segundo estómago del ave en el que se tritura el alimento.

MOLLEJÓN. m. Hombre grueso y flojo, blando de carácter.

MOLLERA. f. Parte alta de la cabeza. fig. Caletre.

MOLLETE. m. Panecillo blando y poco cocido. Moflete.

MOLLETRO-RA. s. Quien hace o vende molletes.

MOLLETUDO-DA. adj. Mofletudo.

MOLLICIO-CIA. adj. Blando, suave.

MOLLIZNA. f. Llovizna.

MOMENTANEO-A. adj. Que dura un momento.

MOMENTO. m. Pequeño espacio de tiempo.

MOMERÍA. f. Ejecución de chocarrerías.

MOMIA. f. Cadáver desecado sin descomponerse. Persona seca.

MOMIFICACIÓN. f. Acción y efecto de momificar.

MOMIFICAR. tr. r. Convertir en momia un cadáver.

MOMIO-A. adj. Magro. m. Ganga.

MOMO. m. Gesto o acción ridículos.

MOMORDIGA. f. Planta encurbitácea, balsámica.

MONA. f. Hembra del mono. Borrachera. Persona que obra por imitación.

MONACAL. adj. Relativo al monje.

MONACATO. m. Estado de monje. Institución monástica.

MONACILLO. m. Monaguillo.

MONACORDIO. m. Instrumento músico.

MONADA. f. Acción de mono. Monería.

MONAGO. m. fam. Monaguillo.

MONAGUILLO. m. Niño que ayuda al servicio del altar.

MONAQUISMO. m. Monacato.

MONARCA. m. Soberano de una monarquía.

MONARQUÍA. f. Gobierno de una soberanía ejercida por una sola persona.

MONÁRQUICO-CA. adj. Relativo a monarca o monarquía.

MONARQUISMO. m. Adhesión a los principios monárquicos.

MONASTERIO. m. Convento.

MONÁSTICO-CA. adj. Relativo al monacato o monasterio.

MONDA. f. Acción de mondar. Mondadura.

MONDADERAS. f. pl. Despabiladeras.

MONDADIENTES. m. Instrumento para mondar los dientes.

MONDADURA. f. Acto de mondar. Despojo de lo mondado.

MONDAPOZOS. m. Pocero que limpia pozos.

MONDAR. tr. Quitar lo superfluo de algo. Quitar la piel cáscara a un fruto.

MONDEJO. m. Relleno de la panza del puerco.

MONDO-DA. adj. Limpio, libre, sin mezclas.

MONDÓN. m. Tronco cortado sin corteza.

MONDONGA. f. despect. Criada zafia.

MONDONGO. m. Intestinos y panza del animal. Operación de componerlos o guisarlos.

MONDONGUERO-RA. s. Quien compone, guisado o vende mondongo.

MONEDA. f. Pieza de metal acuñada para facilitar el cambio.

MONEDERO-RA. s. Persona que fabrica moneda. m. Portamonedas.

MÓNERA. f. Rizópodo unicelular sin núcleo aparente.

MONERÍA. f. Gesto o hecho gracioso de los niños. Cosa fútil.

MONESCO-CA. adj. Propio de los monos.

MONETARIO-RIA. adj. Relativo a la moneda. m. Colección numismática.

MONETIZAR. tr. Dar curso legal a un billete.

MONIATO. m. Boniato.

MONIGOTE. m. Lego de convento.

MONÍS. f. Cosa pequeña. m. pl. Pecunia, dinero.

MONISMO. m. Concepción filosófica materialista.

MÓNITA. f. Astucia, maña.

MONITOR. m. Admonitor. Buque de guerra de poco calado.

MONITORIO-RA. adj. Que sirve para avisar. s. Amonestación del Papa o del obispo.

MONJA. f. Religiosa profesa.

MONJE. m. Religioso de una orden monacal.

MONJÍA. f. Plaza del monje en un monasterio.

MONJIL. adj. Propio del monje o monja. Hábito de monja.

MONJÍO. m. Entrada de una monja en religión.

MONO-NA. adj. Gracioso. m. Cualquier mamífero cuadrumano simio. Traje de faena.

MONOCARPELAR. adj. Que tiene un solo carpelo.

MONOCEROTE. m. Animal fabuloso o unicarnio.

MONOCICLO. m. Velocípedo de una sola rueda.

MONOCORDIO. m. Instrumento de caja armónica con una cuerda.

MONOCOTILEDÓNEO. s. Plantas fanerógamas con un solo cotiledón.

MONOCROMO. aj. De un solo color.

MONÓCULO-LA. adj. Que tiene un solo ojo. m. Lente para un solo ojo.

MONODIA. f. Mús. Canto de una sola voz.

MONOFÁSICO-CA. adj. Dícese de la corriente alterna simple.

MONOFISITA. adj. Herejes que solo admiten en Jesucristo la naturaleza divina.

MONOGAMIA. f. Calidad de monógamo.

MONÓGAMO. adj. s. Casado con una sola mujer.

MONOGRAFÍA. f. Estudio especial de una cosa determinada.

MONOGRAMA. s. Cifra compuesta con las iniciales de un nombre.

MONOICO-CA. adj. Planta de flor unisexual con la flor masculina y femenina en un mismo pie.

MONOLITO. m. Monumento de una sola piedra.

MONÓLOGO. m. Soliloquio. Obra en que sólo habla un personaje.

MONOMANÍA. f. Locura con una sola idea.

MONOMAQUIA. f. Desafío de uno a uno.

MONOMIO. m. Expresión algebraica que consta de un solo término.

MONOPÉTALO-LA. adj. De un solo pétalo.

MONOPLANO-NA. s. Aeroplano con un solo plano de alas.

MONOPOLIO. m. Privilegio exclusivo de venta o explotación de algo en un territorio.

MONOPOLIZAR. tr. Tener un monopolio. Adquirido.

MONOPTERO-RA. adj. Edificio redondo, que en vez de muros tiene columnas.

MONORRIMO. adj. De una sola rima.

MONOSÉPALO. adj. Gamosépalo.

MONOSILÁBICO-CA. adj. Relativo al monosílabo.

MONOSÍLABO-BA. adj. De una sola sílaba.

MONOSPERMO-MA. adj. Bot. Fruto que contiene una sola semilla.

MONOTEISMO. m. Creencia que afirma la existencia de un solo Dios.

MONOTEISTA. adj. Partidario del monoteismo.

MONOTELISMO. m. Herejía del siglo VII.

MONOTIPIA. f. Procedimiento de composición por medio del monotipo.

MONOTIPISTA. com. Persona que maneja la monotipia.

MONOTIPO. m. Máquina de componer que funde letras sueltas.

MONOTONIA. f. Uniformidad, falta de variedad.

MONÓTONO-NA. adj. Que tiene monotonía.

MONOVALENTE. m. Elemento con una sola valencia.

MONSEÑOR. m. Título honorífico que se da a los prelados.

MONSERGA. f. Lenguaje confuso.

MONSTRUO. m. Producción antinatural. Cosa muy grande o fea. Persona cruel.

MONSTRUOSIDAD. f. Calidad de monstruo. Cosa monstruosa.

MONSTRUOSO-SA. adj. Contrario al orden natural. Muy grande.

MONTA. f. Acción de montar. Valor intrínseco de algo.

MONTACARGAS. m. Ascensor para objetos.

MONTADERO. m. Poyo para montar.

MONTADO. adj. Que va a caballo.

MONTAJE. m. Acción de armar las piezas de una máquina. m. pl. Cureña.

MONTANEAR. intr. Pastar en montes el ganado.

MONTANERA. f. Pasto de bellota del ganado de cerda. Tiempo en que pastan.

MONTANERO. m. Guarda de monte. Montaraz.

MONTANISMO. m. Herejía de Montano.

MONTANO-NA. adj Relativo al monte.

MONTANTE. m. Espadón que se esgrime con ambas manos. Ventana sobre una puerta.

MONTAÑA. f. Monte.

MONTAÑERO-RA. m. y f. Persona que practica el montañismo.

MONTAÑÉS-SA. adj. De la montaña.

MONTAÑESISMO. m. Amor a las cosas de la montaña.

MONTAÑISMO. m. Alpinismo.

MONTAÑOSO-SA. adj. Relativo a la montaña. Escarpado.

MONTAR. intr. Subir una cosa encima de otro. Cabalgar. Engastar.

MONTARAZ. adj. Que anda por los montes. Agreste. Montero.

MONTAZGO. m. Tributo por el paso de ganado por un monte.

MONTE. m. Elevación natural del terreno. Tierra sin roturar. Juego de naipes.

MONTEA. m. Acto de montear. Dibujo de tamaño natural.

MONTEADOR. m. El que montea.

MONTEAR. tr. Perseguir la caza. Trazar la montea.

MONTEPÍO. m. Depósito de dinero para socorrer las necesidades de los miembros de una sociedad.

MONTERA. f. Prenda de abrigo para la cabeza. Cubierta de cristales para un patio.

MONTERÍA. f. Caza mayor.

MONTERO-RA. m. Quien por oficio montea.

MONTÉS. adj. Que anda o se cría en el monte.

MONTESCO. m. Individuo de una célebre familia de Verona.

MONTÍCULO. m. Monte pequeño, aislado.

MONTÓN. m. Conjunto de cosas puestas unas sobre otras.

MONTONERA. f. Pelotón de tropa irregular de caballería.

MONTONERO. adj. Cobarde.

MONTUNO. adj. Rústico, grosero.

MONTUOSO-SA. adj. Cerrado de montes y espesura. Montano.

MONTURA. f. Cabalgadura. Arreos. Montaje.

MONUMENTAL. adj. Relativo al monumento. Excelente.

MONUMENTO. m. Obra pública conmemorativa.

MONZÓN. m. Viento periódico del océano Indico.

MOÑA. f. Lazo con que se adornan las mujeres o toreros. Muñeca.

MOÑO. m. Rodete de pelo. Penacho.

MOÑUDO-DA. adj. Que tiene moño.

MOQUEAR. intr. Echar mocos.

MOQUEO. m. Acción de moquear.

MOQUERO. m. Pañuelo para limpiar los mocos.

MOQUETA. f. Tela fuerte de lana y cáñamo.

MOQUETE. m. Puñetazo en el rostro.

MOQUILLO. m. Catarro de algunos animales.

MORA. f. Tardanza. Fruto de la morera. Agridulce.

MORABETINO. m. Moneda de plata almoravide.

MORABITO. m. Ermitaño mahometano. Lugar en que habita.

MORADA. f. Casa o habitación. Estancia en un lugar.

MORADO-DA. adj. Dícese del color entre carmín y azul.

MORADOR-RA. adj. Que habita un paraje.

MORADURA. f. Esquimosis.

MORAGA. f. Manojo que reunen las espigadoras.

MORAL. adj. Relativo a la moral o conforme con ella. Ciencia de la conducta humana en orden a su bondad o malicia. Árbol que da moras.

MORALEJA. f. Enseñanza provechosa deducida de un relato, fábula, etc.

MORALIDAD. f. Conformidad de los actos con los principios de la moral.

MORALISTA. com. Profesor de moral o autor de obras de este género.

MORALIZADOR-RA. adj. Que moraliza.

MORALIZAR. tr. Corregir las malas costumbres.

MORAPIO. m. Vino de mala calidad.

MORAR. intr. Residir en un lugar.

MORATINIANO-NA. Característico de los Moratines.

MORATO. adj. Trigo cuyo grano es de color obscuro.

MORATORIA. f. Plazo concedido para el plazo de una deuda vencida.

MORBIDEZ. f. Calidad de mórbido.

MÓRBIDO-DA. adj. Que padece o causa enfermedad. Blando.

MORBO. m. Enfermedad.

MORBOSO-SA. adj. Enfermo o que la causa .

MORCAJO. m. Tranquillón.

MORCELLA. f. Chispa que salta del pábilo de una luz.

MORCILLA. f. Tripa rellena de sangre cocida y especias.

MORCILLERA. s. Quien hace o vende morcillas.

MORCILLO. m. Parte carnosa del brazo desde el hombro al codo.

MORCILLÓN. m. Estómago del cerdo, relleno como las morcillas.

MORCÓN. m. Morcilla del intestino ciego.

MORDACIDAD. f. Calidad de mordaz.

MORDANTE. m. Instrumento para sujetar el original.

MORDAZ. adj. Corrosivo, áspero. Que murmura con acritud.

MORDAZA. f. Instrumento que aplicado a la boca, impide hablar.

MORDEDURA. f. Acción de morder.

MORDENTE. m. Mordiente. Mús. Adorno del canto.

MORDER. tr. Clavar los dientes en algo. Gastar, corroer.

MORDICAR tr. Picar como mordiendo.

MORDIDO-DA. adj. Desfalcado, menoscabado.

MORDIENTE. m. Substancia para fijar los colores. Agua fuerte.

MORDISCAR. tr. Morder con frecuencia, ligeramente.

MORDISCO. m. Acción de mordiscar. Mordedura, bocado.

MORDORÉ. adj. Galicismo por morado que tira a rojo.

MOREDA. f. Moral, árbol.

MORENA. f. Pez sin aletas pectorales ni escamas.

MORENILLO. m. Masa de carbón molido y vinagre, para curar las cortaduras de las bestias.

MORENO-NA. adj. Dícese del color oscuro que tira a negro.

MORERA. f. Árbol moráceo cuyo fruto es la mora.

MORERÍA. f. Barrio o país de moros.

MORETEADO - DA. adj. Amoratado. Que tiene moretones.

MORETÓN. m. Equimosis.

MORFA. f Hongo que ataca las hojas de naranjos y limoneros.

MORFEO. m. Dios del sueño.

MORFINA. f. Alcaloide de opio narcótico.

MORFINOMANÍA. f. Hábito morboso de tomar morfina.

MORFINÓMANO-NA. adj. s. Que tiene morfinomanía.

MORFOLOGÍA. f. Gram. Tratado de la forma de las palabras .

MORGA. f. Alpechín.

MORGANÁTICO-CA. adj. Matrimonio celebrado entre un príncipe y mujer de linaje inferior o viceversa, conservando cada uno su condición.

MORIBUNDO-DA. adj. s. Que se está muriendo.

MORIEGO-GA. adj. Moruno.

MORIGERACIÓN. f. Templanza de costumbres.

MORIGERADO-DA. adj. Bien criado, de buenas costumbres.

MORIGERAR. tr. r. Moderar o evitar los excesos.

MORILLO. m. Caballete de hierro para sostener en el hogar la leña.

MORIR. intr. r. Dejar de vivir. Acabar. Apagarse.

MORISCO-CA. adj. Moro. Moro bautizado en España.

MORISMA. f. Multitud o secta de moros.

MORISQUETA. f. Treta de moros. Acción para engañar.

MORLACO-CA. adj. s. Que finge necedad. m. Toro de lidia.

MORMÓN-NA. m. y f. Persona que profesa el mormonismo.

MORMONISMO. m. Secta que practica la poligamia.

MORO-RA. adj. s. Del norte de Africa. Mahometano.

MORONDANGA. f. Mezcla de cosas inútiles.

MORONDO-DA. adj. Pelado.

MOROSIDAD. f. Lentitud, falta de actividad.

MOROSO-SA. adj. Tardo.

MORRA. f. Parte superior de la cabeza.

MORRADA. f. Golpe con la cabeza. Bofetada. Caída.

MORRAL. m. Talego que se cuelga en la cabeza de las bestias.

MORRALLA. f. Boliche. Gentualla. Morandanga.

MORRENA. f. Geol. Morena, montón de piedras.

Cristalografía (PIEDRAS PRECIOSAS)

1 TOPACIO DEL BRASIL	7 TURQUESA DE PERSIA
2 RUBI DE CEYLAN	8 GRANATE DE ALA
3 ESMERALDA DE BOGOTA	9 HELIOTROPO
	10 TURMALINA AMERICANA
4 ESPINELA DE CEYLAN	11 ALMANDINO
5 AMATISTA	12 CRISOPASA DE SILESIA
6 LAPISLAZULI	

masan

Atletismo –1

LLEGADA DE UNA CARRERA DE 100 M. (CARRERA DE VELOCIDAD)

CARRERA DE VALLAS

LAS CARRERAS DE FONDO SE COMPONEN PRINCIPAL-MENTE DE 1500 m., 5000 m Y «EN MARCHA» (ANDANDO DE PRISA)

TABLAS DE EJERCICIOS RÍTMICO-GIMNÁSTICOS ADECUADA A LOS NIÑOS

CARRERA DE RELEVOS, EL CORREDOR **A** SUSTITUYE EN LA CARRERA AL **B**

LANZAMIENTO DE PESO

LANZAMIENTO DE JABALINA

LANZAMIENTO DE DISCO

GIMNASIA ARTÍS-TICA DE COMPE-TICIÓN. POTRO ANILLADO

SALTO DE LONGITUD Y TRIPLE SALTO

Atletismo-2

SALTO CON PÉRTIGA. EL SALTO QUE REQUIERE LA PREPARACIÓN FÍSICA MÁS COMPLETA

SALTOS DE POTRO

LANZAMIENTO DE MARTILLO. TOTAL FORTALEZA DE MÚSCULOS

EJERCICIOS EN LA BARRA FIJA

EJERCICIO EN ANILLAS. FORTALEZA DE BRAZOS, DORSALES, PECTORALES Y ABDOMINALES

EJERCICIO SOBRE PARALELAS

EJERCICIO SOBRE PARALELAS. TRABAJAN PRACTICAMENTE TODOS LOS MÚSCULOS DEL CUERPO. PERTENECE A LA GIMNASIA ARTÍSTICA DE COMPETICIÓN JUNTO CON LAS ANILLAS BARRA FIJA Y LOS POTROS (CORRIENTES Y ANILLADOS)

EJERCICIO SOBRE PARALELAS

EL EJERCICIO MÁS CARACTERÍSTICO Y DIFICIL EN LAS ANILLAS ES EL LLAMADO «CRISTO», ES-

SALTO DE ALTURA (DOS MODALIDADES: «NORMAL» y «EN TUBO»)

SALTO NORMAL

PECIALIDAD DEL ATLETA ESPAÑOL BLUME

ALMUÑÁS 62

AVE DEL PARAISO

GLADIOLO

LIRIO
BLANCO

GLOXINIA

PETUNIA HIBRIDA

Manzano.

Acebo.

Melocotonero.

Granado.

Laurel cerezo.

Avellano.

Cifuentes/61

DURYEA 1896

OLDSMOBILE 1902

STANLEY 1913

PONTIAC 1947

VOLKSWAGEN

RAMBLER 1962

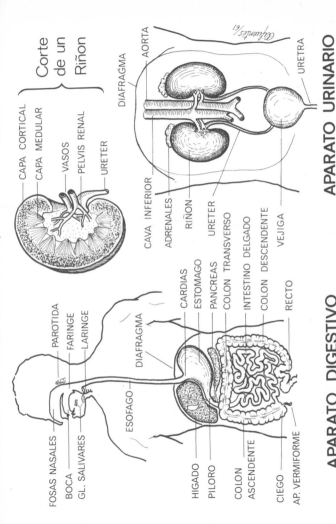

Corte de un Riñón

- CAPA CORTICAL
- CAPA MEDULAR
- VASOS
- PELVIS RENAL
- URETER

APARATO URINARIO

- DIAFRAGMA
- AORTA
- CAVA INFERIOR
- ADRENALES
- RIÑON
- URETER
- VEJIGA
- URETRA

APARATO DIGESTIVO

- FOSAS NASALES
- BOCA
- GL. SALIVARES
- PAROTIDA
- FARINGE
- LARINGE
- DIAFRAGMA
- ESOFAGO
- CARDIAS
- ESTOMAGO
- PANCREAS
- COLON TRANSVERSO
- INTESTINO DELGADO
- COLON DESCENDENTE
- RECTO
- HIGADO
- PILORO
- COLON ASCENDENTE
- CIEGO
- AP. VERMIFORME

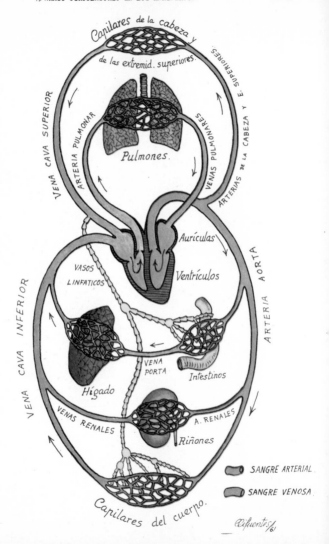

Capilares de la cabeza y de las extremid. superiores.

VENA CAVA SUPERIOR

ARTERIA PULMONAR

VENAS PULMONARES

ARTERIAS DE LA CABEZA Y E. SUPERIORES

Pulmones.

Aurículas

Ventrículos

VASOS LINFATICOS

VENA CAVA INFERIOR

ARTERIA AORTA

VENA PORTA

Intestinos

Hígado

VENAS RENALES

A. RENALES

Riñones

Capilares del cuerpo.

SANGRE ARTERIAL

SANGRE VENOSA

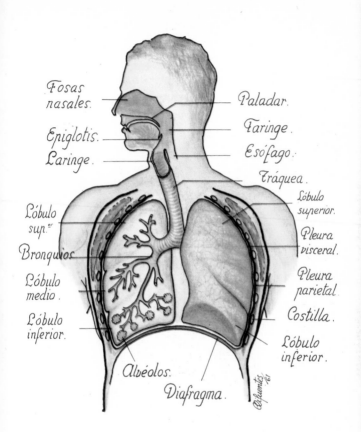

Fosas nasales.

Epiglotis.

Laringe.

Lóbulo sup.ᵉʳ

Bronquios.

Lóbulo medio.

Lóbulo inferior.

Paladar.

Faringe.

Esófago.

Tráquea.

Lóbulo superior.

Pleura visceral.

Pleura parietal.

Costilla.

Lóbulo inferior.

Alvéolos.

Diafragma.

Cifuentes 61

APARATO RESPIRATORIO.
(PULMON DERECHO ESQUEMATICO.)

Esqueleto del Hombre

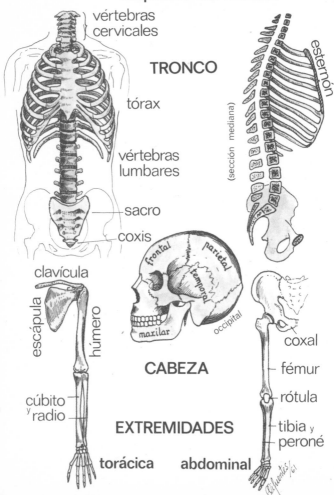

vértebras cervicales

TRONCO

tórax

vértebras lumbares

sacro

coxis

(sección mediana)

esternón

clavícula

escápula

húmero

cúbito y radio

frontal

parietal

temporal

occipital

maxilar

CABEZA

EXTREMIDADES

coxal

fémur

rótula

tibia y peroné

torácica   **abdominal**

Centros Nerviosos y Organos de los Sentidos

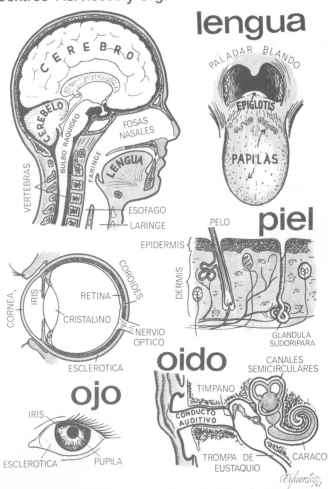

lengua

PALADAR BLANDO

EPIGLOTIS

PAPILAS

CEREBRO

CEREBELO

BULBO RAQUIDEO

FARINGE

FOSAS NASALES

LENGUA

VERTEBRAS

ESOFAGO

LARINGE

piel

PELO

EPIDERMIS

DERMIS

GLANDULA SUDORIPARA

CORNEA

IRIS

COROIDES

RETINA

CRISTALINO

NERVIO OPTICO

ESCLEROTICA

oido

CANALES SEMICIRCULARES

TIMPANO

CONDUCTO AUDITIVO

TROMPA DE EUSTAQUIO

CARACOL

ojo

IRIS

ESCLEROTICA

PUPILA

VEHICULOS MODERNOS.

- **MONOCARRIL**
  "Regie-Renaul."

HELICÓPTERO anfibio
"Vertol 107" (240 k.p.h.)

HELICÓPTERO
supersónico, con ala
giratoria o fija.

"HOVERCRAFT" "SAUNDERS Ree Srn 2"
(100 k.p.h.) para 76 viajeros.

BOTE que se
eleva sobre el agua.

CASTILLOS

C. de Windsor.

A. de Segovia.

Torre de Londres.

C. de Coca.

Catedrales

León

Oviedo

Burgos

Toledo

Santiago

Cifuentes/61

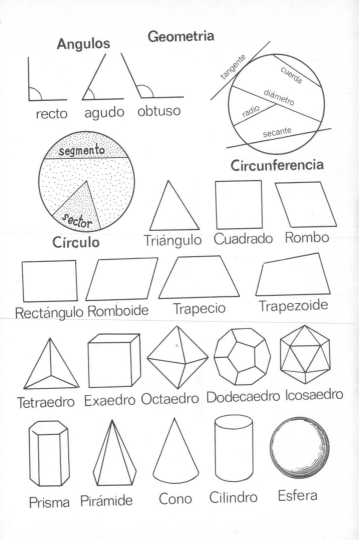

Geometria

Angulos

recto   agudo   obtuso

Circunferencia

tangente   cuerda   diámetro   radio   secante

Círculo

segmento   sector

Triángulo   Cuadrado   Rombo

Rectángulo   Romboide   Trapecio   Trapezoide

Tetraedro   Exaedro   Octaedro   Dodecaedro   Icosaedro

Prisma   Pirámide   Cono   Cilindro   Esfera

Esponjas

1 ESPONJA DE BAÑO
(EUSPONGIA OFFICINALIS)
2 FARREA
3 PHERONEMA
CARPENTERI
4 MYXILLA RUBRA
5 PAN DE GAVIOTA
(SUBERITES)
6 APLISINA
(APLISINA AEROPHOBA)
7 CLATRIA
(CLATHRIA LOBATA)
8 SICON
(SYCON RAPHANUS)
9 HOLTENIA

MORRILLO. m. Porción carnosa en lo alto del cuello de la res.

MORRIÑA. m. Melancolía.

MORRIÓN. m. Casco antiguo. Gorro militar cilíndrico y con visera.

MORRO. m. Saliente que forman los labios. Monte redondo.

MORROCOTUDO-DA. adj. De gran importancia.

MORRÓN. m. y f. Golpe.

MORRONGA. f. fam. Gata.

MORRONGO. m fam. Gato.

MORRUDO-DA. adj. Que tiene morro, hocicudo.

MORSA. f. Mamífero pinípedo con caninos largos en la mandíbula superiar.

MORTADELA. f. Embutido grueso de cerdo, cocido.

MORTAJA. f. Envoltura del cadáver. Muesca.

MORTAL. adj. s. Sujeto a morir. Letal. Angustioso.

MORTALIDAD. f. Calidad de mortal. Proporción de muertos en un lugar.

MORTALMENTE. adv. De muerte.

MORTANDAD. f. Multitud de muertos.

MORTECINO-NA. adj. Sin vida. Animal muerto naturalmente Moribundo.

MORTERA. f. Cuenco de madera para beber.

MORTERADA. f. Lo que se dispara de una vez con el mortero.

MORTERETE. m. Mortero pequeño con que se hacen salvas.

MORTERO. m. Cañón de gran calibre y corta longitud. Vaso semiesférico para machacar especias.

MORTIFICACIÓN. f. Acción de mortificar. Lo que mortifica.

MORTIFICAR. tr. r. Privar de vitalidad a una parte del cuerpo.

MORTIFICATIVO-VA. adj. Que mortifica.

MORTUORIO-RIA. adj. Relativo al muerto.

MORUCHO. m. Novillo embolado.

MORUECO. m. Carnero padre.

MÓRULA. f. Masa de forma de mora.

MORUNO-NA. adj. Moro.

MOSAICO-CA. adj. Relativo a Moisés.

MOSAISMO. adj. Ley de Moisés.

MOSCA. f. Insecto díptero de alas transparentes. Persona impertinente.

MOSCADA. adj. Dícese de la nuez de la mirística.

MOSCARDA. f. Mosca de la carne.

MOSCARDEAR. intr. Poner la abeja reina, la cresa en los alvéolos.

MOSCARDÓN. m. Mosca grande vellosa. Moscón.

MOSCARETA. f. Pájaro común en España.

MOSCATEL. adj. Dícese de una uva de grano redondo y dulce.

MOSCÓN. m. Mosca grande que pone huevos en la carne. Hombre impertinente.

MOSCONA. f. Mujer desvergonzada.

MOSCONEAR. tr. Molestar con impertinencia.

MOSCOVITA. adj. Ruso.

MOSÉN. m. Título que se da a los clérigos en algunos sitios.

MOSOLINA. f. Aguardiente.

MOSQUEADO-DA. adj. Salpicado de pintas.

MOSQUEADOR. m. Instrumento para ahuyentar las moscas.

MOSQUEAR. tr. Ahuyentar las moscas.

MOSQUERO. m. Ramo para recoger las moscas.

MOSQUERUELA. adj. Pera redonda de piel roja y carne dura.

MOSQUETA. m. Rosal espinoso de flor blanca.

MOSQUETAZO. m. Tiro o herida hecha con el mosquete.

MOSQUETE. m. Antigua arma de fuego, larga.

MOSQUETERÍA. f. Tropa de mosqueteros. Fuego de mosquetes.

MOSQUETERO. m. Soldado armado de mosquete.

MOSQUETÓN. m. Carabina corta.

MOSQUIL. adj. Sitio para las caballerías que huyen de las moscas.

MOSQUITA. fig. y fam. Mosquita muerta.

MOSQUITERO. m. Gasa para librarse de los mosquitos.

MOSQUITOS. m. Insecto díptero, de cabeza con dos antenas y trompa con aguijón.

MOSTACERA. f. Tarro para sacar la mostaza a la mesa.

MOSTACILLA. f. Munición de caza muy menuda.

MOSTACHO. m. Bigote. Cabo grueso con que se asegura el bauprés a la banda.

MOSTACHÓN. m. Bollo dulce con especias.

MOSTAGÁN. m. Vino.

MOSTAZA. f. Planta con flor en espiga ,amarilla y fruto en silicua. Su semilla.

MOSTAZO. m. Mosto fuerte y pegajoso.

MOSTEAR. intr. Destilar el mosto de las uvas.

MOSTELA. f. Haz o gavilla.

MOSTELERA. f. Sitio donde se guardan las mostelas.

MOSTELLAR. m. Árbol silvestre.

MOSTEN. adj. Apócope de Mostense.

MOSTENSE. adj. s. Premonstratense.

MOSTILLO. m. Mosto cocido y condimentado.

MOSTO. m. Zumo exprimido de la uva y sin fermentar.

MOSTRADOR-RA. adj. Que muestra. m. Mesa para presentar algo.

MOSTRAR. tr. Exponer a la vista. r. Presentarse, darse a conocer.

MOSTRENCO-CA. adj. Bienes que al no tener dueño conocido pasan a propiedad del Estado. Ignorante.

MOTA. f. Partícula que se pega a una cosa. Granillo formado en paño.

MOTE. m. Sentencia breve que incluye un secreto. Apodo.

MOTEAR. tr. Salpicar de motas.

MOTEJADOR-RA. adj. Que moteja.

MOTEJAR. tr. Censurar.

MOTETE. m. Composición breve sobre algún versículo de la Biblia.

MOTILÓN-NA. adj. s. Pelón. m. Lego.

MOTÍN. m. Alboroto, sedición tumultuosa,

MOTIVAR. tr. Dar motivo. Explicarlo.

MOTIVO-VA. adj. Que mueve. Causa que mueve a obrar. Tema de una composición.

MOTO. m. Mojón.

MOTOCICLETA. f. Bicicleta automóvil.

MOTOCICLISTA. com. Que conduce una motocicleta.

MOTOLITO-TA. adj. Necio, bobalicón.

MOTÓN. m. Polea, cuya caja cubre la rueda.

MOTONAVE. f. Barco movido por motores.

MOTOR-RA. adj. Que produce movimiento. m. Aparato generador de una fuerza.

MOTORISMO. m. Deporte de la motocicleta.

MOTORISTA. com. Quien conduce un vehículo automóvil.

MOTORIZAR. tr. Dotar de motor.

MOTRIL. Recadero, muchacho de servicio.

MOTRIZ. adj. f. Motora.

MOVEDIZO-ZA. adj. Fácil de ser movido. Inseguro.

MOVER. tr. Hacer cambiar de lugar a un cuerpo, Persuadir, inducir.

MOVIBLE. adj. Que puede ser movido o moverse.

MOVIENTE. adj. Territorio que rendía vasallaje a otro.

MÓVIL. adj. Movible. m. Cuerpo en movimiento.

MOVILIDAD. f. Calidad de movible.

MOVILIZACIÓN. f. Acción de movilizar.

MOVILIZAR. tr. Poner en actividad algo. Incorporar a filas.

MOVIMIENTO. m. Acción de mover o moverse. Circulación.

MOXA. f. Med. Mecha que se quema sobre la piel.

MOYANA. f. Antigua pieza de artillería. Mentira.

MOYO. m. Medida para áridos o líquidos.

MOYUELO. m. Salvado muy fino.

MOZA. f. Criada.

MOZALBETE. m. Mozo de pocos años.

MOZALLÓN. m. Mozo robusto.

MOZANCÓN-NA. m. y f. Persona alta y fornida.

MOZÁRABE. m. Cristiano que vivía entre los moros en España.

MOZO-ZA. adj. Joven. Célibe. El que sirve en oficios humildes.

MOZUELO-LA. s. Muchacho, muchacha.

MU. Onomatopeya de la voz del toro o vaca.

MUARÉ. m. Tela fuerte labrada que forma aguas.

MUAY. m. Mosca más irritante que la cantárida.

MUCETA. f. Esclavina de seda usada por prelados, doctores y licenciados.

MUCILAGINOSO-SA. adj. Que contiene mucílago o alguna de sus propiedades.

MUCÍLAGO. m. Substancia viscosa que contienen algunas plantas.

MUCINA. f. Albuminoide que se halla en las secreciones salivares o mucosas.

MUCOSA. f. Membrana que produce mucosidad.

MUCOSIDAD. f. Materia glutinosa de la naturaleza del moco.

MUCOSO-SA. adj. Relativo al moco.

MUCRONATO-TA. adj. Terminado en punta.

MUCHACHADA. f. Acción propia de muchachos.

MUCHACHEAR. intr. Hacer cosas de muchachos.

MUCHACHEZ. f. Estado y propiedad de muchachos.

MUCHACHO-A. f. Niño o niña que no alcanzó la adolescencia.

MUCHEDUMBRE. f. Abundancia, multitud de personas o cosas.

MUCHO-A. adj. pron. Abundante. excesivo. adv. En gran cantidad.

MUDA. f. Acción de mudar una cosa. Ropa que se muda de una vez.

MUDABLE. adj. Que se muda con facilidad.

MUDADIZO-ZA. adj. Inconstante.

MUDANZA. f. Acto de mudar.

MUDAR. tr. Cambiar una cosa de ser, aspecto, etc.

MUDEJAR. adj. s. Mahometano que quedó como vasallo de reyes cristianos.

MUDEZ. f. Imposibilidad física de hablar.

MUDO-DA. adj. s. Privado de la facultad de hablar.

MUÉ. m. Muaré.

MUEBLAJE. m. Moblaje.

MUEBLE. m. Objeto móvil utilizado para comodidad de una casa.

MUEBLERÍA. f. Lugar en donde se hacen o venden muebles.

MUECA. f. Gesto, visaje, etc.

MUECÍN. m. Almuédano.

MUELA. f. Piedra grande para moler. Cada uno de los dientes posteriores a los caninos.

MUELLE. adj. Blando, suave. Delicado, voluptuoso.

MUÉRDAGO. m. Planta parásita de los árboles.

MUÉRGANO. m. Instrumento músico. órgano.

MUERMO. m. Enfermedad de las caballerías, transmisible al hombre.

MUERTE. f. Cesación de la vida. Separación del cuerpo y del alma.

MUERTO-TA. adj. s. Que está sin vida.

MUESCA. f. Hueco hecho en una cosa para encajar otra.

MUESTRA. f. Porción de una mercancía para darla a conocer.

MUESTRARIO. m. Colección de muestras.

MUFLA. f. Hornillo puesto para fundir diversos cuerpos.

MUFTI. m. Jurisconsulto musulmán.

MUGA. f. Mojón. Desove. Fecundación de las huevas.

MUGAR. intr. Desovar.

MUGIDO. m. Voz de la res vacuna.

MÚGIL. m. Mújol.

MUGIR. intr. Dar mugidos.

MUGRE. f. Suciedad grasienta.

MUGRÓN. m. Vástago de algunas plantas. Sarmiento acodado de la vid.

MUGUETE. m. Planta liliácea. Su infusión se emplea en las enfermedades cardíacas.

MUGRIENTO-TA. adj. Lleno de mugre.

MUHARRA. f. Moharra.

MUIR. tr. ar. Ordeñar leche.

MUJADA. f. Mojada, medida.

MUJER. f. Mujer del sexo femenino. La casada con respecto al marido.

MUJERCILLA. f. Mujer de escasa estimación.

MUJERIEGO-GA. adj. Mujeril. Hombre dado a mujeres.

MUJERIL. adj. Relativo a la mujer.

MUJERÍO. m. Conjunto de mujeres.

MUJERONA. f. aum. de Mujer. Matrona respetable

MUJERZUELA. f. Mujercilla.

MUJOL. m. Pez muy apreciado por su carne y huevas.

MULA. f. Hembra del mulo. Calzado del Papa.

MULADA. f. Acto de ganado mular.

MULADAR. m. Sitio donde se arrojan basuras.

MULADÍ. adj. Cristiano español que abrazaba el islacismo.

MULAR. adj. Relativo a la mula o mulo.

MULATA. f. Crustáceo muy común en el Cantábrico.

MULATERO. m. Quien alquila mulas. Mulero.

MULATO-TA. adj. s. Persona nacida de negro y blanca o viceversa.

MULEO. m. Calzado de los patricios romanos.

MULERO. m. Mozo de mulas.

MULETA. f. Bastón con travesaño en un extremo para apoyarse al andar.

MULETILLA. f. Muleta de torero. Frase que uno repite con frecuencia.

MULETO-TA. s. Mulo de poca edad.

MULETÓN. m. Tela de algodón o lana afelpada.

MULILLA. f. La que arrastra al toro después de muerto.

MULO. m. Híbrido de asno y yegua.

MULSO-SA. adj. Mezclado con azúcar o miel.

MULTA. f. Pena pecuniaria.

MULTAR. intr. Imponer una multa.

MULTI. Prefijo que expresa multiplicidad.

MULTICOLOR. adj. De muchos colores.

MULTICOPISTA. m. Aparato para reproducir documentos, dibujos, etc.

MULTIFLOR-RA. adj. Bot. Que produce muchas flores.

MULTIFORME. adj. Que tiene muchas o varias formas.

MULTILÁTERO-RA. adj. Geom. Polígonos de más de cuatro lados.

MULTIMILLONARIO-A. Que tiene fortuna de varios millones.

MULTÍPARA. adj. Que no es uno, ni simple, sino varios.

MULTIPLICACIÓN. f. Acción de multiplicar.

MULTIPLICADOR-RA. adj. s. Que multiplica. Del número por el cual se multiplica otro.

MULTIPLICANDO. adj. s. El número que se multiplica por otro.

MULTIPLICAR. tr. Aumentar en número considerable los individuos o unidades de una especie.

MULTIPLICIDAD. f. Calidad de múltiple.

MÚLTIPLE-LO. adj. s. Número que contiene a otro varias veces.

MULTITUD. f. Muchedumbre.

MULLIDA. f. Cama del ganado.

MULLIDO-DA. adj. Ahuecado, blando.

MULLIR. tr. Esponjar una cosa.

MULLO. m. Saltamonte.

MUNA. f. Suministro de víveres.

MUNDANAL. adj. Mundano.

MUNDANEAR. intr. Atender demasiado las cosas del mundo.

MUNDANO-NA. adj. Relativo al mundo.

MUNDIAL. adj. Mundano. Universal.

MUNDICIA. f. Limpieza.

MUNDILLO. m. Calentador. Almohadilla para hacer encajes.

MUNDO. m. Planeta o astro. Totalidad de los hombres. Vida secular.

MUNDOLOGÍA. f. Conocimiento del mundo o de los hombres.

MUNDONUEVO. m. Cosmorama portátil.

MUNICIÓN. f. Pertrechos de un ejército o plaza. Carga de arma de fuego.

MUNICIONAR. tr. Proveer de municiones.

MUNICIPAL. adj. Relativo al municipio. Guardia de él.

MUNICIPALIDAD. f. Ayuntamiento.

MUNICIPALIZAR. tr. Asignar al municipio un servicio de una empresa privada.

MUNÍCIPE. m. Vecino de un municipio. Concejal.

MUNIFICENCIA. f. Liberalidad.

MUNIFICENTÍSIMO. adj. super. de Munífico.

MUNÍFICO-CA. adj. Liberal, generoso.

MUNITORIA. f. Arte de fortificar.

MUNÚSCULO. m. Regalo insignificante.

MUÑECA. f. Articulación de la mano con el antebrazo. Maniquí.

MUÑECO. m. Figurilla de hombre.

MUÑEIRA. f. Baile y canto popular gallego.

MUÑEQUEAR. intr. esgri. Jugar las muñecas.

MUÑEQUERA. f. Manilla para sujetar el reloj de pulsera.

MUÑIDOR. m. Avisador de las cofradías. Agente electoral.

MUÑIR. tr. Convocar a una cofradía.

MUÑÓN. m. Parte de un miembro cortado, adherida a un cuerpo.

MURADAL. m. Muladar.

MURAL. adj. Relativo al muro.

MURALLA. f. Muro defensivo.

MURAR. tr. Cercar los muros.

MURCIÉLAGO. m. Mamífero del orden de los Quirópteros.

MURGA. f. Alpechín. Grupo de músicos callejeros. Molestia.

MURIA. f. Ast. Cerca de piedras para cerrar un terreno.

MURIÁTICO-CA. adj. Clorhídrico.

MURIATO. m. Quím. Clorhidrato.

MÓRICE. m. Molusco gasterópodo marino.

MÚRIDOS. m. pl. Familia de mamíferos roedores.

MURMUJEAR. tr. Hablar quedo.

MURMULLO. m. Ruido confuso. Murmurio.

MURMURACIÓN. f. Acto de murmurar.

MURMURADOR-RA. adj. Que murmura.

MURMURAR. intr. Hacer un ruido apacible. Conversar en perjuicio del ausente.

MURMUREO. m. Murmullo continuado.

MURMURIO. m. Acción de murmurar.

MURO. m. Tapia, pared, muralla.

MURRIA. f. Tristeza, tedio.

MURTA. f. Arrayán.

MURTÓN. m. Fruto de la Murta. [vite.

MUS. m. Cierto juego de naipes de en-

MUSA. f. Cualquiera de las nueve veleidades que protegían las ciencias y las artes.

MUSÁCEO-A. adj. Ciertas hierbas tropicales de fruto en baya o cápsula.

MUSARAÑA. f. Mamífero insectívoro muy pequeño, Sabandija.   [curo.

MUSCO-CA. adj. De color pardo obs-

MUSCULAR. adj. Relativo al músculo.

MUSCULATURA. f. C o n j u n t o de músculos.

MÓSCULO. m. Masa de tejidos de fibra para producir un movimiento en el cuerpo de los animales.

MUSCULOSO-SA. adj. Que tiene muy desarrollados los músculos.

MUSELINA. f. Tela fina poco tupida.

MUSEO. m. Lugar en que se guardan objetos notables.

MUSEROLA. f. Correa de la brida que asegura el bocado.

MUSGAÑO. m. Musaraña.

MUSGO. m. Planta criptógama muy pequeña, con falso tallo y hojas.

MUSGOSO-SA. adj. Cubierto de musgo.

MÓSICA. f. Arte de expresar sentimientos por sonidos coordinados.

MUSICAL. adj. Relativo a la música.

MUSICALIDAD. f. Calidad musical.

MUSICALMENTE. adv. m. Conforme a las reglas de la música.

MÓSICO-CA. adj. Relativo a la música. s. Quien se dedica a ella.

MUSICÓGRAFO-FA. s. Quien escribe tratados de música.

MUSICÓMANO-NA. adj. Melómano.

MUSIQUERO. m. Mueble para guardar papeles o libros de música.

MUSITAR. intr. Susurrar, murmurar.

MUSIVÓ. adj. Oro musivo.

MUSLIME. adj. s. Mahometano.

MUSLÍMICO-CA. adj. Relativo a los Muslimes.

MUSLO. m. Parte de la pierna entre la cadera y la rodilla.   [cabra.

MUSMÓN. m. Híbrido de carnero y

MUSTACO. m. Torta de harina masada con mosto y otras cosas.

MUSTELA. f. Comadreja.

MUSTÉLIDO-DA. adj. s. Dícese de mamíferos carnívoros de pata corta y cuerpo flexible.

MUSTERIENSE. m. Último período del paleolítico.   [Lánguido.

MUSTIO-A. adj. Lacónico. Marchito.

MUSULMÁN-NA. adj. s. Mahometano.

MUTA. f. Jauría.   [ble.

MUTABILIDAD. f. Calidad de muda-

MUTACIÓN. f. Mudanza. Cambio de coración.   [mutilar.

MUTILACIÓN. f. Acción y efecto de

MUTILADOR-RA. adj. Que mutila.

MUTILAR. tr. r. Cortar parte del cuerpo.

MUTILO-LA. adj. Que está mutilado.

MUTIS. m. Voz de teatro, para retirarse de la escena.

MUTISMO. m. Silencio.

MUTUAL. adj. Mutuo.

MUTUALIDAD. f. Calidad de. mutual. Sistema de prestaciones mutuas.

MUTUALISMO. m. Conjunto de asociaciones basada en la mutualidad.

MUTUALISTA. adj. Relativo a la mutualidad. com. Accionista de una mutualidad.

MUTUATORIO-RIA. m. y f. Quien recibe el préstamo.

MUTUO-A. adj. Que se hace recíprocamente entre dos seres o entidades.

MUY. adv. Mucho, en alto grado.

MUZÁRABE. adj. s. Mozárabe.

MY. f. Duodécima letra del alfabeto griego.

N. f. Ene. Décimosexta letra del alfabeto español; decimotercera de las consonantes.

NABA. f. Planta crucífera de raíz esferoide, ahusada, comestible.

NABAB. m. Príncipe musulmán de la India.

NABABO. m. Nabab.

NABAR. m. Relativo a los nabos. Terreno sembrado de ellos.

NABERÍA. f. Conjunto de nabos. Potaje hecho con ellos.

NABÍ. m. Entre los árabes profeta.

NABICOL. m. Una especie de nabo parecido a la remolacha.

NABIZA. f. Hoja del nabo.

NABLA. f. Instrumento musical parecido a la lira.

NABO. m. Planta crucífera anual, de raíz comestible. Su raíz.

NÁCAR. m. Substancia blanca irisada de carbonato cálcico formada en el interior de algunas conchas.

NACARADO-DA. adj. De aspecto de nácar.

NACÁREO-A. adj. Nacarino.

NACARINO-NA. adj. Parecido al nácar.

NACARÓN. m. Nácar de calidad inferior.

NACELA. f. Arq. Moldura cóncava que se pone en la base de las columnas.

NACENCIA. f. Ant. Nacimiento. Bulto o tumor en el cuerpo.

NACER. intr. Salir del vientre materno, huevo o semilla. Tomar origen. Brotar.

NACIDO-DA. adj. Natural y propio de algo.

NACIENTE. p. a. de Nacer. Que nace.

NACIMIENTO. m. Acto de nacer. Origen, principio.

NACIÓN. f. Unidad geográfica y política con comunidad de ideas, sentimientos e idioma.

NACIONAL. adj. Relativo a una nación.

NACIONALIDAD. f. Carácter nacional.

NACIONALISMO. m. Apego a la propia nación.

NACIONALISTA. com. Partidario del nacionalismo.

NACIONALIZACIÓN. f. Acción y efecto de nacionalizar.

NACIONALIZAR. tr. r. Naturalizar, pasar al Estado una propiedad.

NACIONALSINDICALISMO. m. Doctrina política y social de la Falange Española.

NACIONALSOCIALISMO. m. Movimiento político alemán, de Hitler.

NACRITA. f. Variedad de talco de brillo nacarino.

NADA. f. Carencia de ser. prn. ind. Ninguna cosa.

NADADERA. f. Calabaza o vejiga para nadar.

NADADOR-RA. adj. s. Que nada.

NADAR. intr. Mantenerse y avanzar sobre el agua. Flotar.

NADERÍA. f. Cosa de poco valer.

NADIE. pron. Ninguna persona.

NADIR. m. Astr. Punto opuesto diametralmente al cénit en la esfera celeste.

NADO (A). m. adv. Nadando.

NAFA. f. Especie de tambor que se usa en algunas islas de Oceanía.

NAFTA. f. Hidrocarburo líquido volátil, obtenido por destilación de petróleo.

NAFTALINA. f. Hidrocarburo sólido blanco cristalino, usado contra la polilla.

NAFTOL. m. Fenol de la naftalina.

NAGANA. f. Letargia de los caballos y bueyes.

NAGUATLATO-TA. adj. s. Dícese del indio mejicano que conocía la lengua naguatle.

NAHUATLE. adj. m. Lengua hablada por los indios mejicanos.

NAIPE. m. Cartulina rectangular con un grabado, usada como carta de la baraja.

NAIRE. m. El que cuida y adiestra elefantes. Dignidad entre los malabares.

NAJA. f. Zool. Ofidios venenosos tales como la cobra y el áspid de Egipto que tienen los dientes con surco para la salida del veneno y que tienen la propiedad de dar a la parte superior del cuerpo la forma de disco.

NAJA. (Salir de) fr. fam. Marchar con precipitación, najarse.

NALGA. f. Cualquiera de las dos porciones carnosas del trasero.

NALGADA. f. Pernil del cerdo. Golpe dado con las nalgas. Golpe recibido en ellas.

NALGATORIO. m. fam. Conjunto de ambas nalgas.

NALGUDO-DA. adj. Que tiene gruesas las nalgas.

NANA. f. Abuela. Canción de cuna.

NANEAR. intr. Anadear.

NANITA. f. v. El año de la nanita.

NANSA. f. Estanque pequeño para peces. Nasa.

NANSÚ. m. Tela fina de algodón que se usa para ropa interior.

NAO. f. Nave.

NAONATO-TA. adj. s. Nacido en un barco que navega.

NAPIAS. f. pl. fam. Narices.

NAPOLEÓN. m. Antigua moneda francesa de plata.

NAPOLITANO-NA. adj. s. De Nápoles.

NARANJA. f. Fruto comestible del naranjo, de corteza encarnada y dividida en gajos su pulpa.

NARANJADA. f. Agua de naranja.

NARANJAL. f. Terreno plantado de naranjos.

NARANJERO-RA. adj. Relativo a la naranja. m. Quien las vende.

NARANJILLA. f. Naranja verde de la que se hace conserva.

NARANJO. m. Árbol auranciáceo cuya flor es el azahar y su fruto, la naranja.

NARBONENSE. adj. s. De Narbona.

NARCEÍNA. f. Alcaloide que se obtiene del opio. si mismo.

NARCISISMO. m. Enamoramiento de

NARCISO. m. Planta de flor olorosa, de perigonio con seis lóbulos. fig. Quien cuida demasiado de su adorno.

NARCÓTICO-CA. adj. Dícese de la droga que produce sopor.

NARCOTINA. f. Alcaloide blanco insípido extraído del opio.

NARCOTIZACIÓN. f. Acción y efecto de narcotizar.

NARCOTIZAR. tr. Producir narcotismo.

NARDO. m. Planta liliácea de flor blanca olorosa en espiga; perigonio en forma de embudo.

NARGUILE. m. Pipa oriental de tubo largo y flexible.

NARIGÓN-NA. adj s. Narigudo.

NARIGUDO-DA. adj. s. De grandes narices.

NARIZ. f. órgano olfatorio externo, que forma en el rostro una prominencia entre la frente y la boca.

NARIZÓN-NA. adj. fam. Narigudo.

NARIZOTA. f. aum. de Nariz.

NARRABLE. adj. Que puede ser narrado.

NARRACIÓN. f. Acto de narrar. Relato.

NARRAR. tr. Contar. Relatar.

NARRATIVO-VA. adj. Relativo a la narración.

NARRIA. f. Cajón para arrastrar pesos.

NARVAL. m. Cetáceo odontoideo, con dos dientes, uno muy prolongado horizontalmente.

NASA. f. Red en forma de mangas, con un embudo hacia dentro.

NASAL. adj. Relativo a la nariz.

NASALIDAD. f. Calidad de nasal.

NASALIZAR. tr. Hacer nasal o pronunciar como tal un sonido.

NASOFARÍNGEO-A. adj. Med. Que está situado en la faringe por encima del velo del pal adar y detrás de las fosas nasales.

NATA. f. Substancia grasa amarillenta que sobrenada en la leche.

NATACIÓN. f. Arte de nadar.

NATAL. adj. Relativo al nacimiento. Nativo.

NATALICIO-CIA. adj. m. Relativo al día del nacimiento.

NATALIDAD. f. Proporción de nacimientos en una región.

NATATORIO-A. adj. Relativo a la natación.

NATCHEZ. m. Tribu de indios norteamericanos.

NATILLAS. f. Dulce de yemas, leche y azúcar.

NATIVIDAD. f. Nacimiento.

NATIVO-VA. adj. Que nace naturalmente. Natural.

NATO-TA. adj. Título anejo a un empleo. m. Organización del Pacto del Atlántico Norte.

NATRÓN. m. Carbonato sódico. Barrilla.

NATURA. f. Naturaleza. Los órganos genitales.

NATURAL. adj. Relativo a la Naturaleza. Sin afección.

NATURALEZA. f. Esencia de cada cosa. Conjunto de los seres creados.

NATURALIDAD. f. Calidad de natural. Sencillez.

NATURALISMO. m. Fi. Doctrina que sólo admite las cosas de la Naturaleza.

NATURALISTA. adj. Relativo al naturalismo. Que lo profesa.

NATURALIZACIÓN. f. Acción de naturalizar.

NATURALIZAR. tr. r. Conceder a un extranjero, los derechos de un natural del país.

NATURISMO. m. Sistema que preconiza el empleo de los agentes naturales para la conservación de la salud y curar las enfermedades.

NAUFRAGAR. intr. Irse a pique una nave. Salir mal un intento.

NAUFRAGIO. m. Efecto de naufragar.

NAUFRAGO-GA. adj. s. Que ha sufrido naufragio.

NAUMAQUIA. f. Fiesta romana de combates de naves.

NÁUSEA. f. Basca. Repugnancia.

NAUSEABUNDO-DA. adj. Que produce náuseas.

NAUTA. m. Marinero, navegante.

NÁUTICA. f. Ciencia de navegar.

NÁUTICO-CA. adj. Relativo a la navegación.

NAUTIL. m. Zool. Argonauta.

NAVA. f. Tierra muy llana y rasa entre montañas.

NAVACERO-RA. adj. Quien cultiva un navazo.

NAVAJA. f. Cuchillo cuya hoja se guarda entre dos cachas.

NAVAJAZO. m. Golpe de navaja. Herida causada con ella.

NAVAJERO. m. Estuche de navajas de afeitar. Paño de caucho en que se limpian.

NAVAJO. m. Lavajo.

NAVAL. adj. Relativo a la nave.

NAVARRO-RRA. adj. s. De Navarra.

NAVAZO. m. Huerto ahondado sobre un arenal.

NAVE. f. Barco. Arq. Espacio comprendido entre muros o filas arqueadas.

NAVEGABLE. adj. Dícese del río, lago, canal, etc., donde se puede navegar.

NAVEGACIÓN. f. Acto de navegar. Náutico.

NAVEGADOR. adj. s. Que navega.

NAVEGAR. intr. Viajar por mar en una nave.

NAVETA. f. Cajita para el incienso.

NAVICULAR. adj. De forma de nave.

NAVIDAD. f. Fiesta conmemorativa del nacimiento de Jesús. Natividad.

NAVIDEÑO-ÑA. adj. Relativo al tiempo de Navidad.

NAVIERO-RA. adj. Relativo a la nave. m. Dueño de un barco.

NAVIFORME. adj. Navicular.

NAVÍO. m. Nave grande de cubierta.

NÁYADE. f. Mit. Ninfa de los ríos y fuentes.

NAZARENO-NA. adj. s. De Nazaret. Por autonomasia. Jesucristo.

NAZI. adj. Nacionalsocialista alemán.

NAZULA. f. En algunas partes, requesón.

NEBLADURA. f. Daño ocasionado por la niebla en los sembrados.

NEBLÍ. m. Halcón del norte de Europa.

NEBLINA. f. Niebla baja espesa.

NEBREDA. f. Enebral. Lugar poblado de enebros.

NEBRINA. f. Fruto del enebro.

NEBULOSA. f. Astr. Masa celeste difusa y luminosa.

NEBULOSIDAD. f. Calidad de nebuloso. Pequeña sombra.

NEBULOSO-SA. adj. Obscurecido por la niebla.

NECAS. m. Impuesto al comercio en Marruecos.

NECEDAD. f. Calidad de necio. Dicho o hecho necio.

NECESARIA. f. Letrina, excusado.

NECESARIAMENTE. adv. m. Con o por necesidad.

NECESARIO-RIA. adj. Que es objeto de necesidad.

NECESER. m. Estuche con objetos de tocador o costura.

NECESIDAD. f. Efecto de una falta que se precisa cubrir.

NECESITADO-DA. adj. s. Falto de lo necesario.

NECESITAR. tr. Tener necesidad.

NECIO-A. adj. s. Ignorante imprudente.

NECISIAS. f. Fiestas solemnes, que los griegos ofrecían a sus muertos.

NECRÓFAGO. adj. s. Que se alimenta de cadáveres.

NECROFOBIA. f. Patol. Miedo o temor morboso a los muertos.

NECROLOGÍA. f. Noticia biográfica de una persona muerta.

NECROLÓGICO-CA. adj. Relativo a la necrología.

NECRÓPOLIS. f. Cementerio.

NECROSCOPIA. f. Autopsia o examen de los cadáveres.

NECROSIS. f. Mortificación de una parte de los tejidos.

NECTANDRA. f. Bot. Especie de plantas de flores hermafroditas, propias de países cálidos.

NÉCTAR. m. Licor delicioso. Líquido azucarado de algunas flores.

NECTARIO. m. Bot. Glándula secretora de néctar.

NECTON. m. Fauna marina que vive en la profundidad media del mar.

NEFANDARIO-RIO. adj. Aplícase a la persona que comete pecado nefando.

NEFANDO-DA. adj. Muy malo o execrable.

NEFARIO-RIA. adj. Muy malvado.

NEFAS. v. Por fas o por nefas.

NEFASTO-TA. adj. Triste, funesto.

NEFELIÓN. m. Patol. Nube en el ojo, de color blanquecino.

NEFRÍTICO-CA. adj. Relativo a los riñones.

NEFRITIS. f. Inflamación del riñón.

NEFROMA. m. Tumor en el tejido del riñón.

NEGACIÓN. f. Acción y efecto de negar.

NEGADO-DA. adj. s. Inepto. Renegado.

NEGAR. tr. Decir que no es cierta una cosa. No conceder.

NEGATIVO-VA. adj. Que contiene negación.

NEGATOSCOPIO. m. Aparato fotográfico. Radial. Pantalla luminosa usada en radiografía.

NEGATRÓN. m. Electrón negativo.

NEGLIGENCIA. f. Descuido.

NEGLIGENTE. adj. s. Descuidado.

NEGOCIABLE. adj. Que se puede negociar.

NEGOCIACIÓN. f. Acción y efecto de negociar.

NEGOCIADO. m. Sección de algunas oficinas.

NEGOCIADOR-RA. adj. s. Que negocia. Ministro o agente diplomático que gestiona un negocio importante.

NEGOCIANTE. m. Comerciante.

NEGOCIAR. intr. Comerciar. tr. Tratar un asunto.

NEGOCIO. m. Asunto. Utilidad o interés.

NEGRA. f. Mús. Clase de nota musical, de valor menor que la redonda y la blanca.

NEGRAL. adj. Que tira a negro.

NEGREAR. intr. Tirar a negro.

NEGREGURA. f. Muy negro. Negrura.

NEGRERÍA. f. Muchedumbre de negros.

NEGRERO-RA. adj. s. Quien se dedica a la trata de negros.

NEGRETA. f. Ave palmípeda que habita en las orillas del mar y se alimenta de pececillos.

NEGRILLA. f. Hongo parásito de olivos, naranjos, etc. Dícese de la letra especial gruesa.

NEGRILLO. m. Especie de olmos.

NEGRO-A. adj. s. De color absolutamente obscuro. Falta de todo color. Moreno.

NEGROFILO-LA. adj. Amigo o partidario de los negros.

NEGRURA. f. Calidad de negro.

NEGUIJÓN. m. Enfermedad de los dientes, que los deja negros y carcome.

NEGUILLA. f. Planta de flores rojizas, que abunda en los sembrados.

NEGUS. m. Emperador de Abisinia.

NELUMBIO. m. Planta ninfácea de flores blancas o amarillas y de hojas aovadas.

NEMA. f. Cierre de una carta.

NEMEO-A. adj. s. De Nemea.

NEMESIS. m. Astr. Asteroide número 128.

NÉMINE DISCREPANTE. exp. lat. Sin contradicción, discordancia ni oposición. Por unanimidad.

NEMOROSO-SA. adj. poét. Relativo al bosque. Cubierto de bosques.

NENE-A. s. Niño pequeño.

NENETTA. f. Astr. Asteroide número 289.

NENÚFAR. m. Planta acuática de flores en la superficie del agua, flor blanca y fruto capsular.

NEO. Partícula inseparable que se emplea como prefijo con la significación de reciente o nuevo. Apócope de neocatólico.

NEO. m. Ultramontano.

NEOCLASICISMO. m. Corriente artístico-literaria del siglo XVIII.

NEOCATÓLICO-CA. adj. s. Perteneciente o relativo al neocatolicismo. Partidario de esta doctrina.

NEOCLÁSICO-CA. adj. Arte o estilo modernos que tratan de imitar los usados en Roma y Grecia antiguamente.

NEÓFITO-TA. s. Persona recién bautizada.

NEOFRÓN. m. Zool. Ave rapaz.

NEOLATINO-NA. adj. Que se deriva de los latinos.

NEOLÍTICO-CA. adj. s. Dícese del segundo período de la edad de piedra.

NEOLÓGICO-CA. adj. Perteneciente o relativo al neologismo.

NEOLOGISMO. m. Vocablo o giro nuevo en una lengua.

NEOLOGISTA. m. Neólogo.

NEOMENIA. f. Primer día de la Luna.

NEÓN. m. Elemento gaseoso que se encuentra en el aire empleado en el alumbrado por tubos incandescentes.

NEOPLASIA. f. Neoplasma.

NEOPLASMA. m. Tejido de nueva formación en el organismo.

NEOPLATONICISMO. m. Escuela filosófica que floreció en los primeros siglos de la era cristiana.

NEORAMA. m. Especie de panorama.

NEOYORQUINO-NA. adj. s. Natural de Nueva York. Perteneciente a esta ciudad de Estados Unidos.

NEPA. m. Escorpión de agua.

NEPOTE. m. Pariente del Papa.

NEPOTISMO. m. Favoritismo con los parientes.

NEPTÚNEO-A. adj. poét. Perteneciente o relativo a Neptuno o al mar.

NEPTÓNICO-CA. adj. Geol. Se dice de los terrenos y de las rocas de formación sedimentaria.

NEPTUNO. m. Planeta mayor que la tierra.

NEQUÁQUAM. adv. neg. fam. En manera alguna, de ningún modo.

NEQUICIA. f. Maldad, perversidad.

NEREIDA. f. Mit. Ninfa del mar.

NERÓN. m. fig. Hombre muy cruel.

NERVADURA. f. Arq. Moldura saliente. Bot. Conjunto de nervios de una hoja.

NERVIO. m. Haz fibroso, órgano de la sensibilidad y del movimiento en el ser viviente. Vigor. Tendón.

NERVIOSIDAD. f. Nervosidad.

NERVIOSISMO. m. Debilidad nerviosa general.

NERVIOSO-SA. adj. Que tiene nervios. De nervios irritables.

NERVOSAMENTE. adv. m. Con vigor, eficacia y actividad.

NERVOSIDAD. f. Actividad de los nervios.

NESCAFÉ. m. Extracto de café.

NESCIENCIA. f. Ignorancia.

NESCIENTE. adj. Ignorante.

NESGA. f. Pieza triangular para dar vuelo a un vestido.

NESGAR. tr. Cortar una tela oblicuamente a la dirección del hilo.

NETAMENTE. adv. m. Con limpieza y distinción.

NETO-TA. adj. Puro, limpio. Que resulta líquido en el precio o valor de algo.

NEUMÁTICO-CA. adj. Relativo al aire.

NEUMATOSIS. f. Pat. Acumulación de gases en el estómago o en intestino.

NEUMOCOCO. m. Bacteria agente de la pulmonía.

NEUMOGÁSTRICO. m. Med. Nervio que forma el décimo par craneal, llamado también vago y que se extiende desde el bulbo a las cavidades del tórax y el abdomen.

NEUMONÍA. f. Pulmonía.

NEUMÓNICO-CA. adj. Relativo al pulmón. Que padece neumonía.

NEUMOTÓRAX. m. Entrada de aire en el tórax. Inyección terapéutica de aire o gas en la cavidad pleural.

NEURALGIA. f. Dolor en un nervio.

NEURÁLGICO-CA. adj. Med. Perteneciente o relativo a la neuralgia.

NEURASTENIA. f. Debilidad nerviosa.

NEURASTÉNICO-CA. adj. s. Relativo a la neurastenia. Quien la padece.

NEURITIS. f. Inflamación de un nervio.

NEUROESQUELETO. m. Conjunto de huesos que protegen la porción céntrica del sistema nervioso.

NEUROLOGÍA. f. Estudio del sistema nervioso.

NEURÓLOGO-GA. s. Versado en neurología.

NEUROMA. m. Tumor localizado en un tejido nervioso.

NEURÓPATA. adj. s. Neurótico. Com. Neurólogo.

NEURÓPTERO-RA. adj. s. Insectos masticadores de metamorfosis complicada y cuatro alas membranosas.

NEUROSIS. f. Enfermedad nerviosa.

NEURÓTICO-CA. adj. Relativo a la neurosis. Que la padece.

NEUTRAL. adj. Que no se inclina ni a uno ni a otro entre dos partidos en lucha.

NEUTRALIDAD. f. Calidad de neutral.

NEUTRALIZACIÓN. f. Acto de neutralizar.

NEUTRALIZAR. tr. r. Hacer neutral o neutro. Contrarrestar.

NEUTRINO. m. Nombre dado a la asociación de un positrón y un electrón.

NEUTRO-TRA. adj. Gram. Dícese del género que ni es masculino ni femenino.

NEUTRÓN. m. Corpúsculo del núcleo atómico de carga nula.

NEVADA. f. Acto de nevar. Cantidad de nieve caída.

NEVADILLA. f. Sanguinaria menor, planta cariofilácea.

NEVADO-DA. adj. Cubierto de nieve.

NEVAR. intr. unip. Caer nieve.

NEVASCA. f. Nevada.

NEVATILLA. f. Aguzanieves.

NEVERA. f. Mueble frigorífico. Pozo de nieve. Habitación muy fría.

NEVERO-RA. s. Quien vende refrescos, helados o nieve. Ventisquero.

NEVISCA. f. Nevada de copos menudos.

NEVISCAR. intr. Caer nevisca.

NEVO. m. Tumor en la piel.

NEVOSO-SA. adj. Que frecuentemente tiene nieve. De nieve.

NEWTONIA. m. Ast. Asteroide número 662.

NEXO. m. Nudo, vínculo.

NI. conj. copulat. Que denota negación.

NIARA. f. Pajar que se hace en el campo para cubrir el grano y librarle del agua.

NIBELUNGOS. (Los). lit. Célebre y antigua epopeya alemana.

NICARAGÜEÑO-ÑA. adj. s. Natural de Nicaragua. Perteneciente a esta república americana.

NICLE. m. Calcedonia con listas unas más obscuras que otras.

NICOCIANA. f. Tabaco.

NICOTINA. f. Alcaloide del tabaco.

NICOTISMO. m. Med. Trastornos morbosos causados por el abuso del tabaco.

NICTÁLOPE. adj. s. Persona que ve mejor de noche que de día.

NICTITANTE. adj. Zool. Membrana casi transparente que forma el tercer párpado de las aves.

NICHO. m. Concavidad en un muro para colocar algo.

NIDADA. f. Conjunto de huevos o crías de un nido.

NIDAL. m. Lugar en que pone sus huevos el ave doméstica.

NIDIFICAR. intr. Hacer nido el ave.

NIDO. m. Especie de lecho que forman las aves de diversas materias blandas, para poner sus huevos y criar los pollos. Por ext. cavidad, agujero, etc., donde procrean diversos animales. Nidal. fig. Casa, patria o habitación de uno.

NIEBLA. f. Condensación del vapor de agua atmosférico. Confusión. Obscuridad.

NIEL. m. Labor en hueco rellena de esmalte sobre metal.

NIETO-TA. s. Hijo o hija del hijo o de la hija respecto a uno.

NIETRO. m. Medida para vino que tiene 16 cántaros.

NIEVE. f. Agua congelada que cae de las nubes, formando copos blancos.

NIGROMANCIA. f. Magia diabólica.

NIGROMANTE. m. Sujeto que ejerce la nigromancia.

NIGROMÁNTICO-CA. adj. Relativo a la nigromancia.

NIGUA. f. Insecto que se introduce bajo la uña del pie.

NIHILISMO. m. Doctrina que niega la existencia de una realidad substancial.

NIHILISTA. adj. s. Sectario del nihilismo.

NIKA. f. Hist. Nombre dado a la sedición del año 532 en el imperio de Oriente.

NILON. m. Nylón.

NIMBAR. tr. Rodear de aureola.

NIMBO. m. Aureola. Capa de nubes formada de cúmulos confundidos.

NIMIEDAD. f. Exceso. Prolijidad. Cortedad.

NIMIO-MIA. adj. Demasiado, excesivo. Prolijo.

NINFA. f. Deidad inferior de la Naturaleza. Mujer hermosa.

NINFEA. f. Nenúfar.

NINGÚN. adj. Apócope de ninguno.

NINGUNO-NA. adj. indf. Ni uno solo. Pron. idet. Nadie.

NIÑA. f. Pupila del ojo.

NIÑADA. f. Acción propia de niños.

NIÑEAR. intr. Hacer niñadas.

NIÑERA. f. Criada que cuida niñas.

NIÑERÍA. f. Niñada.

NIÑETA. f. Niña, pupila del ojo.

NIÑEZ. f. Edad infantil.

NIÑO-ÑA. adj. s. Que está en la niñez.

NIOBE. m. Astr. Asteroide número 71.

NIPIS. m. Tela tejida con las fibras más tenues del abacá.

NIPÓN-NA. adj. s. Del Japón.

NÍQUEL. m. Metal duro, dúctil, maleable, poco fusible y oxidable.

NIQUELADO. m. Acción y efecto de niquelar.

NIQUELAR. tr. Cubrir con un baño de níquel otro metal.

NIQUELINA. f. Arseniato natural de níquel rojo.

NIRVANA. m. Suprema beatitud eterna en el Budismo.

NISAN. m. Primer mes del año religioso hebreo.

NÍSPERO. m. Árbol rosáceo de rama espinosa, flor blanca y fruto comestible.

NÍSPOAL. f. Fruto del níspero, drupa dura y acerba.

NISTAGMA. m. Movimiento tembloroso del globo ocular.

NÍTIDO-DA. adj. Claro, limpio.

NITO. m. Helecho filipino. pl. fam. Nada.

NITRAL. m. Salitral.   [trico.

NITRATO. m. Sal o éter del ácido nítrico.

NITRERÍA. f. Lugar en que se recoge y beneficia el nitro.

NÍTRICO-CA. adj. Relativo al nitro.

NITRIFICACIÓN. f. Transformación de las combinaciones amoniacales del suelo en sales nitrosas.

NITRO. m. Salitre.

NITRÓGENO. m. Elemento gaseoso incoloro, inodoro, que forma gran parte del aire atmosférico. Ázoe.

NITROGLICERINA. f. Líquido pesado, aceitoso, explosivo.

NITROSO-SA. adj. Que tiene nitro.

NIVEL. m. Instrumento para comprobar la horizontalidad de un plano.

NIVELACIÓN. f. Acción de nivelar.

NIVELAR. tr. Igualar un plano con el nivel.

NÍVEO-A. adj. poét. Parecido a la nieve.

NIVOSO. m. Cuarto mes del calendario republicano francés.

NIZARDO-DA. adj. Que es natural de Niza.

NO. adv. Que denota negación.

NOBILIARIO-RIA. adj. Relativo a la nobleza.

NOBLE. adj. Ilustre. Principal, generoso.

NOBLEZA. f. Calidad de noble.

NOBLOTE. adj. Que obra con nobleza.

NOCA. f. Crustáceo marino, parecido a la centolla, de caparazón liso y fuerte, muy convexo y de forma elíptica. Es comestible y abunda en las costas españolas.

NOCIÓN. f. Conocimiento elemental. Idea de algo.

NOCIVO-A. adj. Dañoso.

NOCTÁMBULO-LA. adj. s. Sonámbulo.

NOCTURNIDAD. f. For. Circunstancia agravante de realizar de noche un acto penable.

NOCTURNO-NA. adj. Relativo a la noche. Mús. Pieza musical, sentimental.

NOCHE. f. Tiempo que media entre la puesta y la salida del sol.

NOCHEBUENA. f. Noche de la vigilia de Navidad.

NODO. m. Punto en que la órbita de un astro corta a la elíptica.

NODO. m. Tumor en huesos o tendones. Información de actualidad hecha por el cine.

NODRIZA. f. Ama de cría.

NÓDULO. m. Pequeña concreción en un cuerpo.

NOGAL. m. Árbol de flor masculina en amento y femenina solitaria, de fruto en drupa.

NOGALINA. f. Pintura obtenida de la cáscara de la nuez.

NOGUERA. f. Nogal.

NOGUERAL. m. Sitio poblado de nogales.

NOLICIÓN. f. Acto de no querer.

NOLI ME TANGERE. fr. lat. Que equivale a nadie me toque. Med. Úlcera maligna que no se puede tocar sin peligro. Cosa que se considera o se trata como exenta de contradicción o examen.

NOLUNTAD. f. Fil. Nolición.

NÓMADA. adj. Que vaga sin domicilio fijo.

NOMADISMO. m. Estado social y económico de los pueblos nómadas.

NOMBRADAMENTE. adv. m. Con distinción del nombre, expresamente.

NOMBRADÍA. f. Fama.

NOMBRADO-DA. adj. Afamado, famoso, célebre.

NOMBRAMIENTO. m. Acto de nombrar. Credencial.

NOMBRAR. tr. Decir el nombre de algo. Mencionar.

NOMBRE. m. Palabra que designa a una persona o cosa. Apodo. Celebridad.

NOMENCLÁTOR. m. Nomenclador.

NOMENCLATURA. f. Lista de nombres. Conjunto de voces de una ciencia.

NOMEOLVIDES. f. Flor de la raspilla.

NÓMINA. f. Lista de personas empleadas en una oficina.

NOMINACIÓN. f. Nombramiento.

NOMINAL. adj. Relativo al nombre. Que solo tiene el título de algo.

NOMINALISMO. m. Fil. Doctrina según la cual los universales carecen de existencia.

NOMINALMENTE. adv. m. Por su nombre o por sus nombres. Sólo de nombre y no efectivamente.

NOMINATIVO-VA. adj. Que implica nombre. m. Gram. Caso en que se pone al sujeto de la oración.

NOMINILLA. f. En oficinas, nota entregada a los que cobran como pasivos, para presentarla y cobrar sus haberes.

NÓMINO. m. Sujeto hábil para un cargo público.

NOMO. m. Gnomo.

NOMOGRAFÍA. f. Procedimiento de cálculo por nomogramas.

NOMOGRAMAS. f. Representaciones gráficas de ecuaciones.

NOMPARELL. m. Impr. Carácter de letra de seis puntos tipográficos.

NON. adj. m. Impar. m. pl. Negación repetida.

NONA. f. Última de las cuatro partes en que se divide el día para los romanos.

NONADA. f. Poco, muy poco, pequeñez.

NONAGENARIO-RIA. adj. s. Que ha cumplido 90 años.

NONAGÉSIMO-MA. adj. Que sigue inmediatamente en orden al o a lo octogésimo nono. Cada una de las noventa partes iguales en que se divide un todo.

NONÁGONO-NA. adj. Geom. Eneágono.

NONATO-TA. adj. No nacido naturalmente.

NONINGENTÉSIMO-MA. adj. s. Una de las 900 partes en que se divide un todo. Que ocupa el lugar 900.

NONIO. m. Reglilla que se aplica sobre otra mayor para hacer mediciones exactas.

NONO-NA. adj. Noveno.

NON PLUS ULTRA. exp. lat. Que se usa en castellano como substantivo masculino para ponderar las cosas exagerándolas y levantándolas a lo más que se puede llegar.

NON SANCTA. exp. fam. Que se aplica a la gente de mal vivir.

NOPAL. m. Planta cactácea de fruto en baya, de pulpa comestible. Higo chumbo.

NOPALERA. f. Terreno poblado de nopales.

NOQUE. m. Estanque para curtir pieles.

NOQUEAR. En boxeo dejar al contrario K. O.

NOQUERO. m. Curtidor.

NORCOREANO-NA. adj. Natural del Norte de Corea en Asia Oriental.

NORDESTAL. adj. Del nordeste.

NORDESTE. m. Punto equidistante del Norte y del Este.

NORDESTEAR. intr. Apartarse la brújula hacia el Este.

NÓRDICO. adj. Dícese de los pueblos escandinavos.

NORIA. f. Máquina para elevar agua.

NORIAL. adj. Perteneciente a la noria.

NORILLO. m. Pesca. Aparejo de pesca.

NORMA. f. Regla que se debe seguir para algo. Escuadra de carpintero.

NORMAL. adj. Que se halla en su estado natural. Que sirve de norma.

NORMALIDAD. f. Calidad de normal.

NORMALISTA. adj. Perteneciente o relativo a la escuela normal. com. Alumno o alumna de una escuela normal.

NORMALIZACIÓN. f. Acción y efecto de normalizar.

NORMALIZAR. tr. r. Someter a norma. Poner en orden.

NORMANDO-DA. adj. s. De Normandía.

NORMATIVO-VA. adj. Normal, que sirve de norma.

NOROESTE. m. Punto equidistante del Norte y del Este.

NORTADA. f. Viento fresco del Norte.

NORTE. m. Polo ártico. Punto cardinal del horizonte que cae frente a un observador que tiene el oriente a su derecha.

NORTEAMERICANO - NA. adj. De América del Norte.

NORTEÑO-ÑA. adj. Relativo a la tierra o gente situadas al Norte.

NÓRTICO-CA. adj. Perteneciente o relativo al Norte.

NORUEGO-GA. adj. Natural de Noruega. Al Norte de Europa.

NOS. pron. Dativo y acusativo. pl. del pron. de primera persona.

NOSOCOMIO. m. Hospital.

NOSOGRAFÍA. f. Med. Parte de la nosología que describe las enfermedades.

NOSOLOGÍA. f. Med. Ciencia que se ocupa de describir y clasificar las enfermedades.

NOSTALGIA. f. Pena causada por el recuerdo de algo.

NOSTÁLGICO-CA. adj. Relativo a la nostalgia. Que la padece.

NOTA. f. Señal, marca, observación. Cualidad característica. Advertencia, apuntamiento.

NOTABILIDAD. f. Calidad de notable.

NOTABLE. adj. Digno de atención. m. Nota inferior a la de sobresaliente.

NOTACANTO. m. Zool. Género de peces teleósteos y que habitan los abismos.

NOTACIÓN. f. Representación por signos convencionales.

NOTAR. tr. Señalar, observar, apuntar, reprender.

NOTARIA. f. Profesión y oficina del notario.

NOTARIADO-DA. adj. Autorizado ante notario o abonado con fe notarial.

NOTARIAL. adj. Perteneciente o relativo al notario. Hecho o autorizado por notario.

NOTARIATO. m. Título o nombramiento de notario.

NOTARIO. m. Funcionario público autorizado para dar fe de los contratos, testamentos y otros actos extrajudiciales conforme a las leyes.

NOTICIA. f. Noción. Suceso o novedad reciente que se comunica a quien la ignora.

NOTICIAR. tr. Dar noticia de algo.

NOTICIERO-RA. s. Quien por oficio da noticias.

NOTICIÓN. m. Noticia extraordinaria e increíble.

NOTICIOSO-SA. adj. Sabedor de algo.

NOTIFICACIÓN. f. Acción y efecto de notificar. Documento en que se notifica.

NOTIFICAR. tr. Hacer saber a uno algo con las formalidades prescritas.

NOTIFICATIVO-VA. adj. Que sirve para notificar.

NOTO-TA. adj. Sabido, notorio. Bastardo o ilegítimo.

NOTODONTA. f. Zool. Mariposa nocturna.

NOTORIEDAD. f. Calidad de notorio. Fama, nombradía.

NOTORIO-RIA. adj. Público y sabido de todos.

NOTRO. m. Chile. Árbol proteáceo, de hojas oblongas, flores color rojo, dispuestas en corimbos. Su madera se emplea en obras de adorno.

NÓUMENO. m. Fil. Esencia o causa hipotética de los fenómenos según las noticias que el entendimiento recibe de los sentidos o de la propia conciencia.

NOVACIÓN. f. Acto de novar.

NOVADOR-RA. s. Persona que inventa novedades, sobre todo en materia de doctrinas.

NOVAL. adj. Aplícase a la tierra que se cultiva de nuevo y a las plantas y frutos que produce.

NOVAR. tr. For. Substituir una obligación a otra.

NOVATADA. f. Broma molesta dada en colegios, academias y cuarteles a los recién llegados.

NOVATO-TA. adj. s. Nuevo o principiante en algo.

NOVECIENTOS-TAS. adj. pl. Nueve cientos.

NOVEDAD. f. Calidad de nuevo. Extrañeza, admiración producida por las cosas nuevas. Noticia.

NOVEL. adj. Novato, sin experiencia.

NOVELA. f. Obra literaria en que se narra una acción y se describen caracteres y costumbres. Ficción.

NOVELAR. intr. Componer o escribir novelas. Contar patrañas.

NOVELERÍA. f. Afición a novedades. Idem a escribir fábulas o novelas.

NOVELERO-RA. adj. s. Amigo de novedades, fábulas o novelas.

NOVELESCO-CA. adj. Propio de las novelas.

NOVELISTA. com. Persona que escribe novelas.

NOVELÍSTICA. f. Tratado histórico o preceptivo de la novela.

NOVELIZAR. tr. Dar a una narración forma y condición novelesca.

NOVELÓN. m. Novela extensa, dramática y mal escrita.

NOVENA. f. Espacio de nueve días dedicados a una devoción.

NOVENARIO. m. Espacio de nueve días siguientes a la muerte de alguien.

NOVENO-NA. adj. s. Cada una de las nueve partes de un todo. Que ocupa el lugar nueve.

NOVENTA. adj. Nueve veces diez.

NOVENTAVO-VA. adj. Arit. Nonagésimo.

NAVIAZGO. m. Estado de novio. Tiempo que dura.

NOVICIADO. m. Tiempo que prueba de un religioso antes de profesar. Casa de novicios.

NOVICIO-CIA. s. Religioso sin profesar. Principiante en un arte u oficio.

NOVICIOTE. m. fam. Novicio ya de edad y alto de cuerpo.

NOVIEMBRE. m. Undécimo mes del año.

NOVILUNIO. m. Conjugación de la Luna y el Sol. Luna nueva.

NOVILLADA. f. Lidia de novillos.

NOVILLERO. m. Lidiador de novillos. El que hace novillos.

NOVILLO-LLA. s. Toro o vaca de dos o tres años. m. pl. Falta a una clase.

NOVIO-A. s. Persona recién casada o con relaciones amorosas.

NOVÍSIMA. adj. Superlativo de Nuevo. Postrimerías del hombre.

NOVOCAÍNA. f. Anestésico atóxico, sin efecto narcótico.

NOYO. m. Bebida hecha con aguardiente, almendras amargas y azúcar.

NUBADA. f. Aguacero fuerte local.

NUBARRÓN. m. Nube grande y densa.

NUBE. f. Acumulación de partículas de agua de la condensación del vapor atmosférico. Pequeña mancha blanca de la córnea.

NUBÍFERO-RA. adj. poét. Que trae nubes.

NÚBIL. adj. Que está en edad de contraer matrimonio.

NUBILIDAD. f. Calidad de núbil.

NUBLADO. m. Nube tempestuosa.

NUBLAR. tr. r. Anublar.

NUBLO-A. adj. Nubloso.

NUBLOSO-SA. adj. Nuboso, sa. Cubierto de nubes.

NUCA. f. Parte donde se une la cabeza al espinazo.

NUCLEARIO-RIA. adj. Relativo al núcleo, su calidad o carácter.

NÚCLEO. m. Parte más compacta de una cosa. Elemento central de un todo. Corpúsculo esencial de la célula.

NUCLÉOLO. m. Cuerpecillo esferoidal del interior del núcleo de la célula.

NUDAMENTE. adv. m. Desnudamente.

NUDILLO. m. Cualquiera de las articulaciones de las falanges de los dedos.

NUDO. m. Lazo difícil de soltar. Unión, Vínculo. Mar. Cada una de las divisiones de la corredera.

NUDOSIDAD. f. Med. Tumefacción o induración circunscrita en forma de nudo.

NUDOSO-SA. adj. Que tiene nudos.

NUECERO-RA. m. y f. Persona que vende nueces.

NUERA. f. Mujer del hijo respecto a los padres.

NUESTRA, TRO, TRAS, TROS. Pronombres posesivos, primera persona en género masculino y femenino.

NUEVA. f. Noticia no oída o dicha antes.

NUEVAMENTE. adv. m. De nuevo. Recientemente.

NUEVE. adj. Ocho y uno.

NUEVO-VA. adj. Reciente. Que se ve u oye por primera vez.

NUEZ. f. Fruto del nogal de epicardio ovoide, en drupa. Prominencia de la laringe.

NUEZA. f. Planta cucurbitácea, trepadora dioica y fruto en bayas rojas.

NUGATORIO-RIA. adj. Engañoso, frustráneo.

NULAMENTE. adv. m. Inválidamente; sin valor ni efecto.

NULIDAD. f. Calidad de nulo. Persona inepta.

NULO-LA. adj. Falto de valor. Persona inepta.

NUMANTINO-NA. adj. Natural de Numancia.

NUMEN. m. Inspiración poética. Deidad pagana.

NUMERABLE. adj. Que se puede numerar.

NUMERACIÓN. f. Acción y efecto de numerar.

NUMERADOR. m. Instrumento para numerar. Mat. Término de la fracción que indica cuantas partes de la unidad contiene.

NUMERAL. adj. Relativo al número.

NUMERAR. tr. Contar. Marcar con números.

NUMERARIO-RIA. adj. Relativo al número. Moneda acuñada.

NUMÉRICO-CA. adj. Relativo al número. Compuesto de ello.

NÚMERO. m. Expresión de la relación entre la cantidad y la unidad. Signo o conjunto de ellos que lo expresan. m. pl. Cuarto libro del Pentateuco.

NUMEROSIDAD. f. Multitud numerosa.

NUMEROSO-SA. adj. Que incluye gran número.

NÚMIDA. adj. s. De Numidia.

NUMÍDICO-CA. adj. Númida, perteneciente a Numidia.

NUMISMÁTICA. f. Ciencia de las monedas y medallas.

NUMISMÁTICO-CA. adj. Relativo a la numismática. m. Quien se dedica a ella.

NUMULAR. adj. Med. Esputo extendido y redondo como una moneda.

NUMULARIO. m. Quien comercia con dinero.

NUMULITA. Protozoo rizópodo foraminífero fósil.

NUNCA. adv. En ningún tiempo.

NUNCIATURA. f. Cargo de Nuncio. Casa en que vive o radica su tribunal. Tribunal de la Rota en España.

NUNCIO. m. Quien lleva un aviso o noticia. Representante diplomático del Papa.

NUNCUPATIVO-VA. adj. Dícese del testamento abierto.

NUPCIAL. adj. Relativo a las nupcias.

NUPCIALIDAD. f. Proporción de bodas en un tiempo y lugar.

NUPCIAS. f. pl. Boda.

NURSE. f. Anglicismo. Niñera, o enfermera.

NUTACIÓN. f. Oscilación periódica del eje de la tierra.

NUTRIA. f. Mamífero carnívoro mustélido de piel muy apreciada.

NUTRICIO-CIA. adj. Que nutre. Nutritivo.

NUTRICIÓN. f. Acción y efecto de nutrir.

NUTRIDO-DA. adj. Abundante.

NUTRIMENTAL. adj. Que sirve de sustento o alimento.

NUTRIMENTO. m. Nutrición. Substancia de los alimentos.

NUTRIR. intr. r. Proporcionar a un organismo las substancias necesarias para su desarrollo y conservación.

NUTRITIVO-VA. adj. Que sirve para alimentar.

NUTRIZ. f. Ama de cría.

NYLÓN. m. Fibra textil sintética.

Ñ. f. Eñe. Letra consonante decimoséptima del alfabeto castellano.

ÑACANINA. f. Víbora grande y venenosa.

ÑACO. m. Chile. Gachas o puches.

ÑACUNDA. f. Ave sudamericana nocturna.

ÑACURUTÚ. f. Lechuza grande, de sudamérica.

ÑAGAZA. f. Añagaza.

ÑAME. m. Planta dioscórea, su raíz tuberculosa es comestible.

ÑANDÚ. m. Avestruz americana, corredora, con tres dedos en cada pata.

ÑANDUBAY. m. Amér. Mimosa de madera rojiza, muy dura e incorruptible.

ÑANDUTÍ. m. Amér. Tejido muy fino que hacían las mujeres de Paraguay.

ÑANGUÉ. m. Cuba. Túnica de Cristo.

ÑAÑA. f. Chile. Niñera. Hermana mayor.

ÑAÑIGO-GA. adj. Individuo de una sociedad secreta de negros en Cuba.

ÑAÑO-ÑA. adj. Amér. Consentido, mimado. m. y f. Chile. Hermano, na.

ÑAPANGO-GA. adj. Mestizo, mulato.

ÑAPINDÁ. f. Especie de acacia americana.

ÑAQUE. m. Conjunto de cosas inútiles y ridículas.

ÑATO-TA. adj. fam. Amér. Chato.

ÑEQUE. adj. Fuerte, vigoroso.

ÑIQUIÑAQUE. m. fam. Sujeto o cosa muy despreciable.

ÑIZCA. f. Amér. Pizca.

ÑOCLO. m. Melindre hecho de una masa que se cuece al horno.

ÑONGO-GA. adj. En Chile tonto, perezoso.

ÑOÑERIA. f. Acto propio de persona ñoña.

ÑOÑEZ. f. Calidad de ñoño.

ÑOÑO-ÑA. adj. Apocado, quejumbroso y asustadizo.

ÑORA. f. Noria.

ÑORBO. m. Flor de la pasionaria.

ÑORO. m. Ñora, pimiento.

ÑU. m. Antílope sudafricano.

ÑUDILLO. m. Nudillo.

ÑUDO. m. Nudo.

ÑUDOSO-SA. adj. Nudoso.

ÑUSTA. f. Princesa, entre los antiguos incas.

ÑUTO-TA. adj. Dícese de lo que está molido o convertido en polvo.

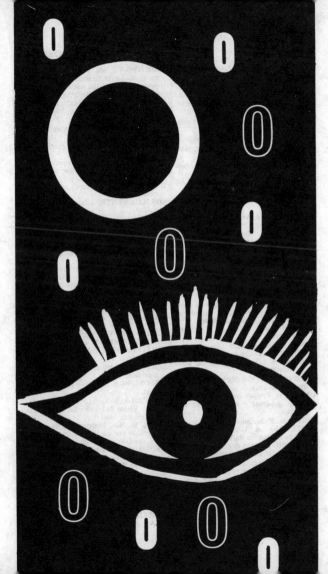

O. f. Décimoctava letra del abecedario español, cuarta de las vocales. Conjunción disyuntiva.

OASIS. m. Paraje con vegetación y manantiales en medio de un desierto. Descanso.

OB. prep. insep. Que significa por causa, o en virtud, o en fuerza de.

OBCECACIÓN. f. Ofuscación tenaz.

OBCECAR. tr. r. Cegar, ofuscar, deslumbrar.

OBDURACIÓN. f. Obstinación y terquedad.

OBEDECER. tr. Cumplir la voluntad del que manda.

OBEDECIMIENTO. m. Acto de obedecer.

OBEDIENCIA. f. Acto de obedecer.

OBEDIENTE. adj. Propenso a obedecer.

OBELISCO. m. Monumento en forma de aguja piramidal de cuatro caras.

OBELO. m. Obelisco.

OBENCADURA. f. Conjunto de obenques.

OBENQUE. m. Mar. Cabo que sujeta la cabeza de un palo a los costados del buque.

OBERTURA. f. Mús. Pieza que da principio a una ópera u otra composición.

OBESIDAD. f. Calidad de obeso.

OBESO-SA. adj. Dícese de la persona muy gruesa.

ÓBICE. m. Impedimento. Diócesis.

OBISPADO. m. Dignidad de un obispo.

OBISPALÍA. f. Palacio o casa del obispo. Obispado.

OBISPILLO. m. Morcilla grande. Rabadilla de las aves.

OBISPO. m. Prelado con potestad de enseñar, gobernar y santificar, en una diócesis.

ÓBITO. m. Fallecimiento.

OBITUARIO. m. Libro parroquial en que se anotan las defunciones.

OBJECIÓN. f. Razón que se propone para combatir una afirmación.

OBJETANTE. adj. s. Que objeta.

OBJETAR. tr. Poner reparos a una opinión. Proponer razones contrarias.

OBJETIVAMENTE. adv. En cuanto al objeto ,o por razón del objeto.

OBJETIVAR. tr. Considerar como objetivo, lo subjetivo.

OBJETIVO-VA. adj. Relativo al objeto en sí. m. Lente dirigida hacia los objetos en un anteojo, microscopio, máquina fotográfica, etc. Propósito. fin.

OBJETO. m. Lo que es materia del conocimiento o sensibilidad. Materia de una ciencia. Cosa.

OBLACIÓN. f. Acto de ofrecer algo a Dios. Sacrificio.

OBLATA. f. Dinero para el gasto de la iglesia en el culto.

OBLATO. adj. s. Religioso secular de la Congregación fundada por San Carlos Borromeo.

OBLEA. f. Hoja delgada de masa de harina y agua.

OBLICUAMENTE. adv. m. Con oblicuidad.

OBLICUÁNGULO. adj. Geom. Se dice de la figura o del poliedro que no tiene ningún ángulo recto.

OBLICUIDAD. f. Calidad de oblicuo.

OBLICUO-CUA. adj. Que no es perpendicular ni paralelo.

OBLIGACIÓN. f. Exigencia moral. Vínculo que impone algo. Título de interés fijo que representa una suma prestada.

OBLIGACIONISTA. com. Persona que posee obligaciones comerciales.

OBLIGAR. tr. Compeler. Ganar la voluntad. Hacer fuerza.

OBLIGATIVO-VA. adj. Obligatorio.

OBLIGATORIO-RIA. adj. Que obliga.

OBLITERACIÓN. f. Acción y efecto de obliterar.

OBLITERAR. tr. r. Med. Obstruir un conducto.

OBLONGO-GA. adj. Más largo que ancho.

OBNUBILACIÓN. f. Ofuscamiento. Med. Visión de los objetos como a través de una nube.

OBOE. m. Mús. Instrumento de viento formado por un tubo cónico de madera, dividido en tres piezas.

ÓBOLO. m. Antigua moneda griega de plata. Cantidad con que se contribuye para un fin.

OBRA. f. Aplicación de la actividad humana a algo. Cosa producida. Medio.

OBRADA. f. Labor que un día hace un hombre cavando o una yunta arando.

OBRADOR-RA. s. Que obra. m. Taller.

OBRAJE. m. Manufactura.

OBRAJERO. m. Capataz que gobierna la gente que trabaja en una obra.

OBRAR. tr. Hacer una cosa. intr. Exonerar el vientre.

OBREPCIÓN. f. For. Falsa narración de un hecho, que se hace al superior para conseguir de él, algo.

OBRERISMO. m. Régimen económico fundado en el predominio del trabajo obrero como creador de riqueza. Conjunto de los obreros, considerado como entidad económica.

OBRERO-RA. s. Persona que trabaja en un oficio. Trabajador manual.

OBRIZO. adj. Dícese del oro muy puro, acendrado y subido de quilates.

OBSCENIDAD. f. Calidad de obsceno. Cosa obscena.

OBSCENO-NA. adj. Impúdico, que ofende al pudor.

OBSCURANTISMO. m. Oposición a la difusión de la cultura entre el pueblo.

OBSCURECER. tr. Privar de luz. Desacreditar, ofuscar, dar sombra.

OBSCURIDAD. f. Falta de luz y claridad para percibir las cosas. fig. Humildad, bajeza en la condición social. fig. Falta de claridad en lo escrito o hablado. Carencia de noticias acerca de un hecho o de sus causas o circunstancias.

OBSCURO-RA. adj. Falto de luz. Confuso. Humilde. Que tira a negro.

OBSECUENCIA. f. Sumisión, amabilidad, condescendencia.

OBSEQUIADOR-RA. adj. s. Que obsequia.

OBSEQUIAR. tr .Agasajar con regalos, atenciones, etc.

OBSEQUIO. m. Acto de obsequiar. Regalo.

OBSEQUIOSIDAD. f. Deferencia.

OBSEQUIOSO-SA. adj. Rendido, cortesano y atento.

OBSERVABLE. adj. Que puede observarse.

OBSERVACIÓN. f. Acto de observar. Advertencia, nota aclaratoria.

OBSERVANCIA. f. Cumplimiento exacto de lo que se manda ejecutar. En algunas órdenes religiosas el estado antiguo de ellas a distinción de la reforma. Poner en observancia una cosa.

OBSERVANTE. p. a. de Observar. Que observa o cumple lo mandado. s. Dícese del religioso de ciertas familias de la orden de San Francisco.

OBSERVAR. tr. Cumplir exactamente lo mandado. Advertir.

OBSERVATORIO. m. Lugar para observaciones. Edificio con personal e instrumentos para observar los astros.

OBSESIÓN. f. Idea que se ha apoderado del espíritu.

OBSESIVO-VA. adj. Perteneciente o relativo a la obsesión.

OBSESO-SA. adj. Que padece obsesión.

OBSIDIANA. f. Vidrio natural de origen volcánico, de color negro o verde muy obscuro. Es un feldespato fundido naturalmente. Los indios americanos hacían de él espejos, flechas y armas cortantes.

OBSTÁCULO. m. Lo que se pone al paso o realización de algo.

OBSTANTE. p. a. de Obstar. Que obsta. No obstante. m. adv. Sin embargo, sin que estorbe ni perjudique para una cosa.

OBSTAR. intr. Impedir, contradecir.

OBSTETRICIA. f. Med. Tratado de la gestación, parto y puerperio.

OBSTINACIÓN. f. Terquedad.

OBSTINADO-DA. adj. Terco, tenaz.

OBSTINARSE. r. Mantenerse en una resolución, opinión, etc.

OBSTRUCCIÓN. f. Acción y efecto de obstruir.

OBSTRUCCIONISMO. m. Ejercicio de la obstrucción en asambleas para dificultar un acuerdo.

OBSTRUCTIVO-VA. adj. Que produce obstrucción.

OBSTRUIR. tr. Estorbar el paso. Impedir un acto.

OBTENCIÓN. f. Acción y efecto de obtener.

OBTENER. tr. Conseguir. Producir por medios químicos. Tener.

OBTENIBLE. adj. Que puede obtenerse.

OBTENTOR. adj. Dícese del que obtiene un beneficio, especialmente eclesiástico.

OBTURADOR-TRIZ. adj. Que sirve para obturar.

OBTURAR. tr. Cerrar un conducto.

OBTUSÁNGULO. adj. Triángulo que tiene un ángulo obtuso.

OBTUSO-SA. adj. Romo. Torpe. Geom. Ángulo mayor que el recto.

OBÓS. m. Pieza para disparar granadas.

OBVENCIÓN. f. Utilidad o ganancia que se obtiene además del sueldo.

OBVENCIONAL. adj. Perteneciente o relativo a la obvención.

OBVIAR. tr. Evitar, apartar, quitar obstáculos. Oponerse.

OBVIO-A. adj. Visible, manifiesto, muy claro.

OC. Dícese del Provenzal Lengua de oc.

OCA. f. Ánsar. Ave palmípeda de plumaje blanco.

OCAL. adj. Dícese de algunas frutas muy sabrosas y delicadas y de cierta especie de rosas.

OCARINA. f. Mús. Instrumento de viento, con ocho agujeros.

OCASIÓN. f. Oportunidad. Motivo. Riesgo.

OCASIONADAMENTE. adv. m. Con tal motivo.

OCASIONAL. adj. Que ocasiona. Que sucede accidentalmente.

OCASIONAR. tr. Ser causa de algo. Excitar, provocar.

OCASO. m. Puesta de un astro por el horizonte.

OCCIDENTAL. adj. Situado en el Occidente.

OCCIDENTE. m. Punto cardinal por donde se pone el sol.

OCCIPITAL. adj. Relativo al occipucio. m. Hueso de la cabeza.

OCCIPUCIO. m. Parte postero-inferior de la cabeza.

OCCISIÓN. f. Muerte violenta.

OCCISO-SA. adj. Muerto violentamente.

OCEÁNICO-CA. adj. Relativo al océano.

OCÉANO. m. Masa total de agua salada que cubre la mayor parte de la tierra.

OCEANOGRAFÍA. f. Ciencia que estudia los mares.

OCELADO-DA. adj. Que tiene ocelos.

OCELO. m. Ojo de los insectos.

OCELOTE. m. Gato salvaje sudamericano.

OCENA. f. Fetidez del aliento por catarro nasal crónico.

OCIO. m. Abandono del trabajo. Diversión, ocupación, reposada.

OCIOSIDAD. f. Efecto del ocio.

OCIOSO-SA. adj. s. Que está en ocio. Desocupado, sin obligaciones.

OCLE. f. Ast. Alga, sargazo.

OCLUIR. tr. r. Med. Cerrar un conducto u orificio con algo que lo obstruya.

OCLUSIÓN. f. Acción y efecto de ocluir.

OCLUSIVO-VA. adj. Perteneciente o relativo a la oclusión. Que la produce. Gram. Dícese de los sonidos o de las consonantes para cuya pronunciación se interrumpe la salida del aire espirado.

OCOTE. m. Especie de pino mejicano muy resinoso que hecha rajas su madera sirve para encender hornos y hacer luminarias.

OCRE. m. Min. Óxido de hierro hidratado ,amarillo.

OCTACORDIO. m. Instrumento de música de la antigua Grecia que tenía ocho cuerdas. Sistema musical compuesto de ocho sonidos.

OCTAEDRO. m. Sólido de ocho caras.

OCTAGONAL. adj. Perteneciente al octágono.

OCTÁGONO. adj. s. Polígono de ocho ángulos y ocho lados.

OCTANTE. m. Astr. Instrumento análogo al sextante, cuyo sector comprende la octava parte del círculo.

OCTAVA. f. Espacio de ocho días en que la Iglesia celebra algo. Último de los ocho días.

OCTAVARIO. m. Período de ocho días. Fiesta que se hace en los ocho días de una octava.

OCTAVILLA. f. Octava parte de un pliego de papel.

OCTAVÍN. m. Flautín.

OCTAVO-VA. adj. s. Cada una de las ocho partes iguales en que se divide un todo.

OCTINGENTÉSIMO-MA. adj. Que sigue en orden al o a lo septingentésimo nonagésimo nono. Dícese de cada una de las ochocientas partes iguales en que se divide un todo.

OCTOGENARIO-RIA. adj. Que ha cumplido la edad de ochenta y no llega a la de noventa.

OCTOGÉSIMO-MA. adj. Cada una de las ochenta partes en que se divide un todo.

OCTÓGONO-NA. adj. Octágono.

OCTÓPODO-DA. adj. Que tiene ocho pies; se dice especialmente de algunos insectos.

OCTOSÍLABO-BA. adj. Octosilábico.

OCTUBRE. m. Décimo mes del año.

ÓCTUPLE. adj. Que contiene ocho veces una cantidad.

OCULAR. adj. Relativo a los ojos. m. Lente o sistema de ellos, puestos en el extremo de un microscopio anteojo, etc., en la parte que el observador, aplica el ojo.

OCULISTA. com. Médico especialista de los ojos.

OCULTACIÓN. f. Acción y efecto de ocultar.

OCULTAR. tr. Esconder, tapar, disfrazar, encubrir. Callar advertidamente o disfrazar la verdad. Reservar.

OCULTIS. (De). m. adv. fam. Oculta, disimuladamente o en secreto.

OCULTISMO. m. Ciencia de lo oculto.

OCULTO-TA. adj. Que no se da a conocer, ni se deja ver o sentir.

OCUPACIÓN. f. Acción y efecto de ocupar. Empleo.

OCUPAR. tr. Tomar posesión, apoderarse. Llenar un lugar.

OCURRENCIA. f. Suceso casual. Pensamiento original o ingenioso.

OCURRENTE. adj. Dícese del que tiene ocurrencias.

OCURRIR. intr. Salir al encuentro. Acontecer.

OCHAVA. f. Octava parte de un todo. Octava religiosa.

OCHAVADO-DA. adj. Dícese de toda figura con ocho ángulos iguales y cuyo contorno le componen ocho lados de los cuales cuatro alternados son iguales y los otros cuatro también iguales entre sí.

OCHAVO. m. Antigua moneda de cobre con un peso de un octavo de onza.

OCHENTA. adj. Ocho veces diez.

OCHENTÓN-NA. adj. fam. Octogenario.

OCHO. adj. Siete y uno. m. Guarismo que lo representa.

OCHOCIENTOS-TAS. adj. Ocho veces ciento. Octingentésimo. m. Conjunto de signos con que se representa el número ochocientos.

ODA. f. Poét. Composición lírica dividida en estrofas o partes iguales.

ODALISCA. f. Esclava al servicio del harén. Concubina turca.

ODEÓN. m. Arquel. Lugar que se destinaba en Grecia a los espectáculos musicales.

ODIAR. tr. Tener odio.

ODIOSO-SA. adj. Digno de odio.

ODISEA. f. Viaje largo lleno de aventuras.

ODÓMETRO. m. Podómetro. Aparato que en los carruajes marca la distancia recorrida.

ODONTALGIA. f. Med. Dolor de dientes o muelas.

ODONTOLOGÍA. f. Estudio de los dientes y sus dolencias.

ODONTÓLOGO-GA. s. Quien se dedica a la odontología.

ODORANTE. adj. Oloroso, fragante.

ODORÍFERO-RA., FICO-CA. adj. Que tiene buen olor.

ODRE. m. Cuerpo cosido y empegado para contener líquidos.

ODRERO. m. El que hace o vende odres.

ODRINA. f. Odre hecho con el cuerpo de un buey.

OESNORUESTE. m. Punto del horizonte entre el Oeste y el Noroeste y a igual distancia de cada uno de ellos. Viento que sopla de esta parte.

OESTE. m. Occidente. Viento que sopla de esta dirección.

OFENDER. tr. Hacer daño. Injuriar. Molestar.

OFENDIDO-DA. adj. s. Que ha recibido alguna ofensa.

OFENSA. f. Acción y efecto de ofender.

OFENSIVA. f. Estado del que trata de ofender o atacar.

OFENSIVO-VA. adj. Que ofende.

OFENSOR-RA. adj. s. Que ofende.

OFERENTE. adj. s. Que ofrece.

OFERTA. f. Promesa. Ofrecimiento de mercancías para la venta.

OFERTORIO. m. Parte de la misa en que se ofrece la hostia y el vino a Dios.

OFICIAL. adj. Que emana de la autoridad constituida. Que es de oficio. Militar que posee un grado.

OFICIALA. f. La que trabaja en un oficio.

OFICIALÍA. f. Empleo de oficial de contaduría, secretaría o cosa semejante. Calidad de oficial que adquirían los artesanos y que les ponía en condiciones de trabajar libremente en s oficio.

OFICIALIDAD. f. Conjunto de oficiales del ejército.

OFICIANTE. p. a. de Oficiar. Que oficia. m. El que oficia en las iglesias.

OFICIAR. intr. Ayudar a cantar la misa y otros oficios.

OFICINA. f. Sitio en que se hace o prepara algo.

OFICINAL. adj. Farm. y Med. Se dice de toda planta que se usa como medicina. Dícese de los medicamentos que se hallan en la farmacia preparados.

OFICINESCO-CA. adj. Propio de la oficina del Estado.

OFICINISTA. com. Empleado en una oficina.

OFICIO. m. Ocupación habitual. Profesión de un arte mecánico. Función propia de algo.

OFICIOSAMENTE. adv. m. Con oficiosidad. Sin carácter oficial.

OFICIOSO-SA. adj. Solícito. Eficaz para algo.

OFIDIO-A. adj. s. Zool. Reptiles plagiotremas, ápodos, sin esternón.

OFITA. f. Roca compuesta de feldespato, piroxena y nódulos calizos o cuarzosos, que se emplea como piedra de adorno.

OFRECER. tr. Presentar y dar algo voluntariamente.

OFRECIMIENTO. m. Acción y efecto de ofrecer u ofrecerse.

OFRENDA. f. Don que se ofrece a Dios o a los santos.

OFRENDAR. tr. Ofrecer algo a Dios en acción de gracias.

OFTALMÍA. f. Med. Inflamación del ojo.

OFTALMOLOGÍA. f. Med. Tratado de las enfermedades de los ojos.

OFTALMÓLOGO. m. Oculista.

OFTALMOSCOPIO. m. Instrumento para explorar el interior del ojo.

OFUSCACIÓN. f. Ofuscamiento. m. Turbación de la vista. Obscuridad de la razón.

OFUSCAR. tr. r. Turbar la vista. Alucinar.

OGAÑO. adv. t. Hogaño.

OGRO. m. Gigante fabuloso antropófago.

¡OH! interj. de Asombro, pena alegría, etc.

OHM. m. Fís. Nombre del ohmio en la nomenclatura internacional.

OHMIO. m. Unidad de medida de la resistencia eléctrica.

OÍBLE. adj. Que se puede oír.

OIDIO. m. Nombre de algunos hongos ascomicetos, parásitos.

OÍDO. m. Sentido y órgano de la audición. Orificio en el tape de un barreno para colocar la mecha.

OIDOR-RA. adj. s. Que oye. Antiguo ministro togado de justicia.

OÍR. tr. Percibir un sonido. Atender un ruego o aviso.

OJAL. m. Abertura para abrochar un botón. Agujero que atraviesa algo.

¡OJALÁ! Interj. Que denota deseo.

OJALADOR-RA. s. Quien hace ojales.

OJALAR. tr. Hacer ojales en algo.

OJALATERO. adj. s. fam. Se dice del que en las contiendas civiles se limita a desear el triunfo de su partido.

OJARANZO. m. Jara ramosa de tallo algo rojizo. Carpe.

OJEADA. f. Mirada rápida.

OJEADOR. m. El que ojea o espanta con voces la caza.

OJEAR. tr. Mirar a una parte. Acosar la caza en dirección a un lugar.

OJÉN. m. Aguardiente dulce anisado.

OJEO. m. Acción y efecto de ojear.

OJERA. f. Mancha lívida alrededor de la base del párpado inferior.

OJERIZA. f. Mala voluntad contra uno.

OJEROSO-SA. adj. Que tiene ojeras.

OJETE. m. dim. de Ojo. Abertura pequeña y reforzada en su contorno con cordoncillo o con anillos de metal para meter por ella un cordón u otra cosa que afiance.

OJETERA. f. Parte del corsé o jubón en que van colocados los ojetes.

OJIALEGRE. adj. fam. Que tiene los ojos alegres, vivos y bulliciosos.

OJIMIEL. m. Cocimiento de miel y vinagre.

OJIVA. f. Arq. Figura compuesta de dos arcos de círculos iguales que se cortan formando ángulo curvilíneo.

OJIVAL. adj. De forma de ojiva. Arq. De estilo gótico que empleaba la ojiva.

OJO. m. Órgano de la vista. Arco de puente. Malla de la red.

OJOSO-SA. adj. Que tiene muchos ojos; como el queso ,el pan, etc.

OJOTA. f. Sandalia de los indios americanos.

OJUELO. m. pl. Ojos risueños y agraciados.

OLA. f. Onda de mucha amplitud en la superficie del agua agitada.

OLAJE. m. Sucesión continuada de olas.

¡OLE! Interj. Para animar. m. Baile andaluz.

OLEADA. f. Ola grande. Movimiento impetuoso de mucha gente.

OLEAGINOSIDAD. f. Calidad de oleaginoso.

OLEAGINOSO-SA. adj. Aceitoso.

OLEAJE. m. Oleaje.

OLEAR. tr. Administrar a un enfermo el Sacramento de la Extremaunción.

OLEICO-A. adj. Dícese de un ácido que existe en el aceite de olivas.

OLEÍNA. f. Quím. Substancia grasa líquida que se encuentra en las grasas animales y vegetales.

óLEO. m. Aceite. El de los Sacramentos. Pintura de colores disueltos en aceite.

OLEODUCTO. m. Tubería con bombas, para la conducción del petróleo a grandes distancias.

OLEOGRAFÍA. f. Cromo que imita la pintura al óleo.

OLEOSO-SA. adj. Aceitoso.

OLER. tr. Percibir un olor. Inquirir. intr. Exhalar olor.

OLFACCIÓN. f. Acción de oler.

OLFATEAR. tr. Oler con ahinco. fig. fam. Indagar con curiosidad y empeño.

OLFATIVO-VA. adj. Relativo al olfato.

OLFATO. m. Sentido corporal con el que se huele. Sagacidad para descubrir algo.

OLÍBANO. m. Incienso.

OLIERA. f. Vaso para guardar los santos óleos.

OLIGARCA. m. Miembro de una oligarquía.

OLIGARQUÍA. f. Gobierno ejercido por un grupo de personas.

OLIGISTO. m. Min. óxido natural de hierro de color gris negruzco o pardo rojizo, muy duro y pesado que se empleo mucho en siderurgia. Hematites.

OLIGOCENO. adj. s. Geol. Período de la era terciaria. Perteneciente a él.

OLIMPÍADA. f. Fiesta que se hace cada cuatro años. Período de cuatro años entre dos juegos olímpicos.

OLÍMPICO-CA. adj. Relativo al Olimpo o a la olimpíada. Soberbio.

OLIMPO. m. Morada de los dioses paganos.

OLISCAR. tr. Oler con cuidado. Averiguar, inquirir.

OLIVA. f. Olivo. Aceituna.

OLIVÁCEO-A. adj. De color de oliva.

OLIVAR. m. Sitio plantado de olivos.

OLIVARDA. f. Nelí pequeño, amarillo, verdoso.

OLIVARERO-RA. adj. Perteneciente al cultivo y aprovechamiento del olivo. Que se dedica al cultivo del olivo.

OLIVARSE. r. Levantarse ampollas en el pan al ser cocido a causa de haberse enfriado la masa antes de entrar en el horno.

OLIVASTRO DE RODAS. m. Áloe, planta liliácea.

OLIVERO. m. Sitio donde se coloca la aceituna en la recolección.

OLIVÍCOLA. adj. Perteneciente o relativo a la olivicultura.

OLIVICULTURA. f. Arte del cultivo del olivo.

OLIVÍFERO-RA. adj. Poét. Abundante en olivos.

OLIVO. m. Árbol oleáceo de flor blanca en racimo y fruto en drupa ovoide, verde.

OLMEDA. s. Sitio poblado de olmos.

OLMO. m. Árbol ulmáceo de hoja bellosa por el envés, de flor blanca rojiza y fruto en sámara.

OLÓGRAFO-FA. adj. Dícese del testamento de puño y letra del testador.

OLOR. m. Sensación producida en el olfato por las emanaciones de un cuerpo. Fama, reputación.

OLOROSO-SA. adj. Que exhala olor.

OLVIDADIZO-ZA. adj. Que olvida las cosas con facilidad.

OLVIDAR. tr. r. Perder la memoria de algo. Descuidar.

OLVIDO. m. Falta de memoria. Cesación de un cariño. Descuido.

OLLA. f. Vasija redonda de barro o metal, con asas. Guiso de carnes, tocino, legumbres y hortalizas.

OLLA A PRESIÓN. f. Vasija que por estar herméticamente cerrada y llevar una válvula de escape alcanza temperatura de ebullición por encima de lo normal.

OLLAO. m. Mar. Ojetes que se hacen en las velas, toldos, fundas, etc., para que por ellos pasen cabos.

OLLERÍA. f. Sitio donde se hacen ollas.

OLLERO-RA. s. Quien hace o vende ollas.

OMATIDIO. m. Elemento que forma el ojo compuesto del insecto.

OMBLIGO. m. Cicatriz en el vientre después de romperse y secarse el cordón umbilical. Centro de una cosa.

OMBLIGUERO. m. Venda que se pone a los recién nacidos sobre el ombligo.

OMEGA. f. Letra del alfabeto griego, equivalente a la O larga.

OMEYAS. f. Dinastía islámica.

ÓMICRON. f. O breve del alfabeto griego.

OMINAR. tr. Agorar.

OMINOSO-SA. adj. De mal agüero, abominable.

OMISIÓN. f. Acción de omitir. Lo omitido.

OMISO-SA. adj. Negligente.

OMITIR. tr. r. Dejar de hacer. Pasar en silencio.

OMNIBUS. m. Carruaje público capaz para muchas personas.

OMNÍMODO. adj. Que comprende todo.

OMNIPOTENCIA. f. Poder omnímodo de Dios. Poder muy grande.

OMNIPOTENTE. adj. Que tiene omnipotencia.

OMNIPRESENCIA. f. Oblicuidad.

OMNISCIENCIA. f. Conocimiento de todas las cosas. Atributo de Dios.

OMNISCIO-CIA. adj. Omnisciente.

OMNÍVORO-RA. adj. Que se alimenta de vegetales y animales.

OMÓPLATO. m. Hueso plano que forma la parte posterior del hombro.

ONAGRA. f. Planta de hojas parecidas a las del almendro, flores de forma de rosas y raíz blanca, de olor de vino, una vez secadas.

ONAGRO. m. Asno silvestre.

ONANISMO. m. Masturbación.

ONCE. adj. Diez y uno. Undécimo que sigue a lo décimo. Conjunto de signos con que se representa el número once. Equipo de jugadores de futbol dicho así por estar constituido por once jugadores.

ONCEJERA. f. Lazo para cazar pájaros pequeños.

ONCEJO. m. Vencejo.

ONCOLOGÍA. f. Parte de la Medicina que trata de los tumores.

ONDA. f. Elevación en una superficie líquida. Ondulación.

ONDEANTE. p. a. de Ondear. Que ondea.

ONDEAR. intr. Formar ondas. Ondular.

ONDINA. f. Ninfa acuática.

ONDOSO-SA. adj. Que tiene ondas o que se mueve haciéndolas.

ONDULACIÓN. f. Acción y efecto de ondular. Fís.

ONDULADO-DA. adj. Que forma ondas.

ONDULAR. tr. Formar ondas.

ONERARIO-RIA. adj. Aplícase a las naves y bastimentos de carga de que usaban los antiguos.

ONEROSO-SA. adj. Pesado, gravoso.

ONFACINO. adj. Dícese del aceite obtenido de aceitunas sin madurar y que se emplea en medicina.

ÓNICE. m. Calcedonia listado de distintos colores.

ONIQUINA. adj. Se dice de la piedra ónice.

ÓNIX. f. Ónice.

ONOCRÓTALO. m. Alcatraz, pelícano.

ONOMANCIA. f. Arte supersticioso de adivinar por el nombre de una persona lo que le ha de suceder.

ONOMÁSTICO-CA. adj. Relativo a los nombres.

ONOMATOPEYA. f. Imitación del sonido de una cosa en el vocablo que se forma para significarla.

ONOQUILES. f. Bot. Planta borragínea de tallos gruesos y carnosos, hojas lanceoladas, flores de color azul purpúreo y de raíz gruesa de la que se saca una tintura roja muy estimada en perfumería y confitería.

ONOSMA. f. Oncaneta amarilla.

ONTINA. f. Bot. Planta compuesta, de flores amarillenta, que nacen en racimo, muy pequeñas, y toda la planta exhala un aroma agradable.

ONTOGENIA. f. Desarrollo individual de un organismo. Biogenia.

ONTOLOGÍA. f. Filosofía. Tratado del ente en general.

ONTOLOGISMO. m. Fil. Teoría que pretende explicar el origen de las ideas mediante la adecuada intuición del Ser absoluto.

ONTÓLOGO. m. El que profesa o sabe la ontología.

ONZA. f. Peso equivalente a la dieciseisava parte de la libra. Mamífero félido carnicero.

ONZAVO-VA. adj. Undécimo.

OOLÍTICO-CA. adj. Geol. Dícese de los terrenos formados de oolitos.

OOLITOS. m. Geol. Caliza compuesta de concreciones semejantes a las huevas de pescado.

OPACIDAD. f. Calidad de opaco.

OPACO-CA. adj. Que impide el paso de la luz. Obscuro.

OPADO-DA. adj. Hinchado.

OPALESCENCIA. f. Reflejo de ópalo.

OPALINO-NA. adj. Relativo al ópalo. de color entre blanco y azul.

ÓPALO. m. Mineral silíceo de diversos colores, de lustre resinoso.

OPCIÓN. f. Libertad de elegir. Elección.

ÓPERA. f. Poema dramático, puesto en música.

OPERACIÓN. f. Acción y efecto de operar.

OPERADOR-RA. adj. Que opera.

OPERANTE. adj. Que opera o es capaz de operar.

OPERAR. tr. Cir. Ejecutar algún trabajo sobre el cuerpo. Animal vivo. Obrar.

OPERARIO-RIA. m. y f. Obrero,ra, trabajador manual.

OPERATIVO-VA. adj. Dícese de lo que produce afecto.

OPERATORIO-RIA. adj. Que puede operar. Relativo a las operaciones quirúrgicas.

OPÉRCULO. m. Pieza que cierra ciertas aberturas naturales en los seres.

OPERETA. f. Ópera de poca extensión. Ópera cómica.

OPERISTA. com. Actor que canta en las óperas.

OPIADO-DA. adj. Compuesto de opio.

OPIATA. f. Electuario en cuya composición entra el opio.

OPILACIÓN. f. Obstrucción. Hidropesía.

OPILATIVO-VA. adj. Que opila u obstruye.

ÓPIMO-MA. adj. Abundante, rico, fértil.

OPINABLE. adj. Que puede ser defendido en pro o en contra.

OPINAR. intr. Formar o tener opinión. Hacer conjeturas sobre algo.

OPINIÓN. f. Modo de juzgar sobre algo. Fama.

OPIO. m. Droga narcótica, obtenida de la desecación del jugo de las cabezas de las adormideras.

OPÍPARO-RA. adj. Copioso, espléndido, tratándose de la comida.

OPLOTECA. f. Colección o museo de armas.

OPOBÁLSAMO. m. Resina amarga, olorosa y medicinal.

OPONER. tr. Poner una cosa contra otra. Proponer alguna razón contra lo que se dice.

OPONIBLE. adj. Que se puede oponer.

OPOPÁNAX. m. Opopónaco.

OPOPÓNACO. m. Gomorresina aromática que se extrae de la pánace y otras umbelíferas y se usa en farmacia y perfumería.

OPORTUNIDAD. f. Calidad de oportuno. Conveniencia de tiempo y lugar.

OPORTUNISMO. m. Sistema político que transige y contemporiza.

OPORTUNISTA. adj. Perteneciente al oportunismo. m. Partidario del oportunismo.

OPORTUNO-NA. adj. Que tiene oportunidad.

OPOSICIÓN. f. Acción de oponer. Minoría en un cuerpo deliberante.

OPOSICIONISTA. adj. Perteneciente o relativo a la oposición, política.

OPOSITOR-RA. adj. Persona que se opone a otra. Pretendiente a un empleo que se provee por oposición.

OPOTERAPIA. f. Procedimiento curativo en el que se emplean órganos animales crudos.

OPRESIÓN. f. Acción de oprimir.

OPRESIVO-VA. adj. Que oprime.

OPRESOR-RA. adj. s. Que oprime, veja o tiraniza.

OPRIMIR. adj. Ejercer opresión sobre algo. Obligar con violencia.

OPROBIO. m. Afrenta ignominia.

OPSONINA. f. Sustancia presente en la sangre que aumenta el poder fagocítico de los leucocitos.

OPTACIÓN. f. Aceptación, admisión, acción de optar.

OPTAR. intr. Elegir una cosa entre otra o más.

OPTATIVO-VA. adj. s. Que pende de opción o la admite. Gram. Dícese de un modo de la conjugación griega y sanscrita que en el latín se refundió con el subjuntivo.

ÓPTICA. f. Parte de la Física que estudia la luz y sus fenómenos. Arte de construir instrumentos de óptica.

ÓPTICO-CA. adj. Relativo a la óptica. m. Quien vende instrumentos de óptica.

OPTIMAMENTE. adv. m. Con suma bondad y perfección.

OPTIMISMO. m. Tendencia a ver las cosas por el lado más favorable.

OPTIMISTA. adj. Relativo al optimismo. Partidario de él.

ÓPTIMO-MA. adj. sup. de Bueno. Sumamente bueno.

OPTÓMETRO. m. Aparato para medir los límites de la visión distinta.

OPUESTO-TA. adj. Dícese de las cosas que están al mismo nivel una enfrente de otra.

OPUGNADOR. m. El que hace oposición con fuerza y violencia.

OPUGNAR. tr. Hacer oposición con fuerza y violencia. Contradecir.

OPULENCIA. f. Gran riqueza.

OPULENTO-TA. adj. Que tiene opulencia.

OPÚSCULO. m. Obra científica o literaria de poca extensión.

OQUEDAD. f. Espacio vacío en un cuerpo sólido.

OQUEDAL. m. Monte solo de árboles altos.

OQUERUELA. f. Lazadilla formada en el hilo de coser cuando está muy retorcido.

ORA. conj. distrib. Aféresis de ahora.

ORACIÓN. f. Razonamiento pronunciado en público. Rezo, plegaria.

ORÁCULO. f. Persona sabia cuyo dictamen se tiene por indiscutible. Lugar donde se daban.

ORADOR-RA. s. Persona que ejerce la oratoria o que pide y ruega.

ORAJE. m. Tiempo muy crudo con lluvias, nieve o piedra y vientos recios.

ORAL. adj. Expresado verbalmente.

ORALMENTE. adv. m. Verbalmente.

ORANGUTÁN. m. Mono antropomorfo alto, de nariz chata, piernas cortas y brazos muy largos.

ORANTE. adj. Que ora. Figuras representadas en actitud de orar.

ORAR. intr. Hablar en público. Hacer oración, mental o vocal.

ORARIO. m. Estola grande que usa el Papa.

ORATE. com. Persona que ha perdido el juicio.

ORATORIA. f. Arte de hablar con elocuencia.

ORATORIO-RIA. adj. Relativo a la oratoria. Lugar destinado para orar.

ORBAYO. m. Lluvia menuda que cae de la niebla.

ORBE. m. Redondez o círculo. Esfera celeste o terrestre.

ORBICULAR. adj. Redondo o circular.

ÓRBITA. f. Curva que describe un astro en su movimiento de traslación. Cuenca del ojo.

ORCA. f. Cetáceo odontoceto de los mares del Norte.

ORCINA. f. Materia colorante de ciertos líquenes.

ORCO.. m. Infierno de los condenados.

ÓRDAGO. m. Envite del resto en el juego del mús. De órdago. loc. fam. de Superior calidad.

ORDALÍAS. f. pl. Pruebas que en la Edad Media hacían los acusados para averiguar su culpabilidad.

ORDEN. com. Colocación correspondiente. Disposición regular de las cosas entre sí. Regla para hacer las cosas.

ORDENACIÓN. f. Acción de ordenar. Disposición, prevención.

ORDENADA. adj. s. Geom. Aplícase a la coordenada vertical en el sistema cartesiano.

ORDENADOR-RA. adj. s. Que ordena. m. Jefe de una ordenación.

ORDENAMIENTO. m. Acción y efecto de ordenar. Ley u ordenanza que da el superior para que se cumpla.

ORDENANCISTA. adj. Que cumple y aplica con rigor la ordenanza. Aplícase a quien exige de sus subordinados el cumplimiento de sus deberes.

ORDENANZA. f. Método, orden y concierto de las cosas que se ejecutan. Empleado subalterno en ciertas oficinas.

ORDENAR. Poner en orden. Mandar. Encaminar o dirigir a un fin.

ORDEÑAR. tr. Extraer la leche exprimiendo la ubre.

ORDEÑO. m. Acción y efecto de ordeñar. A ordeño. m. adv. Ordeñando la aceituna.

ORDINAL. adj. Tocante al orden. Gram. Adjetivo que indica orden de sucesión o colocación.

ORDINARIAMENTE. adv. m. Frecuentemente, por lo común. Sin cultura, groseramente.

ORDINARIO-RIA. adj. Común, regular, habitual. Plebeyo, bajo, vulgar. m. Mensajero, recadero.

ORDINATIVO-VA. adj. Perteneciente a la ordenación o arreglo de una cosa.

OREAR. tr. r. Ventilar o poner al aire algo para refrescarlo, secarlo o quitarle el olor.

ORÉGANO. m. Hierba labiada de tallos verdosos, flores purpúreas en espigas y fruto seco globoso. Aromático.

OREJA. f. Repliegue cutáneo que forma la parte externa del oído.

OREJEAR. intr. Mover las orejas un animal. Hacer algo de mala gana.

OREJERA. f. Cada una de las dos piezas de la gorra o montera que cubren las orejas y se atan bajo la barba.

OREJÓN. m. Trozo de melocotón secado al aire y al sol. Tirón de orejas.

OREJUDO-DA. adj. Que tiene orejas grandes o largas.

OREJUELAS. f. Asas pequeñas de algunas escudillas, bandejas.

OREO. m. Soplo de aire suave que da sobre una cosa.

ORETANO-NA. adj. s. Natural de Oreto o de la Oretania. Perteneciente a esta región que ocupaba la actual provincia de Ciudad Real y parte de la de Toledo y que tenía por capital a Oreto.

ORFANATO. m. Asilo de huérfanos.

ORFANDAD. f. Estado en que quedan los hijos por la muerte de sus padres o del padre.

ORFEBRE. m. Artífice que trabaja en orfebrería.

ORFEBRERÍA. f. Obra o bordadura de oro o plata. Oficio de orfebre.

ORFELINATO. m. Orfanato.

ORFEÓN. m. Sociedad de canto coral.

ORGANDÍ. m. Tela muy fina y transparente.

ORGANERO. m. El que fabrica y compone órganos.

ORGANICISMO. m. Doctrina médica que atribuye todas las enfermedades a lesión material de un órgano.

ORGÁNICO-CA. adj. Dícese de los seres vivientes. Que consta de órganos.

ORGANILLO. m. Órgano pequeño o piano portátil.

ORGANISMO. m. Conjunto de órganos del cuerpo de los seres vivientes. Idem de leyes, usos y costumbres por los que se rige un cuerpo social.

ORGANISTA. com. Mús. Músico que toca el órgano.

ORGANIZACIÓN. f. Acción y efecto de organizar u organizarse. Disposición, arreglo.

ORGANIZADO-DA. adj. Orgánico. Provisto de órganos.

ORGANIZADOR-RA. adj. Que organiza o tiene especial aptitud para organizar.

ORGANIZAR. intr. Disponer el órgano, templarlo, acordarlo.

ÓRGANO. m. Mús. Instrumento de viento, de teclado, cañones fuelles y registros.

ORGANOGRAFÍA. f. Zool. Bot. Parte de la ciencia que tiene por objeto la descripción de los órganos de los animales.

ORGASMO. m. Eretismo.

ORGÍA. f. Festín en que se cometen excesos. Desenfreno de los apetitos y pasiones.

ORGULLO. m. Exceso de estimación del mismo. Arrogancia.

ORGULLOSO-SA. adj. s. Que tiene orgullo.

ORIENTACIÓN. f. Acción de orientar u orientarse.

ORIENTADOR-RA. adj. Que orienta.

ORIENTAL. adj. s. De Oriente.

ORIENTALISTA. m. Persona que cultiva las lenguas y literaturas orientales.

ORIENTAR. tr. Disponer una cosa en posición determinada respecto a los puntos cardinales.

ORIENTE. m. Punto cardinal por donde sale el sol. Nacimiento, mocedad.

ORIFICIO. m. Agujero. Abertura.

ORIFLAMA. f. Estandarte de la abadía de San Dionisio que usaban los reyes de Francia como pendón de guerra.

ORIGEN. m. Principio o causa de algo. Aquello de que procede algo. Ascendencia.

ORIGINAL. adj. Relativo al origen. Que no es copiado ni imitado.

ORIGINALIDAD. f. Calidad de original.

ORIGINAR. tr. Dar origen. r. Provenir una cosa de otra.

ORIGINARIAMENTE. adv. m. Por origen y procedencia, originalmente.

ORIGINARIO-A. adj. Que da origen. Que procede de algo.

ORILLA. f. Término, límite, borde de una superficie. Remate de una tela.

ORILLAR. tr. Dejar orillas a un paño. Guarnecerlas.

ORILLO. m. Orilla del paño.

ORÍN. m. Óxido rojizo que se forma sobre el hierro.

ORINA. f. Secreción líquida del riñón.

ORINAL. m. Vaso para recoger la orina.

ORINAR. intr. r. Expeler la orina.

ORINQUE. m. Mar. Cabo que sujeta la boya al ancla.

ORIOL. m. Oropéndola.

ORIÓN. m. Astr. Constelación ecuatorial situada al oriente del Toro y al occidente del Can Menor y del Mayor.

ORIUNDO-A. adj. Originario. Procedente.

ORLA. f. Orilla adornada. Adorno que rodea algo.

ORLAR. tr. Adornar con orlas.

ORLÓN. m. Fibra textil sintética.

ORMESÍ. m. Tela fuerte de seda, tupida y prensada que hace visos y aguas.

ORNAMENTACIÓN. f. Acción de ornamentar.

ORNAMENTAR. tr. Adornar.

ORNAMENTO. m. Adorno. m. pl Vestiduras sagradas.

ORNAR. tr. r. Adornar.

ORNATO. m. Adorno, atavío.

ORNITOLOGÍA. f. Zool. Tratado de las aves.

ORNITORRINCO. m. Mamífero monotrema australiano de mandíbulas ensanchadas, pies palmeados.

ORO. m. Metal amarillo muy dúctil maleable. pl. Palo de la baraja española.

OROBIAS. m. Incienso en granos pequeños del tamaño de la algarroba.

OROGENIA. f. Parte de la geología, que estudia la formación de las montañas.

OROGRAFÍA. f. Descripción de las montañas.

ORONDO-A. adj. De mucha cavidad. Hueco, presuntuoso.

OROPEL. m. Lámina de latón muy fina que imita al oro.

OROPÉNDOLA. f. Pájaro dentirrostro que cuelga su nido de los árboles.

OROPESA. f. Mata pequeña labiada.

OROPIMENTE. m. Trisulfuro de arsénico, amarillo de limón usado en pintura y venenoso.

OROYA. f. Cesta o cajón del andarivel.

OROZUZ. m. Regaliz, planta.

ORQUESTA. f. Conjunto de músicos e instrumentos que ejecutan una obra instrumentada.

ORQUESTAR. tr. Instrumentar para orquesta.

ORQUIDEA. f. Cualquier planta orquidácea.

ORQUITIS. f. Med. Inflamación del testículo.

ORTIGA. f. Hierba urticácea dioica, flor en racimo y fruto seco cuyas hojas segregan un líquido urente.

ORTO. m. Salida de un astro.

ORTOCLASA. m. Feldespato potásico.

ORTODOXIA. f. Creencia recta. Calidad de ortodoxo.

ORTODOXO-XA. adj. Conforme con el dogma católico. Por extensión conforme con la doctrina fundamental de cualquier secta o sistema.

ORTODROMIA. f. Mar. Arco de círculo máximo que en la navegación es el camino más corto entre dos puntos.

ORTOFONÍA. f. Pronunciación normal.

ORTOGNATO-TA. adj. Que tiene un ángulo facial muy abierto próximo a 90°.

ORTOGRAFÍA. f. Arte de escribir correctamente las palabras.

ORTOGRÁFICO-CA. adj. Relativo a la ortografía.

ORTÓGRAFO-FA. m. y f. Persona que sabe o profesa la ortografía.

ORTOLOGÍA. f. Arte de pronunciar.

ORTOPEDIA. f. Corrección de las deformidades del cuerpo.

ORTOPEDISTA. com. Persona que profesa la ortopedia.

ORTÓPTERO. adj. Insectos masticadores de metamorfosis sencilla. m. pl. Orden de éstos.

ORUGA. f. Larva de los lepidópteros de doce anillos y boca masticadora.

ORUJO. m. Hollejo de la uva exprimida. Residuo de la aceituna prensada.

ORVALLAR. int. En algunas partes lloviznar.

ORZA. f. Vasija de barro vidriado alta y sin asas. Mar. Acción y efecto de orzar.

ORZAR. intr. Inclinar la proa hacia el viento.

ORZAYA. f. Niñera.

ORZUELO. m. Divieso pequeño en el

borde del párpado. Cepo para cazar fieras.

OS. Dativo y acusativo del pronombre de segunda persona en género masculino o femenino y número plural.

OSA. f. Hembra del oso. Nombre de dos constelaciones boreales.

OSADÍA. f. Atrevimiento, audacia, resolución.

OSADO-A. adj. Audaz, atrevido.

OSAMENTA. f. Conjunto de huesos del esqueleto.

OSAR. intr. Atreverse. m. Osario.

OSARIOS. m. Lugar para reunir los huesos sacados de la sepultura.

OSCENSE. adj. s. Natural de Osca, hoy Huesca. Natural de Huesca.

OSCILACIÓN. f. Acción de oscilar.

OSCILADOR. m. Fís. Aparato destinado a producir oscilaciones eléctricas o mecánicas.

OSCILAR. int. Moverse un cuerpo a uno y otro lado de su posición de equilibrio.

OSCILATORIO-A. adj. Dícese del movimiento del cuerpo que oscila.

OSCO-CA. adj. Dícese del individuo de uno de los antiguos pueblos de la Italia central. m. Lengua osca.

OSCULO. m. Beso.

OSCURECER. tr. intr. r. Obscurecer.

OSCURIDAD. f. Obscuridad.

OSCURO-RA. adj. Obscuro. A oscuras. m. adv. A obscuras.

ÓSEO-A. adj. De hueso o de su naturaleza.

OSERA. f. Cueva donde se recoge el oso para abrigarse y criar sus hijuelos.

OSEZNO. m. Cachorro del oso.

OSIFICACIÓN. f. Acción y efecto de osificar.

OSIFICARSE. r. Convertirse en hueso o adquirir su consistencia una materia orgánica.

OSMAZOMO. m. Mezcla de varios principios azoados procedentes de la carne a los que debe el caldo su olor y sabor característicos.

OSMIO. m. Metal duro blanco azulado muy pesado.

ÓSMOSIS. f. Difusión entre líquidos o gases a través de una membrana permeable.

OSO. m. Mamífero carnicero plantígrado, de pelaje largo y pardo, de cabeza grande, extremidades fuertes y gruesas, uñas recias y cola muy corta.

OSTEITIS. f. Inflamación del hueso.

OSTENSIBLE. adj. Manifiesto.

OSTENSIÓN. f. Manifestación de algo.

OSTENSIVO-VA. adj. Que muestra u ostenta una cosa.

OSTENTACIÓN. f. Acción de ostentar. Jactancia.

OSTENTAR. tr. Mostrar, alardear.

OSTENTO. m. Prodigio.

OSTENTOSAMENTE. adv. m. Con ostentación.

OSTENTOSO-SA. adj. Magnífico.

OSTEOLOGÍA. f. Anato. Tratado de los huesos.

OSTEOMIELITIS. f. Inflamación simultánea del hueso y de la médula ósea.

OSTEOTOMÍA. f. Cir. Resección de un hueso.

OSTIARIO. m. Clérigo que ha recibido la primera de las cuatro órdenes menores.

OSTRA. f. Molusco lamelibranquio, de concha blanca nacarada por dentro.

OSTRACISMO. m. Destierro político entre los antiguos griegos. Exclusión de los oficios públicos.

OSTRAL. m. Ostrero, lugar en que se crían ostras.

OSTRICULTURA. f. Arte de criar ostras.

OSTRÍFERO-RA. adj. Que cría ostras.

OSTROGODO-A. adj. s. De la Gocia oriental.

OSTRÓN. m. Especie de ostra, mayor y más basta que la común.

OTALGIA. f. Dolor de oídos.

OTARIO. m. Mamífero pinnípido.

OTEAR. tr. Mirar desde una altura. Escudriñar.

OTERO. m. Cerro aislado que domina un llano.

OTITIS. f. m. Inflamación del órgano del oído.

OTOLOGÍA. f. Parte de la patología que estudia las enfermedades del oído.

OTOMANA. f. Sofá, especie de canapé.

OTOMANO-A. adj. s. Turco.

OTOÑADA. f. Tiempo o estación del otoño. Sazón de la tierra y abundancia de pastos en el otoño.

OTOÑAL. adj. Propio del otoño.

OTOÑO. m. Estación del año que empieza en el equinoccio del mismo nombre y termina en el solsticio de invierno.

OTORGADERO-A. adj. Que se puede otorgar.

OTORGAMIENTO. m. Permiso, consentimiento, licencia. Acción de otorgar una escritura.

OTORGAR. tr. Consentir, condescender.

OTORREA. f. Flujo mucoso o purulento del oído.

OTORRINOLARINGOLOGÍA. f. Ciencia que estudia las enfermedades del oído, nariz y garganta.

OTOSCOPIA. f. Med. Exploración del órgano del oído.

OTOSCOPIO. m. Med. Instrumento para reconocer el órgano del oído.

OTRO-A. adj. s. Cualquier persona o cosa distinta de la que se habla.

OTROSÍ. adv. Además.

OVA. f. Alga de ramificaciones filantosas.

OVACIÓN. f. Aplauso ruidoso colectivo que se tributa a alguien.

OVADO-DA. adj. Aplícase al ave después de haber sido fecundados sus huevos por el macho. Ovalado.

OVAL. adj. De figura de óvalo.

OVALADO-A. adj. Oval.

OVALAR. tr. Dar a una cosa figura de óvalo.

ÓVALO. m. Curva cerrada, plana, convexa y simétrica respecto a dos ejes.

OVANTE. adj. Victorioso.

OVARIO. m. Zool. Órgano de reproducción, propio de las hembras.

OVARIOTOMÍA. f. Extirpación de uno o ambos ovarios.

OVEJA. f. Hembra del carnero.

OVEJERO-A. adj. s. Que guarda ovejas.

OVEJUNO-A. adj. Relativo a las ovejas.

OVERA. f. Ovario de las aves.

OVERO-RA. adj. Aplícase a los animales de color parecido al del melocotón.

OVETENSE. adj. s. Natural de Oviedo. Perteneciente a esta ciudad.

ÓVIDOS. m. pl. Familia de rumiantes cavicornios que comprende los carneros, ovejas, cabras, etc.

OVIDUCTO. m. Trompa de Falopio. Ca-

nal doble que lleva el óvulc desde el ovario al útero.

OVILLAR. intr. Hacer ovillos.

OVILLO. m. Bola o lío de hilo.

OVINO. adj. Rumiantes bóvidos de pequeño tamaño con cuernos anillados.

OVÍPARO-A. adj. Dícese de los animales cuyas hembras ponen huevos.

OVOIDE. adj. Aovado, de figura de huevo.

ÓVOLO. m. Arq. Cuarto bocel. Adorno en fo ma de huevo.

OVOVIVÍPARO. adj. s. Aplícase al animal ovíparo cuyos huevos se abren en el trayecto de las vías uterinas, como la víbora.

ÓVULO. m. Hist. Nat. Vesícula donde se contiene el gérmen de un nuevo ser, antes de la fecundación.

¡OX! interj. Para espantar las aves domésticas.

OXÁLICO-A. Relativo a las acederas. Ácido bibásico blanco y cristalino.

OXALME. m. Salmuera con vinagre.

OXEAR. tr. Espantar las aves domésticas.

OXHÍDRICO. m. Mezcla de oxígeno e hidrógeno.

OXIDACIÓN. f. Acción de oxidar.

OXIDAR. tr. r. Combinar un cuerpo con oxígeno.

ÓXIDO. m. Combinación del oxígeno con un elemento o radical.

OXIGENAR. tr. r. Oxidar. r. Airearse, respirar el aire libre.

OXÍGENO. m. Cuerpo simple gaseoso esencial para la respiración que se encuentra libre en la atmósfera.

OXIURO. m. Gusano arcárido, parásito en el intestino de mamíferos y reptiles.

¡OXTE! interj. con que se rechaza lo que molesta.

OYENTE. adj. s. Que oye. Asistente a una clase sin estar matriculado.

OZONA. f. Quím. Ozono.

OZONO. m. Quím. Gas muy oxidante de color azulado y olor a marisco.

OZONOMETRÍA. f. Quím. Modo de determinar la cantidad de ozono en el aire.

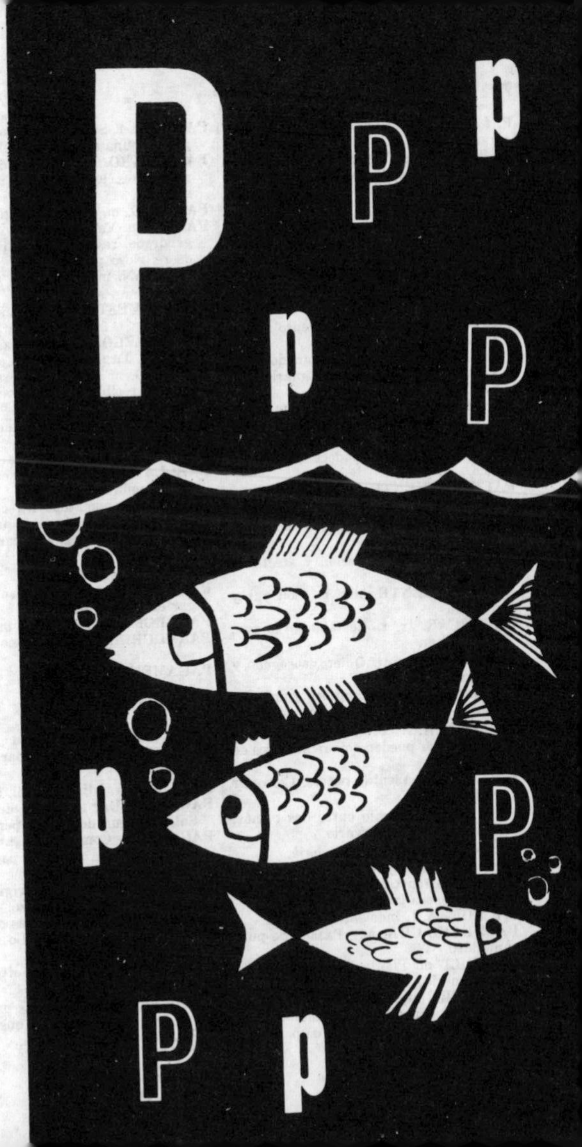
P
p
P
p
P
p
P
P
p

P. f. Pe. Decimonona letra del abecedario español.

PABELLÓN. m. Tienda de campaña cónica. Bandera de una nación.

PÁBILO. m. Mecha de la vela. Parte carbonizada de ésta.

PÁBULO. m. Pasto, comida. Sustancia inmaterial.

PACA. f. Mamífero roedor. Fardo, lío.

PACATO-TA. adj. Apacible, manso, quieto.

PACEDERO. m. Pastadero.

PACEDURA. f. Apacentamiento o pasto del ganado.

PACER. intr. r. Comer el ganado en el pastadero, o conducirlos y guarlos con ese fin.

PACIENCIA. f. Virtud del que sufre las adversidades con resignación.

PACIENTE. adj. Que tiene paciencia. com. Persona que padece un mal físico.

PACIENTEMENTE. adv. Con paz y quietud.

PACIENZUDO-DA. adj. Que tiene mucha paciencia.

PACIFICACIÓN. f. Acción y efecto de pacificar.

PACÍFICAMENTE. adv. m. Con paz y quietud.

PACIFICAR. tr. r. Restablecer la paz. Reconciliar.

PACIFICO-CA. adj. Quieto, sosegado y amigo de paz.

PACO. m. Alpaca, mamífero rumiante. El que dispara aislado y escondido.

PACOTILLA. f. Porción de géneros que los marinos pueden embarcar libres de flete.

PACTAR. tr. Asentar pactos. Convenir estipulaciones.

PACTO. m. Convenio entre dos o más, obligándose a observarlo.

PACHÁ. M. Galicismo por bajá.

PACHÓN-NA. adj. s. Dícese de un perro de piernas cortas, torcidas, cabeza redonda y boca grandes.

PACHORRA. f. Indolencia, cachaza.

PACHUCHO-CHA. adj. Pasado de puro maduro.

PACHULI. m. Planta labiada usada en perfumería.

PADECER. intr. Recibir la acción de algo que causa dolor o daño.

PADECIMIENTO. m. Acto de padecer.

PADILLA. f. Sartén pequeña. Horno de pan con una abertura en el centro.

PADRASTRO. m. Marido de la madre, respecto a los hijos del matrimonio anterior.

PADRAZO. m. Padre indulgente.

PADRE. m. Varón o macho que ha engendrado, respecto a los hijcs. Título de religioso y sacerdote.

PADREJÓN. m. Histerismo en el hombre.

PADRENUESTRO. m. Oración elevada a Dios.

PADRINAZGO. m. Acto de asistir como padrino. Título de padrino.

PADRINO. m. Quien asiste a una persona al recibir algún sacramento, honor, grado, etc.

PADRÓN. m. Lista de vecinos ː moradores de un pueblo.

PADUANO-NA. adj. Natural de Padua.

PAELLA. f. Plato de arroz seco con carne, legumbres, etc.

¡PAF! Voz onomatopéyica con que se expresa el ruido de algo que cae.

PAGA. f. Acto de pagar, cantidad que se paga.

PAGABLE. adj. Pagadero.

PAGADERO-RA. adj. Que se ha de pagar en tiempo señalado.

PAGADOR-RA. s. adj. Que paga.

PAGADURÍA. f. Sitio público en que se paga.

PAGAMENTO. m. Paga, acción de pagar.

PAGAMIENTO. m. Paga, acción de pagar.

PAGANISMO. m. Gentilidad.

PAGANIZAR. intr. Profesar el paganismo.

PAGANO-NA. adj. s. Gentil, idólatra.

PAGAR. tr. Dar lo que se debe a uno. Satisfacer un delito con pena.

PAGARÉ. m. Com. Documento de obligación por una cantidad pagadera en tiempo determinado.

PAGEL. m. Pez acantopterigio marino, comestible, de lomo rojizo.

PÁGINA. f. Cada una de las dos planas de la hoja de un libro. Lo escrito en ella.

PAGINACIÓN. f. Acción y efecto de paginar.

PAGINAR. tr. Numerar las páginas.

PAGO. m. Entrega de lo que se debe. Satisfacción, recompensa.

PAGODA. f. Templo idólatra oriental.

PAGRO. m. Pez acantopterigio.

PAGURO. m. Ermitaño. Crustáceo.

PAIDOLOGÍA. f. Ciencia que estudia la infancia y su desarrollo intelectual.

PAIDOLÓGICO-CA. adj. Relativo a la paidología.

PAILA. f. Vasija de metal poco profunda, redonda.

PAILEBOTE. m. Goleta pequeña sin gavias.

PAIPAI. m. Abanico en forma de pala con mango.

PAIRAR. tr. Estar la nave quieta con las velas tendidas.

PAIRO. m. Acto de pairar.

PAÍS. m. Región, territorio, paisaje.

PAISAJE. m. Pintura que representa una extensión de terreno.

PAISAJISTA. adj. s. Pintor de paisajes.

PAISANA. f. Tañido y danza.

PAISANAJE. m. Conjunto de paisanos. Calidad de ser de un mismo país.

PAISANO-NA. adj. s. Que es del mismo país, lugar, etc., que otro. Que no es militar.

PAISISTA. adj. Paisajista.

PAJA. f. Caña de algunas gramíneas seca y separada del grano.

PAJADA. f. Paja mojada y mezclada con salvado para alimento de caballerías.

PAJADO-DA. adj. Pajizo, de color de paja.

PAJAR. m. Lugar en que se encierra la paja.

PÁJARA. f. Pájaro. Papel que mediante algunos dobleces toma forma de pájaro.

PAJAREAR. tr. Cazar pájaros.

PAJAREL. m. Pardillo.

PAJARERA. f. Jaula para criar pájaros.

PAJARERÍA. f. Abundancia de pájaros, tienda donde se venden.

PAJARERO-RA. adj. Relativo a los pájaros. Persona de genio furtivo y chancero.

PAJARETE. m. Vino blanco muy delicado.

PAJARILLA. f. Aguileña, planta de adorno. Bazo, particularmente del cerdo.

PAJARITA. f. Pájara de papel.

PÁJARO. m. Nombre genérico de las aves. Hombre astuto.

PAJAROTA. f. Noticia falsa.

PAJARRACO. m. Pájaro grande. Hombre astuto.

PAJAZA. f. Deshecho de la paja que comen los caballos.

PAJAZO. m. Mancha en la córnea transparente de las caballerías.

PAJE. m. Criado joven que acompaña a su amo. Mueble de tocador con espejo y mesilla.

PAJEAR. tr. Comer mucha paja los caballos.

PAJECILLO. m. Palanganero.

PAJERA. f. Pajar pequeño de las caballerías.

PAJERÍA. f. Tienda de pajero.

PAJERO-RA. s. Quien vende paja.

PAJIL. adj. Relativo a pajes.

PAJILLA. f. Cigarrillo hecho en una hoja de maíz.

PAJIZO-ZA. adj. Hecho de paja. De color de paja.

PAJOLERO-RA. adj. Toda cosa despreciable y molesta a la persona que habla.

PAJÓN. m. Caña alta y gruesa de los rastrojos.

PAJONAL. m. Terreno cubierto de pajón. [paja.

PAJOSO-SA. adj. Que tiene mucha

PAJOTE. m. Estera de cañas y paja para cubrir ciertas plantas.

PAJUELA. f. Paja de centeno. Torcida de algodón, cubierta de azufre que arde.

PAJUIL. m. Árbol que produce el bálsamo del Perú.

PAJUZ. m. Paja desechada a medio pudrir.

PALA. f. Hacha. Empeine del zapato. Parte ancha de algunos instrumentos, remo, timón, etc.

PALABRA. f. Sonido o conjunto de sonidos con que se expresa una idea. Representación gráfica de ésta.

PALABREJA. f. Palabra de escasa importancia. [bras vanas.

PALABRERÍA. f. Abundancia de pala-

PALABRERO-RA. adj. s. Que habla mucho y ofrece lo que no ha de cumplir.

PALABRIMUJER. adj. Hombre que tiene el tono de voz como el de mujer.

PALABROTA. f. Dicho grosero, disonante, ofensivo.

PALACETE. m. Casa de recreo semejante a un palacio pero más pequeño.

PALACIEGO-GA. adj. s. Que sirve en palacio, cortesano.

PALACIO. m. Edificio grande, suntuoso, residencia de un personaje.

PALACRA. f. Pepita de oro.

PALACRANA. f. Palacra.

PALADA. f. Lo que se coge de una vez con la pala. Golpe de la pala del remo.

PALADAR. m. Parte interior y superior de la boca del animal. Gusto de un manjar. Sensibilidad.

PALADEAR. tr. intr. Tomar el gusto de algo poco a poco.

PALADEO. m. Acto de paladear.

PALADIAL. adj. Relativo al paladar.

PALADIN. m. Caballero distinguido por sus hazañas. Defensor denodado de algo.

PALADINAMENTE. adv. m. Públicamente, claramente.

PALADINO-NA. adj. Manifiesto.

PALADIO. m. Metal raro, dúctil, maleable, inalterable.

PALAFITO. m. Vivienda lacustre sobre estacas.

PALAFRÉN. m. Caballo manso. Caballo en que montaban las damas o príncipes.

PALAFRENERO. m. Criado que lleva el caballo por el freno.

PALAMENTA. f. Conjunto de remo de una embarcación.

PALANCA. f. Mec. Barra rígida que se apoya sobre un punto y sirve para levantar pesos.

PALANCADA. f. Golpe dado con la palanca.

PALANCANA. f. Palangana.

PALANGANA. f. Jofaina.

PALANGANERO. m. Mueble en que se coloca la palangana y otras cosas para el aseo personal.

PALANGRE. m. Cordel largo con ramales del que penden anzuelos para pescar.

PALANGRERO. m. Barco de pesca con palangre.

PALANQUERA. f. Valla de madera.

PALANQUERO. m. El que apalanca.

PALANQUETA. f. Barreta de hierro para forzar puertas o cerraduras.

PALASÁN. m. Bot. Planta.

PALASTRO. m. Chapa en que se pone el pestillo de una cerradura. Hierro o acero laminado.

PALATINO-NA. adj. s. Relativo al palacio. Relativo al paladar.

PALATIZAR. tr. Dar sonido paladial a una consonante.

PALAZO. m. Golpe dado con la pala.

PALCO. m. Localidad independiente con balcón en algunos espectáculos.

PALEADOR. m. El que trabaja con pala.

PALEAR. tr. Trabajar con pala.

PALENQUE. m. Valla o estacada con que se cierra o defiende un paraje.

PALENTINO-NA. adj. Natural de palencia.

PALEOGRAFÍA. f. Arte de leer inscripciones antiguas.

PALEÓGRAFO. m. Versado en paleografía.

PALEOLÍTICO-CA. adj. s. Período más antiguo de la edad de piedra.

PALEOLOGÍA. f. Estudio de las lenguas antiguas.

PALEÓLOGO. m. Versado en paleografía.

PALEONTOLOGÍA. f. Ciencia que trata de los seres orgánicos fósiles.

PALERO-RA. s. Quien hace o vende palas. El que se dedica a la palería.

PALESTRA. f. Lugar en que se lucha. Lucha. Donde se celebran ejercicios literarios.

PALETA. f. Tabla con un agujero, sobre la que los pintores colocan y disponen sus colores. Útil para remover la lumbre.

PALETADA. f. Lo que se puede coger de una vez con la pala. Golpe dado con la paleta.

PALETILLA. f. Omoplato.

PALETO. m. Gamo. Hombre rústico.

PALETÓ. m. Antiguo gabán de paño, largo y entallado, sin falda.

PALETÓN. m. Parte de la llave en que están los dientes y guardas.

PALI. adj. Dícese de una lengua hermana del sánscrito.

PALIA. f. Lienzo con que se cubre el cáliz en la misa. Cortina delante del Sagrario. Hijuela de lienzo que se pone sobre el cáliz.

PALIACIÓN. f. Acción de paliar.

PALIAR. tr. Encubrir, mitigar una enfermedad sin curarla.

PALIATIVO-VA. adj. Paliatorio. Remedio que sólo mitiga la violencia de una enfermedad.

PALIDECER. tr. Ponerse pálido.

PALIDEZ. f. Amarillez, descaecimiento del color natural.

PALIDO-DA. ad. Amarillo, descaecido de su color natural.

PALIDUCHO-CHA. adj. Persona de quebrado color.

PALILLERO-RA. adj. s. Quien hace o vende palillos de los dientes. Mango de la pluma.

PALILLO. m. Mondadientes. Varita para tocar el tambor.

PALIMPSESTO. m. Manuscrito antiguo borrado y vuelto a escribir sobre él.

PALINGENESIA. f. Regeneración de los seres.

PALINGENÉSICO-CA. adj. Relativo a la palingenesia.

PALINODIA. f. Retractación pública.

PALIO. m. Mango griego. Insignia pontifical. Dosel puesto sobre varas largas bajo el que se lleva al Santísimo.

PALIQUE. m. Conversación sin importancia.

PALIQUEAR. intr. Charlar, estar de palique.

PALISANDRO. m. Madera oscura roja, veteada en negro, usada en ebanistería.

PALITROQUE. m. Palo mal labrado y pequeño.

PALIZA. f. Zurra dada con palos. Palo. Disputa en la que se sale vencido.

PALIZADA. f. Sitio cerrado de estacas. Empalizada.

PALMA. f. Palmera. Parte cóncava de la mano. Gloria. Victoria del mártir. Aplausos.

PALMACRISTI. f. Ricino.

PALMADA. f. Golpe con la palma de la mano. Ruido hecho con él.

PALMADILLA. f. Baile.

PALMAR. m. Sitio poblado de palmas. intr. fam. Morir.

PALMARIA-RIA. adj. Palmar, claro, patente.

PALMATORIA. f. Candelabro bajo con mango. Palmeta.

PALMEADO-DA. adj. De figura de palma.

PALMEAR. intr. Dar golpes con la palma de la mano, una con otra.

PALMEO. m. Medida por palmas.

PALMERA. f. Árbol palmácea, de tronco cilíndrico coronado por las hojas, fruto en baya, comestible.

PALMERAL. m. Bosque de palmas.

PALMERO. m. Peregrino de Tierra Santa.

PALMETA. f. Tablita redonda con mango para castigar el maestro al alumno.

PALMETAZO. m. Golpe de palmeta.

PALMICHE. m. Fruto del almito. Palma real.

PALMIDERO-RA. adj. Que lleva palmas.

PALMILLA. f. Cierto género del paño. Plantilla del zapato.

PALMÍPEDO. m. adj. Aves con membranas interdigitales para la natación. f. pl. Orden de éstas.

PALMITO. m. Palma palmácea, de tronco corto y hoja en abanico.

PALMO. m. Medida de longitud de 21 centímetros. Cuarta parte de la vara.

PALMOTEAR. intr. Palmear.

PALMOTEO. m. Acto de palmotear o dar con palmeta.

PALO. m. Trozo de madera más largo que grueso. Golpe con él. Madera. Blas. Faja heráldica.

PALODUZ. m. Palo dulce. Orozuz.

PALOMA. f. Ave voladora de pico corto, abovedado, inflamado en la base.

PALOMADURA. f. Mar. Ligadura que sujeta la relinga a la vela.

PALOMAR. m. Sitio en que se cogen y crían palomas. Hilo bramante delgado y retorcido.

PALOMARIEGA. adj. Se dice de la paloma criada en el palomar.

PALOMEAR. intr. Andar a caza de palomas.

PALOMERA. f. Palomar pequeño. Paramera. Bellota de alcornoque.

PALOMERÍA. f. Caza de las palomas que van de paso.

PALOMERO-RA. s. Quien compra y vende palomas.

PALOMETA. f. Pez comestible.

PALOMILLAS. m. Mariposa nocturna, cenicienta, de alas horizontales. Parte inferior de la grupa de las caballerías.

PALOMINA. f. Excremento de las palomas.

PALOMINO. m. Pollo de paloma. Mancha de excremento en la camisa.

PALOMO. m. Macho de la paloma.

PALOR. m. Palidez.

PALOTE. m. Palo mediano. Trazo hecho como ejercicio de escritura.

PALOTEADO. m. Danza de figuras. Riña, contienda ruidosa.

PALOTEAR. intr. Herir, golpear unos palos con otros. Hablar mucho.

PALPABLE. adj. Que puede tocarse. Manifiesto.

PALPAR. tr. Tocar algo con las manos para reconocerlo. Andar a tientas.

PÁLPEBRA. f. Zool. Párpado.

PALPEBRAL. adj. Relativo a los párpados.

PALPITACIÓN. f. Acción de palpitar.

PALPITAR. intr. Contraerse o dilatarse el corazón. Aumentar la intensidad de las palpitaciones.

PALPO. m. Apéndice articulado inmóvil en la boca de los artrópodos.

PALTA. f. Aznacate, fruto.

PALÚDICO-CA. adj. Palustre. Relativo al paludismo.

PALUDISMO. m. Enfermedad contagiosa debida a un protozoo, que se cría en terreno pantanoso, transmitida por la hembra de un mosquito.

PALUDOSO-SA. adj. Barbarismo por pantanoso.

PALUMBRARIO. adj. Dícese del halcón llamado también azor.

PALURDO-DA. adj. s. Paleto.

PALUSTRE. m. Relativo a la laguna. Paleta de albañil.

PALLAR. tr. Escoger la parte más rica de los minerales.

PAMANDABUÁN. m. Embarcación filipina.

PAMELA. f. Sombrero de paja de alas anchas usado por las mujeres.

PAMEMA. f. Hecho o dicho insignificante. Melindre.

PAMPA. f. Llanura muy extensa y sin vegetación arbórea.

PÁMPANO. m. Sarmiento tierno de la vid.

PAMPANOSO-SA. adj. Que tiene muchos pámpanos.

PAMPERO-RA. adj. Relativo a la pampa.

PAMPIROLADA. f. Salsa de pan y ajos. Cosa insustancial.

PAMPLINA. f. Planta papaverácea, de hojas en lacinias, flor amarilla en panoja. Cosa de poca utilidad.

PAMPORCINO. m. Planta primulácea de rizoza grande cuyo fruto comen los cerdos.

PAMPOSADO-DA. adj. Desidioso y flojo.

PAMUE. adj. Indígena del África Occidental.

PAN. m. Alimento de harina amasada, fermentada y cocida en el horno. Sustento diario.

PANACEA. f. Medicamento a que se atribuye eficacia para curar diversas enfermedades.

PANADERÍA. f. Tienda de panadero.

PANADERO-RA. adj. s. Quien hace o vende pan.

PANADIZO. m. Inflamación del tejido de los dedos. Persona pálida y enfermiza.

PANAL. m. Conjunto de celdillas prismáticas hexagonales de cera de las abejas o avispas.

PANAMÁ. m. Sombrero de pita.

PANATELA. f. Especie de bizcocho grande y delgado.

PANÁTICA. f. Provisión de pan en las embarcaciones.

PANCA. f. Embarcación filipina. Perfolla.

PANCARDITIS. m. Inflamación total del corazón.

PANCARPIA. f. Corona compuesta de diversas flores.

PANCARTA. f. Pergamino que contiene copiados varios documentos.

PANCISTA. adj. Que solo procura su interés personal.

PANCLASTITA. f. Explosivo muy violento.

PÁNCREAS. m. Glándula abdominal de los vertebrados que vierte al intestino delgado.

PANCREÁTICO-CA. adj. Perteneciente al páncreas.

PANCHO. m. Cría del besugo.

PANDA. f. Galería de un claustro.

PANDEAR. intr. r. Torcerse una cosa encorvándose.

PANDECTAS. pl. Recopilación de leyes romanas dispuestas por Constantino.

PANDEMIA. f. Enfermedad epidémica generalizada.

PANDEMONIUM. m. Lugar que hay mucha confusión.

PANDERA. f. Pandero.

PANDERADA. f. Conjunto de muchos panderos.

PANDERETA. f. Pandero.

PANDERETEAR. intr. Tocar el pandero.

PANDERO. m. Instrumento de percusión formado por una piel estirada sobre un arco de madera con sonajas.

PANDICULACIÓN. f. Desperezo.

PANDILLA. f. Liga. Reunión de gente.

PANDILLAJE. m. Influjo de una pandilla formada para perjudicar a otros.

PANDILLISTA. m. El que forma pandillas.

PANDO-DA. adj. Que pandea. Terreno casi llano entre dos montañas.

PANDORGA. f. Figurón que en cierto juego antiguo dada con el brazo al jugador torpe.

PANE. f. Galicismo por parada.

PANECILLO. m. Pan pequeño o lo que tiene su forma.

PANEGÍRICO-CA. adj. Discurso en alabanza de alguien.

PANEGIRISTA. m. Orador que pronuncia un panegírico.

PANEL. m. Compartimiento en que se divide el lienzo de una pared, puerta, etc. Tabla que forma el suelo de algunas embarcaciones.

PANELA. f. Bizcocho prismático.

PANERA. f. Sitio donde se guardan cereales. Cesta para llevar pan.

PANERO. m. Canasta redonda para llevar el pan.

PANETELA. f. Cigarro puro largo y delgado.

PANFILISMO. m. Benignidad extremada.

PÁNFILO-LA. adj. s. Calmoso, cachazudo.

PANGOLÍN. m. Mamífero desdentado de escamas duras que pueden erizarse.

PANIAGUADO-DA. s. Persona afecta a una casa, donde recibe alimento, habitación y salario.

PÁNICO-CA. adj. s. Terror grande.

PANÍCULA. f. Bot. Panoja o espiga de flores.

PANICULADO-DA. En forma de panícula.

PANÍCULO. m. Capa subcutánea de un tejido. [pan.

PANIEGO-GA. adj. Que come mucho

PANIFICACIÓN. f. Acción de panificar.

PANIFICAR. tr. Panadear. Romper una tierra erial.

PANIQUE. m. Murciélago de Oceanía.

PANIZO. m. Planta graminea de flor en panoja, grano redondo entre amarillo y rojo usado como alimento.

PANJÍ. m. Árbol del Paraíso.

PANOCHA. f. Panoja, mazorca de maíz, mijo o panizo.

PANOJA. f. Mazorca del maíz, mijo o panizo.

PANOPLIA. f. Armadura completa. Colección de armas.

PANORAMA. m. Vista de un horizonte dilatado. Vista pintada en el interior de un cilindro.

PANORÁMICO-CA. adj. Relativo al panorama.

PANOSO-SA. adj. Harinoso.

PANTALÓN. m. Prenda masculina de vestir ceñida a la cintura, que cubre separadamente las piernas.

PANTALONERA. f. Costurera dedicada a coser pantalones.

PANTALLA. f. Lámina que se pone ante la luz. Cosa que hace sombra a otra.

PANTANA. f. Especie de calabaza de las islas Canarias.

PANTANO. m. Lugar en que se estancan aguas. Depósito de agua para alimentar un riego o un salto hidráulico.

PANTANOSO-SA. adj. Sitio donde hay pantanos.

PANTEISMO. m. Doctrina que afirma la identidad de Dios y del mundo.

PANTEISTA. adj. Partidario del panteismo. Panteístico.

PANTEÓN. m. Monumento funerario para sepultura de varias personas.

PANTERA. f. Leopardo de manchas amarillas.

PANTÓGRAFO. m. Aparato formado con cuatro reglas articuladas para reducir o ampliar un dibujo.

PANTÓMETRA. f. Compás de proporción.

PANTOMIMA. f. Representación mímica.

PANTOMÍMICO-CA. adj. Perteneciente a la pantomima.

PANTOMIMO. m. Cómico que imita diversas figuras.

PANTOQUE. m. Mar. Parte casi plana del casco junto a la quilla.

PANTORRA. f. Pantorrilla.

PANTORRILLA. f. Parte carnosa de la pierna junto a la corva.

PANTORRILLERA. f. Género de calceta gruesa para abultar las pantorrillas.

PANTUFLA. f. Calzado de casa sin talón.

PANZA. f. Vientre. Parte más saliente de alguna vasija. Primera cavidad del estómago de los rumiantes.

PANZADA. f. Hartazgo.

PANZÓN-NA. adj. Panzudo.

PANZUDO-DA. adj. Que tiene mucha panza.

PAÑAL. m. Lienzo en que se envuelve al niño pequeño.

PAÑERÍA. f. Tienda de paños. Conjunto de éstos.

PAÑERO-RA. adj. Que tiene paños.

PAÑETE. m. Paño de mala calidad o de poco cuerpo.

PAÑIZUELO. m. Pañuelo.

PAÑO. m. Tela de lana pulida y pelo. Cualquier tela.

PAÑOL. m. Mar. Compartimento del buque donde se guardan víveres, municiones.

PAÑOLERA. f. Que vende pañuelos.

PAÑOLERÍA. f. Tienda de pañuelos.

PAÑOLERO. m. Mar. Marinero encargado de los pañoles.

PAÑOLETA. f. Prenda triangular que usan las mujeres.

PAÑOLÓN. m. Mantón.

PAÑOSA. f. Capa de paño.

PAÑUELO. m. Trozo de tela cuadrado para diversos usos.

PAPA. m. Sumo Pontífice romano. f. Patata. f. pl. Sopa blanda.

PAPÁ. m. Padre.

PAPADA. f. Abultamiento carnoso debajo de la barba, anormal.

PAPADILLA. f. Parte de carne que hay debajo de la barba.

PAPADO. m. Dignidad del Papa. Tiempo que dura.

PAPAFIGO. m. Ave del orden de los pájaros.

PAPAGAYA. f. Hembra del papagayo.

PAPAGAYO. m. Ave prensora africana de pico fuerte y encorvado, de plumaje gris.

PAPAHIGO. m. Gorro de paño que cubre el cuello y parte de la cara.

PAPAINA. f. Fermento extraído del papayo, usado contra la dispepsia.

PAPAL. adj. Relativo al Papa.

PAPALIÁN. f. Gorra de dos puntas que cubren las orejas.

PAPAMOSCAS. m. Pájaro insectívoro.

PAPANATAS. m. Hombre simple.

PAPAR. tr. Comer cosas blandas. Hacer poco caso de las cosas.

PAPARRUCHA. m. Noticia desatinada.

PAPASAL. m. Juego infantil.

PAPAVERÁCEO-CEA. adj. Plantas dicotiledóneas lactescentes de flor regular y fruto capsular.

PAPAVERINA. f. Alcaloide del opio.

PAPAYA. f. Fruto grande amarillo, dulce, del papayo.

PAPAYO. m. Arbolito tropical papayáceo, cuyo fruto es la papaya.

PAPAZ. m. Nombre que dan los moros de las costas africanas a los sacerdotes cristianos.

PAPAZGO. m. Papado.

PAPEL. m. Hoja delgada hecha de pasta de fibras vegetales obtenida de trapo, madera, etc. Carta, documento.

PAPELEAR. intr. Revolver papeles. Hacer papel.

PAPELEO. m. Acción de papelear.

PAPELERÍA. f. Tienda donde se vende papel. Conjunto de éstos.

PAPELERO-RA. s. Quien hace o vende papel.

PAPELETA. f. Cédula. Hoja en que viene el tema de un examen.

PAPELISTA. m. Quien maneja papeles. Empapelador.

PAPELÓN. adj. s. Que ostenta y aparenta más de lo que es.

PAPERA. f. Bocio. Tumor en la papada. Parótida.

PAPERO. m. Puchero en que se hacen las papas para los niños.

PAPIALBILLO. m. Jineta. Mamífero.

PAPILA. f. Anat. Pequeña eminencia formada debajo de la epidermis por ramificación nerviosa y vascular.

PAPILAR. adj. Bot. y Zool. Relativo a las papilas.

PAPILIONÁCEO-CEA. adj. Plantas leguminosas semejantes a mariposas de corola formada por cinco pétalos desiguales.

PAPILOMA. m. Hipertrofia de las papilas de la piel o membranas mucosas.

PAPILLA. f. Papas que se dan a los niños.

PAPILLOTE. m. Rizo del pelo sujeto con un papel.

PAPÍN. m. Especie de dulce casero.

PAPIÓN. m. Zambo. Mono americano.

PAPIRO. m. Planta ciperácea oriental, con un penacho de espigas. Lámina del tallo de ésta empleada por los antiguos para escribir.

PAPIROTAZO. m. Golpe dado con el dedo doblado.

PAPISTA. adj. s. Nombre dado al católico romano.

PAPO. m. Parte carnosa entre la barba y el cuello. Buche de las aves.

PAPÚ. adj. s. De Nueva Guinea.

PAPUDO-DA. adj. Que tiene papo.

PÁPULA. f. Tumor eruptivo cutánea que no deja cicatriz.

PAPULOSO-SA. adj. Que tiene los caracteres de la pápula.

PEQUEBOTE. m. Buque correo.

PAQUEO. m. Acción y efecto de paquear.

PAQUETE. m. Envoltorio poco abultado.

PAQUETERÍA. f. Género menudo de comercio.

PAQUIDERMO. m. Mamíferos ungulados artiodáctilos, de piel muy gruesa.

PAR. adj. Igual o semejante en todo. Número múltiplo de dos. Título de alta dignidad de algunos países.

PARA. prep. Indica dirección o fin y objeto de una acción.

PARABIÉN. m. Felicitación.

PARÁBOLA. f. Narración de un suceso fingido del que se saca una enseñanza moral. Curva cuyos puntos equidistan de uno fijo y una recta.

PARABÓLICO-CA. adj. Relativo a la parábola.

PARABOLIZAR. . .intr. Representar, simbolizar.

PARACAÍDAS. m. Casquete esférico de tela ,para amortiguar la caída de un objeto.

PARACAIDISTA. m. Persona adiestrada en el manejo del paracaídas.

PARÁCLITO. m. Espíritu Santo.

PARACHOQUE. m. Pieza en los carruajes para amortiguar los choques.

PARADA. f. Acto de parar. Lugar en que se para. Esgr. Quite. Tiro de relevo. Apostadero de éste.

PARADENTOSIS. f. Piorrea.

PARADERA. f. Compuerta para quitar el agua al molino.

PARADERO. m. Lugar en donde se para. Fin o término de algo.

PARADIGMA. f. Ejemplo que sirve de norma.

PARADINA. f. Monte bajo de pasto.

PARADISÍACO-CA. adj. Relativo al Paraíso.

PARADISLERO. m. Cazador a espera o pie quieto.

PARADO-DA. adj. Tímido. Sin empleo.

PARADOJA. f. Especie contraria a la opinión común. Aserción inverosímil.

PARADÓJICO-CA. adj. Que incluye paradoja.

PARADOR. m. Mesón.

PARAFINA. f. Sustancia sólida, blanca, fusible, que se obtiene destilando petróleo o materias bituminosas.

PARAFRASEAR. intr. Hacer paráfrasis.

PARÁFRASIS. f. Explicación de un texto. Traducción de un texto sin verter exactamente el original.

PARAFRASTE. m. Autor de paráfrasis.

PARAGOGE. f. Gram. Metaplasmo consistente en añadir unas letras al fin de una palabra.

PARAGÓGICO-CA. adj. Que se añade por paragoge.

PARAGUAS. m. Útil portátil para resguardarse de la lluvia.

PARAGUAYA. f. Fruto parecido al melocotón mollar de forma más aplanada.

PARAGÜERÍA. f. Tienda de paraguas.

PARAHUSO. m. Instrumento para taladrar metales.

PARAÍSO. m. Lugar donde Dios colocó a Adán y Eva. Cielo.

PARAJE. m. Sitio. Estancia.

PARAJISMO. m. Mueca, visaje.

PARALELEPÍPEDO. m. Sólido limitado por seis paralelogramos iguales y paralelos dos a dos.

PARALELISMO. m. Calidad de paralelo.

PARALELO-LA. adj. Líneas o planos equidistantes en toda su extensión. Semejante, correspondiente. Círculo menor paralelo al Ecuador.

PARALELOGRAMO. m. Cuadrilátero de lados opuestos iguales y paralelos entre sí.

PARALIPÓMENOS. m. pl. Dos libros del Antiguo Testamento.

PARÁLISIS. f. Pérdida de la sensibilidad o movimiento voluntario.

PARALÍTICO-CA. adj. Que padece parálisis.

PARALIZACIÓN. f. Detención de una

cosa dotada de actividad o movimiento.

PARALIZAR. tr. Causar parálisis.

PARALOGISMO. m. Falso razonamiento.

PARALOGIZAR. tr. r. Intentar convencer con paralogismos.

PARAMENTAR. tr. Adornar o ataviar algo.

PARAMENTO. m. Adorno, atavío. Sobrecubierta del caballo.

PARAMERA. f. Región abundante en páramos.

PARÁMETRO. m. Geom. Línea constante que entra en la ecuación de algunas curvas.

PÁRAMO. m. Terreno yermo, raso, alto y desabrigado.

PARANCERO. m. Cazador que caza con lazos, perchas u otras invenciones.

PARANGÓN. m. Comparación.

PARANGONAR. tr. Comparar dos cosas.

PARANINFO. m. Padrino de boda. Salón de actos de una Universidad.

PARANOIA. f. Monomanía.

PARANOICO-CA. adj. Relativo a la paranoia.

PARANZA. f. Puesto donde el cazador se oculta para esperar a las reses.

PARAPETAR. tr. r. Resguardar con parapetos.

PARAPETO. m. Pared o varanda de un puente, escalera, etc., para evitar caídas.

PARAPLEJÍA. f. Med. Parálisis de la mitad inferior del cuerpo.

PARAR. intr. r. Cesar en el movimiento o acción. Llegar a fin. Habitar. Venir a poder de uno.

PARARRAYOS. m. Aparato para proteger un edificio, contra los rayos, formado por una barra metálica en punta en comunicación con la tierra.

PARASELENE. f. Imagen de la luna en una nube.

PARASEMO. m. Mascarón de proa de las galeras griegas y romanas.

PARÁSITO-TA. adj. s. Animal o vegetal que se alimenta de la sustancia de otro.

PARASITOLOGIA. f. Parte de la historia natural que trata de los parásitos.

PARASOL. m. Quitasol. Umbela.

PARATIFOIDEA. f. Infección intestinal.

PARATIFOIDES. adj. Anat. Glándulas de secreción interna situadas en torno del tiroides.

PARCA. f. Poet. La muerte.

PARCAMENTE. adv. m. Con parquedad o escasez.

PARCELA. f. Pequeña porción de terreno. Cada una de las tierras de distinto dueño.

PARCELACIÓN. f. Acción de parcelar.

PARCELAR. tr. Dividir en parcelas. Señalar las de una localidad para el catastro.

PARCELARIO-RIA. adj. Relativo a las parcelas.

PARCIAL. adj. Relativo a una parte.

PARCIALIDAD. f. Unión de algunos para un fin. Amistad.

PARCIONERO-RA. adj. Partícipe.

PARCO-CA. adj. Sobrio, moderado.

PARCHE. m. Trozo de piel, tela, etc., que se pega por un aglutinante a una cosa. Tambor.

PARDAL. m. Aldeano, rústico. Hombre vellaco.

PARDEAR. intr. Distinguirse el color pardo.

PARDELA. f. Ave acuática.

¡PARDIEZ!. interj. Indica sobresalto, sorpresa.

PARDILLO-LLA. s. Pájaro granívoro de plumaje pardo rojizo encarnado en cabeza y pecho.

PARDO-DA. adj. Color intermedio entre el blanco y el negro más oscuro que el gris.

PARDOMENTE. m. Cierta clase de paño ordinario.

PARDUSCO-CA. adj. De color que tira a pardo.

PAREADO-DA. adj. Estrofa de versos entre sí.

PAREAR. tr. Juntar, igualar dos cosas comparándolas.

PARECENCIA. f. Parecido, semejanza.

PARECER. intr. Manifestarse. Aparecer. Tener determinado aspecto.

PARECIDO-DA. adj. Que se parece a otro. Semejanza.

PARED. f. Obra de fábrica levantada a plomo. Tabique.

PAREDÓN. m. aum. de pared.

PAREDAÑO-ÑA. adj. Que está pared en medio del lugar a que se alude.

PAREJA. f. Conjunto de dos cosas semejantes. Compañero o compañera de viaje. f. pl. Dos cartas iguales.

PAREJO-JA. adj. Semejante. Llano.

PAREMIA. f. Refrán, adagio.

PAREMIOLOGÍA. f. Tratado de refranes.

PARENESIS. f. Exhortación a amonestación.

PARENQUIMA. f. Tejido esencial de un órgano.

PARENTELA. f. Conjunto de parientes.

PARENTESCO. m. Vínculo de consanguinidad o afinidad.

PARÉNTESIS. m. Palabras que se intercalan en un período sin enlace con él. Interrupción.

PAREO. m. Acción y efecto de parear o unir.

PARESIA. f. Med. Parálisis leve.

PARHELIO. m. Fenómeno consistente en la aparición de varias imágenes del sol.

PARIA. com. Persona de la casta ínfima de la India.

PARIAS. f. Placenta.

PARIDAD. f. Igualdad y comparación de una cosa con otra.

PARIDERA. f. Lugar y tiempo en que pare el ganado. Acto de parir éste.

PARIENTE-TA. adj. s. Dícese de una persona respecto de otra con quien tiene parentesco.

PARIETAL. adj. Relativo a la pared. Huesos que forman la bóveda craneana.

PARIETARIA. m. Hierba urticácea.

PARIGUAL. adj. Igual o muy semejante.

PARIHUELA. f. Mueble formado con dos varas o tablas atravesadas, donde se coloca la carga.

PARIR. intr. tr. Expeler la hembra el feto concebido. Aovar. Salir a la luz lo que está oculto.

PARLA. f. Acto de parlar, labia.

PARLADOR-RA. adj. Hablador.

PARLAMENTAR. intr. Hablar unos con otros. Entrar en tratos para un arreglo.

PARLAMENTARIO-RIA. adj. Relativo al parlamento. Persona que parlamenta.

PARLAMENTO. m. Acción de parlamentar. Edificio donde se reúne.

PARLANCHÍN-NA. adj. s. Hablador.

PARLAR. intr. Hablar con desembarazo. Charlar.

PARLERÍA. f. Verbosidad.

PARLERO-RA. adj. Que habla mucho. Que cuenta chistes.

PARLOTEAR. intr. Hablar mucho sin sustancia.

PARLOTEO. m. Acción y efecto de parlotear.

PARNASO. m. Conjunto de poetas de una región o tiempo.

PARO. m. Suspensión de los trabajos, ejercicios, etc.

PARODIA. f. Imitación burlesca de una obra literaria.

PARODIAR. tr. Hacer parodia de algo.

PARÓDICO-CA. adj. Relativo a la parodia.

PAROLA. f. Labia. Conversación larga e insustancial.

PARÓNIMO-MA. adj. Vocablos que tienen parecido por su etimología o sonido.

PARONOMASIA. f. Semejanza entre vocablos que se diferencian sólo en la vocal acentuada.

PARÓTIDA. f. Cada una de las glándulas salivales situadas detrás de la mandíbula inferior.

PAROXISMO. m. Exacerbación o acceso violento de una enfermedad.

PAROXÍTONO-NA. adj. Vocablo llano o grave.

PARPADEAR. intr. Abrir y cerrar los ojos.

PARPADEO. m. Acción de parpadear.

PARPADO. m. Repliegue móvil que resguarda el ojo de los mamíferos, aves y reptiles.

PARPALLA. f. Moneda de cobre que valía dos cuartos.

PARPALLOTA. f. Parpalla.

PARPAR. intr. Gritar el pato.

PARQUE. m. Terreno cercado y arbolado para caza y recreo.

PARQUEDAD. f. Moderación, sobriedad.

PARQUET. m. Galicismo por pavimento de una habitación.

PARRA. f. Vid que se extiende mucho. Tinaja pequeña.

PARRAFEAR. intr. Hablar sin gran necesidad y con carácter confidencial.

PÁRRAFO. m. Cada una de las divisiones de un escrito comenzadas con mayúscula y terminada con punto y aparte.

PARRAL. m. Parras sostenidas con un armazón.

PARRANDA. f. Holgorio. Grupo de gentes que salen de noche cantando y bailando. |rranda.

PARRANDEAR. intr. Andar de parranda.

PARRICIDA. com. Persona que mata a su padre, madre o cónyuge.

PARRICIDIO. m. Muerte violenta que da uno a su ascendiente, descendiente o cónyuge.

PARRILLA. f. Botija estrecha de boca y ancha de base.

PARRO. m. Pato.   [parroquia.

PÁRROCO. m. Cura encargado de una parroquia.

PARROCHA. f. Sardina chica.

PARROQUIA. f. Territorio que tiene bajo su jurisdicción el párroco. Feligresía.

PARROQUIAL. adj. Relativo a la parroquia.

PARROQUIANO-NA. adj. s. Perteneciente a determinada parroquia.

PARSIMONIA. f. Frugalidad en los gastos. Circunspección, templanza.

PARSIMONIOSO-SA. adj. Moderado, circunspecto.

PARSISMO. m. Mazdeísmo. Religión de los antiguos persas.

PARTE. f. Porción de un todo dividido. Papel representado por un actor. Sitio, lugar, dirección. Porción dada a uno de un repartimiento o cuota.

PARTEAR. tr. Asistir a la mujer que está de parto.

PARTENCIA. f. Acto de partir. Marcha.

PARTERA. f. Mujer que por oficio asiste a la mujer que está de parto.

PARTERRE. m. Jardín con césped, flores y anchos paseos.

PARTESANA. f. Alabarda con el hierro grande ancho, cortante por ambos lados.

PARTICIÓN. f. Reparto, división de una hacienda, herencia.

PARTICIPACIÓN. f. Acción y efecto de participar. Aviso o noticia que se da a alguno de algo.

PARTICIPAR. intr. Tener o tomar parte en algo. tr. Dar noticia de algo.

PARTÍCIPE. adj. s. Que tiene parte en una cosa.

PARTICIPIAL. adj. Gram. Perteneciente al participio.

PARTICIPIO. m. Gram. Parte de la oración que participa de la índole del verbo o de la del adjetivo.

PARTÍCULA. f. Parte pequeña. Gram. Nombre genérico aplicado a las partes invariables de la oración.

PARTICULAR. adj. Propio, peculiar, privativo. Que no ejerce cargo oficial.

PARTICULARIDAD. f. Calidad de particular.

PARTICULARISMO. m. Individualismo.

PARTICULARIZAR. tr. Detallar. r. Singularizarse.

PARTICULARMENTE. m. adv. Singular o especialmente.

PARTIDA. f. Acción de partir o marcharse. Asiento en el registro civil. Artículo parcial en una cuenta. Grupo de gente armada. Guerrilla.

PARTIDARIO-RIA. adj. s. Quien sigue un partido o bando. Adicto a alguien o a una idea.

PARTIDO-DA. adj. Dividido. m. Parcialidad, bando, grupo político. Resolución que se adopta. Distrito.

PARTIDOR. m. El que divide o reparte algo.

PARTIDURA. f. Crencha, raya.

PARTIJA. f. Partición. Parte pequeña.

PARTIQUINO-NA. s. Cantante que tiene a su cargo partes breves de una ópera.

PARTIR. tr. Dividir algo en partes, romper. intr. Irse.

PARTITIVO-VA. adj. Que puede partirse o dividirse. Numeral que expresa división de un todo en partes.

PARTITURA. f. Mús. Conjunto de todas las partes de una obra musical.

PARTO. m. Acción de parir. El ser que ha nacido.

PARTURIENTA. f. Dícese de la mujer que está de parto o recién parida.

PARTURIENTE. adj. Parturienta.

PARULIS. m. Med. Flemón, tumor en las encías.

PARVADA. f. Agr. Conjunto de parvas.

PARVEDAD. f. Pequeñez, escasez. Corta porción alimenticia.

PARVERO. m. Montón largo que se forma de la parva para aventarlo.

PARVIFICAR. intr. Achicar, reducir el tamaño de alguna cosa.

PARVO-VA. adj. Pequeño.

PÁRVULO-LA. adj. s. Niño. adj. Pequeño. Inocente, cándido.

PASA. f. adj. Uva seca. f. Aceite hecho con pasas.   [ro, aceptable.

PASABLE. adj. Galicismo por pasade-

PASACALLE. m. Mús. Marcha popular de compás vivo.

PASADA. f. Acción de pasar de un sitio a otro. Paso geométrico.

PASADERA. f. Piedra que se pone para atravesar un río, charca, etc., a pie enjuto.

PASADILLO. m. Especie de bordadura que pasa por ambos lados de una tela.

PASADIZO. m. Paso estrecho.

PASADO-DA. adj. Antiguo, viejo, gastado. m. Tiempo que pasó.

PASADORA. adj. Que pasa. m. Barrita metálica que sirve de cerrojo.

PASAJE. m. Acto de pasar. Lugar por donde se pasa. Trozo de un escrito. Trecho entre dos tierras.

PASAJERO-RA. adj. Que dura poco. Sitio por donde pasa mucha gente.

PASAMANERÍA. f. Obra de pasamanos.

PASAMANERO-RA. s. Quien hace o vende pasamanos.

PASAMANO. m. Galón, cordón, fleco u otros adornos de oro.

PASAMIENTO. m. Paso o tránsito.

PASAPAN. m. Garguero.

PASAPORTE. m. Licencia para pasar de un país a otro. Salvaconducto.

PASAR. intr. Trasladarse de un sitio a otro. Cesar algo o aventajar. Vivir. Sufrir. tr. Transferir.

PASARELA. f. Puente pequeño.

PASATIEMPO. m. Entretenimiento.

PASAVOLANTE. m. Acto hecho sin reparo.   [del Señor.

PASCUA. f. Fiesta de la Resurrección

PASCUAL. adj. Relativo a la Pascua.

PASCUILLA. f. Primer domingo después de Pascua de Resurrección.

PASE. m. Licencia escrita para pasar géneros, transitar, entrar en un lugar, etc. Acción de pasar en el juego.

PASEADOR-RA. adj. Que se pasea mucho.

PASEAR. intr. r. Andar para hacer ejercicio o distraerse. tr. Llevar a una persona a otra parte.

PASEATA. f. Paseo.

PASEO. m. Acto de pasear. Lugar público para pasearse.

PASERA. f. Lugar donde se ponen a desecar las frutas para que se hagan pasas.

PASIBLE. adj. Que puede o es capaz de padecer.

PASICORTO-TA. adj. Que tiene corto el paso.

PASIFLORA. f. Pasionaria.

PASILLO. m. Pieza de paso larga y estrecha. Corredor.

PASIÓN. f. Acto de padecer. Afecto de desordenado.

PASIONAL. adj. Relativo a la pasión.

PASIONARIA. f. Planta pasiflorácea trepadora, corola filamentosa formando una corona de espinas.

PASIVAMENTE. adv. m. Con pasividad, sin operación en acción de su parte.

PASIVO-VA. adj. Sujeto que recibe la acción sin cooperar. Haber o pensión que se disfruta por servicios prestados.

PASMAR. tr. r. Enfriar mucho. Causar pérdidas del sentido.

PASMAROTE. m. Estafermo.

PASMO. m. Efecto de un enfriamiento que causa romadizo, dolor de huesos. Admiración extremada.

PASO. m. Cada uno de los movimientos del pie al andar. Acto de pasar. Longitud de un paso. Manera de andar. Estrecho de mar. Pieza dramática breve.

PASQUÍN. m. Escrito anónimo satírico, puesto en sitio público.

PASTA. f. Masa blanda, plástica, de sustancias pulverizadas mezcladas con líquidos. Encuadernación de un libro.

PASTAFLORA. f. Pasta hecha con harina, azúcar y huevo, tan delicada que se deshace en la boca.

PASTAR. tr. Conducir el ganado al pasto. intr. Pacer.

PASTEL. m. Masa de harina, crema, manteca, carne, o fruta cocida al horno.

PASTELEAR. intr. Contemporizar con fin interesado.

PASTELERÍA. f. Tienda del arte del pastelero.

PASTELERO-RA. adj. s. Quien hace o vende pasteles.

PASTELILLO. m. Dulce de masa muy delicada y relleno de conservas.

PASTELISTA. s. El que practica la pintura del pastel.

PASTERIZAR. tr. Esterilizar un líquido por el procedimiento de Pasteur.

PASTERO. m. El que echa en los capachos la pasta de la aceituna molida.

PASTILLA. f. Porción de pasta.

PASTINACA. f. Chirivía. Planta.

PASTIZAL. m. Terreno abundante de pasto para caballería.

PASTO. m. Acto de pastar. Sitio en que pasta el ganado.

PASTOR-RA. s. Quien guarda y guía el ganado.

PASTORAL. f. Drama bucólico. Perteneciente al prelado.

PASTOREAR. tr. Llevar al campo el ganado que pasta.

PASTORELA. f. Canto de los pastores. Composición lírica en forma de diálogo amoroso.

PASTOREO. m. Acto de pastorear.

PASTORIA. f. Oficio de pastor.

PASTORIL. adj. Propio de pastores.

PASTOSIDAD. f. Calidad de pastoso.

PASTOSO-SA. adj. Blando y suave como la masa.

PASTUEÑO. adj. Taurom. Toro de lidia que acude sin recelo al engaño.

PASTURA. f. Porción que se da de comer al buey de una vez.

PASTURAJE. m. Lugar de pasto abierto o común.

PATA. f. Pie o pierna de los animales. Hembra del pato.

PATADA. f. Golpe con el pie o con la pata.

PATALEAR. intr. Mover las piernas violentamente y con ligereza.

PATALEO. m. Acto de patalear. Ruido causado por él.

PATALETA. f. Convulsión.

PATALETILLA. f. Baile antiguo.

PATAN. m. Rústico. Hombre tosco.

PATARATA. f. Cosa despreciable.

PATATA. f. Planta solanácea, oriunda de América, fruto en baya. Su tubérculo carnoso comestible.

PATATAL. m. Sitio poblado de patatas.

PATATÚS. m. fam. Accidente leve.

PATAVINO-NA. adj. s. De Padua.

PATEADURA. f. Acto de patear. Represión.

PATEAR. tr. Golpear con los pies. Tratar rudamente a uno.

PATENA. f. Platillo de oro o metal dorado en que se pone la hostia en la misa.

PATENTAR. tr. Conceder u obtener una patente.

PATENTE. f. adj. Evidente visible. f. Título que confiere algunos derechos.

PATENTEMENTE. adv. m. Visiblemente, claramente.

PATENTIZAR. tr. Hacer patente.

PATEO. m. Acto de patear.

PÁTERA. f. Plato de poco fondo del que se usaba en los sacrificios antiguos.

PATERNAL. adj. Propio de los afectos paternales.

PATERNIDAD. f. Calidad de padre.

PATERNO-NA. adj. Propio del padre.

PATETA. m. Demonio.

PATÉTICO-CA. adj. Capaz de conmover.

PATETISMO. m. Calidad de patético.

PATIBLANCO-CA. adj. Animal que tiene las patas blancas.

PATIBULARIO-RIA. adj. Que causa horror por su aspecto o condición.

PATÍBULO. m. Tablado donde se ejecuta la pena de muerte.

PATICOJO-JA. adj. Cojo.

PATILLA. f. Saliente de un madero para encajar en otro. Gozne de hebillas. Porción de pelo que se deja crecer en los carrillos.

PATILLUDO-DA. adj. Que tiene patillas muy pobladas.

PATÍN. m. Útil para patinar con una cuchilla o ruedas.

PÁTINA. f. Barniz duro aceitunado de los objetos antiguos de bronce.

PATINADERO-RA. adj. Que patina.

PATINAR. intr. Deslizarse con patines sobre hielo o pavimento duro y liso. Resbalar una rueda sin rodar.

PATIO. m. Espacio cerrado y al descubierto en un edificio.

PATIQUEBRAR. tr. Romper una o más patas a un animal.

PATITIESO-SA. adj. Que se queda sin movimiento de las piernas por un accidente repentino.

PATIZAMBO-BA. adj. Que tiene las piernas torcidas hacia fuera y juntas en las rodillas.

PATO. m. Ave.

PATOCHADA. f. Sandez.

PATÓGENO-NA. adj. Elementos y medios que desarrollan las enfermedades y las originan.

PATOJO-JA. adj. Que tiene las piernas torcidas.

PATOLOGÍA. f. Parte de la medicina que estudia las enfermedades.

PATOLÓGICO-CA. adj. Relativo a la patología.

PATÓLOGO-GA. m. y f. Quien se dedica a la patología.

PATOSO-SA. adj. Persona que sin serlo, presume de chistoso.

PATRAÑA. f. Mentira.

PATRAÑERO-RA. adj. Que suele contar patrañas.

PATRIA. f. Tierra en que uno ha nacido.

PATRIARCA. m. Cabeza de familia. Título de algunos ciudadanos, obispos.

PATRIARCADO. m. Dignidad de patriarca.

PATRIARCAL. adj. Relativo al patriarca.

PATRICIO. m. Descendiente de los primeros senadores romanos.

PATRIMONIAL. adj. Relativo al patrimonio.

PATRIMONIO. m. Bienes que se heredan de los antecesores.

PATRIO-TRIA. adj. Relativo a la Patria.

PATRIÓTICO-CA. adj. Relativo al patriota o la Patria.

PATRIOTISMO. m. Amor a la Patria.

PATRÍSTICA. f. Ciencia que tiene por objeto el conocimiento de la doctrina, obras y vida de los Santos Padres.

PATRÍSTICO-CA. adj. Relativo a la patrística.

PATROCINADOR-RA. adj. Que patrocina.

PATROCINAR. tr. Defender, favorecer.

PATROCINIO. m. Protección del patrocinador.

PATROLOGÍA. f. Patrística.

PATRÓN-NA. adj. Santo al que se halla consagrado un pueblo, congregación, gremio, etc. Amo. Modelo.

PATRONAL. adj. Relativo al patrono.

PATRONATO. m. Derecho o facultad del patrono. Corporación de patrones.

PATRONAZGO. m. Patronato.

PATRONEAR. tr. Ejercer el cargo de patrón en buque.

PATRONERO. m. Patrono, que ejerce un patronato.

PATRONÍMICO-CA. adj. Nombre derivado de el del padre.

PATRONO-NA. m. y f. Protector, patrón.

PATRULLA. f. Partida de gente armada.

PATRULLAR. intr. Rondar una patrulla.

PATUÁ. m. Galicismo por dialecto.

PATULLAR. intr. Pisar con fuerza y desatentamente.

PAÚL. m. Sitio pantanoso cubierto de hierbas.

PAULAR. m. Pantano o atolladero.

PAULATINO-NA. adj. Que obra lentamente.

PAULILLA. f. Palomilla, mariposa.

PAULINA. f. Carta o despacho de excomunión.

PAUPÉRRIMO-MA. adj. sup. Muy pobre.

PAUSA. f. Interrupción breve del movimiento. Lentitud.

PAUSADAMENTE. adv. m. Con lentitud.

PAUSADO-DA. adj. Que obra o que se ejecuta con pausa.

PAUTA. f. Útil para rayar el papel. Norma. Raya o conjunto de ellas para escribir música.

PAUTAR. tr. Rayar el papel con pauta. Dar reglas.

PAVA. f. Fuelle grande usado en hornos metalúrgicos. f. Hembra del pavo.

PAVADA. f. Manada de pavos. Sosería.

PAVANA. f. Antigua danza española.

PAVERÍA. f. Pavada.

PAVÉS. m. Escudo grande oblongo.

PAVESA. f. Partícula incandescente desprendida de cuerpo al arder.

PAVESINA. f. Pavés pequeño.

PAVEZNO. m. Pavipollo.

PAVÍA. f. Variedad de melocotón cuyo fruto tiene la piel lisa y la carne jugosa.

PAVIANO-NA. adj. Natural de Pavía.

PÁVIDO-DA. adj. Poét. Medroso o lleno de pavor.

PAVIMENTAR. tr. Solar, revestir el suelo con algún material.

PAVIMENTO. m. Suelo.

PAVIPOLLO. m. Pollo del pavo.

PAVISOSO-SA. adj. Bobo, sin gracia ni arte.

PAVO. m. Ave gallinácea de cabeza y cuellos desnudos. adj. s. Persona sosa.

PAVONA. f. Ave gallinácea. Pavo real. Nombre de algunas mariposas.

PAVONAR. tr. Dar pavón.

PAVONAZO. m. Pint. Color mineral rojo oscuro.

PAVONEAR. intr. r. Hacer gran ostentación de gallardía u otras cosas.

PAVONEO. m. Acción de pavonear.

PAVOR. m. Temor y sobresalto.

PAVORIDO-DA. adj. Despavorido. Lleno de pavor.

PAVOROSO-SA. adj. Que causa pavor.

PAVURA. f. Pavor, temor.

PAYASADA. f. Acto propio del payaso.

PAYASO. m. Gracioso de circo.

PAYÉS-SA. adj. m. y f. Campesino de Cataluña y de las Islas Baleares.

PAYUELAS. f. pl. Viruela loca.

PAZ. f. Tranquilidad, sosiego. Tranquilidad pública.

PAZGUATO-TA. adj. Simple, que se pasma de lo que ve.

PAZO. m. Casa solariega de Galicia.

PE. f. Nombre de la letra "P".

PEA. f. Embriaguez, borrachera.

PEAJE. m. Derecho de tránsito.

PEAJERO. m. El que cobra el peaje.

PEAL. m. Parte de la media que cubre el pie.

PEANA. f. Base de apoyo para poner encima algo. Tarima arrimada delante del altar.

PEAÑA. f. Peana.

PEATÓN. m. Peón. Valijero o correo a pie.

PEBETE. m. Pasta que al encenderse despide humo fragante.

PEBETERO. m. Perfumador en especial de cubierta agujereada.

PEBRADA. f. Pebre.

PEBRE. m. Salsa de pimienta, ajo, perejil y vinagre.

PECA. f. Mancha pequeña en el cutis.

PECADO. m. Transgresión voluntaria de la Ley de Dios. Lo que se aparta de lo justo.

PECADOR-RA. s. adj. Que peca. s. Ramera.

PECAMINOSO-SA. adj. Relativo al pecado. Contaminado de él.

PECAR. intr. Incurrir en pecado. Faltar a un precepto o regla.

PECBLENDA. f. Mineral de uranio.

PECEÑO-ÑA. adj. Que tiene el color de la pez.

PECERA. f. Vasija de cristal con agua para tener peces.

PECILGO. m. Pellizco.

PECINA. f. Cieno negruzco que se forma en los charcos.

PECIOLO. m. Bot. Rabillo que sostiene la hoja. [mada.

PÉCORA. f. Res. Mujer astuta y tai-

PECOREA. f. Pillaje de la soldadesca.

PECOSO-SA. adj. Que tiene pecas.

PECTINA. f. Quím. Principio inmediato que existe en muchos frutos.

PECTÍNEO. m. Zool. Músculo del muslo que hace girar el fémur.

PECTORAL. adj. Relativo al pecho. Útil a él.

PECTOSA. f. Quím. Sustancia contenida en los frutos sin madurar.

PECUARIO-RIA. adj. Relativo al ganado.

PECULADO. m. For. Hurto de fondos públicos por quien los administra.

PECULIAR. adj. Propio de cada ser.

PECUNIA. f. Dinero.

PECUNIARIO-RIA. adj. Relativo al dinero efectivo.

PECHAR. tr. Pagar pecho o tributo.

PECHE. m. Pechina.

PECHERA. f. Lienzo con que se cubre el pecho.

PECHERO-RA. adj. El obligado a pagar un tributo.

PECHIBLANCO-CA. adj. Animal que tiene el pecho blanco.

PECHIGONGA. f. Juego de naipes de envite.

PECHINA. f. Venera. Concha que traían cosida a la esclavina los peregrinos de Santiago.

PECHIRROJO. m. Pardillo.

PECHO. m. Parte del cuerpo comprendida entre el cuello y el vientre.

PECHUGA. f. Pecho del ave y cada una de las dos partes en que se divide. Pecho del hombre y de la mujer.

PECHUGÓN. m. Manotada en el pecho. Esfuerzo.

PECHUGUERA. f. Tos pectoral y tenaz.

PEDAGOGÍA. f. Ciencia o parte de la educación de los niños.

PEDAGÓGICO-CA. adj. Relativo a la pedagogía.

PEDAGOGO-GA. s. Persona que profesa la pedagogía.

PEDAL. m. Palanca que pone en movimiento un mecanismo movido por el pie.

PEDALEAR. intr. Poner en movimiento un pedal.

PEDÁNEO. m. Juez o alcalde de limitada jurisdicción.

PEDANTE. adj. s. Que hace alarde afectado de erudición.

PEDANTERÍA. f. Vicio del pedante.

PEDANTESCO-CA. adj. Relativo al pedante o a su modo de hablar.

PEDAZO. m. Parte de una cosa.

PEDERASTA. m. El que comete pederastía.

PEDERASTÍA. f. Sodomía.

PEDERNAL. m. Variedad de cuarzo gris que da chispa al golpearse con eslabón.

PEDESTAL. m. Cuerpo con base y cornisa que sostiene una columna, estatua, etc.

PEDESTRE. adj. Que anda a pie. Vulgar, tosco.

PEDESTRISMO. m. Conjunto de deportes pedestres.

PEDÍCULO. m. Pedúnculo. Pezón.

PEDIATRA. m. Médico de niños.

PEDIATRÍA. f. Med. Medicina de los niños.

PEDICOJ. m. Salto que se da con un pie solo.

PEDICURO. m. Callista.

PEDIDO. m. Encargo a un fabricante o vendedor. Petición.

PEDIGÜEÑO-ÑA. adj. Que pide mucho, con importunidad.

PEDILUVIO. m. Baño de pies medical.

PEDIMENTO. m. Petición.

PEDIR. tr. Rogar a uno que de o haga algo. Mendigar. Querer. Exigir.

PEDO. m. Ventosidad ruidosa expelida por el ano.

PEDORREA. f. Frecuencia de pedos.

PEDRADA. f. Acción de tirar una piedra. Golpe de piedra.

PEDREA. f. Acto de apedrear. Lucha con piedras. [piedras.

PEDREGAL. m. Terreno cubierto de

PEDREGOSO-SA. adj. Dícese del pedregal. Que padece mal de piedra.

PEDREÑAL. m. Especie de trabuco.

PEDRERA. f. Cantera, sitio o lugar de donde se sacan las piedras.

PEDRERÍA. f. Conjunto de piedras preciosas.

PEDRERO. m. Cantero. Hondero.

PEDRÉS. adj. Dícese de la sal gema.

PEDRISCO. m. Granizo grueso.

PEDRISQUERO. m. Pedrisco. Granizo.

PEDROJIMÉNEZ. m. Variedad de uva.

PEDRUSCO. m. Piedra sin labrar.

PEDÚNCULO. Bot. Pezón.

PEER. intr. r. Expeler pedos.

PEGA. f. Acto de pegar o unir. Burla. Baño de pez. Urraca.

PEGADIZO-ZA. adj. Que fácilmente se pega. Gorrón.

PEGADO. m. Parche, emplasto compuesto de cosas que se pegan.

PEGADURA. f. Acción de pegar.

PEGAJOSO-SA. adj. Que se pega con facilidad.

PEGAMOIDE. m. Celulosa disuelta para dar espesor a un papel o tela.

PEGAR. tr. Adherir una cosa a otra. Unir. Arrimar. Comunicar. Contagiar. intr. Asir, golpear.

PEGOTE. m. Bizna, emplasto de cosas pegajosas. Persona impertinente.

PEGUERO-RA. adj. Quien fabrica o vende pez.

PEGUJAL. m. Peculio.

PEGUJALERO. m. Labrador de poca siembra. Ganadero de poco ganado.

PEGUNTAR. tr. Untar con pez el ganado.

PEINA. f. Peineta.

PEINADO. m. Compostura del pelo.

PEINADOR-RA. adj. s. Que se peina. Toalla que se pone al cuello del que se peina o afeita.

PEINADURA. f. Acción de peinar o peinarse.

PEINAR. tr. r. Desenredar y componer el pelo.

PEINE. m. Instrumento de púas para peinar el pelo. Serie de proyectiles unidos en algunas armas de fuego.

PEINECILLO. m. Peineta pequeña.

PEINERÍA. f. Talla donde se fabrican peines.

PEINETA. f. Peine convexo para el adorno del peinado femenino.

PEJE. m. Pez. fig. Hombre astuto.

PEJEPALO. m. Abadejo sin aplastar y curado al humo.

PEJERREY. m. Pez marino acantopterigio, fusiforme.

PEJESAPO. m. Rape, pez marino sin escamas.

PEJIGUERA. f. Ccsa de poco provecho que ofrece molestia.

PELADERA. f. Alopecia, caída o pérdida del pelo.

PELADILLA. f. Almendra confitada. Pequeño canto rodado.

PELADURA. f. Acción y efecto de pelar.

PELAFUSTÁN. m. Persona holgazana.

PELAGATOS. m. Hombre pobre.

PELAGRA. f. Med. Enfermedad característica por eritemas en la piel y trastornos digestivos.

PELAIRE. m. Cardador de pañcs.

PELAJE. m. Calidad del pelo o lana.

PELAMBRE. m. Porción de pieles que se apelambran. Conjunto de pelos.

PELAMBRERA. f. Sitio en que se apelambran pieles. Porción de pelo espeso y crecido.

PELAMESA. f. Pelea en que los contendientes se asen de los cabellos.

PELANDUSCA. f. Ramera.

PELANTRÍN. m. Labrantín.

PELAR. tr. r. Cortar o arrancar el pelo. tr. Quitar la piel o corteza de algo. Quitar los bienes.

PELASGO-GA. adj. s. De un pueblo que se estableció en Grecia e Italia.

PELAZGA. f. Pendencia.

PELDAÑO. m. Parte de un tramo de escalera. Escalón.

PELEA. f. Combate, riña. Acto de pelear.

PELEAR. intr. Combatir, disputar, afanarse.

PELECHAR. intr. Echar pelo el animal. Comenzar a medrar.

PELELE. m. Muñeco de forma humana.

PELENDENGUE. m. Perendengue.

PELEÓN. m. adj. s. Dícese del vino muy ordinario.

PELEONA. f. fam. Pendencia, riña.

PELERINA. f. Especie de esclavina de la mujer.

PELETE. m. En el juego de la banca, el que apunta estando de pie.

PELETERÍA.. f. Tienda o oficio de peletero.

PELETERO-RA. s. Perscna que adoba pieles finas, hace prendas con ellas o las vende.

PELIAGUDO-DA. adj. Cosa difícil.

PELIBLANCO-CA. adj. Que tiene blanco el pelo.

PELIBLANDO-DA. adj. Que tiene el pelo blando y suave.

PELÍCANO. m. Ave palmípeda con pico ancho y largo y una bolsa en la mandíbula inferior.

PELÍCULA. f. Membrana delicada. Ollejo. Cinta cinematográfica.

PELIGRAR. intr. Estar en peligro.

PELIGRO. m. Riesgo inminente.

PELIGROSO-SA. adj. Que ofrece peligro.

PELILARGO-GA. adj. Que tiene largo el pelo.

PELILLO. m. Motivo de desazón o disgusto.

PELIRROJO-JA. adj. Que tiene el pelo rojo.

PELITRE. m. Su raíz usada como masticatorio en medicina.

PELMA. m. Pelmazo.

PELMACERÍA. f. Calidad de pelmazo.

PELMAZO. m. Cosa apretada. Persona calmosa y pesada.

PELO. m. Filamento córneo que nace en la epidermis de los mamíferos. Cabello. Hebra delgada de seda.

PELÓN-NA. adj. Que tiene pelo. Pobre.

PELONA. f. Pelonía.

PELONERÍA. f. fam. Pobreza. Miseria.

PELOPIO. m. Quím. Metal muy raro.

PELOPONENSE. m. Natural de Peloponeso.

PELOTA. f. Bola esférica para jugar.

PELOTARI. m. com. Jugador de pelota vasca.

PELOTAZO. m. Golpe de pelota.

PELOTE. m. Pelo de cabra para rellenar.

PELOTERA. f. Riña.

PELOTERÍA. f. Conjunto de pelotas.

PELOTERO. m. Quien hace pelotas o las proporciona durante el juego.

PELOTILLA. f. Adulación a un superior.

PELOTO. adj. Variedad de trigo chamorro.

PELOTÓN. m. Conjunto de pelos enredados. Grupo de soldados al mando de un sargento.

PELTRE. m. Aleación de cinc, plomo y estaño.

PELTRERO. m. El que trabaja en cosas de peltre.

PELUCA. f. Cabellera postiza.

PELUCONA. f. Onza de oro.

PELUCHE. m. Felpa larga.

PELUDO-DA. adj. Que tiene mucho pelo.

PELUQUERÍA. f. Tienda de peluquero.

PELUQUERO-RA. s. Quien peina, corta el pelo, etc., por oficio.

PELUQUÍN. m. Peluca pequeña.

PELUSA. f. Pelo menudo que se desprende de la tela. Vello.

PELUSILLA. f. Velusilla.

PELVIANO-NA. adj. Zool. Relativo a la pelvis.

PELVÍMETRO. m. Instrumento en forma de compás para medir la pelvis.

PELVIS. f. Anat. Cavidad del cuerpo que forma la base del tronco del cuerpo humano.

PELLA. f. Masa unida y apretada.

PELLEJA. f. Piel quitada del animal.

PELLEJERÍA. f. Sitio en que se adoban o venden pellejos.

PELLEJERO-RA. s. Quien adoba o vende pieles.

PELLEJINA. f. Pelleja pequeña.

PELLEJO. m. Piel. Odre.

PELLEJUDO-DA. adj. Que tiene la piel floja y sobrada.

PELLICA. f. Cubierta de cama hecha de pellejos finos.

PELLICO. m. Zamarra de pastor.

PELLIZA. f. Prenda abrigo forrada de pieles.

PELLIZCAR. tr. Asir y apretar una porción de piel y carne con los dedos.

PELLIZCO. m. Acción de pellizcar.

PELLO. m. Especie de zamarra fina.

PELLÓN. m. Vestido talar antiguo.

PENA. f. Castigo impuesto por un delito. Dolor moral. Dificultad. Esfuerzo.

PENABLE. adj. Que puede ser penado.

PENACHERA. f. Penacho.

PENACHO. m. Grupo de plumas de la parte superior de la cabeza del ave.

PENADILLA. f. Penado, vasija.

PENAL. adj. Relativo al penal. Lugar en que cumple pena el condenado.

PENALIDAD. f. Molestia. Sanción impuesta.

PENAR. tr. Imponer pena. intr. Padecer un dolor o pena.

PENCA. f. Bot. Hoja carnosa de una planta.

PENCAZO. m. Golpe de penca.

PENCO. m. Jamelgo.

PENDEJO. m. Pelo que nace en el pubis y en las ingles.

PENDENCIA. f. Contienda.

PENDENCIAR. tr. Reñir.

PENDENCIERO-RA. adj. Propenso a pendencias.

PENDER. intr. Estar colgado algo.

PENDIENTE. adj. Que está por resolverse. Arete para adorno de las orejas. Declive de un terreno.

PENDIL. m. Manto de mujer.

PENDOL. m. Operación de inclinar la nave para descubrir su costado.

PÉNDOLA. f. Pluma de las aves. Varilla metálica que con sus oscilaciones regula el movimiento de los relojes fijos.

PENDOLISTA. com. Persona que escribe con destreza y primor.

PENDÓN. m. Bandera o estandarte pequeño. Persona moralmente despreciable.

PENDONETA. f. Pendón pequeño o estandarte.

PENDULAR. adj. Relativo al péndulo.

PÉNDULO. m. Cuerpo que oscila suspendido de un punto por la acción de la gravedad.

PENE. m. Miembro viril.

PENEQUE. m. Borracho.

PENETRABILIDAD. f. Calidad de penetrable.

PENETRABLE. adj. Que puede penetrar o entenderse fácilmente.

PENETRACIÓN. f. Acción y efecto de penetrar. Perspicacia.

PENETRADOR-RA. adj. Agudo. Perspicaz.

PENETRANTE. adj. Que penetra.

PENETRAR. intr. Introducirse un cuerpo en otro. Comprender una cosa difícil.

PENETRATIVO-VA. adj. Que penetra.

PÉNFIGO. m. Med. Enfermedad cutánea.

PENICILINA. f. Antibiótico elaborado con el moho.

PENÍGERO-RA. adj. poét. Que tiene alas o plumas.

PENÍNSULA. f. Tierra cercada por el mar y unida sólo por una parte con el continente.

PENINSULAR. adj. Natural de una península.

PENIQUE. m. Moneda inglesa, duodécima parte del chelín.

PENITENCIA. f. Sacramento por el cual se perdonan los pecados.

PENITENCIAL. adj. Relativo a la penitencia.

PENITENCIAR. tr. Imponer penitencia.

PENITENCIARÍA. f. Tribunal eclesiástico romano que despacha las Bulas y dispensas.

PENITENCIARIO. m. Presbítero encargado de confesar en una iglesia.

PENITENTE. adj. Persona que hace penitencia.

PENMICÁN. m. Conserva de carne seca.

PENOL. m. Estremo de la verga.

PENOSO-SA. adj. Que causa pena, trabajoso.

PENSADOR. adj. Que piensa.

PENSAMIENTO. m. Facultad de pensar. Acción de pensar. Idea capital de una obra.

PENSAR. intr. Discurrir. Reflexionar. Meditar.

PENSATIVO-VA. adj. Que medita.

PENSEL. m. Flor que se vuelve al sol como los girasoles.

PENSIL. m. Colgado en el aire. Jardín delicioso.

PENSIÓN. Cantidad anual que se da por un servicio.

PENSIONADO-DA. adj. Que cobra una pensión.

PENSIONAR. tr. Conceder una pensión.

PENSIONISTA. com. Persona que percibe una pensión. Alumno interno en colegio o en casa particular.

PENTACORDIO. m. Arqueol. Lira antigua de cinco cuerdas.

PENTADÁCTILO. adj. Que tiene cinco dedos o divisicnes en forma de éstos.

PENTAEDRO. m. Sólido de cinco caras.

PENTÁGONO. adj. Polígono de cinco lados.

PENTAGRAMA. m. Rayado de cinco paralelas para escribir música.

PENTÁMERO-RA. adj. Bot. Dícese de las flores compuestas de cinco piezas.

PENTARQUÍA. f. Gobierno formado por cinco personas.

PENTASÍLABO-BA. adj. De cinco sílabas.

PENTATEUCO. m. Conjunto de los cinco primeros libros de la Biblia.

PENTECOSTÉS. m. Festividad de la venida del Espíritu Santo.

PENTEDECÁGONO. m. adj. Polígono de quince lados y quince ángulos.

PENÚLTIMO-MA. adj. Anterior al último o o a la última.

PENUMBRA. f. Ligera sombra entre la luz y la oscuridad.

PENUMBROSO-SA. adj. Que está en la penumbra.

PENURIA. f. Escasez.

PEÑA. f. Piedra grande natural. Reunión de amigos.

PEÑARANDA. f. Vulgarismo por casa de empeños.

PEÑASCO. m. Peña grande elevada.

PEÑASCOSO-SA. adj. Donde hay muchos peñascos.

PEÑO. m. En algunas partes expósito.

PEÑOLA. f. Pluma de ave para escribir.

PEÑÓN. m. Monte peñascoso.

PEÓN. m. Que anda a pie. Jornalero. Pieza de ajedrez.

PEONADA. f. Obra que un peón hace en un día.

PEONAJE. m. Conjunto de peones.

PEONERÍA. f. Tierra que un peón labra en un día.

PEONÍA. f. Planta ranunculácea de jardín.

PEONZA. f. Juguete cómico que se hace bailar azotándolo con un látigo.

PEOR. adj. Comparativo de malo.

PEORÍA. f. Calidad de peor.

PEPINAR. m. Terreno sembrado de pepinos.

PEPINO. m. Planta cucurbitácea, de flor amarilla, fruto comestible.

PEPIÓN. m. Moneda antigua.

PEPITA. f. Semilla plana y larga. Enfermedad de la lengua de las gallinas.

PEPITORIA. f. Guisado de despojos de ave con salsa de yema.

PEPITOSO-SA. adj. Abundante de pepitas.

PEPLO. m. Vestido exterior femenino griego sin mangas.

PEPÓN. m. Sandía.

PEPONA. f. Muñeca de cartón.

PEPÓNIDE. m. Bot. Fruto de epicarpio coriáceo con muchas pepitas.

PEPSINA. f. Fermento segregado por la mucosa del estómago.

PEPTONA. f. Resultante del desdoblamiento de los albuminoides por fermentos digestivos.

PEQUESEZ. f. Calidad de pequeño. Cosa de poca importancia.

PEQUEÑO-ÑA. adj. Que no llega a las dimensiones ordinarias. Humilde.

PEQUIN. m. Tela de seda.

PERA. f. Fruto en pomo del peral. Porción de pelo que se deja crecer en la barba.

PERADA. f. Conserva de pera.

PERAL. m. Árbol rosáceo, de flor blanca, fruto comestible.

PERALEDA. f. Terreno poblado de perales.

PERALTAR. tr. Levantar la curva de un arco.

PERALTE. m. Mayor elevación de la parte exterior de una curva, de un camino, de una vía, etc.

PERALTO. m. Altura.

PERANTÓN. m. Mirabel, planta solsolácea.

PERBORATO. m. Sal producido por la oxidación del borato.

PERCA. f. Pez acantopterigio de río, comestible.

PERCAL. m. Tela de algodón fina.

PERCALINA. f. Percal de un solo color.

PERCANCE. m. Contratiempo imprevisto.

PERCATAR. intr. Advertir, considerar.

PERCEBE. m. Crustáceo cirrípedo con pedúnculo carnoso, comestible.

PERCIBIMIENTO. m. Apercibimiento.

PERCEPCIÓN. f. Acción y efecto de percibir.

PERCEPTIBLE. adj. Que puede percibirse.

PERCEPTIVO-VA. adj. Que tiene virtud de percibir.

PERCEPTOR-RA. adj. Que percibe.

PERCIBIR. tr. Recibir una cosa. Adquirir conocimiento por medio de los sentidos.

PERCIBO. m. Acción de percibir.

PERCLORURO. m. Cloruro en que el cloro entra en su mayor valencia.

PERCOCERÍA. f. Obra menuda de platería.

PERCUCIENTE. adj. Que hiere o golpea.

PERCUDIR. tr. Maltratar o ajar la tez o el lustre de algo.

PERCUSIÓN. f. Acción y efecto de percutir.

PERCUTIR. tr. Golpear.

PERCUTOR. m. Percusor.

PERCHA. f. Madero atravesado en otros para sostener algo. Pieza de madera con colgaderos.

PERCHAR. tr. Colgar el paño y sacarle el pelo con la carda.

PERCHEL. m. Aparejo de pesca con palos para colgar las redes.

PERCHERO. m. Conjunto de perchas o lugar en que las hay.

PERCHERÓN. m. Raza de caballos de gran corpulencia.

PERDER. tr. Verse privado de algo. Malgastar. No conseguir lc esperado. Ocasionar ruina. Decaer.

PERDICIÓN. f. Acto de perder.

PÉRDIDA. f. Privación de lo que se poseía. Daño.

PERDIDO-DA. adj. Que no tiene destino determinado. Vicioso.

PERDIGAR. tr. Soasar un ave para conservarla.

PERDIGÓN. m. Pollo de perdiz.

PERDIGONADA. f. Tiro de perdigones. Herida que causa.

PERDIGONERA. f. Bolsa en que los cazadores llevan los perdigones.

PERDIGUERO. m. Animal que caza perdices.

PERDIMIENTO. m. Perdición o pérdida.

PERDIS. m. Perdido, calavera.

PERDIZ. f. Ave gallinácea de cabeza pequeña, pico y pies encarnados, de carne muy estimada.

PERDÓN. m. Acción y efecto de perdonar.

PERDONABLE. adj. Que puede ser perdonado o merece perdón.

PERDONAR. tr. Remitir una deuda, injuria u otra cosa. Renunciar a algo.

PERDONAVIDAS. m. Fanfarrón.

PERDULARIO-RIA. adj. Muy desaliñado y vicioso.

PERDURABLE. adj. Perpetuo, eterno.

PERDURACIÓN. f. Acción de perdurar.

PERDURAR. intr. Durar mucho, subsistir.

PERECEDERO-RA. adj. Que dura poco.

PERECER. intr. Acabar. Mcrir. Padecer un trabajo.

PERECIMIENTO. m. Acción de perecer.

PEREGRINACIÓN. f. Viaje a tierra extraña. Viaje devoto a un santuario o lugar santo.

PEREGRINAJE. m. Peregrinación.

PEREGRINAR. intr. Andar por tierras extrañas. Acudir en romería a un santuario.

PEREGRINO-NA. adj. s. Que peregrina. Ave de paso. fig. Raro, pocas veces visto.

PEREJIL. m. Planta umbelífera, herbácea, de tallos angulosos ramificados.

PERENCEJO. m. Perengano.

PERENDENGUE. m. Arete. Cualquier adorno mujeril.

PERENGANO-NA. adj. Persona cuyo nombre se ignora o no se quiere decir.

PERENNE. adj. Incansable. Perpetuo. Bot. Vivaz.

PERENTORIO-RIA. adj. Último plazo concedido a la decisión que pone fin a un asunto. Concluyente.

PERERO. m. Instrumento que se usaba para ayudar a mondar algunas frutas.

PEREZA. f. Negligencia, tedio de algo, repugnancia al trabajo. Flojedad tardanza en movimientos.

PEREZOSO-SA. adj. Que tiene o muestra pereza.

PERFECCIÓN. f. Calidad de perfecto. Cosa perfecta. Acción de perfeccionarse.

PERFECCIONADOR-RA. Que perfecciona o da perfección a una cosa.

PERFECCIONAMIENTO. m. Perfección.

PERFECCIONAR. tr. r. Acabar por entero una obra del mejor modo posible.

PERFECTAMENTE. adv. m. Cabalmente, sin falta.

PERFECTIBLE. adj. Capaz de perfeccionarse.

PERFECTO-TA. adj. Que tiene el mayor grado posible de excelencia. De plena eficacia jurídica.

PERFICIENTE. adj. Que perfecciona.

PERFIDIA. f. Calidad de pérfido.

PÉRFIDO-DA. adj. Desleal, traidor, que falta a la fe debida.

PERFIL. m. Adorno sutil y delicado en el extremo de algo. Tramo más fino de una letra. Postura del cuerpo en que sólo se deja ver una de sus dos mitades laterales.

PERFILADO-DA. adj. Rostro adelgazado y largo.

PERFILADURA. f. Acción de perfilar algo.

PERFILAR. tr. r. Sacar los perfiles de una cosa. Afinar una cosa.

PERFOLIADO-DA. adj. Bot. Hoja que por su base rodea al tallo.

PERFOLIATA. f. Perfoliada.

PERFORACIÓN. f. Acción de perforar.

PERFORADOR-RA. adj. Que perfora u horada.

PERFORAR. tr. Horadar.

PERFUMADOR-RA. adj. s. Quien por oficio compone perfumes.

PERFUMAR. tr. r. Sahumar. Esparcir un buen olor.

PERFUME. m. Materia odorífera y aromática que puesta al fuego despide humo de grato olor.

PERFUMEAR. tr. Perfumar.

PERFUMERÍA. f. Tienda del perfumero. Arte de fabricar perfumes.

PERFUMISTA. com. Persona que tiene por oficio preparar o vender perfumes

PERFUSIÓN. f. Baño, untura.

PERGAMINERO. m. El que trabaja en pergaminos.

PERGAMINO. m. Piel raída, adobada, estirada y seca, usada para escribir en ella, encuadernar libros, etc.

PERGESAR. tr. Disponer, ejecutar con destreza.

PÉRGOLA. f. Emparrado.

PERIANTIO. m. Bot. Perigonio.

PERICARDIO. m. Cubierta fibrosa que envuelve el corazón.

PERICARDITIS. f. Inflamación del pericardio.

PERICARPIO. m. Parte del fruto que envuelve la semilla.

PERICIA. f. Práctica, habilidad en una ciencia o arte.

PERICIAL. adj. Relativo al perito.

PERICLITAR. intr. Estar en peligro.

PERICO. m. Tocado antiguo. Ave prensora. Abanico grande. Espárrago de gran tamaño. Sillico.

PERICRÁNEO. m. Zool. Membrana que encubre exteriormente los huesos del cráneo.

PERIDOTO. m. Silicato de magnesia y hierro.

PERIFERIA. f. Circunferencia. Contorno de una figura curvilínea.

PERIFOLLO. m. Planta umbelífera de flores blancas.

PERIFONEAR. tr. Transmitir por radiodifusión una pieza de música, un discurso, una noticia, etc.

PERÍFRASIS. f. Circunlocución.

PERIGALLO. m. Pellejo que pende de la barba o garganta. Persona alta y delgada.

PERIGEO. m. En la órbita de la Luna, el punto más próximo a la tierra.

PERIHELIO. m. En la órbita del planeta el punto más próximo al sol.

PERILUSTRE. adj. Muy ilustre.

PERILLA. f. Adorno en figura de pera. Porción de pelo que se deja crecer en la punta de la barba.

PERILLÁN-NA. adj. Persona pícara, astuta.

PERILLO. m. Panecillo de masa dulce.

PERIMÉTRICO-CA. adj. Relativo al perímetro.

PERÍMETRO. m. Ámbito. Geom. Contorno de una figura.

PERÍNCLITO-TA. adj. Inclito en grado sumo. Heroico.

PERINEAL. adj. Relativo al perineo.

PERINEO. m. Región comprendida entre el ano y partes sexuales.

PERINEUMONÍA. f. Med. Pulmonía.

PERINOLA. f. Peonza pequeña. Perilla.

PERIOCA. f. Sumario, argumento de un libro.

PERIODICIDAD. f. Calidad de periódico.

PERIODISMO. m. Ejercicio o profesión del periodista.

PERIODISTA. m. Autor o editor de periódico. El que escribe en periódicos.

PERÍODO. m. Tiempo que tarda una cosa en volver al estado que tenía antes. Menstruación, ciclo.

PERIOSTIO. m. Membrana conjuntiva adherida al hueso exteriormente.

PERIOSTITIS. f. Med. Inflamación del periostio.

PERIPATÉTICO-CA. adj. s. Que sigue la doctrina de Aristóteles.

PERIPECIA. f. Mudanza repentina en el drama, novela, etc., accidente análogo en la vida real.

PERIPLO: m. Circunnavegación. Obra en la que se describe un viaje de esa clase.

PERÍPTERO-RA. adj. Arq. Edificio rodeado de columnas.

PERIPUESTO-TA. adj. Que se viste con afectación.

PERIQUETE. m. Brevísimo espacio de tiempo.

PERIQUITO. m. Perico, ave.

PERISCOPIO. m. Tubo óptico empleado en los submarinos con aparato de visión.

PERISTASIS. f. Ret. Tema del discurso.

PERISTILO. m. Lugar rodeado de columnas por la parte interior. Galería de columnas.

PERITACIÓN. f. Trabajo o estudio que hace un perito.

PERITO-TA. adj. s. Experimentado en una ciencia o arte.

PERITONEAL. adj. Relativo al peritoneo.

PERITONEO. m. Membrana serosa que envuelve y sostiene las vísceras abdominales.

PERITONITIS. f. Inflamación del peritoneo.

PERJUDICAR. tr. r. Causar perjuicio, daño o menoscabo en algo.

PERJUDICIAL. adj. Que puede perjudicar o perjudica.

PERJUICIO. m. Efecto de perjudicar.

PERJURAR. intr. r. Jurar en falso. Jura mucho o por vicio.

PERJURIO. m. Delito de jurar en falso.

PERJURO-RA. adj. Que jura en falso. Que quebranta el juramento hecho.

PERLA. f. Concreción nacarada de reflejo brillante, forma esferoidal formada en la concha de algunos moluscos.

PERLADO-DA. adj. Que tiene forma o brillo de perla.

PERLÁTICO-CA. adj. Que padece perlesía.

PERLERÍA. f. Conjunto de muchas perlas.

PERLERO-RA. adj. Relativo a la perla.

PERLESÍA. f. Debilidad muscular acompañada de temblores.

PERLINO-NA. adj. De color de perla.

PERLITA. f. Fonolita.

PERLONGAR. intr. Mar. Ir navegando a lo largo de una costa.

PERMANECER. intr. Mantenerse en un mismo lugar.

PERMANENCIA. f. Calidad de permanente. Estancia en un sitio.

PERMANENTE. adj. Que permanece. Rizado, ondulación del pelo.

PERMANENTEMENTE. adv. m. Con permanencia.

PERMANGANATO. m. Sal del ácido permangánico.

PERMANSIÓN. f. Permanencia.

PERMEABILIDAD. f. Calidad de permeable.

PERMEABLE. adj. Que puede ser penetrado por un flúido.

PÉRMICO-CA. adj. Geol. Terreno superior y más moderno que el carbonífero.

PERMISIBLE. adj. Que puede permitirse.

PERMISIÓN. f. Acto de permitir. Permiso.

PERMISO. m. Consentimiento formal para hacer o decir algo.

PERMISTIÓN. f. Mezcla de algunas cosas.

PERMITIR. tr. r. Dar el consentimiento para que otro haga o no alguna cosa. No impedir.

PERMUTA. f. Acción y efecto de permutar.

PERMUTABLE. adj. Que se puede permutar.

PERMUTACIÓN. f. Acto de permutar.

PERMUTAR. tr. r. Cambiar una cosa por otra. Variar el orden.

PERNADA. f. Golpe de la pierna.

PERNEADO-DA. adj. Que tiene mucha fuerza en las piernas.

PERNEAR. intr. Mover las piernas con violencia.

PERNERA. f. Parte del pantalón que cubre la pierna.

PERNERÍA. f. Mar. Conjunto o provisión de pernos.

PERNICIOSO-SA. adj. Muy dañoso y perjudicial.

PERNIGÓN. m. Especie de ciruela en dulce que venía de Génova.

PERNIL. m. Anca y muslo del animal. Pernera.

PERNIO. m. Gozne de puertas y ventanas para que gire la hoja.

PERNIQUEBRAR. tr. r. Quebrar la pierna.

PERNITUERTO-TA. adj. Que tiene torcidas las piernas.

PERNO. m. Clavo con cabeza en un extremo, asegurado con tuerca por el otro.

PERNOCTAR. intr. Pasar la noche fuera del propio domicilio.

PERNOTAR. tr. Notar, reparar.

PERO. m. Manzano de fruto largo. conj. adv. Que denota un concepto opuesto a otro anterior.

PEROGRULLADA. f. Verdad muy sabida.

PEROL. m. Vasija metálica semiesférica.

PEROLA. f. Perol más pequeño que el ordinario.

PERONÉ. m. Hueso largo de la pierna.

PERORACIÓN. f. Acto de perorar. Última parte del discurso.

PERORAR. intr. Pronunciar un discurso u oración.

PERORATA. f. Razonamiento molesto, inoportuno.

PERÓXIDO. m. Oxido que tiene mayor cantidad de oxígeno.

PERPENDICULAR. adj. s. Línea o plano que forma ángulo recto con otra u otro.

PERPENDÍCULO. m. Plomada o pesa de metal.

PERPETRACIÓN. f. Acción de perpetrar.

PERPETUAR. tr. r. Hacer una cosa perpetua. Dar larga duración a algo.

PERPETUAMENTE. adv. m. Perdurablemente, para siempre.

PERPETRAR. tr. r. Cometer un delito o culpa.

PERPETUIDAD. f. Duración sin fin o muy larga.

PERPETUO-TUA. adj. Que dura siempre.

PERPLEJIDAD. f. Confusión, irresolución.

PERPLEJO-JA. adj. Dudoso, irresoluto, vacilante.

PERPUNTE. m. Jubón fuerte para perseverar el cuerpo de las armas blancas.

PERQUÉ. m. Antigua composición poética.

PERRA. f. Hembra del perro.

PERRADA. f. Conjunto de perros.

PERRERA. f. Sitio en que se guardan perros.

PERRERÍA. f. Conjunto de perros. Vileza.

PERRERO. m. Quien cuida los perros.

PERREZNO. m. Perrillo o cachorro.

PERRILLO. m. Gatillo de las armas de fuego.

PERRO-RRA. adj. Muy malo. m. Mamífero carnívoro, doméstico.

PERRUNO-NA. adj. Relativo al perro.

PERSA. adj. s. De Persia.

PERSECUCIÓN. f. Acto de perseguir.

PERSECUTORIO-RIA. adj. Que persigue.

PERSEGUIR. tr. Seguir a uno tratando de alcanzarle. Molestar. Buscar algo.

PERSEIDAS. f. pl. Astron. Estrellas fugaces.

PERSEVERANCIA. f. Constancia en la ejecución de un propósito.

PERSEVERAR. intr. Persistir en el modo de ser u obrar.

PERSIANA. f. Celosía de tablillas movibles.

PÉRSICO. m. Árbol rosáceo. Su fruto carnoso de hueso arrugado.

PERSIGNAR. intr. Signar. Santiguar.

PERSISTENCIA. f. Insistencia, constancia en algo.

PERSISTIR. intr. Mantenerse constante en una cosa.

PERSONA. f. Individuo de la especie humana.

PERSONAJE. m. Sujeto de distinción o calidad.

PERSONAL. adj. Relativo a la persona. Propio de ella.

PERSONALIDAD. f. Cualidades que constituyen a la persona.

PERSONALISMO. m. Egoísmo.

PERSONALIZAR. tr. Aludir a una persona determinada.

PERSONALMENTE. adv. m. En persona, por sí mismo.

PERSONARSE. intr. Presentarse personalmente en un lugar.

PERSONERO. m. El constituido en procurador para entender o solicitar negocios ajenos.

PERSONIFICACIÓN. f. Acción y efecto de personificar.

PERSONIFICAR. tr. Atribuir cualidades de personas a seres irracionales o inanimados.

PERSPECTIVA. f. Arte de representar en un plano objetos, tal como aparecen a la vista.

PERSPICACIA. f. Calidad de perspicaz.

PERSPICACIDAD. f. Perspicacia.

PERSPICAZ. adj. Dícese de la vista, ingenio, etc., muy agudo.

PERSPICUIDAD. f. Calidad de perspicuo.

PERSPICUO-CUA. adj. Claro, transparente y terso. Persona que se explica con claridad.

PERSUADIR. tr. r. Convencer. Inducir a hacer algo.

PERSUASIVA. f. Facultad de persuadir.

PERTENECER. intr. Ser de uno algo. Formar parte una cosa de otra.

PERTENENCIA. f. Derecho a la propiedad de algo.

PÉRTICA. f. Medida agraria de longitud.

PÉRTIGA. f. Vara larga.

PERTIGAL. m. Pértiga.

PÉRTIGO. m. Lanza del carro.

PERTIGUERÍA. f. Empleo del pertiguero.

PERTIGUERO. m. Ministro secular en las iglesias catedrales.

PERTINACIA. f. Calidad de pertinaz.

PERTINAZ. adj. Obstinado, tenaz, persistente.   [nente.

PERTINENCIA. f. Calidad de perti-

PERTINENTE. adj. Perteneciente a algo. Que viene a propósito.

PERTRECHAR. tr. Abastecer de pertrechos.

PERTRECHOS. m. pl. Municiones, máquinas, etc., necesarias a la armada o al ejército.

PERTURBACIÓN. f. Acción y efecto de perturbar.

PERTURBAR. tr. r. Alterar el orden y concierto.

PERUANO-NA. adj. Natural del Perú.

PERUÉTANO. m. Peral silvestre.

PERULERO. m. Vasija de barro.

PERVERSIDAD. f. Suma maldad.

PERVERSIÓN. f. Acto de pervertir. Estado de corrupción de costumbres.

PERVERSO-SA. adj. Que obra mal conscientemente.

PERVERTIR. tr. Perturbar el estado de algo. tr. Viciar con mala doctrina o ejemplo.

PERVIGILIO. m. Falta y privación de sueño.

PERVULGAR. tr. Divulgar, hacer público.

PESA. f. Pieza de un peso fijo que sirve para determinar el de algo en la balanza. Contrapeso.

PESACARTAS. m. Aparato para pesar objetos ligeros.

PESADA. f. Cantidad que se pesa de una vez.

PESADAMENTE. adv. m. Con pesadez.

PESADEZ. f. Calidad del pesado.

PESADILLA. f. Ensueño angustioso. Preocupación grave y constante.

PESADO-DA. adj. Que pesa mucho. Profundo. Molesto.

PESADOR-RA. adj. Que pesa.

PESADUMBRE. f. Pesadez. Disgusto. Motivo de desazón.

PESALICORES. m. Aerómetro para líquidos menos densos que el agua.

PÉSAME. m. Expresión de condolencia.

PESAMEDELLO. m. Baile y cantar español antiguo.

PESANTEZ. f. Gravedad.

PESAR. m. Dolor interior de ánimo.

PESAROSO-SA. adj. Que siente un pesar.

PESCA. f. Acción y arte de pescar. Lo pescado.

PESCADERÍA. f. Tienda de pescadero.

PESCADERO-RA. adj. s. Quien vende pescado.

PESCADILLA. f. Merluza pequeña. Pez parecido a ella.

PESCADO. m. Pez comestible sacado del agua.

PESCADOR-RA. adj. Que pesca.

PESCANTE. m. Asiento del cochero o conductor.

PESCAR. tr. Coger peces.

PESCOZADA. f. Pescozón.

PESCOZÓN. m. Manotada en el pescuezo.

PESCOZUDO-DA. adj. Que tiene muy grueso el pescuezo.

PESCUDA. f. Pregunta.

PESCUDAR. tr. Preguntar.

PESCUEZO. m. Parte del cuerpo de la nuca al tronco.

PESCUÑO. m. Cuña gruesa que aprieta la reja, esteva y dental del arado.

PESEBRE. m. Recipiente y lugar en que comen las bestias.

PESETA. f. Unidad monetaria española.

PÉSETE. m. Especie de juramento.

PESIAR. intr. Echar maldiciones y reniegos.

PESILLO. m. Balanza pequeña y muy exacta para pesar monedas.

PÉSIMAMENTE. adv. m. Muy mal.

PESIMISMO. m. Doctrina según la cual el mundo es malo por naturaleza.

PESIMISTA. adj. s. Relativo al pesimis-

mo. Partidario de él. Quien tiene esa propensión.

PÉSIMO. adj. Superlativo de malo. Muy malo.

PESO. m. Resultante de la acción de la gravedad sobre las moléculas de un cuerpo. Balanza. Moneda.

PESOL. m. Guisante.

PESPUNTADOR-RA. adj. Que pespunta.

PESPUNTAR. tr. Coser de pespunte.

PESPUNTE. m. Labor de costura.

PESPUNTEAR. tr. Pespuntar.

PESQUERA. f. Lugar en que se pesca.

PESQUIS. m. Cacumen.

PESQUISA. f. Investigación.

PESTALOCIANO-NA. adj. Relativo a Pestalozzi, pedagogo suizo.

PESTAÑA. f. Pelo que nace en el borde del párpado. Parte saliente en el borde de algo.

PESTAÑEAR. intr. Mover los párpados.

PESTAÑOSO-SA. Que tiene grandes pestañas.

PESTE. f. Enfermedad contagiosa que causa gran mortandad. Mal olor. f. pl. Palabras de enojo.

PESTÍFERO. adj. Que huele mal.

PESTILENCIA. f. Peste.

PESTILENTE. adj. Pestífero.

PESTILLO. m. Pasador con que se asegura una puerta o ventana.

PESTIÑO. m. Fruta de sartén, de harina, huevo y miel.

PESTOREJO. m. Cerviguillo.

PESTOREJÓN. m. Golpe dado en el pestorejo.

PESUÑO. m. Dedo cubierto de uña de los animales de pata hendida.

PETACA. f. Estuche para llevar tabaco o cigarros.

PÉTALO. m. Bot. Hoja de la corola de la flor.

PETANQUE. m. Min. Mineral de plata nativa.

PETAR. tr. Agradar.

PETARDEAR. tr. Batir una puerta con petardos. Estafar.

PETARDISTA. com. Estafador que pide prestado sin ánimo de devolverlo.

PETARDO. m. Morterete adecuado para batir puertas. Cañuto cargado de pólvora.

PETASO. m. Arqueol. Sombrero para viaje que usaban los romanos.

PETATE. m. Esterilla de palma para dormir. Lío de la cama y ropa. Equipaje del que navega.

PETENERA. f. Aire popular parecido a la malagueña.

PETIQUIA. f. Mancha roja debida a una hemorragia cutánea.

PETEQUIAL. adj. Referente a petequia.

PETERETES. m. pl. Golosinas.

PETICANO. m. Impr. Carácter de letra de 26 puntos.

PETICIÓN. f. Efecto de pedir. Cláusula en que se pide.

PETICIONARIO-RIA. adj. Que pide algo oficialmente.

PETIGRIS. m. Nombre comercial de la ardilla común.

PETIMETRE-TRA. adj. Persona que cuida mucho de su compostura.

PETIRROJO. m. Pájaro de color verde y pecho rojo.

PETITORIO-RIA. adj. Relativo a la petición.

PETO. m. Armadura que cubre el pecho. Hacha.

PETRAL. m. Correa que ciñe el pecho de la cabalgadura.

PETREL. m. Ave de las palmípedas muy voladora.

PÉTREO-A. adj. De calidad de piedra.

PETRIFICACIÓN. f. Acción y efecto de petrificar.

PETRIFICAR. tr. Convertir en piedra. Dar dureza.

PETROGRAFÍA. f. Parte de la Historia Natural que trata del estudio de las rocas.

PETRÓLEO. m. Líquido oscuro que se encuentra en la tierra formando bolsas. Mezcla de hidrocarburo, arde fácilmente.

PETROLERO-RA. adj. Relativo al petróleo. Buque dedicado a su transporte. Incendiario.

PETROLÍFERO-RA. adj. Que contiene petróleo.

PETROSO-SA. adj. Que abunda en piedras.

PETULANCIA. f. Insolencia. Ridícula pretensión.

PETULANTE. adj. Que tiene petulancias.

PETUNIA. f. Género de plantas solanáceas de jardín.

PEYORATIVO-VA. adj. Que empeora.

PEZ. f. Sustancia negra, viscosa, residuo de la destilación del alquitrán. Animal vertebrado acuático, ovíparo, de sangre fría, respiración bronquial.

PEZOLADA. f. Porción de hilos sueltos en el principio y final de las piezas de paño.

PEZÓN. m. Rabillo que sostiene la hoja, flor o fruto. Protuberancia de la teta.

PEZONERA. f. Especie de dedal que se pone en el pezón.

PEZUNA. f. Pesuña.

PHI. f. Letra griega que se pronuncia "fi" y equivale a la "f".

PI. f. Letra griega correspondiente a nuestra "P".

PIADOSO-SA. adj. Inclinado a la piedad y conmiseración. Religioso, devoto.

PIAFAR. intr. Alzar el caballo parado, una mano u otra, dejándola caer con fuerza.

PIAMADRE. f. La más interior de las tres meninges.

PIAMENTE. adv. m. Piadosamente.

PIAMONTÉS-SA. adj. Natural de Piamonte.

PIANISTA. com. Quien tiene por oficio fabricar, vender pianos. Quien lo toca.

PIANO. m. Instrumento musical de teclado y percusión.

PIANOFORTE. m. Piano.

PIANOLA. f. Piano que se puede tocar mecánicamente.

PIAR. intr. Emitir su voz los polluelos.

PIARA. f. Manada de cerdos, vacas o caballerías.

PIARIEGO-GA. adj. Persona que tiene piara de yeguas, puercos o mulas.

PIASTRA. f. Moneda de plata turca o egipcia.

PICA. f. Lanza larga antigua. Garrocha de picador.

PICACERO-RA. adj. Aves de rapiña que cazan picazas.

PICACHO. m. Punta aguda de monte.

PICADERO. m. Sitio donde se aprende a montar a caballo y donde se doma a éstos.

PICADILLO. m. Guisado de carne picada.

PICADOR. adj. s. El que adiestra y doma caballos. Torero de a caballo que pica con garrocha.

PICADURA. f. Acción y efecto de picar. Mordedura o punzada de un insecto, ave o reptil.

PICAFIGO. m. Papafigo, ave.

PICAFLOR. m. Pájaro mosca.

PICAJOSO-SA. adj. Que se pica fácilmente.

PICAL. m. Confluencia de diferentes caminos vecinales.

PICAMADEROS. m. Ave trepadora de pico largo y delgado.

PICASO. m. Remiendo que se echa al zapato.

PICAPEDRERO. m. Cantero.

PICAPLEITOS. m. Pleitista. Abogado en busca de pleitos.

PICAPORTE. m. Instrumento para cerrar las puertas y ventanas de golpe.

PICAPOSTE. m. Picamaderos.

PICAPUERCO. m. Ave trepadora moñuda.

PICAR. tr. Herir con instrumento punzante. Morder un insecto, reptil, etc. Causar escozor. Acudir a un engaño. Calentar mucho el sol.

PICARAMENTE. adv. m. Ruin e infamemente.

PICARAZA. f. Urraca.

PICARDEAR. tr. Enseñar a hacer picardías. Hacerlas.

PICARDÍA. f. Acción ruín. Astucia. Travesura.

PICARDO-DA. adj. De picardía.

PICARESCO-CA. adj. Relativo a los pícaros. Dícese del género literario en que se pinta su vida.

PICARIL. adj. Picaresco, perteneciente a los pícaros.

PÍCARO-RA. adj. s. Bajo, ruín, astuto, malicioso, taimado.

PICARÓN-NA. adj. s. Aumentativo de pícaro.

PICATOSTE. m. Rebanada de pan tostado con manteca.

PICAZA. f. Urraca.

PICAZO. m. Golpe que se da con la pica.

PICAZÓN. f. Desazón causada por una cosa que pica.

PICEA. f. Árbol parecido al abeto común.

PICK-UP. m. Aparato electromagnético, amplificador de sonidos.

PICNIC. m. Galicismo por partida de campo.

PICO. m. Materia córnea que forma la boca de las aves. Punta acanalada en el borde de algunas vasijas. Cumbre puntiaguda de alguna montaña.

PICOLA. f. Especie de pico pequeño de cantero.

I'ICOLETE. m. Grapa de cerradura para sostener el pestillo.

PICÓN-NA. adj. Dícese de bestias con incisivos superiores muy largos.

PICONERO. m. El que fabrica o vende el carbón llamado picón.

PICOR. m. Picazón.

PICOTA. f. Poste donde se exponían las cabeza de los reos. Juego de niños.

PICOTEAR. tr. Golpear el ave con el pico. intr. Charlar.

PICOTERÍA. f. Prurito de hablar.

PICOTERO-RA. adj. Que habla mucho.

PICOTILLO. m. Picote de inferior calidad.

PICRATO. m. Cualquier sal o éter del ácido pícrico.

PÍCRICO. m. Compuesto de hidrógeno, oxígeno, carbono y nitrógeno, venenoso y muy explosivo.

PICTOGRAFÍA. f. Escritura ideográfica.

PICTÓRICO-CA. adj. Relativo a la pintura.

PICUDILLA. f. Ave zancuda.

PICUDO-DA. adj. Que tiene pico. Que habla mucho y sin sustancia.

PICHE. m. Variedad del trigo candeal.

PICHEL. m. Vaso alto, de metal, con tapa ,más ancho del cuello que de la boca.

PICHELERÍA. f. Oficio de pichelero.

PICHELERO. m. El que hace picheles.

PICHIHUEN. m. Pez acantopterigio.

PICHÓN. m. Pollo de la paloma casera.

PIDIENTERO. m. Pordiosero.

PIE. m. Extremidad de la pierna. Base. Parte inferior de un mueble en que se apoya. Final de un escrito.

PIEDAD. f. Virtud que inspira devoción. Lástima.

PIEDRA. f. Material mineral que forman las rocas. Cálculo. Granizo.

PIEL. m. Membrana exterior que cubre el cuerpo humano y el de los animales. Cuero curtido.

PIÉLAGO. m. Parte del mar muy distante de la tierra.

PIENSO. m. Alimento seco que se da a los animales.

PIÉRIDES. f. pl. Las Musas.

PIERIO-RIA. adj. Relativo a las Musas.

PIERNA. f. Parte del cuerpo comprendida entre el pie y la rodilla. Piezas de compás.

PIERNITENDIDO-DA. adj. Extendido de piernas.

PIERROT. m. Personaje de la antigua comedia italiana que pasó al teatro francés.

PIEZA. f. Parte que entra en la composición de un objeto. Animal de caza. Moneda. Aposento.

PÍFANO. m. Flautín muy agudo. Quien lo toca.

PIFIA. f. Golpe falso con el taco en el billar. Descuido.

PIFIAR. tr. Dar en falso en el billar.

PIGARDO. m. Ave rapaz falcónica de pico robusto y corvo.

PIGMENTO. m. Materia colorante de sustancias orgánicas.

PIGMEO. adj. s. Muy pequeño de estatura.

PIGNORACIÓN. f. Acción y efecto de pignorar.

PIGNORAR. tr. Com. Empeñar.

PIGRE. m. Tardo, calmoso, negligente.

PIGRICIA. f. Pereza, negligencia.

PIGRO-GRA. adj. Pigre.

PIJAMA. m. Traje de dormir.

PIJOTA. f. Pescadilla.

PIJOTE. m. Esmeril. Pieza de artillería.

PIJOTERO-RA. adj. Se dice despectivamente del que produce hastío.

PILA. f. Recipiente de piedra, fábrica, etc., donde se echa el agua. El usado para administrar el bautismo.

PILA ATÓMICA. f. Generador de energía con desintegrador atómico.

PILADA. f. Mezcla de cal y arena que se amasa de una vez.

PILAR. m. Pilón. Pilastra aislada. Hito.

PILASTRA. f. Columna cuadrada.

PÍLDORA. f. Bolita formada de un medicamento y un escipiente.

PILDORERO. m. Farm. Aparato para hacer píldoras.

PILEO. m. Capelo cardenalicio.

PILO. m. Arma arrojadiza antigua.

PILÓN. m. Receptáculo de piedra que en las fuentes sirve de abrevadero. Pan de azúcar de forma cónica.

PILONGO-GA. adj. Flaco, macilento. f. Castaña seca.

PÍLORO. m. Abertura inferior del estómago.

PILOSO-SA. adj. Peludo.

PILOTAR. tr. Dirigir un buque, avión, etc.

PILOTE. m. Estaca para consolidar los cimientos.

PILOTEAR. tr. Pilotar.

PILOTO. m. El que dirige un buque, avión, etc. El segundo de un buque mercante.

PILTRACA. f. Piltrafa.

PILTRAFA. f. Parte de carne que no tiene más que pellejo.

PILLADA. f. Acto propio de pillos.

PILLAJE. m. Hurto. Saqueo hecho por soldados en país enemigo.

PILLAR. tr. Hurtar, robar. Coger. Sorprender.

PILLASTRE. m. Pillo.

PILLERÍA. f. Pillada. Conjunto de pillos.

PILLO-LLA. adj. Pícaro, sagaz, granuja.

PILLUELO. adj. s. Pillo.

PIMENTAL. m. Terreno sembrado de pimientos.

PIMENTERO. m. Arbusto piperáceo tropical trepador.

PIMENTÓN. m. Polvo obtenido moliendo pimientos secos.

PIMENTONERO. m. Vendedor de pimientos.

PIMIENTA. f. Fruto del pimentero, usada como condimento.

PIMIENTO. m. Planta solonácea hortense. Su fruto.

PIMPÍN. m. Juego de muchachos.

PIMPINELA. f. Planta rosácea medicinal, tónica.

PIMPLAR. tr. Beber vino.

PIMPLEO-PLEA. adj. Relativo a las musas.

PIMPOLLAR. m. Lugar poblado de pimpollos.

PIMPOLLECER. intr. Arrojar, brotar, echar renuevos.

PIMPOLLUDO-DA. adj. Que tiene muchos pimpollos.

PINA. f. Mojón puntuagudo.

PINABETE. m. Abeto, árbol.

PINACOTECA. f. Museo de pinturas.

PINÁCULO. m. Parte más alta de un edificio. Juego de naipes.

PINAR. m. Terreno poblado de pinos.

PINARIEGO-GA. adj. Perteneciente al pino.

PINASTRO. m. Pino rodeno.

PINAZA. f. Embarcación pequeña de vela y remo.

PINCEL. m. Haz de pelos sujetos a un mango, usado para asentar los colores en el lienzo.

PINCELADA. f. Trazo hecho con un pincel.

PINCELAR. tr. Pintar.

PINCHADURA. f. Acción y efecto de pinchar.

PINCHAR. tr. Herir con algo agudo. Picar.

PINCHAZO. m. Herida causada al pinchar. Punzadura.

PINCHE. m. Ayudante de cocina.

PINCHO. m. Punta aguda. Vara de hierro del consumero.

PINCHÓN. m. Pinzón, pájaro.

PINCHUDO-DA. adj. Que tiene pincho.

PINDONGA. f. Mujer callejera.

PINDONGUEAR. intr. Callejear.

PINEAL. f. De forma de piña.

PINEDA. f. Pinar.

PINGAJO. m. Arrapiezo, colgante.

PINGAJOSO-SA. adj. Haraposo.

PINGAR. intr. Gotear el empapado de un líquido. Saltar.

PINGO. m. Pingajo.

PINGOROTUDO-DA. adj. Elevado, empinado.

PING-PONG. m. Tenis de mesa.

PINGUE. m. Embarcador de carga.

PINGÜE. adj. Gordo, fértil, abundante.

PINGÜINO. m. Palmípedo de lomo negro y vientre blanco.

PIJANTE. adj. Joya que se trae colgando por adorno.

PINNÍPEDO-DA. adj. Mamíferos anfibios. m. pl. Orden de éstos.

PINO. m. Nombre de algunas coníferas abetatóceas, de fruto en piña.

PINOCHA. f. Hoja de pino.

PINOCHO. m. Piña.

PINOLE. m. Mezcla de especies aromáticas que se echa al chocolate.

PINOSO-SA. adj. Que tiene pinos.

PINSAPAR. m. Lugar poblado de pinsapos.

PINSAPO. m. Árbol de los coníferas empleado como adorno.

PINTA. f. Mancha pequeña. Señal. Medida para líquidos.

PINTACILGO. m. Jilguero.

PINTADA. f. Gallina de Guinea.

PINTANERA. f. Instrumento para adornar el pan con labores.

PINTADO-DA. adj. Matizado de colores diversos.

PINTAMONAS. m. Pintor poco hábil.

PINTAR. tr. Cubrir con una capa de color. Describir.

PINTARRAJEAR. tr. Pintorrojear.

PINTARRAJO. m. Pintura mal hecha.

PINTARROJA. f. Lija. Pez relacio.

PINTEAR. intr. Lloviznar.

PINTIPARADO-DA. adj. Parecido. Que viene justo y medido a algo.

PINTIPARAR. tr. Asemejar. Hacer parecida una cosa con otra.

PINTOJO-JA. adj. Que tiene manchas.

PINTOR-RA. s. Persona que profesa el arte de la pintura.

PINTORESCO-CA. adj. De aspecto agradable. Digno de ser pintado.

PINTORREAR. tr. Manchar de colores sin arte.

PINTURA. f. Arte de pintar. Obra pintada. Color para pintar.

PINTURERO-RA. adj. Que se jacta de fino y elegante.

PÍNULA. f. Tablilla con una abertura de algunos instrumentos para dirigir visuales.

PINZAS. f. pl. Instrumento a modo de tenacillas para sujetar algo.

PINZÓN. m. Pájaro insectívoro, cantor, de plumaje rojo.

PIÑA. f. Fruto del pino. Es aovada compuesta de piezas leñosas triangulares colocadas en forma de escamas.

PIÑATA. f. Olla. Fiesta carnavalesca del primer domingo de Cuaresma.

PIÑO. m. Diente.

PIÑÓN. m. Semilla del pino. Rueda dentada que engrana en otra mayor.

PIÑONATA. f. Conserva de almendra raspada, y azúcar.

PIÑONATE. m. Pasta de piñones y azúcar.

PIÑONCILLO. m. Cetr. Pluma de halcón. Piñón.

PIÑONEAR. intr. Sonar el gatillo de un arma al montarlo.

PIÑONEO. m. Acción de piñonear.

PIÑONERO. adj. Pino que da piñones comestibles.

PÍO-A. adj. Piadoso, benigno. m. Voz del pollo.

PIOCHA. f. Joya para adorno de la cabeza de la mujer. Alb. Herramienta a modo de pico.

PIOGENIA. f. Med. Formación del pus.

PIOHEMIA. f. Paso de pus a la sangre.

PIOJENTA. f. Hierba ranunculácea.

PIOJILLO. m. Piojo de las aves.

PIOJO. m. Insecto anapluro, parásito del hombre y mamíferos.

PIOJOSO-SA. adj. s. Que tiene muchos piojos. Miserable.

PIOLAR. intr. Piar los pollos o las aves.

PIORREA. f. Flujo de pus.

PIPA. f. Lengüeta de la chirimía. Útil para fumar. Tonel.

PIPAR. intr. Fumar en pipa.

PIPELINE. m. Oleoducto.

PIPERACINA. f. Sustancia disolvente del ácido úrico.

PIPERÍA. f. Conjunto de pipas.

PIPERINA. f. Alcaloide de la pimienta.

PIPERO-RA. adj. Quien vende o hace pipas.

PIPETA. f. Tubo de cristal ensanchado en la parte media para transvasar líquidos.

PIPIAR. intr. Piar las aves cuando son pequeñas.

PIPIOLO. m. Novato.

PIPIRIGALLO. m. Hierba leguminosa, de flor encarnada olorosa, con una semilla.

PIPIRIJAINA. f. fam. Compañía de cómicos de la legua.

PIPIRIPAO. m. fam. Convite espléndido y magnífico.

PIPIRITAÑA. f. Flautilla hecha de caña.

PIPO. m. Ave trepadora.

PIPORRO. m. Bajón.

PIPOTE. m. Pipa pequeña para líquidos.

PIQUE. m. Resentimiento. Irse a... Hundirse.

PIQUÉ. m. Tela de algodón con labrado en relieve.

PIQUERA. f. Agujero en la colmena para el paso de las abejas.

PIQUERÍA. f. Tropa de piqueros.

PIQUERO. m. Soldado con picas.

PIQUETA. f. Albañ. Útil con una boca plana y otra aguzada.

PIQUETE. m. Jalón pequeño. Mil. Pequeño grupo de soldados.

PIRA. f. Hoguera.

PIRAGUA. f. Embarcación larga y estrecha de una pieza.

PIRAGÜERO. m. El que gobierna la piragua.

PIRAL. m. Pirausta.

PIRAMIDAL. adj. De forma de pirámide.

PIRÁMIDE. f. Sólido que tiene por base un polígono y las demás caras triángulos con vértice común.

PIRAMIDÓN. m. Derivado aminado de la antipirina antitérmico.

PIRANTÓN. m. Persona aficionada a ir de pira o de huelga.

PIRARSE. intr. Vulgarismo por huir, fugarse.

PIRATA. m. Ladrón de los mares.

PIRATEAR. intr. Apresar embarcaciones. [presa.

PIRATERÍA. f. Ejercicio del pirata. Su

PIRÁTICO-CA. adj. Perteneciente al pirata o a la piratería.

PIREXIA. Med. Estado febril.

PIRIDINA. f. Anibencénico.

PIRIFORME. adj. De forma de pera.

PIRINEO-A. adj. Pirenaico.

PIRITA. f. Sulfuro de hierro amarillo. Latón.

PIRITOSO-SA. adj. Que contiene pirita.

PIRLITERO. m. Majuelo, espino.

PIRÓFORO. m. Cierto cuerpo que se inflama al contacto del aire.

PIRÓGENO. adj. Dícese del terreno volcánico.

PIROGRABADO. m. El hecho sobre madera, con el punzón al rojo.

PIROLUSITA. f. Manganesa.

PIRÓMETRO. m. Aparato para medir temperaturas elevadas.

PIROPEAR. Decir piropos.

PIROPO. m. Requiebro.

PIRÓSCAFO. m. Buque de vapor.

PIROSFERA. f. Masa candente que se supone ocupa el centro de la tierra.

PIROSIS. f. Med. Sensación de ardor que sube hasta la faringe.

PIROTECNIA. f. Arte de las invenciones de fuego.

PIROTÉCNICO-CA. adj. Relativo a la pirotecnia. El que la practica.

PIROXENA. m. Silicato de hierro, cal y magnesia.

PIROXILINA. f. Pólvora de algodón.

PIRRÓNICO-CA. adj. Escéptico.

PISA. f. Acto de pisar. Porción de uva o aceituna que se estruja de una vez.

PISADA. f. Acción y efecto de pisar. Huella del pie.

PISAPAPELES. m. Útil para pisar papeles.

PISAR. tr. Poner el pie sobre algo. Conculcar.

PISASFALTO. m. Variedad de asfalto.

PISAVERDE. m. Hombre presumido y afeminado.

PISCATOR. m. Especie de almanaque con pinturas meteorológicas.

PISCATORIO-RIA. adj. Relativo a la pesca.

PISCICULTURA. f. Arte de fomentar la reproducción de peces.

PISCIFACTORÍA. f. Establecimiento de piscicultura.

PISCIFORME. adj. De forma de pez.

PISCINA. f. Estanque para peces en un jardín o para bañarse.

PISCIS. m. Signo duodécimo zodiacal.

PISCÍVORO-RA. adj. Que devora peces.

PISCOLABIS. m. Merienda ligera.

PISIFORME. adj. Figura de guisante.

PISO. m. Pisada. Superficie de un terreno. Suelo de una habitación.

PISÓN. m. Útil pesado para apisonar la tierra.

PISOTEAR. tr. Pisar repetidamente. Humillar, maltratar.

PISOTÓN. m. Pisada de un pie.

PISTA. f. Rastro de un animal. Sitio dedicado a carreras. Carretera especial.

PISTACHE. m. Dulce o helado que se prepara con el fruto del pistachero.

PISTACHERO. m. Alfóndigo, árbol.

PISTAR. tr. Machacar, sacar el jugo.

PISTERO. m. Vasija para dar de beber al que no puede incorporarse.

PISTILO. m. Bot. Carpelo diferenciado, estilo y estigma.

PISTO. m. Jugo de carne de ave para enfermos. Fritada de manjares picados. Importancia presuntuosa.

PISTOLA. f. Arma corta de fuego. Moneda.

PISTOLERA. f. Estuche de la pistola.

PISTOLERO. m. Delincuente que se sirve preferentemente de la pistola en sus atentados.

PISTOLETE. m. Arma de fuego menor que la pistola.

PISTÓN. m. Émbolo. Parte de la cápsula que contiene el fulminante.

PISTONUDO-DA. adj. Popular, soberbio, magnífico.

PISTORESA. f. Arma corta de acero.

PITA. f. Planta amarilácea, textil. Silba.

PITADA. f. Sonido de pito.

PITAGÓRICO-CA. adj. Que sigue la escuela de Pitágoras.

PITANZA. f. Distribución diaria de comestibles o dinero. Alimento cotidiano.

PITAÑA. f. Legaña.

PITAÑOSO-SA. adj. Legañoso.

PITAR. intr. Tocar el pito. Distribuir pitanzas. Silbar.

PITARRA. f. Pitaña.

PITIDO. m. Silbido del pito o de los pájaros.

PITILLERA. f. La que hace pitillos. Petaca para guardarlos.

PITILLO. m. Cigarrillo.

PÍTIMA. f. Borrachera.

PITIO-TIA. adj. Perteneciente a Apolo.

PITIPIÉ m. Escala, medida proporcional.

PITO. m. Flauta como silbato de sonido agudo.

PITOCHE. m. Voz despectiva para designar algo que no tiene valor alguno.

PITÓN. m. Serpiente venenosa de gran tamaño. Punta de cuerno de toro.

PITONISA. f. Sacerdotisa del templo de Apolo que daba oráculos.

PITORREARSE. r. Burlarse.

PITORREO. m. Acto de pitorrearse.

PITORRO. m. Pitón de porrones, botijos, etc.

PITPIT. m. Ave del orden de los pájaros.

PITUITA. f. Humor viscoso segregado por órganos del cuerpo.

PITUITARIO-RIA. adj. Que segrega pituita. Membrana que reviste las fosas nasales.

PITUITOSO-SA. adj. Que abunda en pituita.

PITUSO-SA. adj. Pequeño. Gracioso refiriéndose a los niños.

PIULAR. intr. Piar.

PÍXIDE. f. Copón o caja pequeña en que se lleva el Santísimo Sacramento a los enfermos.

PIZARRA. f. Roca homogénea negra de grano fino. Trozo de ésta con marco para escribir.

PIZARRAL. m. Terreno pizarroso.

PIZARRÍN. m. Barrita de lápiz o pizarra para dibujar o escribir sobre la pizarra.

PIZARROSO-SA. adj. Abundante en pizarra.

PIZCA. f. Porción pequeña de algo.

PIZMIENTO. m. Atezado de color de pez.

PIZPERETA. f. Dícese de la mujer aguda.

PIZPIRIGAÑA. f. Juego infantil.

PLACA. f. Insignia entre cruz y gran cruz, de las órdenes caballerescas. Lámina, plancha o película.

PLÁCEME. m. Parabién.

PLACENTARIO-RIA. adj. Relativo a la placenta.

PLACENTERO-RA. adj. Agradable.

PLACER. tr. Gustar, agradar.

PLACET. m. Aprobación de un diplomático extranjero, por el gobierno donde representa a su país.

PLACIDEZ. f. Calidad de plácido.

PLÁCIDO-DA. adj. Quieto, apacible, grato.

PLÁCITO. m. Parecer, dictamen.

PLAGA. f. Calamidad grande que aflige a una región. Infortunio.

PLAGADO-DA. adj. Herido o castigado.

PLAGAR. tr. r. Cubrir de algo nocivo.

PLAGIAR. tr. Copiar ideas, obras, etc., ajenas dándolas como propias.

PLAGIARIO-RIA. adj. Que plagia.

PLAGIO. m. Acto de plagiar.

PLAGIÓSTOMOS. m. pl. Zool. Orden de peces selacios.

PLAN. m. Altitud o nivel. Proyecto. Apunte.

PLANA. f. Llana de albañil. Cara de una hoja de papel. Impr. Conjunto de líneas ya ajustadas que componen una página.

PLANADA. f. Llanura.

PLANCO. m. Planga, ave.

PLANCHA. f. Lámina de metal. Útil de hierro para planchar. Postura horizontal del cuerpo. Desacierto.

PLANCHADOR-RA. adj. Persona que plancha.

PLANCHADURA. f. Acción de planchar.

PLANCHAR. tr. Pasar la plancha caliente por la ropa para estirarla.

PLANCHEAR. tr. Cubrir algo con planchas de metal.

PLANCHETA. f. Instrumento para medir distancias o alturas. O para levantar planos.

PLANEADOR. m. Aeroplano sin motor.

PLANEAR. intr. Formar el plan de algo. intr. Sostener en el aire y descender lentamente.

PLANETA. m. Astro opaco que se mueve alrededor del sol.

PLANETARIO-RIA. adj. Relativo a los planetas.

PLANGA. f. Ave rapaz diurna.

PLANICIE. f. Llanura.

PLANIMETRÍA. f. Arte de medir las superficies planas.

PLANÍMETRO. m. Instrumento para medir áreas de superficies planas.

PLANISFERIO. m. Carta que representa la esfera terrestre o celeste.

PLANO-NA. adj. Llano, liso. m. Superficie plana. Representación gráfica de un terreno, máquina, casa, etc.

PLANTA f. Vegetal. Parte inferior del pie. Piso.

PLANTACIÓN. f. Acción de plantar.

PLANTAINA. f. Llantén.

PLANTAJE. m. Conjunto de planta.

PLANTAR. tr. Meter en la tierra una planta o parte de ella. Poner derecho algo. Colocar.

PLANTARIO. m. Almácia, semillero.

PLANTE. m. Conjunto de personas para exigir o rechazar algo.

PLANTEAMIENTO. m. Acción de plantear.

PLANTEAR. tr. Trazar o estudiar el plan de algo.

PLANTEL. m. Criadero de plantas. Conjunto de gentes.

PLANTIFICACIÓN. f. Acción de plantificar.

PLANTIFICAR. tr. Plantear, poner en ejecución algo. Poner a uno en un lugar. Dar un golpe.

PLANTIGRADO-DA. adj. Mamífero que anda apoyando toda la planta del pie.

PLANTILLA. f. Pieza de badana, cartón, etc., con que se cubre la planta del calzado. Lista de dependencias y empleados de una oficina.

PLANTILLAR. tr. Echar plantillas al calzado.

PLANTÍO. m. Sitio plantado o que puede plantarse.

PLANTÓN. m. Espera larga o inútil en un sitio.

PLAÑIDERA. f. Mujer que se contrataba para llorar en los entierros.

PLAÑIDERO-RA. adj. Lastimero, lloroso.

PLAÑIDO. m. Lamento.

PLAÑIR. intr. tr. Llorar, gemir.

PLAQUÉ. m. Plata fina de oro o plata que recubre otro metal.

PLAQUETA. f. Célula sin núcleo ni emoglobina, de la sangre.

PLAQUÍN. m. Cota de armas.

PLASMA. m. Parte líquida de la composición de algunos tejidos.

PLASMAR. tr. Figurar, formar una cosa.

PLASMÁTICO-CA. adj. Relativo al plasma.

PLASTA. f. Cosa blanda aplastada.

PLASTE. m. Masa de yeso y agua de cola.

PLASTECER. tr. Cubrir con plaste.

PLÁSTICA. f. Arte de plasmar y formar cosas con barro, yeso, etc.

PLASTICIDAD. f. Calidad de plástico.

PLÁSTICO-CA. adj. Relativo a la plástica, dúctil, blando, que se deja moldear fácilmente.

PLASTRÓN. m. Galicismo por pechera.

PLATA. f. Metal blanco, maleable, brillante y dúctil. Se usa en las monedas y es uno de los metales preciosos.

PLATABLANDA. f. Galicismo por Arriate. Arq. Moldura ligera.

PLATAFORMA. f. Tablero horizontal, elevado sobre el suelo. Vagón descubierto y con bordes de poca altura. Parte anterior y posterior de los tranvías.

PLATAL. m. Gran suma de dinero.

PLATALEA. f. Pelícano, ave.

PLATANAR. m. Sitio poblado de árboles.

PLATANEO-NEA. adj. Bot. Árboles dicotiledóneos de hojas palmeadas.

PLATANO. m. Árbol platanáceo que da fruto de forma triangular y blando de olor y sabor delicado.

PLATANERO-RA. adj. Dícese en Cuba del viento huracanado que abate los plátanos. m. Plátano, árbol que da el fruto comestible.

PLATEA. f. Patio. Parte baja de los teatros. Palcos situados en esta parte del teatro.

PLATEADO-DA. adj. Baño de plata, del color de la plata.

PLATEADOR. m. El que platea alguna cosa.

PLATEADURA. f. Acción de platear.

PLATEAR. tr. Dar o cubrir de plata alguna cosa.

PLATEL. m. Especie de plato o bandeja.

PLATELMINTO. m. Zool. Gusano de cuerpo aplastado, prolongado u oval; parásito de otros animales.

PLATERESCO-CA. adj. Arq. y Esc. Se dice del estilo español de ornamentación empleado por nuestros plateros del siglo XVI aprovechando elementos de la arquitectura clásica.

PLATERÍA. f. Arte, oficio del platero. Taller en que trabaja el platero. Tienda en que se venden obras de plata.

PLATERO. m. El que labra objetos de plata, oro, etc.

PLÁTICA. f. Conversación. Acto de hablar dos o más personas.

PLATICAR. intr. Conversar, hablar uno con otro, tratar de un negocio o materia.

PLATIJA. f. Pez marino de los melacopterigios subronquiales semejante al lenguado.

PLATILLA. f. Bocadillo, lienzo.

PLATILLO. m. Pieza pequeña parecido al plato. Cada una de las chapas metálicas en forma circular con una pequeña cavidad en el centro, que forman un instrumento de percusión. Cada una de las dos piezas en forma de plato que tienen las balanzas.

PLATINA. f. Parte del microscopio en que se coloca lo que se va a observar. Disco plano de la máquina neumática. Impr. Superficie plana de la prensa o máquina de imprimir en que se coloca la forma.

PLATINADO. m. Acción y efecto de platinar.

PLATINAR. tr. Cubrir un objeto con una capa de platino.

PLATINÍFERO-RA. adj. Que tiene platino.

PLATINISTA. m. Obrero que trabaja en platino.

PLATINO. m. El más pesado de los metales, de color de plata, pero menos brillante, muy difícilmente fusible e inatacable por los ácidos.

PLATINOIDE. m. Liga de diversos metales para fabricar bobinas eléctricas de gran resistencia.

PLATINOTIPIA. f. Fotog. Procedimiento de imágenes positivas sobre papel sensibilizado con sales de platino.

PLATIRRINIA. f. Anchura exagerada de la nariz.

PLATIRRINO-NA. adj. Se dice de algunos animales que tienen la nariz ancha con exceso.

PLATO. m. Vasija redonda y baja, con cavidad en medio y borde plano alrededor. Se emplea para servir las viandas y comer en él. Manjar preparado para ser comido.

PLATÓNICO-CA. adj. Relativo a la filosofía de Platón.

PLATONISMO. m. Filosofía de Platón.

PLAUSIBLE. adj. Digno de aplauso.

PLAYA. f. Ribera de mar, río, con arenales.

PLAYADO-DA. adj. Que tiene playa.

PLAYAZO. m. Grande playa y extendida.

PLAYERA. f. Cante popular andaluz. Calzado ligero.

PLAZA. f. Lugar ancho, espacioso en un poblado. Sitio fortificado.

PLAZO. m. Tiempo señalado para algo. Parte de una cantidad pagadera en varias veces.

PLAZUELA. f. Plaza pequeña.

PLE. m. Juego de pelota.

PLEAMAR. f. Fin de la marea creciente.

PLÉBANO. m. En algunas partes, cura párroco.

PLEBE. f. Populacho.

PLEBEYO-YA. adj. Propio de la plebe. Dícese del que no es noble.

PLEBISCITO. m. Resolución tomada por un pueblo mediante votación.

PLECA. f. Impr. Filete pequeño de una raya.

PLECTOGNATO. m. Peces teleosteos, de orficio bronquial pequeño.

PLECTRO. m. Púa o pieza de hueso para tocar instrumentos de cuerda.

PLEGABLE. adj. Capaz de plegarse.

PLEGADAMENTE. adv. m. Confusamente.

PLEGADERA. f. Instrumento a modo de cuchillo para plegar o cortar algo.

PLEGADIZO-ZA. adj. Fácil de plegar.

PLEGADOR. m. Acto de plegar.

PLEGADURA. f. Acción de plegar.

PLEGAR. tr. Hacer pliegues. r. Doblarse, ceder, someterse.

PLEGARIA. f. Deprecación humilde y fervorosa.

PLEGUERÍA. f. Conjunto de pliegues.

PLEGUETE. m. Tijera de las vides y otras plantas.

PLEITA. f. Faja de tejido de esparto, pita, etc.

PLEITEAR. tr. Litigar, contender judicialmente.

PLEITO. m. Litigio judicial. Contienda, diferencia, disputa.

PLENAMENTE. adv. m. Llena y plenamente.

PLENARIO-RIA. adj. Lleno, cabal, entero, cumplido.

PLENILUNIO. m. Luna llena.

PLENIPOTENCIA. f. Poder pleno concedido a uno para resolver una cosa.

PLENIPOTENCIARIO-RIA. adj. Persona que cuenta con la plenipotencia de un jefe de Estado.

PLENITUD. f. Calidad de pleno. Abundancia de humor en el cuerpo.

PLENO-NA. adj. Lleno, completo. Reunión general de una corporación.

PLEONASMO. m. Empleo de palabras innecesarias para dar vigor a una frase.

PLEPA. f. fam. Persona, animal o cosa muy defectuosa.

PLESIOSAURIO. m. Paleont. Reptil gigantesco del período secundario.

PLÉTORA. f. Med. Plenitud de sangre, abundancia de humores.

PLETÓRICO-CA. adj. Que tiene plétora.

PLEURA. f. Membrana serosa que recubre la superficie de los pulmones.

PLEURESÍA. f. Med. Inflamación de la pleura.

PLEURITIS. f. Med. Inflamación seca y crónica de la pleura.

PLEURODINIA. f. Med. Dolor de los músculos de las paredes del pecho.

PLEURONECTO. m. Pez de figura plana que nada de costado.

PLEXIGLAS. m. Substancia orgánica obtenida de hidrocarbonato sucedáneo del vidrio. Flexible.

PLEXÍMETRO. m. Med. Instrumento

para explorar por percusión las cavidades naturales.

PLEXO. m. Anat. Red de filamentos nerviosos o vasculares entrelazados.

PLÉYADE. f. Grupo estelar de la constelación de Tauro.

PLICA. f. Sobre cerrado que contiene algún documento que no debe conocerse hasta cierta fecha.

PLIEGO. m. Hoja cuadrangular de papel doblada por el medio.

PLIEGUE. m. Arruga o doblez.

PLINTO. m. Base cuadrada de una columna.

PLIOCENO. adj. Terreno que ocupa la parte superior del terciario.

PLISAR. tr. Plegar.

PLOMADA. f. Barrita de plomo para señalar o reglar. Sonda.

PLOMBAGINA. f. Grafito.

PLOMERO. m. Quien trabaja o fabrica cosas de plomo.

PLOMÍFERO-RA. adj. Que contiene plomo.

PLOMIZO-ZA. adj. Que tiene plomo, de color de plomo.

PLOMO. m. Metal pesado, maleable, blando, gris azulado.

PLUMA. f. Las excrecencias epidérmicas córneas que cubren el cuerpo de las aves. Instrumento para escribir.

PLUMADO-DA. adj. Que tiene pluma.

PLUMAJE. m. Conjunto de plumas del ave.

PLUMARIA. f. Arte de bordar figurando aves o plumas.

PLUMARIO. m. El que ejercita el arte de la plumaria.

PLUMAZO. m. Colchón de plumas.

PLÚMBEO. adj. De plomo.

PLÚMBICO-CA. adj. Quím. Relativo al plomo.

PLUMEADO. m. Conjunto de rayas para sombrear un dibujo hechas con plumas.

PLUMEAR. tr. Sombrear formando líneas con lápiz o pluma.

PLÚMEO-MEA. adj. Que tiene pluma.

PLUMERO. m. Mazo de plumas atadas a un mango para quitar el polvo.

PLUMÍFERO. adj. Que tiene o lleva plumas.

PLUMÓN. m. Pluma fina debajo del plumaje exterior del ave.

PLÚMULA. f. Rudimento del tallo del embrión de una planta.

PLURAR. adj. Que tiene pluralidad.

PLURIDAD. f. Calidad de ser más de uno. Multitud.

PLURICELULAR. adj. Formado de más de una célula.

PLURILINGÜE. adj. El que habla más de un idioma.

PLUS. m. Sobresueldo.

PLUSCUAMPERFECTO. m. Gram. Que expresa acción anterior a una pretérita.

PLUS ULTRA. loc. lat. Más allá.

PLÚTEO. m. Cada cajón o estantería de un armario.

PLUTOCRACIA. f. Gobierno ejercido por los ricos.

PLUTÓN. m. Astron. Planeta descubierto en 1930.

PLUTONIO. m. Elemento radioctivo que se desintegra en cadena.

PLUVIA. f. Lluvia.

PLUVIAL. adj. Agua llovediza. Capa de los prelados.

PLUVIÓMETRO. m. Aparato para medir el agua de lluvia caída, en lugar y tiempos dados.

PLUVIOSO-SA. adj. Lluvioso.

POBEDA. f. Lugar poblado de pobos.

POBLACIÓN. f. Acción de poblar. Número de habitantes de un lugar. Ciudad, villa.

POBLACHO. m. Pueblo ruin.

POBLAR. tr. r. intr. Fundar pueblos. Establecer cosas en un lugar. Llenarse.

POBO. m. Álamo blanco.

POBRE. m. Menesteroso. Desdichado. Escaso.

POBRETERÍA. f. Conjunto de pobres. Miseria en las cosas.

POBRETO. m. Pobrete, infeliz.

POBRETÓN-NA. adj. Muy pobre.

POBREZA. f. Calidad de pobre. Necesidad, estrechez.

POCERO. m. Que trabaja en pozos para hacerlos o limpiarlos.

POCILGA. f. Establo de cerdos. Lugar sucio.

POCILLO. m. Tinaja empotrada en el suelo. Jícara.

PÓCIMA. f. Cocimiento medicinal.

POCIÓN. m. Bebida medicinal.

POCO-CA. adj. Escaso, limitado.

PÓCULO. m. Vaso para beber.

POCHO-CHA. adj. Descolorido. Quebrado de color.

PODA. f. Acción de podar. Tiempo en que se hace.

PODADERA. f. Útil para podar.

PODADOR-RA. adj. Que poda.

PODAGRA. f. Med. Gota.

PODAR. tr. Cortar ramas supérfluas en los vegetales.

PODAZÓN. f. Sazón de podar.

PODENCO-CA. adj. Perro robusto de cabeza redonda muy ágil para la caza.

PODENQUERO. m. El que tiene a su cargo los podencos.

PODER. m. Fuerza, vigor. Facultad de mandar.

PODER. tr. Tener facultad para hacer algo. Ser posible.

PODERDANTE. com. Quien da poder a otro.

PODERÍO. m. Facultad de hacer o impedir algo. Vigor.

PODEROSO-SA. adj. Quien tiene poder. Muy rico.

PODESTÁ. m. Primer magistrado en algunas ciudades de la Edad Media.

PODIO. m. Pedestal largo en que se apoyan varias columnas.

PODÓMETRO. m. Aparato para contar los pasos.

PODÓN. m. Podadera grande y fuerte.

PODRE. m. Pus.

PODRECER. intr. Pudrir.

PODRECIMIENTO. m. Podredura.

PODREDUMBRE. f. Calidad que pudre las cosas.

PODREDURA. f. Putrefacción, corrupción.

PODRIDO-DA. p. u. de Pudrir.

POEMA. m. Obra en verso extensa.

POEMÁTICO-CA. adj. Relativo al poema.

POESÍA. f. Expresión de la belleza por medio de versos.

POETA. f. Quien hace poesías.

POETASTRO. m. Mal poeta.

POÉTICA. f. Arte de escribir versos.

POÉTICO-CA. adj. Relativo a la poesía, propio de ella.

POETISA. f. Mujer que hace poesías.

POETIZAR. intr. Componer obras poéticas.

POLACA. f. Prenda de vestir militar, antigua.

POLACRA. f. Buque de cruz, de dos o tres palos sin cofa.

POLAINA. f. Calza o botín que cubre la pierna hasta la rodilla.

POLAR. adj. Relativo al polo.

POLARIDAD. f. Fís. Propiedad de algunos cuerpos de polarizarse.

POLARISCOPIO. m. Aparato para estudiar la luz polarizada.

POLARIZAR. tr. Fís. Modificar el rayo luminoso por refracción o reflexión. Concentrar la atención en algo.

POLKA. f. Danza polaca.

POLEA. f. Rueda móvil alrededor de un eje, con un canal por donde pasa una cuerda o correa.

POLEADAS. f. pl. Gachas o puches.

POLEAME. m. Conjunto de poleas en las embarcaciones.

POLÉMICA. f. Mil. Arte de defender y atacar las plazas.

POLEMISTA. com. Escritor de polémicas.

POLEN. m. Polvillo fecundante contenido en la antena de la flor.

POLENTA. f. Gachas de harina de maíz.

POLEO. m. Hierba de olor agradable usada en infusiones.

POLIANDRÍA. f. Régimen en que la mujer tiene varios maridos.

POLIARQUÍA. f. Gobierno de muchos.

PÓLICE. m. Dedo pulgar.

POLICÍA. f. Organización interna de un Estado. Cuerpo encargado de vigilar.

POLICÍACO-CA. adj. Relativo a la policía.

POLICITACIÓN. f. Promesa que no ha sido aceptada todavía.

POLICLÍNICA. f. Consultorio médico.

POLICOPIA. f. Copiador.

POLICROMÍA. f. Calidad de polícromo.

POLÍCROMO-MA. adj. De varios colores.

POLICHINELA. m. Personaje burlesco de las pantomimas italianas.

POLIDIPSIA. f. Sed excesiva.

POLIEDRO. m. Geom. Sólido terminado en planos.

POLIFAGIA. f. Ingestión considerable de alimentos.

POLÍFAGO-GA. adj. Que tiene polifagia.

POLIFÁSICO. adj. Fís. Circuito eléctrico sometido a muchas fases.

POLIFONÍA. f. Reunión de partes melódicas que forman armonía.

POLIFÓNICO-CA. adj. Relativo a la polifonía.

POLÍGALA. f. Planta herbácea usada en medicina contra el reumatismo.

POLIGAMIA. f. Régimen que permite al varón tener varias mujeres. Estado del polígamo.

POLIGINIA. f. Condición de la flor que tiene muchos pistilos.

POLÍGLOTO-TA. adj. Versado en varias lenguas.

POLÍGONO-NA. adj. Poligonal. Sección de planos limitados por rectas.

POLIGRAFÍA. f. Arte de escribir de modo secreto.

POLÍGRAFO. m. Escritor sobre materias diversas.

POLILLA. f. Mariposa nocturna cuya larva destruye tejidos, pieles, etc.

POLIMATÍA. f. Sabiduría que abarca conocimientos diversos.

POLIMETRÍA. f. Calidad de polímetro.

POLÍMERO. m. Substancia obtenida por polimerización de otras.

POLÍMITA. adj. Tejido de hilo de diversos colores.

POLIMORFO. adj. Que puede tener varias formas.

POLÍN. m. Rodillo, madero redondo, sobre órgano femenino de las plantas.

POLINIZACIÓN. f. Bot. Acción de polen

POLINOMIO. m. Expresión compuesta de varios términos.

POLIOMIELITIS. f. Inflamación de la sustancia gris de la médula espinal.

POLIORAMA. m. Panorama en que los diversos cuadros sufren transformaciones diversas y completas.

POLIPASTO. m. Aparejo, sistema de poleas.

POLÍPERO. m. Formación calcárea, fija a las rocas, producida por colonias de pólipos.

POLIPÉTALO-LA. adj. Bot. De muchos pétalos.

POLIPODIO. m. Helecho.

POLIPTOTÓN. f. Ret. Traducción, figura o licencia poética.

POLISARCIA. m. Med. Obesidad.

POLISÉPALO-LA. adj. Bot. De muchos sépalos.

POLISÍLABO-BA. adj. Palabra de varias sílabas.

POLISÓN. m. Armazón usado por las mujeres para elevar la falda.

POLISTA. com. Jugador de polo.

POLISTILO-LA. adj. Arq. Que tiene muchas columnas.

POLITÉCNICO-CA. adj. Que abraza muchas ciencias o artes.

POLITEISMO. m. Religión que afirma la existencia de muchos dioses.

POLITEÍSTA. adj. Relativo al politeísmo. Partidario de él.

POLÍTICA. f. Ciencia o arte de gobernar una nación.

POLIURÍA. f. Excreción excesiva de orina.

POLIVALENTE. adj. Cuerpo químico que tiene más de una valencia.

POLIVALVO-VA. adj. Animal con más de dos conchas.

PÓLIZA. f. Libranza por la que se da orden para cobrar dinero. Sello para pagar el impuesto del timbre.

POLIZÓN. m. Quien embarca clandestinamente.

POLIZONTE. m. Policía.

POLO. m. Cada uno de los extremos del eje de rotación de la esfera. Juego entre jinetes con mazas y pelotas.

POLONIO. m. Metal raro semejante al bismuto. Es radioactivo.

POLTRÓN-NA. adj. Haragán. Butaca ancha y cómoda.

POLTRONERÍA. f. Pereza.

POLUCIÓN. f. Efusión seminal.

POLUTO. adj. Sucio.

POLVAREDA. f. Polvo levantado de la tierra.

POLVO. m. Masa de partículas de sólidos muy menuda. pl. Los usados como afeite.

PÓLVORA. f. Mezcla inflamable de salitre, azufre y carbón.

POLVORADUQUE. f. Salsa.

POLVOREAR. tr. Esparcir polvo.

POLVORIENTO-TA. adj. Lleno de polvo.

POLVORÍN. m. Lugar dispuesto para guardar pólvora, municiones.

POLVORISTA. m. Pirotécnico.

POLVORÓN. m. Torta pequeña que se deshace en polvo al comerla.

POLLA. f. Gallina joven. Mocita.

POLLADA. f. Conjunto de pollos que sacan las aves de una vez.

POLLAZÓN. f. Conjunto de huevos que de una vez empollan las aves.

POLLERA. f. Lugar en que se crían pollos. Cesto de mimbre para criarlos.

POLLERO-RA. adj. Quien vende o cría aves.

POLLINO-NA. s. Asno joven. adj. Persona necia.

POLLO. m. Cría de las aves. Ave que ha mudado la pluma. Joven.

POLLUELO-LA. m. y f. dim. de pollo.

POMA. f. Manzana. Bujeta.

POMADA. f. Mixtura de una sustancia grasa con otros ingredientes.

POMAR. m. Lugar donde hay frutales especialmente manzanos.

POMARADA. f. Manzanar.

POMARROSA. f. Fruto del yambo.

PÓMEZ. f. Piedra volcánica, esponjosa, usada para bruñir.

POMÍFERO-RA. adj. Que da pomas o manzanas.

POMOLOGÍA. f. Parte de la agricultura que trata de los frutos comestibles.

POMPA. f. Suntuosidad. Fausto. Burbuja de aire en el agua.

POMPÁTICO-CA. adj. Pomposo.

POMPEAR. intr. Hacer pompa u ostentación.

POMPÓN. m. Adorno del morrión o del ros en forma de plumero.

POMPOSIDAD. f. Calidad de pomposo.

POMPOSO-SA. adj. Ostentoso, grave, hueco.

PÓMULO. m. Hueso de la mejilla.

PONCIDRE. m. Poncil.

PONCIL. adj. Especie de limón de corteza gruesa.

PONCHE. m. Bebida de ron con agua, limón y azúcar.

PONCHERA. f. Vasija en que se prepara el ponche.

PONCHO. m. Capote de monte.

PONDERABLE. adj. Que puede pensarse o ponderarse.

PONDERACIÓN. f. Atención, reflexión, encarecimiento.

PONDERADO-DA. adj. Persona que procede con tacto.

l'ONDERAL. adj. Relativo al peso.

PONDERAR. tr. Pesar, examinar con cuidado. Exagerar.

PONDERATIVO-VA. adj. Que pondera o encarece algo.

PONDEROSIDAD. f. Calidad de ponderoso.

PONDEROSO-SA. adj. Que pesa mucho.

PONEDERO-RA. adj. Que puede ponerse. Ave que pone huevos.

PONEDOR-RA. adj. Que pone.

PONENCIA. f. Cargo de ponente. Informe dado por él.

PONENTE. adj. s. Dícese del encargado de un asunto en una asamblea.

PONENTISCO-CA. adj. Accidental.

PONER. tr. Colocar en un lugar. Disponer. Apostar. Depositar el ave el huevo. Suponer.

PONGO. m. Especie de mono antropomorfo.

PONIENTE. m. Oeste. Viento que sopla de esta parte.

PONLEVÍ. m. Forma especial del calzado.

PONTANA. f. Cada una de las losas que cubren las acequias.

PONTAZGO. m. Derecho que se paga para pasar un puente.

PONTEAR. tr. Fabricar o hacer un puente.

PONTEVEDRÉS-SA. adj. Natural de Pontevedra.

PONTIFICADO. m. Dignidad de Pontífice.

PONTIFICAR. intr. Ser Pontífice. Celebrar de pontifical.

PONTÍFICE. m. Magistrado sacerdotal de Roma.

PONTIFICIO-CIA. adj. Relativo al Pontífice.

PONTÍN. m. Embarcación filipina de cabotaje.

PONTO. m. Poet. Mar.

PONTÓN. m. Barco chato sin quilla. Buque viejo. Pieza de madera.

PONTONERO. m. Que maneja los pontones. Ingeniero militar.

PONZOÑA. f. Sustancia venenosa. Doctrina perjudicial.

PONZOÑOSO-SA. Que tiene ponzoña.

POPA. f. Parte posterior de la nave.

POPAR. tr. Despreciar o tener en poco a uno.

POPE. m. Sacerdote de la iglesia cismática griega.

POPELIÁN. m. Tela delgada de algodón o seda.

POPLÍTEO. adj. Perteneciente a la corva.

POPULACHERÍA. f. Popularidad entre el vulgo.

POPULACHO. m. Ínfima plebe.

POPULAR. adj. Relativo al pueblo. Propio de él.

POPULARIDAD. f. Aceptación entre el pueblo.

POPULARIZAR. tr. r. Extender la fama entre el público.

POPULEÓN. m. Ungüento calmante.

POPULISTA. adj. Relativo al pueblo.

POPULOSO-SA. adj. Abundante en gente.

POPURRI. m. Sucesión de diversas melodías.

POQUEDAD. f. Escasez, timidez.

PÓQUER. m. Juego de naipes.

POR. prep. Que denota el lugar o tiempo en que se hace algo o razón de ello.

PORCAL. adj. Ciruela gorda y basta.

PORCELANA. f. Loza fina.

PORCENTAJE. m. Tanto por ciento.

PORCINO-NA. adj. Relativo al puerco.

PORCIÓN. f. Cantidad segregada de otra mayor. Ración.

PORCIONERO-RA. adj. Partícipe.

PORCIPELO. m. Cerda fuerte y aguda del puerco.

PORCIÚNCULA. f. Primer convento de la Orden de San Francisco.

PORCUNO-NA. adj. Perteneciente al puerco.

PORCHE. m. Soportal. Atrio.

PORDIOSEAR. intr. Mendigar. tr. Pedir con humildad.

PORDIOSEO. m. Acción de pordiosear.

PORDIOSERO-RA. adj. s. Dícese del mendigo que pide limosna.

PORFIA. f. Acto de porfiar.

PORFIADO-DA. adj. s. Obstinado, terco.

PORFIAR. intr. Disputar con tenacidad. Instar.

PORFÍDICO-CA. adj. Relativo al pórfido.

PÓRFIDO. m. Roca de cristal de feldespato y cuarzo en masa de color rojizo.

PORFIOSO-SA. adj. Porfiado.

PORMENOR. m. Conjunto de circunstancias particulares de algo.

PORNOGRAFIA. f. Tratado sobre la prostitución. Carácter obsceno de una obra.

PORNOGRÁFICO-CA. adj. Relativo a la pornografía.

PORO. m. Intersticio entre las partículas de un cuerpo.

POROSIDAD. f. Calidad de poroso.

POROSO-SA. adj. Que tiene poros.

PORQUE. conj. causal. Por causa de.

PORQUÉ. m. Causa, motivo.

PORQUERA. f. Dícese de la media lanza.

PORQUERÍA. f. Suciedad. Acto sucio. Grosería.

PORQUERIZA. f. Pocilga.

PORQUERIZO-ZA. adj. Quien guarda puercos.

PORQUERO-RA. adj. Porquerizo.

PORQUETA. f. Cochinilla, crustáceo.

PORRA. f. Clava, cachiporra.

PORRÁCEO-A. adj. De color verdinegro.

PORRADA. f. Porrazo.

PORRAL. m. Terreno plantado de puerros.

PORRAZO. m. Golpe dado con la porra. El recibido por una caída.

PORRETA. f. Hojas verdes del puerro.

PORRETADA. f. Conjunto de cosas de una misma especie.

PORRILLA. f. Martillo de herradores.

PORRILLO (A). loc. adv. fam. En abundancia.

PORRINO. m. Simiente de los puerros.

PORRÓN. m. Vasija de vidrio con un pitón largo en la panza para vino.

PORTAAVIONES. m. Buque de guerra que lleva aviones.

PORTA. f. Mar. Abertura en el costado de un buque.

PORTACARTAS. f. Valija para llevar cartas.

PORTADA. f. Ornato en la fachada principal. Primera página de un libro. Frontispicio.

PORTADO-RA. adj. s. Que lleva algo de una parte a otra.

PORTAESTANDARTE. m. Oficial que lleva el estandarte.

PORTAFOLIO. m. Galicismo por cartera.

PORTAFUSIL. m. Correa del fusil para echarlo a la espalda.

PORTAL. m. Primera pieza de la casa que está en la puerta principal. Pórtico. Soportal.

PORTALÁMPARAS. m. Cápsula de contacto para insertar casquillos en lámparas incandescentes.

PORTALEÑA. f. Pieza de madera en Segovia.

PORTALÓN. m. Abertura a modo de puerta en el costado de un buque.

PORTAMANTAS. f. Correas enlazadas con un travesaño para llevar mantas.

PORTANARIO. Zool. Píloro.

PORTANTE. adj. s. Paso de la caballería, que mueve a un tiempo pie y mano del mismo lado.

PORTANTILLO. m. Paso menudo y apresurado de un animal.

PORTANUEVAS. com. El que trae o da noticias.

PORTAÑOLA. f. Mar. Tronera, cañonera.

PORTAÑUELA. f. Tira de tela con que se tapa la bragueta.

PORTAOBJETO. m. Pieza del microscopio en que se coloca el objeto para observarlo.

PORTAPAZ. amb. Lámina metálica con que se da la paz a los fieles.

PORTAPLACAS. m. Fot. Armazón donde se colocan las placas fotográficas.

PORTAPLIEGOS. m. Cartera grande para llevar pliegos.

PORTAPLUMAS. m. Mango de la pluma metálica.

PORTAR. tr. Llevar o traer algo. r. Conducirse.

PORTATIL. adj. Fácil de llevarse.

PORTAVENTANERO. m. Carpintero que hace puertas y ventanas.

PORTAVIANDAS. m. Fiambrera de cacerolas superpuestas.

PORTAVOZ. m. Bocina del jefe para mandar las maniobras.

PORTAZGAR. tr. Cobrar el portazgo.

PORTAZGO. m. Derecho que se paga por el paso por un sitio.

PORTE. m. Acción de portear.. Conducta. Disposición de alguien.

PORTEADOR-RA. adj. El que tiene por oficio portear.

PORTEAR. tr. Llevar una cosa de una parte a otra por un precio.

PORTEL. m. Portillo, camino angosto.

PORTENTO. m. Cosa portentosa.

PORTENTOSO-SA. adj. Que causa admiración o terror por su extrañeza.

PORTERIA. f. Pieza para el portero de un edificio. Empleo de portero.

PORTERIL. adj. Relativo al portero.

PORTERO-RA. s. Persona encargada de abrir o cerrar las puertas. Jugador que guarda la portería.

PORTEZUELA. f. Puerta de carruaje.

PÓRTICO. m. Sitio cubierto delante de un edificio.

PORTIER. m. Galicismo por Antepuerta.

PORTILLA. f. Paso en los cerramientos de las fincas rústicas.

PORTILLERA. m. Portilla.

PORTILLO. m. Abertura en las paredes. Postigo.

PORTÓN. m. Puerta que separa el zaguán del resto de la casa.

PORTORRIQUEÑO-NA. adj. Natural de Puerto Rico.

PORTUGUÉS-SA. adj. Natural de Portugal. Lengua que se habla en Portugal.

PORTUGUESADA. f. Dicho o hecho en que se exagera la importancia de una cosa.

PORVENIR. m. Suceso o tiempo futuro.

POS. prep. insep. Que significa detrás o después.

POSA. f. Toque de campanas por los difuntos.

POSADA. f. Casa, domicilio de cada uno. Mesón. Hospedaje.

POSADERAS. f. Nalgas.

POSADERO-RA. m. Mesonero.

POSAR. intr. Alojarse en posada o casa particular.

POSCAFÉ. m. Licor que suele servirse con el café después de las comidas.

POSCOMUNIÓN. f. Oración de la misa después de la comunión.

POSDATA. f. Lo que se añade a una corta después de la firma.

POSE. f. Galicismo por posición, postura.

POSEEDOR-RA. adj. s. Que posee.

POSEER. tr. Tener en su poder algo. Saber algo.

POSEÍDO-DA. adj. s. Poseso.

POSESIÓN. f. Acto de poseer. Cosa poseída.

POSESIONAL. adj. Perteneciente a la posesión.

POSESIONAR. tr. r. Poner en posesión de algo.

POSESIVO-VA. adj. Que indica posesión.

POSESO-SA. adj. Dícese del que padece posesión.

POSESOR-RA. adj. s. Poseedor.

POSESORIO-RIA. adj. Relativo a la posesión.

POSFECHA. f. Fecha posterior a la verdadera.

POSGUERRA. f. Tiempo inmediato a la terminación de una guerra.

POSIBILIDAD. f. Calidad de posible. Lo posible.

POSIBILISMO. m. Sistema que pretende la evolución política y social.

POSIBILISTA. adj. Partidario del posibilismo.

POSIBLE. adj. Que puede ser o ejecutarse.

POSICIÓN. f. Postura. Sitio fortificado.

POSITIVAMENTE. adv. m. Cierta y efectivamente, sin duda alguna.

POSITIVISMO. Fil. Sistema fundado en el método experimental.

POSITIVISTA. adj. Partidario del positivismo.

POSITIVO-VA. adj. Cierto, efectivo. Que busca ante todo lo práctico. Alg. Término que lleva el signo "más".

PÓSITO. m. Granero público.

POSITRÓN. m. Electrón positivo.

POSITURA. f. Postura, colocación.

POSMA. f. Pesadez, cachaza. adj. Persona lenta.

POSO. m. Sedimento de un líquido. Reposo.

POSÓ. m. Moño en forma de nudo grande.

POSOLOGÍA. f. Med. Dosis en que deberán administrarse los medicamentos.

POSÓN. m. Posadero, especie de asiento.

POSPELO (A). m. adv. A contra pelo.

POSPIERNA. f. En las caballerías muslo.

POSPONER. tr. Poner una cosa después de otra, apreciar menos una cosa que otra.

POSPOSICIÓN. f. Acción de posponer.

POSPOSITIVO-VA. adj. Que se pospone.

POSTA. f. Conjunto de caballerías dispuestas para el cambio de tiros.

POSTAL. f. adj. Relativo a los correos. f. Tarjeta de un tamaño determinado para escribir.

POSTDILUVIANO-NA. adj. Posterior al diluvio universal.

POSTE. m. Madero, pilar o columna vertical para apoyo o señal.

POSTEMA. f. Absceso supurado.

POSTEMERO. m. Instrumento de cirugía para abrir las postemas.

POSTERGACIÓN. f. Acción de postergar.

POSTERGAR. tr. Hacer sufrir atraso. Atrasar a uno en el escalafón en beneficio de otro.

POSTERIDAD. f. Generación venidera. Fama póstuma.

POSTERIOR. adj. Que viene o que está después.

POSTERIORIDAD. f. Calidad de posterior.

POSTETA. f. Porción de pliegos que tiran de una vez los encuadernadores.

POSTIGO. m. Puerta falsa, ventanillo.

POSTILLA. f. Costra de una llaga o grano que se seca.

POSTILLÓN. m. Mozo que va a caballo delante de los que corren la posta para guiarlos.

POSTILLOSO-SA. adj. Que tiene postillas.

POSTÍN. m. Vulgarismo por presunción.

POSTIZO-ZA. adj. Que reemplaza algo artificialmente.

POSTMERIDIANO. adj. Relativo a la tarde.

POSTOR. m. Licitador.

POSTRACIÓN. f. Acción de postrar. Abatimiento.

POSTRAR. tr. Derribar algo. Debilitar. Incarse de rodillas.

POSTRE. m. adj. Postrero. m. Cosa que se sirve al fin de la comida.

POSTRER. adj. Apócope de postrero.

POSTRERO. adj. Último, que está detrás.

POSTRIMERÍA. f. Último período de la vida.

POST SCRIPTUM. loc. lat. Que se usa como sustantivo masculino equivalente a postdata.

POSTULA Y POSTULACIÓN. f. Acción de postular.

POSTULADO. m. Proposición evidente que no necesita demostración.

POSTULANTA. f. Mujer que pide ser admitida en una Congregación religiosa.

POSTULANTE. adj. Que postula.

POSTULAR. tr. Pedir.

PÓSTUMO-MA. adj. Que sale a la luz muerto el padre o autor.

POSTURA. f. Planta, situación, actitud. Acto de poner huevos el ave.

POTABILIDAD. f. Calidad de potable.

POTABLE. adj. Que se puede beber.

POTACIÓN. f. Acción de potar y beber.

POTAJE. m. Caldo de olla u otro guisado. Legumbres guisadas.

POTÁMIDE. f. Mit. Ninfa de los ríos.

POTAR. tr. Igualar las pesas.

POTASA. f. Carbonato de potasio.

POTÁSICO-CA. adj. Quím. Relativo al potasio.

POTASIO. m. Metal blando, ligero, inflamable.

POTE. m. Vaso de barro, alto. Vasija de hierro con tres pies.

POTENCIA. f. Poder para hacer algo. Fuerza motora de una máquina. Estado soberano.

POTENCIAL. adj. Que tiene potencia. Posible.

POTENCIALIDAD. f. Calidad de potencia.

POTENTADO. m. Soberano de dominio independiente. Persona poderosa.

POTENTE. adj. Que puede.

POTENTILA. f. Rosácea de los países templados.

POTERNA. f. Puerta que da al foso o a una rampa.

POTESTAD. f. Poder sobre una cosa. Espíritus bienaventurados.

POTESTATIVO-VA. adj. Que está en la potestad de uno.

POTINGUE. m. Bebida de botica.

POTÍSIMO-MA. adj. Muy poderoso.

POTISTA. com. fam. Bebedor de líquidos alcohólicos.

POTOSÍ. m. Riqueza extraordinaria.

POTRA. f. Yegua joven. Hernia. Suerte.

POTRADA. f. Reunión de potros de una yeguada.

POTRANCA. f. Yegua menor de tres años.

POTREAR. tr. Molestar.

POTRERO. m. Quien cuida de potros. Hernista. Lugar para puesto de ganado caballar.

POTRIL. m. Dehesa para potros.

POTRO. m. Caballo joven. Aparato de tortura de gimnasia.

POYA. f. Derecho que se paga en pan en horno común.

POYAL. m. Paño listado con que se cubren los poyos.

POYAR. intr. Pagar la poya.

POYATA. f. Vasar, repisa, anaquel.

POYO. m. Banco de piedra arrimado a la pared.

POZA. f. Charca, balsa.

POZAL. m. Cubo para sacar agua del pozo.

POZANCO. m. Poza en las orillas de los ríos.

POZO. m. Excavación vertical en tierra hasta encontrar vena de agua, o mineral.

PRÁCTICA. f. Ejercicio de un arte o facultad. Destreza.

PRACTICANTE. m. Quien hace prácticas de medicina. Quien ejerce cirugía menor.

PRACTICAR. tr. Poner en práctica lo aprendido. Usar o ejercer algo.

PRÁCTICO-CA. adj. Experimentado, diestra en algo. m. Quien dirige el rumbo de una embarcación.

PRACTICÓN. m. Persona diestra por su mucha práctica.

PRADAL. m. Prado.

PRADEÑO-ÑA. adj. Relativo al prado.

PRADERA. f. Prado grande.

PRADERÍA. f. Conjunto de prados.

PRADIAL. m. Noveno mes del calendario rep. francés.

PRADO. m. Tierra húmeda en la que crece hierba para pasto.

PRAGMÁTICA. f. Ley emanada de autoridad competente, diferente de Decretos reales.

PRAGMATISMO. m. Método filosófico.

PRAO. m. Embarcación malaya de poco calado.

PRASIO. m. Cristal de roca.

PRASMA. m. Ágata de color verde oscuro.

PRATENSE. adj. Que se produce o vive en el prado.

PRATICULTURA. f. Parte de la agricultura que trata del cultivo de los prados.

PRAVEDAD. f. Iniquidad, perversidad.

PRAVIANA. f. Mús. Canción popular asturiana.

PRE. prep. insep. que denota antelación, prioridad.

PREÁMBULO. m. Exordio, prólogo. Disgresión.

PREBENDA. f. Renta aneja a un beneficio eclesiástico.

PREBENDAR. tr. Conferir prebenda. intr. r. Obtenerla.

PREBOSTAL. adj. Perteneciente a la jurisdicción del preboste.

PREBOSTE. m. Cabeza de una comunidad.

PRECARIAMENTE. adv. m. De modo precario.

PRECARIO-RIA. adj. De poca duración. Derecho tenido sin título.

PRECAUCIÓN. f. Cautela, prudencia.

PRECAVER. tr. r. Prevenir un daño.

PRECAVIDO-DA. adj. Que evita los riesgos.

PRECEDENCIA. f. Antelación. Primacía. Acto de preceder.

PRECEDENTE. adj. Antecedente. m. Ejemplo.

PRECEDER. tr. Ir delante. Tener primacía.

PRECEPTISTA. adj. s. Que da o enseña reglas.

PRECEPTIVO-VA. .adj. Que incluye precepto. Retórica.

PRECEPTO. m. Mandato, regla, instrucción.

PRECEPTOR-RA. adj. Quien enseña.

PRECEPTUAR. tr. Dar preceptos.

PRECES. f. pl. Versículos bíblicos con oraciones.

PRECESIÓN. f. Ret. Preticencia, frase retórica.

PRECIADO-DA. adj. De mucha estima. Jactancioso.

PRECIAR. tr. Apreciar. Gloriarse.

PRECINTAR. tr. Asegurar con precinto.

PRECINTO. m. Acto de precintar. Ligadura sellada.

PRECIO. m. Valor pecuniario de algo.

PRECIOSIDAD. f. Calidad de precioso. Cosa preciosa.

PRECIOSÍSIMO. adj. Muy precioso.

PRECIOSISMO. m. Culteranismo francés del siglo XVII.

PRECIOSO-SA. adj. Primoroso, de mucho valor. Hermoso.

PRECIPICIO. m. Despeñadero.

PRECIPITACIÓN. f. Acción de precipitar.

PRECIPITADAMENTE. adv. m. Arrebatadamente.

PRECIPITADO-DA. adj. Alocado, irreflexivo.

PRECIPITAR. tr. r. Arrojar de un lugar alto. Acelerar. m. Quím. Agente que produce precipitación.

PRECIPITE. adj. Puesto en peligro de precipitarse.

PRECIPITOSO-SA. adv. m. Pendiente arriesgado para precipitarse.

PRECIPUAMENTE. adv. m. Principalmente.

PRECIPUO-A. adj. Principal.

PRECISAMENTE. adv. m. Justamente, con precisión.

PRECISAR. tr. Determinar algo de modo preciso. Forzar a hacer algo.

PRECISIÓN. f. Calidad de preciso.

PRECISO-SA. adj. Necesario. Estrictamente definido. Distinto, claro, conciso.

PRECITADO-DA. adj. Antes citado.

PRECITO-TA. adj. Condenado a las penas del infierno.

PRECLARO-RA. adj. Ilustre, esclarecido.

PRECLÁSICO-CA. adj. Lo que antecede a lo clásico en artes.

PRECOCIDAD. f. Calidad de precoz.

PRECOGNICIÓN. f. Conocimiento anterior.

PRECONIZACIÓN. f. Acción y efecto de preconizar.

PRECONIZAR. tr. Encomiar públicamente.

PRECONOCER. tr. Prever, conocer anticipadamente.

PRECORDIAL. adj. Relativo a la región del tórax situada delante del corazón.

PRECOZ. adj. Temprano, prematuro.

PRECURSOR-RA. adj. s. Que precede.

PREDECESOR-RA. adj. s. Antecesor.

PREDECIR. tr. Anunciar algo que ha de suceder.

PREDEFINIR. tr. Teol. Determinar el tiempo en que han de suceder las cosas.

PREDESTINACIÓN. f. Acto de predestinar.

PREDESTINAR. tr. Destinar anticipadamente.

PREDETERMINAR. tr. Resolver con anticipación.

PREDIAL. adj. Relativo al predio.

PRÉDICA. f. Sermón de una falsa religión. Perorata.

PREDICABLE. adj. Digno de predicarse.

PREDICACIÓN. f. Acto de predicar. Doctrina que se predica.

PREDICADO. m. Lóg. Gram. Lo que se afirma o dice del sujeto de una proposición u oración.

PREDICADOR-RA. adj. s. Que predica.

PREDICAMENTO. m. lóc. Cada una de las categorías a que se reducen todas las cosas.

PREDICANTE. p. a. De predicar.

PREDICAR. tr. Publicar. Pronunciar un sermón. Amonestar, reprender.

PREDICATIVO-VA. adj. Gram. Perteneciente al predicado.

PREDICCIÓN. f. Acción y efecto de predecir.

PREDILECCIÓN. f. Preferencia.

PREDILECTO-TA. adj. Preferido.

PREDIO. m. Heredad. Posesión inmueble.

PREDISPONER. tr. r. Disponer con anticipación el ánimo para algo.

PREDISPOSICIÓN. f. Acción de predisponer. Med. Tendencia fisiológica a contraer una enfermedad.

PREDOMINACIÓN. f. Acción de predominar.

PREDOMINANCIA. f. Predominio.

PREDOMINAR. tr. intr. Prevalecer.

PREDOMINIO. m. Imperio, ascendiente, superioridad, influjo.

PREDORSAL. adj. Anat. Situado en la parte superior de la espina dorsal.

PREELEGIR. tr. Elegir con anticipación.

PREEMINENCIA. f. Privilegio, ventaja, supremacía.

PREEMINENTE. adj. Superior, excelso, sobresaliente.

PREEXCELSO-SA. adj. Sumamente ilustre.

PREEXISTENCIA. f. Fil. Existencia anterior.

PREEXISTIR. intr. Existir antes.

PREFACIO. m. Prólogo. Parte de la misa anterior al canon.

PREFACIÓN. f. Prólogo de un libro.

PREFECTO. m. Título de algunos jefes romanos.

PREFECTURA. f. Cargo, jurisdicción y oficina del prefecto.

PREFERENCIA. f. Primacía, ventaja o distinción. Predilección.

PREFERENTE. p. a. de Preferir. Que prefiere o se prefiere.

PREFERENTEMENTE. adv. m. Con preferencia.

PREFERIBLE. adj. Digno de preferirse.

PREFERIR. tr. r. Dar preferencia a algo. tr. Exceder.

PREFIGURAR. tr. Representar anticipadamente.

PREFIJAR. tr. Determinar o fijar algo anticipadamente.

PREFIJO-JA. adj. s. Gram. Afijo que se antepone a un vocablo en la composición de palabar.

PREFINIR. tr. Señalar o fijar el tiempo para ejecutar algo.

PREFULGENTE. adj. Muy resplandeciente.

PREGÓN. m. Promulgación de algo en voz alta y en lugar público.

PREGONAR. tr. Publicar por pregón. Anunciar a voces la mercancía.

PREGONERÍA. f. Oficio de pregonero.

PREGONERO-RA. adj. s. Que divulga lo que se ignora. Agente público que da el pregón.

PREGUNTA. f. Interrogación que se hace a alguien.

PREGUNTAR. tr. Hacer preguntas.

PREGUNTÓN-NA. adj. s. Molesto en preguntar.

PREGUSTACIÓN. f. Acción de pregustar.

PREGUSTAR. tr. Hacer saliva.

PREHISTORIA. f. Ciencia que trata de la vida del hombre antes del testimonio escrito.

PREHISTÓRICO-CA. adj. Anterior al tiempo histórico.

PREINSERTO-TA. adj. Que antes se ha insertado.

PREJUICIO. m. Acción y efecto de prejuzgar.

PREJUZGAR. tr. Juzgar algo antes de conocerlo bien.

PRELACÍA. f. Dignidad de prelado.

PRELACIÓN. f. Preferencia, antelación.

PRELADA. f. Superior de un convento de religiosas.

PRELADO. m. Superior eclesiástico.

PRELATICIO-CIA. adj. Propio de prelado.

PRELUCIR. intr. Lucir con anticipación.

PRELUDIAR. intr. r. Ensayar la voz o instrumento antes de comenzar una pieza.

PRELUDIO. m. Lo que precede y sirve de entrada a alguna cosa.

PRELUSIÓN. f. Preludio, introducción de una cosa, de un discurso.

PREMATURO-RA. adj. Que ocurre antes de tiempo. Que no está maduro.

PREMEDITACIÓN. f. Acto de premeditar. For. Circunstancia agravante.

PREMEDITAR. tr. Pensar una cosa antes de hacerla.

PREMIADOR-RA. adj. Que premia.

PREMIAR. tr. Remunerar, recompensar.

PREMIDERO-RA. adj. Cárcola, especie de pedal en los telares.

PREMIO. m. Recompensa, remuneración, lote de la lotería.

PREMIOSO-SA. adj. Que no se puede mover, muy apretado o ajustado. Gravoso.

PREMISA. f. Log. Cada una de las dos primeras proposiciones de un silogismo.

PREMOLAR. adj. Primero y segundo diente molar.

PREMONITORIO-RIA. adj. Med. Síntoma precursor de alguna enfermedad.

PREMORIR. intr. For. Morir una persona antes que otra.

PREMOSTRAR. tr. Mostrar algo con anticipación.

PREMURA. f. Aprieto, prisa.

PRENDA. f. Cosa mueble que garantiza el cumplimiento de un contrato.

PRENDAR. tr. Exigir algo en prenda. Agradar. r. Enamorar.

PRENDEDERO. m. Instrumento que sirve para asir algo.

PRENDEDOR. m. El que prende, prendedero.

PRENDER.. tr. Asir, coger algo, agarrar. Privar a una persona de la libertad.

PRENDERIA. f. Tienda de prendero.

PRENDERO-RA. adj. Quien compra y vende prendas, alhajas y muebles, usados.

PRENDIDO. m. Adorno femenino.

PRENDIMIENTO. m. Acto de prender, captura.

PRENOCIÓN. f. Fil. Primer conocimiento de algo.

PRENOMBRE. m. Nombre que entre los romanos precedía al de familia.

PRENOTAR. tr. Notar con anticipación.

PRENSA. f. Máquina de comprimir. Impr. Máquina de imprimir.

PRENSADO. m. Labor en un tejido por efecto de la prensa.

PRENSADURA. f. Acción de prensar.

PRENSAR. tr. Apretar en la prensa.

PRENSIL. adj. Que sirve para coger.

PRENSIÓN. f. Acción de prender.

PRENSISTA. m. Impr. Oficial que trabaja en la prensa.

PRENSOR-RA. adj. Zool. Cierta clase de aves.

PRENUNCIAR. tr. Anunciar de antemano.

PRESADO-DA. adj. f. Hembra que ha concebido y tiene el feto en el vientre.

PRESEZ. f. Estado de la hembra preñada. Tiempo que dura.

PREOCUPACIÓN. f. Acción y efecto de preocupar.

PREOCUPAR. tr. Ocupar algo anticipadamente. Prevenir el ánimo de alguien.

PREOPINANTE. adj. s. El que manifiesta su opinión antes que otros.

PREPALATAL. adj. Gram. Consonante cuya pronunciación choca con la parte anterior del paladar.

PREPARACIÓN. f. Acción y efecto de preparar.

PREPARADO-DA. adj. Droga o medicamento dispuesto para su uso.

PREPARADOR-RA. m. y f. El que prepara.

PREPARAMIENTO. m. Preparación.

PREPARAR. tr. Disponer algo para un fin.

PREPARATIVO-VA. adj. Preparatorio. m. Cosa preparada.

PREPARATORIO-RIA. adj. Que prepara.

PREPONDERANCIA. f. Exceso de peso, autoridad, influencia.

PREPONDERAR. tr. Preferir una cosa o otra.

PREPONER. tr. Anteponer o preferir una cosa a otra.

PREPOSICIÓN. f. Gram. Parte de la oración que indica el régimen o relación de dos términos.

PREPOSTERAR. tr. Trastocar el orden.

PREPÓSTERO-RA. adj. Trastrocado, hecho al revés.

PREPOTENTE. adj. Más poderoso que otros.

PREPUCIAL. adj. Relativo al prepucio.

PREPUCIO. m. Prolongación de la piel del pene, que cubre el bálamo.

PRERROGATIVA. f. Privilegio unido a una dignidad o cargo.

PRESA. f. Acción de prender. Cosa apresada. Acequia.

PRESADA. f. Agua retenida en el caz del molino.

PRESADO-DA. adj. De color verde claro.

PRESAGIAR. tr. Anunciar o prever algo. Pronosticar.

PRESAGIO. m. Señal que anuncia un suceso.

PRESAGO-GA. adj. Que anuncia, adivina o presiente algo.

PRESBICIA. f. Defecto del présbite.

PRÉSBITA Y TE. adj. s. Quien percibe confusamente los objetos próximos.

PRESBITERADO. m. Sacerdocio. Dignidad u orden del sacerdote.

PRESBITERIANO-NA. adj. s. Protestante que no reconoce la autoridad episcopal sobre los presbíteros.

PRESBITERIO. m. Área del altar mayor, que suele estar cercado por una reja.

PRESBÍTERO. m. Clérigo ordenado de misa o sacerdote.

PRESCIENCIA. f. Conocimiento de las cosas futuras.

PRESCINDIR. tr. Hacer abstracción de algo.

PRESCRIBIR. tr. Preceptuar, ordenar.

PRESCRIPCIÓN. f. Acto de prescribir.

PRESCRIPTIBLE. adj. Que puede prescribir.

PRESCRITO-TA. p. p. de Prescribir.

PRESEA. f. Alhaja o cosa preciosa.

PRESENCIA. f. Asistencia personal. Aspecto.

PRESENCIAL. adj. Relativo a la presencia.

PRESENTABLE. adj. Que está en condiciones de presentarse.

PRESENTACIÓN. f. Acto de presentarse o presentar.

PRESENTALLA. f. Exvoto.

PRESENTÁNEAMENTE. adv. t. Luego, al punto.

PRESENTAR. tr. Poner algo en la presencia de uno. Manifestar, exhibir. r. Ofrecerse para algo.

PRESENTE. adj. Que está en presencia. Tiempo actual.

PRESENTERO. m. El que presenta para prebendas.

PRESENTIMIENTO. m. Acción y efecto de presentir.

PRESENTIR. tr. Prever, presagiar algo.

PRESEPIO. m. Pesebre, establo.

PRESERO. m. Guarda de una acequia.

PRESERVACIÓN. f. Acción y efecto de preservar.

PRESERVADOR-RA. adj. Que preserva.

PRESERVAR. tr. r. Poner a cubierto de un daño. Guardar.

PRESERVATIVO-VA. adj. s. Que sirve para preservar.

PRESIDENCIA. f. Acto de presidir. Dignidad, cargo de presidente y oficina.

PRESIDENCIAL. adj. Relativo a la presidencia.

PRESIDENTA. f. La que preside. Mujer del presidente.

PRESIDENTE. m. El que preside.

PRESIDIABLE. adj. Que merece estar en presidio.

PRESIDIARIO-RIA. adj. s. Penado que cumple una pena en presidio.

PRESIDIO. m. Guarnición de soldados. Establecimiento penitenciario.

PRESIDIR. tr. Ocupar el primer lugar de una junta, corporación, etc.

PRESILLA. f. Cordón en forma de lazo. que asegura algo.

PRESIÓN. f. Acción y efecto de comprimir.

PRESO-SA. adj. s. Que está en prisión.

PRESOCRÁTICOS. m. Pensadores griegos anteriores a Sócrates.

PREST. m. Haber diario que se da a los soldados.

PRESTACIÓN. f. Acción y efecto de prestar. Impuesto exigible por la Ley.

PRESTADIZO-ZA. adj. Que se puede prestar.

PRESTADOR-RA. adj. Que presta.

PRESTAMENTE. adv. m. Pronta y ligeramente.

PRESTAMERA. f. Beneficio eclesiástico sin residencia.

PRESTAMISTA. m. Com. Quien da dinero a préstamo.

PRÉSTAMO. m. Acto de prestar. Empréstito. Cantidad prestada.

PRESTANCIA. f. Excelencia.

PRESTANTE. adj. Excelente.

PRESTAR. tr. Entregar algo con obligación de restitución.

PRESTATARIO-RIA. adj. Que toma dinero a préstamo.

PRESTE. m. Sacerdote que celebra la misa cantada.

PRESTEZA. f. Prontitud.

PRESTIDIGITACIÓN. f. Arte del prestidigitador.

PRESTIDIGITADOR-RA. adj. Que da

prestigio. s. Quien con artificio engaña o la gente.

PRESTIGIADOR-RA. adj. Que causa prestigio.

PRESTIGIO. m. Fascinación mágica. Influencia ascendiente.

PRESTIGIOSO-SA. adj. Que goza de prestigio.

PRESTIMONIO. m. Préstamo.

PRESTO-TA. adj. Diligente, ligero. Dispuesto, para algo.

PRESUMIDO-DA. adj. s. Que presume.

PRESUMIR. tr. Conjeturar. intr. Vanagloriarse.

PRESUNCIÓN. f. Acto de presumir.

PRESUNTAMENTE. adv. m. Presunción.

PRESUNTO-TA. adj. Persona provisionalmente calificada.

PRESUNTUOSO-SA. adj. s. Presumido, jactancioso.

PRESUPONER. tr. Suponer previamente.

PRESUPOSICIÓN. f. Suposición previa.

PRESUPUESTAR. tr. Barbarismo por presuponer.

PRESUPUESTO. m. Pretexto. Cómputo anticipado del costo de algo.

PRESURA. f. Opresión, aprieto.

PRESUROSO-SA. adj. Pronto, ligero, veloz.

PRETENCIOSO-SA. adj. Presumido, presuntuoso.

PRETENDER. tr. Pedir algo a lo que se aspira o cree tener derecho.

PRETENDIENTE. p. a. De pretender, que pretende.

PRETENSIÓN. f. Acto de pretender.

PRETERICIÓN. f. Acción de preterir.

PRETERIR. tr. No hacer caso. Omitir en el testamento un heredero forzoso.

PRETÉRITO-TA. adj. Dícese de lo ya pasado. Gram. Tiempo que indica que la acción sucedió antes.

PRETERMISIÓN. f. Omisión.

PRETERNATURAL. adj. Que se halla fuera del ser y estado natural.

PRETEXTA. adj. f. Toga orlada de los romanos.

PRETEXTAR. tr. Usar pretexto.

PRETEXTO. m. Causa simulada que se alega para hacer algo.

PRETIL. m. Antepecho de puentes y edificios.

PRETINA. f. Correa con hebilla para

sujetar prendas a la cintura. Lo que rodea algo.

PRETOR. m. Magistrado romano.

PRETORIAL. adj. Relativo al pretor.

PRETORIANO-NA. adj. Relativo al pretor. Guardia del emperador romano.

PRETORIO. m. Pretoriano. m. Palacio del pretor.

PRETURA. f. Dignidad de pretor.

PREVALECER. intr. Sobresalir, tener superioridad sobre algo.

PREVALER. intr. Prevalecer. r. Servirse de algo.

PREVARICACIÓN. f. Acción de prevaricar.

PREVARICADOR-RA. adj. s. Que prevarica.

PREVARICAR. intr. Faltar a la obligación. fam. Desvariar.   [car.

PREVARICATO. f. Acción de prevari

PREVENIDO-DA. adj. Dispuesto para algo. Advertido.

PREVENIR. tr. Preparar. Prever. Disponer. Precaver.

PREVENTIVO-VA. adj. Que previene.

PREVER. tr. Ver con anticipación.

PREVIO-VIA. adj. Anticipado, que va delante.

PREVISIÓN. f. Acción y efecto de prever.

PREZ. f. Estima, honor.

PRIADO. adv. t. Pronto, con rapidez.

PRIAPISMO. m. Erección continua del pene.

PRIETO-TA. adj. De color muy oscuro, apretado.

PRIMA. f. Primera de las cuatro partes del día romano. Cuerda primera de los instrumentos de música. Precio que paga el asegurador.

PRIMACIAL. adj. Relativo al primado o a la primacía.

PRIMADO. m. Arzobispo u obispo preeminente.

PRIMAL-LA. adj. Res ovejuna o cabría entre un año y dos.

PRIMAR. intr. Galicismo por sobresalir.

PRIMARIAMENTE. adv. m. Principalmente, en primer lugar.

PRIMARIO-RIA. adj. Principal, primero. Geol. Era que sigue a la arcaica y terrenos.

PRIMATE. m. Personaje distinguido, prócer.

PRIMAVERA. f. Estación del año comprendida entre el 21 de marzo y el 21 de junio.

PRIMAVERAL. adj. Perteneciente o relativo a la primavera.

PRIMAZGO. m. Parentesco entre primos. Primacía.

PRIMEARSE. tr. fam. Darse tratamiento de primos.

PRIMERIZO-ZA. adj. s. Novicio que hace algo por primera vez.

PRIMERO-RA. adj. s. Que precede a los de su especie. Excelente. Antiguo, anterior.

PRIMEVO-VA. adj. Persona de más edad respecto de otras.

PRIMICIA. f. Primer fruto de algo.

PRIMIGENIO-NIA. adj. Primitivo, originario.

PRIMITIVO-VA. adj. Que no se origina de otra cosa.

PRIMO-MA. adj. Primero. Mat. Número sólo divisible por sí mismo y por la unidad. Persona incauta.

PRIMOGÉNITO-TA. adj. s. Dícese del primer hijo.

PRIMOGENITURA. f. Dignidad de un primogénito.

PRIMOR. m. Habilidad, esmero, hermosura.

PRIMORDIAL. adj. Primitivo, primero, fundamental.

PRIMORDEAR. intr. Hacer primores.

PRIMOROSO-SA. adj. Hecho con primor. Hábil.

PRÍMULA. f. Planta de flores amarillas en figura de parasol.

PRINCESA. f. Mujer del príncipe. Hija del rey.

PRINCIPADO. m. Dignidad del príncipe. Territorio sujeto a la dignidad de un príncipe.

PRINCIPAL. adj. Que tiene el primer lugar. Ilustre.

PRINCIPALMENTE. adv. Con preferencia.

PRÍNCIPE. m. Hijo primogénito del rey. Soberano.

PRINCIPELA. f. Tejido para vestidos de mujeres y capas de hombres usado antiguamente.

PRINCIPESCO-CA. adj. Relativo al príncipe.

PRINCIPIADOR-RA. adj. Que principia.

PRINCIPIANTE. p. a. de Principiar. Que empieza a aprender un oficio, arte.

PRINCIPIAR. tr. Dar principio.

PRINCIPIO. m. Primer instante del ser. Fundamental. Causa primera.

PRICIPOTE. m. f. El que hace ostentación de una clase superior a la suya.

PRINGAR. tr. Empapar con pringue. Manchar con pringue.

PRINGÓN-NA. adj. Sucio, puerco.

PRINGOSO-SA. adj. Que tiene pringue.

PRINGUE. m. Grasa que sueltan algunas cosas al ponerlas al fuego. Suciedad.

PRIONODONTE. m. Especie de armadillo de gran tamaño.

PRIOR. adj. Lo que precede a algo. m. Superior de un convento.

PRIORA. f. Prelada de un convento.

PRIORAL. adj. Perteneciente o relativo al prior o priora.

PRIORATO. m. Dignidad de prior o priora.

PRIORATO. m. Vino de una región catalana, muy famoso.

PRIORIDAD. f. Anterioridad de una cosa respecto a otra.

PRIOSTE. m. Mayordomo de una cofradía.

PRISA. f. Prontitud, presteza, rapidez.

PRISCAL. m. Lugar en el campo para recoger el ganado.

PRISCO. m. Albérchigo.

PRISIÓN. f. Acto de prender o coger. Cárcel.

PRISIONERO-RA. adj. s. Quien cae en poder del enemigo.

PRISMA. f. Geom. Sólido determinado por dos caras paralelas iguales y tantos paralelogramos como lados tienen éstas. prisma.

PRISMÁTICO-CA. adj. De forma de prisma.

PRISTE. m. Pez seláceo de unos 5 metros de largo.

PRISTINO-NA. adj. Primitivo.

PRISUELO. m. Bozo de los hurones.

PRIVACIÓN. f. Acto de privar o impedir. Carencia de algo.

PRIVADAMENTE. adv. Separadamente, en particular.

PRIVADERO. m. Pocero, que limpia los pozos negros.

PRIVADO-DA. adj. Hecho privadamente. Particular de cada uno.

PRIVANZA. f. Preferencia en el favor. Confianza.

PRIVAR. tr. Despojar a uno de lo que posee. Prohibir.

PRIVATIVAMENTE. adv. Con exclusión de todos los demás. Propio.

PRIVATIVO-VA. adj. Que causa privación.

PRIVILEGIAR. tr. Conceder privilegio.

PRIVILEGIO. m. Gracia, prerrogativa dada a uno.

PRO. amb. Provecho.

PRO. Preposición inseparable. Por o en vez.

PROA. f. Parte delantera de la nave.

PROAL. adj. Perteneciente a la proa.

PROBABILIDAD. f. Calidad de probable.

PROBABILISMO. m. Teol. Doctrina teológica.

PROBABLE. adj. Verosímil, que puede probarse.

PROBACIÓN. f. Prueba.

PROBADO-DA. adj. Acreditado por la experiencia.

PROBADOR. m. Aposento para probar.

PROBANZA. f. Averiguación. Conjunto de pruebas.

PROBAR. tr. Hacer examen de algo. Justificar. Hacer patente la verdad de algo.

PROBATICA. adj. v. Piscina probática.

PROBATORIA. f. Término concedido para hacer las pruebas.

PROBATURA. f. Prueba.

PROBETA. f. Tubo graduado para medir líquidos o gases.

PROBIDAD. f. Honradez, bondad.

PROBLEMA. m. Cuestión que se trata de resolver, conocidos algunos datos.

PROBLEMÁTICAMENTE. adv. Con razones por ambas partes.

PROBLEMÁTICO-CA. adj. Dudoso.

PROBO-BA. adj. Que tiene probidad.

PROBOSCIDIO. adj. Mamíferos angulados de trompa prensil.

PROCACIDAD. f. Desvergüenza.

PROCAZ. adj. Atrevido, insolente.

PROCEDENCIA. f. Origen de algo. Punto de donde procede algo.

PROCEDENTE. adj. Que tiene su origen en algo.

PROCEDER. m. Modo de portarse. intr. Ir en un orden. Venir de un sitio.

PROCEDIMIENTO. m. Acto de proceder. For. Actuación judicial.

PROCELA. f. Poét. Tormenta.

PROCELÁRIDOS. m. Aves palmípedas. Albatros.

PROCELEUSMATICOS. m. Pie de la poesía griega y latina.

PROCELOSO-SA. adj. Borrascoso, tormentoso.

PRÓCER. adj. Eminente. Persona distinguida.

PROCERATIO. m. Dignidad de prócer.

PROCERIDAD. f. Altura o elevación, vigor.

PROCEROSO-SA. adj. Persona de gran estatura o corpulencia.

PROCESADO-DA. adj. Tratado como presunto reo.

PROCESAL. adj. Relativo o perteneciente al proceso.

PROCESAMIENTO. m. Acto de procesar.

PROCESAR. tr. Formar proceso. Declarar presunto reo.

PROCESIÓN. f. Acto de proceder. Desfile de personas.

PROCESIONAL. adj. En forma de procesión.

PROCESIONARIA. f. Oruga de los lepidópteros, de los pinos y encinas.

PROCESO. m. Progreso, transcurso de tiempo. Form. Conjunto de escritos de una causa.

PROCIÓN. m. Astron. Estrella del Can Menor.

PROCLAMA. f. Notificación pública. Alocución.

PROCLAMACIÓN. m. Acto de proclamar.

PROCLAMAR. tr. Publicar algo en voz alta. Dar señales de una pasión.

PROCLÍTICO-CA. adj. Palabra sin acento que se une a otra en la pronunciación.

PROCLIVE. m. adj. Propenso.

PROCOMÚN. m. Utilidad pública.

PROCOMUNAL. adj. Procomún.

PROCÓNSUL. m. Gobernador de una provincia romana.

PROCONSULADO. m. Dignidad de procónsul.

PROCONSULAR. adj. Relativo al procónsul.

PROCREACIÓN. f. Acto de procrear.

PROCREAR. tr. Engendrar, propagar o multiplicar una especie.

PROCURACIÓN. f. Diligencia con que se trata un negocio.

PROCURADOR-RA. adj. s. Que procura. For. Quien representa una de las partes ante un tribunal.

PROCURADURÍA. f. Cargo u oficina de procurador.

PROCURAR. tr. Hacer esfuerzos para conseguir algo. Ejercer de procurador.

PROCURRENTE. m. Geogr. Gran pedazo de tierra que avanza en el mar.

PRODIGALIDAD. f. Profusión, abundancia.

PRÓDIGAMENTE. adv. m. Abundante y copiosamente.

PRODIGAR. tr. Disipar. Gastar pródigamente.

PRODIGIO. m. Suceso extraño. Cosas raras. Milagro.

PRODIGIOSA-SA. adj. Maravilloso, excelente.

PRÓDIGO-GA. adj. s. Disipador, gastador. Dadivoso.

PRODITORIO-RIA. adj. Relativo a la traición.

PRODRÓMICO-CA. adj. Med. Relativo al pródromo.

PRÓDROMO. m. Med. Malestar que precede a una enfermedad.

PRODUCCIÓN. f. Acto de producir. Lo producido.

PRODUCIR. tr. Engendrar. Criar. Dar. Rendir utilidad.

PRODUCTIVIDAD. f. Rendimiento de una industria o de sus obreros.

PRODUCTIVO-VA. adj. Que puede producir.

PRODUCTO. m. Cosa producida. Caudal sacado de lo que se vende.

PRODUCTOR-RA. adj. s. Que produce.

PROEJAR. intr. Remar contra corriente.

PROEL. adj. Mar. Lo que está cerca de la proa. Marinero que va en la proa.

PROEMIAL. adj. Perteneciente al proemio.

PROEMIO. m. Prólogo.

PROEZA. f. Hazaña.

PROFANACIÓN. f. Acción u efecto de profanar.

PROFANAR. tr. Tratar lo sagrado sin respeto.

PROFANO-NA. adj. Que no es sagrado.

PROFAZAR. tr. Abominar, censurar.

PROFECÍA. f. Don divino de conocer el futuro.

PROFERENTE. p. a. De proferir. Que profiere.

PROFERIR. tr. Pronunciar, decir.

PROFESANTE. p. a. De profesar. Que profesa.

PROFESAR. tr. Ejercer una ciencia u oficio.

PROFESIÓN. f. Acto de profesar. Empleo u oficio.

PROFESIONAL. adj. Relativo a la profesión.

PROFESO-SA. adj. Religioso que ha profesado.

PROFESOR-RA. s. Quien ejerce o enseña una ciencia o arte.

PROFESORADO. m. Cargo de profesor. Cuerpo de éstos.

PROFETA. m. Quien posee el don de profecía.

PROFETAL. adj. Profético.

PROFÉTICO-CA. adj. Relativo al profeta o profecía.

PROFETISA. f Mujer que tiene el don de profecía.

PROFETIZADOR-RA. adj. Que profetiza.

PROFETIZAR. tr. Anunciar, predecir cosas futuras.

PROFICUO-CUA. adj. Provechoso.

PROFILÁCTICA. f. Med. Higiene.

PROFILÁCTICO-CA. adj. s. Preservativo.

PROFILAXIS. f. Med. Tratamiento que preserva una enfermedad.

PRÓFUGO-GA. adj. s. Quien huye de la justicia. Fugitivo.

PROFUNDAR. tr. Profundizar.

PROFUNDIDAD. f. Calidad de profundo. Hondura.

PROFUNDIZAR. tr. Cavar algo. Ahondar.

PROFUNDO-DA. adj. Más hondo que lo regular. Que tiene gran fondo.

PROFUSAMENTE. adv. m. Con excesiva abundancia.

PROFUSIÓN. f. Abundancia, prodigalidad.

PROFUSO-SA. adj. Abundante. Excesivo en el gasto.

PROGENIE. f. Casta, familia de que se deriva uno.

PROGENITOR. m. Ascendiente de que procede uno.

PROGENITURA. f. Progenie. Calidad de primogénito.

PROGNATO-TA. adj. s. Que tiene las mandíbulas salientes.

PROGNE. f. Poét. Golondrina, pájaro.

PROGNOSIS. f. Med. Conocimiento anticipado de un suceso.

PROGRAMA. f. Aviso público. Tema. Declaración de lo que se piensa hacer.

PROGRESAR. intr. Hacer progresos.

PROGRESIÓN. f. Acto de perseguir algo. Mat. Serie de números tales que cada tres forman proporción continua.

PROGRESISTA. adj. s. Partido liberal. Relativo a él.

PROGRESIVAMENTE. adv. m. Con progresión.

PROGRESIVO-VA. adj. Que progresa.

PROGRESO. m. Acto de ir hacia adelante. Perfeccionamiento.

PROHIBICIÓN. f. Acto de prohibir.

PROHIBIR. tr. Impedir el uso o ejecución de algo.

PROHIBITIVO-VA. adj. Prohibitorio.

PROHIBITORIO-RIA. adj. Que prohibe.

PROHIJAMIENTO. m. Acción de prohijar.

PROHIJAR. tr. Recibir como hijo.

PROHOMBRE. m. El que goza de consideración entre los de su clase.

PROIS. m. Mar. Amarra para asegurar la embarcación.

PRÓJIMO. m. Cualquier persona respecto a otra.

PROLAPSO. m. Med. Caída o descenso de una parte interna del cuerpo.

PROLE. f. Linaje o descendencia de uno.

PROLEGÓMENO. m. Tratado preliminar.

PROLEPSIS. f. Ret. Anticipación.

PROLETARIADO. m. Clase social constituida por los proletarios.

PROLETARIO-RIA. adj. Que carece de bienes y no está en la lista vecinal del pueblo. Plebeyo.

PROLIFERACIÓN. f. Multiplicación activa de elementos orgánicos.

PROLÍFICO-CA. adj. Que puede engendrar.

PROLIJIDAD. f. Calidad de prolijo.

PROLIJO-JA. adj. Largo, muy esmerado. Molesto.

PROLOGAL. adj. Relativo al prólogo.

PROLOGAR. tr. Escribir el prólogo.

PRÓLOGO. m. Escrito antepuesto al cuerpo de una obra.

PROLOGUISTA. m. Autor de prólogos.

PROLONGABLE. adj. Que se puede prolongar.

PROLONGACIÓN. f. Acto de prolongar.

PROLONGADO-DA. adj. Más largo que ancho.

PROLONGAMIENTO. m. Prolongación.

PROLONGAR. tr. r. Alargar. Hacer que dure más de lo debido.

PROLOQUIO. m. Preposición, sentencia.

PROMEDIAR. tr. Repartir algo en partes iguales.

PROMEDIO. m. Término medio. Punto en que una cosa se divide por la mi tad.

PROMESA. f. Acción de prometer. Ofrecimiento.

PROMETEDOR-RA. adj. Que promete.

PROMETER. tr. Obligarse a algo. intr. Dar buena muestra de sí.

PROMETIDO-DA. adj. Futuro esposo o esposa.

PROMETIENTE. p. a. de prometer. Que promete.

PROMINENTE. adj. Que se eleva sobre los demás.

PROMISCUAR. intr. Comer carne y pescado en día de vigilia. Participar en cosas heterogéneas.

PROMISCUIDAD. f. Mezcla.

PROMISCUO-CUA. adj. Mezclado.

PROMISIÓN. f. Promesa.

PROMISORIO-RIA. adj. Que indica promesa.

PROMOCIÓN. f. Acto de promover. Grupo de individuos que obtienen un grado al mismo tiempo.

PROMONTORIO. m. Altura grande de tierra. Lo que avanza en el mar.

PROMOTOR-RA. adj. s. Que promueve.

PROMOVER. tr. Iniciar algo procurando su logro. Elevar a una dignidad.

PROMULGACIÓN. f. Acto de promulgar.

PROMULGADOR-RA. adj. Que promulga.

PROMULGAR. tr. Publicar de modo solemne.

PRONO-NA. adj. Muy inclinado a algo.

PRONOMBRE. m. Gram. Parte de la oración que sustituye al sustantivo.

PRONOMINADO. m. Verbo que tiene por complemento un pronombre.

PRONOMINAL. adj. Perteneciente al pronombre.

PRONOSTICAR. tr. Conocer el futuro o predecirlo

PRONTAMENTE. adv. tr. Con prontitud.

PRONTITUD. f. Calidad de pronto. Viveza de ingenio.

PRONTO-TA. adj. Veloz, expuesto. Ocurrencia.

PRONTUARIO. m. Resuemn, compendio, epítome.

PRÓNUBA. f. poet. Madrina de boda.

PRONUNCIABLE. adj. Que se pronuncia fácilmente.

PRONUNCIACIÓN. f. Acto de pronunciar.

PRONUNCIAMIENTO. m. Rebelión militar. Form. Publicación de un fallo.

PRONUNCIAR. tr. Emitir sonidos para hablar. Publicar la sentencia.

PROPAGACIÓN. f. Acto de propagarse.

PROPAGADOR-RA. adj. Que propaga.

PROPAGANDA. f. Congregación de cardenales. Trabajo hecho para difundir algo.

PROPAGANDISTA. adj. s. Que hace propaganda.

PROPAGAR. tr. r. Multiplicar, reproducir, extender.

PROPAGATIVO-VA. adj. Que tiene virtud de propagar.

PROPALADOR-RA. adj. Que propala.

PROPALAR. tr. Divulgar lo oculto, publicar lo secreto.

PROPANO. m. Hidrocarburo gaseoso.

PROPARTIDA. f. Tiempo que antecede a la partida.

PROPASAR. ad. Pasar más allá de lo debido. r. Excederse.

PROPEDÉTICA. f. Introducción a una ciencia.

PROPENDER. intr. Inclinarse por afición.

PROPENSAMENTE. adv. Con inclinación o propensión a algo.

PROPENSIÓN. f. Inclinación a una cosa.

PROPENSO-SA. adj. Con inclinación a algo.

PROPIAMENTE. adv. m. Con propiedad.

PROPICIAR. tr. Ablandar, aplacar la ira de alguien haciéndolo propicio.

PROPICIATORIO-RIA. adj. Con virtud de hacer propicio.

PROPICIO-CIA. adj. Benigno, inclinado a obrar bien.

PROPIEDAD. f. Dominio sobre una cosa. Derecho de disponer de algo. Hacienda.

PROPIENDA. f. Cada una de las tiras de lienzo fijadas en los brazos del bastidor para bordar.

PROPIETARIO-RIA. adj. s. Que tiene derecho de propiedad sobre algo.

PROPÍLEO. m. Vestíbulo de un templo.

PROPINA. f. Gratificación, Lo que se da de más sobre el precio del servicio.

PROPINACIÓN. f. Acto de propinar.

PROPINCUIDAD. f. Calidad de propincuo.

PROPINCUO-CUA. adj Allegado, cercano, próximo.

PROPIO-A. adj. Perteneciente a uno. Conveniente para un fin.

PROPÓLEOS. m. Sustancia cérea con que las abejas bañan las colmenas antes de empezar a obrar.

PROPONEDOR-RA. adj. Que propone.

PROPONER. tr. r. Manifestar algo para inducir a obrar en un sentido apuntado.

PROPORCIÓN. f. Correspondencia de las partes con el todo.

PROPORCIONADO-DA. Regular, competente. Que guarda proporción.

PROPORCIONAL. adj. Perteneciente a la proporción o que la incluye en sí.

PROPORCIONALIDAD. f. Proporción.

PROPORCIONAR. tr. Disponer de algo en la debida proporción.

PROPOSICIÓN. f. Acto de proponer. Gram. Oración. Log. Expresión verbal de un juicio. algo.

PROPÓSITO. m. Intención de hacer

PROPUESTA. f. Proposición que se hace para un fin. Consulta.

PROPUGNÁCULO. m. Fortaleza.

PROPUGNAR. tr. Defender, amparar algo.

PROPULSA. f. Repulsa.

PROPULSAR. tr. Repulsar. Impeler hacia adelante.

PROPULSIÓN. f. Acción de propulsar, o impeler.

PROPULSOR-RA. adj. s. Que propulsa.

PRORRATA. f. Cuota o parte proporcional de una cantidad entre varios.

PRORRATEAR. tr. Repartir a prorrateo.

PRORRATEO. m. Repartición proporcional de una cantidad.

PRÓRROGA. f. Prorrogación.

PRORROGABLE. adj. Que se puede prorrogar.

PRORROGACIÓN. f. Continuación de una cosa por tiempo determinado.

PRORROGAR. tr. Continuar, dilatar.

PRORRUMPIR. intr. Salir una cosa con ímpetu. Manifestarse con violencia.

PROSA. f. Forma natural del lenguaje, no sujeto a medida, o cadencia como el verso.

PROSAICO-CA. adj. Relativo a la prosa. Escrito en ella.

PROSAISMO. m. Defecto de los versos que carecen de armonía y cadencia. Insulsez.

PROSAPIA. f. Ascendencia o linaje de una persona.

PROSCENIO. m. Parte anterior del escenario. Teatro.

PROSCRIBIR. tr. Echar a alguien de su patria. Excluir.

PROSCRIPCIÓN. f. Acto de proscribir.

PROSCRIPTO-TA. adj. Persona proscripta.

PROSECUCIÓN. f. Acción de proseguir. Persecución.

PROSEGUIR. tr. Continuar, llevar adelante algo.

PROSELITISMO. m. Celo de ganar prosélitos.

PROSÉLITO. m. Gentil, convertido al catolicismo. Partidario ganado para una doctrina.

PROSENQUIMA. adj. Bot. y Zool. Tejido piloso de animales y plantas.

PROSIFICAR. tr. Poner en prosa una composición poética.

PROSIMIO-MIA. adj. Zool. Mamífero carnicero nocturno.

PROSINODAL. adj. Teólogo examinador de clérigos.

PROSISTA. com. Escritor de obras en prosa.

PROSITA. f. Pedazo de una obra en prosa, corto.

PROSODIA. f. Parte de la gramática que estudia la pronunciación.

PROSÓDICO-CA. adj. Relativo a la prosodia.

PROSOPOGRAFÍA. f. Ret. Descripción del exterior de una persona o animal.

PROSOPOPEYA. f. Ret. Personificación de los objetos inanimados y los animales. [algo.

PROSPECTO. m. Anuncio breve de

PROSPERADO-DA. adj. Rico, poderoso.

PROSPERAR. r. intr. Ocasionar o tener prosperidad.

PROSPERIDAD. f. Curso favorable de las cosas.

PRÓSPERO-RA. adj. Favorable, venturoso.

PRÓSTATA. f. Anat. Glándula pequeña, situada entre la vejiga y la uretra.

PROSTATICO-CA. adj. Relativo a la próstata.

PROSTERNARSE. intr. r. Postrarse.

PROSTIBULO. m. Mancebía.

PROSTITUCIÓN. f. Acción y efecto de prostituir.

PROSTITUIR. tr. r. Exponer públicamente a la sensualidad. Deshonrar.

PROSTITUTA. f. Ramera.

PROTAGONISTA. com. Personaje de una obra o suceso.

PROTECCIÓN. f. Acción de proteger.

PROTECCIONISMO. m. Doctrina económica que protege la producción nacional gravando los productos extranjeros.

PROTECCIONISTA. adj. s. Partidario del proteccionismo.

PROTECTOR-RA. adj. s. Que protege.

PROTECTORADO. m. Función de protector. Soberanía de un Estado sobre otro.

PROTEGER. tr. Amparar, favorecer.

PROTEGIDO-DA. adj. s. Favorito.

PROTEICO-CA. adj. Que cambio de formas. De naturaleza de proteína.

PROTEÍNA. f. Nombre de algunos albuminoides sencillos.

PROTEO. m. fig. El que cambia con frecuencia de opinión.

PROTERVIA. f. Obstinación en la maldad, perversidad.

PROTERVIDAD. f. Protervia.

PROTERVO-VA. adj. Perverso.

PRÓTESIS. f. Cir. Operación consistente en reparar la falta de un órgano.

PROTESTA. f. Acción de protestar.

PROTESTANTE. adj. s. Sectario del protestantismo.

PROTESTANTISMO. m. Movimiento religioso que se separó de la Iglesia católica.

PROTESTAR. tr. Asegurar con ahinco. Negar la validez de algo.

PROTESTO. m. Protesta. Requerimiento ante notario por falta de aceptación o pago de una letra de cambio.

PROTO. m. Prefijo que significa prioridad.

PRÓTIDOS. m. Sustancias orgánicas
compuestas de elevado peso molecular.

PROTOCOLAR. adj. Relativo al protocolo.

PROTOCOLIZAR. tr. Incorporar al protocolo una escritura.

PROTOCOLO. m. Serie ordenada de documentos de un notario.

PROTOHISTORIA. f. Período histórico
sin cronología ni documentos.

PROTOMÁRTIR. m. Primer mártir.

PROTÓN. m. Partículo atómica de carga opuesta a la de un electrón.

PROTONOTARIO. m. El primero de los
notarios.

PROTOPLASMA. m. Materia orgánica
viva, fundamento de la célula.

PROTOSULFURO. m. Quim. Primer
grado de combinación de un radical
con azufre.

PROTOTIPO. m. Ejemplar o primer
molde de algo.

PROTÓXIDO. m. Oxido que contiene la
menor cantidad de oxígeno.

PROTOZOO. m. Animales unicelulares
o células sin formar tejido.

PROTRÁCTIL. adj. Dícese de la lengua
de algunos animales.

PROTUBERANCIA. f. Prominencia redondeada.

PROTUTOR. m. Cargo familiar establecido por el código civil.

PROVECTO-TA. adj. Antiguo. Entrado
en años, maduro.

PROVECHO. m. Utilidad. Aprovechamiento.

PROVECHOSO-SA. adj. Que causa
provecho.

PROVEEDOR-RA. adj. s. Quien provee
de lo necesario.

PROVEEDURÍA. f. Cargo y oficio de
proveedor.

PROVEER. tr. r. Juntar lo necesario a
un fin. Suministrarlo. Resolver un
asunto.

PROVEIMIENTO. m. Acción de proveer.

PROVENA. f. Mugrón de la vid.

PROVENIR. intr. Originarse una cosa
de otra.

PROVENTO-TA. adj. Producto, renta.

PROVENZAL. adj. s. De la provenza.

PROVERBIO. m. Sentencia, refrán. m.
pl. Libro bíblico.

PROVICERO. m. Vaticinador.

PROVIDENCIA. f. Disposición antici-
pada. Previsión divina.

PROVIDENCIAR. tr. Dictar o tomar
providencia.

PRÓVIDO-DA. adj. Prevenido, propicio.

PROVINCIA. f. Cada una de las divisiones administrativas de un Estado.
Conjunto de casas de religiosos.

PROVINCIAL. adj. Relativo a una provincia.

PROVINCIALISMO. m. Voz usada sólo
en una o más provincias.

PROVINCIANO-NA. adj. s. De una provincia.

PROVISIÓN. f. Acto de proveer. Cosas
que se previenen para un fin.

PROVISIONAL. adj. Interino.

PROVISO (AL). m. adj. Al instante.

PROVISOR-RA. adj. s. Proveedor. m.
Juez eclesiástico delegado, por el
obispo.

PROVISORATO. m. Empleo de provi-
sor.

PROVOCACIÓN. f. Acción de provocar.

PROVOCADOR-RA. adj. s. Que provoca.

PROVOCAR. tr. Inducir a uno a la ejecución de algo. Irritar.

PROVOCATIVO-VA. adj. Que provoca.

PROXÉNETA. m. Alcahuete.

PROXENETISMO. m. Oficio de proxéneta.

PRÓXIMAMENTE. adv. Con proximidad.

PROXIMIDAD. f. Calidad de próximo.

PRÓXIMO-MA. adj. Cercano, inmediato,
allegado.

PROYECCIÓN. f. Acción de proyectar.

PROYECTANTE. p. a. De proyectar.
Que proyecta.

PROYECTAR. tr. Lanzar hacia adelante. Idear, imaginar planos.

PROYECTIL. m. Cuerpo arrojado.

PROYECTISTA. com. Que hace pro-
yectos.

PROYECTO. m. Designio de hacer algo.

PROYECTURA. f. Arq. Vuelo, lo que
sobresale del paramento de una pared.

PRUDENCIA. f. Virtud consistente en
distinguir lo bueno de lo malo. Buen
juicio.

PRUDENCIAL. adj. Relativo a la prudencia.

PRUDENCIALMENTE. adv. m. Según las reglas de la prudencia.

PRUDENTE. adj. Que tiene prudencia.

PRUDENTEMENTE. adv. m. Con prudencia y juicio.

PRUEBA. f. Acto de probar. Ensayo. Muestra de composición tipográfica o de grabado.

PRUNO. m. Ciruelo.

PRURIGO. m. Med. Afección cutánea.

PRURITO. m. Picor, comezón. Deseo vehemente.

PRUSIANO-NA. adj. De Prusia.

PRUSIATO. m. Sal formada por ácido prúsico y una base.

PRÚSICO. m. Dícese del ácido cianhídrico.

PSEUDO. adj. Seudo.

PSEUDÓNIMO. adj. s. Seudónimo.

PSI. f. Letra griega que equivale a "Ps".

PSICASTENIA. f. Depresión mental.

PSICOANALISIS. m. Método basado en el análisis de las tendencias reprimidas.

PSICOLOGIA. f. Tratado del alma y sus actividades.

PSICOLÓGICO-CA. adj. Quien se dedica a la psicología.

PSICÓPATA. com. Quien padece psicopatía.

PSICOPATIA. f. Enfermedad mental.

PSICOSIS. f. Nombre genérico de las enfermedades mentales.

PSICOTECNIA. f. Estudio de las actitudes psíquicas del hombre.

PSICOTERAPIA. f. Tratamiento de enfermedades mentales por medios psíquicos.

PSICRÓMETRO. m. Fís. Higrómetro compuesto de dos termómetros.

PSIQUE. f. El alma, el intelecto.

PSIQUIATRIA. f. Parte de la medicina que trata de las enfermedades mentales.

PSIQUICO-CA. adj. Relativo al alma.

PSITACISMO. m. Método de enseñanza basado en la memoria.

PSOAS. m. Músculo abdominal inserto en la parte anterior de las vértebras lumbares.

PSORIASIS. f. Afección cutánea con descamación.

PTIALINA. f. Diastasa de la saliva.

PTIALISMO. m. Secreción excesiva de saliva.

PTOMAINA. f. Alcaloide resultante de la putrefacción de sustancias nitrogenadas.

PÚA. f. Cosa delgada, rígida y puntiaguda. Espina del erizo y otros animales. Diente de peine.

PÚBER-RA. s. Que ha llegado a la pubertad.

PUBERTAD. f. Edad en que el hombre y la mujer se muestran actos para la reproducción.

PUBESCENCIA. f. Pubertad.

PUBIANO-NA. adj. Relativo al pubis.

PUBIS. m. Parte inferior del vientre. Hueso anterior a los que forman el coxal.

PUBLICABLE. adj. Que puede publicarse.

PUBLICACIÓN. f. Acto de publicar.

PUBLICADOR-RA. adj. s. Que publica.

PÚBLICAMENTE. adv. m. De un modo público.

PUBLICANO. m. Arrendador en Roma de las rentas públicas.

PUBLICAR. tr. Hacer público. Poner a la venta un impreso.

PUBLICIDAD. f. Calidad de público. Medios usados para publicar algo.

PUBLICISTA. com. Persona versada en derecho público.

PÚBLICO-CA. adj. Notorio, patente. Común. Relativo al pueblo.

PUCIA. f. Vaso farmacéutico.

PUCHADA. f. Cataplasma de harina desleída.

PUCHERA. f. Olla.

PUCHERO. m. Cocido español. Vasija de barro. Olla.

PUCHES. m. pl. Gachas.

PUDELACIÓN. f. Acción de pudelar.

PUDELARA. tr. Hacer dulce el hierro colado.

PUDENDO-DA. adj. Torpe. Feo. Dícese de las partes genitales.

PUDIBUNDO-DA. adj. Pudoroso.

PUDICIA. f. Pudor.

PÚDICO-CA. adj. Honesto, pudoroso.

PUDIENTE. adj. s. Rico.

PUDÍN. m. Anglicismo por budín.

PUDINGA. f. Geol. Conjunto de almendrilla, conglomerado.

PUDIO. adj. Especie de pino.

PUDOR. m. Recato. Honestidad.

PUDOROSO-SA. adj. Lleno de pudor.

PUDRICIÓN. f. Putrefacción.

PUDRIDERO. m. Sitio en que se pone algo para que se pudra.

PUDRIR. tr. r. Corromper, dañar. Resolver en podre.

PUEBLERINO-NA. adj. Lugareño.

PUEBLO. m. Población. Conjunto de personas de un país. Nación. Plebe.

PUENTE. m. Fábrica construída sobre un río, foso, etc.

PUERCA. f. Hembra del puerco. Mujer grosera.

PUERCO. m. adj. Cerdo, jabalí.

PUERCOESPÍN. m. Mamífero roedor africano con fuertes crines y púas córneas.

PUERICIA. f. Edad entre la infancia y la adolescencia.

PUERICULTURA. f. Crianza de los niños.

PUERIL. adj. Relativo a la puericia. Fútil.

PUERILIDAD. f. Calidad de pueril. Cosa insignificante.

PUÉRPERA. f. Mujer recién parida.

PUERPERAL. adj. Relativo al puerperio.

PUERPERIO. m. Sobreparto.

PUERRO. m. Planta liliácea de cebolla alargada.

PUERTA. f. Vano abierto en pared, cerca, verja, etc.

PUERTAVENTANA. f. Contraventana.

PUERTO. m. Lugar defendido de vientos y corrientes.

PUES. conj. Causal que denota causa, razón o motivo.

PUESTA. f. Acto de ponerse un astro.

PUESTO-TA. p. p. irreg. De poner. m. Sitio, lugar.

PÚGIL. m. Boxeador.

PUGILATO. m. Contienda a puñadas.

PUGILISMO. m. Pugilato.

PUGNA. f. Batalla, pelea. Oposición entre bandos, etc.

PUGNACIDAD. f. Calidad de pugnaz.

PUGNANTE. p. a. de Pugnar. Que pugna.

PUGNAR. intr. Batallar, contender.

PUGNAZ. adj. Belicoso.

PUJA. f. Acción de pujar. Cantidad ofrecida por el licitador.

PUJADOR-RA. adj. s. El que hace puja en las subastas.

PUJANTE. adj. Que tiene pujanza.

PUJANZA. f. Fuerza grande para ejecutar una acción.

PUJAR. tr. Esforzarse por conseguir algo.

PUJAVANTE. m. Instrumento para cortar el casco de las bestias.

PUJO. m. Sensación penosa, producida por una gana frecuente de defecar u orinar.

PULCRITUD. f. Calidad de pulcro.

PULCRO-CRA. adj. Aseado con esmero.

PULGA. f. Insecto parásito de hombres y animales.

PULGADA. f. Medida de longitud, duodécima parte del pie.

PULGAR. adj. m. Dedo primero y más grueso de los de la mano.

PULGARADA. f. Golpe dado apretando el pulgar.

PULGÓN. m. Insecto hemíptero de cuerpo ovoide.

PULICAN. m. Gatillo, instrumento que usan los sacamuelas.

PULIDAMENTE. adv. m. Curiosamente, con delicadeza.

PULIDERO. m. Pulidor de trapo o cuero.

PULIDEZ. f. Calidad de pulida.

PULIDO-DA. adj. Agraciado, pulcro, primoroso.

PULIDOR-RA. adj. s. Que pule. m. Instrumento para pulir.

PULIMENTACIÓN. f. Pulimento.

PULIMENTAR. tr. Pulir.

PULIMENTO. m. Acción de pulir.

PULIR. tr. Alisar, dar lustre. Perfeccionar.

PULMÓN. m. Organo de la respiración del hombre y vertebrados que viven fuera del agua.

PULMONAR. adj. Perteneciente a los pulmones.

PULMONARIA. f. Planta herbácea vivaz, usada en medicina.

PULMONÍA. f. Inflamación del pulmón o parte de él.

PULPA. f. Parte mollar de la carne. Médula de las plantas leñosas.

PULPERÍA. f. Tienda de comestibles en América.

PULPERO. m. Pescador de pulpo. Quien tiene pulpería.

PULPETA. f. Tajada que se saca de la pulpa de la carne.

PULPITIS. f. Inflamación de la pulpa dental.

PÚLPITO. m. Plataforma con antepecho y tornavoz para predicar en las iglesias.

PULPO. m. Molusco cefalópodo, con ocho tentáculos.

PULPOSO-SA. adj. Que tiene pulpa.

PULQUE. m. Bebida fermentada americana.

PULQUERÍA. f. Tienda donde se vende pulque.

PULQUÉRRIMO. adj. sup. De pulcro.

PULSACIÓN. f. Acción de pulsar. Cada uno de los latidos de la arteria.

PULSAR. tr. Tomar el pulso a un enfermo. Tantear un asunto.

PULSATILA. f. Planta perenne medicinal.

PULSATIVO-VA. adj. Dícese de lo que pulsa o golpea.

PULSEAR. intr. r. Probar dos personas la fuerza del pulso.

PULSERA. f. Venda que se aplica al pulso. Brazalete.

PULSO. m. Latido de la arteria. Parte de la muñeca donde se siente.

PULTÁCEO-A. adj. De consistencia blanda.

PULVERIZACIÓN. f. Acción y efecto de pulverizar.

PULVERIZADOR. m. Aparato para pulverizar un líquido.

PULVERIZAR. tr. r. Reducir a polvo.

PULVERULENTO - TA. adj. Polvoriento.

PULLA. f. Palabra o dicho obsceno. Expresión aguda.

PULLISTA. com. Persona amiga de dar pullas.

PUMA. m. Mamífero felino americano, de pelo suave.

PUMARADA. f. Pomarada.

PUMITA. f. Piedra pómez.

PUNA. f. Amér. Tierra alta cercana a los Andes.

PUNCIÓN. f. Cir. Operación consistente en atravesar tejidos con un instrumento hasta conseguir llegar a una cavidad que se quiera conocer.

PUNCIONAR. tr. Cir. Hacer punciones.

PUNCHA. f. Pica, espina.

PUNCHAR. tr. Picar, punzar.

PUNDONOR. m. Sentimiento de la dignidad personal.

PUNDONOROSO-SA. adj. Que incluye en sí pundonor o que lo produce.

PUNGIR. tr. Punzar.

PUNIBLE. adj. Que merece castigo.

PUNICIÓN. f. Castigo.

PUNITIVO-VA. adj. Relativo al castigo.

PUNTA. f. Extremo agudo de algo. Asta de toro. Lengua de tierra que penetra en el mar.

PUNTACIÓN. f. Acción de poner punto sobre las letras.

PUNTADA. f. Cada uno de los agujeros hechos con la aguja, lezna, etc., cuando se cose.

PUNTAL. m. Madero hincado en firme para sostener algo. Apoyo, fundamento.

PUNTAPIÉ. m. Golpe dado con la punta del pie.

PUNTAZO. m. Golpe dado con la punta del cuerno.

PUNTEAR. tr. Señalar puntos. Dar puntadas.

PUNTERA. f. Remiendo, contrafuerte puesto en la punta del calzado.

PUNTERÍA. f. Acto de apuntar un arma.

PUNTERO-RA. adj. Vara para señalar algo. Cincel de canto.

PUNTIAGUDO-DA. adj. Que tiene punta.

PUNTILLA. f. Encaje estrecho con puntas. Cachetero.

PUNTILLAZO. m. Puntapié.

PUNTILLERO. m. Cachetero, torero que remata al toro.

PUNTILLO. m. Cosa leve que causa reparo en el pundonor.

PUNTO. m. Mat. Límite de toda extensión. Signo ortográfico al final de un período.

PUNTUACIÓN. m. Acción de puntuar.

PUNTUAL. adj. Diligente, exacto.

PUNTUALIDAD. f. Calidad de puntual.

PUNTUALIZAR. tr. Grabar con exactitud en la memoria.

PUNTUAR. tr. Poner signos ortográficos en un escrito.

PUNZADA. f. Herida de punta. Dolor agudo y repentino.

PUNZADURA. f. Punzada.

PUNZAR. tr. Herir de punta. Avivarse un dolor.

PUNZÓN. m. Instrumento de hierro rematado en punta. Buril.

PUÑADA. f. Golpe dado con el puño.

PUÑADO. m. Porción de cosas que caben en un puño.

PUÑAL. m. Arma blanca, corta y punta aguda.

PUÑALADA. f. Golpe dado con la punta del puñal.

PUÑALERO. m. El que hace o vende puñales.

PUÑETAZO. m. Puñada.

PUÑETE. m. Puñetazo, manilla, pulsera.

PUÑO. m. Mano cerrada. Parte de la prenda de vestir que rodea la muñeca. Mango de algunas armas blancas.

PUPA. f. Erupción del labio. Postilla de grano.

PUPILA. f. Orificio del iris por donde entra la luz del ojo.

PUPILAJE. m. Estado del pupilo o pupila. Casa de huéspedes.

PUPILAR. adj. Relativo al pupilo.

PUPILERO-RA. m. y f. El que recibe pupilos en su casa.

PUPILO. m. s. Persona que se hospeda en casa particular.

PUPITRE. m. Mueble con tapa inclinada que sirve para escribir.

PURÉ. m. Pasta de comestibles cocidos pasados por colador.

PURERA. f. Cigarrera. Estuche para cigarros.

PUREZA. f. Calidad de puro, Virginidad.

PURGA. f. Medicina para descargar el vientre.

PURGACIÓN. f. Acción de purgar. Pus blenorrágico.

PURGANTE. adj. m. Que purga.

PURGAR. tr. r. Limpiar. Dar una medicina para descargar el vientre. Purificar.

PURGATIVO-VA. adj. Que purga.

PURGATORIO. m. Lugar en que las almas no condenadas al Infierno purgan sus pecados.

PURIDAD. f. Pureza.

PURIFICACIÓN. f. Acción de purificar.

PURIFICADERO-RA. adj. Lo que purifica.

PURIFICAR. tr. r. Quitar de algo lo que se opone a su pureza.

PURÍSIMA. f. Nombre antonomásico dado a la Virgen María.

PURISMO. m. Calidad de purista.

PURISTA. adj. s. Que habla o escribe con pureza.

PURITANISMO. m. Secta o doctrina de los puritanos.

PURITANO-NA. adj. s. Prebisterianos que tenían en más pura su religión que la del Estado.

PURO-RA. adj. Exento de mezclas e imperfecciones.

PÓRPURA. f. Molusco gasterópodo marítimo. Tinte que se obtiene de él. Color rojo subido.

PURPURADO. m. Cardenal prelado.

PURPURANTE. p. a. de Purpurar, que purpura.

PURPURAR. tr. Teñir de púrpura. Vestir de ella.

PURPUREAR. intr. Mostrar color de púrpura.

PURPÓREA. f Lampazo, planta.

PURPÓREO-A. adj. De color de púrpura. Relativo a ella.

PURPURINA. f. Sustancia colorante roja. Polvo usado en pintura de bronce o metal blanco.

PURRELA. f. Hijo último o inferior.

PURULENCIA. f. Supuración.

PURULENTO-TA. adj. Que tiene pus.

PUS. m. Humor amarillento, espeso, que segregan los tejidos inflados, llagas, etc.

PUSILÁNIME. adj. s. Cobarde, tímido.

PUSILANIMIDAD. f. Encogimiento de ánimo.

PÓSTULA. f. Med. Vejiguilla con pus en la piel.

PUSTULOSO-SA. adm. Relativo a la pústula.

PUTA. f. Ramera.

PUTAÑERO. m. Que putañea.

PUTATIVO-VA. adj. Tenido por padre, hermano, madre, etc., sin serlo.

PUTESCO-CA. adj. Relativo a la mujer pública.

PUTREFACCIÓN. f. Acción y efecto de pudrir.

PUTREFACTIVO-VA. adj. Que puede causar putrefacción.

PUTREFACTO-TA. adj. Podrido, corrompido.

PUTRIDEZ. f Calidad de pútrido.

PÓTRIDO-DA. adj. Podrido.

PUYA. f. Carrocha de vaquero.

PUYAZO. m. Golpe o herida de puya.

PUZOL. m. Puzolana.

PUZOLANA. f. Roca silícea volcánica.

Q. f. Cu. Vigésima letra del abecedario español, décimosexta de las consonantes. En vocablos españoles solamente forma sílaba con la e y la i mediante la interposición de la u, que pierde su sonido.

QUE. pron. relat. que conviene a los tres géneros y a entrambos número singular y plural. Equivale a el, la, lo, cual, los, las, cuales. Como interrogativo, equivale a cuál, cuán o cuánto. Conj. copulat. cuyo oficio es enlazar un verbo con otro o con otras partes de la oración.

QUEBRACHO. m. Jabí. Corteza de este árbol.

QUEBRADA. f. Abertura estrecha en las montañas. Línea compuesta de varias rectas que cambian de dirección.

QUEBRADERO. m. Que perturba e inquieta.

QUEBRADIZO-ZA. adj. Fácil de quebrarse.

QUEBRADO-DA. adj. s. Que ha hecho quiebra. Que padece hernia. Mat. Número que expresa partes de la unidad.

QUEBRADURA. f. Rotura. Hernia.

QUEBRAJA. f. Grieta, rendija.

QUEBRAJAR. tr. Resquebrajar.

QUEBRANTABLE. adj. Que se puede quebrantar.

QUEBRANTADURA. f. Quebrantamiento.

QUEBRANTAHUESOS. m. Ave rapaz, con plumaje color pardo obscuro en la parte superior, leonado en el cuello, pecho y abdómen, pico corvo y uñas gruesas y romas.

QUEBRANTAMIENTO. m. Acto de quebrantar.

QUEBRANTAPIEDRAS. f. Bot. Planta herbácea anual, paroníquiea, de hojas pequeñas, flores verdosas y fruto seco. Se ha usado contra el mal de piedra.

QUEBRANTAMIENTO. tr. r. Hender una cosa para que se rompa. Separar las partes de algo con violencia.

QUEBRANTO. m. Acto de quebrantar. Desaliento.

QUEBRAR. tr. Violar una ley. Romper. Ajar.

QUECHE. m. Buque pequeño de popa igual que la proa.

QUECHEMARÍN. m. Embarcación chica de dos palos.

QUECHUA. m. Lengua de los indios de los Andes.

QUEDA. f. Hora de la noche señalada para recogerse.

QUEDADA. f. Acto de quedarse.

QUEDAR. intr. Detenerse, permanecer. Cesar. Faltar.

QUEDO-DA. adj. Quieto. adv. m. En voz baja. Con tiento.

QUEHACER. m. Ocupación, negocio.

QUEJA. f. Expresión de dolor. Resentimiento.

QUEJAR. tr. Aquejar. r. Expresar el dolor o la pena que se siente, con la voz. Manifestar el resentimiento que se tiene de otro.

QUEJIDO. m. Voz lastimosa de dolor, pena, etc.

QUEJIGAL. m. Terreno poblado de quejidos.

QUEJIGUETA. f. Arbusto cupulífero.

QUEJOSAMENTE. adv. m. Con queja.

QUEJOSO-SA. adj. Que tiene queja de uno.

QUEJUMBROSO-SA. adj. Que se queja sin motivo o con frecuencia.

QUELONIO-NIA. adj. s. Reptiles de extremidades cortas, mandíbulas córneas y concha dura, que cubre pecho y espalda.

QUEMA. f. Acción de quemar. Fuego.

QUEMADA. f. Quemado.

QUEMADO-DA. p. p. de Quemar. m. Rodal de monte consumido del todo o en parte por el fuego.

QUEMADOR-RA. adj. s. Que quema. Incendiario.

QUEMADURA. f. Descomposición de un tejido orgánico producida por el fuego o un cáustico. Señal, llaga, ampolla, que hace el fuego a una cosa caliente o cáustica aplicada a otra.

QUEMANTE. p. a. de Quemar. Que quema.

QUEMAR. tr. Abrasar o consumir con fuego. Calentar mucho.

QUEMARROPA (A). m. adv. A quema ropa.

QUEMAZÓN. f. Quema. Calor excesivo.

QUEMOSIS. f. Oftalmía.

QUENA. f. Flauta o caramillo con que los indios de América acompañan sus cantos.

QUENOPODIO. m. Bot. Género de plantas quenopodiáceas herbáceas, una de cuyas especies es la quina.

QUEPIS. m. Gorra militar con visera.

QUERATINA. f. Albuminoide existente en formaciones epidérmicas de vertebrados terrestres.

QUERATITIS. f. Inflamación de la córnea transparente.

QUERATOSIS. f. Med. Endurecimiento de la epidermis.

QUERELLA. f. Discordia. For. Acusación ante el juez contra una persona.

QUERELLADOR-RA. p. a. de Querellarse. Que se querella.

QUERELLARSE. r. Presentar querella. Quejarse.

QUERELLOSAMENTE. adv. m. Con queja o sentimiento.

QUERENCIA. f. Acto de querer. Tendencia a acudir a un sitio.

QUERENCIOSO-SA. adj. Dícese del animal que tiene querencia.

QUERER. m. Cariño, amor.

QUERER. tr. Desear, apetecer. Amar, tener cariño. Pretender, intentar o procurar.

QUERIDO-DA. m. y f. Hombre, respecto a la mujer, o mujer, respecto al hombre, con quien tiene relaciones amorosas ilícitas.

QUERIENTE. p. a. de Querer. Que quiere.

QUERMES. m. Zool. Hemíptero que vive en la corteja.

QUERMESE. f. Reunión donde se rifan objetos con fines benéficos. Barbarismo por verbena.

QUERSONESO. m. Península.

QUERUB. m. poét. Querube.

QUERUBE. m. poét. Querubín.

QUERUBÍN. m. Ángel que tiene la plenitud de ciencia.

QUESADILLA. f. Pastel de queso y masa. Pastelillo relleno de almíbar, conserva u otra cosa.

QUESERA. f. Vasija en que se guarda el queso.

QUESERÍA. f. Donde se fabrican o venden quesos.

QUESERO-RA. adj. Caseoso. m. El que hace o vende queso.

QUESO. m. Masa obtenida cuajando la leche exprimida y aderezada con sal.

QUETZAL. m. Ave trepadora, americana, plumaje color verde tornasolado en la parte superior del cuerpo y rojo en el pecho y abdómen; cabeza gruesa con moño sedoso.

QUEVEDESCO-CA. adj. Propio y característico de Quevedo.

QUEVEDOS. m. pl. Anteojos sujetos a la nariz.

QUEZAL. m. Zool. Quetzal.

¡QUIA! interj. Denota negación.

QUIANTI. m. Vino común muy estimado, que se elabora en la Toscana.

QUICIAL. m. Madero que asegura las puertas y ventanas por medio de pernios y bisagras. Quicio.

QUICIO. m. Parte de la puerta o ventana en que entra el espigón.

QUICHÉ. adj. s. Aplícase al indígena de Guatemala.

QUICHUA. adj. Dícese del indio que en tiempo de la colonización del Perú habitaba la región norte y poniente de Cuzco.

QUID. m. Razón de algo.

QUIDAM. m. fam. Sujeto despreciable o indeterminado.

QUID PRO QUO. ex. lat. m. Error que consiste en tomar a una persona o cosa por otra.

QUIEBRA. f. Rotura, abertura, grieta.

QUIEBRAHACHA. m. Bot. Jabí, árbol.

QUIEBRO. m. Ademán del cuerpo doblando la cintura. Lance taurino.

QUIEN. pron. relat. que con esta sola forma conviene a los géneros masculino y femenino y que en plural hace quienes.

QUIENESQUIERA. pron. indet. p. us. Plural de quienquiera.

QUIENQUIERA. pron. indet. Persona indeterminada, alguno, sea el que fuere.

QUIETADOR-RA. adj. s. Que quieta.

QUIETAMENTE. adv. m. Pacificamente, con quietud y sosiego.

QUIETAR. tr. Aquietar.

QUIETISMO. m. Inacción, quietud, inercia.

QUIETO-TA. adj. Que no hace movimiento. Pacífico.

QUIETUD. f. Falta de movimiento, reposo.

QUIJADA. f. Cada uno de los huesos de la cabeza en que se encajan los dientes y muelas.

QUIJARUDO-DA. adj. Que tiene grandes y abultadas las quijadas.

QUIJERA. f. Correa de la cabezada.

QUIJO. m. Cuarzo que suele servir de matriz o mineral de oro o plata.

QUIJOTADA. f. Acto propio de un quijote.

QUIJOTE. m. Hombre grave y puntilloso. Persona idealista.

QUIJOTERÍA. f. Modo de proceder exageradamente grave y presuntuoso.

QUIJOTESCO-CA. adj. Que obra con quijotería. Que se ejecuta con quijotería.

QUIJOTIL. adj. Perteneciente o relativo al Quijote.

QUIJOTISMO. m. Exageración en los sentimientos caballerosos. Engreimiento, orgullo.

QUILATADOR. m. El que quilata el oro, la plata o las piedras preciosas.

QUILATE. m. Unidad de peso para piedras preciosas (205 miligramos).

QUILATERA. f. Instrumento con agujeros de diversos tamaños, que sirve para apreciar los quilates de las perlas.

QUILÍFERO-RA. adj. Vaso linfático que absorbe el quilo del intestino.

QUILIFICACIÓN. f. Zool. Acto de quilificar.

QUILIFICAR. tr. Zool. Convertir el quimo en quilo.

QUILO. m. Líquido que el intestino elabora con el quimo.

QUILOGRÁMETRO. m. Kilográmetro.

QUILOGRAMO. m. Kilogramo.

QUILOLITRO. m. Kilolitro.

QUILOMÉTRICO-CA. adj. Kilométrico.

QUILÓMETRO. m. Kilómetro.

QUILOSO-SA. adj. Que tiene quilo o parte de él.

QUILURIA. f. Pat. Presencia anormal de grasa en la orina.

QUILLA. f. Mar. Pieza que va por la parte inferior del barco de popa a proa.

QUILLOTRA. f. fam. Amiga, manceba.

QUILLOTRANZA. f. fam. Trance, conflicto, amargura.

QUILLOTRAR. tr. fam. Excitar, estimular, avivar. fam. Enamorar. r. fam. Quejarse, lamentarse.

QUIMERA. f. Creación imaginaria del espíritu. fig. Pendencia, riña o contienda.

QUIMÉRICO-CA. adj. Fabuloso, fingido o imaginado sin fundamento.

QUIMERISTA. adj. s. Amigo de ficciones y de cosas quiméricas. Los que promueven riñas o pendencias.

QUIMERIZAR. intr. Fingir quimeras imaginarias.

QUÍMICA. f. Ciencia que trata de la composición de las substancias y sus transformaciones.

QUÍMICAMENTE. adv. m. Según las reglas de la química.

QUÍMICO-CA. adj. Perteneciente a la química. El que profesa la química.

QUIMIFICACIÓN. f. Zool. Acto de quimificar.

QUIMIFICAR. tr. Zool. Convertir el alimento en quimo.

QUIMOTERAPIA. f. Tratamiento de infecciones con productos químicos introducidos en la sangre.

QUIMO. m. Masa resultante de la digestión estomacal del alimento.

QUIMONO. m. Túnica japonesa, o hecho a su semejanza, que usan las mujeres.

QUINA. f. Corteza de quino, usada en medicina.

QUINADO-DA. adj. Dícese de un líquido, especialmente el vino, que se prepara con quina y se usa como medimento.

QUINAL. m. Mar. Cabo resistente que en malos tiempos se encapilla en la cabeza de los palos para ayudar a los obenques.

QUINAO. m. Enmienda concluyente que al error de su contrario opone el que argumenta.

QUINARIO-A. adj. Compuesto de cinco elementos. m. Moneda romana que valía medio denario. Espacio de cinco días dedicados al culto de Dios y sus santos.

QUINCALLA. f. Conjunto de objetos de metal de poco valor.

QUINCALLERÍA. f. Fábrica, tienda o comercio de quincalla.

QUINCALLERO-RA. m. y f. Quien vende quincalla.

QUINCE. adj. Diez y cinco. Décimoquinto. m. Conjunto de signos o cifras con que se representa el número quince.

QUINCENA. f. Espacio de quince días. Paga que se recibe cada quince días.

QUINCENAL. adj. Que se repite cada quincena.

QUINCENO-NA. adj. Décimoquinto. m. y f. Muleto o muleta de quince meses.

QUINCUAGENARIO-RIA. adj. s. Que consta de cincuenta unidades. Cincuentón.

QUINCUAGÉSIMO-MA. adj. s. Cada una de las cincuenta partes iguales en que se divide un todo.

QUINCHONCHO. m. Bot. Arbusto leguminoso, procedente de la India y cultivado en América, de flores purpúreas y vaina lineal con dos o tres semillas comestibles.

QUINDÉCIMO-MA. adj. s. Quinzavo.

QUINDENIO. m. Espacio de quince años.

QUINIELAS. f. Juego de apuestas en frontones. Apuestas mutuas en el fútbol.

QUINIENTOS-TAS. adj. Cinco veces ciento.

QUININA. f. Alcaloide de la quina, usado como febrífugo.

QUINO. m. Especie de árbol rubiáceo, fruto capsular, cuya corteza es la quina.

QUÍNOLA. f. Lance de un juego de naipes.

QUINQUÉ. m. Especial de lámpara con tubo de cristal y generalmente con bomba o pantalla.

QUINQUELINGÜE. adj. Que habla cinco lenguas. Escrito en cinco idiomas.

QUINQUENAL. adj. Que se repite cada quinquenio.

QUINQUENIO. m. Período de cinco años.

QUINQUERREME. m. Nave de cinco órdenes de remos.

QUINTA. f. Casa de recreo en el campo. Tropa que ingresa un año, en el servicio militar.

QUINTADOR-RA. adj. s. Que quinta.

QUINTAESENCIA. f. Quintaesencia, refinamiento, lo más puro de una cosa.

QUINTAESENCIAR. tr. Refinar, apurar, alambicar.

QUINTAL. m. Peso de cuatro arrobas. Cien kilogramos.

QUINTALERO-RA. adj. Que tiene el peso de un quintal.

QUINTANA. f. Quinta, casa de campo.

QUINTAÑÓN-NA. adj. s. fam. Centenario, que tiene cien años.

QUINTAR. tr. Sacar por suerte uno de cada cinco. Sortear las quintas.

QUINTERÍA. f. Casa de campo o cortijo para labor.

QUINTERNO. m. Cuaderno de cinco pliegos. Suerte o acierto de cinco números en el juego de la lotería antigua o en la de cartones.

QUINTERO. m. Quien arrienda una quinta. Mozo de labrador, que por su jornal ara y cultiva la tierra.

QUINTETO. m. Combinación métrica de cinco versos. Mús. Composición a cinco voces o instrumentos.

QUINTILLA. f. Combinación métrica de cinco versos octosílabos y cualquiera otra medida con dos diferentes consonancias.

QUINTILLO. m. Juego del hombre con algunas modificaciones cuando se juega entre cinco.

QUINTÍN. m. Tela de hilo muy fina y rala fabricada en Quintín, ciudad francesa.

QUINTO-TA. adj. Que sigue inmediatamente en orden al o a lo cuarto. Cada una de las cinco partes iguales de un todo. m. Soldado que recibe instrucción.

QUINTUPLICACIÓN. f. Acción y efecto de quintuplicar o quintuplicarse.

QUINTUPLICAR. tr. Multiplicar por cinco.

QUINTUPLO-A. adj. Que contiene algo cinco veces.

QUINZAVO-VA. adj. Cada una de las quince partes iguales de un todo.

QUIÑÓN. m. Parte de uno en algo productivo.

QUISCO. m. Kiosco. Pabellón pequeño para vender periódicos, flores, refrescos, etc.

QUIPO. m. Cada uno de los ramales de cuerdas anudadas que los indios del Perú usaban para dar razón, así de historias y noticias, como de las cuentas.

QUIQUIRIQUÍ. m. Voz imitativo del canto del gallo. fig. fam. Persona que quiere sobresalir y gallear.

QUIRAGRA. f. Gota de las manos.

QUIRINAL. adj. Perteneciente a Quirino o Rómulo y a uno de los siete montes de la antigua Roma. El estado italiano.

QUIRITARIO-RIA. adj. Relativo a los quirites.

QUIRITI. m. Ciudadano de la antigua Roma.

QUIRÓFANO. m. Habitación para operaciones quirúrgicas.

QUIROMANCIA. f. Adivinación supersticiosa por la palma de la mano.

QUIROMÁNTICO-CA. adj. Relativo a la quiromancia.

QUIRÓPTERO. adj. Zool. Mamíferos carniceros voladores que tienen alas formadas de una membrana entre los dedos y otras partes del cuerpo; como el murciélago. m. pl. Zool. Orden de estos mamíferos.

QUIRÚRGICO-CA. adj. Relativo a la cirugía.

QUISICOSA. f. Enigma. Cosa extraña.

QUISQUE. Voz lat. que significa "cada cual".

QUISQUILLA. f. Camarón. Dificultad de poca importancia.

QUISQUILLOSO-SA. adj. Que repara en quisquillas. Delicado en el trato.

QUISTE. m. Cir. Vejiga membranosa, que se desarrolla en el cuerpo y que contiene humores y materias alteradas.

QUITA. f. For. Remisión o liberación que de la deuda o parte de ella hace el acreedor al deudor.

QUITACIÓN. f. Renta, sueldo, salario.

QUITADOR-RA. adj. Que quita.

QUITAGUAS. m. Paraguas.

QUITAMANCHAS. com. Persona que limpia manchas. Substancia usada para ello.

QUITANIEVES. m. Aparato para quitar la nieve de los caminos.

QUITANZA. f. Finiquito, liberación o carta de pago que se da al deudor cuando paga.

QUITAPESARES. m. Alivio de una pena.

QUITAPÓN. m. Adorno que suele ponerse en la testera de las cabezas del ganado mular y de carga.

QUITAR. tr. Librar de algo. Separar. Hurtar. Impedir.

QUITASOL. m. Sombrilla.

QUITE. m. Acto de quitar. Suerte taurina.

QUITINA. f. Materia de aspecto córneo que endurece los élitos y otros órganos de los insectos.

QUITINOSO-SA. adj. Que tiene quitina.

QUITÓN. m. Zool. Molusco con concha de ocho piezas puestas en fila, y branquias en forma de hojitas.

QUITRÍN. m. Carruaje de dos ruedas con una sola fila de asientos y cubierta de fuelle.

QUIZÁ. adv. De duda con que se denota la posibilidad de una cosa.

QUÓRUM. m. Mínimo de votos necesarios para dar validez a algo.

R. f. Vigésima primera letra del abecedario español y décimoseptima consonante.

RABADA. f. Cuarto trasero de la res después de muerta.

RABADÁN. m. Mayoral de una cabaña de pastores.

RABADILLA. f. Extremidad inferior del espinazo.

RABANAL. m. Sitio plantado de rábanos.

RABANERA. f. La que vende rábanos. fig. y fam. Mujer desvergonzada.

RABANERO-RA. adj. fig. y fam. Vestido corto, especialmente el de las mujeres. Dícese de los modales y modo de hablar inmodestos y desvergonzados.

RABANIZA. f. Planta crucífera. Límite del rábano.

RÁBANO. f. Hierba crucífera, comestible.

RABEAR. intr. Mover el rabo.

RABEL. m. Mús. Instrumento de tres cuerdas.

RABEO. m. Acción y efecto de rabear.

RABERA. f. Parte posterior de cualquier cosa.

RABÍ. m. Título de los sabios judíos, de la ley.

RABIA. f. Enfermedad infecciosa de los animales. Ira.

RABIAR. intr. Padecer rabia. Enfadarse.

RABIAZORRAS. m. fam. Solano, viento.

RABICANO-NA. adj. Colicano.

RÁBICO-CA. adj. Perteneciente o relativo a la enfermedad de la rabia.

RABICORTO-TA. adj. De rabo corto.

RABIETA. f. Enfado grande de poca duración.

RABIL. m. Ast. Cigüeña o manubrio.

RABILARGO. adj. Animal que tiene el rabo largo. fir. Persona que trae vestiduras muy largas y le arrastran y parece que va barriendo el suelc.

RABILLO. m. Pecíolo, pedúnculo. Mancha negra de los cereales atacados del tizón.

RABÍNICO-CA. adj. Relativo a los rabinos.

RABINO. m. Maestro hebreo que interpreta la Biblia.

RABIÓN. m. Corriente violenta e impetuosa del río a causa de la estrechez o inclinación del cauce.

RABIOSAMENTE. adv. m. Con ira, enojo, cólera o rabia.

RABIOSO-SA. adj. s. Que padece rabia. Colérico.

RABIZA. f. Punta de la caña en que se pone el sedal.

RABO. m. Cola. Cosa que cuelga. Rabillo.

RABÓN-NA. adj. Dícese del animal que tiene el rabo más corto que lo ordinario en su especie.

RABOSEAR. tr. Chafar, rozar levemente una cosa.

RABOTEO. m. Acción de rabotear. Época del año en que los pastores cortan el rabo de las ovejas y carneros.

RABUDO-DA. adj. Que tiene rabo grande.

RÁBULA. m. Abogado indocto y charlatán.

RACAMENTO. m. Mar. Aro que sujeta la verga al palo.

RACEL. m. Mar. Delgado de un buque.

RACIAL. adj. Relativo a la raza.

RACIMADO-DA. adj. Arracimado, en racimo.

RACIMAR. tr. Rebuscar la racima. r. Arracimarse.

RACIMO. m. Grupo de uvas unidas a ramificaciones de un eje principal.

RACIOCINAR. intr. Usar de la razón para conocer y juzgar.

RACIOCINIO. m. Facultad, acción y efecto de raciocinar.

RACIÓN. f. Parte de alimento que corresponde a uno.

RACIONABILIDAD. f. Facultad intelectiva que juzga de las cosas con razón, distinguiendo lo bueno de lo malo y lo verdadero de lo falso.

RACIONAL. adj. s. Dotado de razón. Relativo a ella.

RACIONALISMO. m. Doctrina que considera a la razón, base y fuente del valor del conocimiento.

RACIONALISTA. adj. s. Que profesa el racionalismo.

RACIONAMIENTO. m. Acción y efecto de racionar o racionarse.

RACIONAR. tr. r. Distribuir raciones.

RACIONISTA. com. Persona que goza sueldo o ración para mantenerse de ella. En el teatro, actor de ínfima clase.

RACHA. f. Mar. Ráfaga. Corto período de fortuna.

RADA. f. Mar. Ensenada, bahía.

RADAR. m. Fís. Aparato para detectar objetos alejados.

RADIACIÓN. f. Acción y efecto de radiar.

RADIACTIVIDAD. f. Fís. Energía de los cuerpos radiactivos.

RADIACTIVO-VA. adj. Dícese de los cuerpos o substancias que emiten radiaciones.

RADIADO-DA. adj. Formado por radios.

RADIADOR. m. Aparato de calefacción compuesto de uno o más tubos. adj. Que radia.

RADIAL. adj. Relativo al radio.

RADIANTE. adj. Que radia. Brillante, resplandeciente.

RADIAR. intr. Irradiar. tr. Emitir sonidos por radio difusión.

RADICACIÓN. f. Acto de radicar.

RADICAL. adj. Relativo a la raíz. Fundamental. Partida de reformas extremas.

RADICAR. intr. r. Arraigar. Estar una cosa en un lugar.

RADICÍCOLA. adj. Bot. y Zool. Dícese del animal o vegetal que vive parásito sobre las raíces de una planta.

RADÍCULA. f. Bot. Rejo.

RADIESTESIA. f. Exploración geofísica por electricidad y magnetismo.

RADIGRAFÍA. f. Procedimiento para hacer fotografías, con las substancias radiactivas.

RADIO. m. Geom. Recta que marca la distancia del centro del círculo a la circunferencia. Hueso del antebrazo. Metal rarísimo.

RADIOACTIVIDAD. f. Radiactividad. Energía de los cuerpos radiactivos.

RADIOCONDUCTOR. m. Receptor radiotelegráfico.

RADIODIFUSIÓN. m. Emisión radiotelefónica al público.

RADIOESCUCHA. com. Persona que oye las emisiones radiotelegráficas y radiotelefónicas.

RADIOGRAFÍA. f. Obtención de la imagen de un objeto oculto por los rayos X.

RADIOGRAMA. m. Telegrama transmitido por radiotelegrafía.

RADIOISÓTOPO. m. Isótopo radiactivo.

RADIOLARIO. m. adj. Protozoo rizópodo. m. pl. Orden de éstos.

RADIOLOGÍA. f. Utilización de los rayos X en diagnóstico y tratamiento de medicina.

RADIÓLOGO. m. Médico dedicado especialmente al manejo de los rayos X.

RADIORRECEPTOR. m. Aparato empleado para recoger y transformar en señales o sonidos las ondas emitidas por el radiotransmisor.

RADIOSCOPIA. f. Examen del interior del cuerpo humano o de los cuerpos opacos por medio de los rayos X.

RADIOTELÉFONO. m. Teléfono sin hilos.

RADIOTELEGRAFÍA. f. Sistema de comunicación telegráfica.

RADIOTELEGRÁFICO-CA. adj. Perteneciente o relativo a la radiotelegrafía.

RADIOTELÉGRAFO. m. Telégrafo sin hilos.

RADIOTERAPIA. f. Empleo terapéutico de los rayos X.

RADIOTRANSMISOR. m. Aparato empleado en radiotelegrafía y radiotelefonía para producir y transmitir las ondas hertzianas.

RADIOYENTE. s. Persona que oye lo transmitido por radio.

RAEDOR-RA. adj. s. Que rae. m. Rasero.

RAEDURA. f. Útil para raer.

RAER. tr. Raspar con instrumento cortante. Extirpar.

RAFA. f. Cortadura en el quijero para sacar agua.

RÁFAGA. f. Movimiento violento de aire.

RAFE. m. Cordoncillo saliente en algunas semillas.

RAFIA. f. Palmera de fibra flexible y resistente.

RAGUA. f. Remate superior de la caña de azúcar.

RAHEZ. adj. Vil, bajo, despreciable.

RAÍBLE. adj. Que se puede raer.

RAID. m. Carrera, viaje aéreo.

RAÍDO-DA. adj. Tela deteriorada. Desvergonzado.

RAIGAMBRE. f. Conjunto de raíces de los vegetales trabadas entre sí.

RAIGÓN. m. Raíz de la muela o diente.

RAIL. m. Riel, carril.

RAÍZ. f. Órgano de los vegetales, que crece bajo tierra.

RAJA. f. Hendidura, abertura. Astilla.

RAJÁ. m. Soberano indio.

RAJANTE. p. a. de Rajar. Que raja.

RAJAR. tr. Dividir en rajas, hender. Hablar mucho.

RAJATABLE. (A). m. adv. Con todo rigor. A raja tabla.

RALEA. f. Especie, calidad. Raza, casta.

RALEZA. f. Calidad de ralo.

RALO-LA. adj. Cosas cuyas partes están demasiado separadas.

RALLADOR. m. Útil para desmenuzar pan, queso, etc.

RALLADURA. f. Surco que deja el rallo. Lo que queda rallado.

RALLAR. tr. Desmenuzar algo con rallador.

RAMA. f. Cada una de las partes del tronco o tallo de la planta. Parte secundaria de algo.

RAMADÁN. m. Noveno mes del calendario mahometano.

RAMAJE. m. Conjunto de ramas.

RAMAL. m. Ronzal, cabestro. Parte de la línea de un camino que arranca de la principal.

RAMALAZO. m. Golpe de ramal. Señal que deja.

RAMAZÓN. f. Conjunto de ramas separadas de los árboles.

RAMBLA. f. Lecho de aguas pluviales.

RAMERA. f. Mujer pública, profesional.

RAMERÍA. f. Mancebía. Vil y torpe ejercicio de las rameras.

RAMIFICACIÓN. f. Acto de ramificarse.

RAMIFICARSE. f. Dividirse en ramas.

RAMILLETE. m. Ramo pequeño artificial. Plato de dulce.

RAMIO. m. Planta urticácea de la India.

RAMIZA. f. Conjunto de ramas cortadas.

RAMO. m. Rama de segundo orden. Conjunto natural o artificial de flores. Ristra.

RAMÓN. m. Ramojo con que se apacientan los ganados en tiempo de muchas nieves o rigurosa sequía. Ramaje que resulta de la poda del olivo y otros árboles.

RAMONEAR. intr. Cortar las puntas de las ramas del árbol.

RAMOSO-SA. adj. Que tiene muchas ramas.

RAMPA. f. Plano inclinado, para abrir y bajar.

RAMPANTE. adj. Blas. Animal representado con la mano abierta y las garras tendidas.

RAMPLÓN-NA. adj. Calzado tosco. Vulgar. Inculto.

RAMPLONERÍA. f. Calidad de ramplón, tosco o chabacano.

RAMPOLLO. m. Rama que se corta del árbol para plantarla.

RAMUJOS. m. Leña pequeña.

RANA. f. Anfibio anuro. Juego.

RANCIAR. tr. r. Enranciar.

RANCIO-A. adj. Vino y comestibles grasientos que adquieren con el tiempo sabor y olor fuertes.

RANCHERÍA. f. Conjunto de ranchos o chozas en un lugar.

RANCHERO. m. El que guisa el rancho o gobierna uno.

RANCHO. m. Comida para muchos en común. Finca rústica.

RANDA. m. Granuja. f. Encaje labrado grueso.

RANDERA. f. La que por oficio hace randas.

RANERO. m. Terreno en que se crían muchas ranas.

RANGO. m. Clase, jerarquía social

RÁNULA. f. Med. Tumor blando que se forma debajo de la lengua. Veter. Tumor carbuncoso que se forma de bajo de la lengua al ganado caballar y vacuno.

RANURA. f. Canal estrecha y larga que se abre en un material para hacer un ensamble.

RASA. f. Instrumento para pescar pulpos en fondos rocosos, consistente en una cruceta erizada en garfios.

RAÑO. m. Pez marino de los acantopterigios, de color rojo amarillento, aletas en general amarillas y las que están junto a las agallas encarnadas. Garfio de hierro con mango de madera para arrancar ostras y lapas de las rocas.

RAPABARBAS. m. fam. Barbero.

RAPACEJO. m. Alma sobre la que se tuerce estambre, lana, seda, etc., para formar cordón. Muchacho.

RAPACERÍA. f. Rapacidad. Muchachada.

RAPACIDAD. f. Calidad de rapaz.

RAPADOR-RA. adj. s. Que rapa. m. fam. Barbero o peluquero.

RAPAGÓN. m. Mozo joven a quien todavía no ha salido la barba.

RAPAPOLVO. m. Represión severa.

RAPAR. tr. r. Cortar el pelo al rape. Afeitar.

RAPAVELAS. m. pop. Monaguillo o sacristán.

RAPAZ. adj. Inclinado o dado al robo, hurto o rapiña. f. Zool. Orden de las aves rapaces.

RAPAZ-ZA. m. y f. Muchacho o muchacha de corta edad.

RAPAZUELO-LA. m. y f. dim. de Rapaz. Muchacho o muchacha joven.

RAPE. m. Corte de la barba hecho de prisa y sin cuidado.

RAPÉ. s. Tabaco en polvo.

RAPIDAMENTE. adv. m. Con ímpetu, celeridad y presteza. En o por un instante.

RAPIDEZ. f. Movimiento acelerado.

RAPIDO-DA. adj. Veloz. Arrebatado.

RAPIÑA. f. Robo, saqueo. Acto de rapiña.

RAPIÑAR. tr. Hurtar, arrebatar algo.

RAPISTA. m. fam. El que rapa. fam. m. Barbero.

RAPOSA. f. Zorra.

RAPOSO. m. Zorro. f. Persona astuta.

RAPSODA. f. Recitador público en Grecia.

RAPSODIA. f. Trozo de un poema épico, que se recita. Centón.

RAPTADA. adj. f. Aplícase a la mujer sacada de su casa por un hombre por fuerza o con engaño.

RAPTAR. tr. Sacar a una mujer por la fuerza o con engaño de la casa y potestad de sus padres o parientes.

RAPTO. m. Impulso. Acto de arrebatar. Extasis.

RAPTOR-RA. adj. s. Que comete el delito de rapto.

RAQUE. m. Acto de recoger objetos perdidos por un naufragio.

RAQUERO-RA. adj. Dícese del buque o embarcación pequeña que piratea por las costas. m. El que anda al raque. Ratero que hurta en puertos y costas.

RAQUETA. f. Calzado para andar sobre la nieve. Instrumento empleado en los juegos de pelota, del volante y otros.

RAQUIALGIA. f. Med. Dolor en el raquis.

RAQUIDEO-A. adj. Perteneciente al raquis.

RAQUIS. m. Columna vertebral. Bot. Nervio principal de una hoja.

RAQUITICO-CA. adj. s. Que padece raquitismo. Débil.

RAQUITISMO. m. Med. Enfermedad de la nutrición ósea.

RARAMENTE. adv m. Rara vez. Con rareza, de un modo ridículo.

RAREFACER. tr. Enrarecer.

RAREZA. f. Calidad de raro. Cosa rara.

RARO-RA. adj. Que tiene poca densidad. Escaso. Insigne.

RAS. m. Igualdad de una superficie.

RASA. f. Abertura c raleza que se hace al menor esfuerzo en las telas endebles sin que se rompa la trama. Llano alto y despejado de un monte.

RASAMENTE. adv. m. Clara y abiertamente, sin embozo.

RASANTE. f. Línea de un camino considerada en su inclinación respecto al plano horizontal.

RASAR. tr. Igualar con rasero. r. Poner raso algo.

RASCACIELOS. m. Edificio muy alto.

RASCADERA. f. Rascador, instrumento para rascar. fam. Almohaza.

RASCADOR. m. Cualquier instrumento que sirve para rascar. Aguja guarnecida de piedras con que las mujeres adornan la cabeza. Instrumento de hierro para desgranar maíz y otros frutos.

RASCADURA. f. Acción y efecto de rascar o rascarse.

RASCAR. tr. r. Refregar la piel con algo áspero. Arañar.

RASCATRIPAS. com. Persona que con poca habilidad toca el violín u otro instrumento de arco.

RASCAZÓN. f. Comezón o picazón.

RASERO. m. Palo cilíndrico para rasar la medida de los áridos.

RASETE. m. Raso muy sencillo.

RASGADURA. f. Acto de rasgar y efecto.

RASGAR. tr. r. Romper sin instrumento cosa de poca consistencia.

RASGO. m. Adorno hecho con pluma. Facción del rostro.

RASGÓN. m. Rotura de una tela.

RASGUEAR. tr. Tocar la guitarra rozando las cuerdas con los dedos. intr. Hacer rasgos con pluma.

RASGUEO. m. Acción de rasguear.

RASGUÑAR. tr. Arañar. Dibujar algo como apunte.

RASGUÑO. m. Arañazo.

RASILLA. f. Tela fina, delgada. Ladrillo delgado.

RASO-SA. adj. s. Plano, liso. A poca altura del suelo. Tela de seda lustrosa.

RASPA. f. Arista, espina de los pescados.

RASPADOR. m. Útil para raspar.

RASPADURA. f. Acción de raspar. Lo que se quita raspando.

RASPAR. tr. Raer ligeramente la superficie de algo. Hurtar, quitar algo.

RASPEAR. intr. Correr con dificultad la pluma por tener un pelo.

RASPILLA. f. Planta herbácea borraguínea, con tallos casi tendidos, hojas ásperas y flores azules.

RASPÍN. m. Cincel de dientes, usado en las artes.

RASPONAZO. m. Señal o herida superficial.

RASQUETA. f. Planchuela de hierro, para raer y limpiar palos.

RASTRA. f. Rastro. Grada. Recogedor. Narria.

RASTREADO. m Baile español del siglo XVII.

RASTREAR. r. Seguir el rastro. Averiguar, indagar.

RASTRERAMENTE. adv. m. De modo rastrero, bajo y ruín.

RASTRERO-RA. adj. Que va arrastrando. Vil. ruín.

RASTRILLA. f. Rastro con mango en una de las caras estrechas del travesaño.

RASTRILLADA. f. Lo que se recoge de una vez con el rastrillo.

RASTRILLAJE. m. Maniobra que se ejecuta con la rastra.

RASTRILLAR. tr. Limpiar el lino o cáñamo de la estopa.

RASTRILLO. m. Tabla con dientes para separar la estopa del lino o cáñamo.

RASTRO. m. Útil para recoger hierba, broza, etc. Vestigio.

RASTROJAR. tr. Arrancar el rastrojo.

RASTROJERA. f. Tierras que han quedado de rastrojo.

RASTROJO. m. Residuo de las cañas de la mies, después de segar.

RASURACIÓN. f. Rasura. Raedura.

RASURAR. tr. r. Afeitar.

RATA. f. Mamífero roedor, destructor y voraz. m. Ratero.

RATAFÍA. f. Rosolí en que entra zumo de frutas.

RATA PARTE. loc. lat. Prorrata.

RATAPLÁN. m. Voz onomatopéyica con que se imita el sonido del tambor.

RATEAR. tr. Hurtar con destreza cosas pequeñas.

RATEL. m. Hist. Nat. Mamífero carnicero semejante al tejón, propio de la India y del Cabo de Buena Esperanza.

RATERAMENTE. adv. m. Con ratería.

RATERÍA. f. Hurto de poco valor. Vileza.

RATERO-RA. adj. Dícese del ladrón que hurta con maña cosa de poco valor.

RATIFICACIÓN. f. Acción y efecto de ratificar.

RATIFICAR. tr. r. Aprobar, conformar.

RATIFICATORIO-RIA. adj. Que ratifica o denota ratificación.

RATIGO. m. Conjunto de cosas que lleva un carro.

RATIMAGO. m. fam. Ardid, maula, artimaña.

RATO. adj. Matrimonio celebrado y no consumado. m. .Espacio de tiempo Gusto o disgusto, acompañado de "bueno o malo".

RATÓN. m. Zool. Mamífero roedor, de pelo gris, muy fecundo y ágil y que vive en las casas, donde causa daños por lo que roe y destruye. Hay especies que viven en el campo.

RATONAR. tr. Roer los ratones.

RATONERA. f. Trampa para cazar ratones.

RATONESCO-CA. adj. Perteneciente a los ratones.

RAUDAL. m. Abundancia de agua que corre precipitadamente. Abundancia de cosas.

RAUDAMENTE. adv. m. Rápidamente, con celeridad.

RAUDO-DA. adj. Rápido.

RAVIOLES. m. pl. Emparedados con carne picada que se sirven con salsa.

RAYA. f. Señal larga y estrecha en un cuerpo. Límite. Pez seláceo marino.

RAYADILLO. m. Tela de algodón rayada.

RAYADO. m. Conjunto de rayas o listas de una tela. Acción de rayar.

RAYANO-NA. adj. Que linda con algo. Cercano.

RAYAR. tr. Hacer rayas. Sobresalir.

RAYO. m. Línea de luz. Chispa eléctrica producida entre dos nubes o entre nube y tierra.

RAYOS CÓSMICOS. m. Radiaciones provinentes de los espacios celestes, dotados de poder penetrante.

RAYUELA. f. Infernáculo. Juego.

RAZA. f. Casta, calidad, linaje. Grieta.

RAZÓN. f. Facultad de discutir. Acto de discutir. Argumento, prueba. Orden, equidad. Cuenta.

RAZONABLE. adj. Justo, regular, conforme a razón.

RAZONABLEMENTE. adv. m. Conforme a la razón. Mas que medianamente.

RAZONAMIENTO. m. Acto de razonar.

RAZONAR. intr. Discurrir manifestando lo que se discurre. Hablar, discutir, conversar.

RAZZIA. f. Correría para robar en un país.

RE. prep. insep. Que denota reiteración o repetición.

RE. m. Mús. Segunda nota de la escala.

REA. f. Mujer acusada en un delito.

REABSORBER. tr. Absorber de nuevo.

REABSORCIÓN. f. Acción de reabsorber.

REACCIÓN. f. Acción que resiste o se opone a otra acción, obrando en sentido contrario.

REACCIONARIO-A. adj. s. Opuesto a la innovación.

REACIO-A. adj. Terco, porfiado, remolón.

REACTIVO-VA. adj. Lo que produce reacción.

REACTOR. m. Productor de reacción en cadena por liberación de energía atómica. Avión impulsado por un motor de reacción.

READMISIÓN. f. Acción de readmitir.

READMITIR. tr. Admitir de nuevo.

REAFIRMAR. tr. r. Afirmar de nuevo.

REAGRAVAR. tr. r. Volver a agravar.

REAGUDO-DA. adj. Extremadamente agudo.

REAL. adj. Que tiene existencia verdadera. Relativo al Rey. Antigua moneda de plata.

REALCE. m. Adorno que sobresale en la superficie de algo. Estimación.

REALEJO. m. dim. de Real. Órgano pequeño y manual.

REALENGO-GA. adj. Decíase de los pueblos que no eran de señorío ni de las órdenes. Dícese de los terrenos pertenecientes al Estado.

REALEZA. f. Dignidad real.

REALIDAD. f. Existencia real de algo. Verdad, sinceridad.

REALISMO. m. Doctrina que afirma la existencia de objetos reales, independientes de la conciencia y asequibles al conocimiento.

REALISTA. adj. s. Partidario del realismo. Perteneciente a él.

REALIZABLE. adj. Que puede realizarse.

REALIZACIÓN. f. Acto de realizar.

REALIZAR. tr. Hacer real o efectivo algo. Convertir en dinero los bienes.

REALZAR. tr. r. Elevar algo más de lo que estaba. Engrandecer.

REAMAR. tr. Amar mucho.

REANIMAR. tr. r. Confortar. Infundir ánimo o fuerza.

REANUDAR. tr. r. Renovar, continuar algo interrumpido.

REAPARECER. intr. Volver a aparecer.

REAPARICIÓN. f. Acto de reaparecer.

REARGÜIR. tr. Argüir de nuevo sobre la misma materia o tema. Redargüir.

REARMAR. tr. Armar de nuevo o reforzar el armamento ya existente.

REARME. m. Acción y efecto de rearmar o rearmarse.

REASUMIR. tr. Volver a asumir.

REATA. f. Cuerda que ata dos o más caballerías. Hilera de caballerías.

REATAR. tr. Volver a atar. Atar apretadamente. Atar caballerías para que vayan unas detrás de otras.

REATO. m. Obligación que queda a la pena correspondiente al pecado, aun después de perdonado.

REAVENTAR. tr. Volver a aventar o a echar una cosa al viento.

REAVIVAR. tr. Volver a avivar.

REBABA. f. Resalto de materia sobrante en el borde de un objeto.

REBAJA. f. Disminución o descuento de algo.

REBAJADO. m. Soldado dispensado del servicio activo.

REBAJADOR. m. Fotog. Baño que se usa para rebajar las imágenes muy obscuras.

REBAJAR. tr. Hacer más bajo el nivel de algo. Bajar el precio o cantidad. Humillar.

REBAJO. m. Parte del canto de un madero u otra cosa, donde se ha disminuído el espesor por medio de un corte.

REBALAJE. m. Corriente de las aguas.

REBALSA. f. Porción de agua rebalsada.

REBALSAR. tr. r. Detener y estancar un líquido.

REBANADA. f. Porción delgada y larga de algo que se corta, especialmente de pan.

REBANAR. tr. Hacer rebanada. Cortar de una parte a otra.

REBAÑADERA. f. Útil con garabatos para extraer cosas de un pozo.

REBAÑADOR-RA. adj. s. Que rebaña.

REBAÑAR. tr. Arrebañar.

REBAÑO. m. Hato grande de ganado.

REBASADERO. m. Mar. Lugar por donde un buque puede rebasar un peligro o estorbo.

REBASAR. tr. Pasar un límite. Navegar más allá de algo.

REBATIMIENTO. m. Acción y efecto de rebatir.

REBATIÑA. f. Arrebatiña.

REBATIR. tr. Rechazar una fuerza. Contrarrestar. Refutar.

REBATO. m. Convocación de vecinos para defenderse de un peligro.

REBAUTIZAR. tr. Reiterar el acto y ceremonia del Bautismo.

REBECO. m. Gamuza.

REBELARSE. r. Faltar a la obediencia a un superior. Resistirse.

REBELDE. adj. Que se rebela. El que no comparece al juicio.

REBELDÍA. f. Calidad de rebelde. Acto propio de él.

REBELIÓN. f. Acto de rebelarse. Delito contra el orden público.

REBENQUE. m. Látigo de cuero o cáñamo embreado.

REBLANDECER. tr. r. Ablandar.

REBLANDECIMIENTO. m. Acto de reblandecer.

REBOCIÑO. m. Mantilla corta para rebozarse.

REBOJO. m. Regojo.

REBOLLAR. m. Monte poblado de rebollos.

REBOLLO. m. Árbol que produce bellotas, dos o tres sobre un pedúnculo corto.

REBOMBAR. intr. Sonar ruidosa y estrepitosamente.

REBOÑO. m. Suciedad o fango depositado en el cauce del molino.

REBORDE. m. Faja estrecha soliente

REBORDEAR. tr. Dar a una cosa el reborde que necesita.

REBOSADERO. m. Paraje por donde rebosa un líquido.

REBOSAR. intr. r. Derramarse un líquido. Abundancia.

REBOTAR. intr. Botar un cuerpo elástico al choque con otro.

REBOTE. m. Acción de rebotar. Cada uno de los botes de un cuerpo después del primero.

REBOTICA. f. Trastienda.

REBOZAR. tr. r. Cubrir el rostro con la capa. Bañar una vianda en harina, huevo, etc.

REBOZO. m. Modo de llevar la capa cubriéndose el rostro. Simulación.

REBRAMAR. intr. Volver a bramar. Responder a un bramido.

REBRINCAR. intr. Brincar con reiteración y alborozo.

REBUDIAR. intr. Mont. Roncar el jabalí al sentir gente.

REBUDIO. m. Ronquido del jabalí.

REBUFAR. intr. Volver a bufar. Bufar con fuerza.

REBUFO. m. Expansión del aire alrededor de la boca del arma al disparar.

REBUJADO-DA. adj. Enmarañado, enredado; en desorden.

REBUJAR. tr. Arrebujarse.

REBUJO. m. Embozo de las mujeres. Envoltorio mal hecho.

REBULLIR. intr. Empezar a moverse lo quieto.

REBUMBAR. tr. Zumbar la bala de cañón.

REBUSCA. f. Acción de rebuscar. Fruto que queda después de alzada la cosecha.

REBUSCAR. tr. Buscar con minuciosidad. Recoger el fruto después de alzada la cosecha.

REBUZNAR. intr. Dar rebuznos.

REBUZNO. m. Voz del asno.

RECABAR. tr. Conseguir con súplicas.

RECADERO-RA. s. Quien lleva recados.

RECADO. m. Mensaje verbal. Presente que se envía.

RECAER. intr. Volver a caer. Reincidir en un vicio, falta, etc.

RECAÍDA. f. Acción y efecto de recaer.

RECALAR. tr. Penetrar un líquido por los poros .intr. Mar. Llegar a la vista de un punto.

RECALCAR. tr. Apretar mucho una cosa con otra. Decir algo con énfasis.

RECALCITRANTE. adj. Obstinado, terco.

RECALENTAMIENTO. m. Acción de recalentar.

RECALENTAR. tr. Volver a calentar. Calentar mucho.

RECALZAR. tr. Arrimar tierra al pie de una planta.

RECALZO. m. Recalzón. Arq. Reparo que se hace en los cimientos de un edificio.

RECAMADO. m. Bordado de realce.

RECAMAR. tr. Bordar de realce.

RECÁMARA. f. Cuarto detrás de la cámara. Parte del cañón del arma de fuego, opuesto a la boca.

RECAMBIAR. tr. Hacer segundo cambio.

RECAMBIO. m. Acción de recambiar.

RECAPACITAR. intr. Recorrer con la memoria. Reflexionar.

RECAPITULACIÓN. f. Acción de recapitular.

RECAPITULAR. tr. Recordar de modo sumario y ordenado lo manifestado.

RECARGAR. tr. Volver a cargar. Aumentar la carga.

RECARGO. m. Nueva carga o aumento de ello.

RECATADAMENTE. adv. m. Con recato.

RECATADO-DA. adj. Circunspecto, modesto.

RECATAR. tr. Encubrir. r. Mostrar recelo.

RECATO. m. Cautela, modestia.

RECATÓN. m. Regatón, contera.

RECATONAZO. m. Golpe dado con el recatón de la lanza.

RECAUDACIÓN. f. Acto de recaudar. Cantidad recaudada.

RECAUDADOR-RA. s. Quien recauda.

RECAUDAR. tr. Cobrar caudales o efectos. Tener en custodia.

RECAUDO. m. Recaudación, acción de recaudar. Precaución, cuidado. For. Caución, fianza, seguridad. A buen recaudo. m. adv. Bien custodiado.

RECAVAR. tr. Volver a cavar.

RECAZO. m. Guarnición entre la hoja y la empuñadura de un arma blanca.

RECEBO. m. Arena o piedra menuda que se extiende sobre el firme de una carretera.

RECELA. adj. s. Dícese del caballo recelador.

RECELAR. tr. r. Desconfiar, temer.

RECELO. m. Acción y efecto de recelar.

RECELOSO-SA. adj. Que tiene recelo.

RECENTADURA. f. Levadura reservada para otra masa.

RECENTAL. adj. s. Cordero o ternero de leche.

RECENTAR. tr. Poner en la masa la recentadura. r. Renovarse.

RECEPCIÓN. f. Acto de recibir. Admisión. Reunión con carácter de fiesta.

RECEPTÁCULO. m. Cavidad que puede contener algo.

RECEPTADOR-RA. m. y f. For. Persona que encubre delincuentes o cosas que son materia de delito.

RECEPTAR. tr. For. Ocultar o encubrir delincuentes que son materia de delito.

RECEPTIVIDAD. f. Calidad de receptivo.

RECEPTIVO-VA. adj. Que recibe o es capaz de recibir.

RECEPTOR-RA. adj. s. Que recibe. Aparato que recibe la energía de un generador o transforma la corriente eléctrica en señales, imágenes, etc.

RECEPTORÍA. f. Recetoría. Oficio u oficina del receptor. For. Despacho o comisión que lleva el receptor.

RECERCAR. tr. Volver a cercar. Cercar.

RECETA. f. Precripción facultativa. Nota en que está escrita.

RECETADOR. m. El que receta.

RECETAR. tr. Prescribir un medicamento.

RECETARIO. m. Registro de recetas.

RECETOR. m. Receptor. Tesorero que recibe caudales públicos.

RECETORÍA. f. Tesorería donde entran los caudales que por los recetores se perciben.

RECIAL. m. Corriente recia de un río. adj. Relativo a la red.

RECIAMENTE. adv. m. Fuertemente, con vigor y violencia.

RECIARIO. m. Gladiador cuya arma principal era una red.

RECIBIDOR-RA. adj. s. Que recibe. Antesala.

RECIBIMIENTO. m. Recepción. Acogida. Recibidor.

RECIBIR. tr. Tomar lo que le dan. Admitir. Percibir.

RECIBO. m. Recibimiento. Resguardo en que se declara haber recibido algo.

RECIDIVA. f. Repetición de una enfermedad después de la convalecencia.

RECIEDUMBRE. f. Fuerza, fortaleza o vigor.

RECIÉN. adv. t. Poco tiempo antes.

RECIENTE. adj. Nuevo, fresco.

RECIENTEMENTE. adv. t. Poco tiempo antes.

RECINTO. m. Espacio comprendido dentro de ciertos límites.

RECIO-A. adj. Fuerte, grueso, áspero, duro. Impetuoso.

RÉCIPE. m. Palabra que encabezaba la receta. Receta.

RECIPIENDARIO. m. El que es solemnemente recibido en una corporación para formar parte de ella.

RECIPIENTE. adj. Que recibe. m. Receptáculo, cavidad.

RECIPROCACIÓN. f. Reciprocidad. Manera de ejercerse la acción del verbo recíproco.

RECÍPROCAMENTE. adv. m. Mutuamente con igual correspondencia.

RECIPROCIDAD. f. Correspondencia mutua.

RECÍPROCO-CA. adj. Que tiene reciprocidad con otro.

RECITACIÓN. f. Acto de recitar.

RECITÁCULO. m. Escena, lugar donde se recitaba.

RECITADOR-RA. adj. s. Que recita.

RECITAR. tr. Decir en voz alta.

RECITATIVO-VA. adj. Mús. Dícese del estilo consistente en cantar recitando.

RECLAMACIÓN. f. Acción de reclamar.

RECLAMAR. intr. Clamar contra algo. Oponerse de palabra o por escrito.

RECLAMO. m. Ave amaestrada que atrae a las de su especie.

RECLE. m. Tiempo que se permite a los prebendados no asistir a coro, para su descanso.

RECLINAR. tr. r. Inclinar el cuerpo apoyándolo sobre algo.

RECLINATORIO. m. Cosa para reclinarse. Mueble para arrodillarse.

RECLUIR. tr. r. Encerrar.

RECLUSIÓN. m. Encierro. Prisión. Lugar en que se recluye.

RECLUTA. f. Reclutamiento. Mozo alistado para el servicio militar.

RECLUTADOR. m. Que recluta o alista reclutas.

RECLUTAMIENTO. m. Acto de reclutar. Conjunto de reclutas.

RECLUTAR. tr. Alistar reclutas.

RECOBRAR. tr. Volver a adquirir lo que se tuvo. r. Repararse de un daño. Desquitarse.

RECOBRO. m. Acto de recobrar.

RECOCER. tr. Volver a cocer. Cocer mucho.

RECOCIDO-DA. adj. fig. Experimentado y práctico en cualquier materia. m. Acción de recocer o recocerse.

RECOCINA. f. Cuarto contiguo a la cocina.

RECODAR. intr. Formar recodo un río, un camino, etc.

RECODO. m. Ángulo que forma un río, camino, etc.

RECOGER. tr. Volver a coger. Hacer recolección. Guardar.

RECOGIDA. f. Acto de recoger. Suspensión del curso de algo.

RECOGIDAMENTE. adv. m. Con recogimiento.

RECOGIDO-DA. p. p. de Recoger. adj. Que vive retirado. s. Mujer que vive retirada en un convento. Aplícase al animal que es corto de tronco.

RECOGIMIENTO. m. Acción de recoger.

RECOLAR. tr. Volver a colar un líquido.

RECOLECCIÓN. f. Recopilación. Cosecha de frutos.

RECOLECTAR. tr. Recoger cosecha. Juntar.

RECOLECTOR. m. Recaudador.

RECOLETO-TA. adj. s. Aplícase al religioso que guarda recolección. Dícese del convento en que se observa esta práctica.

RECOMENDABLE. adj. Digno de recomendación, aprecio o estimación.

RECOMENDACIÓN. f. Acción de recomendar. Encargo. Alabanza de una persona.

RECOMENDAR. tr. Encargar. Hablar en favor de alguien o de algo.

RECOMENZAR. tr. Volver a comenzar.

RECOMPENSA. f. Acto de recompensar. Lo que sirve para ello.

RECOMPENSABLE. adj. Que se puede recompensar. Digno de recompensa.

RECOMPENSAR. tr. Compensar, remunerar, resarcir, premiar.

RECOMPONER. tr. Reparar, componer de nuevo.

RECOMPOSICIÓN. f. Acción de recomponer.

RECONCENTRAR. tr. r. Introducir una cosa en otra. Reunir cosas esparcidas.

RECONCILIACIÓN. f. Acción de reconciliarse.

RECONCILIAR. tr. Volver a las amistades y acordar los ánimos desunidos. r. Confesar culpas ligeras.

RECONCOMIO. m. fam. Acción de reconcomerse. Prurito, deseo. fig. fam. Movimiento del ánimo al efecto.

RECONDITEZ. f. Cosa recóndita.

RECÓNDITO-TA. adj. Muy escondido.

RECONDUCIR. tr. For. Prorrogar tácita o expresamente un arrendamiento.

RECONFORTAR. tr. Confortar, fortalecer, reanimar.

RECONOCER. tr. Distinguir, examinar con ciudado. Advertir.

RECONOCIDAMENTE. adv. m. Con reconocimiento o gratitud.

RECONOCIDO-DA. adj. Agradecido.

RECONOCIMIENTO. m. Acto de reconocer. Gratitud.

RECONQUISTA. f. Acto de reconquistar.

RECONQUISTAR. Volver a conquistar. Recuperar.

RECONSTITUCIÓN. f. Acción y efecto de reconstituir o reconstituirse.

RECONSTITUIR. tr. r. Rehacer. Dar al organismo sus condiciones normales.

RECONSTITUYENTE. adj. m. Que tiene virtud para reconstituir.

RECONSTRUCCIÓN. m. Acción o efecto de reconstruir.

RECONSTRUIR. tr. Volver a construir. Recordar las circunstancias de un hecho.

RECONTAR. tr. Volver a contar. Referir.

RECONVENCIÓN. f. Acto de reconvenir. Argumentos con que se reconviene.

RECONVENIR. tr. Hacer cargo a uno, arguyendo. Reprochar o echar en cara.

RECOPILACIÓN. f. Compendio, resumen. Colección de escritos.

RECOPILADOR. m. El que recopila.

RECOPILAR. tr. Reunir en compendio.

RECORD. m. Hecho deportivo que sobrepasa a los de su especie.

RECORDABLE. adj. Que se puede recordar. Digno de recordación.

RECORDACIÓN. f. Acción de traer algo a la memoria. Memoria de una cosa.

RECORDAR. tr. intr. Traer a la memoria.

RECORDATORIO. m. Aviso para recordar algo.

RECORRER. tr. Ir por un sitio, atravesar de un lado a otro, andar, transitar. Registrar.

RECORRIDO. m. Espacio que se recorre. Trayecto.

RECORTADO-DA. adj. Bot. Dícese de las hojas y otras partes de las plantas cuyos bordes tienen muchas desigualdades. m. Figura recortada de papel.

RECORTADURA. f. Recorte. f. pl. Recortes.

RECORTAR. tr. Cortar lo sobrante de algo. Cortar algo con arte.

RECORTE. m. Acto de recortar. m. pl. Cortaduras de lo recortado.

RECOSER. tr. Remendar, volver a coser.

RECOSTADERO. m. Paraje o cosa que sirve para recostarse.

RECOSTAR. tr. r. Reclinar la parte superior del cuerpo.

RECOVA. f. Jauría. Comercio de huevos, gallinas, etc.

RECOVECO. m. Vuelta y revuelta de un callejón, camino, arroyo, etc. Artificio, rodeo simulado.

RECRE. m. Recle.

RECREACIÓN. f. Efecto de recrear. Diversión.

RECREAR. tr. r. Divertir, deleitar.

RECREATIVO-VA. adj. Que recrea, que puede recrear.

RECRECER. tr. Aumentar, acrecentar una cosa. r. Reanimarse, cobrar bríos.

RECREÍDO-DA. adj. Cetr. Dícese del ave que perdiendo su docilidad se vuelve a su natural indómito.

RECREO. m. Recreación. Sitio apto para ello.

RECRIA. f. Acción de recriar.

RECRIAR. tr. Fomentar el desarrollo de animales criados en otra región.

RECRIMINACIÓN. f. Acción y efecto de recriminar o recriminarse.

RECRIMINAR. tr. Responder a unos cargos con otros.

RECRUDECER. intr. r. Tomar nuevo incremento un mal.

RECRUDECIMIENTO. m. Recrudescencia.

RECRUDESCENTE. p. a. de Recrudecer. Que recrudece.

RECTAL. adj. Perteneciente o relativo al intestino recto.

RECTANGULAR. adj. Relativo al ángulo recto.

RECTÁNGULO. adj. Rectangular. m. Paralelogramo de cuatro ángulos rectos.

RECTIFICABLE. adj. Que se puede rectificar.

RECTIFICACIÓN. f. Acción de rectificar.

RECTIFICADOR-RA. adj. Que rectifica. Electo. Máquina o aparato que sirve para transformar una fuerza electromotriz alterna en continua.

RECTIFICAR. tr. Reducir algo a la exactitud que debe tener. Purificar líquidos.

RECTILÍNEO-A. adj. Que se compone de rectas.

RECTITUD. f. Distancia más breve entre dos puntos. Calidad de recto, justo, etc.

RECTO-A. adj. Que no se inclina a ningún lado. Ángulo de 90°.

RECTOR-RA. adj. s. Que rige. Superior de una comunidad.

RECTORADO. m. Cargo de rector. Tiempo que lo ejerce.

RECTORAL. adj. Relativo al rector. fig. Vivienda del párroco.

RECTORÍA. f. Empleo u oficina del rector.

RECUA. f. Grupo de animales de carga. Muchedumbre de cosas que siguen unas detrás de otras.

RECUADRAR. tr. Pint. Cuadrar o cuadricular.

RECUBRIR. tr. Volver a cubrir. Retejar.

RECUELO. m. Lejía muy fuerte según sale del cernadero. Café cocido segunda vez.

RECUENTO. m. Segunda cuenta que se hace de algo.

RECUERDO. m. Memoria que se hace de algo pasado. Cosa que se regala en testimonio de afecto.

RECULAR. intr. Retroceder.

RECULONES (A). modo adv. Reculando.

RECUPERABLE. adj. Que puede recuperarse.

RECUPERAR. tr. r. Recobrar.

RECURRENTE. com. Que recurre. For. Quien entabla un recurso.

RECURRIR. intr. Acudir a una autoridad con una demanda.

RECURSO. m. Acción de recurrir. pl. Bienes, medios de vida.

RECUSACIÓN. f. Acción de recusar.

RECUSAR. tr. Rechazar, negarse a admitir algo.

RECHAZAR. tr. Resistir un cuerpo a otro forzándole a retroceder.

RECHAZO. m. Retroceso de un cuerpo que encuentra a otro.

RECHIFLA. f. Acto de rechiflar.

RECHIFLAR. tr. Silbar con insistencia. Burlar a uno.

RECHINAMIENTO. m. Acción de rechinar.

RECHINAR. intr. Producir algo un sonido desapacible por frotar una cosa con otra.

RECHISTAR. intr. Chistar.

RECHONCHO-A. adj. Grueso y de poca altura.

RED. f. Aparejo de mallas para pescar.

REDACCIÓN. f. Acción y efecto de redactor.

REDACTAR. tr. Escribir, relatos, noticias.

REDACTOR-RA. adj. s. Que redacta. Miembro de una redacción.

REDADA. f. Lance de red. Conjunto de cosas cogidas de una vez.

REDAÑO. m. Anat. Mesenterio. pl. fig. Fuerzas, valor.

REDARGÜIR. tr. Combatir al contrario con sus argumentos.

REDECILLA. f. Tejido de malla con que se hacen redes. Segunda cavidad del estómago de rumiantes.

REDEDOR. m. Contorno.

REDENCIÓN. f. Acción de redimir. Remedio.

REDENTOR-RA. adj. s. Que redime. m. por anton. Cristo.

REDHIBIR. tr. Anular la venta por haber ocultado el vendedor algún vicio de lo vendido.

REDIL. m. Aprisco rodeado con valla de estacas y redes.

REDIMIR. tr. r. Rescatar de la esclavitud.

REDINGOTE. m. Capote de poco vuelo y mangas ajustadas.

RÉDITO. m. Renta, interés. Utilidad que rinde un capital.

REDITUABLE. adj. Que produce rédito.

REDITUAR. tr. Producir utilidad periódica o renovadamente.

REDOBLANTE. m. Tambor de caja prolongada, sin bordones.

REDOBLAR. tr. r. Doblar. Repetir. intr. Tocar redobles.

REDOBLE. m. Toque de tambor vivo y sostenido.

REDOMA. f. Vasija de vidrio, cónica, ancha en el fondo, angosta en la boca.

REDOMADO-DA. adj. Muy astuto y cauteloso.

REDONDA. f. Comarca. Dehesa o coto. Mús. Semibreve.

REDONDEAR. tr. r. Poner algo redondo. Sanear algo librándolo de deudas.

REDONDEL. m. Círculo. Espacio para lidia en las plazas de toros.

REDONDEZ. f. Calidad de redondo.

REDONDILLA. f. Dícese de la letra de trazos curvos.

REDONDO-DA. adj. De forma circular. m. Número sin fracciones.

REDOVA. f. Danza eslava. Su música.

REDUCCIÓN. f. Acción de reducir.

REDUCIBLE. adj. Que puede reducirse.

REDUCIR. tr. Volver algo al estado que tenía. Estrechar, disminuir. Dividir en partes menudas.

REDUCTO. m. Fort. Obra de campaña, cerrada.

REDUNDANCIA. f. Sobra de una cosa.

REDUNDAR. intr. Rebosar, salirse una cosa de sus límites.

REDUPLICAR. tr. Redoblar.

REEDIFICAR. tr. Volver a edificar lo arruinado.

REELEGIR. tr. Volver a elegir.

REEMBARCAR. tr. r. Volver a embarcar.

REEMBOLSAR. tr. r. Cobrar la cantidad prestada.

REEMBOLSO. m. Acción y efecto de reembolsar.

REEMPLAZAR. tr. Poner una cosa en lugar de otra.

REEMPLAZO. m. Acto de reemplazar. Renovación parcial del contingente del ejército.

REENGANCHAR. tr. r. Mil. Volver a enganchar.

REFACCIÓN. f. Alimento moderado para reparar fuerzas.

REFAJO. m. Falda exterior corta.

REFECTORIO. m. Comedor de una comunidad o colegio.

REFERENCIA. f. Narración, relación. Informe sobre una persona.

REFERÉNDUM. m. Consulta al pueblo sobre asunto de interés común.

REFERIR. tr. Contar, relatar. Relacionar.

REFILÓN (DE). modo adv. De paso.

REFINAMIENTO. m. Esmero.

REFINAR. tr. Hacer más fina o pura, una cosa.

REFINO-NA. adj. Muy fino.

REFIRMAR. tr. Escribar. Confirmar.

REFLECTOR-RA. adj. s. Que refleja. m. Aparato para reflejar rayos luminosos.

REFLEJAR. tr. r. Cambiar de dirección la luz, color, ondas.

REFLEJO-JA. adj. Que ha sido reflejado. Acto que obedece a excitaciones no percibidas.

REFLEXIÓN. f. Acción de reflejar o reflexionar.

REFLEXIONAR. tr. Considerar algo con detenimiento.

REFLEXIVO-VA. adj. Que refleja. Que obra con reflexión.

REFLUIR. tr. Retroceder un líquido.

REFLUJO. m. Movimiento descendente de la marea.

REFOCILAR. tr. r. Recrear, alegrar.

REFORMA. f. Acto de reformar. Religión reformada.

REFORMATORIO. adj. Que reforma. Establecimiento correccional.

REFORMISTA. adj. con. Partidario de reformas.

REFORZAR. tr. Engrosar.

REFRACTAR. tr. r. Fís. Cambiar la dirección de una radiación.

REFRACTARIO-RIA. adj. Que rehusa cumplir algo. Que resiste la acción del fuego sin cambiar de estado.

REFRÁN. m. Dicho agudo y sentencioso.

REFRANGIBLE. adj. Que puede refractarse.

REFREGAR. tr. r. Estregar una cosa con otra.

REFREGÓN. m. Refregadura. Mar. Ráfaga violenta de aire.

REFRENAR. tr. Sujetar el caballo con el freno. Contener.

REFRENDAR. tr. Legalizar un documento. Revisar un pasaporte. Repetir.

REFRESCAR. tr. Moderar el calor. Renovar .intr. Tomar fuerzas.

REFRESCO. m. Alimento moderado. Bebida fría. Refrigerio.

REFRIEGA. f. Combate de poca importancia.

REFRIGERACIÓN. f. Acción de refrigerar.

REFRIGERADOR-RA. adj. s. Refrigerante.

REFRIGERAR. tr. r. Refrescar. Reparar las fuerzas.

REFRIGERIO. m. Alimento ligero.

REFRINGIR. tr. r. Fís. Refractar.

REFUERZO. m. Reparo con que se fortalece algo.

REFUGIAR. tr. r. Acoger, amparar.

REFUGIO. m. Asilo, amparo.

REFULGENCIA. f. Resplandor.

REFULGENTE. adj. Resplandeciente.

REFUNDICIÓN. f. Acción de refundir.

REFUNDIR. tr. Volver a fundir. Dar nueva forma.

REFUNFUÑAR. intr. Emitir voces confusas en señal de enojo.

REFUTABLE. adj. Que puede refutarse.

REFUTACIÓN. f. Acto de refutar. Argumento para destruir razones contrarias.

REFUTAR. tr. Contradecir. Impugnar.

REGADERA. f. Vasija portátil para regar.

REGADÍO-A. adj. s. Terreno que se puede regar.

REGALA. f. Mar. Tablón que forma el borde del buque.

REGALAR. tr. Dar a uno una cosa. Agasajar. Recrear.

REGALÍA. f. Prorrogativa regia. Privilegio.

REGALISTA. adj. s. Partidario del regalismo.

REGALIZ. m. Orozuz. Jugo extraído de esta planta.

REGALO. m. Dádiva, obsequio, presente.

REGAÑADIENTES (A). adv. De mala gana.

REGAÑADO. adj. Boca y ojo que tiene un frunce.

REGAÑAR. intr. Gruñir el perro. Dar señal de enfado una persona. Reñir, reprender.

REGAÑO. m. Gesto o palabra áspera que demuestra enfado.

REGAR. tr. Echar agua sobre plantas, tierras, etc. Esparcir.

REGATA. f. Reguera pequeña. Pugna de velocidad entre lanchas o embarcaciones ligeras.

REGATE. m. Movimiento rápido hurtando el cuerpo.

REGATEAR. tr. Discutir comprador y vendedor sobre el precio. intr. Hacer regates.

REGATÓN-NA. adj. s. Que regatea mucho. m. Contera en bastones, lanzas, etc.

REGAZO. m. Enfaldo de la saya que hace seno desde la cintura a la rodilla.

REGENCIA. f. Acto de regir. Empleo de regente.

REGENERACIÓN. f. Acción de regenerar.

REGENERAR. tr. Dar nuevo ser. Restablecer.

REGENTA. f. Profesora de algunos centros docentes.

REGENTAR. tr. Desempeñar temporalmente algún cargo o empleo.

REGENTE. com. Quien desempeña una regencia.

REGIAMENTE. adv. m. Con grandeza real. fig. Suntuosamente.

REGICIDA. adj. s. Quien mata a un rey o reina.

REGIDOR-RA. adj. s. Que rige. m. Concejal.

RÉGIMEN. m. Modo de regirse. Forma de gobierno.

REGIMIENTO. Mil. m. Cuerpo de tropas cuyo jefe es un coronel.

REGIO-A. adj. Real, suntuoso. Relativo al rey.

REGIONAL. adj. Relativo a la región.

REGIONALISMO. m. Doctrina que defiende que cada región debe administrarse por si misma.

REGIR. tr. Dirigir, gobernar, conducir, guiar.

REGISTRADOR. m. Funcionario encargado de un registro.

REGISTRAR. tr. Examinar con cuidado. Inscribir en el registro. Señalar un fenómeno, un instrumento.

REGISTRO. m. Acto de registrar. Libro en que anotan ciertas cosas. Padrón, matrícula. Protocolo.

REGLA. f. Instrumento rígido para trazar líneas rectas. Pauta. Precepto. Estatuto. Menstruación.

REGLAMENTAR. tr. Sujetar a reglamento.

REGLAMENTO. m. Colección ordenada de reglas para el régimen de una colectividad.

REGLAR. tr. Trazar líneas rectas. Sujetar a reglas.

REGLETA. f. Impr. Lámina fina para regletear.

REGLETEAR. tr. Impr. Espaciar con regletas la composición.

REGOCIJAR. tr. Alegar, causar gusto.

REGOCIJO. m. Júbilo. Acto que manifiesta alegría.

REGODEARSE. r. Deleitarse, complacerse.

REGODEO. m. Acción de regodearse. Diversión.

REGOJO. m. Pedazo de pan sobrante después de haber comido.

REGOLDAR. intr. Eructar.

REGOSTO. m. Deseo de repetir lo que se gustó.

REGRESAR. intr. Volver al lugar de donde se salió.

REGRESO. m. Acto de regresar.

REGUERA. f. Canal para conducir el agua de riego.

REGUERO. m. Corriente a modo de arroyuelo de un líquido.

REGULADOR-RA. adj. Que regula.

REGULAR. adj. Regulado. Ajustado, medido.

REGULARIDAD. f. Calidad de regular.

RÉGULO. m. Señor de un pequeño estado.

REGURGITACIÓN. f. Acto de regurgitar.

REGURGITAR. intr. Expeler por la boca, sin vómito el contenido del estómago.

REHABILITACIÓN. f. Acto de rehabilitar.

REHACER. tr. Volver a hacer. tr. r. Reparar. r. Serenarse.

REHARTAR. tr. Hartar mucho.

REHECHO-A. adj. Robusto y fuerte.

REHÉN. m. Persona que queda en poder del enemigo en garantía.

REHILAR. tr. Torcer mucho lo que se hila.

REHILETE. m. Flechilla para tirar al blanco. Banderilla.

REHOGAR. tr. Sazonar a fuego lento en manteca o aceite.

REHUIR. tr. intr. r. Evitar algo. tr. Rehusar.

REHUSAR. tr. Rechazar, no aceptar.

REIMPORTAR. tr. Importar lo que ha sido exportado.

REIMPRESIÓN. f. Acto de reimprimir. Conjunto de ejemplares impresos.

REIMPRIMIR. tr. Volver a imprimir.

REINA. f. Esposa del rey. Pieza del juego de ajedrez.

REINAR. intr. Regir un estado un rey, o príncipe.

REINCIDENCIA. f. Reiteración de una culpa. For. Agravante de responsabilidad.

REINCIDIR. intr. Volver a incurrir en error o falta.

REINCORPORAR. tr. r. Volver a incorporar.

REINGRESAR. intr. Volver a ingresar.

REINO. m. Territorio regido por un rey.

REINSTALAR. tr. r. Volver a instalar.

REINTEGRAR. tr. Restituir, devolver.

REINTEGRO. m. Premio de la lotería igual a lo jugado.

REIR. intr. r. Manifestar alegría. Hacer burla.

REIS. m. pl. Moneda portuguesa.

REITERACIÓN. f. Acto de reiterar.

REITERAR. tr. r. Repetir, volver a ejecutar.

REIVINDICACIÓN. f. Acto de reivindicar.

REIVINDICAR. tr. For. Recuperar lo que pertenece a uno por derecho.

REJA. f. Red de barras de hierro. Pieza del arado que remueve la tierra.

REJALGAR. m. Sulfuro de arsénico rojo venenoso.

REJILLA. f. Celosía. Red de alambre.

REJO. m. Punta, aguijón, clavo. Robustez, fortaleza.

REJÓN. m. Barra de hierro cortante que remata en punta.

REJONAZO. m. Golpe de rejón.

REJONEAR. tr. Herir con el rejón al toro, en el toreo a caballo.

REJUELA. f. Braserillo para calentarse los pies.

REJUVENECER. intr. r. Remozar, adquirir vigor propio de la juventud.

RELACIÓN. f. Acto de referir. Conexión. Vínculo, trato.

RELACIONAR. tr. Hacer relación de un hecho.

RELAJACIÓN. f. Acto de relajarse. Hernia.

RELAJAR. tr. r. Aflojar, ablandar. Viciarse. Formársele hernia. Divertir el ánimo.

RELAMER. tr. Volver a lamer. r. Lamerse los labios.

RELAMIDO-DA. adj. Afectado. Pulcro con exceso.

RELÁMPAGO. m. Resplandor vivo e instantáneo.

RELAMPAGUEAR. intr. Haber relámpagos.

RELANCE. m. Segundo lance. Suceso casual y dudoso.

RELATAR. tr. Referir. For. Hacer relación de un proceso.

RELATIVIDAD. f. Calidad de relativo. Fís. Teoría de Einstein.

RELATO. m. Narración. Acto de relatar.

RELATOR-RA. adj. s. Que relata.

RELATORIA. f. Empleo u oficina de relator.

RELAZAR. tr. Enlazar o atar con varios lazos.

RELEER. tr. Leer de nuevo.

RELEGACIÓN. f. Pena que se cumple en lugar señalado por el gobierno.

RELEGAR. tr. Desterrar, apartar.

RELEJAR. intr. Formar releje la pared.

RELENTE. m. Humedad atmosférica en noches serenas.

RELEVANTE. adj. Sobresaliente.

RELEVAR. tr. Hacer algo de relieve. Exonerar de una carga.

RELEVO. m. Acto de relevar. Soldado que releva.

RELICARIO. m. Sitio o caja donde se guardan reliquias.

RELIEVE. m. Figura que resalta sobre el plano. Mérito.

RELIGIÓN. f. Relaciones que unen al hombre a Dios.

RELIGIOSO-SA. adj. s. Que ha tomado hábito en una orden regular.

RELINCHAR. intr. Emitir su voz el caballo.

RELINGAR. tr. Mar. Unir la relinga. Izar una vela hasta poner las relingas tirantes.

RELIQUIA. f. Residuo de algo. Vestigio de cosas pasadas.

RELOJ. m. Instrumento para medir el tiempo.

RELOJERÍA. f. Arte, oficio o tienda del relojero.

RELOJERO-RA. s. Quien hace, compone o vende relojes.

RELUCIENTE. adj. Que reluce.

RELUCIR. intr. Depedir o reflejar la luz.

RELUMBRAR. intr. Dar viva luz una cosa.

RELUMBRÓN. m. Golpe de luz vivo y pasajero. Oropel.

RELLANO. m. Meseta de escalera. Llano en la pendiente de un terreno.

RELLENAR. tr. Volver a llenar. Llenar de carne picada un manjar.

REMACHAR. tr. Machacar la punta o cabeza de un clavo.

REMACHE. m. Acto de remachar. Clavo o clavija de hierro.

REMALLAR. tr. Componer, reforzar las mallas viejas.

REMANENTE. m. Residuo de una cosa.

REMANSARSE. r. Detenerse el curso de un líquido.

REMANSO. m. Detención de la corriente de un líquido.

REMAR. intr. Mover el remo para impeler la embarcación.

REMATAR. tr. Poner fin a la vida del moribundo. Concluir.

REMATE. m. Fin, extremidad de una cosa. Último término de la subasta.

REMEDAR. tr. Imitar o contrahacer. Seguir el ejemplo.

REMEDIAR. tr. r. Reparar un daño. Corregir.

REMEDIO. m. Medio para reparar un daño.

REMEDO. m. Imitación.

REMEMORAR. tr. Recordar.

REMENDAR. tr. Reforzar con remiendos lo roto o gastado.

REMENDÓN-NA. adj. s. Que remienda por oficio.

REMERO-RA. s. Quien rema.

REMESA. f. Envío hecho de una cosa.

REMESAR. tr. Hacer remesas. tr. r. Mesar mucho el cabello.

REMETER. tr. Volver a meter. Meter más adentro.

REMIEL. m. Segunda miel que se saca de la caña dulce.

REMIENDO. m. Tela que se cose a lo viejo o roto.

REMILGARSE. r. Repulirse, hacerse ademanes con el rostro.

REMILGO. m. Acto de remilgarse. Melindre.

REMINISCENCIA. f. Acto de presentarse a la memoria. Cosas casi olvidadas.

REMIRADO-DA. adj. Escrupuloso.

REMISIÓN. f. Acción de remitir.

REMISO-SA. adj. Irresoluto, flojo, de escasa actividad.

REMISORIA. f. For. Despacho con que el juez remite la causa o el procesado a otro tribunal.

REMITIDO. m. Comunicado de periódico.

REMITIR. tr. Enviar. Perdonar. Ceder. Atenuar.

REMO. m. Útil de madera en forma de pala para mover la embarcación.

REMOJAR. tr. Empapar en agua.

REMOJO. m. Acto de remojar.

REMOLACHA. f. Planta salsolácea, comestible, de la que se extrae azúcar.

REMOLCAR. tr. Llevar una embarcación o carruaje a otra, tirando de ellos.

REMOLINO. m. Movimiento giratorio rápido del aire, agua, etc.

REMOLONEAR. intr. r. Resistirse a hacer algo por pereza.

REMOLQUE. m. Acción de remolcar. Cabo con que se remolca.

REMONTA. f. Compostura del calzado. Mil. Compra, cría y cuidado de caballos para el ejército.

REMONTAR. tr. Espantar. Echar palas al calzado. Proveer de caballos a una tropa.

REMONTE. m. Acción de remontar.

REMOQUETE. m. Dicho agudo, puñada.

RÉMORA. f. Cosa que detiene o suspende.

REMORDER. tr. Volver a morder. Causar remordimiento.

REMORDIMIENTO. m. Pesar interno por la acción de una mala obra.

REMOSQUEARSE. r. Mostrarse receloso.

REMOSTAR. tr. Echar mosto en el vino añejo.

REMOTO-TA. adj. Distante, lejano.

REMOVER. tr. r. Trasladar de un lugar a otro. Alterar los humores.

REMOZAR. tr. r. Rejuvenecer.

REMUDA. f. Acto de remudar.

REMUDAR. tr. r. Reemplazar una cosa por otra.

REMUNERACIÓN. f. Acto de remunerar. Lo que sirve para remunerar.

REMUNERAR. tr. Recompensar, premiar.

RENACER. intr. Volver a nacer. Adquirir la gracia por el bautismo.

RENACIMIENTO. m. Acto de renacer. Movimiento cultural humanístico.

RENACUAJO. m. Larva de rana con cola y branquias.

RENAL. adj. Relativo al riñón.

RENCILLA. f. Riña.

RENCO-CA. adj. s. Cojo por lesión de cadera.

RENCOR. m. Resentimiento.

RENCOROSO-SA. adj. Que tiene rencor.

RENDAJE. m. Conjunto de riendas.

RENDAR. tr. Binar, dar segunda reja a la tierra o segunda cava a las viñas.

RENDICIÓN. f. Acto de rendirse. Rendimiento.

RENDIJA. f. Hendidura, grieta, raja.

RENDIMIENTO. m. Rendición, cansancio. Utilidad de algo.

RENDIR. tr. Vencer. Someter. Cansar. Dar, restituir.

RENEGADO-DA. adj. s. Que renuncia a la ley de Cristo.

RENEGAR. tr. Negar con insistencia. Detestar.

RENGÍFERO. m. Relativo al reno.

RENGLÓN. m. Palabras escritas o impresas en línea recta.

RENIEGO. m. Blasfemia.

RENO. m. Rumiante cérvido de asta ramosa, domesticable.

RENOMBRADO-DA. adj. Célebre.

RENOMBRE. m. Sobrenombre, celebridad.

RENOVACIÓN. f. Acto de renovar.

RENOVAR. tr. r. Hacer como nuevo. Restablecer.

RENQUEAR. intr. Andar como renco.

RENTA. f. Utilidad que rinde al año una cosa.

RENTAR. tr. Producir renta.

RENTERÍA. f. Tierra tomada a renta.

RENTERO-RA. s. Colono que tiene arrendada una finca.

RENTILLA. f. Juego de naipes. Juego de dados.

RENTISTA. com. Persona que cobra renta.

RENTOY. m. Juego de naipes.

RENUENCIA. f. Repugnancia a hacer algo.

RENUENTE. adj. Indócil, remiso.

RENUEVO. m. Vástago que echa el árbol p:dado. Brote.

RENUNCIA. f. Acto de renunciar.

RENUNCIAR. tr. Hacer dejación voluntaria de algo. No querer admitir algo.

RENUNCIO. m. Falta en el juego de naipes al no seguir el palo que se juega. Contradicción.

RENVALSO. m. Carp. Rebajo en el canto de la hoja de puertas y ventanas para que encajen en el marco.

RESIDO-DA. adj. Enemistado. Muy disputado.

RESIR. intr. Contender, disputar. Desavenirse.

REO-A. adj. Culpado, criminoso.

REÓFORO. m. Cualquiera de l:s conductores de la corriente de una pila eléctrica.

REOJO (MIRAR DE) fr. Mirar con disimulo.

REORGANIZACIÓN. f. Acto de organizar.

REORGANIZAR. tr. r. Volver a organizar.

REÓSTATO. m. Aparato para variar la resistencia de un circuito eléctrico.

REPANTIGARSE. r. Arrellanarse en un asiento.

REPARACIÓN. f. Acto de reparar. Desagravio.

REPARADO-DA. adj. Reforzado. Bizco.

REPARAR. tr. Componer, arreglar, corregir. Oponer defensa.

REPARO. m. Reparación. Advertencia. Escrúpulo.

REPARÓN-NA. adj. Que nota defectos nimios.

REPARTICIÓN. f. Acto de repartir. Reparto.

REPARTIMIENTO. m. Acto de repartir.

REPARTIR. tr. r. Distribuir algo entre varios.

REPARTO. m. Repartimiento.

REPASADORA. f. Mujer que repasa o carmena la lana.

REPASAR. tr. Volver a pasar a examinar. Recoser la ropa.

REPASATA. f. fam. Corrección.

REPASO. m. Acto de repasar.

REPATRIACIÓN. f. Acto de repatriar.

REPATRIAR. tr. intr. r. Hacer que uno regrese a su patria.

REPECHO. m. Cuesta muy pendiente y poco larga.

REPELAR. tr. r. Tirar o arrancar el pelo.

REPELER. tr. Arrojar, rechazar.

REPELO. m. Lo que no va al pelo. Riña.

REPELÓN. m. Tirón dado del pelo. Carrera impetuosa del caballo.

REPELOSO-SA. adj. Aplícase a la madera que al labrarla levanta pelos o repelos.

REPENTE. m. Movimiento súbito no previsto.

REPENTINO-NA. adj. Pronto, no previsto.

REPENTIZAR. intr. Mús. Ejecutar obras a la primera lectura.

REPERCUSIÓN. f. Acción de repercutir.

REPERCUTIR. intr. Retroceder un cuerpo al chocar con otro.

REPERTORIO. m. Libro en que se citan cosas notables. Colección de obras.

REPESAR. tr. Volver a pesar.

REPESO. m. Acto de repesar. Lugar para ello.

REPETICIÓN. f. Acto de repetir. Mecanismo para que el reloj de la hora.

REPETIR. tr. Volver a decir o hacer lo dicho o hecho.

REPICAR. tr. Picar mucho. tr. intr. Tañer las campanas.

REPINTAR. tr. Pintar sobre lo pintado. r. Usar afeites.

REPIQUE. m. Acción de repicar.

REPIQUETEAR. tr. Repicar con viveza.

REPIQUETEO. m. Acción de repiquetear.

REPISA. f. Ménsula de más longitud que vuelo.

REPLANTAR. tr. Volver a plantar. Transplantar.

REPLANTEO. m. Acto de replantear.

REPLEGAR. tr. Plegar o doblar varias veces, algo.

REPLETO-TA. adj. Muy lleno.

RÉPLICA. f. Acto de replicar. Argumento con que se replica.

REPLICAR. intr. Argüir contra el argumento. Responder rechazando lo que se nos dice.

REPLIEGUE. m. Pliegue doble. Acto de replegarse las tropas.

REPOBLACIÓN. f. Acto de repoblar.

REPOBLAR. tr. r. Volver a poblar. Plantar árboles.

REPOLLO. m. Variedad de col.

REPOLLUDO-DA. adj. Dícese de la planta que forma repollo.

REPONER. tr. Volver a poner. Reemplazar.

REPORTAJE. m. Información periodística, o cinematográfica.

REPORTAR. tr. r. Refrenar, moderar algo. Traer o llevar.

REPORTE. m. Noticia. Prueba litográfica.

REPÓRTER. m. Reportero.

REPORTERO-RA. adj. s. Periodista que tiene por oficio recoger noticias.

REPOSAR. intr. Descansar. Posarse un líquido. Estar enterrado.

REPOSICIÓN. f. Acto de reponer o reponerse.

REPOSO. m. Acción de reposar.

REPOSTERÍA. f. Establecimiento y arte de repostero.

REPOSTERO. m. Persona que hace dulces, fiambres, etc.

REPRENDER. tr. Corregir, amonestar a alguien.

REPRENSIBLE. adj. Digno de reprensión.

REPRENSIÓN. f. Acto de reprender. Expresión con que se reprende.

REPRESALIA. f. Derecho que se atribuye el enemigo de hacer un daño igual o mayor al recibido.

REPRESAR. tr. r. Detener o estancar el agua. Contener, reprimir.

REPRESENTACIÓN. f. Acto de representar. Autoridad, carácter.

REPRESENTANTE. com. Persona que representa a otra. Agente que representa una casa comercial.

REPRESENTAR. tr. r. Hacer presente. Informar, declarar. Substituir a uno.

REPRESENTATIVO-VA. adj. Que representa algo.

REPRESIÓN. f. Acto de represar. Idem de reprimir.

REPRESIVO-VA. adj. Dícese de lo que reprime.

REPRIMENDA. f. Reprensión vehemente y prolija.

REPRIMIR. tr. Contener, refrenar o templar.

REPROBACIÓN. f. Acto de reprobar.

REPROBAR. tr. No aprobar. Dar por malo algo.

RÉPROBO-BA. adj. Condenado a las penas eternas.

REPROCHABLE. adj. Que es digno de reproche.

REPROCHAR. tr. Reconvenir, echar en cara algo.

REPROCHE. m. Acción de reprochar. Expresión con que se reprocha.

REPRODUCCIÓN. f. Acto de reproducir o reproducirse.

REPRODUCIR. tr. r. Volver a producir de nuevo algo.

REPRODUCTOR-RA. adj. Que produce.

REPS. m. Tela de seda o lana bien tejida, usada en tapicería.

REPTAR. intr. Andar arrastrándose como los reptiles. Adular.

REPTIL. adj. m. Vertebrado ovíparo, sangre fría, miembros atrofiados o sin ellos.

REPÚBLICA. f. Estado. Forma de gobierno que preside una asamblea elegida por el pueblo.

REPUBLICANO-NA. adj. Perteneciente a la república. adj. Partidario de ella.

REPUDIACIÓN. f. Acción de repudiar.

REPUDIAR. tr. Rechazar la mujer propia, renunciar.

REPUESTO-TA. adj. Apartado, retirado. Prevención de víveres o de otra cosa.

REPUGNANCIA. f. Oposición entre dos cosas. Tedio, aversión.

REPUGNANTE. adj. Que causa repugnancia.

REPUGNAR. tr. Oponerse una cosa a otra. Resistirse a hacer algo.

REPUJAR. tr. Labrar a martillo metales, cueros, haciendo resalte en figuras de relieve.

REPULGO. m. Dobladillo. Escrúpulos ridículos.

REPULIR. tr. Volver a pulir. Acicalarse, componerse.

REPULSA. f. Acto de repulsar. Reprimenda.

REPULSAR. tr. Desechar o despreciar.

REPULSIÓN. m. Acto de repeler. Repulsa.

REPULSIVO-VA. adj. Que causa repulsión.

REPURGAR. tr. Volver a limpiar o purificar algo.

REPUTACIÓN. f. Fama y crédito de alguien.

REQUEBRAR. tr. Volver a quebrar. Lisonjear.

REQUEMAR. tr. Volver a quemar o tostar con exceso. Encenderse la sangre.

REQUERIMIENTO. m. Acto de requerir.

REQUERIR. tr. Intimar con autoridad pública. Necesitar algo. Solicitar a una mujer.

REQUESÓN. m. Masa blanca y mantecosa de la leche cuajada.

REQUETÉ. m. Agrupación militar del part. tradicionalista español.

REQUIEBRO. m. Acto de requebrar. Dicho con que se requiebra.

REQUIEM. m. Oración que se reza por los difuntos.

REQUINTO. m. Clarinete pequeño. Músico que lo toca.

REQUISA. f. Revista o inspección de algo. Requisición.

REQUISAR. tr. Hacer requisa de cosas para el servicio militar.

REQUISICIÓN. f. Recuento y embargo de efectos para la milicia.

REQUISITO. m. Condición necesaria para una cosa.

REQUISITORIA-RIA. adj. For. Despacho en que un juez requiere a otro para que ejecute un mandamiento.

RES. f. Cabeza de ganado.

RESABIAR. tr. Hacer tomar una mala costumbre o vicio.

RESABIO. m. Sabor desagradable. Vicio o mala costumbre.

RESACA. f. Movimiento de la ola al retirarse.

RESALADO-DA. adj. Que tiene mucha gracia.

RESALTAR. intr. Rebotar. Sobresalir. Distinguirse una cosa entre otras.

RESALTO. m. Acción de resaltar. Parte que sobresale de una superficie.

RESARCIBLE. adj. Que se puede o se debe resarcir.

RESARCIMIENTO. m. Acción de resarcirse.

RESARCIR. tr. r. Indemnizar, reparar un daño.

RESBALADERO-RA. adj. Resbaladizo.

RESBALADIZO-ZA. adj. Que se resbala fácilmente.

RESBALAR. intr. r. Escurrirse, deslizarse. Incurrir en un desliz.

RESBALÓN. m. Acto de resbalar.

RESCATAR. tr. Recobrar por fuerza o precio algo.

RESCATE. m. Acto de rescatar.

RESCINDIR. tr. Anular un contrato, obligación, etc.

RESCISIÓN. f. Acto de rescindir.

RESCOLDO. m. Brasa menuda cubierta de ceniza. Recelo.

RESCRIPTO. m. Decisión del Papa para resolver una consulta.

RESECAR. tr. r. Secar mucho.

RESECCIÓN. f. Cir. Operación para separar un órgano o parte de él.

RESECO-CA. adj. Muy seco.

RESEDA. f. Planta de jardín, resedácea.

RESENTIMIENTO. m. Acto de resentirse.

RESENTIRSE. r. Empezar a flaquear. Mostrar enojo.

RESEÑA. f. Revista de la tropa. Narración sucinta. Exposición crítica de una obra.

RESEÑAR. tr. Hacer reseña de algo.

RESERVA. f. Guarda, custodia de algo. Cautela, discreción.

RESERVADO-DA. adj. Cauteloso, discreto.

RESERVAR. tr. Guardar para luego. Separar parte de una cosa.

RESERVÓN-NA. adj. fam. Que guarda excesiva reserva.

RESFRIADO. m. Catarro. Destemple del cuerpo.

RESFRIAR. tr. Enfriar. Templar el ardor.

RESGUARDAR. tr. Defender. Prevenirse.

RESGUARDO. m. Guardia. Garantía dada por escrito.

RESIDENCIA. f. Acto de residir. Donde se reside.

RESIDIR. intr. Morar en un lugar. Radicar en un punto.

RESIDUO. m. Parte que queda de un todo. Mat. Resultado de la resta.

RESIEMBRA. f. Siembra que se hace en un terreno sin dejarlo descansar.

RESIGNACIÓN. f. Entrega voluntaria de sí mismo. Conformidad.

RESIGNAR. tr. Renunciar un beneficio eclesiástico en favor de otro. r. Conformarse.

RESINA. f. Substancia orgánica vegetal, soluble en alcohol.

RESINAR. tr. Sacar resina de un árbol.

RESISTENCIA. f. Acto de resistir. Mec. Causa opuesta a la acción de una fuerza.

RESISTIR. intr. r. Oponerse una fuerza a la acción de otra. intr. Rechazar. tr. Combatir.

RESMA. f. Conjunto de veinte manos de papel. | carnal.

RESOBRINO-NA. s. Hijo de sobrino

RESOL. m. Reverberación solar.

RESOLUCIÓN. f. Acto de resolver. Animo. Actividad.

RESOLUTIVO-VA. adj. Método analítico. Med. Que puede resolver.

RESOLVER. tr. Tomar resolución. Analizar. Resumir. Atreverse.

RESOLLAR. intr. Respirar con fuerza.

RESONADOR-RA. adj. Que hace resonar.

RESONANCIA. f. Prolongación del sonido. Divulgación.

RESONAR. intr. Sonar por repercusión o sonar mucho.

RESOPLAR. intr. Dar soplidos.

RESORTE. m. Muelle. Fuerza elástica. Medio para lograr algo.

RESPALDAR. tr. Anotar en el respaldo de un escrito. Proteger. Apoyarse en el respaldo.

RESPALDO. m. Parte de la silla en que descansa la espalda.

RESPECTIVAMENTE. adv. Relativo a personas o cosas.

RESPECTO. m. Relación de una cosa con otra.

RESPETABILIDAD. f. Calidad de respetable.

RESPETABLE. adj. Digno de respeto.

RESPETAR. tr. Tener respeto.

RESPETO. m. Consideración, miramiento, acatamiento. | neración.

RESPETUOSO-SA. adj. Que causa ve-

RÉSPICE. m. Respuesta desabrida. Reprensión fuerte.

RESPINGAR. intr. Sacudirse la bestia. Gruñir, rezongar.

RESPINGO. m. Acto de respingar. Sacudida del cuerpo.

RESPIRACIÓN. f. Acción de respirar. Ventilación.

RESPIRADERO. m. Abertura por donde entra y sale aire.

RESPIRADOR-RA. adj. Que respira. Que sirve para la respiración.

RESPIRAR. intr. Absorber aire y expelerlo para oxigenar la sangre. Hablar.

RESPIRATORIO-RIA. adj. Que sirve para la respiración.

RESPIRO. m. Respiración. Descanso, alivio de una fatiga.

RESPLANDECER. intr. Despedir rayos de luz. Sobresalir.

RESPLANDINA. f. Reprensión fuerte.

RESPLANDOR. m. Luz clara que despide un cuerpo. Brillo.

RESPONDEDOR-RA. adj. Que responde.

RESPONDER. tr. Contestar a una pregunta, llamada, etc. intr. Repetir el eco. Replicar.

RESPONDÓN-NA. adj. s. Que replica sin respeto.

RESPONSABILIDAD. f. Calidad de responsable.

RESPONSABLE. adj. Obligación a responder de algo o por alguien.

RESPONSO. m. Responsorio dicho por los difuntos. Reprensión.

RESPONSORIO. m. Preces y versículos del rezo.

RESPUESTA. f. Acto de responder. Contestación. Lo que se responde a una pregunta.

RESQUEBRAJADURA. f. Hendedura.

RESQUEBRAJAR. tr. r. Hender, agrietar.

RESQUEBRAJOSO-SA. adj. Que se resquebraja con facilidad.

RESQUICIO. m. Abertura entre el quicio y la puerta. Coyuntura, ocasión.

RESTA. f. Operación de restar. Disminuir, cercenar.

RESTABLECER. tr. Volver a poner en su estado. r. Recobrar la salud.

RESTABLECIMIENTO. m. Acto de restablecer o restablecerse.

RESTALLAR. intr. Chasquear el látigo. Crujir.

RESTAÑAR. tr. intr. Detener el curso de un líquido.

RESTAR. tr. Separar parte de un todo. Mat. Sustraer una cantidad de otra.

RESTAURANTE. adj. s. Que restaura. m. Establecimiento de comidas.

RESTAURAR. tr. Recuperar, recobrar. Reparar, volver a poner en su estado anterior.

RESTINGA. f. Banco de arena o piedra debajo del agua poco profundo.

RESTITUCIÓN. f. Acción y efecto de restituir.

RESTITUIR. tr. Volver una cosa a quien antes lo tenía.

RESTO. m. Residuo. Cantidad que en el juego limita el envite.

RESTREGAR. tr. Estregar mucho y con ahínco.

RESTREGÓN. m. Estregón.

RESTRICCIÓN. f. Limitación, cortapisa.

RESTRICTIVO-VA. adj. Que tiene fuerza para restringir.

RESTRICTO-TA. adj. Limitado, preciso.

RESTRINGIR. tr. Limitar, ceñir, reducir, coartar.

RESUCITAR. tr. Volver la vida a un muerto. intr. Volver a la vida.

RESUDAR. intr. Sudar ligeramente. intr. r. Rezumar.

RESUELLO. m. Respiración, especialmente violenta.

RESULTA. f. Efecto, consecuencia. Lo que se resuelve al deliberar.

RESULTADO. m. Efecto, consecuencia de algo.

RESULTANTE. adj. Mec. Fuerza que produce el mismo efecto que el conjunto de otras.

RESULTAR. intr. Ser consecuencia de algo. Aparecer, manifestarse.

RESUMEN. m. Acto de resumir o resumirse.

RESUMIR. tr. r. Reducir a términos breves.

RESURGIMIENTO. m. Acto de resurgir.

RESURGIR. intr. Resucitar. Volver a aparecer.

RESURRECCIÓN. f. Acto de resucitar.

RETABLO. m. Conjunto de figuras pintadas o esculpidas.

RETACAR. tr. Herir dos veces la bola con el taco en el billar.

RETACERÍA. f. Conjunto de retazos.

RETACO. m. Escopeta corta. Taco más corto y grueso.

RETAGUARDIA. f. Tropa que marcha la última.

RETAHÍLA. f. Serie de muchas cosas.

RETAJAR. tr. Cortar en redondo.

RETAL. m. Pedazo sobrante de algo que se corta.

RETAMA. f. Mata leguminosa papilonácea con flores amarillas y legumbre oval con una sola semilla.

RETAR. tr. Desafiar, provocar a duelo.

RETARDAR. tr. r. Diferir, detener, entorpecer.

RETARDO. m. Retardación.

RETASAR. tr. Tasar segunda vez..

RETAZAR. tr. Hacer piezas de algo.

RETAZO. m. Retal o trozo de una tela. Fragmento de discurso.

RETEJAR. tr. Repasar un tejado poniendo las tejas que faltan.

RETEJER. tr. Tejer apretadamente.

RETEL. m. Arte de pesca consistente en un aro y red en forma de bolsa.

RETEMBLAR. intr. Temblar repetidamente.

RETÉN. m. Prevención. Mil. Tropa dispuesta para reforzar un puesto.

RETENCIÓN. f. Acto de retener.

RETENER. tr. Conservar, no devolver.

RETENTIVA. f. Facultad de acordarse.

RETEÑIR. tr. Volver a teñir.

RETICENCIA. f. Efecto de atender con medias palabras.

RETICULAR. adj. De forma de red.

RETÍCULO. m. Tejido en forma de red. Conjunto de hilos cruzados, paralelos, en el foco de instrumentos ópticos.

RETINA. f. Membrana interior del ojo, que percibe las impresiones luminosas.

RETINAR. tr. Manipular con la lana en las fábricas de paños.

RETIRACIÓN. f. Acto de retirar. Impr. Forma para imprimir la segunda cara del pliego.

RETIRADA. f. Acto de retirarse. De retroceder ante el enemigo.

RETIRADO-DA. adj. Apartado. m. Militar que deja el servicio.

RETIRAR. tr. r. Apartar. tr. Expulsar. Ocultar .

RETIRO. m. Acto de retirarse. Lugar apartado. Situación y sueldo del militar retirado.

RETO. m. Acto de retar. Provocación.

RETOCADOR-RA. adj. s. Que retoca.

RETOCAR. tr. Volver a tocar. Restaurar.

RETOÑAR. intr. Echar nuevos vástagos las plantas.

RETOÑO. m. Nuevo vástago de la planta.

RETOQUE. m. Acto de retocar. Última mano dada a una obra.

RETOR. m. Tela de algodón ordinaria.

RETORCER. tr. r. Torcer mucho, dando vueltas. Redargüir.

RETORCIMIENTO. m. Acto de retorcer.

RETÓRICA. f. Arte de bien decir y con elegancia.

RETORNAR. tr. Devolver. Volver a torcer.

RETORNELO. m. Mús. Frase que servía de preludio a una composición y se repetía.

RETORNO. m. Acto de retornar. Pago de un beneficio recibido.

RETORTA. f. Vasija de cuello largo y encorvado.

RETORTERO. m. Vuelta alrededor.

RETORTIJÓN. m. Ensortijamiento. Dolor intestinal breve y fuerte.

RETOZAR. intr. Saltar y brincar con alegría.

RETOZÓN-NA. adj. Que retoza mucho.

RETRACCIÓN. f. Acto de retraer. Reducción del volumen.

RETRACTACIÓN. f. Acto de retractarse.

RETRACTAR. tr. r. Desdecirse de lo que se dijo.

RETRÁCTIL. adj. órgano que puede encogerse quedando oculto.

RETRACTO. m. For. Derecho de quedarse, por el tanto de precio, con la cosa vendida a otro.

RETRADUCIR. tr. Traducir de nuevo o volver a traducir al idioma primitivo una obra.

RETRAER. tr. Volver a traer. tr. r. Apartar, disuadir.

RETRAÍDO-DA. adj. s. Refugiado en lugar sagrado. adj. Que gusta de la soledad.

RETRAIMIENTO. m. Acto de retraerse. Cortedad, reserva.

RETRANCA. f. Correa ancha a modo de ataharre.

RETRASAR. tr. r. Diferir la ejecución de algo.

RETRASO. m. Acto de retrasar.

RETRATAR. tr. Hacer retratos. Imitar.

RETRATISTA. com. Quien hace retratos.

RETRATO. m. Representación de una cosa o persona por la pintura, escultura, fotografía, etc.

RETRECHERO-RA. adj. Que con artificio trata de eludir algo.

RETREPARSE. r. Echar hacia atrás la parte superior del cuerpo.

RETRETA. f. Toque militar. Fiesta nocturna.

RETRETE. m. fam. Lugar común, excusador.

RETRIBUCIÓN. f. Recompensa, pago, remuneración.

RETRIBUIR. tr. Recompensar un servicio.

RETROACTIVIDAD. f. Calidad de retroactivo.

RETROACTIVO-VA. adj. Que sirve para retribuir.

RETROCEDER. intr. Volver atrás.

RETROCESO. m. Acto de retroceder.

RETRÓGRADO-DA. adj. Que retrocede.

RETRONAR. tr. Producir gran estruendo.

RETROPILASTRA. f. Pilastra que se pone detrás de una pilastra.

RETROSPECCIÓN. f. Mirada retrospectiva.

RETROSPECTIVO-VA. adj. Que se refiere al pasado.

RETROTRAER. tr. Fingir que una cosa ocurrió antes de su tiempo.

RETROVENTA. f. Acto de retrovender. Volver el comprador al vendedor una cosa, devolviendo éste el dinero.

RETRUCAR. intr. Retroceder la bola de billar al chocar con la banda u otra bola.

RETRUCO. m. Retrueque.

RETRUÉCANO. m. Juego de palabras.

RETUMBAR. intr. Resonar mucho.

RETUMBO. m. Acto de retumbar.

REÚMA. amb. Reumatismo.

REUMATISMO. m. Nombre de afecciones articulares o musculares que causan dolor y tumefacción.

REUNIÓN. f. Acto de reunir. Personas reunidas.

REUNIR. tr. r. Volver a unir. Congregar.

REVACUNACIÓN. f. Acto de revacunar.

REVACUNAR. tr. r. Vacunar al ya vacunado.

REVALIDA. f. Acto de revalidar.

REVALIDACIÓN. f. Reválida.

REVALIDAR. tr. Ratificar o confirmar algo. r. Sufrir examen para obtener grado académico.

REVANCHA. f. Galicismo por desquite, venganza.

REVELABLE. f. Que puede revelarse.

REVELACIÓN. f. Acto de revelar. Manifestación de algo oculto.

REVELAR. tr. Descubrir un secreto. Inspirar Dios a los hombres.

REVENDER. tr. Vender lo que otro le ha vendido.

REVENIRSE. r. Encogerse, consumirse.

REVENTA. f. Segunda venta de algo. Acto de revender.

REVENTAR. intr. Abrirse una cosa por impulso interior.

REVENTÓN-NA. adj. Cosas que parece van a reventar. Acto de reventar.

REVERBERACIÓN. f. Acto de reverberar.

REVERBERAR. intr. Reflejarse la luz en un cuerpo bruñido.

REVERBERO. m. Reverberación. Farol que hace reverberar la luz.

REVERDECER. intr. Cobrar nuevo verdor el campo.

REVERENCIA. f. Respeto. Inclinación del cuerpo en señal de ello.

REVERENCIAR. tr. Respetar, venerar.

REVERENDO-DA. adj. Digno de reverencia. Título de dignidades eclesiásticas.

REVERENTE. adj. Que muestra reverencia.

REVERSIBLE. adj. For. Que puede o debe revertir.

REVERSIÓN. f. Acto de revertir. Restitución de algo.

REVERSO. m. Revés. Faz opuesta al anverso de una moneda.

REVERTER. intr. Rebosar o salir una cosa de sus límites.

REVERTIR. intr. Volver una cosa a su primitivo dueño.

REVÉS. m. Parte opuesta de algo. Desgracia.

REVESTIMIENTO. m. Capa con que se cubre una superficie.

REVESTIR. tr. r. Vestir una ropa sobre otra. Disimular.

REVIRAR. tr. Desviar. intr. Mar. Volver a virar.

REVISAR. tr. Volver a ver. For. Ver un tribunal por segunda vez el pleito.

REVISIÓN. f. Acto de revisar.

REVISOR-RA. adj. s. Que revisa, examina o inspecciona.

REVISTA. f. Segunda vista. Inspección de un jefe. Publicación periódica.

REVISTAR. tr. Hacer un jefe la visita de inspección.

REVIVIR. intr. Resucitar. Volver en sí. Renovarse.

REVOCACIÓN. f. Anulación de un mandato, acto, etc.

REVOCAR. tr. Anular algo. Volver a pintar las paredes.

REVOLAR. intr. Dar segundo vuelo las aves.

REVOLCADERO. m. Lugar donde se revuelcan animales.

REVOLCAR. tr. Derribar, vencer.

REVOLOTEAR. intr. Volar haciendo giros. Ir por el aire dando vueltas.

REVOLOTEO. m. Acto de revolotear.

REVOLTILLO. m. Conjunto de cosas desordenadas. Enredo.

REVOLTÓN. adj. s. Gusano que se cría en las hojas de la vid.

REVOLTOSO-SA. adj. s. Sedicioso. adj. Travieso.

REVOLUCIÓN. f. Movimiento de rotación de un cuerpo alrededor de un eje. Cambio violento de instituciones políticas.

REVOLUCIONARIO-RIA. adj. s. Relativo a la revolución. Partidario de ella.

REVÓLVER. m. Pistola de cilindro giratorio con varias recámaras.

REVOLVER. tr. Agitar una cosa. Enredar. Causar disturbio.

REVOQUE. m. Acción de revocar una pared. Capa de cal y arena con que se revoca.

REVUELO. m. Segundo vuelo del ave. Agitación.

REVUELTA. f. Revolución, alboroto. Riña.

REVULSIÓN. f. Med. Irritación local, provocada por agentes físicos o químicos, para descongestionar un órgano.

REVULSIVO-VA. adj. Que causa revulsión.

REY. m. Soberano de un reino. Pieza pirncipal del ajedrez. Carta de la baraja.

REYERTA. f. Contienda, riña.

REYEZUELO. m. dim. de Rey.

REZAGAR. tr. Dejar atrás.

REZAR. tr. Orar vocalmente.

REZO. m. Acto de rezar. Oficio divino.

REZONGAR. tr. Gruñir, refunfuñar.

REZUMADERO. m. Parte por donde algo se rezuma.

REZUMAR. intr. r. Recalar un líquido por los pros de la vasija.

RÍA. f. Parte del río próximo a su desembocadura del mar.

RIACHUELO. m. Río pequeño.

RIADA. f. Avenida, crecida.

RIBALDO-DA. adj. Pícaro, bellaco. Rufián.

RIBAZO. m. Porción de tierra con alguna elevación.

RIBERA. f. Margen y orilla de mar o río.

RIBEREÑO-ÑA adj. Propio de ella.

RIBETE. m. Cinta que refuerza el borde del vestido. m. pl. Asomo, indicio.

RIBETEAR. tr. Echar ribetes.

RICACHO-A. s. Persona acaudalada de trato vulgar.

RICINO. m. Planta euforbiácea de cuyas semillas se extrae un aceite purgante.

RICO-A. adj. s. Noble, de alto linaje. adinerado.

RICTUS. m. Contracción de los labios, semejante a la sonrisa.

RIDICULEZ. f. Dicho o hecho extravagante.

RIDICULIZAR. tr. Burlarse de los defectos de uno.

RIDÍCULO-LA. adj. Que mueve a risa por grotesco. Escaso.

RIEGO. m. Acto de regar.

RIEL. m. Carril. Pequeña barra de metal en bruto.

RIELAR. intr. Brillar trémulamente.

RIENDA. f. Correa unida al freno para gobernar la caballería.

RIESGO. m. Proximidad de un daño.

RIFA. f. Sorteo de una cosa entre varios.

RIFAR. tr. Sortear. r. Mar. Romperse una vela.

RIFIRRAFE. m. fam. Contienda, bulla ligera.

RIGIDEZ. f. Calidad de rígido.

RÍGIDO-DA. adj. Inflexible, severo, riguroso.

RIGODÓN. m. Contradanza de cuatro o más parejas.

RIGOR. m. Severidad. Aspereza. Precisión.

RIGORISMO. m. Exceso de severidad.

RIGORISTA. adj. s. Muy severo.

RIGUROSO-SA. adj. Áspero. Muy severo Austero.

RIJA. f. Fístula que se forma debajo del lagrimal.

RIMA. f. Semejanza entre los sonidos finales del verso.

RIMAR. intr. Componer en verso. Formar rima.

RIMBOMBANTE. adj. Ostentoso, llamativo.

RIMERO. m. Conjunto de cosas apiladas.

RINANTO. m. Gallocresta, planta.

RINCÓN. m. Ángulo entrante formado por dos superficies.

RINCONADA. f. Rincón en la unión de dos casas, calles.

RINCONERA. f. Mesa, armario, etc., que se coloca en un rincón.

RING. m. Recinto para pruebas y luchas deportivas.

RINGLERA. f. Fila de cosas puestas unas tras otras.

RINGORRANGO. m. Rasgo grande de pluma, exagerado e inútil.

RINITIS. f. Med. Inflamación de la mucosa nasal.

RINOCERONTE. m. Mamífero paquídermo de gran talla con uno o dos cuernos encorvados sobre la nariz.

RINÓLOGO. m. Médico que se dedica especialmente al tratamiento de las enfermedades de las fosas nasales.

RIÑA. f. Pendencia, cuestión.

RIÑON. m. Órgano glandular que segrega la orina.

RIÑONADA. f. Tejido adiposo que cubre los riñones. Lugar en que están. Guisado de riñones.

RÍO. m. Corriente natural de agua continua.

RIPIO. m. Residuc. Palabra superflua para completar un verso.

RIQUEZA. f. Calidad de rico. Abundancia.

RISA. f. Acto de reir.

RISCO. m. Peñasco escarpado. Fruta de sartén.

RISIBLE. adj. Capaz de reirse. Que causa risa.

RISOTADA. f. Carcajada.

RISTRA. f. Trenza de tallos de ajos, cebollas, etc.

RISTRE. m. Hierro del peto de la armadura donde se afianzaba la lanza.

RISUEÑO-ÑA. adj. Que muestra risa. Próspero.

RÍTMICO-CA. adj. Relativo al ritmo.

RITMO. m. Orden acompasado de la sucesión de las cosas.

RITO. m. Costumbre. Conjunto de reglas para el culto.

RITUAL. adj. Relativo al rito. Libro que los contiene.

RIVAL. com. Competidor.

RIVALIDAD. f. Competencia. Enemistad.

RIVALIZAR. intr. Competir.

RIVERA. f. Arroyo, riachuelo.

RIZA. f. Rastrojo del alcacer. Destrozo.

RIZAR. tr. r. Formar rizos en el pelo. Mover el viento el mar.

RIZO-ZA. adj. Ensortijado. m. Mar. Cabos que sujetan las velas a las vergas.

RIZOMA. m. Tallo horizontal subterráneo que echa ramas y raíces.

RIZÓPODO. adj. Protozoos que emiten seudópodos. m. pl. Clase de éstos.

RÓBALO. m. Pez acantopterigio marino de carne muy fina.

ROBAR. tr. Apoderarse por violencia de algo. Hurtar.

ROBLADURA. f. Remache de un clavo, perno, etc.

ROBLAR. tr. Remachar.

ROBLE. m. Árbol cupulífero; de fruto, la bellota; madera muy dura.

ROBLEDAL. m. Robledo grande.

ROBLEDO. m. Sitio poblado de robles.

ROBLÓN. m. Clavija de metal con cabeza en un extremo.

ROBO. m. Acto de robar. Cosa robada.

ROBURITA. f. Explosivo formado por mezcla de bencenos y de nitrato.

ROBUSTECER. tr. r. Dar robustez.

ROBUSTEZ. f. Calidad de robusto.

ROBUSTO-TA. adj. Fuerte, vigoroso.

ROCA. f. Masa sólida de mineral en la superficie de la tierra.

ROCADERO. m. Coroza. Armazón para poner el copo en la rueca.

ROCALLA. f. Cascajo. Abalorio grueso.

ROCE. m. Acto de rozar. fig. Trato frecuente.

ROCIADA. f. Acto de rociar. Represión áspera.

ROCIAR. intr. Caer rocío o lluvia menuda. Dispersar cosas.

ROCÍN. m. Caballo de mala traza.

ROCINANTE. m. Rocín matalón.

ROCÍO. m. Vapor que se condensa por la frialdad de la noche.

ROCOCÓ. adj. s. Estilo arquitectónico francés del período barroco.

RODA. f. Mar. Pieza curva y gruesa que forma la proa.

RODABALLO. m. Pez malacopterigio marino de cuerpo aplanado y carne fina.

RODADA. f. Señal que deja la rueda en tierra.

RODADIZO-ZA. adj. Que rueda fácilmente.

RODADO-DA. adj. Pedazo de mineral desprendido de la veta y esparcido.

RODAJA. f. Pieza circular y plana. Estrella de la espuela.

RODAJE. m. Conjunto de ruedas. Impuesto sobre los carros.

RODAPIÉ. m. Paramento con que se rodean los pies de camas y muebles. Zócalo.

RODAR. tr. Dar vueltas alrededor del eje. Caer dando vueltas. Impresionar una película.

RODEAR. intr. Andar alrededor. Ir por camino más largo que de ordinario.

RODELA. f. Escudo redondo.

RODENO-NA. adj. Rojo. Pino de hojas largas.

RODEO. m. Acto de rodear. Camino más largo que el derecho.

RODERO-RA. adj. Relativo a las ruedas.

RODETE. m. Rosca de trenzas de pelo de las mujeres. Chapa de la cerradura. Rueda hidráulica.

RODEZNO. m. Rueda hidráulica vertical de paletas planas.

RODILLA. f. Región formada por la rótula y la articulación fémoro-tibial. Paño basto para limpiar.

RODILLAZO. f. m. Golpe dado con la rodilla.

RODILLERA. f. Lo que defiende la rodilla. Convexidad que se forma en el pantalón.

RODILLO. m. Madero redondo. Cilindro para apretar tierra, dar tinta en la imprenta, etc.

RODIO. m. Metal raro, blanco, poco fusible.

RODODENDRO. m. Arbolillo ericáceo, de flor purpúrea.

RODRIGAR. tr. Poner rodrigones.

RODRIGÓN. m. Vara clavada al pie de una planta para sostener el tallo.

ROEDOR-RA. adj. Que roe. Mamíferos pequeños, ungulados.

ROEL. m. Blas. Pieza redonda de escudo de armas.

ROELA. f. Disco de oro o plata.

ROER. tr. Cortar menuda y superficialmente una cosa.

ROGACIÓN. f. Acción de rogar. pl. Letanías en las procesiones.

ROGAR. tr. Pedir por gracia.

ROGATIVA. f. Oración pública para implorar de Dios un remedio.

ROIDO-DA. adj. Dado con miseria.

ROJEZ. f. Calidad de rojo.

ROJIZO-ZA. adj. Que tira a rojo.

ROJO-JA. adj. m. Color encarnado muy vivo, primero del espectro solar.

ROL. m. Nómina, catálogo. Lista de marineros de un buque.

ROLDANA. f. Rodaja de una garrucha.

ROLDE. m. Rueda, círculo o corro.

ROLLIZO-ZA. adj. Redondo, robusto. m. Madero en rollo.

ROLLO. m. Objeto cilíndrico para rodar.

ROMADIZO. m. Inflamación de la mucosa nasal.

ROMAICO-CA. adj. s. Lengua griega actual.

ROMANA. f. Útil para pesar.

ROMANCE. adj. s. Lenguas derivadas del latín. Idioma español.

ROMANCEAR. tr. Traducir al castellano.

ROMANCERO-RA. s. Quien canta romances. m. Colección de éstos.

ROMANCESCO-CA. adj. Novelesco.

ROMANEAR. tr. Romanar. intr. Hacer contrapeso.

ROMANERO. m. Romanador.

ROMANESCO-CA. adj. Relativo a los romanos.

ROMANO-NA. adj. s. De Roma.

ROMANTICISMO. m. Movimiento cultural de mediados del siglo XIX.

ROMÁNTICO-CA. adj. s. Relativo al romanticismo.

ROMANZA. f. Aria de carácter sencillo.

ROMAZA. f. Hierba poligonácea de raíz medicinal.

ROMBO. m. Paralelogramo de lados iguales y ángulos opuestos iguales.

ROMBOIDE. Paralelogramo de lados contiguos desiguales y dos ángulos mayores que los otros dos.

ROMERAL. m. Sitio poblado de romeros.

ROMERÍA. f. Peregrinación.

ROMERO-RA. adj. s. Quien va en romería. m. Arbutso labiado.

ROMO-A. adj. Sin punta, chato.

ROMPECABEZAS. m. Acertijo difícil. Juguete para niños.

ROMPEHIELOS. m. Espolón de algunos barcos para abrirse paso entre los hielos. Buque para navegar entre éstos.

ROMPER. tr. r. Separar con violencia las partes de algo. Quebrar, gastar. Deshacer, destruir.

ROMPIENTE. m. Bajo, escollo, costa donde se rompe y se levanta el agua.

ROMPIMIENTO. m. Acto de romper. Desavenencia, riña.

RON. m. Licor alcohólico.

RONCA. f. Grito del gamo encelado.

RONCAR. intr. Resollar con ruido bronco el mar, viento, etc.

RONCEAR. intr. Entretener la ejecución de algo por hacerlo sin gana.

RONCERÍA. f. Tardanza. Halago para conseguir algo.

RONCERO-RA. adj. Lento, perezoso, desabrido.

RONCO-CA. adj. Que padece ronquera. Sonido áspero.

RONCÓN. m. Tubo de la gaita.

RONCHA. f. Equimosis. Bulto en forma de haba en el cuerpo. Tajada delgada.

RONDA. f. Acto de rondar. Grupo de personas que rondan. [de mozos.

RONDALLA. f. Cuento, patraña. Ronda

RONDAR. tr. intr. Andar de noche por las calles para vigilar o cantar los mozos a las mozas.

RONDÍN. m. Ronda que hace un cabo para celar la vigilancia del centinela.

RONDÓ. m. Mús. Composición cuyo tema se repite varias veces.

RONDÓN (DE). m. adj. Sin reparo.

RONQUEAR. intr. Estar ronco.

RONQUERA. f. Afección de la laringe que hace bronco el timbre de la voz.

RONQUIDO. m. Ruido bronco hecho al roncar.

RONZAL. m. Cuerda que se ata al pescuezo de la caballería para sujetarla.

RONZAR. tr. Mascar cosas duras quebrándolas con ruido.

ROÑA. f. Sarna del ganado. Porquería pegada. Tacañería.

ROÑOSO-SA. adj. Tacaño. Que tiene roña. Puerco.

ROPA. f. Tela para el uso o adorno de personas o cosas.

ROPAJE. m. Vestido largo de gala.

ROPERÍA. f. Oficio y tienda de ropero.

ROPERO-RA. s. Quien vende ropa hecha. Armario o cuarto para guardar ropa.

ROPILLA. f. Prenda de vestir, corta, que se ponía sobre el jubón.

ROPÓN. m. Ropa larga exterior.

ROQUE. m. Torre de ajedrez.

REQUEÑO-ÑA. adj. Sitio lleno de rocas. Duro como la roca.

ROQUETE. m Sobrepelliz de manga corta.

RORCUAL. m. Ballena con aleta adiposa en el lomo.

RORRO. m. Niño pequeñito.

ROS. m. Chacó de fieltro más alto por delante.

ROSA. f. Flor del rosal. Color parecido al de la rosa.

ROSÁCEO-A. adj. Plantas de la familia del rosal.

ROSADA. f. Escarcha.

ROSADO-DA. adj. Del color de la rosa.

ROSAL. m. Arbusto rosáceo con aguijones, de jardín.

ROSALEDA. f. Sitio poblado de rosales.

ROSARIO. m. Rezo conmemorativo de los 15 misterios de la Virgen. Sarta de cuentas.

ROSBIF. m. Carne asada de vaca.

ROSCA. f. Máquina compuesta de tornillo y tuerca. Pan de forma circular, con vacío en medio.

ROSCÓN. m. Bollo en forma de rosca grande.

ROSÉOLA. f. Med. Erupción cutánea con manchas rosáceas.

ROSETA. f. Zarcillo de piedras preciosas. Rayo de la regadera.

ROSETÓN. m. Ventana circular calada. Adorno en el techo.

ROSICLER. m. Color rosado de la aurora. Mineral de color y brillo de rubí.

ROSILLO-LA. adj. Rojo claro.

ROSOLÍ. m. Licor de aguardiente, canela, anís, etc.

ROSQUILLA. f. Rosca pequeña de masa dulce.

ROSQUILLERO-RA. s. Quien hace o vende rosquillos.

ROSTRO. m. Pico de ave. Cara. Semblante.

ROTA. f. Derrota. Rumbo o camino. Tribunal eclesiástico de última apelación en España.

ROTACIÓN. f. Acto de rodar. Variedad de siembra alternativa.

ROTATIVO-VA. adj. Máquina de imprimir de movimiento seguido.

ROTATORIO-RIA. adj. Que tiene movimiento circular.

ROTEN. m. Planta palmácea. Bastón hecho de su madera.

ROTO-A. adj. s. Andrajoso, harapiento.

ROTOGRABADO. m. Procedimiento de heliograbado, mediante el que se obtienen clisés cilíndricos.

ROTONDA. f. Edificio o sala circular.

ROTOR. m. Circuito móvil de una dínamo o motor eléctrico.

RÓTULA. f. Farm. Trocisco. Zool. Hueso en la articulación fémoro-tibial.

ROTULACIÓN. f. Acto de rotular una cosa.

ROTULAR. tr. Poner rótulo.

RÓTULO. m. Título, nombre, etiqueta, letrero.

ROTUNDIDAD. f. Calidad de rotundo.

ROTUNDO-DA. adj. Redondo. Preciso, terminante.

ROTURA. f. Rompimiento.

ROTURACIÓN. f. Acto de roturar.

ROTURAR. tr. Arar por vez primera un terreno.

ROYA. f. Hongo parásito de cereales y otras plantas.

ROZA. f. Acto de rozar.

ROZADURA. f. Acto de rozar. Herida superficial.

ROZAGANTE. adj. Vestidura vistosa y larga. Ufano.

ROZAMIENTO. m. Roce. Disensión.

ROZAR. tr. Limpiar la tierra de hierbas inútiles. intr. Pasar tocando una cosa la superfiice de otra.

ROZNO. m. Burro pequeño.

ROZO. m. Leña menuda que se hace en la corta de ella.

ROZÓN. m. Guadaña corta y ancha.

RUA. f. Calle de un pueblo. Camino o carretera.

RUBEFACCIÓN. f. Enrojecimiento de la piel.

RÚBEO. adj. Que tira a rojo.

RUBÉOLA. f. Med. Enfermedad parecida al sarampión.

RUBESCENTE. adj. Que enrojece.

RUBÍ. m. Piedra roja, usada en joyería.

RUBIA. f. Planta rubiácea de raíz colorante.

RUBIACEO-A. adj. Plantas de la familia de la rubia.

RUBIAL. adj. Que tira a color rubio. m. Sitio donde se cría rubia.

RUBICUNDEZ. f. Calidad de rubicundo. Color rojo de la piel.

RIBICUNDO-DA. adj. Rubio que tira a rojo. Persona de buen color.

RUBIDIO. m. Metal parecido al potasio.

RUBIO-A. adj. m. Color rojo claro, parecido al oro.

RUBLO. m. Moneda rusa de plata.

RUBOR. m. Color encendido que la vergüenza saca al rostro.

RUBORIZAR. tr. Sentir vergüenza. Producir rubor.

RUBOROSAMENTE. adj. m. fig. Con rubor.

RUBOROSO-SA. adj. Que tiene rubor.

RÚBRICA. f. Señal encarnada o roja. Rasgos que cada cual pone después de su firma.

RUBRICAR. tr. Poner uno su rúbrica en un documento. Dar testimonio de algo.

RUCIO. adj. Dícese de las bestias, de color pardo.

RUDA. f. Planta con flores amarillas, medicinal.

RUDEZA. f. Calidad de rudo.

RUDIMENTAL. m. Relativo al rudimento.

RUDIMENTO. m. Embrión de un ser orgánico. m. pl. Primeros elementos de un arte o ciencia.

RUDO-DA. adj. Tosco, descortés. Sin facilidad para aprender.

RUECA. f. Útil para hilar.

RUEDA. f. Máquina circular que gira sobre un eje.

RUEDO. m. Acción de rodar. Esterilla de pleita lisa.

RUEGO. m. Súplica, petición.

RUFIÁN. m. Hombre sin honor.

RUFIANESCO-CA. f. Conjunto de dichos o hechos de rufián.

RUFO-FA. adj. Rubio, rojo o bermejo.

RUGBY. m. Juego de equipos, con balón oval.

RUGIDO. m. Voz de león. Bramido.

RUGIR. intr. Bramar el león. Crujir, rechinar.

RUGOSIDAD. f. Calidad de rugoso.

RUGOSO-SA. adj. Que tiene arrugas.

RUIBARBO. f. Planta poligonácea usada como purgante.

RUIDO. m. Sonido inarticulado y confuso. Pendencia.

RUIDOSO-SA. adj. Que causa mucho ruido.

RUIN. adj. Vil, despreciable. Pequeño, desmedrado. Mezquino.

RUINA. f. Acción de destruirse alguna cosa. Pérdida de los bienes.

RUINDAD. f. Calidad de ruin. Acción de ruin.

RUINOSO-SA. adj. Que amenaza ruina. Pequeño, desmedrado.

RUIPÓNTICO. m. Planta parecida al ruibarbo, poligonácea.

RUISEÑOR. m. Pájaro de plumaje pardo-rojizo de cuanto delicado.

RULETA. f. Juego de azar.

RULO. m. Pieza de los molinos de aceite en forma de cono truncado.

RUMBO. m. Dirección de la nave. Camino a seguir. Pompa.

RUMBOSO-SA. adj. Pomposo, magnífico. Dadivoso, desprendido.

RUMÍ. m. Nombre dado por los moros al cristiano.

RUMIANTE. adj. m. Mamíferos que se alimentan de vegetales y tiene el estómago compuesto de cuatro cavidades.

RUMIAR. tr. Masticar de nuevo el alimento que ya estuvo en el estómago.

RUMOR. m. Voz que corre entre el público. Ruido confuso.

RUMOROSO-SA. adj. Que causa rumor.

RUNA. f. Cada uno de los caracteres de la antigua escritura escandinava.

RUNFLA. f. Serie de cosas de una misma especie.

RÚNICO-CA. adj. Relativo a las runas.

RUNRÚN. m. Ronroneo. Rumor.

RUPESTRE. adj. Pinturas y dibujos prehistóricos en rocas y cavernas.

RUPIA. f. Moneda persa de oro y plata.

RUPICABRA y **PRA.** f. Gamuza, mamífero.

RUPTURA. f. Rompimiento, desavenencia.   ¡labores.

RURAL. adj. Relativo al **campo** o sus

RUSTICIDAD. f. Calidad de rústico.

RÚSTICO-CA. Relativo al campo. Tosco. m. Hombre del campo.

RUTA. f. Derrota o itinerario de un viaje.

RUTENIO. m. Metal muy parecido al osmio.

RUTILAR. intr. Brillar como el oro.

RUTINA. f. Costumbre de hacer las cosas por hábito adquirido.

RUTINARIO-RIA. adj. Que se hace por rutina. s. Rutinero.

RUTINERO-A. adj. s. Que procede por rutina.

RUZAFA. f. Jardín o parque entre los árabes.

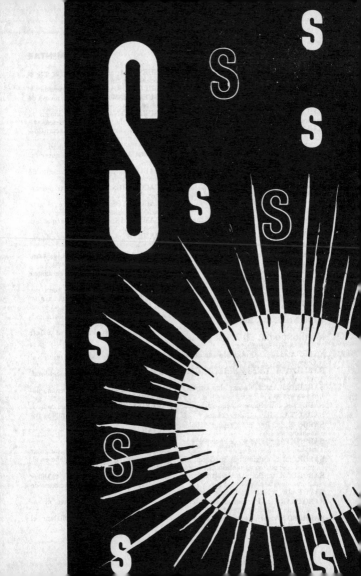

S. f. Ese. Vigésima segunda letra y décimoctava consonante del abecedario español.

SÁBADO. m. Séptimo y último día de la semana.

SÁBALO. m. Pez marino con el cuerpo como una lanzadera.

SÁBANA. f. Cada una de las dos telas puestas en la cama entre las que se pone el cuerpo.

SABANA. f. Llanura en América.

SABANDIJA. f. Cualquier reptil pequeño o insecto. Persona despreciable.

SABANERO-RA. adj. s. Habitante de una sabana.

SABANILLA. f. Pieza pequeña de lienzo. Lienzo exterior de la mesa del altar.

SABAÑÓN. m. Rubicundez o hinchazón de la piel por causa del frío.

SABÁTICO-CA. adj. Relativo al sábado.

SABATINA. f. Oficio divino del sábado.

SABEISMO. m. Religión que daba culto a los astros.

SABELA. f. Gusano anélino marino.

SABER. m. Sabiduría.

SABER. tr. Conocer algo. Tener sapidez de una cosa. Ser sagaz.

SABIDURÍA. f. Conocimiento profundo en letras, artes, etc.

SABIENDAS (A). Modo adv. Con conocimiento.

SABIHONDO-DA. adj. s. Que presume de sabio sin serlo.

SABIO-A. adj. s. Que posee sabiduría. Cuerdo.

SABLAZO. m. Golpe y herida de sable. Acto de sablear.

SABLE. m. Arma blanca, algo corva y de un corte.

SABLEAR. intr. Sacar dinero con maña.

SABLISTA. adj. s. Quien sablea.

SABOGAL. s. Red para pescar sábalos o sabogas.

SABONETA. f. Reloj de bolsillo con tapa.

SABOR. m. Sensación que producen algunos cuerpos en el sentido del gusto.

SABOREAR. tr. Dar sabor a algo. Percibir con deleite el sabor.

SABOTAJE. m. Acción de sabotear.

SABOTEAR. tr. Perjudicar los intereses de uno, hecho de propósito.

SABROSO-SA. adj. Sazonado y grato al paladar.

SABUESO-SA. adj. Perro mayor que el podenco de fino olfato.

SÁBULO. m. Arena gruesa y pesada.

SABURRA. f. Med. Secreción mucosa de las paredes del estómago.

SABURROSO-SA. adj. Que indica la existencia de la saburra gástrica.

SACA. f. Acción y efecto de sacar. Costal muy grande. Exportación.

SACABALA. f. Pinzas de cirujano.

SACABOCADOS. m. Útil para hacer taladros.

SACABUCHE. m. Mús. Instrumento de viento para producir sonidos.

SACACORCHOS. m. Útil para descorchar botellas.

SACACUARTOS. m. Persona con arte para sacar dinero al público.

SACAMUELAS. com. Persona que extrae muelas. Charlatán.

SACANETE. m. Juego de naipes de envite y azar.

SACAR. tr. Extraer una cosa de otra. Obtener algo. Ganar por suerte.

SACARIFICAR. tr. Convertir en azúcar las féculas.

SACARÍMETRO. m. Aparato para determinar la proporción de azúcar en un líquido.

SACARINA. f. Substancia blanca pulverulenta que endulza mucho.

SACAROIDEO. adj. Parecido al azúcar en su estructura.

SACAROSA. f. Azúcar común.

SACATRAPOS. m. Espiral de hierro al extremo de la baqueta.

SACERDOCIO. m. Dignidad sacerdotal. Ministerio del sacerdote.

SACERDOTE. m. Hombre ordenado para celebrar oficios divinos.

SACERDOTISA. f. Mujer dedicada a ofrecer sacrificios en los templos paganos.

SACIAR. tr. r. Hartar.

SACIEDAD. f. Hartura.

SACO. m. Receptáculo rectangular abierto por un lado. Lo que cabe en él. Saqueo.

SACRA. f. Cada una de las tablillas puestas en el altar con oraciones de la misa.

SACRAMENTAL. adj. Relativo al sacramento. f. Sacramento.

SACRAMENTAR. tr. Administrar el Viático.

SACRAMENTO. m. Signo sensible de efecto espiritual que Dios obra en nuestras almas.

SACRIFICAR. tr. Ofrecer algo en reconocimiento de la divinidad. r. Someterse a algo desagradable.

SACRIFICIO. m. Ofrenda a una deidad. Acto de abnegación.

SACRILEGIO. m. Profanación de cosa, persona o lugar sagrado.

SACRÍLEGO-GA. adj. Relativo al sacrilegio. Quien lo comete.

SACRISTÁN. m. Quien ayuda al sacerdote en el servicio del altar.

SACRISTANA. f. Mujer del sacristán. Monja que cuida de la sacristía del convento.

SACRISTÍA. f. Lugar donde se guardan las cosas del culto. Sacristanía.

SACRO-A. adj. Sagrado. m. Hueso formado por la extremidad de la columna vertebral, antes del cóccix.

SACROSANTO-TA. adj. Sagrado y santo.

SACUDIDA. f. Sacudimiento.

SACUDIDOR-RA. adj. Que sacude. m. Útil para sacudir.

SACUDIMIENTO. m. Acto de sacudir.

SACUDIR. tr. Mover con violencia algo. Golpear. Apartar con aspereza.

SACHAR. tr. Escardar la tierra sembrada.

SACHO. m. Instrumento para sachar.

SADISMO. m. Perversión sexual.

SADUCEO. adj. s. Individuo de una secta judaica, que negaban la inmortalidad del alma.

SAETA. f. Arma arrojadiza que se dispara con arco. Manecilla de reloj. Copla corta.

SAETADA. f. Acción de tirar con saeta.

SAETERA. f. Aspillera. Ventanilla estrecha.

SAETERO-A. adj. Relativo a la saeta. Quien combate con saetas.

SAETÍN. m. Clavito delgado sin cabeza. Canal que conduce el agua a los molinos.

SAFICO-CA. adj. s. Verbo clásico de once sílabas.

SAGA. f. Leyenda poética escandinava.

SAGACIDAD. f. Calidad de sagaz.

SAGAZ. adj. Astuto, prudente, ladino.

SAGITA. f. Geom. Perpendicular alzada desde el centro de la cuerda al arco corerspondiente.

SAGITAL. adj. De forma de saeta.

SAGITARIO. m. Noveno signo del zodíaco.

SAGRADO-DA. adj. Dedicado a Dios, al culto divino.

SAGRARIO. m. Lugar en que se deposita a Cristo sacramentado.

SAGÚ. m. Planta palmácea, de médula feculenta.

SAHUMAR. tr. r. Dar humo aromátic a algo.

SAHUMERIO. m. Acto de sahumar. Humo con que se sahuma.

SAINETE. m. Salsa usada como condimento. Pieza breve de costumbres populares.

SAJA. f. Sajadura. Peciolo del abacá.

SAJADURA. f. Cortadura hecha en la carne.

SAJAR. tr. Hacer sajaduras.

SAL. f. Cloruro de sodio, blanco, soluble en agua. Compuesto de base y ácido.

SALA. f. Pieza principal de una casa. Donde se constituye un tribunal.

SALACIDAD. f. Calidad de salaz.

SALACOT. m. Sombrero oriental.

SALADAR. m. Lagunajo en que se solidifica la sal.

SALADERO. m. Lugar para salar carnes o pescados.

SALADILLA. f. Planta salsolácea.

SALADO-DA. adj. Terreno estéril con exceso de salitre. Gracioso.

SALADURA. f. Acción de salar.

SALAMANDRA. f. Batracio parecido al lagarto, negro con manchas amarillas.

SALAMANQUESA. f. Reptil parecido a la lagartija, cuerpo ancho y comprimido.

SALAR. tr. Curar con sal, carnes o pescados. Sazonar

SALARIO. m. Paga, estipendio.

SALAZ. adj. Inclinado a la lujuria.

SALAZÓN. f. Tiempo y efecto de salar. Acopio de carne o pescados salados.

SALCOCHAR. tr. Cocer viandas con agua y sal.

SALCHICHA. f. Embutido de tripa delgada para consumir en fresco.

SALCHICHERÍA. f. Tienda de salchichero.

SALCHICHERO-RA. s. Quien hace o vende embutidos.

SALCHICHÓN. m. Embutido de jamón, tocino, etc., prensado y curado.

SALDAR. tr. Liquidar por entero una cuenta.

SALDO. m. Pago finiquito de deuda.

SALEDIZO. adj. s. Saliente.

SALEGAR. m .Sitio en que se da sal al ganado.

SALERO. m. Útil para servir la sal en la mesa. Gracia, donaire.

SALESA. adj. s. Religiosa de la orden fundada por San Francisco de Sales.

SALESIANO-NA. adj. s. Religioso de la orden de San Francisco de Sales, fundada por don Bosco.

SALETA. f. Habitación que antecede a la antecámara del rey.

SALICILATO. m. Sal del ácido salicílico.

SALICÍLICO. adj. Ácido sólido que se obtiene de la salicina.

SALICINA. f. Glucósido cristalizado, obtenido del sauce.

SÁLICO-CA. adj. Ley que excluía del trono a las hembras.

SALIDA. f. Acto de salir. Parte por donde se sale. Escapatoria.

SALIDO-DA. adj. Lo que sabresale mucho.

SALIENTE. m. Oriente. Parte que sobresale de algo.

SALIFICAR. tr. Convertir en sal.

SALINA. f. Mina de sal. Sitio en que se beneficia la sal del mar.

SALINERO-RA. s. Quien trata en sal.

SALINO-NA. adj. Que contiene sal o sus caracteres.

SALIO. m. Sacerdote de Marte en Roma antigua.

SALIR. intr. Pasar de adentro afuera. Librarse de algo. Rebosar.

SALITRAL. adj. Salitroso. m. Sitio donde se cría el salitre.

SALITRE. m. Nitro.

SALIVA. f. Humor alcalino acuoso, que facilita la deglución.

SALIVACIÓN. f. Acto de salivar.

SALIVAR. intr. Arrojar saliva.

SALIVAZO. m. Salida escupida de una vez.

SALMEAR. intr. Cantar salmos.

SALMISTA. com. Quien canta o compone salmos.

SALMO. m. Cántico en alabanza a Dios.

SALMODIA. f. Canto que se usa para los salmos. Canto monótono.

SALMÓN. m. Pez, que remonta los ríos para desovar, de carne apreciada.

SALMONETE. m. Pez marino, color rojizo, comestible.

SALMUERA. f. Agua cargada de sal.

SALOBRE. adj. Que tiene sabor de sal. Orzaga.

SALOMA. f. Cántico cadencioso con que acompañan sus faenas los marineros.

SALOMÓNICO-CA. adj. Relativo a Salomón. Columna que sube en espiral.

SALÓN. m. Habitación amplia. Lugar para actos públicos.

SALPA. f. Pez marino de cuerpo comprimido.

SALPICADURA. f. Acto de salpicar.

SALPICÓN. m. Fiambre de carne picada y aderezada.

SALPIMENTAR. tr. Aderezar con sal algo, prensándolo.

SALPULLIDO. m. Erupción cutánea leve.

SALSA. f. Mezcla de substancias comestibles disueltas para aderezar los guisos.

SALSERA. f. Vasija para servir salsa.

SALSERILLA. f. Taza pequeña de poco fondo.

SALTADOR-RA. adj. Que salta. m. Saltimbanqui.

SALTAMONTES. m. Insecto saltador de patas posteriores largas.

SALTAR. intr. Levantarse del suelo por impulso de las piernas. Salir con ímpetu un líquido.

SALTARÍN-NA. adj. s. Que danza o baila.

SALTEADOR-RA. s. El que saltea y roba en despoblado.

SALTEAR. tr. Robar en despoblado. Acometer.

SALTERIO. m. Libro de coro con los salmos.

SALTIMBANQUI. m. Titiritero.

SALTO. m. Acción de saltar. Espacio que se pasa saltando.

SALTÓN-NA. adj. Que salta mucho. Que anda a saltos.

SALUBRE. adj. Saludable.

SALUBRIDAD. f. Calidad de salubre.

SALUD. f. Estado normal del ser orgánico.

SALUDABLE. adj. Que conserva la salud.

SALUDAR. tr. Hablar a una persona con respeto. Arriar los buques un poco las banderas en señal de bienvenida.

SÁLUDO. m. Acto de saludar.

SALVA. f. Prueba de manjares servidos a reyes. Saludo hecho con armas de fuego.

SALVABARROS. m. Pieza que cubre la rueda del vehículo.

SALVACIÓN. f. Acto de salvar.

SALVADERA. f. Vasija con agujerillos donde se tiene arenilla para secar tinta.

SALVADOR-RA. adj. Que salva.

SALVAGUARDIA. m. Guardia para la custodia de algo. Garantía.

SALVAJADA. f. Dicho propio de salvajes.

SALVAJE. adj. Dícese de las plantas silvestres y del animal no doméstico.

SALVAJINA. f. Conjunto de fieras. Animal montaraz.

SALVAMENTO. m. Acto de salvar.

SALVAR. tr. Librar de un peligro. Pasar por encima de un obstáculo.

SALVAVIDAS. m. Aparato para ayudar a flotar.

SALVE. f. Oración que se reza a la Virgen.

SALVEDAD. f. Razonamiento de descargo. Excepción que se hace de algo.

SALVIA. f. Mata labiada, tónica y estomacal.

SALVILLA. f. Bandeja con encajaduras, para copas o tazas.

SALVO-VA. adj. Ileso, indemne.

SALVOCONDUCTO. m. Licencia expedida por una autoridad para transitar por un lugar.

SALLO. m. Escardillo.

SAMARITANO. m. Habitante del país de Samaria.

SAMBENITO. m. Capotillo que usaban los reconciliados por la Inquisición.

SAMOVAR. f. Tetera rusa con hornillo.

SAMPÁN. m. Embarcación pequeña china.

SAN. Apócope de santo

SANAR. tr. Restituir la salud.

SANATORIO. m. Establecimiento para enfermos sometidos a régimen.

SANCIÓN. f. Estatuto o ley. Pena impuesta por la ley.

SANCIONAR. tr. Dar fuerza legal a una disposición.

SANCOCHAR. tr. Cocer a medias.

SANCTUS. m. Parte de la misa después del prefacio y antes del canon.

SANDALIA. f. Calzado formado por una suela asegurada con correas.

SÁNDALO. m. Arbol de madera olorosa.

SANDÁRAGA. f. Resina usada para barnices.

SANDEZ. f. Calidad de sandio. Simpleza, necedad.

SANDIA. f. Planta cucurbitácea. Su fruto.

SANDIO-A. adj. s. Necio, simple.

SANDUNGA. f. Gracia, donaire.

SANDUNGUERO-RA. adj. Que tiene sandunga.

SANDWICH. m. Emparedado.

SANEADO-DA. adj. Libre de cargas o descuentos.

SANEAMIENTO. m. Acción de sanear.

SANEDRÍN. m. Consejo supremo judío.

SANGRADERA. f. Lanceta. Acequia secundaria.

SANGRADOR. m. Quien sangra. Abertura para dar salida al líquido.

SANGRADURA. f. Cisura de la vena. Salida del agua de un río.

SANGRAR. tr. Abrir una vena. Dar salida a un líquido.

SANGRE. f. Líquido que circula por arterias y venas.

SANGRÍA. f. Acción de sangrar. Sangradura. Metal que sale del horno de fundición.

SANGRIENTO-TA. adj. Que echa sangre. De su color.

SANGUIJUELA. f. Anélido de agua dulce de boca chupadora.

SANGUINARIA. f. Piedra de color de sangre parecida a la ágata.

SANGUINARIO-A. adj. Feroz, cruel.

SANGUÍNEO-A. adj. De sangre. Que lo contiene.

SANGUINOLENCIA. f. Calidad de sanguinolento.

SANGUINOLENTO-TA. adj. Sangriento.

SANGUIS. m. Sangre de Cristo bajo accidentes de vino.

SANIDAD. f. Calidad de sano. Salubridad.

SANITARIO-RIA. adj. Relativo a la sanidad. m. Individuo del cuerpo de sanidad.

SANJACO. m. Gobernador turco.

SANJUANERO-RA. adj. Fruta que madura por San Juan.

SANO-NA. adj. Que goza de perfecta salud. Saludable.

SÁNSCRITO. adj. Lengua sagrada del Indostán.

SANSÓN. m. Hombre forzudo.

SANTABARBARA. f. Mar. Pañol para pólvora y munición de la embarcación.

SANTALÁCEOS-AS. adj. Bot. Plantas de flor apétala y fruto en drupa.

SANTANDERINO-NA. adj. s. De Santander.

SANTERO-RA. s. Persona que cuida de un santuario.

SANTIAGUISTA. adj. Individuo de la Orden Militar de Santiago.

SANTIAMÉN. m. Instante.

SANTIDAD. f. Calidad de santo. Tratamiento dado al Papa.

SANTIFICACIÓN. f. Acto de santificar.

SANTIFICAR. tr. Hacer santo a uno por la gracia.

SANTIGUAR. tr. r. Hacer la señal de la cruz con la diestra.

SANTÍSIMO. m. Cristo en la Eucaristía.

SANTO-TA. adj. Libre de culpa. Perfecto. Persona virtuosa.

SANTÓN. m. Asceta musulmán.

SANTÓNICO. m. Planta compuesta de propiedades vermífugas.

SANTONINA. f. Substancia neutra, amarga, vermífuga.

SANTORAL. m. Libro que contiene libros de santos.

SANTUARIO. m. Templo en que se venera la imagen o reliquia de un santo.

SANTURRÓN-NA. adj. s. Exagerado en actos de devoción.

SAÑA. f. Furor. Intención rencorosa.

SAPIDEZ. f. Calidad de sápido.

SÁPIDO-DA. adj. Que tiene sabor.

SAPIENCIA. f. Sabiduría.

SAPIENTE. adj. s. Sabio.

SAPO. m. Batracio de cuerpo grueso y piel verrugosa.

SAPONARIA. f. Jabonera, planta canofilácea.

SAPONIFICAR. tr. r. Convertir en jabón un cuerpo graso.

SAPRÓFITO. adj. Plantas que viven sobre materias orgánicas en descomposición.

SAQUE. m. Acto de sacar. Sitio desde el que se saca la pelota.

SAQUEAR. tr. Apoderarse por violencia de algo, los soldados.

SAQUEO. m. Acto de saquear.

SAQUERO-RA. s. Que saquea.

SARAMPIÓN. m. Med. Enfermedad febril, que produce manchas rojas en la piel.

SARAO. m. Reunión nocturna con baile.

SARCASMO. m. Burla mordaz, ironía.

SARCÁSTICO-CA. adj. Que denota sarcasmo.

SARCOCELE. m. Cir. Tumor en los testículos.

SARCÓFAGO. m. Sepulcro.

SARCOMA. m. Tumor maligno del tejido conjuntivo.

SARDANA. f. Danza tradicional de Cataluña.

SARDINA. f. Pez marino, comestible.

SARDINERO-RA. adj. Relativo a las sardinas. Quien las vende.

SARDINETA. f. Adorno forrado de galones y terminados en punta.

SARDÓNICE. f. Ágata amarillenta con fajas oscuras.

SARDÓNICO-CA. adj. Risa consistente en convulsión y contracción de los músculos del rostro.

SARGA. f. Tela de seda que forma líneas diagonales.

SARGAZO. m. Alga de los mares cálidos.

SARGENTO. m. Quien tiene en la tropa el empleo superior al cabo.

SÁRMATA. adj. Pueblo nómada de origen iraniano.

SARMENTAR. intr. Coger los sarmientos podados.

SARMENTERA. f. Sitio en que se guardan los sarmientos.

SARMIENTO. m. Vástago de la vid, largo y flexible.

SARNA. f. Enfermedad cutánea producida por un ácaro.

SARNOSO-SA. adj. Que tiene sarna.

SARRACENO-NA. adj. Mahometano.

SARRACINA. f. Pelea entre muchos.

SARRIA. f. Red para llevar paja.

SARRILLO. m. Estertor del moribundo. Aro.

SARRO. m. Sedimento adherido al fondo de vasijas. Substancia amarillenta que se adhiere a dientes.

SARTA. f. Serie de cosas ensartadas en hilo, cuerda, etc.

SARTÉN. f. Vasija de hierro circular, ancha, poco profunda.

SARTENAZO. m. Golpe dado con la sartén.

SARTORIO. m. adj. Anat. Músculo del muslo.

SASTRA. f. Mujer del sastre.

SASTRE. s. Quien por oficio corta y cose trajes.

SASTRERÍA. f. Oficio y obrador de sastre.

SATANÁS. m. Lucifer.

SATÁNICO-CA. adj. Propio de satanás. Muy perverso.

SATÉLITE. m. Astro que gira alrededor de un planeta.

SATÉN. m. Tejido arrasado.

SATINAR. tr. Dar tersura y lustre al papel o tela.

SÁTIRA. f. Escrito o dicho mordaz para censurar.

SATÍRICO-CA. adj. Relativo a la sátira o al sátiro.

SATIRIZAR. intr. Escribir sátiras. tr. Zaherir.

SÁTIRO. m. Mit. Monstruo con cuerpo velludo y cuernos y patas de macho cabrío.

SATISFACCIÓN. f. Acto de satisfacer. Presunción.

SATISFACER. tr. Pagar todo lo que se debe. Saciar un apetito. r. Vengarse.

SATISFACTORIO-RIA. adj. Que puede satisfacer. Grato.

SATISFECHO-A. adj. Presumido, contento.

SÁTRAPA. f. Gobernador antiguo persa. Hombre ladino.

SATRAPÍA. f. Dignidad o territorio de un sátrapa.

SATURACIÓN. f. Acto de saturar.

SATURAR. tr. Saciar. tr. Impregnar una cosa de otra.

SATURNAL. adj. f. Relativo a Saturno.

SATURNINO-NA. adj. De genio triste y taciturno.

SATURNISMO. m. Intoxicación debida a la acción de una sal de plomo.

SATURNO. m. Astr. Planeta entre Júpiter y Urano, rodeado de un doble anillo.

SAUCE. m. Árbol caprifoliáceo. de flor olorosa blanca.

SAUDADE. f. port. Añoranza, nostalgia.

SAURIO. adj. s. Zool. Reptiles plagiotremas de cuatro patas, cola larga. m. pl. Orden de estos animales.

SAUZGATILLO. m. Arbusto verbenáceo. [Energía.

SAVIA. f. Jugo que nutre las plantas.

SAXÍFRAGA. f. Planta saxifragácea, de flor en corimbo.

SAXOFÓN. m. Mús. Instrumento de viento, metálico.

SAYA. f. Falda de las mujeres.

SAYAL. m. Tela de lana burda.

SAYO. m. Casaca hueca, larga y sin botones. Cualquier vestido.

SAYÓN. m. Alguacil de la Edad Media. Verdugo. Hombre de aspecto feroz. Cofrade.

SAZONAR. tr. Dar sazón. tr. r. Poner algo en su punto.

SCHOTIS. m. Baile parecido a la polca.

SCOOTER. m. Motocicleta pequeña.

SE. Forma de dativo y acusativo, singular y plural del pronombre personal.

SEBÁCEO-A. adj. De la naturaleza del sebo. Glándulas situadas junto a folículos pilosos.

SEBE. m. Cercado de estacas entretejido.

SEBESTÉN. m. Arbusto de flor blanca, fruto parecido a la ciruela, amarillo.

SEBO. m. Grasa sólida de animales herbívoros. Gordura.

SEBORREA. f. Enfermedad caracterizada por el aumento de la secreción sebácea en la piel.

SEBOSO-SA. adj. Que tiene sebo.

SECADAL. m. Secano. Sequedal.

SECADERO. m. Sitio para poner a secar algo.

SECANO. m. Terreno que no tiene riego.

SECANSA. f. Juego de naipes.

SECANTE. adj. s. Que seca. Geom. Línea o superficie que corta a otra. f. Razón inversa al coseno.

SECAR. tr. Extraer la humedad de un cuerpo. Consumir el jugo.

SECCIÓN. f. Cortadura. Intersección de una superficie con otra. Parte o división de un todo.

SECESIÓN. f. Acto de separarse un territorio de una nación.

SECO-CA. adj. Que carece de humedad. Fruto de cáscara dura. Flaco. Áspero, árido, estéril.

SECRECIÓN. f. Separación. Acto de secretar.

SECRETAR. tr. Elaborar y despedir jugos algunos órganos animales y vegetales.

SECRETARÍA. f. Cargo u oficina del secretario.

SECRETARIO-RIA. s. Persona que escribe la correspondencia, extiende actas, etc.

SECRETEAR. intr. Hablar en secreto dos personas.

SECRETER. m. Escritorio.

SECRETO-TA. adj. Oculto, reservado. m. Lo que se tiene oculto.

SECTA. f. Conjunto de personas que siguen una doctrina.

SECTARIO-A. adj. s. Secuaz, fanático.

SECTOR. m. Porción de círculo entre un arco y los radios que van a sus extremos.

SECUAZ. adj. s. Que sigue el partido de otro.

SECUELA. f. Consecuencia.

SECUESTRAR. tr. Poner una cosa en poder de tercero, hasta decidir quien es el dueño. Embargar.

SECUESTRO. m. Acto de secuestrar. Bienes secuestrados.

SECULAR. adj. Seglar. Que se repite cada siglo, que dura uno.

SECULARIZAR. tr. r. Hacer secular. Autorizar a un religioso para salir de clausura.

SECUNDAR. tr. Favorecer, ayudar, cooperar.

SECUNDARIO-A. adj. Segundo, no principal.

SECUNDINAS. f. pl. Anat. Placenta y membranas que envuelven el feto.

SED. f. Gana de beber. Necesidad de agua. Deseo ardiente.

SEDA. f. Secreción viscosa en forma de hebras flexibles del capullo de algunos insectos.

SEDAL. m. Hilo que se ata por un extremo al anzuelo y por otro a la caña de pescar.

SEDANTE. adj. Que sirve para calmar.

SEDATIVO-VA. adj. Sedante.

SEDE. f. Asiento de un prelado con jurisdicción. Capital de la diócesis.

SEDENTARIO-A. adj. Vida de poco movimiento. El que la vive.

SEDEÑO-ÑA. adj. De seda.

SEDERO-RA. adj. Relativo a la seda. Quien la trabaja.

SEDICIÓN. f. Tumulto popular contra la autoridad.

SEDICIOSO-SA. adj. Que participa en una sedición.

SEDIENTO-TA. adj. s. Que tiene sed.

SEDIMENTO. m. Materia que se posa.

SEDUCCIÓN. f. Acto de seducir.

SEDUCIR. tr. Persuadir al mal. Atraer la voluntad.

SEDUCTOR-RA. adj. s. Que seduce.

SEFARDÍ. adj. Judío oriundo de España.

SEFARDITA. adj. Sefardí.

SEGADOR-RA. s. Quien siega. f. Máquina para segar.

SEGAR. tr. Cortar hierbas con hoz, guadaña, etc.

SEGLAR. adj. Relativo a las costumbres del siglo. Lego.

SEGMENTO. m. Pedazo de una cosa. Parte del círculo entre un arco y la cuerda.

SEGREGACIÓN. f. Acto de segregar.

SEGREGAR. tr. Separar, secretar.

SEGUIDILLA. f. Estrofa de versos heptasílabos y pentasílabos. f. pl. Baile y aire popular.

SEGUIDO-DA. adj. Continuo.

SEGUIMIENTO. m. Acto de seguir.

SEGUIR. tr. Ir detrás o en busca de algo. Perseguir. Imitar a otro. Proseguir. Ejercer.

SEGÚN. prep. Conforme. Como.

SEGUNDAR. tr. Asegundar. intr. Ser segundo.

SEGUNDERO. m. Saetilla que marca los segundos en el reloj.

SEGUNDO-A. adj. Que ocupa el lugar dos.

SEGUNDÓN-NA. s. Hijo segundo.

SEGUR. f. Hacha grande para cortar. Hoz.

SEGURIDAD. f. Calidad de seguro. Fianza, garantía.

SEGURO-RA. adj. Exento de riesgo o peligro. Cierto. Firme.

SEIS. adj. Cinco y uno. m. Guarismo de número seis.

SEISCIENTOS-TAS. adj. Seis veces ciento. [tedrales.

SEISE. m. Niño de coro en algunas ca-

SEISILLO. m. Mús. Grupo de seis notas iguales, ejecutadas en el tiempo de cuatro.

SELACIO-A. adj. s. Zool. Pez cartilagíneo con bránqueas fijas y móvil la mandíbula inferior.

SELECCIÓN. f. Elección de una persona o cosa entre otras.

SELECCIONAR. tr. Elegir, escoger.

SELECTO-TA. adj. Lo mejor entre lo de su especie.

SELENIO. m. Metaloide pardo rojizo, con propiedades semejantes a las del azufre.

SELENITA. com. Habitante de la Luna. f. Espejuelo.

SELVA. f. Terreno extenso, inculto y muy arbolado.

SELVATICO-CA. adj. Referente a la selva. Rústico.

SELLAR. tr. Imprimir el sello a algo.

SELLO. m. Útil para estampar en documentos, armas o cifras en los grabados. Lo que queda estampado.

SAMÁFORO. m. Telégrafo óptico de las costas, para comunicarse con los buques.

SEMANA. f. Espacio de siete días naturales, consecutivos.

SEMANAL. f. Que sucede cada semana. Que dura una semana.

SEMANARIO-A. adj. Semanal. m. Periódico publicado cada semana.

SEMÁNTICA. f. Estudio del significado de las palabras.

SEMBLANTE. m. Rostro.

SEMBLANZA. f. Bosquejo biográfico.

SEMBRADO. m. Tierra sembrada.

SEMBRADOR-RA. s. Quien siembra. f. Máquina de sembrar.

SEMBRAR. tr. Esparcir semillas en tierra preparada para ello. Desparramar. Divulgar una especie.

SEMEJANTE. adj. s. Que semeja. Semejanza, imitación.

SEMEJANZA. f. Calidad de semejante. Ret. Símil.

SEMEJAR. intr. r. Parecerse una cosa a otra.

SEMEN. m. Flúido de órganos reproductores masculinos de los animales.

SEMENTAL. adj. Relativo a la siembra o sementera. Animal macho destinado a padrear.

SEMENTERA. f. Acto de sembrar. Tierra o cosa sembrada.

SEMESTRAL. adj. Que sucede cada semestre. Que dura un semestre.

SEMESTRE. adj. Semestral. m. Espacio de seis meses.

SEMIBREVE. f. Mús. Figura que equivale a la mitad de la breve.

SEMICIRCULAR. adj. Relativo al semicírculo. De esta figura.

SEMICÍRCULO. m. Mitad de un círculo separada por un diámetro.

SEMICIRCUNFERENCIA. f. Mitad de la circunferencia.

SEMICORCHEA. f. Mús. Figura equivalente a media corchea.

SEMIDIOS-SA. s. Mit. Hérce que los gentiles colocaban entre sus deidades.

SEMIFUSA. f. Mús. Figura que vale media fusa.

SEMILLA. f. Parte del fruto que da origen a una nueva planta. Óvulo fecundado y maduro.

SEMILLERO. m. Sitio donde se siembra, para trasplantar luego.

SEMINAL. adj. Relativo al semen o semilla.

SEMINARIO. f. Casa para educación de niños jóvenes.

SEMINARISTA. m. Alumno de un seminario.

SEMÍNIMA. f. Mús. Figura equivalente a media mínima.

SEMIÓTICA. adj. Relativo a los síntomas.

SEMITA. adj. s. Descendiente de Sem; dícese de árabes, hebreos y otros pueblos.

SEMITICO-CA. adj. Relativo a los semitas.

SEMITONO. m. Mús. Parte en que se divide el intervalo de un tono.

SÉMOLA. f. Trigo candeal desnudo. Pasta para sopa.

SEMOVIENTE. adj. s. Bienes consistentes en ganado.

SEMPITERNO-NA. adj. Eterno.

SENA. f. Cara del dado con seis puntos.

SENADO. m. Asamblea de patricios romanos. Cuerpo legislativo supremo. Lugar donde se reune.

SENADOR. m. Miembro del Senado.

SENCILLEZ. f. Calidad de sencillo.

SENCILLO-A. adj. Simple. De poco cuerpo. Ingenuo. Franco.

SENDA. f. Camino estrecho.

SENDERO. m. Senda.

SENDOS-DAS. adj. pl. Uno o una para cual de dos o más.

SENECTUD. f. Edad senil.

SENESCAL. f. Antiguo mayordomo de palacio.

SENIL. adj. Relativo a la vejez.

SENO. m. Hueco. Parte interna. Pecho humano. Regazo.

SENSACIÓN. f. Impresión recibida por los sentidos. Emoción.

SENSATEZ. f. Calidad de sensato.

SENSATO-TA. adj. Prudente de buen juicio.

SENSIBILIDAD. f. Facultad de sentir.

SENSIBILIZAR. tr. Hacer sensible a la luz una placa fotográfica.

SENSIBLE. adj. Capaz de sentir. Que se puede percibir por los sentidos.

SENSIBLERIA. f. Sentimentalismo exagerado o fingido.

SENSITIVA. f. Planta mimosácea cuyas hojas se pliegan al ser tocadas.

SENSITIVO-VA. adj. Relativo a los sentidos.

SENSORIAL. adj. Sensorio. Relativo a él.

SENSORIO-A. adj. Relativo a la sensibilidad. m. Centro de las sensaciones.

SENSUAL. adj. Dícese de los gustos y los sentidos. Relativo al apetito carnal.

SENSUALIDAD. f. Calidad de sensual.

SENSUALISMO. m. Sensualidad.

SENTADO-DA. adj. Juicioso, quieto. Parte de la planta que no tiene piececillo.

SENTAR. tr. r. Asentar. intr. Hacer provecho o daño.

SENTENCIA. f. Dictamen, opinión. Resolución del juez.

SENTENCIAR. tr. Dictar sentencia. Expresar el parecer sobre algo.

SENTENCIOSO-SA. adj. Que encierra sentencia. Tono afectado de gravedad.

SENTICAR. m. Espinar, sitio poblado de espinos.

SENTIDO-DA. adj. Que incluye sentimiento. Que se ofende con facilidad. m. Entendimiento, razón.

SENTIMENTAL. adj. Que expresa sentimiento. Propenso a ellos.

SENTIMENTALISMO. m. Calidad de sentimental.

SENTIMIENTO. m. Acción de sentir. Estado del ánimo.

SENTINA. f. Mar. Cavidad inferior del buque. fig. Lugar inmundo.

SENTIR. m. Sentimiento. Parecer, dictamen.

SENTIR. tr. Experimentar sensación de algo. Opinar. Presentir.

SEÑA. f. Indicio. Vestigio. Señal convenida.

SEÑAL. f. Marca para distinguir una cosa. Signo, vestigio.

SEÑALADO-DA. adj. Famoso, insigne.

SEÑALAMIENTO. m. Acto de señalar. For. Designación del día para el juicio.

SEÑALAR. tr. Poner señal. Hacer herida que deje cicatriz. Llamar la atención sobre algo.

SEÑERA. f. Estandarte, bandera.

SEÑOR-RA. adj. s. Dueño. Noble. s. Tratamiento.

SEÑOREAR. tr. Mandar como dueño en algo. Apoderarse.

SEÑORIA. f. Tratamiento dado a algunas dignidades.

SEÑORIAL. adj. Relativo al señorío.

SEÑORIO. m. Dominio sobre algo. Gravedad en el porte.

SEÑORÓN-NA. s. Muy señor o señora.

SEÑUELO. m. Cosa que sirve para atraer las aves. Cimbel.

SÉPALO. m. Bot. Hojuela del cáliz de la flor.

SEPARACIÓN. f. Acto de separar.

SEPARAR. tr. r. Poner dos cosas fuera de contacto. tr. Destituir. Distinguir. r. Retirarse.

SEPARATISMO. m. Partido de los que quieren separar un territorio del Estado a que pertenece.

SEPARATISTA. adj. s. Relativo al separatismo. Partidario de él.

SEPARATIVO-VA. adj. Que separa o puede separar.

SEPELIO. m. Entierro religioso.

SEPIA. f. Jibia. Materia colorante sacada de ésta.

SEPTENA. f. Conjunto de siete cosas.

SEPTENIO. m. Tiempo de siete años.

SEPTENTRIÓN. m. Norte.

SEPTICEMIA. f. Med. Infección general de la sangre por gérmenes patógenos.

SÉPTICO-CA. adj. Med. Que produce corrupción.

SEPTIEMBRE. m. Noveno mes del año.

SÉPTIMO-MA. adj. s. Cada una de las siete partes iguales de un todo. Que ocupa el lugar sétimo.

SEPTUAGENARIO-A. adj. Que tiene setenta años.

SEPTUAGÉSIMA. f. Dominica que se celebra tres semanas antes que la primera de Cuaresma.

SEPULCRAL. adj. Relativo al sepulcro.

SEPULCRO. m. Obra levantada para dar sepultura al cadáver.

SEPULTAR. tr. Enterrar un cadáver. Ocultar algo enterrándolo.

SEPULTURA. f. Acto de sepultar. Lugar en que se sepulta.

SEPULTURERO-RA. s. Quien por oficio abre sepulturas y entierra a los muertos.

SEQUEDAD. f. Calidad de seco. Gesto o dicho duro.

SEQUEDAL. m. Terreno muy seco.

SEQUÍA. f. Terreno seco de gran duración.

SEQUILLO. m. Rosquilla de masa azucarada.

SÉQUITO. m. Grupo de gente que acompaña a uno con pompa.

SER. m. Ente. Esencia. Verbo sustantivo y auxiliar de la voz pasiva. Existir.

SERA. f. Espuerta grande.

SERÁFICO-CA. adj. Relativo o parecido al serafín.

SERAFÍN. m. Espíritu bienaventurado del segundo coro.

SERBA. f. Fruto en pomo, comestible.

SERBAL. m. Árbol rosáceo, de flor blanca.

SERBO. m. Serbal.

SERENAR. tr. intr. r. Sosegar, aclarar, apaciguar.

SERENATA. f. Música nocturna al aire libre para festejar a uno.

SERENIDAD. f. Calidad de sereno. Título honorífico.

SERENÍSIMO-MA. adj. Título de los hijos de rey.

SERENO-NA. adj. Claro, despejado. m. Vigilante nocturno.

SERGAS. f. pl. Hechos, proezas, hazañas.

SERIAL. adj. s. Dispuesto en series, que forma series.

SERIAR. tr. Poner en serie, formar series.

SERICICULTURA. f. Industria de la producción de la seda.

SERIE. f. Conjunto de cosas relacionadas entre sí, que se suceden unas a otras.

SERIEDAD. f. Calidad de serio.

SERIO-A. adj. Que da importancia a las cosas.

SERMÓN. m. Discurso religioso. Amonestación.

SERMONEAR. intr. Predicar, echar sermones. tr. Amonestar.

SERMONEO. m. Acto de sermonear.

SERÓN. m. Sera más larga que ancha.

SEROSIDAD. f. Líquido lubricante de algunas membranas.

SEROSO-SA. adj. Semejante al suero. Que produce serosidad.

SEROTERAPIA. f. Tratamiento con sueros curativos.

SERPEAR. intr. Serpentear.

SERPENTARIA. f. Dragontea.

SERPENTEAR. intr. Moverse o extenderse formando vueltas.

SERPENTÍN. m. Tubo en espiral, largo, para enfriar lo destilado en alambique.

SERPENTINA. f. Tira de papel arrollado que se arroja. Piedra verde con manchas. Silicato de magnesio.

SERPENTÓN. m. Instrumento de viento.

SERPIENTE. f. Nombre de los reptiles ofidios.

SERPIGO. m. Llaga que se cicatriza por un extremo y se extiende por el otro.

SERPOLLO. m. Rama nueva al pie de un árbol.

SERRADURAS. f. pl. Serrín.

SERRALLO. m. Lugar donde viven las mujeres de los moros.

SERRANÍA. f. Terreno formado de montañas.

SERRANO-NA. adj. s. Que habita en una sierra.

SERRAR. tr. Cortar con sierra.

SERRÁTIL. ad. Med. Pulso frecuente y desigual.

SERRATO. s. Med. Músculo que tiene dientes a modo de sierra.

SERRETA. f. Mediacaña de hierro, con dientecillos, que se pone en la nariz de la caballería.

SERRÍN. m. Conjunto de partículas desprendidas al serrar madera.

SERRUCHO. m. Sierra de hoja ancha, de una sola manija.

SERVENTESIO. m. Poét. Cuarteto de rima alternada.

SERVICIAL. adj. Que sirve con diligencia. Pronto a complacer.

SERVICIO. m. Acto de servir. Estado de un criado. Cubierto de la mesa. Vajilla.

SERVIDOR-RA. s. Quien sirve como criado.

SERVIDUMBRE. f. Trabajo propio de siervo. Conjunto de criados de una casa.

SERVIL. adj. Relativo al siervo o criado. Humilde, rastrero.

SERVILISMO. m. Adhesión baja a un poderoso.

SERVILLETA. f. Paño que usa en la mesa cada comensal.

SERVIOLA. f. Mar. Pescante cerca de la amura.

SERVIR. intr. Aprovechar. Valer. Ejercer un empleo. Cortejar. Ser soldado en activo.

SÉSAMO. m. Alegría (planta).

SESENTA. adj. Seis veces diez.

SESENTÓN-NA. adj. s. Sexagenario.

SESERA. f. Parte de la cabeza en que están los sesos.

SESGADURA. f. Acto de sesgar.

SESGAR. tr. Cortar en sesgo.

SESGO-GA. adj. Torcido, cortado oblicuamente. Sosegado.

SÉSIL. adj. Bot. Sentado.

SESIÓN. f. Junta de una corporación. Conferencia, consulta.

SESQUIÓXIDO. m. Quím. Óxido que contiene la mitad más de óxido que el protóxido.

SESTEADERO. m. Lugar para sestear el ganado.

SESTEAR. intr. Descansar en la siesta. Recogerse el ganado en sitio sombrío.

SESTERCIO. m. Moneda romana de plata.

SESUDO-DA. adj. Que tiene seso. Sensato.

SETA. f. Seda o cerda de los animales. Hongo.

SETECIENTOS-TAS. adj. Siete veces ciento.

SETENTA. adj. Siete veces diez.

SETIEMBRE. m. Septiembre.

SETO. m. Cercado de varas entretejidas.

SEUDO. adj. Supuesto, falso.

SEUDÓNIMO-MA. adj. Dícese del autor que usa nombre supuesto.

SEUDÓPODO. m. Prolongación protoplasmática que emiten algunos seres unicelulares con cuyo ayuda caminan.

SEVERIDAD. f. Calidad de severo.

SEVERO-RA. adj. Riguroso. Serio, grave.

SEVICIA. f. Crueldad excesiva.

SEVILLANAS. f. pl. Aire bailable andaluz. Danza.

SEXAGENARIO-A. adj. s. Quien tiene sesenta años.

SEXAGESIMAL. adj. Sistema de contar de base sesenta.

SEXAGONAL. adj. Geom. Hexagonal.

SEXENIO. m. Período de seis años.

SEXO. m. Condición orgánica que distingue al macho de la hembra.

SEXTANTE. m. Astr. Instrumento para observaciones marítimas.

SEXTETO. m. Mús. Composición para seis instrumentos o voces.

SEXTO-TA. adj. s. Que ocupa el lugar seis.

SEXTUPLICAR. tr. Hacer séxtupla una cantidad.

SEXUAL. adj. Relativo al sexo.

SI. m. Mús. Séptima nota de la escala.

SI. adj. Afirmativo. m. Consentimiento.

SI. Forma reflexiva del pron. personal de tercera persona.

SIALISMO. m. Med. Salivación.

SIBARITA. adj. s. Muy dado a los placeres.

SIBARITISMO. m. Modo de vivir del sibarita.

SIBILA. f. Profetisa, pitonisa, adivina.

SIBILANTE. adj. Que suena como silbo.

SIBILINO-NA. adj. Misterioso. Relativo a la sibila.

SICALIPSIS. f. Belleza artística exornada de gracia y picardía.

SICALÍPTICO-CA. adj. Que además de bello es gracioso y pícaro.

SICARIO. m. Asesino, asalariado.

SICLO. m. Moneda hebrea de plata.

SICOFANTA-TE. m. Impostor, calumniador.

SICÓMORO. m. Árbol egipcio, especie de higuera.

SIDECAR. m. Cochecillo unido a las motocicletas.

SIDÉREO-A. adj. Relativo a los astros.

SIDERITA. f. Siderosa. Planta labiada de flores amarillas.

SIDEROSA. f. Carbonato ferrosa.

SIDERURGIA. f. Arte de extraer y trabajar el hierro.

SIDONIO-A. adj. s. De Sidón.

SIDRA. f. Bebida alcohólica, obtenida por fermentación del zumo de manzana.

SIEGA. f. Acto de segar. Tiempo en que se siega.

SIEMBRA. f. Acto de sembrar. Lo sembrado.

SIEMPRE. adv. En todo tiempo, en todo caso.

SIEMPREVIVA. f. Perpetua amarilla.

SIEN. f. Parte lateral de la cabeza, próxima a la frente.

SIENITA. f. Roca compuesta de feldespato, anfíbol y cuarzo.

SIERPE. f. Serpiente. Persona feroz. Barbado.

SIERRA. f. Cordillera de montes. Herramienta.

SIERVO-VA. s. Esclavo. Servidor.

SIESO. m. Parte inferior del intestino recto.

SIESTA. f. Tiempo después de mediodía, en que aprieta más el calor. Sueño, después de comer.

SIETE. adj. Seis y uno. Rasgón angular.

SIETEMESINO-NA. adj. s. Criatura nacida a los siete meses de engendrado.

SÍFILIS. f. Med. Enfermedad venérea infecciosa.

SIFILÍTICO-CA. adj. s. Relativo a la sífilis. Que la padece.

SIFILOGRAFÍA. f. Parte de la medicina que trata de enfermedades sifilíticas.

SIFÓN. m. Tubo para trasegar líquidos. Botella cerrada que contiene agua cargada de ácido carbónico.

SIGILO. m. Sello. Secreto que se guarda de algo.

SIGILOSO-SA. adj. Que guarda sigilo.

SIGLA. f. Letra inicial usada como abreviatura.

SIGLO. m. Espacio de cien años.

SIGMA. f. Letra griega equivalente a la "S".

SIGNAR. tr. Hacer componer el signo. Firmar.

SIGNATURA. f. Señal, marca o nota. Tribunal romano.

SIGNIFICACIÓN. f. Acto de significar. Sentido. Importancia.

SIGNIFICADO. adj. Importante, conocido. m. Significación.

SIGNIFICANCIA. f. Significación.

SIGNIFICAR. tr. Ser una cosa indicio o signo de otra. Manifestar. r. Destacarse.

SIGNIFICATIVO-VA. adj. Que da a entender algo. Que tiene importancia.

SIGNO. m. Carácter empleado en imprenta y escritura. Firma de notario. Cada una de las doce partes del Zodíaco.

SIGUIENTE. adj. Posterior. Ulterior.

SÍLABA. f. Letra o conjunto de ellas que se pronuncian en una sola emisión de voz.

SILABARIO. m. Libro para enseñar a deletrear.

SILABEAR. intr. tr. Pronunciar por separado cada sílaba.

SILABEO. m. Acto de silabear.

SILÁBICO-CA. adj. Relativo a la sílaba.

SILBA. f. Acto de silbar.

SILBAR. intr. Producir silbido.

SILBATO. m. Instrumento para silbar.

SILBIDO. m. Silbo.

SILBO. m. Sonido agudo hecho por el aire. El producido al pasar el aire por la boca con los labios fruncidos.

SILENCIADOR. m. Aparato para amortiguar el ruido de un motor.

SILENCIO. m. Abstención de hablar. Mús. Pausa.

SILENCIOSO-SA. adj. Que calla o no hace ruido.

SILENTE. adj. Silencioso. Tranquilo.

SILEPSIS. f. Gram. Figura consistente en quebrantar la concordancia.

SÍLEX. m. Piedra dura de sílice.

SÍLFIDE. f. Ninfa aérea.

SILFO. m. Genio o espíritu del aire.

SILICATO. m. Sal o éster del ácido silícico.

SÍLICE. f. Anhídrido de silicio.

SILÍCEO-A. adj. De sílice.

SILICIO. m. Metaloide que con el oxígeno forma la sílice.

SILICOSIS. f. Alteración inflamatoria del pulmón y bronquios debida al polvo del sílice.

SILO. m. Lugar seco, donde se guardan granos.

SILOGISMO. m. Lóg. Razonamiento de tres proposiciones.

SILOGÍSTICO-CA. adj. Relativo al silogismo.

SILUETA. f. Dibujo del contorno de la sombra de un objeto. Perfil.

SILURO. m. Pez de agua dulce.

SILVA. f. Zarza. Combinación métrica de versos heptasílabos y endecasílabos.

SILVESTRE. adj. Que se cría naturalmente.

SILVICULTOR. m. Quien se dedica a la silvicultura.

SILVICULTURA. f. Cultivo de montes y bosques.

SILLA. f. Asiento con respaldo individual. Sede de un prelado.

SILLAR. m. Piedra labrada de una construcción.

SILLERIA. f. Conjunto de sillas de la misma clase.

SILLERO-RA. s. Quien hace, vende o arregla sillas.

SILLETA. f. Vaso para excretar en la cama.

SILLETAZO. m. Golpe dado con la silla.

SILLÍN. m. Silla de montar ligera. Asiento de la bicicleta.

SILLÓN. m. Silla grande con brazos.

SIMA. f. Cavidad grande y profunda de la tierra.

SIMBIOSIS. f. Hist. Nat. Asociación de organismos de especie distinta en provecho mutuo.

SIMBÓLICO-CA. adj. Relativo al símbolo.

SIMBOLISMO. m. Conjunto de símbolos que expresan algo.

SIMBOLIZAR. tr. Servir una cosa de símbolo de otra.

SIMBOLO. m. Cosa sensible que representa otra por analogía.

SIMETRIA. f. Porporción de las artes de un todo. Correspondencia de posición, forma de una figura a los lados de un plano, eje o punto.

SIMÉTRICO-CA. adj. Relativo a la simetría. Que la tiene.

SIMIENTE. f. Semilla. Semen.

SIMIESCO CA. adj. Propio del simio.

SIMIL. adj. Semejante. m. Comparación.

SIMILAR. adj. Que tiene semejanza.

SIMILITUD. f. Semejanza.

SIMILOR. m. Latón con el brillo y color de oro.

SIMIO. m. Mono.

SIMÓN. m. Coche de plaza. Cochero que lo guía.

SIMONIA. f. Compra o venta ilícita de cosas espirituales.

SIMPATÍA. f. Inclinación de una persona a otra.

SIMPÁTICO-CA. adj. Que inspira simpatía.

SIMPATIZAR. intr. Sentir simpatía. Congeniar.

SIMPLE. adj. Sin composición. Sencillo, ingenuo. Necio.

SIMPLEZA. f. Calidad de simple. Necedad. Dicho simple.

SIMPLICIDAD. f. Calidad de simple.

SIMPLIFICAR. tr. Hacer más sencilla una cosa.

SIMULACIÓN. f. Acto de simular.

SIMULACRO. m. Imagen de una persona o cosa.

SIMULAR. tr. Representar algo fingiendo lo que no es.

SIMULTANEAMENTE. adv. Con simultaneidad.

SIMULTANEAR. tr. Realizar dos cosas a un tiempo.

SIMULTÁNEO-A. adj. Que se hace al mismo tiempo.

SIMÚN. m. Viento que sopla en el desierto.

SIN. prep. Que indica carencia.

SINAGOGA. f. Asamblea religiosa judía. Templo judío.

SINALEFA. f. Pronunciación en una sílaba de la última vocal de una palabra y primera de la siguiente.

SINAPISMO. m. Med. Tópico de polvo de mostaza.

SINARTROSIS. f. Articulación no movible.

SINCERAR. tr. r. Justificar la inculpabilidad.

SINCERIDAD. f. Calidad de sincero.

SINCERO-RA. adj. Que siente o piensa realmente.

SÍNCOPA. f. Supresión de una o más letras en medio de una palabra. Mús. Enlace de sonidos iguales.

SINCOPADO-DA. adj. Canto que tiene notas sincopadas.

SINCOPAR. tr. Hacer síncope.

SÍNCOPE. m. Med. Suspensión repentina del movimiento del corazón y respiración.

SINCRÓNICO-CA. adj. Que ocurre a un mismo tiempo.

SINDÉRESIS. f. Capacidad para juzgar con rectitud.

SINDICAL. adj. Relativo al sindicato.

SINDICALISMO. m. Organización por medio del sindicato.

SINDICALISTA. adj. Sindical. Partidario de él.

SINDICAR. tr. Acusar. Asociar intereses comunes.

SINDICATO. m. Asociación para defensa de intereses comunes.

SÍNDICO. m. Encargado de liquidar una quiebra.

SINECURA. f. Cargo retribuído y de poco trabajo.

SINÉRESIS. f. Licencia poética que consiste en diptongar sílabas distintas.

SINERGIA. f. Acción concertada de varios órganos.

SÍNFISIS. f. Conjunto de elementos que unen dos superficies óseas.

SINFONÍA. f. Conjunto de voces que suenan a la vez. Acorde de los colores.

SINFÓNICO-CA. adj. Relativo a la sinfonía.

SINGLADURA. f. Mar. Distancia recorrida por la nave en un día.

SINGLAR. intr. Navegar con un rumbo la nave.

SINGULAR. adj. Único, extraordinario. m. Particular.

SINGULARIDAD. f. Calidad de singular. Particularidad.

SINGULARIZAR. tr. Distinguir.

SINGULTO. m. Med. Hipo, sollozo.

SINIESTRA. f. Izquierda.

SINIESTRO-A. adj. Cosa que está a la izquierda. Avieso.

SINNÚMERO. m. Número incalculable.

SINO. m. Hado, destino. Conjunción adversativa.

SINÓDICO-CA. adj. Relativo al sínodo.

SÍNODO. m. Concilio.

SINONIMIA. f. Ser sinónimos varios vocablos.

SINÓNIMO-MA. adj. Dícese de los vocablos de igual significado.

SINOPLE. adj. Blas. Color verde.

SINOPSIS. f. Compendio de una materia.

SINÓPTICO-CA. adj. Que presenta con claridad las cosas.

SINOVIA. f. Líquido viscoso que lubrica las articulaciones.

SINOVIAL. adj. Relativo a la sinovia.

SINRAZÓN. f. Acto contra justicia.

SINSABOR. m. Pesar.

SINSONTE. m. Tordo americano.

SINTÁCTICO-CA. adj. Relativo a la sintaxis.

SINTAXIS. f. Gram. Tratado de la relación y ordenación de las palabras en la oración y enlace de unas con otras.

SÍNTESIS. f. Compendio.

SINTÉTICO-CA. adj. Relativo a la síntesis.

SINTETIZAR. tr. Hacer síntesis.

SINTOÍSMO. m. Primitiva religión japonesa.

SÍNTOMA. m. Fenómeno que regula una enfermedad.

SINTOMÁTICO-CA. adj. Relativo al síntoma.

SINUOSIDAD. f. Calidad de sinuoso.

SINUOSO-SA. adj. Que tiene senos u ondulaciones.

SINUSITIS. f. Inflamación de la mucosa de los senos frontales por catarro nasal infeccioso.

SINVERGÜENZA. adj. s. Bribón, pícaro.

SIQUIERA. Conjunción adversativa. Aunque.

SIRENA. f. Ninfa marina, busto de mujer y cuerpo de pez.

SIRGA. f. Maroma para tirar de las redes. Cable.

SIRGAR. tr. Llevar una embarcación con sirga.

SIRLE. m. Excremento del ganado lanar y cabrío.

SIROCO. m. Viento sudeste.

SIRTE. f. Bajo de arena.

SIRVIENTA. f. Mujer dedicada al servicio.

SIRVIENTE. adj. s. Que sirve. m. Criado.

SISA. f. Parte que se hurta de la compra diaria. Sesgadura en la tela del vestido.

SISAR. tr. Cometer sisa. Hacer sisas.

SISEAR. tr. intr. Emitir el sonido de "S" para llamar.

SISEO. m. Acto de sisear.

SÍSMICO. adj. Relativo al terremoto.

SISMÓGRAFO. m. Aparato que registra las oscilaciones en un terremoto.

SISMOLOGÍA. f. Geol. Tratado de los terremotos.

SISMÓMETRO. m. Aparato para medir las oscilaciones sísmicas.

SISTEMA. m. Conjunto de principios sobre una materia. Norma de conducta.

SISTEMÁTICO-CA. adj. Que sigue un sistema.

SISTEMATIZAR. tr. Reducir a sistema.

SÍSTOLE. f. Contracción rítmica del corazón y arterias.

SITIAL. m. Asiento de ceremonia.

SITIAR. tr. Cercar a una plaza. Acosar a uno.

SITIO. m. Lugar, paraje. Acto de sitiar.

SITO-TA. adj. Situado o fundado.

SITUACIÓN. f. Acto de situar. Estado o constitución.

SITUAR. tr. r. Poner a una cosa en un lugar. Asignar fondos para un pago.

SKI. m. Esquí.

SLOGAN. ingl. Fórmula publicitaria.

SMOKING. m. Chaqueta de hombre de traje de etiqueta.

SNOB. ing. Persona amiga del snobismo.

SNOBISMO. m. Admiración infundada por lo que está de moda.

SO. m. fam. Usado con adjetivos despectivos para reforzarlos.

SO. prep. Bajo, debajo de.

¡SO! interj. Para detener la caballería.

SOASAR. tr. Asar ligeramente.

SOBA. f. Acto de sobar. Zurra.

SOBACO. m. Axila.

SOBAJAR. tr. Ajar algo manoseándolo.

SOBAQUERA. f. Pieza que refuerza el vestido por el sobaco.

SOBAR. tr. Oprimir algo para que se ablande.

SOBERANÍA. f. Calidad de soberano. Orgullo.

SOBERANO-NA. adj. Que ejerce o posee autoridad.

SOBERBIA. f. Estimación excesiva de sí mismo.

SOBERBIO-A. adj. Que tiene soberbia. Altivo, violento.

SOBINA. f. Clavo de madera.

SOBÓN-NA. adj. s. Fastidioso por sus caricias. Que elude el trabajo.

SOBORNAR. tr. Corromper con dádivas.

SOBORNO. m. Acto de sobornar. Dádiva con que se soborna.

SOBRA. f. Exceso. Demasía. f. pl. Desperdicios.

SOBRADO-DA. adj. Demasiado. Audaz. Rico. m. Desván.

SOBRAR. tr. Exceder. intr. Hacer más de lo necesario.

SOBRASADA. f. Embuchado grueso de carne de cerdo.

SOBRASAR. tr. Poner brasas al pie de la olla para que cueza.

SOBRE. prep. Encima. Acerca de. Además de. m. Cubierta de papel para enviar cartas.

SOBREAGUDO-DA. adj. s. Sonidos musicales más agudos.

SOBREALIENTO. m. Respiración difícil, fatigosa.

SOBREALIMENTAR. tr. r. Dar a uno más alimento del ordinario.

SOBREASAR. tr. Volver a poner a la lumbre lo ya asado.

SOBRECAMA. f. Colcha.

SOBRECARGA. f. Lo que se añade a una carga. Molestia.

SOBRECARGAR. tr. Cargar algo con exceso.

SOBRECARGO. m. El que tiene a su cargo en un buque mercante, el cargamento.

SOBRECEJO. m. Ceño.

SOBRECINCHO. m. Correa que pasa por debajo de la barriga de la caballería y por encima del aparejo.

SOBRECOGER. tr. Coger desprevenido a uno. Intimidar.

SOBRECUBIERTA. f. Segunda cubierta.

SOBREDICHO-A. adj. Dicho arriba o antes.

SOBREDORAR. tr. Dorar los metales. Disculpar lo reprensible.

SOBREENTENDER. tr. r. Entender algo que se deduce.

SOBREEXCITAR. tr. r. Aumentar la energía vital.

SOBREFALDA. f. Falda corta, puesta sobre otra.

SOBREHUMANO-NA. adj. Que excede a lo humano.

SOBRELLEVAR. tr. Ayudar a sufrir. Resignarse.

SOBREMANERA. adv. m. Más allá de lo corriente.

SOBREMESA. f. Tapete que se pone en la mesa. Tiempo que se está en la mesa, después de comer.

SOBRENADAR. intr. Mantenerse a flote, sin hundirse.

SOBRENATURAL. adj. Que excede los términos de la Naturaleza.

SOBRENOMBRE. m. Nombre añadido al apellido.

SOBREPAGA. f. Aumento de paga, ventaja en ella.

SOBREPARTO. m. Tiempo inmediato que sigue al parto.

SOBREPELLIZ. f. Vestidura blanca de lienzo fino, que se coloca sobre la sotana.

SOBREPONER. tr. Añadir algo encima de otra cosa.

SOBREPRECIO. m. Recargo en el precio ordinario.

SOBREPUJAR. f. Pujanza excesiva.

SOBRESALIENTE. adj. s. Que sobresale. m. Nota de calificación superior al notable.

SOBRESALIR. intr. Exceder, descollar.

SOBRESALTAR. tr. Saltar, acometer de repente. Asustar.

SOBRESALTO. m. Susto repentino.

SOBRESDRÚJULO-LA. adj. Voces que llevan acento en la sílaba anterior a la antepenúltima.

SOBRESEER. intr. Desistir de una pretensión. Cesar en el cumplimiento de una obligación.

SOBRESEIMIENTO. m. Acto de sobreseer.

SOBRESTANTE. m. Capataz mayor de una obra.

SOBRESUELDO. m. Salario que se añade al sueldo fijo.

SOBRETODO. m. Prenda de vestir.

SOBREVENIR. intr. Suceder algo después de otra cosa.

SOBREVIVIENTE. adj. s. Que sobrevive.

SOBREVIVIR. intr. Vivir uno más que otro, o después de un hecho.

SOBRIEDAD. f. Calidad de sobrio.

SOBRINO-NA. Hijo e hija del hermano o hermana.

SOBRIO-A. adj. Moderado.

SOCAIRE. m. Algo que ofrece abrigo contra el viento.

SOCALIÑA. f. Ardid con que se saca alguna cosa a uno.

SOCARRAR. tr. r. Tostar superficialmente algo.

SOCARRÉN. m. Parte del alero que sobresale de la pared.

SOCARRENA. f. Hueco, concavidad.

SOCARRÓN-NA. adj. s. Astuto. Burlón.

SOCARRONERÍA. f. Astucia para procurar el interés propio. Burlonería.

SOCAVAR. tr. Excavar por debajo de algo.

SOCAVÓN. m. Cueva en la ladera de un monte.

SOCIABILIDAD. f. Calidad de sociable.

SOCIABLE. adj. Naturalmente inclinado a la sociedad.

SOCIAL. adj. Relativo a la sociedad humana.

SOCIALISMO. m. Organización social que da preferencia a los derechos de la colectividad.

SOCIALISTA. adj. s. Partidario del socialismo.

SOCIEDAD. f. Reunión de personas, familias o naciones.

SOCIO-A. s. Persona asociada con otra u otras.

SOCOLLADA. f. Mar. Sacudida de las velas al haber poco viento.

SOCORRER. tr. Ayudar, auxiliar a alguien en peligro o necesidad.

SOCORRO. m. Acto de socorrer. Cosa con que se socorre.

SOCROCIO. m. Emplasto de azafrán.

SOCHANTRE. m. Director del coro en los oficios divinos.

SODA. f. Gaseosa aromatizada.

SODIO. m. Metal blando de color y brillo argénticos.

SODOMÍA. f. Concúbito entre dos personas de un mismo sexo.

SODOMITA. adj. s. Que comete sodomía.

SOEZ. adj. Grosero.

SOFÁ. m. Asiento con respaldo, para dos o más personas.

SOFALDAR. tr. Alzar las faldas. Levantar una cosa para descubrir otra.

SOFIÓN. m. Bufido, expresión de enojo.

SOFISMA. f. Argumento capcioso.

SOFISTICAR. tr. Falsificar.

SOFITO. m. Arq. Parte inferior de un cuerpo voladizo.

SOFLAMA. f. Llama tenue. Ardor del rostro.

SOFLAMAR. tr. Usar palabras afectadas. r. Tostarse.

SOFOCACIÓN. f. Acto de sofocar o sofocarse.

SOFOCAR. tr. Impedir la respiración. Apagar, dominar.

SOFOCO. m. Efecto de sofocar. Disgusto grave.

SOFOCÓN. m. Desazón. Disgusto.

SOFREÍR. tr. Freír ligeramente.

SOFRENADA. f. Acto de sofrenar.

SOFRENAR. tr. Reprimir el jinete a la caballería.

SOGA. f. Cuerda gruesa de esparto.

SOGUERO. m. Quien hace o vende sogas.

SOGUILLA. f. Trenza delgada de esparto o pelo.

SOJUZGAR. tr. Dominar.

SOL. m. Astro luminoso, centro de nuestro sistema planetario. Mús. Quinta nota de la escala.

SOLANA. f. Paraje donde da el sol de lleno.

SOLANÁCEO-A. adj. Plantas dicotiledóneas, fruto en baya.

SOLANO. m. Viento que sopla del Levante.

SOLAPA. f. Parte del vestido correspondiente al pecho que se dobla sobre la prenda. Doblez, ficción.

SOLAPADO-DA. adj. Taimado, disimulado.

SOLAPAR. tr. Poner solapas. Omitir la verdad con malicia.

SOLAR. tr. Revestir el suelo con material. Poner suela al calzado.

SOLAR. s. Relativo al sol. Terreno para edificar.

SOLARIEGO-GA. adj. Relativo al solar. De antigüedad.

SOLAZ. m. Esparcimiento. Alivio.

SOLAZAR. tr. r. Dar solaz.

SOLDADA. f. Sueldo, salario.

SOLDADESCA. f. Ejercicio de soldados. Conjunto de ellos.

SOLDADO. m. El que sirve en la milicia.

SOLDADURA. f. Acto de soldar. Unión de cosas soldadas.

SOLDAR. tr. Pegar dos cosas o parte de una.

SOLEAR. tr. r. Tener algo al sol.

SOLECISMO. m. Gram. Vicio consistente en alterar la sintaxis.

SOLEDAD. f. Falta de compañía. Lugar desierto

SOLEMNE. adj. Celebrado con pompa. Formal, válido.

SOLEMNIDAD. f. Calidad de solemne. Acto solemne.

SOLEMNIZAR. tr. Celebrar algo con solemnidad. Engrandecer.

SOLER. intr. Acostumbrar. Ser frecuente.

SOLERA. f. Sueldo del horno. Madre del vino. Muela del molino fijo.

SOLETA. f. Pieza para remendar la planta de la media.

SOLFA. f. Arte de solfear.

SOLFATARA. f. Abertura en terrenos volcánicos por donde salen vapores sulfurosos.

SOLFEAR. tr. Cantar, marcando el compás y nombrando las notas.

SOLFEO. m. Acto de solfear.

SOLICITACIÓN. f. Acto de solicitar.

SOLICITAR. tr. Pretender, pedir con instancia.

SOLÍCITO-TA. adj. Diligente, afanoso por servir a uno.

SOLICITUD. f. Diligencia, instancia.

SOLIDARIDAD. f. Comunidad de intereses y responsabilidades.

SOLIDARIO-A. adj. Obligaciones "in sólidum" o de mancomún y quienes las contraen.

SOLIDEO. m. Casquete de eclesiástico.

SOLIDEZ. f. Calidad de sólido.

SOLIDIFICACIÓN. f. Acto de solidificar.

SOLIDIFICAR. tr. r. Hacer sólido lo flúido.

SÓLIDO-DA. adj. Firme, denso, fuerte. Cuerpo con forma propia.

SOLILOQUIO. m. Discurso de una persona no dirigido a nadie.

SOLIMÁN. m. Sublimado corrosivo.

SOLIO. m. Trono.

SOLÍPEDO-DA. adj. fam. Équido.

SOLISTA. com. Quien ejecuta solo, una pieza musical.

SOLITARIA. f. Tenia.

SOLITARIO-A. adj. Desierto. Solo.

SOLITO-A. adj. Acostumbrado.

SOLIVIANTAR. tr. r. Inducir a la rebeldía.

SOLIVIAR. tr. Ayudar a levantar algo.

SOLO-A. adj. Único en su especie. Que no tiene compañía.

SOLO. adv. De un solo modo, sin otra cosa .

SOLOMILLO. m. Capa muscular entre el lomo y las costillas de la res.

SOLSTICIAL. adj. Relativo al solsticio.

SOLSTICIO. m. Punto de la eclíptica más alejado del Ecuador.

SOLTAR. tr. r. Desatar. Dar salida o libertad. Desasir.

SOLTERÍA. f. Estado de soltero.

SOLTERO-RA. adj. s. Célibe.

SOLTERÓN-NA. adj s. Célibe entrado en años.

SOLTURA. f. Acto de soltar. Agilidad. Facilidad.

SOLUBILIDAD. f. Calidad de soluble.

SOLUBLE. adj. Que puede disolverse.

SOLUCIÓN. f. Acto de disolver. Desenlace. Estado de lo desleído.

SOLUTIVO-VA. adj. s. Laxante.

SOLVENCIA. f. Acto de solventar. Calidad de solvente.

SOLVENTAR. tr. Pagar las deudas. Arreglar cuentas.

SOLVENTE. adj. s. Que desata. Capaz de cumplir una obligación o pagar una deuda.

SOLLADO. m. Mar. Cubierta inferior de un buque.

SOLLO. m. Esturión.

SOLLOZAR. intr. Llorar interrumpiendo el llanto con gemidos.

SOLLOZO. m. Acto de sollozar.

SOMANTA. f. fam. Tunda, zurra.

SOMATÉN. m. Cuerpo de paisanos armados en Cataluña.

SOMATENISTA. m. Miembro del somatén.

SOMBRA. f. Oscuridad. Imagen oscura que proyecta un cuerpo opaco. Favor. Gracia.

SOMBRAJO. m. Resguardo de ramas para hacer sombra.

SOMBREADO. m. Pint. Acto de sombrear.

SOMBREAR. tr. Dar sombra. Poner sombra en una pintura.

SOMBRERAZO. m. Saludo quitándose el sombrero.

SOMBRERERA. f. Caja para guardar sombreros.

SOMBRERERÍA. f. Oficio o tienda de sombrerero.

SOMBRERERO. m. Quien hace o vende sombreros.

SOMBRERO. m. Prenda para cubrir la cabeza. Techo del púlpito.

SOMBRÍA. f. Umbría.

SOMBRILLA. f. Útil a modo de paraguas para resguardar del sol.

SOMBRÍO-A. adj. Lugar donde da la sombra. Tétrico.

SOMERO-RA. adj. Superficial. Ligero.

SOMETIMIENTO. m. Acto y efecto de someterse.

SOMMIER. m. Colchón de tela metálica.

SOMNAMBULISMO. m. Sueño anormal en que el paciente se mueve y habla sin recordar nada luego.

SOMNÁMBULO-A. adj. s. Que padece somnambulismo.

SOMNÍFERO-RA. adj. Que causa sueño.

SOMNOLENCIA. f. Torpeza de los sentidos por el sueño.

SON. m. Sonido agradable al oído. Noticia, rumor. Modo.

SONADO-DA. adj. Famoso. Divulgado.

SONAJA. f. Pareja de chapas de metal, que suenan al agitarlas.

SONAJERO. m. Juguete para los niños, con cascabeles.

SONAMBULISMO. m. Somnambulismo.

SONÁMBULO-LA. adj. Somnámbulo.

SONAR. intr. Producir un sonido. Ofrecer vago recuerdo. Limpiar las narices.

SONATA. f. Composición para varias instrumentos.

SONDA. f. Acto de sondar. Cuerda con un peso. Cir. Algalia.

SONDALEZA. f. Cuerda de la sonda.

SONDAR. tr. Echar la sonda. fig. Inquirir con cautela.

SONDEAR. tr. Sondar.

SONETILLO. m. Soneto de versos de ocho o menos sílabas.

SONETISTA. com. Autor de sonetos.

SONETO. m. Composición poética de catorce versos endecasílabos.

SONIDO. m. Sensación en el oído por el movimiento vibratorio de los cuerpos.

SONORIDAD. f. Calidad de sonoro.

SONORO-RA. adj. Que suena. Que refleja bien el sonido.

SONREÍR. tr. r. Reír levemente.

SONRISA. f. Acto de sonreir.

SONROJAR. tr. r. Sacar la vergüenza los colores al rostro a uno.

SONROJO. m. Acto de sonrojar. Improperio.

SONSACAR. tr. r. Sacar algo con maña.

SONSONETE. m. Ruido continuado y poco intenso. Tonillo que indica ironía.

SOÑADOR-RA. adj. s. Que sueña mucho. Que se aparta de la realidad.

SOÑAR. tr. Representar algo en la fantasía.

SOÑERA. f. Propensión a dormir.

SOÑOLENCIA. f. Somnolencia.

SOÑOLIENTO. adj. Que dormita. Acometido del sueño.

SOPA. f. Pan empapado en un líquido. Plato de caldo y pan, arroz, etc.

SOPAPEAR. tr. Dar sopapos.

SOPAPO. m. Golpe con la mano en la papada. Bofetón.

SOPERA. f. Vasija en que se sirve la sopa.

SOPERO-A. adj. s. Plato hondo en que se toma la sopa.

SOPESAR. tr. Levantar algo para apreciar el peso.

SOPETEAR. tr. Mojar el pan. Maltratar.

SOPETÓN. m. Golpe repentino con la mano. Pan tostado mojado en aceite.

SOPICALDO. m. Sopa muy caldosa.

SOPISTA. com. Quien vive a expensas de otros. m. Estudiante que vivía de la caridad.

SOPITIPANDO. m. fam. Accidente, desmayo.

SOPLADERO. m. Respiradero por donde sale el aire.

SOPLADO-DA. adj. fig. fam. Demasiado pulido y compuesto. fig. fam. Engreído, estirado. m. Min. Grieta profunda.

SOPLADOR-RA. adj. Que sopla. fig. Dícese del que excita, altera o enciende una cosa.

SOPLAMOCOS. m. Golpe en la cara.

SOPLAR. intr. r. Despedir aire por la boca. intr. Correr el viento.

SOPLETE. m. Tubo para dirigir una llama soplando.

SOPLILLO. m. Aventador.

SOPLO. m. Efecto de soplar. fig. Instante. Aviso secreto.

SOPLÓN-NA. adj. s. Delator.

SOPLONEAR. tr. fam. Soplar, delatar, acusar.

SOPLONERÍA. f. Hábito propio del soplón.

SOPONCIO. m. Desmayo.

SOPOR. m. Estado morboso parecido al sueño.

SOPORÍFERO - RA. adj. Que causa sueño.

SOPORTABLE. adj. Que puede soportarse.

SOPORTAL. m. Espacio cubierto delante de la entrada principal. Pórtico.

SOPORTAR. tr. Sostener. Tolerar.

SOPORTE. m. Sostén. Apoyo. Blas. Figura que sostiene el escudo.

SOPRANO. m. Mús. Voz tiple. com. Quien posee esta voz.

SOPUNTAR. tr. Poner uno o varios puntos debajo de una letra, palabra o frase.

SOR. f. Hermana, religiosa.

SORBER. tr. Beber aspirando. Atraer dentro de sí.

SORBETERA. f. Vasija para hacer sorbetes.

SORBO. m. Acto de sorber. Líquido que se toma de una vez en la boca.

SORDA. f. Mar. Guindaleza sujeta en la roda de un barco.

SORDAMENTE. adv. m. Secretamente y sin ruido.

SORDERA. f. Privación de la facultad de oír.

SORDIDEZ. f. Calidad de sórdido.

SÓRDIDO-DA. adj. Sucio, mezquino.

SORDINA. f. Pieza que disminuye el sonido de un instrumento.

SORDO-DA. adj. Que no oye bien. Callado. Que no hace caso.

SORDOMUDEZ. f. Mudez por sordera nativa.

SORDOMUDO-DA. adj. Quien por ser sordo no aprendió a hablar.

SORIANO-NA. adj. s. Natural de Soria. Perteneciente a la ciudad y provincia de este nombre.

SORITES. m. Lóg. Serie de proposiciones enlazadas.

SORNA. f. Lentitud con que se hace algo. Burla.

SORO. adj. Aplícase al halcón cogido antes de la primera muda.

SORPRENDENTE. p. a. de Sorprender. Que sorprende.

SORPRENDER. tr. Coger desprevenido. Descubrir.

SORPRESA. f. Acto de sorprender. Cosa que sorprende.

SORRA. f. Arena gruesa.

SORREGAR. tr. Regar accidentalmente un bancal el agua que pasa del inmediato que se está regando.

SORROSTRADA. f. Insolencia, descaro.

SORTEADOR-RA. adj. Que sortea.

SORTEAR. tr. Someter a la decisión de la suerte. Evitar o eludir algo con maña.

SORTEO. f. Acto de sortear.

SORTIJA. f. Anillo. Rizo del cabello.

SORTIJERO. m. Cajita en que se guardan las sortijas.

SORTILEGIO. m. Adivinación por suertes supersticiosas.

SOS. prep. insep. Sub.

SOSA. f. Barilla. Óxido de sodio cáustica.

SOSAINA. f. Persona sosa.

SOSAÑAR. tr. Denostar, reprender.

SOSEGADAMENTE. adv. m. Con sosiego.

SOSEGADO-DA. adj. Pacífico.

SOSEGAR. tr. r. Aplacar, tranquilizar.

SOSERA. f. Falta de gracia.

SOSIEGO. m. Quietud, tranquilidad.

SOSLAYAR. tr. Hacer o poner algo al soslayo. Evitar con un rodeo.

SOSLAYO (AL) (DE). Oblicuamente.

SOSO-A. adj. Que no tiene sal o tiene poca. Sin gracia.

SOSPECHA. f. Acto de sospechar.

SOSPECHAR. tr. Imaginar algo por conjeturas. Desconfiar.

SOSPECHOSAMENTE. adv. m. De modo sospechoso.

SOSPECHOSO-A. adj. Que da motivo para sospechar. Sospecha.

SOSQUÍN. m. Golpe dado a traición.

SOSTÉN. m. Acto de sostener. Apoyo.

SOSTENER. tr. Sustentar, mantener firme una cosa. Sustentar o defender una proposición. Dar a uno lo necesario para su manutención.

SOSTENIDO-DA. adj. Mús. Nota de entonación en semitono más alta que la normal.

SOSTENIMIENTO. m. Acto de sostener. Sustento.

SOTA. f. Décima carta de la baraja española.

SOTABANCO. m. Piso habitable encima de la cornisa general de la casa.

SOTABARBA. f. Barba que crece debajo de la barbilla.

SOTACORO. m. Socoro, sitio debajo del coro.

SOTALUGO. m. Segundo arco con que se aprietan las tiestas de los toneles.

SOTAMONTERO. m. El que hace las veces del montero mayor.

SOTANA. f. Vestidura talar, que usan los eclesiásticos.

SÓTANO. m. Pieza subterránea entre los cimientos del edificio.

SOTAVENTARSE. r. Mar. Irse a caer el buque a sotavento.

SOTAVENTO. m. Mar. Costado de la nave opuesta al lado de donde viene el viento.

SOTECHADO. m. Lugar techado.

SOTERRAR. tr. Enterrar. fig. Esconder.

SOTILEZA. f. Parte del aparejo donde va el anzuelo.

SOTO. m. Sitio poblado de arbustos en las vegas.

SOTOMINISTRO. m. Coadjutor superior que está a las órdenes del padre ministro, en la Compañía de Jesús.

SOTUER. m. Blas. Pieza del escudo que tiene forma de aspa.

SOVIET. m. Órgano de gobierno que ejerce la dictadura comunista de Rusia.

SOVIÉTICO-CA. adj. Perteneciente o relativo al soviet.

SPORT. (Voz inglesa). m. Deporte.

STATU QUO. loc. lat. que se usa como sustantivo en la diplomacia para determinar el estado de cosas en un determinado momento.

SU. prep. insep. Sub.

SU, SUS. pron. poses. de tercera persona.

SUASORIO-RIA. adj. Relativo a la persuasión, o propio para persuadir.

SUAVE. adj. Blando al tacto. Dulce, tranquilo, lento.

SUAVIDAD. f. Calidad de suave.

SUAVIZADOR-RA. adj. Que suaviza. m. Cuero para suavizar el corte de la navaja de afeitar.

SUAVIZAR. tr. Hacer suave.

SUB. prep. insep. Que a veces cambia su forma por alguna de las siguientes: so, son, sor, sos, y sus. Significa debajo, o denota acción secundaria, inferioridad o atenuación.

SUBAFLUENTE. m. Arroyo que desagua en el afluente de un río.

SUBALTERNO-NA. adj. Inferior o subordinado. m. Empleado de categoría inferior.

SUBARRENDAR. tr. Dar en arriendo una cosa del arrendatario de ella.

SUBARRENDATARIO-RIA. m. y f. Persona que toma en subarriendo alguna cosa.

SUBARRIENDO. m. Contrato, por el cual se subarrienda alguna cosa. Precio en que se subarrienda.

SUBASTA. f. Venta pública al mejor postor.

SUBASTAR. tr. Vender o contratar en subasta.

SUBCLASE. f. Hist. Nat. Cada uno de los grupos en que se dividen cierta clase de seres naturales.

SUBCLAVIO-A. adj. Anat. Situado bajo la clavícula.

SUBCOMISIÓN. f. Grupo de individuos de una comisión que tienen cometido aparte.

SUBCONSCIENCIA. f. Estado inferior de la conciencia psicológica en el que por su poca intensidad o brevedad, el sujeto no se da cuenta de las percepciones.

SUBCONSCIENTE. adj. Que no llega a ser consciente.

SUBCOSTAL. adj. Que está debajo de las costillas.

SUBCUTÁNEO. adj. Que está inmediatamente debajo de la piel.

SUBDELEGACIÓN. f. Acto de subdelegar. Distrito, empleo u oficina de subdelegado.

SUBDELEGADO. adj. s. Que sirve directamente a un delegado.

SUBDIÁCONO. m. Clérigo ordenado de epístola.

SUBDIRECTOR-RA. s. Quien sirve o sustituye al director.

SÚBDITO-TA. adj. s. Sujeto a la autoridad superior. Ciudadano de una nación.

SUBDIVIDIR. tr. Dividir lo ya dividido.

SUBDIVISIÓN. f. Acto de subdividir.

SUBEROSO-SA. adj. Parecido al corcho.

SUBFEBRIL. adj. Med. Se dice del que tiene una temperatura anormal comprendida entre los 37,5 y 38 grados.

SUBGÉNERO. m. Hist. Nat. Cada uno de los grupos en que se dividen ciertos géneros de seres naturales.

SUBIDA. f. Acto de subir. Lugar en declive.

SUBIDO-DA. adj. Lo más fino, de olor o color fuerte o de precio muy elevado.

SUBINSPECTOR. m. Jefe inmediato al inspector.

SUBIR. intr. Pasar de un lugar a otro superior o más alto. Montar. Crecer.

SÚBITAMENTE-. adv. m. De manera súbita.

SUBITÁNEO-A. adj. Que sucede súbitamente.

SÚBITO-TA. adj. Improvisto, repentino, violento.

SUBJEFE. m. El que hace veces de jefe.

SUBJETIVIDAD. f. Calidad de subjetivo.

SUBJETIVO-VA. adj. Relativo al sujeto.

SUB JÚDICE. For. loc. lat. con que se denota que una cuestión es opinable o esta pendiente de su resolución.

SUBJUNTIVO-VA. adj. Que se puede añadir como subordinado. Modo del verbo que expresa el hecho como un deseo.

SUBLEVACIÓN. f. Acción de sublevarse, o sublevar.

SUBLEVAR. tr. r. Alzar en sedición.

SUBLIMACIÓN. f. Acto de sublimar.

SUBLIMADO. m. Quím. Compuesto tóxico de dos equivalentes de cloro y uno de mercurio.

SUBLIMAR. tr. Engrandecer. Quím. Volatilizar un cuerpo sólido y condensar sus vapores.

SUBLIMATORIO-RIA. adj. Quím. Perteneciente o relativo a la sublimación.

SUBLIME. adj. Excelso, eminente.

SUBLIMIDAD. f. Calidad de sublime.

SUBLINGUAL. adj. Situado debajo de la lengua.

SUBMARINO-NA. adj. Que está bajo la superficie del mar.

SUBMAXILAR. adj. Zool. Dícese de lo que está debajo de la mandíbula inferior.

SUBMÚLTIPLO-PLA. adj. s. Número o cantidad que otro contiene exactamente dos o más veces.

SUBNOTA. f. Impr. Nota puesta a otra nota de un escrito, o impreso.

SUBOFICIAL. m. Mil. Categoría, inferior a la de oficial.

SUBORDINACIÓN. f. Sujeción a la orden o dominio de otro.

SUBORDINADO-DA. adj. s. Persona sujeta a otra.

SUBORDINAR. tr. r. Sujetar a dependencia. Clasificar.

SUBPREFECTO. m. Jefe inmediato inferior al prefecto.

SUBRANQUIAL. adj. Zool. Situado debajo de las branquias.

SUBRAYAR. tr. Señalar un escrito por debajo, con una raya. Recalcar.

SUBREPCIÓN. f. Acción oculta y a escondidas.

SUBREPTICIO-A. adj. Que se obtiene con subrepción.

SUBROGAR. tr. r. For. Substituir, reemplazar una persona o lugar por otros.

SUBSANAR. tr. r. Disculpar o enmendar una falta o error.

SUBSCRIBIR tr. Firmar un escrito. r. Obligarse a contribuir con algo para un fin.

SUBSCRIPCIÓN. f. Acto de subscribir o subscribirse.

SUBSCRIPTOR-RA. s. Persona que se subscribe.

SUBSECRETARÍA. f. Empleo y oficina de subsecretario.

SUBSEGUIR. intr. Seguir una cosa inmediatamente a otra.

SUBSIDIARIAMENTE. adv. m. Por vía de subsidio. For. De modo subsidiario.

SUBSIDIARIO. adj. Que se queda en socorro a alguien.

SUBSIDIO. m. Socorro extraordinario. Contribución.

SUBSIGUIENTE. adj. Después del siguiente.

SUBSISTENCIA. f. Permanencia, estabilidad. Alimento.

SUBSISTIR. intr. Permanecer, durar, conservarse.

SUBSTANCIA. f. Parte nutritiva de los alimentos. Ser, esencia y naturaleza de las cosas.

SUBSTANCIAL. adj. Relativo a la substancia.

SUBSTANCIAR. tr. Compendiar, resumir. For. Llevar un asunto por la vía procesal adecuada.

SUBSTANCIOSO-SA. adj. Que tiene substancia.

SUBSTANTIVAR. tr. r. Gram. Dar valor de substantivo a una palabra o locución.

SUBSTANTIVO-VA. adj. Que tiene existencia real e independiente.

SUBSTITUCIÓN. f. Acto de substituir.

SUBSTITUIBLE. adj. Que se puede o debe substituir.

SUBSTITUIR. tr. Poner una persona o cosa en lugar de otra.

SUBSTITUTO-TA. p. p. irreg. de Substituir. m. y f. Persona que hace las veces de otra en empleo o servicio.

SUBSTRACCIÓN. f. Acción de substraer. Resta.

SUBSTRAENDO. m. Mat. Cantidad que ha de restarse de otra.

SUBSTRAER. tr. Apartar, separar. Hurtar. Restar.

SUBSUELO. m. Terreno que está bajo la capa laborable de la tierra.

SUBTENDER. tr. Geom. Unir una línea recta los extremos de un arco de curva o de una línea quebrada.

SUBTENIENTE. m. Alférez.

SUBTERFUGIO. m. Pretexto, efugio.

SUBTERRÁNEO-A. adj. Que está bajo tierra.

SUBTÍTULO. m. Título secundario al principal.

SUBURBANO-NA. adj. s. Edificio, terreno próximo a la ciudad. Habitante de él.

SUBURBIO. m. Arrabal cerca de la ciudad.

SUBVENCIÓN. f. Acción de subvenir. Cantidad con que se hace.

SUBVENCIONAR. tr. Favorecer con una subvención.

SUBVENIR. tr. Auxiliar, socorrer.

SUBVERSIÓN. f. Acto de subvenir.

SUBVERSIVO-VA. adj. Capaz de subvertir.

SUBVERTIR. tr. Trastornar, revolver, destruir.

SUBYACENTE. adj. Que yace o está debajo de otra cosa.

SUBYUGADOR-RA. adj. s. Que subyuga.

SUBYUGAR. tr. r. Avasallar, dominar con violencia.

SUCCINO. m. Ámbar.

SUCCIÓN. f. Acción de chupar con los labios.

SUCEDÁNEO-A. adj. Substancia que puede reemplazar a otra por ser de parecidas propiedades.

SUCEDER. intr. Seguirse una cosa a otra. Acontecer. Heredar.

SUCEDIDO. m. fam. Suceso.

SUCESIÓN. f. Acción de suceder. Prole.

SUCESIVO-VA. adj. Que sucede a otra cosa.

SUCESO. m. Acontecimiento. Cosa que sucede.

SUCESOR-RA. adj. s. Que sucede a uno.

SUCIEDAD. f. Calidad de sucio. Porquería, inmundicia.

SUCINTARSE. r. Ceñirse, ser sucinto.

SUCINTO-TA. adj. Recogido, ceñido por abajo. Breve.

SUCIO-A. adj. Con manchas o impurezas. Deshonesto. Color turbio.

SUCUCHO. m. Rincón, ángulo entrante que forman dos paredes.

SUCULENTO-TA. adj. Substancioso o muy nutritivo.

SUCUMBIR. intr. Ceder, someterse. Morir, perecer.

SUCURSAL. adj. Establecimiento que sirve de ampliación a otro del que depende.

SUD. m. Sur.

SUDAR. intr. tr. Expeler el sudor. Trabajar con fatiga. tr. Empapar en sudor. Dar disgusto.

SUDARIO. m. Sudadero. Lienzo en que se envuelve el cadáver.

SUDESTE. m. Punto del horizonte entre el Sur y el Este.

SUDOESTE. m. Punto del horizonte entre el Sur y Oeste.

SUDOR. m. Serosidad que brota de los poros de la piel.

SUDORÍFICO-CA. adj. Medicamento que hace sudar.

SUDOROSO-SA. adj. Que suda mucho.

SUEGRO-A. s. Padre o madre de un cónyuge, respecto del otro.

SUELA. f. Parte del calzado que toca el suelo.

SUELDO. m. Antigua moneda. Paga, salario.

SUELO. m. Superficie de la tierra. Piso.

SUELTA. f. Acto de soltar. Maniota de la caballería.

SUELTO-TA. adj. Ligero, veloz. Ágil, expedito. m. Escrito inserto en un periódico.

SUEÑO. m. Acto de dormir. Gana de dormir. Cosa sin fundamento.

SUERO. m. Parte líquida de la sangre, linfa, leche o quilo.

SUERTE. f. Encadenamiento de sucesos. Estado, condición. Hecho fortuito. Lance del toreo.

SUFICIENCIA. f. Capacidad de suficiente.

SUFICIENTE. adj. Bastante. Apto, idóneo.

SUFIJO-JA. adj. s. Gram. Afijo que va pospuesto.

SUFRAGÁNEO-A. adj. Que depende de la jurisdicción y autoridad de alguien.

SUFRAGAR. tr. Ayudar o favorecer a uno. Costear, satisfacer.

SUFRAGIO. m. Ayuda, favor, socorro. Voto o dictamen.

SUFRAGISTA. com. Partidario del sufragismo.

SUFRIDERO-RA. adj. Sufrible.

SUFRIDO-DA. adj. Que sufre con resignación. Color que disimula lo sucio.

SUFRIMIENTO. m. Dolor del que sufre.

SUFRIR. tr. Padecer. Soportar. Aguantar, tolerar. Permitir.

SUGERENCIA. f. Insinuación, idea que se sugiere.

SUGERIR. tr. Infiltrar en el ánimo de otro una idea.

SUGESTIÓN. f. Acto de sugerir. Especie sugerida.

SUGESTIONAR. tr. Inspirar a una persona actos involuntarios. Dominar la voluntad de alguien.

SUGESTIVO-VA. adj. Que sugiere.

SUICIDA. com. Persona que se suicida. Acto o conducta que destruye al propio agente.

SUICIDARSE. r. Quitarse uno mismo la vida.

SUICIDIO. m. Acto de suicidarse.

SUJECIÓN. f. Acto de sujetar. Ligadura, unión fuerte.

SUJETAR. tr. r. Someter al dominio de alguien. Asegurar o contener algo con la fuerza.

SUJETOTA. adj. Propenso a algo. m. Persona innominada.

SULFAMIDA. f. Quím. Compuestos azoados y sulfurados, empleados contra enfermedades infecciosas.

SULFATO. m. Cualquier sal o éster del ácido sulfúrico.

SULFHÍDRICO. adj. Relativo a las combinaciones del azufre con el hidrógeno.

SULFURAR. tr. Combinar un cuerpo con el azufre. Irritar.

SULFÚREO-A. adj. Relativo al azufre.

SULFÚRICO. m. Ácido que carboniza las substancias orgánicas.

SULFURO. m. Cualquier compuesto de azufre y otro elemento o radical.

SULFUROSO-SA. adj. Sulfúreo. Que contiene azufre.

SULTÁN. m. Emperador de los turcos. Gobernador musulmán.

SULTANA. f. Mujer del sultán.

SUMA. f. Agregado de muchas cosas. Acto de sumar. Lo más importante de algo.

SUMANDO. m. Mat. Cada una de las cantidades parciales, que reunidas, forman la suma.

SUMAR. tr. Recopilar, compendiar algo. Mat. Reunir en una sola, varias cantidades homogéneas.

SUMARIA. f. For. Proceso escrito.

SUMARIO-A. adj. Breve, compendiado. Resumen o suma.

SUMARÍSIMO-MA. adj. For. Ciertos juicios de tramitación brevísima.

SUMERGIBLE. adj. Que se puede sumergir. m. Submarino.

SUMERGIR. tr. r. Meter algo bajo el agua. Abismar, hundir.

SUMERSIÓN. f. Acción y efecto de sumergir.

SUMIDAD. f. Ápice o extremo más alto de una cosa.

SUMIDERO. m. Conducto por donde se sumen las aguas.

SUMILLER. m. Jefe superior en oficinas y dependencias de palacio.

SUMINISTRAR. tr. Proveer de lo necesario.

SUMINISTRO. m. Acto de suministrar. Provisión de víveres.

SUMIR. tr. r. Hundir, sumergir. Consumir el sacerdote en la Misa.

SUMISIÓN. f. Acto de someter o someterse.

SUMISO-SA. adj. Obediente, subordinado. Rendido.

SUMO-MA. adj. Supremo. Muy grande, enorme.

SUNCIÓN. f. Acto de sumir o consumir el sacerdote.

SUNTUARIO-A. adj. Relativo al lujo.

SUNTUOSIDAD. f. Calidad de suntuoso.

SUNTUOSO-SA. adj. Magnífico, costoso, grande.

SUPEDITAR. tr. Sujetar, oprimir con vigor o violencia.

SUPERABLE. adj. Que puede superarse.

SUPERABUNDANCIA. f. Abundancia muy grande.

SUPERAR. tr. Sobrepujar, exceder. Vencer.

SUPERÁVIT. m. Com. Exceso del haber sobre el debe.

SUPERCHERÍA. f. Engaño, fraude, dolo.

SUPERFETACIÓN. f. Concepción de un segundo feto durante el embarazo.

SUPERFICIAL. adj. Relativo a la superficie. Aparente, sin solidez. Frívolo.

SUPERFICIE. f. Parte exterior que limita un cuerpo. Apariencia externa.

SUPERFINO-NA. adj. Muy fino.

SUPÉRFLUO-A. adj. No necesario, que está de más.

SUPERFOSFATO. m. Abono fertilizante.

SUPERINTENDENTE. com. Quien tiene la suprema administración de un ramo.

SUPERIOR. adj. Que está más alto. El que gobierna una comunidad.

SUPERIORA. f. La que gobierna una comunidad.

SUPERIORIDAD. f. Preeminencia, excelencia.

SUPERLATIVO-VA. adj. Muy grande y excelente.

SUPERNUMERARIO-A. adj. s. Que está o se pone sobre el número establecido.

SUPERPONER. tr. r. Sobreponer.

SUPERPOSICIÓN. f. Acción de superponer.

SUPERSTICIÓN. f. Creencia extraña a la fe y fuera de razón.

SUPERSTICIOSO-SA. adj. Relativo a la superstición. Persona que tiene superstición.

SUPERSISTE. adj. For. Sobreviviente.

SUPERVIVENCIA. f. Acto de sobrevivir.

SUPERVIVIENTE. adj. s. Sobreviviente.

SUPINO-NA. adj. Que está tendido sobre el dorso.

SUPLANTACIÓN. f. Acto de suplantar.

SUPLANTAR. tr. Falsificar con palabras algo. Ocupar con malas artes el lugar de otro.

SUPLEFALTAS. com. Persona que suple las faltas de otro.

SUPLEMENTARIO-A. adj. Que sirve para suplir.

SUPLEMENTO. m. Acto de suplir. Complemento.

SUPLENTE. adj. Que suple.

SUPLETORIO-RIA. adj. Lo que suple una falta.

SÚPLICA. f. Acción de suplicar. Memorial o escrito en que se suplica.

SUPLICACIÓN. f. Súplica.

SUPLICAR. tr. Rogar o pedir con humildad.

SUPLICATORIA. f. For. Oficio dirigido por un juez o tribunal ante el mismo.

SUPLICATORIO. m. For. Suplicatoria.

SUPLICIO. m. Pena corporal. Grave tormento físico o moral.

SUPLIR. tr. Completar lo que falta en una cosa. Remediar una carencia. Disimular un defecto.

SUPONER. tr. Dar por sentada una cosa. Fingir algo. m. Suposición, conjetura.

SUPOSICIÓN. f. Acto de suponer. Lo que se supone. Autoridad, distinción. Falsedad, impostura.

SUPOSITORIO. f. Med. Cala.

SUPRARRENAL. adj. Situado encima de los riñones.

SUPREMACIA. f. Grado superior de algo. Preeminencia.

SUPREMO-MA. adj. Altísimo. Que no tiene superior.

SUPRESIÓN. f. Acción de suprimir.

SUPRIMIR. tr. Hacer cesar. Hacer desaparecer. Omitir.

SUPUESTO-TA. m. Objeto que no se expresa en la suposición. Hipótesis.

SUPURACIÓN. f. Acción de supurar.

SUPURAR. intr. Formar o echar pus.

SUPURATIVO-VA. adj. s. Que tiene virtud de hacer supurar.

SUR. m. Punto cardinal diametralmente opuesto al Norte.

SURA. f. Anat. Pantorrilla. m. Cualquiera de los capítulos de Corán.

SURCAR. tr. Hacer surcos. fig. Caminar por un flúido cortándolo.

SURCO. m. Hendidura que hace el arado en la tierra. Arruga en el rostro.

SURGIR. intr. Brotar el agua. Dar fondo la nave. fig. Alzarse, manifestarse, salir.

SURTIDO-DA. adj. De varias clases. m. Acción de surtir.

SURTIDOR-RA. adj. s. Que surte. m. Chorro de agua que brota hacia arriba.

SURTIR. tr. r. Proveer de algo. intr. Brotar.

SURTO-TA. adj. Tranquilo, en reposo.

SUS. prep. insep. Sub.

¡SUS! interj. Que se emplea para infundir ánimo.

SUSCEPCIÓN. f. Acto de recibir uno algo en sí mismo.

SUSCEPTIBILIDAD. f. Calidad de susceptible.

SUSCEPTIBLE. adj. Capaz de recibir impresión.

SUSCITAR. tr. Promover, causar.

SUSCRIBIR. tr. r. Subscribir.

SUSCRIPCIÓN. f. Pago del servicio de una publicación periódica.

SUSODICHO-CHA. adj. Sobredicho.

SUSPENDER. tr. Levantar. Colgar en alto. Causar admiración. Negar la aprobación a un examinado.

SUSPENSIÓN. f. Acción y efecto de suspender.

SUSPENSIVO-VA. adj. Que tiene virtud de suspender.

SUSPENSO-SA. s. Nota de suspenso en examen.

SUSPENSORIO-RIA. adj. s. Que sirve para suspender. m. Vendaje para sostener el escroto.

SUSPICACIA. f. Calidad de suspicaz.

SUSPICAZ. adj. Propenso a sospechar.

SUSPIRAR. intr. Dar suspiros.

SUSPIRO. m. Aspiración profunda con espiración ruidosa que indica pena, fatiga, deseo, etc.

SUSTANCIA. f. Substancia.

SUSTENTACIÓN. f. Acción y efecto de sustentar.

SUSTENTAR. tr. r. Mantener, alimentar. Sostener, defender.

SUSTENTO. m. Mantenimiento, alimento.

SUSTITUIR. tr. Substituir.

SUSTO. m. Impresión repentina de miedo.

SUSTRAER. tr. Substraer.

SUSURRAR. intr. Hablar produciendo un murmullo.

SUSURRO. m. Ruido resultante de hablar quedo.

SUTIL. adj. Delgado, delicado, agudo.

SUTILEZA. f. Calidad de sutil. Dicho agudo, falto de profundidad.

SUTILIZAR. tr. Adelgazar algo. Perfeccionar.

SUTURA. f. Cir. Costura que une los labios de una herida.

SUYO, SUYA, SUYOS, SUYAS. Pronombre posesivo de tercera persona.

SUZÓN. m. Zuzón, hierba cana.

SVÁSTICA. f. Cruz de brazos iguales, de extremidades dobladas de izquierda a derecha.

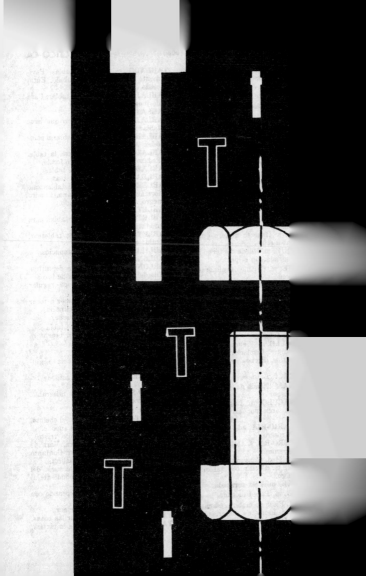

T. Te. f. Vigésima tercera letra y décimonona consonante del alfabeto español.

¡TA! interj. ¡Tate! ¡Bah!

TABA. f. Astrágalo. Juego de niños con ella.

TABACAL. m. Sitio sembrado de tabaco.

TABACALERO-RA. adj. Relativo al tabaco.

TABACO. m. Planta solanácea. Su hoja preparada para ser fumada.

TABALADA. f. fam. Manotada.

TABALEAR. tr. Menear o mecer.

TABANAZO. m. Manotada.

TABANCO. m. Puesto callejero de venta de comestibles.

TABANERA. f. Sitio donde abundan los tábanos.

TÁBANO. m. Insecto díptero que pica a las caballerías.

TABANQUE. m. Rueda del torno del alfarero girada con el pie.

TABAQUE. m. Cestillo de mimbres. Clavo pequeño.

TABAQUERA. f. Cesta para polvo de tabaco.

TABAQUERÍA. f. Tienda de tabaquero.

TABAQUERO-RA. s. Quien tuerce el tabaco o comercia con él.

TABAQUISMO. m. Intoxicación por abuso de tabaco.

TABARDILLO. m. Fiebre con alteración de la sangre. Insolación.

TABARDO. m. Prenda de abrigo, ancha y larga.

TABARRA. f. Lata, cosa molesta.

TABERNA. f. Tienda de vinos y bebidas al por menor.

TABERNÁCULO. m. Lugar en que se ponía el arca por los hebreos. Sagrario.

TABERNARIO-RIA. adj. Propio de taberna. Grosero.

TABERNERO-RA. s. Quien vende vino en la taberna.

TABES. f. Med. Consunción.

TABICAR. tr. Cerrar con tabiques. r. Tapar algo.

TABINETE. m. Tela arrasada.

TABIQUE. m. Pared delgada.

TABLA. f. Pieza de materia plana de poco grosor. Índice de materias. Lista. Faja de tierra. Escenario.

TABLADO. m. Suelo de tablas. Pavimento del escenario. Patíbulo. Entablado.

TABLAJE. m. Conjunto de tablas. Casa de juego.

TABLAJERÍA. f. Garito.

TABLAJERO. m. Carpintero que hace tablados. Carnicero.

TABLAR. m. Conjunto de tablas o planteles. Adra del carro.

TABLAZO. m. Golpe dado con la tabla. Pedazo de mar o río de poco fondo.

TABLAZÓN. f. Conjunto de tablas.

TABLEAR. tr. Dividir en tablas.

TABLERO. m. Conjunto de tablas que forman una superficie plana. Cuadro negro, usado como encerado.

TABLETA. f. Pastilla.

TABLETEAR. intr. Chocar tablas para producir ruido.

TABLETEO. m. Acción de tabletear. Ruido que causa.

TABLILLA. f. Tabla para anuncios.

TABLÓN. m. Tabla gruesa.

TABLONCILLO. m. Asiento de última fila del tendido en la plaza de toros.

TABOR. m. Unidad de tropa regular marroquí.

TABÚ. m. Prohibición de comer o tocar algo en religiones de la Polinesia.

TABUCO. m. Aposento pequeño.

TABULAR. adj. De forma de tabla.

TABURETE. m. Asiento sin brazos ni respaldo.

TACA. f. Alacena pequeña.

TACADA. f. Serie de carambolas seguidas en el billar.

TACAÑERÍA. f. Calidad o acto de tacaño.

TACAÑO-ÑA. adj. s. Astuto, miserable, mezquino.

TACAZO. m. Golpe de taco.

TÁCITO-TA. adj. Callado, silencioso. Que no se expresa pero se supone.

TACITURNO-NA. adj. Callado, triste.

TACO. m. Pedazo de madera. Vara de madera para jugar al billar. Conjunto de hojas de calendario. Palabrota.

TACÓN. m. Pieza unida a la suela del calzado en la parte correspondiente al calcañar.

TACONEAR. intr. Estar golpeando con el tacón.

TACONEO. m. Acto de taconear.

TÁCTICA. f. Arte de ordenar las cosas.

TÁCTICO-CA. adj. Relativo a la táctica.

TÁCTIL. adj. Relativo al tacto.

TACTO. m. Sentido por el que se percibe la presión, forma y dureza de las cosas. Habilidad.

TACHA. f. Defecto.

TACHAR. tr. Poner faltas a una cosa. Borrar lo escrito.

TACHÓN. m. Raya con que se tacha. Clavo grande de adorno.

TACHONAR. tr. Adornar especialmente con tachones.

TACHUELA. f. Clavo corto de cabeza grande.

TAEL. m. Moneda china de plata.

TAFANARIO. m. fam. Asentaderas.

TAFETÁN. m. Tela de seda, delgada y tupida.

TAFILETE. m. Cuero lustroso y delgado.

TAGARNINA. f. Cardillo. Cigarro de mala calidad.

TAGAROTE. m. Baharí. Escribiente de notario. Hidalgo pobre.

TAGAROTEAR. intr. Escribir con velocidad.

TAHALÍ. m. Tira de cuero colgada del hombro para sostener la espada.

TAHONA. f. Molino de harina movido por caballería.

TAHONERO-RA. s. Quien tiene tahona.

TAHUR-RA. s. adj. Jugador, fullero.

TAIFA. f. Bandería, parcialidad. Reunión de personas de mala vida.

TAIMADO-DA. adj. s. Astuto, ladino.

TAJADA. f. Trozo cortado de algo. Ronquera.

TAJADERA. f. Cuchilla en forma de media luna. Cortafrío.

TAJAMAR. m. Mar. Tablón ensamblado en la roda para hender el agua.

TAJAR. tr. Cortar, dividir con un instrumento.

TAJO. m. Corte hecho con instrumento. Filo. Escarpa alta cortada a plomo.

TAL. adj. Igual, semejante. adv. m. Así.

TALA. f. Acto de talar. Corta. Poda. Juego de niños.

TALABARTE. m. Cinturón del que cuelga la espada.

TALABARTERÍA. f. Tienda de talabartero.

TALABARTERO. m. Guarnicionero que hace correajes.

TALADRAR. tr. Horadar con taladro. Penetrar.

TALADRO. m. Instrumento agudo para taladrar. Agujero hecho con él.

TÁLAMO. m. Lugar donde se celebraban las bodas. Lecho conyugal.

TALANQUERA. f. Valla, defensa.

TALANTE. m. Modo de hacer algo. Disposición o estado de las cosas.

TALAR. adj. Dícese de la vestidura que llega al talón.

TALAR. tr. Cortar árboles por el pie. Destruir, asolar.

TALCO. m. Silicato de magnesia blando, de formas hojosa.

TALEGA. f. Bolsa de tela.

TALEGADA. f. Lo que cabe en una talega.

TALEGO. m. Saco largo y estrecho.

TALENTO. m. Actitud intelectual. Entendimiento.

TALERO. m. Antigua moneda alemana.

TALGO. m. Tren articulado ligero.

TALIÓN. m. Ley por la que el delincuente sufría un daño igula al causado por él.

TALISMÁN. m. Figura que se atribuye virtud sobrenatural.

TALMUD. m. Libro religioso de los judíos.

TALOFITA. adj. Plantas cuyo cuerpo es un talo.

TALÓN. m. Calcañar. Parte del calzado que lo cubre.

TALONARIO. adj. s. Libro compuesto de talones o cheques.

TALUD. m. Inclinación de un terreno o muro.

TALLA. f. Obra de escultura. Estatura. Marca.

TALLAR. tr. Esculpir. Llevar la banca en el juego.

TALLARÍN. m. Tira estrecha de pasta de sopa.

TALLE. m. Disposición del cuerpo humano. Cintura.

TALLER. m. Oficina para trabajo manual. Estudio de escultor o pintor.

TALLO. m. Parte de las plantas que lleva las hojas y órganos reproductores.

TALLUDO-DA. adj. Que tiene gran talla. Alto.

TAMAL. m. Empanada de harina, maíz y carne.

TAMANDÚA. m. Oso hormiguero.

TAMAÑO-ÑA. adj. com. Tan grande o tan pequeño como. Volumen, dimensión.

TÁMARA. f. Palmera de Las Canarias. Terreno sembrado de ellas.

TAMARINDO. m. Árbol leguminoso. Su fruto.

TAMBALEAR. tr. r. Moverse una cosa por falta de estabilidad.

TAMBIÉN. adv. m. De la misma manera.

TAMBOR. m. Instrumento músico de percusión. Músico que lo toca.

TAMBORIL. m. Tambor pequeño que se toca con un solo palo.

TAMBORILADA. f. Golpe dado al caer al suelo.

TAMBORILEAR. intr. Tocar el tamboril.

TAMBORILETE. m. Impr. Tablilla para nivelar las letras de molde.

TAMIZ. m. Cedazo tupido.

TAMIZAR. tr. Pagar algo por tamiz.

TAMO. m. Pelusa desprendida del lino, algodón o lana.

TAMPOCO. adv. neg. Que se emplea para negar de nuevo.

TAMPÓN. m. Almohadilla humedecida de tinta para sellos de metal o de goma.

TAN. adv. Tanto, en tanto grado.

TANAGRA. f. Estatuilla de arcilla cocida.

TANDA. f. Turno. Grupo de personas o bestias usadas en un trabajo. Período de días en que se descansa.

TÁNDEM. m. Bicicleta para dos personas.

TANGANILLO. m. Apoyo para sostener algo.

TÁNGANO. m. Chito (juego).

TANGENCIA. f. Calidad de tangente.

TANGENCIAL. adj. Relativo a la tangencia.

TANGENTE. adj. Líneas y superficies con puntos comunes que no se cortan.

TANGIBLE. adj. Que se puede tocar.

TANGO. m. Baile de movimiento moderado.

TANINO. m. Substancia ácido, astringente, vegetal.

TANQUE. m. Mil. Automóvil blindado y artillado, montado sobre cadenas. Depósito para líquido.

TANTÁN. m. Batintín, especie de campana.

TANTARANTÁN. m. Golpe violento. Sonido de tambor.

TANTEAR. tr. Medir una cosa para ver si viene bien.

TANTEO. m. Acto de tantear. Número de tantos que se ganan en el juego.

TANTO-TA. adj. Tan grande o muy grande. Punto del juego.

TAÑER. tr. Tocar un instrumento.

TAÑIDO. m. Son de un instrumento.

TAO. m. Insignia de la orden de San Juan.

TAPA. f. Pieza superior que cierra cajas, cofres, etc. Cubierta córnea del casco de la caballería.

TAPABOCA. m. Bufanda.

TAPADA. f. Mujer que se tapa con el manto.

TAPADERA. f. Parte móvil que cierra una cavidad. Persona que encubre a otra.

TAPADILLO. m. Acto de taparse la mujer la cara con el manto.

TAPAR. tr. r. Poner algo para cubrir o llenar un agujer.. Cerrar, arropar. Encubrir.

TAPARRABO. m. Tonelete con que se cubren los salvajes. Calzón corto para el baño.

TAPETE. m. Paño de adorno para cubrir muebles.

TAPIA. f. Trozo de pared hecha de tierra. Muro de cerca.

TAPIAR. tr. Cerrar con tapia o muro.

TAPICERÍA. f. Conjunto de tapices. Tienda de tapicero.

TAPICERO-RA. s. Quien teje o compone tapices.

TAPIOCA. f. Fécula blanca de la raíz de mandioca.

TAPIR. m. Mamífero ungulado de hocico prolongado.

TAPIZ. m. Paño de lana o seda con dibujos para adorno.

TAPIZAR. tr. Forrar con tela, muebles, paredes, etc.

TAPÓN. m. Pieza de madera, corcho, etc., que cierra la boca de alguna vasija.

TAPONAR. tr. Cerrar un orificio, herida, etc., con tapón.

TAPONAZO. m. Ruido del tapón de una botella al destaparse.

TAPSIA. f. Planta umbelífera.

TAPUJARSE. r. Embozarse.

TAPUJO. m. Embozo. Disimulo para ocultar la verdad.

TAQUERA. f. Estante para tacos de billar.

TAQUICARDIA. f. Aceleración de los latidos del corazón.

TAQUIGRAFIA. f. Arte de escribir con signos especiales, tan de prisa como se habla.

TAQUIGRAFIAR. tr. Escribir por taquigrafía.

TAQUIGRAFO-FA. s. Quien se dedica a la taquigrafía.

TAQUILLA. f. Despacho de billetes. Armario para papeles.

TAQUILLERO-RA. s. Encargado de una taquilla.

TAQUIMETRIA. f. Topogr. Arte de levantar planos con taquímetro.

TAQUIMETRO. m. Aparato para medir rápidamente distancias y ángulos.

TARA. f. Parte de peso que se resta a la mercancía por los embalajes. Tarja. Defecto.

TARABILLA. f. Listón que mantiene tirante la cuerda del bastidor de una sierra.

TARACEA. f. Obra de incrustación. Entarimado de maderas.

TARACEAR. tr. Adornar con taracea.

TARADO-DA. adj. Averiado, estropeado. Mal reputado.

TARAMBANA. com. Persona alocada.

TARANTELA. f. Antigua danza italiana. Su música.

TARANTULA. f. Araña grande, venenosa.

TARAREAR. tr. Cantar sin articular palabras.

TARASCA. f. Mujer fea, desenvuelta, de genio áspero.

TARASCADA. f. Dentellada. Respuesta grosera.

TARAY. m. Arbusto tamaricáceo, de flor en espiga.

TARDANZA. f. Detención, demora.

TARDAR. intr. r. Pasar más tiempo del necesario. Emplear un tiempo fijo.

TARDE. f. Parte del día entre mediodía y anochecer.

TARDECER. intr. Empezar a caer la tarde.

TARDIGRADO-DA. adj. s. Que anda despacio.

TARDIO. adj. Que tarda en sazonarse. Lento.

TARDO-DA. adj. Lento. Que sucede después del tiempo oportuno.

TAREA. f. Trabajo. El que se hace en tiempo fijo. Afán.

TARIFA. f. Tabla de precios e impuestos.

TARIMA. f. Entablado movible.

TARJA. f. Escudo grande. Chapa de contraseña.

TARJAR. tr. Señalar en la tarja, lo fiado.

TARJETA. f. Pedazo de cartulina rectangular con el nombre, título y dirección de una persona.

TARJETEO. m. Cambio de tarjetas.

TARJETERO. m. Cartera para tarjetas.

TARLATANA. f. Tejido ligero de algodón.

TARQUIN. m. Cieno que deposita una riada.

TARQUINA. adj. Mar. Dícese de la vela trapezoidal, alta de baluna y baja de caída.

TARRO. m. Vasija cilíndrica, más alta que ancha.

TARSO. m. Parte posterior del pie. Corvejón.

TARTA. f. Torta rellena de dulce.

TARTAGO. m. Planta euforbiácea purgante. Chasco.

TARTAJEAR. intr. Hablar pronunciando con torpeza.

TARTAJERO. m. Acción de tartajear.

TARTALEAR. intr. Moverse sin orden. Turbarse.

TARTAMUDEAR. intr. Hablar entrecortadamente, con repetición de sílabas.

TARTAMUDEO. m. Acción de tartamudear.

TARTAMUDO-DA. adj. s. Que tartamudea.

TARTAN. m. Tela de lana de cuadros y listas, cruzados.

TARTANA. f. Carruaje de dos ruedas de asientos laterales.

TARTARICO-CA. adj. Tártrico.

TARTARO. m. Tartrato ácido de potasio, que se obtiene de éste. Sarro de los dientes. El Infierno.

TARTERA. f. Tortera, cacerola.

TARTRATO. m. Sal o éster del ácido tártrico.

TARTRICO-CA. adj. Relativo al tártaro.

TARUGO. m. Trozo de madera.. Clavija gruesa de madera. Zoquete.

TAS. s. m. Yunque pequeño de plateros.

TASA. f. Acto de tasar. Precio oficial de las mercancías.

TASACIÓN. f. Valoración.

TASAJO. m. Tajada de carne acecinada.

TASAR. tr. Poner tasa a una mercancía. Graduarla. Poner medida.

TASCA. f. Garito. Taberna.

TASCAR. tr. Espadar. Morder el freno.

TASTARA. f. prov. Salvado grueso.

TASTO. m. Sabor desagradable de viandas revenidas.

TATARABUELO-LA. s. Tercer abuelo.

TATARANIETO-TA. s. Tercer nieto.

¡TATE! interj. ¡Detente! Indica sorpresa.

TATO-TA. adj. Tartamudo que vuelve la "c" y "s" como "t".

TATUAJE. m. Acto de tatuar.

TATUAR. tr. r. Grabar en la piel humana con materias indelebles.

TAU. f. Última letra del alfabeto hebreo. Divisa, distintivo.

TAUJEL. m. Lintón de madera.

TAUMATURGIA. f. Facultad de taumaturgo.

TAUMATURGO. m. Autor de prodigios.

TAURINO-NA. adj. Relativo al toro o tauromaquia.

TAURO. m. Segundo signo de Zodíaco.

TAUROMAQUIA. f. Arte de lidiar toros.

TAUTOLOGIA. f. Repetición inútil de una idea por palabra de igual significado.

TAXATIVO-VA. adj. Que reduce un caso a ciertas circunstancias.

TAXI. m. Automóvil de alquiler.

TAXIA. m. Tactismo.

TAXIDERMIA. f. Arte de disecar.

TAXÍMETRO. m. Aparato para registrar la distancia recorrida por un automóvil.

TAXISTA. m. Conductor de taxi.

TAXONOMIA. f. Hist. Nat. Tratado de la clasificación de los seres.

TAZA. f. Vasija pequeña con asa. Lo que cabe en ella.

TAZÓN. aum. de Taza.

TE. Nombre de la letra "T". Dativo o acusativo del pron. personal de segunda persona en sig. m. y f.

TE. m. Arbolillo cameliáceo, de cuyas hojas, secas, se hace infusión.

TEA. f. Astilla de madera resinosa, utilizada para alumbrar.

TEAM. m. Deportes. Partido, equipo, bando.

TEATRAL. adj. Relativo al teatro. Exagerado, amplificado.

TEATRO. m. Edificio destinado a representaciones de obras dramáticas. Literatura dramática.

TEBANO-NA. adj. De Tebas, en Egipto.

TECLA. f. Cada una de las piezas que por presión de los dedos, hacen sonar ciertos instrumentos.

TECLADO. m. Conjunto ordenado de teclas de un instrumento.

TECLEAR. intr. Mover las teclas.

TECLEO. m. Acto de teclear.

TECNICISMO. m. Tecnología. Término técnico.

TÉCNICO-CA. adj. Relativo a las aplicaciones de las ciencias. m. El versado en un arte u oficio.

TECNOLOGÍA. f. Conjunto de conocimientos propios de un oficio mecánico o arte industrial.

TECHADO. m. Techo.

TECHAR. tr. Cubrir con techo un edificio.

TECHO. m. Parte interior y superior que cubre un edificio o habitación. Casa.

TECHUMBRE. f. Techo.

TEDEUM. m. Cántico litúrgico de acción de gracias.

TEDIO. m. Fastidio.

TEDIOSO-SA. adj. Molesto, fastidioso.

TEGUMENTO. m. Tejido orgánico que recubre órganos animales y vegetales.

TEÍNA. f. Quím. Principio activo del té.

TEÍSMO. m. Teol. Doctrina que afirma la existencia de un Dios creador y conservador del mundo.

TEJA. f. Pieza de barro en forma de canal, para recubrir techos. Sombrero de alas abarquilladas.

TEJADO. m. Cubierta del edificio.

TEJAR. m. Sitio donde se hacen tejas y ladrillos.

TEJEDOR-RA. adj. s. Que teje. Insecto hemíptero.

TEJEMANEJE. m. Destreza para hacer aigo. fam. Manejos turbios.

TEJER. tr. Entrelazar hilos para formar telas, trencillas.

TEJERO-RA. s. El que por oficio hace tejas o ladrillos.

TEJERÍA. f. Tejar.

TEJIDO. adj. m. Textura. Cosa tejida.

TEJO. m. Pedazo redondo de teja para jugar. Disco metálico.

TEJÓN. m. Mamífero carnicero de pelaje espeso.

TEJUELO. m. Rótulo de piel en el lomo de un libro.

TELA. f. Obra hecha con hilos entrecruzados, formando una lámina. Asunto o materia. Membrana.

TELAR. m. Máquina para tejer o coser.

TELARAÑA. f. Tela que forma la araña. Cosa sutil.

TELECOMUNICACIÓN. f. Sistema de comunicación telegráfica, telefónica y otros análogos.

TELEFONEAR. tr. Comunicar por teléfono.

TELEFONEMA. m. Despacho telefónico.

TELEFONÍA. f. Arte de construir y manejar teléfonos.

TELEFONISTA. com. Persona ocupada en el servicio telefónico.

TELÉFONO. m. Aparato para transmitir a distancia el sonido por la electricidad.

TELEGRAFÍA. f. Arte de manejar telégrafos.

TELEGRAFIAR. tr. Comunicar por telégrafo. Manejarlo.

TELÉGRAFO. m. Aparato para transmitir a distancia despachos por señales convenidas.

TELEGRAMA. m. Despacho telegráfico.

TELEOLOGÍA. f. Doctrina de las causas finales.

TELEPATÍA. f. Percepción de un fenómeno sucedido fuera del alcance de los sentidos.

TELERA. f. Travesaño que sujeta el dental a la cama del arado.

TELERO. m. prov. Palo de las barandas de carros y galeras.

TELESCOPIO. m. Anteojo de gran alcance.

TELETIPO. m. Aparato telegráfico parecido a una máquina de escribir y que sirve para escribir a distancia.

TELEVISIÓN. f. Visión de cosas lejanas mediante ondas hertzianas.

TELILLA. f. Tejido fino de lana. Nata de la superficie de un líquido.

TELÓN. m. Lienzo grande que puede subir o bajar en el escenario.

TELÚRICO-CA. adj. Relativo a la Tierra como planeta.

TELURIO. m. Metaloide muy raro, cristalino.

TELURO. m. Telurio.

TELLIZA. f. Colcha.

TEMA. m. Asunto de un discurso, escrito, etc. Obstinación. Idea fija.

TEMÁTICO-CA. adj. Relativo al tema.

TEMBLAR. tr. Agitarse con movimiento rápido y continuo. Tener mucho miedo.

TEMBLEQUE. adj. Tembloroso. m. Cosa que tiembla mucho.

TEMBLÓN-NA. adj. Temblador.

TEMBLOR. m. Agitación de lo que tiembla.

TEMBLOROSO-SA. adj. Que tiembla mucho.

TEMER. tr. Tener a algo por objeto de temor. Sospechar.

TEMERARIO-RIA. adj. Imprudente.

TEMERIDAD. f. Calidad de temerario.

TEMEROSO-SA. adj. Que causa temor. Medroso.

TEMOR. m. Pasión que incita a rehusar las cosas consideradas dañosas. Recelo.

TEMOSO-SA. adj. Tenaz, terco.

TÉMPANO. m. Timbal. Piel extendida del tambor. Bloque de hielo.

TEMPERAMENTO. m. Carácter físicomental del individuo.

TEMPERAR. tr. r. Atemperar. Calmar.

TEMPERATURA. f. Grado de calor de los cuerpos.

TEMPERIE. f. Estado atmosférico según los grados de calor y humedad.

TEMPERO. m. Sazón de la tierra con la lluvia.

TEMPESTAD. f. Perturbación atmosférica con lluvia, nieve, granizo, etc.

TEMPESTIVO-VA. adj. Oportuno.

TEMPESTUOSO-SA. adj. Que causa tempestad.

TEMPLANZA. f. Virtud que incita a la moderación. Sobriedad.

TEMPLAR. tr. Moderar la fuerza de algo. Quitar el frío. Poner en tensión moderada.

TEMPLE. m. Temperie. Temperatura. Estado del genio. Valentía.

TEMPLETE. m. Armazón en forma de templo para cobijar una imagen. Pabellón.

TEMPLO. m. Edificio para el culto público.

TÉMPORAS. f. Tiempo de ayuno al comienzo de cada estación.

TEMPORADA. f. Espacio de tiempo que forma un conjunto.

TEMPORAL. adj. Relativo al tiempo. Que dura algún tiempo. m. Tempestad. Hueso de las sienes.

TEMPORERO-RA. adj. s. Persona encargada temporalmente de un trabajo.

TEMPRANO-NA. adj. Tempranero. m. Sembrado de fruto temprano.

TENA. f. Tinada.

TENACIDAD. f. Calidad de tenaz.

TENACILLAS. f. pl. Instrumento a modo de tenazas pequeñas.

TENÁCULO. m. Cir. Aguja encorvada para sostener las arterias que se han de ligar.

TENAR. adj. Relativo a la palma de la mano.

TENAZ. adj. Que se prende con fuerza. Terco.

TENAZAS. f. pl. Útil de metal de dos brazos movibles unidos por un eje o muelle. Pinzas.

TENCA. f. Pez malacopterigio abdominal de agua dulce.

TENDAL. m. Toldo. Lienzo en que se recogen las aceitunas que caen del olivo. Tendedero.

TENDALERA. f. fam. Desorden de cosas tendidas por el suelo.

TENDEJÓN. m. Cobertizo.

TENDENCIA. f. Propensión física o espiritual.

TENDER. tr. Desdoblar. Extender algo para que se seque. Esparcir. r. Tumbarse.

TENDERETE. m. Tienda ambulante.

TENDERO-RA. s. Que tiene tienda. Que vende al por menor.

TENDIDO-DA. adj. Galope del caballo. m. Gradería junto a la barrera, en la plaza de toros.

TENDINOSO-SA. adj. Que tiene tendón.

TENDÓN. m. Haz de fibras que une el músculo al hueso.

TENDUCHA. f. Tienda de mal aspecto.

TENEBRARIO. m. Candelabro triangular con quince velas de los oficios de tinieblas.

TENEBROSO-SA. adj. Obscuro. Confuso, falto de claridad.

TENEDOR-RA. s. El que tiene algo. Útil de mesa con tres o cuatro púas, para pinchar los alimentos.

TENEDURÍA. f. Cargo y oficina de tenedor de libros. Arte de llevarlos.

TENENCIA. f. Posesión de algo. Cargo de teniente.

TENER. tr. Asir una cosa y mantenerla asida. Poseer. Mantener. Estimar. Atenerse.

TENERÍA. f. Curtiduría.

TENESMO. m. Pujo de vientre.

TENIA. f. Gusano platelminto, parásito del intestino.

TENIENTE. adj. No maduro. Algo sordo. Miserable.

TENÍFUGO-GA. adj. Medicamento eficaz para la expulsión de la tenia.

TENIS. m. Juego de pelota con raquetas, en un campo dividido por una red.

TENOR. m. Contenido de un escrito. Mús. Voz más aguda de un hombre. Persona que la posee.

TENORIO. m. Galanteador audaz.

TENSIÓN. f. Estado de un cuerpo sometido a fuerzas que lo estiran. Reacción que opone un cuerpo.

TENSO-SA. adj. Que se halla en tensión.

TENTACIÓN. f. Cosa que induce a algo malo.

TENTÁCULO. m. Apéndice largo y flexible de algunos invertebrados, que sirve de órgano de tacto.

TENTADERO. m. Corral en que se hace la tienta de los becerros.

TENTAR. tr. Palpar, reconocer algo por el tacto. Inducir, procurar. Probar.

TENTATIVA. f. Acto con que se intenta o tantea algo.

TENTEMOZO. m. Puntal. Palo que cuelga de las varas del carro y se apoya en el suelo.

TENTEMPIÉ. m. fam. Refrigerio, piscolabis.

TENTÓN. m. Acto de tentar bruscamente.

TENUE. adj. Delicado, delgado, sutil.

TENUIDAD. f. Calidad de tenue. Cosa poco importante.

TEÑIR. tr. r. Dar a algo color distinto. Rebajar un color con otro.

TEOCRACIA. f. Gobierno ejercido por Dios o sus representantes.

TEOCRÁTICO-CA. adj. Relativo a la teocracia.

TEODICEA. f. Teología natural.

TEODOLITO. m. Topogr. Aparato para medir ángulos en distinto plano.

TEOGONÍA. f. Tratado sobre el origen y descendencia de los dioses.

TEOLOGAL. adj. Relativo a la teología.

TEOREMA. m. Proposición que afirma una verdad demostrable.

TEORÍA. f. Síntesis de los conocimientos de una ciencia.

TEOSOFÍA. f. Doctrina por la que el hombre podría conocer a Dios sin la revelación.

TEÓSOFO-FA. s. Quien profesa la teosofía.

TEPE. m. Pedazo de tierra con césped de raíces muy trabadas, usada para hacer paredes.

TERAPÉUTICA. f. Med. Ciencia del tratamiento de las enfermedades.

TERATOLOGÍA. f. Estudio de las anomalías del organismo.

TERCER. adj. Apócope de tercero.

TERCERÍA. f. Oficio de tercero.

TERCERO-RA. adj. s. Que sigue en orden al segundo.

TERCEROLA. f. Arma de fuego más corta que la carabina.

TERCETO. m. Combinación métrica de tres endecasílabos. Composición para tres voces o instrumentos.

TERCIA. f. Medida de longitud, tercera parte de una vara.

TERCIADO-DA. adj. Dícese del azúcar moreno.

TERCIANA. f. Med. Calentura intermitente que se repite al tercer día.

TERCIAR. tr. Poner algo atravesado al sesgo. Dividir en tres partes. Mediar.

TERCIARIO-A. adj. Tercero en orden o grado.

TERCIO-A. adj. Tercero. m. Cada una de las tres partes iguales de una cosa.

TERCIOPELO. m. Tela velluda, tupida, con dos urdimbres y una trama.

TERCO-CA. adj. Pertinaz, obstinado.

TEREBRANTE. adj. Dícese del dolor con sensación semejante a la de un taladro.

TERGIVERSAR. tr. Forzar un argumento. Deformar la intención de las palabras.

TERMAL. adj. Relativo a las termas.

TERMES. m. Insecto masticador isóptero, muy dañoso porque corroe la madera.

TERMIDOR. m. Undécimo mes del calendario republicano francés.

TERMINACIÓN. f. Acto de terminar. Parte final de algo.

TERMINAL. adj. Final. Último.

TERMINANTE. adj. Claro, concluyente.

TERMINAR. tr. Poner término. intr. Acabar.

TÉRMINO. m. Fin o límite. Plazo. Palabra. Modo de portarse.

TERMINOLOGÍA. f. Conjunto de vocablos de una profesión, materia, autor, etc.

TERMO. m. Vasija de doble pared entre las que se hizo el vacío para conservar la temperatura.

TERMOCAUTERIO. m. Aparato para cauterizar por el calor.

TERMOELECTRICIDAD. f. Electricidad producida por el calor.

TERMÓGENO. adj. Que produce calor.

TERMÓMETRO. m. Aparato para medir la temperatura.

TERMOSCOPIO. m. Aparato para observar las variaciones de la temperatura.

TERMOSIFÓN. m. Aparato para calentar agua.

TERMOSTATO. m. Aparato automático, regulador de temperatura.

TERNA. f. Conjunto de tres personas para escoger la que debe ejercer un cargo.

TERNARIO-A. adj. Compuesto de tres elementos.

TERNERA. f. Cría de vaca.

TERNERO. m. Cría macho de vaca.

TERNEZA. f. Ternura. Requiebro.

TERNILLA. f. Cartílago en forma de lámina.

TERNO. m. Conjunto de tres cosas de igual especie. Conjunto de oficiante y dos ministros en misa.

TERNURA. f. Calidad de tierno.

TERPINA. f. Substancia medicinal extraída de la esencia de trementina.

TERQUEDAD. f. Calidad de terco. Porfía.

TERRACOTA. f. Escultura de barro cocido.

TERRADO. m. Sitio descubierto en una casa y por lo general, elevado.

TERRAJA. f. Instrumento para hacer molduras. Instrumento para hacer roscas.

TERRAL. adj. s. Viento que sopla de tierra.

TERRAMICINA. f. Antibiótico segregado por el microbio streptomys rimosus que destruye las bacterias causantes de algunas enfermedades.

TERRAPLÉN. m. Tierra con que se llena un vacío.

TERRÁQUEO-A. adj. Compuesto de tierra y agua.

TERRATENIENTE. com. Dueño de tierra y hacienda.

TERRAZA. f. Jarra vidriada de dos asas. f. Escalón llano del terreno. Terrado.

TERREMOTO. m. Sacudida de la superficie terrestre.

fERRENAL. adj. Relativo a la Tierra.

TERRENO-NA. adj. Terrestre. Espacio de tierra. Terrenal.

TéRREO-A. adj. De tierra.

TERRERA. f. Terreno escarpado sin vegetación.

TERRERO-RA. adj. Relativo a la tierra. Dícese del vuelo rastrero.

TERRESTRE. adj. Relativo a la tierra.

TERRIBLE. adj. Que causa terror.

TERRÍCOLA. com. Habitante de la tierra.

TERRíFICO-CA. adj. Que causa espanto.

TERRITORIAL. m. Porción de superficie terrestre de una nación.

TERRÓN. m. Masa pequeña y apretada de tierra u otra substancia.

TERROR. m. Miedo extremado. Espanto, pavor.

TERRORÍFICO-CA. adj. Que aterroriza.

TERRORISMO. m. Dominación por el terror.

TERRORISTA. com. Partidario del terrorismo.

TERROSO-SA. adj. De la naturaleza de la tierra. De su color.

TERRUÑO. m. Pequeña masa de tierra. Comarca. País natal.

TERSO-SA. adj. Limpio, bruñido, claro.

TERSURA. f. Calidad de terso.

TERTULIA. f. Conjunto de personas que se reunen para conversar.

TERTULIANO-NA. adj. Que concurre a una tertulia.

TESAR. tr. Mar. Atirantar.

TESIS. f. Proposición mantenida con razonamientos.

TESITURA. f. Mús. Sonido propio de una voz o instrumento.

TESO. m. Cima de un cerro.

TESÓN. m. Firmeza, perseverancia.

TESORERÍA. f. Cargo y oficina de tesorero.

TESORERO-RA. s. Persona encargada de la custodia de una colectividad.

TESORO. m. Cantidad guardada de dinero, alhajas, etc. Erario.

TEST. Prueba o experiencia en la averiguación en la capacidad intelectual de los individuos.

TESTA. f. Cabeza. Parte superior y anterior de alguna cosa.

TESTÁCEO-CEA. adj. Dícese de los animales con concha.

TESTACIÓN. f. Acción y efecto de testar. mento.

TESTADOR-RA. adj. Quien hace testar.

TESTAFERRO. m. Quien da su nombre a negocio ajeno.

TESTAMENTARIA. f. Ejecución de lo dispuesto en un testamento. Junta de testamentarios.

TESTAMENTO. m. Declaración de la última voluntad de una persona. Documento en que consta.

TESTAR. intr. Hacer testamento.

TESTARADA. f. Golpe dado con la testa.

TESTARUDO-DA. adj. Terco, porfiado.

TESTE. m. Testículo.

TESTERA. f. Fachada principal de una casa. Pared del horno de fundición.

TESTERO. m. Testera.

TESTÍCULO. m. Cada una de las dos glándulas productoras de espermatozoos.

TESTIFICACIÓN. f. Acto de testificar.

TESTIFICAR. tr. Probar con referencia a testigos. Atestiguar. Deponer como testigos.

TESTIGO. com. Persona que da testimonio de algo. Extremo de una cuerda sin torcer.

TESTIMONIAR. tr. Atestiguar. afirmar como testigo.

TESTIMONIO. m. Atestación, aseveración de algo.

TESTUDO. m. Cubierta que formaban los soldados uniendo los escudos sobre sus cabezas.

TESTUD. m. Frente de ciertos animales.

TESURA. f. Tiesura.

TETA. f. Glándula secretora de la leche. Pezón.

TETÁNICO-CA. Med. Del carácter del tétano.

TÉTANO-NOS. m. Enfermedad infecciosa, con contracción convulsiva de los músculos.

TETAR. tr. Amamantar.

TETERA. f. Vasija para servir el té.

TETILLA. f. Teta del macho en los mamíferos. Pezón de goma del biberón.

TETRAEDRO. m. Sólido de cuatro caras.

TETRARCA. m. Gobernador de una provincia.

TÉTRICO-CA. adj. Triste, sombrío.

TETUDA. f. Hembra que tiene muy abultadas las tetas.

TEUCRO-CRA. adj. s. Troyano.

TEUTÓN. adj. s. Germánico. Alemán.

TEXTIL. adj. s. Que puede tejerse. Referente a los tejidos.

TEXTO. m. Lo dicho por un autor o ley. Lo que se dice en el cuerpo de una obra.

TEXTUAL. adj. Propio del texto.

TEXTURA. f. Disposición de los hilos en la tela. Estructura de una obra.

TEZ. f. Superficie, en esp. del rostro.

THETA. f. Letra griega equivalente a "Th".

TI. Forma del pron. personal de segunsegunda pers. singular para los géneros m. y f.

TÍA. f. La hermana o prima de su padre o madre, respecto a una persona.

TIARA. f. Mitra alta ceñida por tres coronas, usada por el Papa.

TIBERIO. m. fam. Ruido, confusión.

TIBIA. f. Flauta. Hueso principal y anterior de la pierna.

TIBIAL. adj. Relativo a la tibia.

TIBIEZA. f. Calidad de tibio.

TIBIO-A. adj. Templado. Flojo.

TIBOR. m. Vaso grande de China.

TIBURÓN. m. Pez selácio marino, muy voraz.

TIC. m. Movimiento inconsciente habitual.

TICKET. m. Vale, billete, cédula, bono.

TIEMPO. m. Duración de las cosas sujetas a mutación. Edad. Época en que vive una persona.

TIENDA. f. Armazón con palos, cubierta de tela, para alojamiento. Establecimiento.

TIENTA. f. Operación en que se prueba la bravura de los becerros.

TIENTAS (A). loc. adv. Tanteando.

TIENTO. m. Ejercicio del tacto. Cordura. Miramiento.

TIERNO-NA. adj. Blando, delicado, flexible. Reciente.

TIERRA. f. Planeta que habitamos. Parte sólida de la superficie de éste. Suelo. Territorio.

TIESO-SA. adj. Que se dobla o rompe con dificultad. Duro. Rígido.

TIESTA. f. Canto de las tapas de los toneles.

TIESTO. m. Maceta. Pedazo de vasija de barro.

TIESURA. f. Dureza. Gravedad afectada.

TIFO. m. Med. Tifus. adj. Harto, repleto.

TIFOIDEO-DEA. adj. Relativo al tifus.

TIFÓN. m. Manga, tromba marina. Huracán en el mar de China.

TIFUS. m. Enfermedad febril, contagiosa, eruptiva.

TIGRE. m. Mamífero félido carnicero, muy feroz.

TIJA. f. Astil de la llave.

TIJERA. f. Útil para cortar, con dos hojas trabadas por un eje.

TIJERETA. f. Zarcillo de la vir. Cortapicos.

TIJERETAZO. m. Corte con tijera.

TIJERETEAR. tr. Dar tijeretadas. Disponer en negocios ajenos.

TILA. f. Tilo. Flor de éste. Infusión de sus flores.

TÍLBURI. m. Coche con dos ruedas, ligero, sin cubierta.

TILDAR. tr. Atildar, tachar. Poner tildes.

TILDE. m. Rasgo que se pone sobre algunas letras. Tacha, mala nota.

TILÍN. m. Onomatopeya del sonido de la campanilla.

TILO. m. Árbol tiliáceo de flor olorosa, medicinal.

TILLA. f. Mar. Entablado que cubre parte de la embarcación menor.

TIMAR. tr. Hurtar con engaño. r. Hacer guiños.

TIMBA. f. Partida de juego de azar. Casa de juego.

TIMBAL. m. Mús. Tambor de caja metálica y hemisférica.

TIMBALERO-RA. s. Quien toca el timbal.

TIMBRAR. tr. Poner el timbre.

TIMBRE. m. Insignia sobre el escudo de armas. Sello. Aparato para llamar.

TIMIDEZ. f. Calidad de tímido.

TÍMIDO-DA. adj. Temeroso, corto de ánimo.

TIMO. m. Acto de timar. Glándula endocrina.

TIMOCRACIA. f. Gobierno ejercido por los más ricos.

TIMOL. m. Substancia blanca aromática antiséptica del aceite de algunas plantas.

TIMÓN. Mar. m. Pieza articulada con que se gobierna el buque, situado sobre el codaste.

TIMONEAR. intr. Gobernar el timón.

TIMONEL. m. El que gobierna el timón.

TIMONERO. m. Timonel. adj. Dícese del arado común.

TIMPÁNICO-CA. adj. Relativo al tímpano.

TIMPANITIS. f. Med. Inflamación del tímpano del oído. Distensión de alguna cavidad del cuerpo por acúmulo de gases.

TÍMPANO. m. Atabal. Anat. Membrana del oído.

TINA. f. Tinaja. Vasija en forma de caldera.

TINACO. m. Tina pequeña de madera. Alpechín.

TINADA. f. Montón de leña. Cobertizo para el ganado.

TINAJA. f. Vasija grande de barro. Líquido que cabe en ella.

TINAJERO. m. Que hace o vende tinajas.

TINAJÓN. m. aum. de Tinaja.

TINELO. m. Comedor de la servidumbre.

TINGLADO. m. Cobertizo. Tablado ligero. Artificio.

TINIEBLA. f. Falta de luz. f. pl. Suma ignorancia.

TINO. m. Destreza para dar en el blanco. Juicio, cordura.

TINTA. f. Tinte. Substancia de color flúido, para escribir o dibujar. f. pl. Matices de color.

TINTAR. tr. r. Teñir.

TINTE. m. Acto de tintar. Color con que se tiñe.

TINTERO. m. Vaso en que se echa tinta para escribir o imprimir.

TINTÍN. m. Onomatopeya lel sonido de l acampanilla, choque de copas, etc.

TINTINEAR. intr. Producir tintín.

TINTINEO. m. Acción y efecto de tintinear.

TINTO-TA. adj. Uva o vino de color oscuro.

TINTORERÍA. f. Oficio y tienda del tintorero.

TINTORERO-RA. s. Quien tiñe por oficio.

TINTURA. f. Tinte. Solución de una substancia medicinal en un líquido.

TIÑA. f. Arañuelo que daña a las colmenas. Enfermedad parasitaria de la piel del cráneo. Miseria.

TIÑOSO-SA. adj. s. Que padece tiña. Mezquino.

TÍO. m. Hermano o primo de la madre o padre, respecto a uno. El primero carnal y el otro segundo, tercero, etc.

TIORBA. f. Mús. Instrumento de cuerda parecido al laud de dos cabezas.

TIOVIVO. m. Plataforma giratoria, para diversión de niños.

TÍPICO-CA. adj. Propio de un tipo. Peculiar.

TIPLE. m. Voz humana más aguda. Persona que la tiene.

TIPO. m. Modelo ideal, en su naturaleza. Persona original. Letra de imprenta.

TIPOGRAFÍA. f. Imprenta. Técnica de la impresión.

TIPOGRÁFICO-CA. adj. Relativo a la tipografía.

TIPÓGRAFO. m. Impresor.

TIPOLITOGRAFÍA. f. Arte de imprimir en piedra litográfica.

TIPÓMETRO. m. Aparato para medir los puntos tipográficos.

TÍPULA. f. Insecto díptero que se alimenta del jugo de las flores.

TIQUISMIQUIS. m. pl. Escrúpulos vanos.

TIRA. f. Pedazo largo y angosto de tela, papel, etc.

TIRABEQUE. m. Guisante mollar.

TIRABOTAS. m. Gancho para calzarse las botas.

TIRABUZÓN. m. Sacacorchos. Rizo del cabello en espiral.

TIRADA. f. Acto de tirar. Acto de imprimir. Número de ejemplares de una edición.

TIRADERO. m. Puesto de acecho del cazador.

TIRADOR-RA. s. Persona que tira. Instrumento para estirar.

TIRALÍNEAS. m. pl. Instrumento para trazar líneas con tinta.

TIRANA. f. Antigua canción popular española.

TIRANÍA. f. Gobierno de un tirano. Abuso del poder.

TIRANICIDA. adj. s. Quien mata a un tirano.

TIRANICIDIO. m. Muerte dada a un tirano.

TIRÁNICO-CA. adj. Propio de un tirano.

TIRANIZAR. tr. Gobernar un tirano. Dominar con tiranía.

TIRANO-NA. adj. s. Que gobierna contra derecho. Que abusa de su poder.

TIRANTE. adj. Terso. Pieza que soporta una tensión.

TIRANTEZ. f. Calidad de tirante. Tensión fuerte.

TIRAPIÉ. f. Correa con que el zapatero sujeta el zapato sobre la rodilla.

TIRAR. intr. Hacer fuerza para atraer algo. Arrojar, lanzar. Durar. Tender Derribar. Malgastar.

TIRILLA. f. Tira de lienzo en el cuello de la camisa para fijar el cuello postizo.

TIRIO-A. adj. s. De Tiro, en Fenicia.

TIRITAR. intr. Temblar de frío.

TIRITÓN-NA. adj. Estremecimiento del que tirita. Temblor fingido.

TIRO. m. Acto de tirar. Disparo. Trayectoria del proyectil. Conjunto de caballerías.

TIROIDEO-A. adj. Relativo al tiroides.

TIROIDES. adj. m. Glándula en la parte ántero-superior de la tráquea. Cartílago principal de la laringe.

TIROLÉS-SA. adj. s. Del Tirol.

TIRÓN. m. Acto de tirar. Estirón Aprendiz.

TIROTEAR. tr. r. Disparar repetidamente tiros.

TIROTEO. m. Acción y efecto de tirotear.

TIRRIA. f. Odio, ojeriza, manía contra alguien.

TIRSO. m. Vara enramada que se usaba en los bacanales.

TISANA. f. Bebida medicinal por cocción de algunas hierbas.

TÍSICO-CA. adj. s. Que padece tisis. Relativo a ella.

TISÚ. m. Tela de seda entretejida con hilos de oro y plata.

TITÁN. m. Mit. Gigante que pretendió asaltar el cielo.

TITÁNICO-CA. adj. Relativo a los titanes.

TITANIO. m. Metal gris pulverulento, infusible.

TÍTERE. m. Figurilla articulada. Sujeto ridículo. Presumido, informal, casquivano.

TITÍ. m. Mono platirrino de América del Sur.

TITILACIÓN. f. Afiliación y efecto de titilar.

TITILAR. intr. Centellear. Agitarse con temblor ligero.

TITIRITERO-RA. s. Persona que trae o gobierna títeres.

TITO. m. Almorta. Bacín alto y cilíndrico.

TITUBEAR. intr. Oscilar, tambalearse. Vacilar.

TITUBEO. m. Acción y efecto de titubear.

TITULADO-DA. adj. El que tiene un título.

TITULAR. tr. Poner título o nombre a algo. intr. Tener un título nobiliario.

TÍTULO. m. Inscripción, rótulo. Dignidad. Documento que acredita el derecho de uno.

TIZA. f. Carbonato terroso blanco, usado para escribir.

TIZNAR. tr. r. Manchar con tizne. tr. Manchar la fama.

TIZNE. amb. Humo, hollín de la lumbre.

TIZNÓN. m. Mancha de tizne.

TIZO. m. Leño mal carbonizado.

TIZÓN. m. Hongo parásito de los cereales. Palo a medio quemar.

TIZONA. f. Espada.

TIZONAZO. m. Golpe dado con un tizón.

TOALLA. f. Lienzo para secarse después de haberse lavado.

TOBA. f. Piedra caliza porosa. Sarro de los dientes.

TOBERA. f. Abertura tubular por la que penetra el aire en un horno o forja.

TOBILLO. m. Protuberancia del peroné y la tibia, donde se unen la pierna y el pie.

TOBOGÁN. m. Especie de trineo de patines. Aparato para deslizarse.

TOCA. f. Prenda de tela para cubrir la cabeza. La de lienzo blanco usada por las monjas.

TOCADO. m. Peinado y adorno de cabeza femeninos. adj. Algo perturbado.

TOCADOR. m. Mueble con espejo. Neceser. Especie de toca antigua.

TOCADURA. f. Tocado.

TOCAMIENTO. m. Acto de tocar. Inspiración, llamamiento.

TOCAR. tr. Palpar. Tañer un instrumento. Tratar una materia. Estimular, persuadir. Caber en suerte.

TOCATA. f. Breve composición musical. Zurra, somanta.

TOCAYO-YA. s. Respecto de una persona, otra que tiene su mismo nombre.

TOCÍA. f. Atutía, óxido de cinc.

TOCINERA. f. Mujer que vende tocino.

TOCINERÍA. f. Tienda donde venden tocino.

TOCINO. m. Carne salada del puerco. Dulce de yema de huevo y almíbar cuajados.

TOCOLOGÍA. f. Obstetricia.

TOCÓLOGO-GA. s. Persona que ejerce la obstetricia.

TOCÓN. m. Parte del tronco de un árbol cortado, que queda unida a la raíz.

TOCHO-CHA. adj. Tosco, inculto, necio. m. Lingote de hierro.

TODABUENA, SANA. f. Planta hipericínea de flores amarillas.

TODAVÍA. adv. t. Aún.

TODO-DA. adj. Entero, cabal. m. Cosa íntegra.

TODOPODEROSO-SA. adj. Omnipotente. p. ant. Dios.

TOESA. f. Ant. Medida francesa de longitud. (1.949 m.)

TOGA. f. Prenda usada por los romanos. Vestidura de magistrados y abogados sobre el traje.

TOGADO-DA. adj. s. Que viste toga.

TOISÓN. m. Orden de caballería. Insignia de la misma.

TOJAL. m. Terreno sembrado de tojos.

TOJO. m. Planta leguminosa, variedad de la aulaga.

TOLANO. m. Enfermedad de las encías de las bestias.

TOLDILLA. f. Mar. Cubierta parcial a popa, en el alcázar del buque.

TOLDO. m. Cubierto de tela para que de sombra.

TOLE. m. Confusión, bulla, gritería popular.

TOLERANCIA. f. Acto de tolerar.

TOLERAR. tr. Soportar lo que desaprobamos en los demás con indulgencia.

TOLETE. m. Mar. Escálamo, estaca a que se ata el remo.

TOLONDRO-DRA. adj. s. Aturdido, alocado. Chichón.

TOLVA. f. Caja por donde se echa el grano en el molino.

TOLVANERA. f. Remolino de polvo.

TOLLINA. f. fam. Zurra.

TOLLO. m. Cazón. Lugar que se oculta el cazador.

TOMA. f. Acto de tomar. Cantidad tomada de una vez. Data.

TOMAÍNA. f. Alcaloide venenoso, resultante de la putrefacción de substancias animales.

TOMAR. tr. Coger, asir. Adquirir por la fuerza. Quitar. Comer o beber. intr. Encaminarse.

TOMATE. m. Fruto en baya globosa y encarnada de la tomatera.

TOMATERA. f. Planta hortense solanácea.

TÓMBOLA. f. Rifa, por lo general con fines benéficos.

TOMENTO. m. Estopa basta del lino. Vello de los vegetales.

TOMILLO. m. Planta labiada perenne, olorosa.

TOMÍN. m. Peso antiguo (tercera parte de un adarme).

TOMINEJO. m. Colibrí.

TOMISTA. adj. Que sigue la doctrina de Santo Tomás de Aquino.

TOMO. m. Cada una de las partes, encuadernadas o no, de una obra.

TON. Apócope de tono.

TONADA. f. Composición métrica para cantarse.

TONADILLA. f. Canción corta y alegre.

TONADILLERO-RA. s. Autor de tonadillas. Quien las canta.

TONALIDAD. f. Mús. Sistema de sonido fundamental de una composición.

TONEL. m. Cuba grande.

TONELADA. f. Unidad de peso. (1.000 kilogramos).

TONELAJE. m. Mar. Arqueo.

TONELERÍA. f. Oficio y taller de tonelero.

TONELERO-RA. s. Relativo al tonel. m. Quien los hace.

TONELETE. m. Brial. Falda hasta la rodilla.

TONICIDAD. r. Calidad de tónico.

TÓNICO-CA. adj. Med. Que entona o da vigor.

TONIFICAR. tr. Entonar, dar vigor.

TONILLO. m. Tono monótono. Modo particular en los fines de palabra.

TONINA. f. Atún fresco.

TONO. m. Grado de elevación del sonido. Modo particular de hablar. Importancia.

TONSILA. f. Amígdala, glándula.

TONSURA. f. Acto de tonsurar. Grado preparatorio para recibir las órdenes menores.

TONSURAR. tr. Cortar el pelo o la lana. Conferir el grado de la tonsura.

TONTEAR. intr. Hacer tonterías o decirlas.

TONTERÍA. f. Calidad de tonto. Necedad.

TONTILLO. m. Faldellín con aros o ballenas.

TONTINA. f. Com. Sociedad mutua cuyos miembros forman un fondo que se repartirá entre los supervivientes.

TONTO-TA. adj. Falto de entendimiento. Mentecato.

TONTUNA. f. Tontería.

TOPACIO. m. Piedra preciosa, amarilla, silicato florado de alúmina.

TOPADIZO-ZA. adj. Encontradiza.

TOPAR. tr. Chocar una cosa con otra. Hallar. intr. Topetar.

TOPE. m. Pieza circular al extremo de una barra en los vagones. adj. Último, extremo.

TOPERA. f. Madriguera del topo.

TOPETADA. f. Golpe dado con la cabeza por lo general.

TOPETAR. tr. intr. Dar topetadas. Chocar.

TOPETAZO. m. Topetada.

TÓPICO-CA. adj. Relativo a determinado lugar.

TOPO. m. Mamífero insectívoro, que vive en galerías subterráneas.

TOPOGRAFÍA. f. Arte de descubrir y delinear terrenos.

TOPOGRÁFICO-CA. adj. Relativo a la topografía.

TOPÓGRAFO. m. Persona que se dedica a la topografía.

TOQUE. m. Acto de tocar. Golpe. Ligera pincelada.

TOQUILLA. f. Mantón de punta de lana.

TORÁCICO-CA. adj. Relativo al tórax.

TORADA. f. Manada de toros.

TORAL. adj. Principal. m. Molde para barras de cobre.

TÓRAX. m. Pecho. Cavidad de él.

TORBELLINO. m. Remolino de viento. Persona muy inquieta.

TORCAZ. adj. Dícese de la paloma silvestre.

TORCE. f. Cualquiera de las vueltas de un collar alrededor del cuello.

TORCEDOR-RA. adj. s. Que tuerce. m. Cosa que causa disgusto.

TORCEDURA. f. Acción de torcer. Aguapie.

TORCER. tr. r. Dar forma helicoidal a una cosa. Doblar, encorvar. Mudar la voluntad. Frustrarse.

TORCIDA. f. Mecha de los velones, candiles, velas, etc.

TORCIDO-DA. m. adj. Que no es recto o no obra con rectitud.

TORCIJÓN. m. Retortijón de tripas.

TÓRCULO. m. Prensa de tornillo.

TÓRDIGA. f. Túrdiga.

TORDILLO-LLA. adj. s. Tordo.

TORDO-DA. adj. Caballería que tiene el pelo negro y blanco. Pájaro dentirrostro.

TOREAR. intr. tr. Lidiar toros. Echar toros a las vacas.

TOREO. m. Acción y arte de torear.

TORERO-RA. adj. Relativo al toreo. s. Quien torea.

TORETE. m. Grave dificultad. Novillo, toro pequeño.

TORIL. m. Encierro para toros que se van a lidiar.

TORÍO. m. Metal radiactivo, de color plomizo, del que se puede extraer energía atómica.

TORMENTA. f. Tempestad. Desgracia.

TORMENTO. m. Acto de atormentar. Dolor físico. Angustia.

TORMENTOSO-SA. adj. Que causa tormento.

TORMO. m. Tolmo. Terrón de tierra.

TORNA. f. Acción de tornar.

TORNABODA. f. Día después de la boda.

TORNADA. f. Acto de tornar o volver.

TORNADIZO-ZA. adj. s. Que torna con facilidad. Veleidoso.

TORNADO. m. Huracán en el golfo de Guinea.

TORNAPUNTA. f. Madero ensamblado en un horizontal para apear otro vertical.

TORNAR. tr. Devolver. tr. r. Mudar la naturaleza de algo.

TORNASOL. m. Girasol. Reflejo de la luz en materias tersas.

TORNASOLAR. tr. Hacer tornasoles. r. Ponerse tornasolado.

TORNATRÁS. com. Descendiente de mestizo con caracteres de una sola raza.

TORNAVOZ. m. Sombrero del púlpito, concha del apuntador, etc. Bocina. Eco, resonancia.

TORNEAR. r. Labrar algo al torno. intr. Dar vueltas alrededor.

TORNEO. m. Combate a caballo entre dos bandos opuestos. Certamen.

TORNERA. f. Monja que sirve en el torno.

TORNERO-RA. s. Quien por oficio hace tornos u obras con ellos.

TORNILLO. m. Cilindro con resalte en hélice que entra en la tuerca.

TORNIQUETE. m. Palanca para comunicar el movimiento del tirador a la campanilla.

TORNISCÓN. m. Pellizco retorcido. Golpe de la mano.

TORNO. m. Máquina simple consistente en un cilindro que gira sobre un eje, por un manubrio.

TORO m. Mamífero rumiante bóvido con dos cuernos. Bocel. m. pl. Fiesta o corrida de toros.

TORONJA. f. Fruto del toronjo.

TORONJIL. m. Planta medicinal cuyas hojas se usan como tónico y antiespasmódico.

TORONJO. m. Cidro de fruto globoso.

TOROZÓN. m. Enteritis de algunos animales.

TORPE. adj. Tardo y pesado en sus movimientos. Rudo.

TORPEDEAR. tr. Atacar a un navío lanzando torpedos.

TORPEDERO. m. Buque de poco calado para lanzar torpedos.

TORPEDO. m. Pez selácio. Máquina con carga explosiva submarina.

TORPEZA. f. Calidad de torpe. Acto o dicho torpe.

TORRADO. m. Garbanzo tostado.

TORRAR. tr. Tostar.

TORRE. f. Construcción más alta que ancha. Pieza del ajedrez.

TORREFACCIÓN. f. Tostadura.

TORREFACTO-TA. adj. Tostado.

TORRENCIAL. adj. Relativo al torrente.

TORRENTE. m. Corriente rápida e impetuosa de agua no duradera. Muchedumbre.

TORRENTERA. f. Lecho del torrente.

TORREÓN. m. Torre grande para defensa.

TORRERO. m. Quien cuida de atalaya o faro.

TORREZNO. m. Pedazo de tocino frito.

TÓRRIDO-DA. adj. Muy ardiente.

TORRIJA. f. Rebanada de pan empapada en vino o leche, frita.

TORRENTERO. m. Montón de tierra que dejan las avenidas de las aguas.

TORSIÓN. f. Acción y efecto de torcer.

TORSO. m. Tronco del cuerpo humano. Estatua sin cabeza ni extremidades.

TORTA. f. Masa de harina cocida. Bofetada.

TORTADA. f. Torta grande.

TORTERO. s. Quien hace o vende tortas.

TORTÍCOLIS. f. Dolor de los músculos del cuello que lo mantienen rígido.

TORTILLA. f. Fritada de huevo batido en forma de torta.

TÓRTOLA. f. Ave del orden de las palomás, de plumaje gris rojizo.

TORTUGA. f. Reptil quelónido.

TORTUOSIDAD. f. Calidad de tortuoso.

TORTUOSO-SA. adj. Que tiene vueltas. Cauteloso.

TORTURA. f. Calidad de tuerto. Cuestión de tormento. Dolor.

TORTURAR. tr. r. Atormentar. Someter a tortura.

TORVA. f. Remolino de lluvia o nieve.

TORVO-VA. adj. Fiero, airado.

TORZAL. m. Cordoncillo de seda. Unión de cosas que hacen como hebra.

TORZÓN. m. Torozón.

TOS. f. Espiración brusca, ruidosa, del aire de los pulmones.

TOSCO-CA. adj. Grosero, basto, inculto.

TOSER. intr. Padecer tos. Competir.

TÓSICO. m. Ponzoña.

TOSIGOSO-SA. adj. s. Envenenado. Que padece tos.

TOSQUEDAD. f. Calidad de tosco.

TOSTADA. f. Rebanada de pan tostado untada con manteca, miel, etc.

TOSTADERO-RA. adj. s. Que tuesta. Util para tostar.

TOSTADO-DA. adj. Color rubio obscuro.

TOSTADURA. f. Acto de tostar.

TOSTAR. tr. r. Seca a la lumbre algo hasta tomar color. Calentar demasiado. Atezar la piel el sol.

TOSTÓN. m. Torrado. Tostada empapada en aceite. Cochinillo asado.

TOTAL. adj. General. adv. En resumen. m. Suma.

TOTALIDAD. f. Calidad de total. Todo.

TOTALIZAR. tr. Sumar, hacer total.

TÓTEM. m. Ser de quien desciende la tribu y que le sirve de emblema.

TOXICIDAD. f. Calidad de tóxico.

TÓXICO-CA. adj. s. m. Substancias venenosas.

TOXICOLOGÍA. f. Med. Tratado de los venenos.

TOXICÓLOGO-GA. s. Persona versada en toxicología.

TOXINA. f. Substancia tóxica, producida por microorganismos en el cuerpo.

TOZO-ZA. adj. Enano o de poca estatura.

TOZOLADA. f. Golpe dado con el tozuelo.

TOZOLÓN. m. Tozolada.

TOZUDO-DA. adj. Obstinado.

TOZUELO. m. Cerviz gruesa de un animal.

TRABA. f. Lo que une dos cosas. Ligadura de los pies de las caballerías.

TRABACUENTA. f. Error de una cuenta. Discusión.

TRABADERO. m. Cuartilla de las caballerías.

TRABAJADOR-RA. adj. Que trabaja. s. Obrero.

TRABAJAR. intr. Aplicarse a la ejecución de algo. Ocuparse en un ejercicio.

TRABAJO. m. Acto de trabajar. Esfuerzo para producir riqueza. m. pl. Penalidades.

TRABAJOSO-SA. adj. Que exige gran trabajo.

TRABALENGUAS. m. Palabra difícil de pronunciar.

TRABANCO. m. Palo que impide al perro, bajar la cabeza.

TRABAR. tr. Echar trabas para unir. Agarrar. Enlazar.

TRABAZÓN. f. Enlace. Espesor. Consistencia de una masa.

TRABILLA. f. Tira de tela o cuero que sujeta el pantalón o polaina, debajo del calzado.

TRABUCACIÓN. f. Acto de trabucar.

TRABUCAR. tr. r. Trastornar el orden de algo. Ofuscar. Trastocar y confundir.

TRABUCAZO. m. Disparo del trabuco y tiro dado con él.

TRABUCO. m. Máquina antigua de guerra. Arma de fuego.

TRACA. f. Serie de petardos que estallan sucesivamente.

TRACAMUNDANA. f. fam. Trueque de cosas de poco valor.

TRACCIÓN. f. Acto de tender una cosa hacia el punto de donde procede el esfuerzo.

TRACOMA. m. Med. Enfermedad del párpado.

TRACTO. m. Espacio entre dos lugares. Lapso.

TRACTOR. m. Máquina de tracción.

TRADICIÓN. m. Transmisión oral de hechos, doctrinas, etc., a través de las generaciones.

TRADICIONAL. adj. Relativo a la tradición.

TRADICIONALISMO. m. Doctrina fundada en la tradición.

TRADICIONALISTA. adj. s. Que profesa el tradicionalismo.

TRADUCCIÓN. f. Acción y efecto de traducir. Obra traducida.

TRADUCIR. tr. Expresar en una lengua lo antes expresado en otra.

TRADUCTOR-RA. adj. s. Que traduce una obra.

TRAER. tr. Transportar una cosa al lugar en donde se habla. Atraer. r. Tener algo puesto.

TRÁFAGO. m. Conjunto de faenas que ocasionan fatiga.

TRAFICAR. tr. Comerciar, negociar.

TRÁFICO. m. Acto de traficar. Circulación de vehículos.

TRAGACANTO. m. Arbusto leguminoso que destila goma.

TRAGADERO. m. Faringe. Agujero que sorbe algo.

TRAGALDABAS. com. Persona muy tragona o crédula.

TRAGALEGUAS. com. Persona que anda mucho y con rapidez.

TRAGALUZ. m. Claraboya.

TRAGANTADA. f. Trago muy grande.

TRAGANTÓN-NA. adj. s. Tragón. f. Comilona.

TRAGAR. tr. intr. Hacer que una cosa pase de la boca al esófago. Dar crédito. Tolerar. Gastar.

TRAGAZÓN. m. Glotonería.

TRAGEDIA. f. Obra dramática de personajes ilustres y desenlace funesto. Género trágico.

TRÁGICO-CA. adj. Relativo a la tragedia. Infausto.

TRAGICOMEDIA. f. Poema dramático con caracteres trágicos y cómicos.

TRAGO. m. Líquido que se bebe de una vez. Adversidad.

TRAGO. m. Prominencia de la oreja delante del conducto auditivo.

TRAGÓN-NA. adj. s. Que come mucho.

TRAICIÓN. f. Violación de la fidelidad. Delito contra la patria y disciplina.

TRAICIONAR. tr. Hacer traición.

TRAICIONERO-RA. adj. s. Traidor.

TRAÍDA. f. Acción y efecto de traer.

TRAIDOR-RA. adj. s. Que hace traición. Que la denota.

TRAÍLLA. f. Cuerda para atar a los perros.

TRAÍNA. f. Red de fondo.

TRAINERA. adj. s. Barca que pesca con traíña.

TRAÍÑA. f. Red muy grande que se cala rodeando un banco de sardinas.

TRAJE. m. Vestido peculiar de ciertas personas. Vestido completo.

TRAJEAR. tr. r. Proveer de trajes.

TRAJÍN. m. Acto de trajinar.

TRAJINANTE. adj. Que trajina.

TRAJINAR. tr. Acarrear mercancía de un lugar a otro, intr. Moverse mucho.

TRAJINERÍA. f. Ejercicio de trajinero.

TRAJINERO. m. Trajinante.

TRALLA. f. Cuerda más gruesa que el bramante. Látigo provisto de tralla.

TRAMA. f. Hilos que cruzados con la urdimbre forman la tela. Confabulación.

TRAMAR. tr. Atravesar los hilos de la trama entre los de la urdimbre. Preparar una traición.

TRAMITACIÓN. f. Acto de tramitar. Trámites para un asunto.

TRAMITAR. tr. Hacer pasar un asunto por sus trámites.

TRÁMITE. m. Paso de una parte a otra. Diligencia que exige la realización de un negocio.

TRAMO. m. Parte de una escalera entre dos mesetas.

TRAMONTANA. f. Norte. Vanidad.

TRAMONTANO-NA. adj. Del otro lado del monte.

TRAMONTAR. tr. Pasar al otro lado del monte.

TRAMOYA. f. Máquina del teatro para mutaciones y figurar cosas prodigiosas. Enredo ingenioso.

TRAMOYISTA. m. El que inventa o maneja tramoyas.

TRAMPA. f. Artificio para cazar. Ardid para burlar a uno. Puerta abierta en el suelo.

TRAMPANTOJO. m. Ilusión en que se hace ver lo que no es. Enredo.

TRAMPEAR. intr. Petardear, sablear.

TRAMPERO. m. Cazador de pieles.

TRAMPILLA. f. Ventanilla en el suelo para ver el piso de abajo.

TRAMPISTA. adj. s. Embustero, sablista.

TRAMPOLÍN. m. Plano inclinado para tomar impulso en el salto.

TRAMPOSO-SA. adj. s. Embustero. Que hace trampas en el juego.

TRANCA. f. Palo grueso y fuerte.

TRANCAR. tr. Atrancar.

TRANCAZO. m. Golpe de tranca.

TRANCE. m. Momento crítico. Apremio judicial.

TRANCO. m. Paso largo. Umbral.

TRANCHETE. m. Chaira.

TRANGALLO. m. Palo que cuelga del collar del perro para que no pueda bajar la cabeza.

TRANQUERA. f. Empalizada de trancas.

TRANQUILIDAD. f. Quietud, sosiego.

TRANQUILIZAR. tr. r. Hacer desaparecer la inquietud.

TRANQUILO-LA. adj. No agitado. No inquieto.

TRANQUILÓN. m. Mezcla de trigo y centeno.

TRANS. prep. insep. Del otro lado. Parte opuesta.

TRANSACCIÓN. f. Acto de transigir. Convenio.

TRANSALPINO-NA. adj. Regiones del otro lado de los Alpes.

TRANSATLANTICO-CA. adj. Del otro lado del Atlántico.

TRANSBORDADOR - RA. adj. Que transborda. m. Barca suspendida de cables que marcha entre dos puntos.

TRANSBORDAR. tr. r. Trasladar de un lugar a otro.

TRANSBORDO. m. Acto de transbordar.

TRANSCONTINENTAL. adj. Que atraviesa un continente.

TRANSCRIBIR. tr. Copiar lo escrito.

TRANSCRIPCIÓN. f. Acto de transcribir.

TRANSCURRIR. intr. Pasar el tiempo.

TRANSCURSO. m. Paso del tiempo.

TRANSEÚNTE. adj. s. Que transita por un lugar.

TRANSFERENCIA. f. Acto de transferir. Ceder a otro un derecho.

TRANSFERIBLE. adj. Que puede ser transferido.

TRANSFERIR. tr. Pasar de un sitio a otro. Diferir, retardar.

TRANSFIGURACIÓN. f. Acción y efecto de transfigurar o transfigurarse. Por antom. la de nuestro Señor Jesucristo en el Monte Tabor.

TRANSFIGURAR. tr. r. Hacer cambiar de figura.

TRANSFIXIÓN. f. Acto de herir pasando de parte a parte.

TRANSFLOR. m. Pint. Pintura que se da sobre los metales.

TRANSFLORAR. intr. Transparentarse o dejarse ver una cosa a través de otra.

TRANSFORMACIÓN. f. Acto de transformar.

TRANSFORMADOR-RA. adj. s. Que transforma. Fís. m. Aparato eléctrico para convertir la corriente de alta tensión y débil intensidad en otra de baja tensión y gran intensidad, o viceversa.

TRANSFORMAR. tr. r. Hacer cambiar de forma algo.

TRANSFORMISMO. m. Doctrina biológica según la cual las especies animales y vegetales se transforman en otras.

TRANSFRETANO-NA. adj. Situado al otro lado de un estrecho o brazo de mar.

TRANSFRETAR. tr. Pasar el mar. intr. Extenderse, dilatarse.

TRANSFUGO-GA. com. Persona que huye de un sitio a otro.

TRANSFUNDIR. tr. Hacer pasar un líquido de un recipiente a otro.

TRANSFUSIÓN. f. Acto de transfundir la sangre. Cir. Operación que hace pasar la sangre de un individuo a otro.

TRANSFUSOR-RA. adj. Que transfunde.

TRANSGREDIR. tr. Violar.

TRANSGRESIÓN. f. Acción y efecto de transgredir.

TRANSGRESOR-RA. adj. s. Que comete transgresión.

TRANSICIÓN. f. Acto de pasar de un estado a otro. Cambio de tono repentino.

TRANSIDO-DA. adj. Angustiado, acongojado.

TRANSIGIR. intr. Consentir con lo que desagrada para llegar a una concordia.

TRANSITABLE. adj. Dícese del sitio por donde se puede transitar.

TRANSITAR. intr. Pasar por la vía pública. Viajar haciendo tránsitos.

TRANSITIVO-VA. adj. Que pasa de uno a otro. Gram. Verbo que tiene complemento directo.

TRÁNSITO. m. Acto de transitar. Muerte de las personas de vida virtuosa. Paso de un estado a otro.

TRANSITORIO-RIA. adj. Pasajero. Caduco, perecedero.

TRANSLINEAR. intr. For. Pasar un vínculo de una línea a otra.

TRANSLÚCIDO-DA. adj. Cuerpo que deja pasar la luz sin permitir ver lo que hay detrás.

TRANSMIGRAR. tr. Emigrar. Pasar un alma de un cuerpo a otro.

TRANSMISIBLE. adj. Que se puede transmitir.

TRANSMISIÓN. f. Acto de transmitir.

TRANSMISOR-RA. adj. s. Que transmite.

TRANSMITIR. tr. Trasladar, transferir. For. Enajenar.

TRANSMONTAR. intr. Tramontar.

TRANSMUDAR. tr. Trasladar, mudar de una parte a otra. Transmutar. fig. Reducir o trocar los efectos con persuasiones.

TRANSMUNDANO-NA. adj. Que está fuera del mundo.

TRANSMUTABLE. adj. Que se puede transmutar.

TRANSMUTACIÓN. f. Acto de transmutar.

TRANSMUTAR. tr. r. Convertir una cosa en otra. Mudar.

TRANSOCEÁNICO-CA. adj. Las regiones situadas al otro lado del acéano.

TRANSPARENCIA. f. Calidad de transparente.

TRANSPARENTE. adj. Cuerpo a través del cual se ven los objetos. m. Cortina para templar la luz.

TRANSPIRACIÓN. f. Acto de transpirar.

TRANSPIRAR. intr. tr. Sudar. Dejarse adivinar algo secreto.

TRANSPIRENAICO-CA. adj. Región situada allende los Pirineos.

TRANSPONER. tr. r. Poner algo en lugar diferente. Transplantar. Ocultarse un astro.

TRANSPORTADOR-RA. adj. s. Que transporta. m. Círculo graduado que sirve para medir los ángulos de un dibujo geométrico.

TRANSPORTAR. tr. Llevar algo de un lugar a otro. Trasladar. r. Enajenarse.

TRANSPORTE. m. Acto de transportar. Buque para transportar.

TRANSPOSICIÓN. f. Acción y efecto de transponer. Ret. Figura que consiste en alterar el orden normal de las voces en la oración.

TRANSUBSTANCIACIÓN. f. Conversión total de una substancia en otra.

TRANSUBSTANCIAR. tr. Convertir una substancia en otra.

TRANSVASAR. tr. Trasegar, mudar un líquido de una vasija a otra.

TRANSVERBERAR. tr. Atravesar, pasar de parte a parte.

TRANSVERSAL. adj. Que atraviesa de un lado a otro.

TRANSVERSO-SA. adj. Colocado o dirigido al través.

TRANVÍA. m. Ferrocarril en una calle o camino.

TRANVIARIO-RIA. adj. Perteneciente o relativo a los tranvías. m. Empleado en el servicio de tranvías.

TRANZAR. tr. Cortar, tronchar. Trenzar.

TRANZÓN. m. Parte en que se divide un monte para aprovechamiento.

TRAPA. f. Orden religiosa muy austera. f. pl. Trinchas que aseguran la lancha en el buque.

TRAPACEAR. intr. Usar de trapazas o engaños.

TRAPACERÍA. f. Trapaza.

TRAPACERO-RA. adj. s. Trapacista.

TRAPACISTA. adj. s. Que usa de trapazas. Embustero.

TRAPAJOSO-SA. adj. Desaseado, andrajoso.

TRÁPALA. f. Confusión de gente. Ruido de trote de caballo. Embuste. com. Persona charlatana.

TRAPALEAR. intr. Meter ruído con los pies andando de un lado para otro.

TRAPALEAR. intr. fam. Decir o hacer cosas propias de un trápala.

TRAPATIESTA. f. fam. Riña, alboroto.

TRAPAZA. f. Engaño. Artificio para defraudar a uno.

TRAPECIAL. adj. Geom. Perteneciente o relativo al trapecio. De figura de trapecio.

TRAPECIO. m. Palo horizontal suspendido de dos cuerdas para ejercicios gimnásticos. Geom. Cuadrilátero de dos lados paralelos.

TRAPENSE. adj. s. Dícese del monje de la Trapa.

TRAPERÍA. f. Conjunto de trapos. Sitio donde se venden trapos y objetos usados.

TRAPERO-RA. s. Quien recoge, compra y vende trapos.

TRAPEZOIDAL. adj. Geom. Perteneciente o relativo al trapezoide. De figura de trapezoide.

TRAPEZOIDE. m. Geom. Cuadrilátero que no tiene ningún lado paralelo.

TRAPICHE. m. Molino de azúcar para sacar jugo de algunos frutos. Ingenio.

TRAPICHEAR. tr. Buscar medios para lograr algún fin. Comerciar al menudeo.

TRAPICHEO. m. Acción de trapichear.

TRAPILLO (DE). m. adv. Con vestido sencillo.

TRAPÍO. m. Aire garboso de algunas mujeres. Buena planta del toro.

TRAPISONDA. f. fam. Bulla, embrolla.

TRAPISONDEAR. intr. Armar trapisondas.

TRAPISONDISTA. com. Persona que trapisondea.

TRAPO. m. Pedazo de tela rota. Velamen. Tela de la muleta del espada.

TRAQUE. m. Estallido del cohete.

TRÁQUEA. f. Conducto respiratorio, de anillos cartilaginosos, situado delante del esófago.

TRAQUEAL. adj. Relativo a la tráquea.

TRAQUEAR. intr. Hacer ruido o estrépito.

TRAQUEO. m. Traqueteo.

TRAQUEOTOMÍA. f. Cir. Incisión de la tráquea para evitar asfixia.

TRAQUETEAR. intr. tr. Hacer ruido. Agitar, manejar mucho algo.

TRAQUETEO. m. Ruido continuo del disparo de cohetes.

TRAQUIDO. m. Estruendo causado por un disparo. Chasquido de la madera.

TRAS. prep. Después de. Detrás de. Además.

TRASANTEANOCHE. adv. t. En la noche de trasanteayer.

TRASANTEAYER. adv. t. En el día que precedió inmediatamente al de anteayer.

TRASAÑEJO-JA. adj. Tresañejo. Que tiene más de tres años.

TRASCA. f. Correa fuerte de piel de toro curtida.

TRASCABO. m. Traspié, zancadilla.

TRASCANTÓN. m. Guardacantón. Esportillero.

TRASCENDENCIA. f. Penetración, sagacidad.

TRASCENDENTAL. adj. De gran importancia.

TRASCENDENTE. adj. Que trasciende.

TRASCENDER. intr. Exhalar olor. Empezar a ser conocido algo. tr. Penetrar.

TRASCOLAR. tr. r. Colar a través de algo. Pasar desde un lado a otro.

TRASCORDARSE. r. Olvidar o confundir algo.

TRASCORO. m. Parte en la Iglesia detrás del coro.

TRASDOBLO. m. Número triple.

TRASDÓS. m. Arq. Superficie exterior de un arco o bóveda.

TRASEGAR. tr. Descrdenar. Pasar un líquido de una vasija a otra.

TRASERA. f. Parte de atrás de una cosa.

TRASERO-RA. adj. Que está detrás. m. Parte posterior del animal.

TRASGO. m. Duende. Niño enredador.

TRASGUEAR. intr. Fingir las travesuras que se atribuyen a los trasgos.

TRASGUERO-RA. m. y f. Persona que trasguea.

TRASHOGAR. m. Arq. Testero de una chimenea adherido al hogar.

TASHOJAR. tr. Hojear.

TRASHUMANTE. adj. Que trashuma.

TRASHUMAR. tr. Pasar ganado y pastores de las dehesas de invierno a las de verano.

TRASIEGO. m. Acto de trasegar.

TRASLACIÓN. f. Acto de trasladar. Ret. Metáfora.

TRASLADAR. tr. r. Mudar de lugar. Copiar.

TRASLADO. m. Traslación. Copia.

TRASLAPAR. tr. Cubrir una cosa a otra. Cubrir en parte una cosa a otra, como las tejas de un tejado.

TRASLAPO. m. Solapo, parte de una cosa cubierta por otra.

TRASLATICIO-CIA. adj. Sentido figurado de un vocablo.

TRASLATIVO-VA. adj. Que transfiere.

TRASLOAR. tr. Alabar a una persona o cosa exagerando.

TRASLÚCIDO-DA. adj. Translúcido.

TRASLUCIRSE. r. Ser traslúcido. Conjeturarse algo.

TRASLUMBRAR. tr. r. Deslumbrar una luz viva a uno.

TRASLUZ. m. Luz que pasa a través de un cuerpo translúcido.

TRASMALLO. m. Arte de pesca formado de tres redes.

TRASMANO. m. Segundo o que sigue al que es mano en el juego. A tras mano. m. adv. Desviado.

TRASMATAR. tr. fam. Suponer uno que va a vivir más que otro.

TRASMINAR. intr. Abrir camino por debajo de tierra.

TRASNOCHADA. f. Noche anterior al día actual. Vela.

TRASNOCHADO-DA. adj. Lo que se estropea por haber pasado una noche. Falta de novedad.

TRASNOCHADOR-RA. adj. s. Que trasnocha.

TRASNOCHAR. intr. Pasar la noche en vela. Pernoctar.

TRASNOMBRAR. tr. Trastrocar los nombres.

TRASOIR. tr. Oir algo con equivocación.

TRASOJADO-DA. adj. Ojeroso, macilento.

TRASOÑAR. tr. Concebir con error una cosa.

TRASOVADA. adj. Bot. Dicese de la hoja aovada más ancha por la punta que por la base.

TRASPALAR. tr. Pasar con pala una cosa de un lugar a otro.

TRASPAPELAR. tr. r. Confundirse un papel entre otros.

TRASPASAR. tr. Pasar a la otra parte de algo, intr. Atravesar de parte a parte. Violar una ley.

TRASPASO. m. Acto de traspasar. Géneros traspasados.

TRASPIÉ. m. Tropezón, resbalón.

TRASPILLARSE. t. Traspellarse. Desfallecer.

TRASPINTAR. tr. Dejar ver la pinta de un naipe y sacar otro. r. Clarearse por el revés lo escrito.

TRASPLANTAR. tr. Mudar un vegetal de sitio en que está plantado.

TRASPLANTE. m. Acto de trasplantar.

TRASPONER. tr. Transponer.

TRASPONTÍN. m. fam. Trasero, asentaderas.

TRASPORTÍN. m. Traspuntín.

TRASPUESTA. f. Transposición. Repliegue o elevación del terreno que no deja ver lo que hay al lado de allá. Fuga u ocultación de una persona. Dependencia que está detrás de lo principal de la casa.

TRASPUNTE. m. Apuntador que señala al actor cuando debe salir a escena.

TRASPUNTÍN. m. Asiento suplementario de algunos coches.

TRASQUERO-RA. s. Quien vende trascas o correas.

TRASQUILADURA. f. Acto de trasquilar.

TRASQUILAR. tr. r. Cortar el pelo sin arte. Esquilar.

TRASQUILÓN. m. Trasquiladura. Dinero quitado con arte.

TRASTADA. f. Acto propio de trasto. Mala pasada.

TRASTAZO. m. Porrazo.

TRASTE. m. Resalte en el mástil de algunos instrumentos músicos para modificar la longitud de la cuerda con el dedo. .

TRASTEANTE. p. a. de Trastear. Que trastea.

TRASTEAR. tr. Poner los trastes. Dar pases de muleta al toro. Discurrir con viveza.

TRASTEO. m. Acto de trastear.

TRASTERÍA. f. Montón de trastos viejos.

TRASTERO-RA. adj. Cuarto donde se guardan los trastos inútiles.

TRASTESÓN. m. Abundancia de leche que tiene la ubre de una res.

TRASTIENDA. f. Aposento situado detrás de la tienda. Astucia.

TRASTO. m. Mueble o utensilio inútil. m. pl. Utensilios de un arte.

TRASTOCAR. tr. Trastornar, revolver.

TRASTORNAR. tr. Volver una cosa de arriba abajo o de un lado a otro. Inquietar. Perturbar el sentido.

TRASTORNO. m. Acto de trastornar.

TRASTROCAR. tr. Mudar el estado o ser de algo.

TRASUDACIÓN. f. Acción y efecto de trasudar.

TRASUDAR. tr. Exhalar trasudor.

TRASUDOR. m. Sudor ligero.

TRASUNTAR. tr. Copiar un escrito. Epilogar.

TRASUNTO. m. Copia o traslado. Figura que imita con propiedad una cosa.

TRASVER. tr. Ver una cosa a través de otro.

TRASVERTER. intr. Rebosar un líquido.

TRASVINARSE. r. tr. Rezumarse o verterse poco a poco el vino de las vasijas. fig. Traspasar, trascender.

TRASVOLAR. tr. Pasar volando.

TRATA. f. Tráfico de negros llevados a vender como esclavos.

TRATABLE. adj. Que se puede tratar. Cortés.

TRATADISTA. m. Autor de tratados.

TRATADO. m. Convenio. Escrito o discurso sobre una materia.

TRATADOR-RA. adj. s. Que trata un negocio o materia.

TRATAMIENTO. m. Trato. Título de cortesía. Sistema de curación.

TRATANTE. m. Quien se dedica a comprar y revender géneros.

TRATAR. tr. Manejar una cosa. Tener amistad con alguien. Asistir, cuidar. Conducir.

TRATO. m. Acto de tratar. Tratado. Tratamiento.

TRAUMATICO-CA. adj. Relativo al traumatismo.

TRAUMATISMO. m. Lesión de los tejidos por agentes mecánicos.

TRAVERSA. f. Madero que atraviesa de un lado a otro los carros y dá más firmeza al bancal.

TRAVÉS. m. Inclinación. Desgracia.

TRAVÉS. (A). adv. Por entre.

TRAVÉS. (DE). adv. Oblicuamente.

TRAVESAÑO. m. Pieza que atraviesa de una parte a otra. Almohada que ocupa la cabecera de la cama.

TRAVESEAR. intr. Andar revoltoso. Discurrir con viveza.

TREVESERO-RA. adj. Aquello que se pone de revés.

TRAVESÍA. f. Camino transversal. Callejuela que atraviesa entre calles principales. Viaje.

TRAVESURA. f. Acto de travesear. Viveza de ingenio.

TRAVIESA. f. Madero sobre el que asientan los rieles del ferrocarril. Travesaño.

TRAVIESO-SA. adj. Puesto de través. Sagaz. Inquieto.

TRAYECTO. m. Espacio que se recorre entre dos puntos.

TRAYECTORIA. f. Línea descrita en el espacio por un punto que se mueve.

TRAZA. f. Diseño de una obra. Plan para realizar un fin.

TRAZADO. m. Acción de trazar. Traza.

TRAZAR. tr. Hacer trazos. Delinear o diseñar. Disponer los medios para un fin.

TRAZO. m. Delineación de la traza. Línea, raya.

TRÉBEDE. f. pl. Aro de hierro con tres pies, para poner cosas al fuego.

TREBEJO. m. Utensilio.

TRÉBOL. m. Planta forrajera de hojas pecioladas de tres en tres.

TRECE. adj. Diez y tres.

TRECHEAR. tr. Min. Transportar una carga de trecho en trecho.

TRECHEL. adj. s. El trigo que se siembra en primavera y fructifica en verano.

TREGUA. f. Cesación temporal de hostilidades. Descanso.

TREINTA. adj. Tres veces diez.

TREINTAVO-VA. adj. Trigésimo.

TREINTENA. f. Conjunto de treinta unidades.

TREMEBUNDO-DA. adj. Espantable, horrendo.

TREMEDAL. m. Paraje cenagoso que retiembla cuando se anda sobre él.

TREMENDO-DA. adj. Terrible. Muy grande.

TREMENTINA. f. Resina fluida de pinos, abetos y terebintos.

TREMÉS o TREMESINO-NA. adj. De tres meses.

TREMOLAR. tr. intr. Enarbolar banderas, pendones, etc., batiéndolos en el aire.

TREMOLINA. f. Movimiento del aire. Bulla, jaleo.

TRÉMULO-LA. adj. Que tiembla.

TREN. m. Conjunto de máquinas empleadas para una operación. Serie de vagones unidos arrastrados por una locomotora. Ostentación.

TRENA. f. Banda usada como tahalí.

TRENADO-DO. adj. Dispuesto como redecilla.

TRENCILLA. f. Galoncillo.

TRENO. m. Canto fúnebre. Lamentación.

TRENZA. f. Enlace de tres o más ramales entretejidos.

TRENZADERA. f. Lazo que se forma trenzado. Cinta de hilo.

TRENZADO. m. Paso de baile. Peinado con trenzas.

TRENZAR. tr. Hacer trenzas.

TREPA. f. Acto de trepar. Astucia. Castigo de azotes.

TREPADOR-RA. adj. s. Que trepa. Aves de dedo externo versátil para trepar.

TREPANACIÓN. f. Acto de trepanar.

TREPANAR. tr. Cir. Horadar el cráneo.

TRÉPANO. m. Cir. Instrumento para trepanar.

TREPAR. intr. tr. Subir a un lugar usando pies y manos. tr. Taladrar. r. Retreparse.

TREPIDACIÓN. f. Acto de trepidar.

TREPIDAR. intr. Temblar, estremecerse.

TREPONEMA. m. Género de protozoarios de forma espiral.

TRES. adj. Dos y uno.

TRESALBO-BA. adj. Caballería que tiene tres pies blancos.

TRESAÑEJO-JA. adj. De tres años.

TRESCIENTOS-TAS. adj. Tres veces ciento.

TRESILLISTA. com. Jugador de tresillo.

TRESILLO. m. Juego de naipes entre tres personas. Conjunto de tres piedras en una joya. Reunión de un sofá y dos butacas.

TRESNAL. m. Montón de haces de mies en forma de pirámide triangular.

TRETA. f. Ardid, artificio para conseguir algo.

TREUDO. m. Tributo, cánon enfiteútico.

TREZAVO-VA. adj. Cada una de las trece partes iguales de un todo.

TRÍA. f. Acto de triar.

TRIACA. f. Confección farmacéutica a base de opio. Antídoto.

TRIADA. f. Grupo de tres.

TRIANGULAR. adj. De forma de triángulo.

TRIÁNGULO. m. Figura formada por tres líneas que se cortan.

TRIAR. tr. Escoger, elegir, entresacar. intr. Entrada y salida de las abejas en la colmena.

TRIÁSICO-CA. adj. Primer período de la era secundaria.

TRIBU. f. Agrupación de familias en que se dividían algunos pueblos.

TRIBULACIÓN. f. Aflicción, adversidad.

TRIBUNA. f. Plataforma elevada desde donde se habla. Mirador.

TRIBUNADO. m. Dignidad de tribuno. Tiempo que dura.

TRIBUNAL. m. Lugar para administrar justicia. Quien la administra.

TRIBÚNICO. adj. Relativo a la dignidad de tribuno.

TRIBUNO. m. Magistrado romano para defender los derechos del pueblo. Orador público.

TRIBUTACIÓN. f. Acto de tributar. Tributo.

TRIBUTAR. tr. Pagar tributo el vasallo al señor.

TRIBUTARIO-RIA. adj. Relativo al tributo. Que paga tributo.

TRIBUTO. m. Lo que se tributa. Obligación de tributar. Censo.

TRICENTÉSIMO-MA. adj. Que ocupa el lugar trescientos.

TRICEPS. adj. Músculo que tiene tres cabezas.

TRICICLO. m. Vehículo de tres ruedas.

TRICLINIO. m. Lecho en que griegos y romanos se reclinaban para comer.

TRICOLOR. adj. De tres colores.

TRICORNIO. m. De tres cuernos.

TRICOT. m. Tejido de mallas hecha a mano sobre agujas.

TRICOMÍA. f. Impresión tipográfica en tres tintas.

TRICÚSPIDE. adj. De tres puntas. Válvula aurículo-ventricular.

TRIDENTE. adj. De tres dientes. Cetro de Neptuno.

TRIDENTINO-NA. adj. De Trento. Del concilio celebrado en esta ciudad.

TRIDUO. m. Ejercicio devoto que dura tres días.

TRIEDRO. m. adj. Ángulo sólido de tres caras. |años.

TRIENAL. adj. Qe se repite cada tres

TRIENIO. m. Tiempo o espacio de tres años.

TRIFÁSICO-CA. adj. De tres fases.

TRIFINIO. m. Punto en que concurren los términos de tres jurisdicciones.

TRIFORME. adj. De tres formas.

TRIFULCA. f. Aparato para mover el fuelle del horno. Disputa.

TRIGAL. m. Terreno sembrado de trigo.

TRIGÉMINO. m. Quinto par de nervios craneales.

TRIGÉSIMO-MA. Cada una de las treinta partes iguales de un todo.

TRIGLIFO. m. Miembro arquitectónico que decora el friso dórico.

TRIGO. m. Planta graminácea, de cuyo grano se hace harina. Grano de esta planta.

TRÍGONO. m. Triángulo.

TRIGONOMETRÍA. f. Mat. Parte de las matemáticas, que trata del cálculo de los elementos de los triángulos.

TRIGUEÑO-ÑA. adj. De color entre moreno y rubio.

TRILINGÜE. adj. Que habla tres lenguas. Escrito en tres lenguas.

TRILITA. f. Quím. Trinitrotolueno.

TRILÍTERO-RA. adj. De tres letras.

TRILOGÍA. f. Conjunto de tres tragedias.

TRILLA. f. Acto de trillar. Tiempo que dura.

TRILLADO-DA. adj. Camino frecuentado. Común.

TRILLADOR-RA. adj. Que trilla. f. Máquina para trillar.

TRILLAR. tr. Quebrantar la mies separando el grano de la paja.

TRILLO. m. Instrumento para trillar.

TRILLÓN. m. Un millón de billones.

TRIMESTRAL. adj. Que se repite cada trimestre.

TRIMESTRE. m. Espacio de tres meses. adj. Trimestral.

TRINADO. m. Trino. Gorjeo.

TRINAR. intr. Hacer trinos. Impacientarse.

TRINCA. f. Conjunto de tres cosas de igual clase. Mar. Cabo para trincar.

TRINCAR. tr. Desmenuzar. Mar. Atar, ligar. fam. Beber vino.

TRINCHA .f. Ajustador de ciertas prendas.

TRINCHANTE. m. Quien corta las viandas en la mesa. Útil para trinchar.

TRINCHAR. tr. Partir la vianda en trozos.

TRINCHERA. f. Desmonte para un camino. Especie de gabán.

TRINCHERO. m. Mueble sobre el que se trincha.

TRINEO. m. Vehículo con patines para deslizarse.

TRINIDAD. m. Misterio según el cual Dios es uno en esencia y trino en persona.

TRINITARIO-RIA. adj. De la orden religiosa de la Trinidad.

TRINO-NA. adj. Que contiene tres cosas distintas.

TRINOMIO. m. Expresión algebraica que consta de tres términos.

TRINQUETE. Mar. m. Palo inmediato a la proa. Juego de pelota cubierto.

TRÍO. m. Terceto. Tría.

TRIPA. f. Intestino. Vientre. Panza.

TRIPE. m. Terciopelo basto de esparto.

TRIPERÍA. f. Tienda de tripero.

TRIPERO. s. Que vende tripas o mondongo.

TRIPICALLERO-RA. s. Quien vende callos o tripas.

TRIPLE. adj. Número que contiene a otro tres veces.

TRIPLICAR. tr. r. Multiplicar por tres.

TRÍPLICE. adj. Triple.

TRIPLO-LA. adj. Triple.

TRÍPODE. s. Mueble de tres pies.

TRIPTONGO. m. Conjunto de tres vocales que forman una sola sílaba.

TRIPUDO-DA. adj. Que tiene tripa grande.

TRIPULACIÓN. f. Personas encargadas del servicio de un barco.

TRIPULAR. tr. Dotar de tripulación.

TRIQUINA. f. Gusano que vive enquistado en la carne de cerdo.

TRIQUINOSIS. f. Enfermedad causada por la triquina en el organismo.

TRIQUIÑUELA. f. Efugio, rodeo.

TRIQUITRAQUE. m. Ruido de golpes desordenados. Los mismos golpes.

TRIRREME. m. Mar. Galera con tres órdenes de remos.

TRIS. m. Sonido leve al quebrarse una cosa.

TRISAGIO. m. Himno en honor de la Trinidad.

TRISCAR. intr. Hacer ruido con los pies. Retozar.

TRISÍLABO-BA. adj. De tres sílabas.

TRISTE. adj. Apesadumbrado, afligido. Deplorable.

TRISTEZA. f. Calidad de triste.

TRITÓN. m. Deidad marina. Anfibio de cola comprimida.

TRITURACIÓN. f. Acto de triturar.

TRITURAR. tr. Moler, desmenuzar.

TRIUNFAL. adj. Relativo al triunfo.

TRIUNFAR. intr. recibir los honores del triunfo. Quedar victorioso.

TRIUNFO. m. Acto de triunfar. Victoria. Carta del palo preferido en ciertos juegos.

TRIUNVIRATO. m. Magistratura de la antigua Roma en la que intervenían tres personas.

TRIUNVIRO. m. Cada uno de los tres magistrados del triunvirato.

TRIVIAL. adj. Vulgarizado. Cosa sin importancia.

TRIZA. f. Trozo pequeño o partícula de un cuerpo.

TROCANTER. m. Prominencia en el extremo superior del fémur.

TRÓCAR. m. Cir. Instrumento para hacer punciones.

TROCAR. tr. Cambiar. r. Mudarse, variar de vida.

TROCISCO. m. Cada uno de los trozos de la masa de ciertas preparaciones medicinales.

TROCLA. f. Polea.

TROCO. m. Rueda, pez.

TROCHA. f. Vereda angosta. Camino abierto en la maleza.

TROCHE y MOCHE (A). adv. Disparatadamente.

TROFEO. m. Insignia de una victoria. Despojo del vencido.

TROGLODITA. adj. Que vive en cavernas.

TROICA. f. Trineo ruso de tres caballos.

TROJE. f. Granero limitado entre tabiques.

TROLA. f. Engaño, mentira.

TROLE. m. Pértiga de hierro que transmite a los tranvías eléctricos la corriente.

TROLEBÚS. m. Vehículo de transporte, de propulsión eléctrica con toma de corriente por trole.

TROMBO. m. Coágulo sanguíneo formado en el interior de un vaso.

TROMBÓN. m. Instrumento de viento.

TROMPA. f. Instrumento de viento de tubo enroscado con tres cilindros. Aparato chupador de algunos insectos. Nariz prominente.

TROMPADA. f. Trompazo. Encontrón de dos personas.

TROMPAZO. m. Golpe dado con la trompa.

TROMPETA. f. Mús. Instrumento de viento de brillante sonoridad. El músico que lo toca.

TROMPETAZO. m. Sonido muy fuerte de la trompeta.

TROMPETEAR. intr. Tocar la trompeta.

TROMPETERÍA. f. Conjunto de trompetas.

TROMPETERO. m. Quien por oficio hace trompetas.

TROMPETILLA. f. Aparato que sirve para que oigan los sordos.

TROMPICAR. intr. Tropezar repetidamente.

TROMPICÓN. m. Tropezón del que trompica.

TROMPO. m. Peón. Peonza.

TRONADA. f. Tempestad de truenos.

TRONADO-DA. adj. Arruinado, empobrecido.

TRONAR. impers. Sonar truenos. Arruinarse.

TRONCAL. adj. Relativo al tronco.

TRONCAR. tr. Truncar.

TRONCO. m. Tallo fuerte y macizo de los árboles. Principio de una familia.

TRONCHAR. tr. Partir con violencia algo.

TRONCHO. m. Tallo de las hortalizas.

TRONERA. f. Abertura para disparar. Ventana pequeña.

TRONO. m. Asiento usado por los reyes. Tabernáculo donde se expone el Santísimo.

TRONZAR. tr. Dividir algo en trozos. Tronchar.

TROPA. f. Turba, muchedumbre. Gente militar.

TROPEL. m. Movimiento acelerado y ruidoso de personas o cosas.

TROPELÍA. f. Aceleración desordenada. Hecho ilegal. Vejación, atropello.

TROPEZAR. intr. Dar con los pies en un estorbo.

TROPEZÓN-NA. adj. Tropezar. Tropiezo.

TROPICAL. adj. Relativo al trópico.

TRÓPICO-CA. adj. Relativo al tropo. Astr. Cada uno de los círculos menores paralelos al Ecuador y que tocan a la eclíptica en los puntos de intercesión con el coluro de los solsticios.

TROPIEZO. m. Aquello en que se tropieza. Falta. Dificultad en el negocio.

TROPO. m. Empleo de las palabras en el sentido figurado.

TROQUEL. m. Modelo que se emplea para acuñar monedas, medallas, etc.

TROTACONVENTOS. f. Alcahueta.

TROTAR. intr. Ir el caballo al trote. Andar mucho o de prisa.

TROTE. m. Modo de caminar la caballería. adv. (AL). Aceleramiento, sin sosiego.

TROTÓN-NA. adj. Caballería cuyo paso ordinario es el trote. m. Caballo. f. Señora de compañía.

TROVA. f. Verso. Canción amorosa, cantada por trovadores.

TROVADOR-RA. adj. s. Poeta provenzal de la Edad Media.

TROVADORESCO-CA. adj. Relativo a los trovadores.

TROVAR. intr. Hacer versos, componer trovas.

TROVERO. m. Trovador francés en lengua de "oil".

TROZO. m. Pedazo de una cosa, separado del resto.

TRUCAR. intr. Hacer el primer envite en el trueque. Hacer trucos en el billar.

TRUCO. m. Cierta suerte en el juego de los trucos. Apariencia engañosa.

TRUCULENTO-TA. adj. Cruel, atroz, excesivo.

TRUCHA. f. Pez malacopterigio, propio de ríos y lagos de montaña.

TRUCHIMÁN-NA. adj. Persona astuta, poco escrupulosa en su proceder.

TRUECO. m. Trueque.

TRUENO. m. Ruido que sigue al rayo. Estampido de arma de fuego. fig. Joven atolondrado.

TRUEQUE. m. Acción de trocar o trocarse.

TRUFA. f. Variedad de criadilla de tierra. fig. Mentira.

TRUFAR. tr. Rellenar de trufas algún manjar. intr. Mentir.

TRUHÁN-NA. adj. Malicioso, astuto, estafador.

TRUHANERÍA. f. Acto de truhanes. Conjunto de ellos.

TRUJAL. m. Prensa para uvas o aceituna. Molino de aceite.

TRUJAMÁN-NA. m. Quien por experiencia sirve de consejero. Intérprete antiguo.

TRULLA. f. Bulla, jarana. Turba. Llana.

TRULLO. m. Ave palmípeda. Lagar con depósito inferior.

TRUNCAR. tr. Cortar una parte de algo. Dejar incompleto algo.

TRUPIAL. m. Pájaro, parecido a la oropéndola.

TRUQUE. m. Juego de envite.

TRUQUIFLOR. m. Juego de naipes parecido al truque.

TRUSAS. m. pl. Gregüescos con cuchilladas, sujetos a mitad del muslo.

TRUST. m. Asociación financiera para monopolizar determinada industria.

TSÉ-TSE. f. Mosca africana del género glosina que transmite la enfermedad del sueño.

TÚ. Nominativo y vocatipo del pron. pers. de segunda persona en núm. sing. para los dos géneros.

TU, TUS. pron. poses. Apócope de "tuyo, tuya, tuyos, tuyas".

TUBA. f. Licor que se obtiene de la nipa. Antigua trompeta romana.

TUBERCULACIÓN. f. Desarrollo de la tuberculosis en el organismo.

TUBÉRCULO. m. Bot. Rizoma engrosado y feculento. Med. Tumor, callo duro al principio y purulento después.

TUBERCULOSIS. f. Enfermedad producida por el bacilo de Koch.

TUBERCULOSO-SA. adj. Relativo a la tuberculosis. Enfermo de tuberculosis.

TUBERÍA. f. Conducto de tubos para llevar líquidos o gases.

TUBEROSA. f. Nardo, planta.

TUBEROSIDAD. f. Tumor, hinchazón.

TUBO. m. Pieza hueca, por lo general cilíndrica, abierta por ambos extremos.

TUBULAR. adj. Relativo al tubo, o parecido a él.

TUCÁN. m. Ave trepadora americana de pico grueso.

TUDEL. m. Tubo de latón, en cuyo extremo se ajusta el estrangul.

TUDELANO. adj. s. De Tudela.

TUDESCO-CA. adj. s. Alemán. m. Capote alemán.

TUECA. f. Tocón.

TUECO. m. Tocón. Oquedad en la madera producida por la carcoma.

TUERCA. f. Pieza con un hueco en espiral que se ajusta en el filete del tornillo.

TUERTO-TA. adj. s. Falto de la vista de un ojo. Agravio.

TUÉTANO. m. Médula.

TUFARADA. f. Olor vivo y fuerte percibido de pronto.

TUFILLAS. com. fam. Persona que se atufa o enoja con facilidad.

TUFO. m. Emanación gaseoso de fermentaciones y combustiones imperfectas. Olor molesto. Soberbia, vanidad.

TUGURIO. m. Choza de pastores. Habitación mezquina.

TUICIÓN. f. For. Acción de defender.

TUL. m. Tejido delgado y transparente de seda, algodón o hilo.

TULIPA. f. Tulipán pequeño. Pantalla de vidrio.

TULIPÁN. m. Planta liliácea bulbosa de jardín.

TULLIDURA. f. Excremento de las aves de rapiña.

TULLIR. tr. Hacer que alguien quede tullido. r. Perder el uso o movimiento del cuerpo o parte de él.

TUMBA. f. Sepulcro. Cubierta arqueada de ciertos coches. f. Tumbo. Voltereta.

TUMBADO-DA. adj. De figura de tumba.

TUMBAGA. f. Aleación quebradiza de oro y cobre. Sortija hecha con ella.

TUMBAR. tr. Derribar, hacer caer algo. Turbar o quitar el sentido. r. Echarse a dormir.

TUMBILLA. f. Armazón con un braserillo para calentar la cama.

TUMBO. m. Vaivén violento.

TUMBÓN-NA. fam. Perezoso, holgazán. m. Coche con cubierta de tumba.

TUMEFACCIÓN. f. Med. Hinchazón.

TUMESCENCIA. f. Tumefacción.

TÓMIDO-DA. adj. Hinchado. Arq. Arco más ancho hacia la mitad de la altura que en los arranques.

TUMOR. f. Masa de tejido anormal formada en alguna parte del cuerpo.

TÚMULO. m. Sepulcro alzado en la tierra. Armazón fúnebre que se erige para celebrar las honras de un difunto.

TUMULTUARIO-RIA. adj Que causa tumultos.

TUMULTUOSO-SA. adj. Que se hace sin orden ni concierto.

TUNA. f. Higuera e higo de tuna. Vida holganza. Estudiantina.

TUNANTA. adj. f. Pícara, bribona.

TUNANTADA. f. Acción propia de tunante.

TUNANTE. adj. s. Que tuna. Pícaro, bribón.

TUNAR. intr. Andar de lugar en lugar, en vida holgazana.

TUNDA. f. fam. Castigo riguroso de palos, azotes, etc.

TUNDIR. tr. Igualar con tijera el pelo de los paños. Castigar a uno con palos, azotes, etc.

TUNDRA. f. Terreno falto de vegetación arbórea, suelo cubierto de musgos y líquenes.

TUNEAR. intr. Hacer vida de tunantes.

TÚNEL. m. Paso subterráneo artificial, para establecer una ccmunicación.

TUNERA. f. Higuera de tuna.

TUNGSTENO. m. Volframio, metal.

TÓNICA. f. Vestidura sin mangas, que usaban los antiguos.. Vestidura exterior, amplia y larga.

TUNICELA. f. Túnica antigua.

TUNO-NA. adj. s. Tunante.

TUPÉ. m. Copete. Atrevimiento, desfachatez.

TUPIDO. adj. Espeso. Obtuso, torpe.

TUPIR. tr. r. Apretar mucho algo, cerrando sus poros.

TURBA. f. Materia combustible. Multitud popular.

TURBACIÓN. f. Acción de turbar.

TURBAMULTA. f. Multitud confusa y desordenada.

TURBANTE. m. Tccado oriental, larga faja de tela arrollada a la cabeza.

TURBAR. tr. r. Alterar la continuidad de una acción. Alterar el ánimo de alguno.

TURBERA. f. Yacimiento de turba.

TURBINA. f. Motor hidráulico con paletas curvas sobre las que actúa la presión del agua.

TURBINTO. m. Árbol peruano, que da trementina.

TURBIO-A. adj. Mezclado o alterado por una cosa que quita transparencia.

TURBIÓN. m. Chaparrón con viento fuerte.

TURBONADA. f. Fuerte chubasco de truenos.

TURBULENCIA. f. Confusión o alboroto.

TURBULENTO-TA. adj. Turbio. Confuso, alborotado.

TURCA. f. Borrachera.

TURCO-CA. adj. s. De Turquía.

TÓRDIGA. f. Tira de pellejo.

TURGENCIA. f. Calidad de turgente.

TURGENTE. Poét. Abultado, hinchado. Med. Tumor que produce hinchazón.

TÓRGIDO-DA. adj. Poét. Turgente.

TURÍBULO. m. Incensario.

TURIFERARIO-RIA. s. Quien lleva el incensario.

TURISMO. m. Afición a viajar por recreo o instrucción.

TURISTA. m. El que viaja por turismo.

TURMA. f. Testículo. Criadilla de tierra.

TURMALINA. f. Borosilicato de aluminio.

TURNAR. intr. Alternar ordenadamente con otras personas.

TURNIO-NIA. adj. Ojos bizcos. adj. s. Que tiene ojos turnios.

TURNO. m. Orden sucesivo observado entre personas que se turnan.

TURÓN. m. Mamífero carnicero mustélido que despide olor fétido.

TURRAR. tr. Tostar en las brasas.

TURRÓN. m. Masa hecha de almendras, piñones, avellanas, tostado y mezclado con miel y azúcar.

TURRONERO-RA. s. Quien hace o vende turrón.

TURULATO-TA. adj. Alelado, estupefacto.

¡**TUS!** Voz para llamar a los perros.

TUSA. f. Perra.

TUSÍLAGO. m. Fárfara.

TUSO. m. fam. Perro, can.

TUSÓN. m. Vellón.

TUSONA. f. Ramera.

TUTE. m. Juego de naipes.

TUTEAR. tr. r. Hablar a uno de tu.

TUTELA. f. Autoridad que se confiere para ocuparse de la persona o bienes de un menor de edad.

TUTELAR. adj. Que guía o protege.

TUTEO. m. Acción de tutear.

TUTILIMUNDI. m. Mundo nuevo.

TUTIPLÉN (A). adv. m. En abundancia.

TUTOR-RA. s. Persona encargada de la tutela de alguien. Defensor, protector.

TUTORÍA. f. Tutela.

TUYA. f. Árbol conífero cuya madera se emplea en ebanistería.

TUYO, TUYA, TUYOS, TUYAS, adj. y pron. posesivos de segunda persona, en géneros m. y f. y números singular y plural.

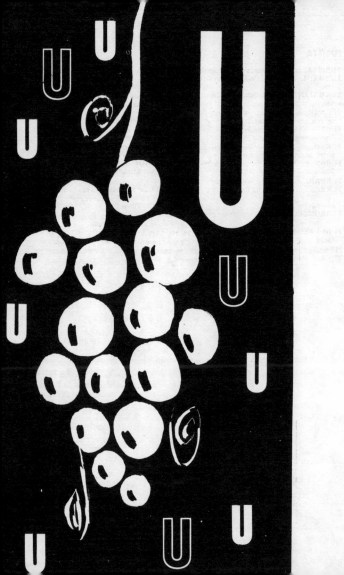

U. f Vigésimo cuarta letra del abecedario español. Última de sus vocales.

U. conj. disyunt. Que para evitar el hiato, se emplea en lugar de la o ante palabra que empieza por esta última letra o por ho.

UBAJAY. m. Árbol mirtáceo de fruto comestibles.

UBEROSO-SA. adj. Fecundo, fértil.

UBÉRRIMO-MA. adj. Muy abundante, fértil.

UBICACIÓN. f. Acto de ubicar.

UBICAR. intr. r. Estar en determinado espacio o lugar.

UBICUIDAD. f. Calidad de ubicuo.

UBICUO-CUA. adj. Que está a un tiempo en todas partes.

UBRE. f. Teta de la hembra en los mamíferos.

UBRERA. f. Escoriación en la boca de los niños de pecho.

UCASE. m. Decreto del zar.

UCUBITANO-NA. adj. s. Natural de la antigua Úcubi, hoy Espejo de la provincia de Córdoba.

UDÓMETRO. m. Pluviómetro.

¡UF! interj. Denota cansancio, repugnancia.

UFANAMENTE. adv. m. Con ufanía.

UFANARSE. r. Engreírse, jactarse.

UFANÍA. f. Calidad de ufano.

UFANO-NA. adj. Orgulloso, engreído.

UFO (A). m. adv. De gorra, de mogollón, sin ser convidado.

UJIER. m. Portero de estrados en un tribunal.

ULALA. f. Especie de cacto.

ULANO. m. Lancero de caballería.

ÚLCERA. f. Solución de continuidad en la piel o en una mucosa.

ULCERACIÓN. f. Acto de ulcerar o ulcerarse.

ULCERANTE. p. a. de Ulcerar. Que ulcera.

ULCERAR. tr. r. Causar úlcera.

ULCERATIVO-VA. adj. Que puede causar úlcera.

ULCEROSO-SA. adj. Que tiene úlceras.

ULEMA. m. Doctor de la ley mahometana.

ULFILANO-NA. adj. Cierto carácter de la letra gótica cuya invención se atribuye al obispo Ulfilas.

ULIGINOSO-SA. adj. Aplícase a los terrenos húmedos y a las plantas que crecen en ellos.

ULMARIA. f. Reina de los prados, planta.

ULTERIOR. adj. Que está al otro lado. Que se ha de decir o hacer después.

ULTERIORMENTE. adv. m. Después de un momento dado.

ULTIMACIÓN. f. Acción y efecto de ultimar.

ULTIMAR. tr. Concluir.

ÚLTIMA RATIO. lat. Recurso extremo.

ULTIMÁTUM. m. Resolucinó definitiva.

ULTIMIDAD. f. Calidad de último.

ÚLTIMO-MA. adj. Posterior a todo. Remoto, escondido.

ULTRA. adv. Además de.

ULTRAJANTE. p. a. de Ultrajar. Que ultraja.

ULTRAJAR. tr. Injuriar gravemente de obra o de palabra.

ULTRAJE. m. Injuria grave de obra o de palabra.

ULTRAJOSO-SA. adj. Que causa o incluye ultraje.

ULTRAMAR. m. País de allende el mar.

ULTRAMARINO-NA. adj. Géneros traídos de allende el mar.

ULTRAMARO. adj. Dícese del azul del ultramar.

ULTRAMICROSCOPIO. m. Aparato óptico para observar objetos ultramicroscópicos.

ULTRAMONTANISMO. m. Doctrina favorable a la autoridad absoluta del Papa.

ULTRAMONTANO-NA. adj. Relativo al ultramontanismo. Que está allende los montes.

ULTRAMUNDANO-NA. adj. Que excede a lo mundano o está más allá.

ULTRANZA. (A). m. adv. A muerte; a todo trance, resueltamente.

ULTRAPUERTOS. m. Lo que está al otro lado de los puertos.

ULTRARROJO. adj. Parte invisible del espectro solar que se extiende a continuación del rojo.

ULTRATUMBA. adv. Más allá de la tumba.

ULTRAVIOLETA. adj. Ultraviolado. Parte invisible del espectro solar, a continuación del violeta.

ULTRAVIRUS. m. Virus que, como los de la rabia y otros contiene gérmenes patógenos invisibles los cuales pasan a través de los filtros.

ÚLULA. f. Autillo, ave.

ULULAR. intr. Dar gritos o alaridos.

ULULATO. m. Grito, alarido.

UMBELA. f. Inflorescencia en que los pedúnculos salen de un mismo punto y se elevan a igual altura.

UMBELIFERO-RA. adj. s. Plantas dicotiledóneas de fruto compuesto de dos aquenios. ombligo.

UMBILICADO-DA. adj. De figura de

UMBILICAL. adj. Relativo al ombligo.

UMBRÁCULO. m. Cobertizo para resguardar las plantas del sol.

UMBRAL. m. Parte inferior de la puerta. Entrada de algo.

UMBRALAR. tr. Arq. Poner umbral al vano de un muro.

UMBRÁTICO-CA. adj. Perteneciente a la sombra. Que la causa.

UMBRÁTIL. adj. Umbroso. Que tiene sombra o apariencia de una cosa.

UMBRÍA. f. Parte del terreno donde apenas da el sol.

UMBRÍO-A. adj. Sombrío.

UMBROSO-SA. adj. Que tiene sombra o la causa.

UN UNA. art. indet. en género, m. y f. sing.

UNALBO-BA. adj. Se dice de la caballería que tiene calzado un pie o una mano.

UNÁNIME. adj. Dícese del conjunto de personas que coinciden en un mismo parecer.

UNANIMIDAD. f. Calidad de unánime.

UNCIA. f. Moneda romana de cobre.

UNCIAL. adj. s. Ciertas letras mayúsculas del tamaño de una pulgada.

UNCIFORME. adj. s. Uno de los huesos de la segunda fila del carpo.

UNCIÓN. f. Acto de ungir. Extremaunción.

UNCIONARIO-RIA. adj. Que toma unciones o convalece de ellas. m. Aposento en que se toman.

UNCIR. tr. Atar al yugo.

UNDECÁGONO. adj. m. Endecágono.

UNDÉCIMO-MA. adj. Cada una de las once partes iguales de un todo.

UNDÉCUPLO-PLA. adj. Que contiene un número once veces exactamente.

UNDISONO-NA. adj. Poét. Aguas corrientes que causan ruido.

UNDOSO-SA. adj. Lit. Ondoso.

UNDULACIÓN. f. Acción y efecto de undular. Fis. Onda.

UNDULAR. intr. Ondular.

UNDULATORIO-RIA. adj. Aplícase al movimiento de undulación.

UNGIDO. m. Persona signada con el óleo santo.

UNGIMIENTO. m. Acto de ungir.

UNGIR. tr. Frotar con una materia pingüe, aceite.

UNGUENTARIO-RIA. adj. Relativo a los ungüentos o que los contiene.

UNGUENTO. m. Todo lo que sirve para ungir o untar. Compuestos olorosos para embalsamar cadáveres.

UNGUICULADO-DA. adj. Animal cuyos dedos están provistos de uñas.

UNGUIS. m. Hueso pequeño en la parte interior y anterior de las órbitas.

UNGULADO-DA. adj. s. Animales mamíferos con los dedos terminados en pezuñas.

UNIATO. m. Cristiano griego, partidario de la supremacía del Papa.

UNICAMENTE. adv. m. Sola o precisamente.

UNICAULE. adj. Bot. Dícese de la planta que tiene un solo tallo.

UNICELULAR. adj. Que consta de una sola célula.

ÚNICO-CA. adj. Solo y sin otro de su especie. Singular.

UNICOLOR. adj. De un solo color.

UNICORNIO. m. Animal fabuloso de figura de caballo con un cuerno recto en la frente.

UNIDAD. f. Indivisión del ser en otros seres. Unicidad. Mat. El número entero más pequeño.

UNIDAMENTE. adv. m. Juntamente.

UNIFICACIÓN. f. Acto de unificar o unificarse.

UNIFICAR. tr. Hacer de muchas cosas una sola.

UNIFORMAR. tr. r. Hacer uniforme algo. tr. Vestir a alguien con un uniforme.

UNIFORME. adj. Dos o más cosas que tienen la misma forma. Vestido peculiar.

UNIFORMIDAD. f. Calidad de uniforme.

UNIGÉNITO-TA. adj. Dícese del hijo único. p. ant. El Hijo de Dios.

UNILATERAL. adj. Lo que se refiere solo a una parte o aspecto de algo.

UNIMISMAR. tr. Unificar.

UNIÓN. f. Acto de unir o unirse.

UNÍPEDE. adj. De un solo pie.

UNIPERSONAL. adj. Que consta de una sola persona.

UNIPÉTALO-LA. adj. Monopétalo.

UNIPOLAR. adj. Que tiene un polo.

UNIR. tr. Juntar. Mezclar, incorporar. Agregarse uno a la compañía de otro.

UNISEXUAL. adj. De un solo sexo.

UNÍSON. adj. Unísono. m. Trozo musical de tonos iguales.

UNISONANCIA. f. Mús. Concordante de dos o más sonidos en el mismo tono.

UNÍSONO. adj. Que tiene el mismo tono o sonido que otra cosa.

UNITARIO-RIA. adj. s. Partidario del unitarismo. adj. Que propende a la unidad .

UNITARISMO. m. Secta protestante que solo reconoce en Dios una persona.

UNITIVO-VA. adj. Que tiene virtud de unir.

UNIVALVO-VA. adj. Concha de una sola pieza y molusco con esa concha.

UNIVERSAL. adj. Que comprende o es común a todos en su especie. Que se extiende a todo el mundo.

UNIVERSALIDAD. f. Calidad de universal.

UNIVERSALISMO. m. Doctrina que todos los hombres pueden eventualmente salvarse.

UNIVERSIDAD. f. Centro de enseñanza superior donde se cursan diversas facultades.

UNIVERSITARIO-RIA. adj. Relativo a la Universidad.

UNIVERSO. adj. Universal. m. Mundo.

UNIVOCACIÓN. f. Acto de univocarse.

UNIVOCARSE. r. Convenir en una misma razón dos o más cosas.

UNÍVOCO-CA. adj. s. Que con una misma expresión significa cosas diversas.

UNO, NA. UNOS, NAS. art. indeterminado en gén. m. y f. núm. sing. y pl.

UNTADURA. f. Acción de untar. Cosa que se unta.

UNTAMIENTO. m. Acto de untar.

UNTAR. tr. Ungir. fam. Sobornar con dádivas. Mancharse con una materia untuosa.

UNTO. m. Gordura del cuerpo animal. Ungüento.

UNTUOSIDAD. f. Calidad de untuoso.

UNTUOSO-SA. adj. Graso. Pegajoso.

UNTURA. f. Untadura. Materia con que se unta.

UÑA. f. Lámina corta que nace y crece en las extremidades de los dedos. Pezuña.

UÑADA. f. Señal hecha con el filo de la uña.

UÑARADA. f. Arañazo.

UÑERO. m. Inflamación en la raíz de la uña.

UÑETA. f. Cincel de boca ancha de los canteros.

UÑIDURA. f. Acción y efecto de uñir.

UÑOSO-SA. adj. Que tiene largas las uñas.

¡UPA! Voz para estimular a levantar algo o levantarse.

UPUPA. f. Abubilla, pájaro.

URAGOGA. f. Bot. Ipecacuana.

URALITA. f. Cartón resistente que se utiliza en cubiertas y en decoración.

URANIO. m. Metal duro muy parecido de color al níquel. Elemento radiactivo que se desintegra en cadena.

URANITA. f. Nombre común de los fosfatos de uranio.

URANO. m. Planeta mayor que la tierra; uno entre los que integran el sistema solar.

URANOGRAFÍA. f. Cosmografía.

URANÓGRAFO-FA. f. Cosmógrafo.

URANOMETRÍA. f. Parte de la Astronomía que trata de la medición de las distancias celestese.

URATO. m. Cualquier sal del ácido úrico.

URBANIDAD. f. Cortesía, buenos modales.

URBANISMO. m. Conjunto de conocimientos que se refieren al estudio de la creación, desarrollo, reforma y progreso de los poblados en orden a las necesidades materiales de la vida humana.

URBANIZACIÓN. f. Acto de urbanizar.

URBANIZAR. tr. r. Convertir en poblado un terreno. Abrir calles y dotarlas de servicios urbanos.

URBANO-NA. adj. Relativo a la ciudad. fig. Cortesano de buenos modales.

URBE. f. Ciudad muy poblada.

URBI. ET ORBIS. expr. lat. fig. A los cuatro vientos a todo el mundo.

URCA. f. Embarcación grande usada para el transporte. Orca.

URCE. m. Brezo.

URCHILLA. f. Líquen de las rocas marinas. Color violeta que se obtiene de él.

URDIDERA. f. Urdidora. Instrumento como devanadora donde se preparan los hilos de las urdimbres.

URDIDOR-RA. adj. s. Que urde.

URDIDURA. f. Acto de urdir.

URDIMBRE. f. Estambre urdido. Conjunto de hilos paralelos entre l:s que pasa la trama para hacer la tela.

URDIR. tr. Arrollar los hilos en la urdidera. Maquinar.

UREA. f. Substancia nitrogenada cristalina que abunda en la orina.

UREDO. m. Urticaria.

UREMIA. f. Med. Acumulación de urea en la sangre.

URÉMICO-CA. adj. Relativo a la uremia.

URENTE. adj. Que escuece, ardiente.

URÉTER. m. Conductos que llevan la orina de los riñones a la vejiga.

URÉTICO-CA. adj. Relativo a la uretra.

URETRA. f. Conducto para expeler la orina fuera de la vejiga.

URETRAL. adj. Urético.

URETRITIS. f. Med. Inflamación de la uretra.

URETROMÍA. f. Incisión de las partes estrechas de la uretra.

URGABONENSE. adj. s. Natural de Arjona. Perteneciente a esta ciudad de la provincia de Jaén.

URGENCIA. f. Calidad de urgente. Instancia, precisión.

URGENTE. p. a. de Urgir. Que urge.

URGIR. intr. Instar una cosa a su pronta ejecución.

ÚRICO-CA. adj. Relativo a la urea.

URINARIO-RIA. adj. Relativo a la orina. m. Lugar para orinar.

URNA. f. Caja para guardar dinero, restos o cenizas de cadáveres. Arquita para guardas objetos preciosos.

URO. m. Animal salvaje parecido al bisonte.

UROCIANOSIS. f. Coloración azul de la orina.

UROGALLO. Ave gallinácea, silvestre, parecida al gallo.

UROLOGÍA. f. Parte de la medicina que trata de las enfermedades del aparato urinario.

URÓLOGO. m. El que se dedica a la urología.

UROMANCIA. f. Adivinación supersticiosa por el examen de la orina.

URÓMETRO. m. Areómetro para determinar la densidad de la orina.

UROSCOPIA. f. Med. Inspección de la orina.

URRACA. f. Pájaro que remeda palabras y trozos musicales.

U. R. S. S. Abreviatura de Unión de Repúblicas Socialistas Soviéticas. (Rusia).

URSULINA. adj. Religiosa agustiniana fundada por Santa Angela de Brecia.

URTICÁCEO. adj. Plantas de la familia de las ortigas.

URTICANTE. adj. Que produce comezón semejante a las picaduras de ortiga.

URTICARIA. f. Enfermedad inflamatoria de la piel con escozor.

URÓ. m. Ave de plumaje pardo, parecida a la perdiz.

URUGUAYO-YA. adj. s. Natural de Uruguay. Perteneciente a esta nación de América del Sur.

USADAMENTE. adv. m. Según y conforme al uso.

USADO-DA. adj. Gastado, deslucido.

USAGRE. m. Erupción propia de los niños en la primera dentición. Sarna del perro.

USANZA. f. Uso, costumbre.

USAR. tr. Hacer servir algo. Disfrutar de algo sea o no su dueño.

USGO. m. Asco.

USÍA. com. Síncopa de Usiría.

USO. m. Acto de usar una cosa. Modo habitual de obrar.

USTED. s. Tratamiento de respeto y cortesía.

USTIÓN. f. Acto de quemar o quemarse.

USUAL. adj. De uso frecuente. Cosas que se pueden usar con facilidad.

USUALMENTE. adv. m. De manera usual.

USUARIO-RIA. adj. Der. Quien tiene el derecho de usar una cosa.

USUCAPIÓN. f. Der. Modo de adquirir el dominio de una cosa por el uso continuado durante un cierto tiempo.

USUCAPIR. tr. Der. Adquirir una cosa por usucapión.

USUFRUCTO. m. Derecho de usar de la cosa ajena aprovechándose de los frutos sin deteriorarla.

USUFRUCTUAR. tr. Tener el usufructo de algo.

USUFRUCTUARIO-RIA. adj. s. Que usufructúa algo.

USURA. f. Interés que se lleva por el dinero o género prestado.

USURAR. intr. Usurear.

USURARIO-RIA. adj. Contratos y tratos en que hay usura.

USUREAR. intr. Dar o tomar a usura.

USURERO-RA. s. Persona que presta con usura.

USURPACIÓN. f. Acto de usurpar. Cosa usurpada.

USURPAR. tr. Apropiarse injustamente lo de otro.

UTENSILIO. m. Lo que sirve para el uso manual y frecuente.

UTERINO. adj. Relativo al útero.

ÚTERO. m. Matriz de las hembras de los mamíferos.

ÚTIL. adj. Que produce provecho, fruto o interés. Que sirve para un fin u objeto.

UTILIDAD. f. Calidad de útil. Provecho que se obtiene.

UTILITARIO-RIA. adj. Que antepone a todo la utilidad. Utilidad de algo. Vehículo de carácter popular por su precio y consumo.

UTILITARISMO. m. Doctrina ética que identifica el bien con lo útil.

UTILIZABLE. adj. Que puede y debe utilizarse.

UTILIZAR. tr. r. Emplear útilmente una persona o cosa.

UTOPÍA. f. Plan ideal de gobierno.

UTÓPICO-CA. adj. Relativo a la utopía.

UTOPISTA. adj. s. Que traza utopías o es dado a ellas.

UTRERO-RA. s. Novillo o novilla de dos años.

UTRÍCULO. m. Pequeño saco o cavidad de los granos de polen que contiene la substancia fecundante.

UVA. f. Fruto de la vid. Verruga pequeña que se forma en el párpado.

UVADA. f. Abundancia de uva.

UVAL. adj. Parecido a la uva.

UVATE. m. Conserva de uvas.

UVAYEMA. f. Especie de vid silvestre.

UVE. f. Nombre de la letra v.

UVEA. adj. Cara posterior del iris.

UVERO-RA. adj. Relativo a las uvas. s. Persona que vende uvas.

ÚVULA. f. Campanilla, lóbulo carnoso que pende de la parte posterior del velo palatino.

UXORICIDA. adj. m. Dícese del que mata a su mujer.

UXORICIDIO. m. Muerte causada a la mujer por el marido.

V. f. Ve. Vigésima quinta letra del alfabeto español y vigésima consonante.

VACA. f. Hembra del toro. Dinero jugado en común por varias personas.

VACACIÓN. f. Suspensión del trabajo o estudio por algún tiempo.

VACADA. f. Manada de ganado vacuno.

VACANTE. adj. s. Cargo, empleo o dignidad que está sin proveer.

VACAR. intr. Cesar uno en sus trabajos u ocupaciones por algún tiempo.

VACARÍ. adj. De cuero de vaca.

VACATURA. f. Tiempo que permanece vacante un empleo, cargo o dignidad.

VACIADERO. m. Sitio donde se vacía una cosa. Conducto por donde se vacía.

VACIADIZO-ZA. adj. Obra vaciada en metal fundido, etc.

VACIADO. m. Acción de vaciar. Figura o adorno de yeso formado en el molde.

VACIAMIENTO. m. Acción de vaciar o vaciarse.

VACIAR. tr. Dejar vacío algo. Formar un hueco.

VACIEDAD. f. Sandez, necedad.

VACIERO. m. Pastor de ganado.

VACILACIÓN. f. Acto de vacilar. Perplejidad.

VACILAR. intr. Moverse indeterminadamente algo. Temblar.

VACÍO, CÍA. adj. Falto de contenido. No ocupado.

VACO-CA. adj. Vacante.

VACUIDAD. f. Calidad de vacuo.

VACUNA. f. Virus profiláctica inoculable que inmuniza contra una enfermedad determinada.

VACUNACIÓN. f. Acto de vacunar o vacunarse.

VACUNAR. tr. r. Aplicar una vacuna a persona o animal.

VACUNO-NA. adj. Relativo al ganado bovino. De cuero de vaca.

VACUO-CUA. adj. Vacío.

VACUOLA. f. Pequeña cavidad en una célula llena de un líquido o gas.

VADEAR. tr. Pasar una corriente de agua por un vado. Vencer una dificultad.

VADEMÉCUM. m. Libro o manual pequeño que se puede llevar consigo para consultarle frecuentemente.

VADERA. f. Vado.

VADO. m. Paraje de un río con fondo firme, poco profundo por donde se puede pasar.

VADOSO-SA. adj. Paraje que tiene vados.

VAGABUNDEAR. intr. Andar vagabundo.

VAGABUNDO-DA. adj. s. Que anda errante de una parte a otra.

VAGANCIA. f. Acto de vagar.

VAGAR. m. Tiempo libre para hacer algo. Espacio, lentitud. intr. Estar ocioso.

VAGIDO. m. Llanto de recién nacido.

VAGINA. f. Conducto que en las hembras se extiende desde la vulva hasta la matriz.

VAGINAL. adj. Relativo a la vagina.

VAGINITIS. f. Inflamación de la vagina.

VAGO-GA. adj. s. Vacío, desocupado, sin oficio.

VAGÓN. m. Carruaje de ferrocarril.

VAGONETA. f. Vagón pequeño y descubierto para transportes.

VAGUADA. f. Línea que señala la parte más honda de un valle.

VAGUEACIÓN. f. Inquietud de la imaginación.

VAGUEAR. intr. Vagar.

VAGUEDAD. f. Calidad de vago. Expresión o frase vaga.

VAGUIDO-DA. adj. Que padece vahídos.

VAHAR. intr. Vahear.

VAHARADA. f. Acto de echar el vaho o aliento.

VAHARERA. f. Boquera.

VAHARINA. f. Vaho, vapor o niebla.

VAHEAR. intr. Echar de sí, vaho.

VAHÍDO. m. Desvanecimiento breve y pasajero.

VAHO. m. Vapor desprendido por los cuerpos en determinadas condiciones.

VAÍDA. adj. Arq. Bóveda formada por un hemisferio cortado por cuatro planos verticales paralelos dos a dos.

VAINA. f. Funda de armas e instrumentos de metal. Persona despreciable. Pericarpio de las legumbres.

VAINAZAS. m. fam. Persona descuidada o desvaída.

VAINERO. m. El que por oficio hace vainas.

VAINICA. f. Deshilado muy sencillo. Costura calada.

VAINILLA. f. Planta orquidácea. Fruto de esa planta. Heliótropo. Vainica.

VAIVÉN. m. Movimiento alternativo de un cuerpo que oscila. Inestabilidad de las cosas.

VAJILLA. f. Conjunto de platos, vasos jarros, etc., para servicio de mesa.

VAL. m. Apócope de valle.

VALAR. adj. Perteneciente al vallado o cerca.

VALE. m. Papel en que se reconoce una deuda u obligación. Nota firmada que acredita la entrega de algo.

VALEDERO-RA. adj. Que debe valer, ser firme y resistente.

VALEDOR-RA. s. Persona que vale a otra.

VALENCIA. f. Quím. Capacidad de saturación de los radicales que se determina por el número de átomos de hidrógeno con que aquéllos pueden combinarse.

VALENTÍA. f. Esfuerzo, aliento, vigor. Hazaña heroica. Gallardía, arrojo.

VALENTÍSIMO-MA. adj. Muy perfecto en un arte o ciencia.

VALENTÓN-NA. adj. s. Arrogante, que se jacta de guapo y de valiente.

VALENTONA o **VALENTONADA.** f. Jactancia, exageración del propio valor.

VALER. Valor, valía. tr. Proteger, defender. intr. Equivaler. Tener autoridad. Fructificar.

VALERIANA. f. Hierba de rizoma aromático, usado como antiespasmódico.

VALEROSO-SA. adj. Eficaz. Valiente. Valioso.

VALETUDINARIO-RIA. adj. Enfermizo, achacoso.

VALHALA. f. Paraíso de Odín, en la mitología escandinava.

VALÍ. m. Gobernador de un estado musulmán.

VALÍA. f. Valor, aprecio de una cosa.

VALIATO. m. Gobierno de un valí. Territorio regido por un valí.

VALIDACIÓN. f. Acto de validar. Firmeza, seguridad.

VALIDAR. tr. Dar validez a algo.

VALIDEZ. f. Calidad de válido.

VÁLIDO-DA. adj. Firme, que vale legalmente. Robusto.

VALIENTE. adj. Fuerte. Esforzado. Eficaz, activo. Grande.

VALIENTEMENTE. adv. Con valentía.

VALIJA. f. Saco de cuero cerrado con llave, para llevar correspondencia.

VALIJERO. m. El que lleva las cartas.

VALIMIENTO. m. Acción de valer una cosa. Privanza. Favor.

VALIOSO-SA. adj. Que vale mucho. Rico.

VALIZA. f. Mar. Baliza, señal sobre los vajíos de la entrada de los puertos.

VALÓN-NA. adj. s. Del territorio comprendido entre el Escalda y el Lys. m. Idioma valón.

VALONA. f. Cuello grande y vuelto.

VALOR. m. Grado de utilidad de las cosas. Importancia. Osadía. Precio de alguna cosa.

VALORAR. tr. Determinar el valor de algo, ponerle precio.

VALOREAR. tr. Valorar.

VALORÍA. f. Valía, estimación.

VALORIZAR. t. Valorar, evaluar.

VALQUIRIA. f. Deidades guerreras de la mitología escandinava.

VALS. m. Baile de origen alemán. Música de este baile.

VALSAR. intr. Bailar el vals.

VALÚA. f. prov. Valía.

VALUACIÓN. f. Valoración.

VALUAR. tr. Valorar.

VALVA. f. Zool. Cada una de las piezas que forman la concha de los moluscos lamelibranquios y algunos cirrípedos.

VÁLVULA. f. Mec. Pieza móvil que cierra una abertura.

VALLA. f. Vallado. Línea de estacas o tablas que cierra un sitio.

VALLADAR. m. Vallado. Obstáculo.

VALLADEAR. tr. Vallar.

VALLADO. m. Cerco alzado para defender el acceso a un sitio.

VALLAR. adj. Valar. tr. Cercar con vallado.

VALLE. m. Espacio de tierra entre montes o alturas.

VALLICO. m. Ballico.

VAMPIRO. m. Mamífero quiróptero, que chupa la sangre de personas y animales dormidos.

VAMPIRESA. f. Mujer fatal.

VANADIO. m. Metal parecido a la plata pero de menor peso específico.

VANAGLORIA. f. Jactancia del propio valer u obrar.

VANAGLORIARSE. r. Jactarse del propio valer.

VANAGLORIOSO-SA. adj. Jactancioso.

VANAMENTE. adv. Inútilmente.

VANDÁLICO-CA. adj. Relativo a los vándalos.

VANDALISMO. m. Devastación propia de los antiguos vándalos.

VÁNDALO-LA. adj. s. De un pueblo de la ant. Germania. m. El que comete acciones de vandalismo.

VANDEANO-NA. adj. s. Del territorio francés de La Vendée.

VANGUARDIA. f. Fuerza armada que va delante del cuerpo principal.

VANIDAD. f. Calidad de vano. Fausto. Ilusión.

VANIDOSO-SA. adj. s. Quien tiene vanidad y la da a conocer.

VANILOCUENCIA. f. Verbosidad insubstancial.

VANILOCUO-A. adj. s. Hablador insubstancial.

VANILOQUIO. m. Discurso insubstancial.

VANISTORIO. m. fam. Vanidad ridícula y afectada. Persona vanidosa.

VANO-NA. adj. Falto de realidad, substancia o entidad.

VAPOR. m. Gas en que se transforma un líquido o sólido absorbiendo calor. Buque de vapor.

VAPOR (AL). adv. m. Con gran celeridad.

VAPORA. f. Lancha de vapor.

VAPORABLE. adj. Capaz de arrojar vapores.

VAPORACIÓN. f. Evaporación.

VAPORAR. tr. r. Evaporar.

VAPORIZACIÓN. f. Acto de vaporizar o vaporizarse.

VAPORIZAR. tr. r. Hacer pasar un cuerpo del estado líquido al de vapor.

VAPOROSO-SA. adj. Que despide vapores. Que los contiene.

VAPULACIÓN o VAPULAMIENTO. m. Acto de vapular o vapularse.

VAPULEAR. tr. r. Azotar.

VAPULEO. m. Vapuleamiento.

VAQUERÍA. f. Vacada. Lugar donde hay vacas.

VAQUERIZA. f. Lugar donde se recoge el ganado mayor en el invierno.

VAQUERIZO-ZA. adj. Relativo al ganado bovino. m. Pastor de reses vacunas.

VAQUERO-RA. adj. Pastor o pastora de reses vacunas.

VAQUETA. f. Cuero de ternera curtido.

VARA. f. Ramo delgado, largo y sin hojas. Bastón de mando. Medida de longitud.

VARADA. f. Acto de varar un barco.

VARADERA. f. Mar. Cualquiera de los palos puestos al costado de un buque como resguardo.

VARADERO. m. Sitio en que varan las embarcaciones.

VARADURA. f. Varada.

VARAL. m. Vara muy larga y gruesa. Persona muy alta.

VARAPALO. m. Palo largo. Golpe dado con vara o palo.

VARAR. intr. Encallar la embarcación. Quedar detenido un negocio.

VARASETO. m. Cerramiento, enrejado de cañas y varas.

VARAZO. m. Golpe dado con una vara.

VARBASCO. m. Verbasco.

VARDASCAZO. m. Golpe dado con la vardasca.

VAREA. f. Acción de varear los frutos de algunos árboles.

VAREADOR. m. El que varea.

VAREAJE. m. Acto de varear. Varea.

VAREAR. tr. Golpear con vara, derribar con ella frutos de los árboles. Medir con vara algo.

VAREJÓN. m. Vara larga y gruesa.

VARENGA. f. Mar. Brazal. Pieza curva sobre la quilla.

VAREO. m. Vareaje.

VARETA. f. Palito untado con liga para cazar pájaros.

VARETAZO. m. Golpe dado por el toro con el asta.

VARETEAR. tr. Formar varetas en un tejido.

VARETEO. m. Acto de varetear.

VARGA. f. Parte más inclinada de una cuesta.

VARGANO. m. Cada uno de los palos en que se hace una empalizada.

VARGUEÑO. m. Bargueño.

VARIABILIDAD. f. Calidad de variable.

VARIABLE. adj. Que puede variar. Inestable, mudable.

VARIACIÓN. f. Acto de variar.

VARIADO-DA. adj. Que tiene variedad. De varios colores.

VARIAR. tr. Dar variedad a las cosas. Mudar, cambiar la forma, o estado de algo.

VÁRICE. f. Med. Dilatación permanente de una vena.

VARICELA. f. Enfermedad contagiosa con erupción semejante a la de viruela benigna.

VARICOCELE. m. Tumor varicoso del escroto.

VARICOSO-SA. adj. Relativo a las várices.

VARIEDAD. f. Calidad de vario. Mudanza, alteración.

VARILARGUERO. m. Picador de toros.

VARILLA. f. Barra larga y delgado. f. pl. Bastidor en que se ponen les cedazos para cerner.

VARILLAJE. m. Conjunto de varillas de un utensilio.

VARIO-RIA. adj. Diverso o diferente. Inconstante o mudable.

VARIOLOIDE. f. Viruela benigna.

VARIOLOSO-SA. adj. Relativo a la viruela .adj. s. Virolento.

VARIZ. f. Várice.

VARÓN. m. Ser racional del sexo masculino.

VARONA. f. Mujer. Mujer varonil.

VARONÍA. f. Calidad de descendiente de varón en varón.

VARONIL. adj. Relativo al varón. Esforzado.

VARRACO. m. Verraco.

VASALLAJE. m. Condición de vasallo. Tributo que paga el vasallo.

VASALLO-LLA. adj. s. Persona sujeta a un señor por causa de un feudo. adj. Súbdito.

VASAR. m. Anaquelería que sobresale de la pared para poner, vasos, platos, etc.

VASCO-CA. adj. s. Vascongado. Vascuence.

VASCUENCE. adj. s. Lengua de los vascos.

VASCULAR. adj. Lleno de vasos.

VASELINA. f. Substancia semisólida que se obtiene de la parafina.

VASERA. f. Vasar. Caja en que se guardan los vasos.

VASIJA. f. Pieza cóncava para líquidos o cosas destinadas a la alimentación.

VASO. m. Cualquiera receptáculo para contener un líquido.

VASOMOTOR. m. Anat. Nervios autónomos que causan movimiento en los vasos.

VÁSTAGO. m. Ramo tierno de un árbol o planta. Persona descendiente de otra.

VASTEDAD. f. Dilatación, anchura.

VASTO-TA. adj. Dilatado, muy extenso.

VATE. m. Adivino, poeta.

VATICANO-NA. adj. Perteneciente al Vaticano. Residencia del Papa.

VATICINADOR-RA. adj. Que vaticina.

VATICINAR. tr. Pronosticar.

VATICINIO. m. Predicción, adivinación.

VATÍDICO. adj. Vaticinador. Relativo al vaticinio.

VATIO. m. Cantidad de trabajo eléctrico equivalente a un julio por segundo.

VAYA. f. Burla, chasco.

VE. f. Nombre de la letra "v".

VECERA o VECERÍA. f. Manada de ganado perteneciente a un vecindario.

VECERORA. adj. Plantas que un año dan mucho fruto y poco o ninguno en otro.

VECINAL. adj. Relativo al vecindario o los vecinos.

VECINDAD. f. Calidad de vecino. Conjunto de vecinos. Cercanías de un lugar.

VECINDARIO. m. Conjunto de vecinos de una población.

VECINO-NA. adj. s. Persona que habita con otros en un mismo pueblo, casa, etc. Parecido.

VECTACIÓN. f. Acción de caminar en un vehículo.

VECTOR. adj. Radio que va desde el foco de una curva a un punto de la misma.

VEDA. f. Acto de vedar. Cada uno de los libros sagrados de los indios.

VEDADO. m. Terreno acotado.

VEDAMIENTO. m. Veda, prohibición.

VEDAR. tr. Prohibir algo por mandato. Impedir.

VEDEJA. f. Guedeja.

VEDIJA. f. Mechón de lana. Mata de pelo enredada.

VEDIJERO-RA. s. Persona que recoge la lana basta en los esquileos.

VEDIJUDO-DA. adj. Que tiene el pelo en vedijas.

VEDISMO. m. Religión contenida en los Vedas.

VEEDOR-RA. adj. Que ve o mira con curiosidad las acciones ajenas. Quien inspecciona algo.

VEEDURÍA. f. Cargo u oficina de veedor.

VEGA. f. Tierra baja, bien regada y fértil.

VEGETACIÓN. f. Acto de vegetar. Conjunto de vegetales propios de un terreno.

VEGETAL. adj. Que vegeta. m. Ser orgánico que carece de sensibilidad y movimiento voluntario.

VEGETAR. intr. Crecer y desarrollarse las plantas.

VEGETARIANO-NA. adj. Que se alimenta de vegetales.

VEGETATIVO-VA. adj. Que vegeta o tiene virtud para vegetar.

VEGUERÍA. f. Territorio de la jurisdicción del veguer.

VEGUERO-RA. adj. Relativo a la vega. Cultivador de una vega.

VEHEMENCIA. f. Calidad de vehemente.

VEHEMENTE. adj. Que obra con ímpetu y violencia.

VEHÍCULO. m. Artefacto que transporta personas o cosas.

VEINTE. adj. Dos veces diez. Vigésimo.

VEINTÉN. m. Escudito de oro que valía 20 reales.

VEINTENA. f. Conjunto de 20 unidades.

VEINTENAR. m. Veintena.

VEINTENARIO-A. adj. Que tiene 20 años.

VEINTENO-NA. adj. Vigésimo. Veintavo.

VEINTEÑAL. adj. Que dura 20 años.

VEINTICINCO. adj. Veinte y cinco. Vigésimo quinto.

VEINTICUATRÍA. f. Regiduría del Ayuntamiento en algunas ciudades andaluzas.

VEJACIÓN. f. Acto de vejar.

VEJADOR-RA. adj. s. Que veja.

VEJAMEN. m. Vejación. Represión satírica.

VEJAR. tr. Molestar, perseguir. Maltratar.

VEJESTORIO. m. desp. Persona vieja.

VEJETA. f. Cogujada, ave.

VEJETE. adj. s. Se aplica al viejo ridículo.

VEJEZ. f. Calidad de viejo. Senectud.

VEJIGA. f. Bolsa de la orina. Ampolla.

VEJIGATORIO-A. adj. Emplasto de substancias irritantes que levantan vejigas en la piel.

VEJIGOSO-SA. adj Lleno de vejigas.

VEJIGUILLA. f. Vesícula en la epidermis.

VELA. f. Velación. Tiempo en que se trabaja de noche. Aparejo. Cilindro de materia crasa, con pabilo, para dar luz.

VELACIÓN. f. Acto de velar. Bendiciones nupciales.

VELACHO. m. Gabia del trinquete.

VELADA. f. Velación. Reunión nocturna de varias personas.

VELADO-DA. s. Marido o mujer legítimos.

VELADOR-RA. adj. s. Que vela o cuida. Mesita de un solo pie.

VELADURA. f. Pintura. Tinta transparente para suavizar lo pintado.

VELAMEN. m. Conjunto de velas en una embarcación.

VELAR. intr. No dormir. Hacer centinela. tr. Cubrir con un velo. Asistir por turno ante el Santísimo.

VELATORIO. m. Acto de velar un difunto.

VELEIDAD. f. Voluntad o deseos vanos. Inconstancia.

VELEIDOSO-SA. adj. Inconstante, mudable.

VELEJAR. intr. Valerse de las velas en la embarcación.

VELERÍA. f. Tienda donde se venden velas de alumbrar.

VELERO-RA. adj. Embarcación ligera. Buque de vela.

VELETA. f. Pieza metálica que señala la dirección del viento. com. Persona mudable.

VELETE. m. Velo fino.

VELICACIÓN. f. Acto de velicar.

VELICAR. tr. Punzar el cuerpo para dar salida a los humores.

VELILLO. m. Tela muy sutil, delgada y rala.

VÉLITE. m. Soldado de la infantería romana.

VELO. m. Tela destinada a ocultar algo. Prenda de tul o gasa. Lo que impide conocer una cosa.

VELOCIDAD. f. Ligereza, rapidez en el movimiento.

VELOCIPEDISTA. com. Persona que anda en velocípedo.

VELOCÍPEDO. m. Vehículo de dos o tres ruedas movido por unos pedales.

VELÓDROMO. m. Sitio destinado para carreras de bicicleta.

VELÓN. m. Lámpara de metal para aceite, con mecheros sostenido sobre un pie y con asa.

VALONERA. f. Repisa para colocar velón u otra luz.

VELOZ. adj. Dotada de ligereza.

VELOZMENTE. adv. De modo veloz.

VELLERA. f. Mujer que quita el vello a otras.

VELLIDO-DA. adj. Velloso.

VELLO. m. Pelo corto y fino en algunas partes del cuerpo.

VELLOCINO. m. Vellón. Talea.

VELLÓN. m. Lana que sale junta al esquilar. Guedeja de lana. Moneda de cobre.

VELLORA. f. Mota en el revés de los paños.

VELLORÍ. m. Paño entrefino de color grisáceo.

VELLOSIDAD. f. Abundancia de vello.

VELLOSO-SA. adj. Que tiene vello.

VELLUDILLO. m. Felpa o terciopelo de algodón o pelo muy corto.

VELLUDO-DA. adj. Que tiene abundante vello. Felpa.

VELLUTERO-RA. s. Quien tiene por oficio trabajar en seda especialmente en felpa.

VENA. f. Vaso por donde vuelve la sangre al corazón. Filón. Nervio de una hoja.

VENABLO. m. Lanza corta y arrojadiza.

VENADERO. m. Querencia del venado.

VENADO. m. Ciervo.

VENAJE. m. Manantial o caudal de un río.

VENAL. adj. Relativo a las venas. Vendible. Que se deja sobornar.

VENALIDAD. f. Calidad de venal.

VENÁTICO-CA. adj. s. Que tiene vena de loco.

VENATORIA-RIA. adj Relativo a la caza.

VENCEDOR-RA. adj. Que vence.

VENCEJO. m. Atadura. Pájaro insectívoro parecido a la golondrina.

VENCER. tr. Rendir, someter al enemigo. Aventajar.

VENCIDA. f. Vencimiento.

VENCIMIENTO. m. Acto de vencer. Hecho de ser vencido.

VENDA. f. Tira de lienzo con que se sujeta un apósito.

VENDAJE. m. Cir. Ligadura hecha con vendas.

VENDAR. tr. Ligar alguna parte del cuerpo con vendas.

VENDAVAL. m. Viento fuerte.

VENDEDOR-RA. adj. s. Quien tiene por oficio vender.

VENDER. tr. Traspasar la propiedad de una cosa por un precio. r. Dejarse sobornar.

VENDÍ. m. Certificado de venta que extiende el vendedor.

VENDIMIA. f. Recolección de la uva. Tiempo en que se hace.

VENDIMIADOR-RA. s. Persona que vendimia.

VENDIMIAR. tr. Recoger el fruto de las viñas. fig. Matar.

VENDIMIARIO. m. Primer mes del calendario republicano francés.

VENDO. m. Orillo del paño.

VENENCIA. f. Útil usado para probar los vinos.

VENENO. m. Substancia nociva que injerida o inoculada ocasiona graves trastornos o la muerte.

VENENOSIDAD. f. Calidad de venenoso.

VENENOSO-SA. adj. Que encierra veneno.

VENERA. f. Concha de ciertos moluscos. Insignia de alguna orden militar. Manantial.

VENERABLE. adj. Digno de veneración.

VENERACIÓN. f. Acto de venerar.

VENERAR. tr. Dar culto a Dios o a los santos. Respetar.

VENÉREO. adj. Relativo a la venus o deleite sensual.

VENERO. m. Manantial de agua. Criadero de un mineral.

VENGABLE. adj. Que puede o debe ser vengado.

VENGANZA. f. Satisfacción o desquite de un agravio o daño recibido.

VENGAR. tr. r. Tomar venganza de un daño.

VENGATIVO-VA. adj. Inclinado a tomar venganza.

VENIA. f. Perdón. Licenica para ejecutar algo. Saludo.

VENIAL. adj. Que se opone a la ley levemente.

VENIDA. f. Acto de venir. Regreso.

VENIDERO-RA. adj. Que ha de suceder. Futuro.

VENIR. intr. Caminar o moverse una cosa. Traer origen.

VENOSO-SA. adj. Relativo a la vena. Que tiene venas.

VENTA. f. Acto de vender. Posada en los caminos.

VENTADA. f. Mar. Golpe de viento.

VENTAJA. f. Lo que da superioridad.

VENTAJOSO-SA. adj. Que tiene ventaja.

VENTALLA. f. Válvula de una máquina.

VENTANA. f. Abertura en la pared para dar luz y ventilación. Abertura de la nariz.

VENTANAJE. m. Conjunto de ventanas.

VENTANEAR. intr. Asomarse con frecuencia a una ventana. [nea.

VENTANERO-RA. adj. El que venta-

VENTANILLA. f. Abertura en pared, para cobrar, despachar.

VENTAR. tr. intr. Ventear, soplar el viento.

VENTARRÓN. m. Viento muy fuerte.

VENTEAR. imp. Soplar con fuerza el viento. Ventosear.

VENTERO-RA. adj. Que ventea. s. Encargado de una venta.

VENTILACIÓN. f. Acto de ventilar.

VENTILADOR. m. Aparato para ventilar.

VENTILAR. tr. r. Hacer circular el aire en un sentido. Agitar en el aire algo. Dilucidar.

VENTISCA. f. Borrasca de viento y nieve.

VENTISCAR. v. impers. Nevar con fuerte viento. Levantarse la nieve por el viento.

VENTISCO. m. Ventisca.

VENTISCOSO-SA. adj. Tiempo y lugar en que hay ventisca.

VENTISQUEAR. impers. Ventiscar.

VENTISQUERO. m. Ventisca. Lugar de los montes donde se conserva la nieve.

VENTOLERA. f. Golpe de viento fuerte y pasajero. Vanidad. Determinación inesperada.

VENTOLINA. f. Mar. Viento leve y variable.

VENTOR-RA. adj. Perro de caza que sigue a ésta por ventearla.

VENTORRERO. m. Sitio alto y despejado, combatido del viento.

VENTORRILLO. m. Ventorro. Bodegón en las afueras de una población.

VENTORRO. m. Venta pequeña.

VENTOSA. f. Abertura para dar paso al viento. Órgano de algunos animales para adherirse.

VENTOSEAR. intr. Expeler gases intestinales.

VENTOSIDAD. f. Calidad de ventoso. Gases intestinales.

VENTOSO-SA. adj. Que contiene viento. Flatulento..

VENTRAL. adj. Propio del vientre.

VENTRECHA. f. Vientre de los pescados.

VENTREGADA. f. Conjunto de animalillos nacidos de un parto.

VENTRERA. f. Faja que ciñe el cuerpo.

VENTRÍCULO. m. Anat. Cavidad de un órgano, en esp. la inferior del corazón.

VENTRIL. m. Madero que equilibra la viga del molino de aceite.

VENTRÍLOCUO-CUA. adj. s. Que posee el arte de la ventriloquia.

VENTRILOQUIA. f Arte de algunas personas que modifican su voz de modo que parece venir de lejos.

VENTROSO-SA. adj. Ventrudo..

VENTRUDO-DA. adj. Que tiene mucho vientre.

VENTURA. f. Felicidad, casualidad, contingencia.

VENTURERO-RA. adj. Casual, aventurero. Venturoso.

VENTURINA. f. Cuarzo pardo amarillento, con laminitas de mica dorada.

VENTURO-RA. adj. Que ha de suceder.

VENTUROSO-SA. adj. Afortunado.

VENUS. m. Uno de los nueve planetas del sistema solar, poco menor que la Tierra. f. Mujer hermosa.

VENUSTO-TA. adj. Hermoso; agraciado.

VER. m. Sentido de la vista. Parecer.

VER. tr. Percibir la imagen. Ser testigo presencial. Conocer, juzgar. Visitar. Considerar.

VERA. f. Orilla.

VERACIDAD. f. Calidad de veraz.

VERANADA. f. Temporada de verano de los ganados.

VERANADERO. m. Pasto de verano del ganado.

VERANEAR. intr. Pasar el verano en un lugar.

VERANEO. m. Acto de veranear.

VERANERO. m. Sitio donde veranea el ganado.

VERANIEGO-GA. adj. Relativo al verano.

VERANILLO. m. Tiempo de calor breve en otoño.

VERANO. m. Estío. Época más calurosa del año.

VERAS. f. pl. Realidad, eficacia, verdad de las cosas.

VERATRINA. f. Alcaloide del eléboro, blanco y de las semillas de cebadilla, muy venenoso.

VERATRO. m. Eléboro blanco, planta.

VERAZ. adj. Que dice y profesa siempre la verdad.

VERBAL. adj. Que se hace de palabra

VERBASCO. m. Gordolobo, planta.

VERBENA. f. Velada de regocijo en la víspera de una fiesta. Planta verbenácea.

VERBENÁCEO-A. adj. s. Plantas dicotiledóneas, de flor en espiga, racimo, etc.

VERBENEAR. intr. Hormiguear, agitarse algo. Abundar.

VERBERACIÓN. f. Acto de verberar.

VERBERAR. tr. r. Azotar. tr. Azotar el viento o agua.

VERBIGRACIA. f. exprs. lat. Por ejemplo.

VERBO. m. Segunda persona de la ·Trinidad. Gram. Palabra. Parte variable de la oración.

VERBORREA. f. Verbosidad excesiva.

VERBOSIDAD. f. Abundancia de palabras en la elocución.

VERBOSO-SA. adj. Que tiene verbosidad.

VERDACHO. m. Arcilla de color verde claro, teñida por el silicato de hierro.

VERDAD. f. Adecuación de pensamiento a la cosa. Realidad. Conformidad de lo que se dice con lo que se siente o piensa.

VERDADERO-RA. adj. Que contiene verdad. Veraz, sincero.

VERDAL. adj. Ciertas frutas de color verde, aún maduras.

VERDASCA. f. Vara delgada y verde.

VERDE. adj. m. De color parecido al de la hierba fresca. Cuarto del espectro, unión de amarillo y azul.

VERDEA.. f. Vino de color verdoso.

VERDEAR. intr. Mostrar color verde. Empezar a brotar las plantas u hojas

VERDECER. intr Reverdecer. Verdear.

VERDECILLO. m. Verderón.

VERDEGAY. adj. s. De color verde claro.

VERDEGUEAR. intr. Verdear.

VERDEJO-JA. adj. Verdal. Uva verdeja.

VERDEMAR. m. Color parecido al verdoso del mar.

VERDEMONTAÑA. m. Verde de montaña.

VERDEROL. m. Verderón.

VERDERÓN. m. Pájaro cantor de plumaje verde.

VERDETE. m. Cardenillo.

VERDEVEJIGA. m. Color verde obscuro.

VERDEZUELO. m. Verderón, pájaro.

VERDÍN. m. Color de vegetales que no han llegado a la sazón. Cardenillo.

VERDINA. f. Verdín.

VERDINEGRO-GRA. adj. De color verde obscuro.

VERDINO-NA. adj. Muy verde.

VERDISECO-CA. adj. Medio seco.

VERDOLAGA. f. Planta cariofilea de flores amarillas.

VERDOR. m. Color verde de las plantas. Vigor, mocedad.

VERDOSO-SA. adj. Que tira a verde.

VERDOYO. m. Verdín.

VERDUGADO. m. Falda que usaban las mujeres para ahuecar las basquiñas.

VERDUGAL. m. Monte bajo cortado o quemado, cubierto de vástagos.

VERDUGAZO. m. Golpe dado con el verdugo.

VERGUETA. f. Varita delgada.

VERICUETO. m. Lugar áspero y quebrado por donde se anda con dificultad.

VERÍDICO-CA. adj. Que dice verdad, que·la incluye.

VERIFICACIÓN. f. Acto de verificar.

VERIFICADOR-RA. adj. s. Que verifica. m. El que comprueba la buena marcha de los contadores.

VERIFICAR. tr. Probar que una cosa es verdadera. Comprobar.

VERIFICATIVO-VA. adj. Que sirve para verificar.

VERIJA. f. Pubis, región de las partes pudendas.

VERIL. m. Mar. Orilla de un bajo, placer, etc.

VERILEAR. intr. Mar. Navegar por un veril.

VERISIMILITUD. f. Verosimilitud.

VERISMO. m. Sistema que señala como fin del arte, lo verdadero.

VERJA. ı. Enrejado usado como puerta, ventana, cerca, etc.

VERME. m. Lombriz intestinal.

VERMICULAR. adj. Que tiene vermes. Que se parece a los gusanos.

VERMIFORME. adj. De forma de gusano.

VERMÍFUGO-GA. adj. m. Que mata los vermes.

VERMINOSO-SA. adj. Que tiene o cría gusanos.

VERMIS. m. Parte media del cerebelo.

VERMÍVORO-RA. adj. Que come gusanos.

VERMUT. m. Licor aperitivo.

VERNÁCULO-LA. adj. Propio del país.

VERNAL. adj. Relativo a la primavera.

VERNIER. m. Nonio.

VERO. m. Piel de marta cebellina. Verdinal

VERÓNICA. f. Planta escrofulariácea de flor azul. Taur. Lance de capa.

VEROSÍMIL. adj. Que parece verdadero.

VEROSIMILITUD. f. Calidad de verosímil.

VERRACO. m. Cerdo destinado para padrear.

VERRAQUEAR. intr. Gruñir. Llorar el niño.

VERRAQUERA. f. Lloro rabioso del niño.

VARRIONDEZ. f. Calidad de verriondo.

VERRIONDO-DA. adj. Dícese del cerdo en celo.

VERRÓN. m. Verraco.

VERRUGA. f. Excrecencia cutánea por dilatación de las papilas vasculares.

VERRUGO. m. Hombre tacaño y avaro.

VERRUGOSO-SA. adj. Que tiene verrugas.

VERSADO-DA. adj. Práctico, instruido.

VERSAL. adj. s. Impr. Dícese de la letra mayúscula.

VERSALILLA-TA. adj. s. Impr. Letra mayúscula del tamaño de la minúscula.

VERSAR. intr. Tratar de tal o cual materia.

VERSÁTIL. adj. Que se puede volver. De genio inconstante.

VERSATILIDAD. f. Calidad de versátil.

VERSERÍA. f. Conjunto de versos o piezas ligeras de artillería.

VERSÍCULA. f. Lugar donde se ponen los libros de coro.

VERSICULARIO. m. El que cuida los libros de coro. Quien canta versículos.

VERSÍCULO. m. División breve de algunos libros.

VERSIFICACIÓN. f. Acto de versificar. Métrica.

VERSIFICADOR-RA. s. Que versifica.

VERSIFICAR. intr. Hacer versos. r. Poner en verso.

VERSIFORME. adj. Que tiene forma de verso.

VERSIÓN. f. Traducción. Modo de referir un suceso.

VERSISTA. com. Versificador.

VERSO. m. Palabra o conjunto de éstas, sujetas a un ritmo y medida, según reglas determinadas.

VERSTA. f. Medida itineraria rusa (1.067 metros).

VÉRTEBRA. f. Anat. Hueso corto que forma parte de la columna vertebral.

VERTEBRADO-A. adj. Que tiene vértebras.

VERTEDERA. f. Orejera para voltear la tierra levantada por el arado.

VERTEDERO. m. Sitio donde se vierte algo.

VERTEDOR-RA. adj. s. El que vierte. m. Conducto para dar salida al agua.

VERTELLO. m. Mar. Cada una de las bolas que ensartadas en un cabo forman el racamento.

VERTER. tr. r. Hacer salir algo de un recipiente y esparcirlo. Inclinar un recipiente para que salga el contenido.

VERTIBILIDAD. f. Calidad de vertible.

VERTIBLE. adj. Que puede mudarse.

VERTICAL. adj. Perpendicular al plano horizontal. Línea vertical.

VÉRTICE. m. Geom. Punto en que concurren los lados o caras de un ángulo. Cúspide.

VERTICIDAD. f. Facultad de moverse a varias partes o alrededor.

VERTICILADO. adj. Dispuesto en verticilo.

VERTICILO. m. Conjunto de tres o más hojas o flores en un plano alrededor de un tallo.

VERTIENTE. amb. Declive por donde puede correr el agua.

VERTIGINOSO-SA. adj. Relativo al vértigo. Que lo causa o padece.

VÉRTIGO. m. Vahido. Turbación repentina.

VESANIA. f. Demencia, furia.

VESICAL. adj. Relativo a la vejiga.

VESICANTE. adj. Que produce ampollas en la piel.

VESICULA. f. Ampolla en la epidermis. Pequeña cavidad membranosa.

VESICULAR. adj. De forma de vesícula.

VESICULOSO-SA. adj. Lleno de vesículas.

VÉSPERO. m. Venus, el lucero de la tarde.

VESPERTILIO. m. Murciélago.

VESPERTINO-NA. adj. Relativo a las últimas horas de la tarde.

VESQUE. m. Liga, visco.

VESTAL. adj. s. Doncellas romanas consagradas a la diosa Vesta.

VESTÍBULO. m. Atrio, portal a la entrada de un edificio. Cavidad del laberinto del oído.

VESTIDO. m. Lo que sirve para cubrir el cuerpo.

VESTIDURA. f. Vestido. Vestido especial que sobre el ordinario, usa el sacerdote para el culto.

VESTIGIO. m. Huella, reliquia. Señal de la que se infiere algo.

VESTIGLO. m. Monstruo fantástico.

VESTIMENTA. f. Vestido, vestidura.

VESTIR. tr. r. Cubrir el cuerpo con el vestido. Adornar. r. Llevar un vestido.

VESTUARIO. m. Vestido. Conjunto de trajes. Sitio en que se visten los actores.

VESTUGO. m. Vástago del olivo.

VETA. f. Vena, filón en las minas.

VETEADO-DA. adj. Que tiene vetas.

VETERANO-NA. adj. s. Antiguo y experimentado en una profesión.

VETERINARIA. f. Ciencia de curar las enfermedades de los animales.

VETERINARIO. m. Quien se dedica a la veterinaria.

VETO. m. Derecho de alguien para vedar algo. Acto de vedar.

VETUSTEZ. f. Calidad de vetusto.

VETUSTO-TA. adj. Muy antiguo, viejo.

VEZ. f. Cada uno de los casos en que sucede un acontecimiento. Tiempo, ocasión.

VEZA. f. Arveja.

VEZAR. tr. r. Acostumbrar.

VÍA. f. Camino. Terreno explanado sobre el que asientan los carriles de un ferrocarril. Conducto.

VIABILIDAD. f. Calidad de viable.

VIABLE. adj. Que puede vivir. Que tiene probabilidad de efectuarse.

VIA CRUCIS. loc. lat. Camino de la Cruz. Aflicción continua de una persona.

VIADA. f. Arrancada.

VIADERA. f. Pieza de madera del telar antiguo para colgar los lienzos.

VIADOR-RA. adj. Que va de camino. m. Criatura racional que desde esta vida se dirige a la eterna.

VIADUCTO. m. Puente que salva el paso de una hondonada.

VIAJANTE. adj. s. Que viaja. m. Dependiente comercial que hace viajes para negociar.

VIAJAR. intr. Hacer viajes. Ser transportada una cosa de un lugar a otro.

VIAJATA. f. Caminata.

VIAJE. m. Jornada que se hace de un lugar a otro. Camino por donde se hace. Ida a cualquier parte. Carga que se lleva de un lugar a otro de una vez.

VIAJERO-RA. adj. s. Que viaja.

VIAL. adj. Relativo a la vía. m. Calle de árboles o plantas.

VIANDA. f. Sustento de los racionales. Comida que se sirve a la mesa.

VIANDANTE. com. Persona que va de camino.

VIATICAR. tr. r. Administrar el viatico a los enfermos.

VIÁTICO. m. Prevención de lo necesario para un viaje. Sacramento de la Eucaristía que se administra a los enfermos.

VÍBORA. f. Serpiente venenosa de cabeza triangular. Persona maldiciente.

VIBOREZNO. m. Relativo a la víbora. m. Cría de víbora.

VIBRACIÓN. f. Acto de vibrar. Movimiento de un cuerpo vibrante en un período.

VIBRAR. intr. Moverse las partículas de un cuerpo elástico a un lado y otro del punto de equilibrio.

VIBRATORIO-RIA. adj. Que vibra.

VIBRIÓN. m. Especie de bacteria.

VIBURNO. m. Arbusto de raíz rastrera.

VICARÍA. f. Dignidad y oficina de vicario.

VICARIATO. m. Vicaría. Tiempo que dura el oficio de vicario.

VICARIO-RIA. adj. s. Que substituye a un superior.

VICE. m. En títulos y cargos el substituto del titular.

VICEALMIRANTE. m. Oficial general de la Armada, inmediatamente inferior al Almirante.

VICECANCILLER. m. El que hace las veces de canciller.

VICECONSILIARIO. m. El que hace las veces de consiliario.

VICECÓNSUL. m. Funcionario inmediato inferior al cónsul.

VICEGERENTE. m. Que hace las veces de gerente.

VICENAL. adj. Que sucede cada veinte años.

VICEPRESIDENTE-TA. s. Persona que hace veces de presidente.

VICERRECTOR-RA. s. Persona que hace veces de rector.

VICESECRETARIO-RIA. s. Quien hace veces de secretario.

VICÉSIMO-MA. adj. s. Vigésimo, ma.

VICEVERSA. adv. m. Al contrario, al revés.

VICIAR. tr. r. Dañar, corromper. tr. Falsear. Anular.

VICIO. m. Defecto físico. Libertinaje. Hábito de obrar mal.

VICIOSO-SA. adj. Que tiene vicio o lo causa.

VICISITUD. f. Sucesión de cosas diferentes.

VICISITUDINARIO. adj. Que acaece alternativamente.

VÍCTIMA. f. Persona o animal destinado al sacrificio. El que se expone a un riesgo por causa de otro

VICTIMARIO. m. Quien asistía al sacerdote en el sacrificio entre los gentiles.

VICTO. m. Sustento diario.

¡VÍCTOR! interj. ¡Vítor!

VICTORIA. f. Acto de vencer. Coche de dos asientos.

VICTORIOSO-SA. adj. Que ha conseguido una victoria.

VICUÑA. f. Mamífero rumiante, americano, de pelo largo y fino.

VID. f. Planta trepadora, cuyo fruto es la uva.

VIDA. f. Fuerza interna por la que obra el ser que la posee. Modo de vivir. Viveza. Ser humano.

VIDENTE. m. Profeta. adj. s. Que ve.

VIDRIADO-DA. adj. Vidrioso, fácil de quebrarse.

VIDRIAR. tr. Dar al barro o loza un barniz que se vitrifica al horno. r. Ponerse vidricso.

VIDRIERA. f. Bastidor con vidrios para cerrar puertas o ventanas.

VIDRIERÍA. f. Arte de tallar del vidriero.

VIDRIERO. m. El que trabaja en vidrios.

VIDRIO. m. Substancia translúcida, frágil y dura que se obtiene fundiendo sílice, potasa o sosa.

VIDRIOSO-SA. adj. Quebradizo, como vidrio. Ojo que se vidria con facilidad.

VIDUAL. adj. Relativo a la viudez.

VIDUEÑO, VIDUÑO. m. Variedad de vid.

VIEIRA. f. Molusco comestible.

VIEJO-JA. adj. s. Dícese de la persona de mucha edad. Antiguo. Deslucido, estropeado.

VIENTO. m. Corriente de aire producida en la atmósfera.

VIENTRE. m. Cavidad del cuerpo que contiene los órganos principales del aparato digestivo, genital y urinario.

VIERNES. m. Sexto día de la semana.

VIGA. f. Madero largo y grueso para sostener techos y fábricas.

VIGENCIA. f. Calidad de vigente.

VIGENTE. adj. Dícese de la ley, costumbre, etc., en vigor y observancia.

VIGESIMAL. adj. Sistema de contar de veinte en veinte.

VIGÉSIMO-MA. adj. s. Cada una de las veinte partes iguales de un todo. Que ocupa el lugar veinte.

VIGÍA. f. Acto de vigiar. com. Persona destinada a vigiar.

VIGILANCIA. f. Acto de vigilar. Servicio dispuesto para vigilar.

VIGILANTE. adj. Que vela. m. Persona encargada de velar por algo.

VIGILAR. intr. tr. Velar sobre algo.

VIGILATIVO-VA. adj. Que causa vigilias o insomnios.

VIGILIA. f. Acto de estar en vela. Falta de sueño .Trabajo intelectual. Víspera.

VIGOR. m. Actividad del cuerpo ó espíritu. Eficacia en la acción. Fuerza de obligar una ley.

VIGORAR. tr. Vigorizar.

VIGORIZADOR-RA. adj. Que da vigor.

VIGORIZAR. tr. r. Dar vigor, infundir ánimo.

VIGOROSIDAD. f. Calidad de vigoroso.

VIGOROSO-SA. adj. Que tiene vigor.

VIGOTA. f. Mar. Motón chato.

VIGUERÍA. f. Conjunto de vigas.

VIGUETA. f. Barra de hierro laminado para la edificación.

VIHUELA. f. Mús. Antiguo instrumento de cuerda, parecido a la guitarra.

VIHUELISTA. com. Quien toca la vihuela.

VIL. adj. Bajo, despreciable. Indigno, infame.

VILANO. m. Penacho de pelos procedentes del cáliz de algunas plantas compuestas.

VILEZA. f. Calidad de vil. Acción baja e indigna.

VÍLICO. m. Capataz de una granja, entre los romanos.

VILIPENDIAR. tr. Despreciar, denigrar.

VILIPENDIO. m. Desprecio, denigración.

VILIPENDIOSO-SA. adj. Que causa vilipendio.

VILMENTE. adv. De manera vil.

VILO (EN). m. adv. Suspendido; con poca firmeza. Inquietud, zozobra.

VILORDO-DA. adj. Perezoso.

VILORTA. f. Aro hecho de una vara flexible. Arandela.

VILORTO. m. Clemátide de hojas anchas y flores inodoras.

VILOS. m. Embarcación filipina de dos palos.

VILLA. f. Población más importante que el lugar. Casa de campo.

VILLAJE. m. Pueblo pequeño.

VILLANADA. f. Acto propio de villanos.

VILLANAJE. m. Gente del estado llano en los lugares.

VILLANCEJO. m. Villancico.

VILLANCICO. m. Composición poética popular, con estribillo, que se canta en las iglesias, en Navidad.

VILLANERÍA. f. Villanía. Villanaje.

VILLANESCA. f. Antigua canción rústica. Danza de ésta.

VILLANÍA. f. Bajeza de condición. Acción ruin.

VILLANO-NA. adj. s. Vecino del estado llano. adj. Descortés.

VILLAR. m. Villaje.

VILLAZGO. m. Privilegio de villa. Tributo que pagaban éstas.

VILLORRIO. m. Población pequeña, poblacho.

VILLORÍN. m. Vellorín, paño.

VINAGRADA. f. Refresco de agua, vinagre y azúcar.

VINAGRE. m. Líquido agrio, astringente.

VINAGRERA. f. Vasija para contener vinagre.

VINAGRERO-RA. s. Persona que hace o vende vinagre.

VINAGRETA. f. Salsa de aceite, cebolla y vinagre.

VINAGRILLO. m. Vinagre de poca fuerza.

VINAGROSO-SA. adj. De gusto agrio. De genio áspero.

VINAJERA. f. Jarrillos con que se sirven el vino y el agua en la misa.

VINARIEGO-GA. m. El que posee viñas y es práctico en su cultivo.

VINARIO-RIA. adj. Relativo al vino.

VINATERÍA. f. Comercio de vinos.

VINATERO-RA. adj. Relativo al vino. s. Persona que trafica en él.

VINAZA. f. Vino inferior sacado de las heces.

VINAZO. m. Vino fuerte y espeso.

VINCULACIÓN. f. Acto de vincular.

VINCULAR. tr. Sujetar los bienes a un vínculo, para perpetuarlo en un empleo o familia.

VÍNCULO. m. Unión de una cosa con otra.

VINDICACIÓN. f. Acto de vindicar.

VINDICATIVO-VA. adj. Vengativo. Que vindica.

VINDICTA. f. Venganza.

VÍNICO-CA. adj. Relativo al vino.

VINÍCOLA. adj. Relativo a la fabricación del vino.

VINICULTOR-RA. s. Quien se dedica a la vinicultura.

VINICULTURA. f. Elaboración del vino.

VINIEBLA. f. Cinoglosa, planta.

VINIFICACIÓN. f. Transformación por fermentación del mosto en vino.

VINO. m. Zumo de uvas fermentadas.

VINOLENCIA. f. Exceso de beber vino.

VINOLENTO-TA. adj. Que bebe vino en exceso.

VINOSIDAD. f. Calidad de vinoso.

VINOSO-SA. adj. Que tiene la propiedad, fuerza o aparencia del vino.

VINOTE. m. Residuo que queda después de destilar el vino en la caldera del alambique.

VINTA. f. Nombre del baroto en el sur de Filipinas.

VIÑA. f. Terreno plantado de vides.

VIÑADERO. m. Viñador, guarda.

VIÑADOR. m. Quien cultiva o guarda las viñas.

VIÑEDO. m. Viña.

VIÑERO-RA. s. Persona que tiene viñas.

VIÑETA. f. Adorno al principio de capítulo de un libro.

VIÑETERO. m. Impr. Armario para guardar los moldes de las viñetas y adornos.

VIOLA. f. Mús. Instrumento de cuerda y arco, mayor que el violín.

VIOLÁCEO-CEA. adj. s. Violado.

VIOLACIÓN. f. Acto de violar. Estupro.

VIOLADO-DA. adj. m. De color de violeta, morado claro.

VIOLAR. tr. Quebrantar una ley. Forzar a una mujer.

VIOLARIO. m. prov. Pensión anual que se da a la persona que entra en religión.

VIOLENCIA. f. Calidad de violento. Acción violenta.

VIOLENTACIÓN. f. Acción de violentar.

VIOLENTAR. tr. Obligar por medios violentos.

VIOLENTO-TA. adj. Que está fuera de su estado natural.

VIOLETA. f. Planta violácea de tallo rastrero, flor morada, de olor suave.

VIOLÍN. m. Mús. Instrumento de cuatro cuerdas.

VIOLINISTA. com. Persona que toca el violín.

VIOLÓN. m. Mús. Contrabajo.

VIOLONCELISTA. com. Persona que toca el violoncelo.

VIOLONCELO. m. Mús. Instrumento de cuerda y arco, menor que el contrabajo.

VIOLONCHELO. m. Violoncelo.

VIPÉRIDOS. m. Víboras.

VIPERINO-NA. adj. Relativo a la víbora.

VIRA. f. Saeta delgada y de punta muy aguda. Tira para reforzar el calzado.

VIRADA. f. Mar. Acción de virar.

VIRADOR. m. Fot. Baño en que se vira la prueba fotográfica.

VIRAGO. s. Mujer varonil. Marimacho.

VIRAJE. m. Acto de virar.

VIRAR. intr. Mudar de dirección en la marcha. Cambiar de rumbo. Fot. Fijar en la prueba, el color por un líquido.

VIRATÓN. m. Virote o vira grande.

VIRAZÓN. f. Viento que sopla del mar

VIRGEN. com. adj. Persona que siempre vivió en perfecta castidad. Por ant. La Virgen María. Imagen de la Virgen. Intacto.

VIRGINAL. adj. Relativo a la Virgen. Puro.

VIRGINEO-NEA. adj. Virginal.

VIRGINIDAD. f. Entereza corporal de la persona virgen. Pureza.

VIRGO. m. Virginidad. Astron. Sexto signo del Zodíaco.

VÍRGULA. f. Vara pequeña. Rayita delgada.

VIRGULILLA. f. Signo ortográfico en forma de coma.

VIRIL. adj. Varonil. Edad en que el hombre adquiere todo su vigor y desarrollo.

VIRILIDAD. f. Calidad de viril. Edad viril.

VIRINA. f. Guardabrisa, en Filipinas.

VIRIO. m. Oropéndola, pájaro.

VIROL. m. Blas. Perfil circular de la boca de la bocina.

VIROLA. f. Casquillo. Abrazadera de metal. Anillo de la garrocha.

VIROLENTO-TA. adj. s. Que tiene viruelas.

VIRÓN. m. Madero en rollo, de castaño.

VIROTAZO. m. Golpe con el virote.

VIROTE. m. Saeta guarnecida con un casquillo. Hombre erguido, muy estirado y serio.

VIROTILLO. m. Arq. Madero, corto, vertical, que se apoya en uno horizontal y sostiene a otro.

VIRREINA. f. Mujer del virrey.

VIRREINATO. m. Cargo de virrey. Tiempo que dura.

VIRREINO. m. Virrinato.

VIRREY. m. El que gobierna en nombre del rey.

VIRTUAL. adj. Que tiene virtud para producir un efecto. Implícito, tácito.

VIRTUALIDAD. f. Calidad de virtual.

VIRTUD. f. Capacidad de producir un efecto.

VIRTUOSISMO. m. Afán de hacer alarde técnica en un arte.

VIRTUOSO-SA. adj. Que practica la virtud. Inspirado por ella.

VIRUELA. f. Enfermedad contagiosa, febril, caracterizada por erupción de pústulas con costras.

VIRULENCIA. f. Calidad de virulento.

VIRULENTO-TA. adj. Ponzoñoso, ocasionado por un virus.

VIRUS. m. Humor maligno. Gérmen que contiene el agente propagador de una enfermedad infecciosa.

VIRUTA. f. Hoja delgada que se saca con el cepillo al labrar la madera o de un metal.

VIS. f. Fuerza, vigor, energía.

VISAJE. m. Gesto, mueca.

VISAR. tr. Autorizar un documento. Dirigir la visual.

VÍSCERA. f. Entraña.

VISCERAL. adj. Relativo a las vísceras.

VISCO. m. Liga para cazar pájaros.

VISCOSIDAD. f. Calidad de viscoso.

VISCOSO-SA. adj. Pegajoso.

VISCOSILLA. f. Seda viscosa.

VISERA. f. Parte móvil del yermo que cubría el rostro. Ala pequeña de la gorra en la parte delantera.

VISIBILIDAD. f. Calidad de visible.

VISIBLE. adj. Que puede verse. Que llama la atención.

VISIGODO-DA. adj. Parte del pueblo godo que invadió España.

VISIGÓTICO-CA adj. Relativo a los visigodos.

VISILLO. m. Cortinilla.

VISIÓN. f. Acto de ver. Persona fea.

VISIONARIO-RIA. adj s. Que ve visiones.

VISIR. m. Ministro musulmán.

VISITA. f. Acto de visitar. Inspección.

VISITADOR-RA. adj. s. Encargado de hacer visitas de inspección. Que visita.

VISITANTE. adj s. Que visita.

VISITAR. tr. Ir a ver a uno por cortesía. Acudir a un lugar. Girar una inspección.

VISITEO. m. Acto de hacer o recibir visitas con frecuencia.

VISIVO-VA. adj. Que sirve para ver.

VISLUMBRAR. tr. Ver un objeto confuso por la distancia o falta de luz. Conjeturar.

VISLUMBRE. m. Tenue resplandor de una luz lejana.

VISO. m. Reflejo de alguna cosa que parece de distinto color. Apariencia. Destello luminoso.

VISÓN. m. Mamífero carnicero. Su piel es muy apreciada en peletería.

VISOR. m. Sistema óptico que tiene ciertos aparatos fotográficos y que sirven para centrar la imagen que se desea obtener.

VISORIO-RIA. adj. Relativo a la vista. m. Examen pericial.

VÍSPERA. f. Día que antecede inmediatamente a otro. f. pl. División del día entre los romanos.

VISTA. f. Sentido corporal. Visión. Los ojos. m. Empleado de aduanas.

VISTAZO. m. Mirada ligera.

VISTILLAS. f. pl. Lugar alto desde el cual se descubre mucho terreno.

VISTO-TA. p. p. irreg. Der. Fórmula con que se da por terminada la vista pública. vistosa.

VISTOSAMENTE. adv. m. De manera vistosa.

VISTOSIDAD. f. Calidad de vistoso.

VISTOSO-SA. adj. Llamativo.

VISU (DE). ex. lat. Por haberlo visto.

VISUAL. adj. Perteneciente a la vista.

VISUALIDAD. f. Efecto agradable producido por varios objetos vistosos.

VISURA. f. Examen visual de algo. Examen pericial.

VITAL. adj. Relativo a la vida.

VITALICIO-CIA. adj. Que se disfruta hasta el fin de la vida.

VITALICISTA. com. Persona que disfruta de una renta vitalicia.

VITALIDAD. f. Calidad de tener vida. Actividad.

VITALISMO. m. Doctrina que explica las funciones de los seres vivos como efectos de una fuerza vital.

VITALISTA. adj. s. Relativo al vitalismo.

VITAMINA. f. Substancias químicas que forman parte, en pequeñas cantidades, de la mayoría de los alimentos y que son imprescindibles en las funciones vitales.

VITANDO-DA. adj. Que debe evitarse, odioso.

VITELA. f. Piel de vaca adobada y pulida.

VITELINA. adj. Relativo al vitelo.

VITELO. m. Citoplasma del huevo animal.

VITÍCOLA. adj. Relativo a la viticultura.

VITICULTOR-RA. adj. s. Que practica la viticultura.

VITICULTURA. f. Arte del cultivo de la vid.

VITIVINÍCOLA. adj. Perteneciente a la vitivinicultura.

VITIVINICULTURA. f. Arte de cultivar las vides y elaboración del vino.

VITO. m. Baile andaluz.

VITOLA. f. Plantilla para calibrar balas. Traza de una persona.

¡VÍTOR! interj. de alegría y aplauso. Cartel público en que se elogia a uno.

VITOREAR. tr. Aplaudir con vítores.

VITRE. m. Mar. Lona muy delgada.

VÍTREO-A. adj. De vidrio. Parecido a él.

VITRIFICACIÓN. f. Acto de vitrificar.

VITRIFICAR. tr. r. Convertir una substancia en vidrio.

VITRINA. f. Armario con puertas o tapas de cristal.

VITRIÓLICO-CA. adj. Relativo al vitriolo.

VITRIOLO. m. Nombre que se da a algunos sulfatos. Ácido sulfúrico.

VITUALLA. f. Conjunto de cosas necesarias para la comida.

VITUALLAR. tr. Avituallar.

VITUPERABLE. adj. Que merece vituperio.

VITUPERACIÓN. f. Acto de vituperar.

VITUPERANTE. p. a. de Vituperar. Que vitupera.

VITUPERAR. tr. Censurar, desaprobar.

VITUPERIO. m. Desaprobación, censura. Baldón.

VITUPERIOSO-SA. adj. Que incluye vituperio.

VIUDA. f. Planta dipsácea de jardín.

VIUDAL. adj. Relativo al viudo o viuda.

VIUDEDAD. f. Pensión que percibe la viuda de un empleado.

VIUDEZ. f. Estado de viudo o de viuda.

VIUDO-DA. adj. s. Persona cuyo cónyuge ha muerto.

VIVAC. m. Vivaque.

VIVACIDAD. f. Calidad de vivaz.

VIVAMENTE. adv. m. Con viveza o eficacia. Con propiedad o semejanza.

VIVAQUE. m. Guardia principal en la plaza de armas.

VIVAQUEAR. intr. Acampar las tropas al raso por la noche.

VIVAR. m. Sitio en que se crían los conejos. Vivero de peces.

VIVARACHO-CHA. adj. Vivo de genio. Travieso.

VIVAZ. adj. Que vive largo tiempo. Eficaz. Perspicaz.

VIVENCIA. f. Calidad y estado del ser viviente.

VIVERAL. m. Vivero de árboles.

VÍVERES. m. pl. Provisiones de boca.

VIVERO. m. Lugar en que se mantienen peces, moluscos, etc., dentro del agua. Semillero.

VIVEZA. f. Prontitud en las acciones. Presteza, celeridad.

VIVIDERO-RA. adj. Aplícase al sitio que puede habitarse. Capaz de vivir.

VÍVIDO-DA. adj. Vivaz, lleno de vida.

VIVIDO-DA. p. p. de Vivir. Dícese de lo que en obras literarias parece producto de la inmediata experiencia del autor.

VIVIDOR-RA. adj. s. Que vive. Hacendoso, laborioso.

VIVIENDA. f. Morada, habitación.

VIVIENTE. adj. s. Que vive.

VIVIFICACIÓN. f. Acto de vivificar.

VIVIFICANTE. p. a. de Vivificar. Que vivifica.

VIVIFICAR. tr. Dar vida. Confortar o refrigerar.

VIVIFICATIVO-VA. adj. Capaz de vivificar.

VIVÍFICO-CA. adj. Que incluye vida o nace de ella.

VIVÍPARO-RA. adj. Animal cuyo desarrollo embrionario se realiza dentro del cuerpo de la madre.

VIVIR. m. Conjunto de medios de subsistencia.

VIVISECCIÓN. f. Disección de animales vivos.

VIVISMO. m. Doctrina de Luis Vives.

VIVO-VA. adj. s. Que tiene vida. Que subsiste, intenso, ingenioso, ágil.

VIZCACHA. f. Roedor de la pampa sudamericana.

VIZCAÍNO-NA. adj. s. De Vizcaya.

VIZCAITARRA. adj. Partidario de la

independencia de la provincia de Vizcaya como nación.

VIZCONDADO. m. Título o territorio de vizconde.

VIZCONDE. m. Persona que sustituía al conde.

VIZCONDESA. f. Mujer del vizconde. Título nobiliario.

VOCABLO. m. Palabra que expresa una idea.

VOCABULARIO. m. Diccionario. Conjunto de palabras de un idioma, arte, oficio, etc.

VOCABULISTA. m. Persona que se dedica al estudio de los vocablos.

VOCACIÓN. f. Inspiración divina que llama a un estado.

VOCAL. adj. Relativo a la voz. Letra.

VOCALIZACIÓN. f. Acto de vocalizar.

VOCALIZAR. intr. Mús. Solfear sin nombrar la nota. Hacer ejercicios de vocalización.

VOCALMENTE. adv. m. Con la voz.

VOCATIVO. m. Gram. Caso de la declinación en que se pone la palabra que sirve para llamar o nombrar.

VOCEAR. intr. Dar voces. tr. Publicar con voces.

VOCIFERACIÓN. f. Acto de vociferar.

VOCIFERAR. intr. Hablar a grandes voces.

VOCINGLERÍA. f. Ruido de muchas voces.

VOCINGLERO-RA. adj. s. Que da muchas voces. Que habla mucho.

VODKA. m. Aguardiente de centeno que se consume en Rusia.

VOLADA. f. Vuelo a corta distancia.

VOLADERA. f. Paleta de la rueda hidráulica.

VOLADERO-RA. adj. Que se puede volar. m. Precipicio.

VOLADIZO-ZA. adj. m. Salidizo.

VOLADO-DA. adj. Impr. Tipo de menor tamaño que se coloca en la parte superior del renglón. m. Bolado. azucarillo.

VOLADOR-RA. adj. Que vuela. m. Cohete. Pez marino, que da pequeños vuelos sobre el agua.

VOLADURA. f. Acto de volar y estallar.

VOLANDAS (EN). m. adv. Por el aire.

VOLANDERO-RA. adj. Volador. Casual.

VOLANTA. f. Coche parecido al quitrín.

VOLANTE. p. a. de Volar. Que vuela. adj. Que va o se lleva de una parte a otra sin asiento fijo. Guarnición fruncida con que se adornan vestidos y tapicerías. Rueda grande y pesada de una máquina motora que sirve para regularizar los movimientos y generalmente para transmitirlos al resto del mecanismo.

VOLANTÍN-NA. adj. Volante. m. Cordel con uno o más anzuelos para pescar.

VOLANTÓN-NA. adj. s. Pájaro que empieza a volar.

VOLAPIÉ. m. Taurom. Suerte consistente en herir de corrida al toro parado.

VOLAR. intr. Moverse por el aire, las aves, insectos, etc. Moviendo las alas. Ir con gran prisa. Irritar.

VOLATERÍA. f. Caza de aves con otras amaestradas. Conjunto de aves.

VOLATERO. m. Cazador de volatería.

VOLÁTIL. adj. s. Que vuela. Mudable.

VOLATILIDAD. f. Quím. Calidad de volátil.

VOLATILIZACIÓN. f. Acto de volatilizar.

VOLATILIZAR. tr. r. Hacer pasar a estado de vapor un sólido o líquido. r. Desaparecer.

VOLATÍN. m. Volatinero. Ejercicio de éste.

VOLATINERO-RA. adj. s. Persona que ayuda y voltea sobre cuerda, alambre, etc., por el aire.

VOLCÁN. m. Abertura en la tierra por donde salen materias ígneas, vapor, etc.

VOLCANEJO. m. dim. de Volcán.

VOLCÁNICO-CA. adj. Relativo al volcán.

VOLCAR. tr. Inclinar o invertir un recipiente para que caiga el contenido.

VOLEA. f. Voleo, golpe dado en el aire a una cosa.

VOLEAR. tr. Golpear algo en el aire para impulsarlo. Sembrar a voleo.

VOLEO. m. Golpe en el aire a una cosa antes de caer al suelo. Bofetón.

VOLFRAMIO. m. Metal duro difícil de fundir, de color gris.

VOLFRAMITA. Quím. Volframato de hierro y manganeso.

VOLICIÓN. f. Fil. Acto de la voluntad.

VOLITAR. intr. Revolotear.

VOLITIVO-VA. adj. Dícese de los actos de la voluntad.

VOLQUEARSE. r. Revolcarse.

VOLQUETE. m. Carro en forma de cajón, que puede vaciarse girando sobre el eje.

VOLQUETERO. m. Conductor de un volquete.

VOLT. m. Fís. Nombre del voltio en la nomenclatura internacional.

VOLTAICO-CA. adj. Arco luminoso formado por interrupción de un circuito eléctrico.

VOLTAJE. m. Conjunto de voltios que actúan en un aparato o sistema eléctrico.

VOLTAMETRO. m. Fís. Aparato para demostrar la descomposición del agua por la corriente eléctrica.

VOLTARIEDAD. f. Calidad de voltario.

VOLTARIO-RIA. adj. Versátil, de carácter inconstante.

VOLTEADOR-RA. adj. Que voltea. m. y f. Persona que voltea con habilidad.

VOLTEAR. tr. Dar vueltas. Poner al revés.

VOLTEJEAR. tr. Voltear, volver.

VOLTEJEO. m. Acto de voltejear.

VOLTEO. m. Acción y efecto de voltear.

VOLTERETA. f. Vuelta ligera en el aire.

VOLTERIANISMO. m. Espíritu de incredulidad o impiedad, manifestado con burla o cinismo.

VOLTERIANO-NA. adj. s. Dícese de quien como Voltaire manifiesta incredulidad burlona.

VOLTIMETRO. m. Aparato para medir la diferencia de potencial en voltios.

VOLTIO. m. Unidad de fuerza electromotriz.

VOLUBILIDAD. f. Calidad de voluble.

VOLUBLE. adj. Que se puede mover fácilmente alrededor.

VOLUMEN. m. Corpulencia o bulto de una cosa. Geom. El espacio ocupado por un cuerpo.

VOLUMETRÍA. f. Quím. Ciencia que trata de la determinación de los volúmenes de los cuerpos.

VOLUMINOSO-SA. adj. Que tiene mucho volumen.

VOLUNTAD. f. Facultad del alma que mueve a hacer o no hacer una cosa. Amor, cariño, afecto.

VOLUNTARIADO. m Alistamiento voluntario en las milicias.

VOLUNTARIAMENTE. adv. m. De manera voluntaria.

VOLUNTARIEDAD. f. Calidad de voluntario.

VOLUNTARIO-RIA. adj. Que nace de la voluntad. Voluntarioso.

VOLUNTARIOSO-SA. adj. Que por capricho quiere hacer siempre su voluntad.

VOLUPTUOSAMENTE. adv. m. De manera voluptuosa.

VOLUPTUOSIDAD. f. Complacencia en los deleites sensuales.

VOLUPTUOSO-SA. adj. Inclinado a la voluptuosidad.

VOLUTA. f. Arq. Adorno en espiral del capitel jónico y del compuesto.

VOLVER. tr. Dar vueltas a una cosa. Dirigir, encaminar, una cosa hacia otra. Devolver, restituir.

VOLVIBLE. adj. Que se puede volver.

VOLVO. m. Vólvulo.

VÓLVULO. m. Med. Torsión de una asa intestinal que produce oclusión.

VÓMER. m. Hueso impar de la cabeza, del tabique medio de la nariz.

VÓMICO-CA. adj. Que vomita o produce vómito.

VOMIPURGANTE. adj .s. Med. Medicamento que promueve el vómito y las evacuaciones del vientre.

VOMITADO-DA. adj. Dícese de la persona de mal color.

VOMITAR. tr. Arrojar por la boca lo contenido en el estómago. Proferir injurias.

VOMITIVO-VA. adj. s. Medicamento que provoca el vómito.

VÓMITO. m. Acción de vomitar. Lo que se vomita.

VOMITÓN-NA. adj. Niño de teta que vomita mucho.

VOMITONA. f. fam. Vómito abundante.

VOMITORIO-RIA. adj. s. Vomitivo. m. Puerta por donde entraba la gente en los antiguos circos.

VOQUIBLE. m. fam. Vocablo.

VORACIDAD. f. Calidad de voraz.

VORAGINE. f. Remolino impetuoso de las aguas en algunos sitios.

VORAGINOSO-SA. adj. Sitio en que hay vorágines.

VORAZ. adj. Animal muy comedor. Violento, pronto en consumir.

VORAZMENTE. adv. m. Con voracidad.

VÓRTICE. m. Torbellino. Centro de un ciclón.

VORTIGINOSO-SA. adj. Movimiento en remolino del agua o aire.

VOS. Pron. pers. de segunda persona, núm. y gén. m. y f.

VOSOTROS-TRAS. Pron. pers. segunda persona, núm. pl. y m. y f. para nominativo.

VOTACIÓN. f. Acto de votar. Conjunto de votos emitidos.

VOTANTE. p. a. de Votar. Que vota.

VOTAR. intr. tr. Hacer voto a Dios o a los santos. Dar uno, su voto. Decir uno su dictamen.

VOTIVO-VA. adj. Relativo al voto.

VOTO. m. Promesa hecha a Dios, a la Virgen o a los santos. Sufragio. Deseo. Juramento eterno.

VOZ. f. Sonido producido en la laringe por el aire expelido de los pulmones. Vocablo. Grito. Opinión.   [gruesa.

VOZARRÓN. m. Voz muy fuerte y

VOZNAR. intr. Graznar.

VUECELENCIA. com. Síncope de "Vuestra excelencia".

VUECENCIA. com. Síncopa de vuecelencia.

VUELAPIÉ (A). m. adv. A volapié.

VUELCO. m. Acto de volcar o volcarse. Movimiento con que una cosa se vuelca.

VUELILLO. m. Adorno en la bocamanga de algunos trajes.

VUELO. m. Acto de volar. Espacio que se recorre volando sin posarse. Amplitud de un vestido.

VUELTA. f. Movimiento de una cosa en derredor de un punto. Curvatura de un camino. Mudanza de las cosas. Zurra. Regreso. Dinero sobrante de un pago.

VUELUDO-DA. adj. Dícese de la vestidura que tiene mucho vuelo.

VUESTRO, TRA, TROS, TRAS. Pron. y adj. posesivos de segunda pers. en gén. m. y f. y neutro pl. y sing.

VULCANIO-NIA. adj. Relativo a Vulcano o al fuego.

VULCANISTA. adj. Geol. Partidario del vulcanismo.

VULCANITA. f. Ebonita. Mezcla de azufre y caucho.

VULCANIZACIÓN. f. Acto de vulcanizar.

VULCANIZAR. tr. Combinar azufre con caucho.

VULGAR. adj. s. Relativo al vulgo. Común, general. Lenguas no ocultas.

VULGARIDAD. f. Calidad de vulgar. Cosa vulgar, sin novedad ni importancia.

VULGARISMO. m. Dicho o frases usadas por el vulgo.

VULGARIZACIÓN. f. Acto de vulgarizar.

VULGARIZAR. tr. r. Hacer vulgar algo, asequible al vulgo. Traducir a lengua vulgar.

VULGARMENTE. adv. m. De manera vulgar. Comunmente.

VULGATA. f. Versión de la Sagrada Escritura, auténticamente recibida por la Iglesia.

VULGO. m. El común de la gente popular.

VULNERABILIDAD. f. Calidad de vulnerable.

VULNERABLE. adj. Que puede recibir lesión, física o moral.

VULNERACIÓN. f. Acto de vulnerar.

VULNERAR. tr. Dañar perjudicar.

VULNERARIO-RIA. adj. s. Der. Clérigo que ha herido o matado a una persona.

VULPÉCULA. f. Vulpeja.

VULPEJA. f. Zorra, mamífero.

VULPINO-NA. adj. Relativo a la zorra.

VULTUOSO-SA. adj. Med. Rostro abultado por congestión.

VULTÚRIDO-DA. adv. s. Aves rapaces diurnas de garras no retráctiles, con cuello y cabeza desnudos, por lo general.

VULTURNO. m. Bochorno, aire caliente.

VULVA. f. Parte que rodea y constituye la abertura externa de la vagina.

VULVITIS. f. Inflamación de la vulva.

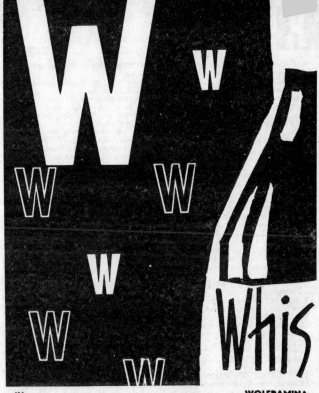

W   **WOLFRAMINA**

W. Ve doble, no es letra castellana, sino eslava y germánica.

WAGNERIANO-NA. adj. Vagneriano.

WAINAMONEN. m. Mit. Héroe de la mitología filandesa.

WALDEUNIA. f. Zool. y Paleont. Especie de moluscos fosilizados en su mayoría, algunas especies, muy pocas, viven en los mares muy profundos.

WALDEIMITA. f. Min. Variedad de tremolita. Silicato natural compuesto de magnesio, hierro, calcio y aluminio.

WALHALA. f. Valhala.

WALINSKIA. m. Astr. Asteroide número 1.417.

WALÓN-NA. adj. Valón.

WALQUIRIA. f. Valquiria.

WAT. m. Fís. Nombre del "vatio", en la nomenclatura internacional.

WATERCLOSET. (Voz inglesa). Excusado, retrete.

WATER-POLO. (Voz inglesa). m. Juego de polo acuático.

WERR. m. Astr. Asteroide núm. 1.302.

WHISKEY. m. Aguardiente de semillas.

WHISKY. m. Whiskey.   [inglés.

WHIST. m. Juego de naipes de origen

WOLFRAM. m. Min. Volfran.

WOLFRAMIATO. m. Volframiato.

WOLFRAMINA. f. Min. Volframita.

X. f. Equis. Vigésima sexta letra del alfabeto español. Alg. Arit. Letra con que se representa una incógnita en los cálculos. Número 10 en la numeración romana.

XANA. f. Ninfa de la mitología popular de Asturias.

XANTALINA. f. Quím. Alcaloide del opio.

XANTAMIDA. f. Quím. Sustancia derivada del ácido xántico.

XÁNTICO-CA. adj. Amarillo. Relativo a la xantina. Ácido oleoso, de olor muy fuerte, que tiene la propiedad de precipitar en amarillo varias sales.

XANTINA. f. Quím. Colorante amarillo insoluble en el agua, que se encuentra en las flores de dicho color y principalmente en el girasol. Compuesto nitrogenado en el organismo animal.

XANTINURIA. f. Pat. Abundancia de xantina en la orina.

XANTOFILA. f. Quím. Principio colorante amarillo de los vegetales.

XANTOFOSIA. f. Fosia amarilla o amarillenta.

XARA. f. Ley mahometana derivada del Alcorán.

XAREO. m. Zool. Pez marino, común en los mares de zonas tropicales.

XE. Quím. Símbolo del xenón. (Xe.)

XEIJ. m. Jefe o Jeque entre algunos pueblos orientales y los musulmanes.

XENOFILIA. f. Amor hacia los extranjeros.

XENÓFILO. adj. Amigo de los extranjeros.

XENOFOBIA. f. Odio al extranjero.

XENÓN. Quím. Cuerpo simple gaseoso, que se encuentra en la composición del aire.

XERIF. m. Jerife.

XERIFIANO-NA. adj. Jerifiano.

XEROFAGIA. f. Alimentación sin líquidos, a base de alimentos secos.

XERÓFAGO-GA. adj. Que se nutre de alimentos secos.

XEROFORMO. m. Quím. y Farm. Polvo derivado del fenol, de color amarillo, usado como antiséptico.

XEROFTALMIA. f. Patol. Enfermedad de los ojos que se caracteriza por el estado de sequedad de la conjuntiva.

XI. f. Decimocuarta letra del alfabeto griego.

XIFODONTE. m. Peleont. Mamíferos ungulados fósiles.

XIFOIDEO-DEA. adj. Relativo al xifoides, semejante a una espada.

XIFOIDES. adj. Zool. Cartílago en que termina el esternón.

XIITA. adj. Individuo perteneciente a una secta musulmana.

XILENO. m. Quím. Hidrocarburo que se encuentra principalmente en la brea de la hulla.

XILICO-CA. adj. Quím. Dícese de un ácido que se extrae de la madera de los árboles en putrefacción.

XILIDINA. f. Cuerpo derivado del xileno.

XILÓFAGO-GA. adj. Condición de los insectos que roen la madera.

XILOFONISTA. m. Quien toca el xilófono.

XILÓFONO. m. Instrumento musical de varillas de madera de distinta longitud.

XILÓGENO. m. Quím. Substancia descubierta en las células de los vegetales.

XILOGLIFIA. f. Arte de grabar caracteres en madera.

XILÓGLIFO-FA. m. y f. El que practica el arte de la xilografía.

XILOGRABAR. tr. Grabar en madera.

XILOGRAFÍA. f. Arte de grabar en madera.

XILOGRÁFICO-CA. adj. Relativo a la xilografía.

XILÓGRAFO-FA. m. y f. El que graba en madera.

XILOIDINA. f. Quím. Piroxán.

XILOMA. m. Pat. Tumor duro o leñoso.

XILÓMETRO. m. Aparato que sirve para medir el peso específico de la madera.

XILÓN. m. Quím. Celulosa de la madera y corteza de los frutos secos.

XILÓRGANO. m. Instrumento músico antiguo, parecido al xilófono.

XILOSA. f. Azúcar obtenida de la madera.

XILOTERAPIA. f. Med. Terapéutica donde se emplea la madera.

XUBETE. m. Juguete, especie de armadura antigua.

Y. Vigésima séptima letra del alfabeto español.

Y. conj. copulat. cuyo oficio es unir palabras o cláusulas en concepto afirmativo.

YA. adv. En tiempo pasado. Actualmente. Conjunción distributiva.

YAACABO. m. Gavilán de América del Sur. Ave de mal agüero.

YABA. f. Cuba. Árbol leguminoso con flores menudas violáceas.

YABUNA. f. Cuba. Gramínea que abunda en las sabanas.

YAC. m. Bóvido con largas lanas que cubren las patas y la parte inferior del cuerpo y que habita en las montañas del Tíbet.

YACA. f. Anona de la India.

YACAL. m. Árbol euforbiáceo.

YACEDOR. m. Criado que lleva las caballerías a yacer.

YACENTE. adj. El que yace.

YACER. intr. Estar echado, vivo o muerto.

YACIENTE. p. a. de Yacer. Yacente.

YACIJA. f. Cama, lecho. Sepultura.

YACIMIENTO. m. Sitio donde aparecen fósiles o rocas minerales.

YACTURA. f. Quiebra, pérdida o daño recibido.

YACUTAS. m. Pueblo del Nordeste de Siberia.

YACHT. (Voz inglesa que se pronuncia yot). m. Yate, embarcación de recreo.

YADEYAS. m. Tribu de la India, oriundo de Arabia.

YADONOS o YADOBOS. m. Antiguo pueblo del Noroeste de España.

YAGRUMA. f. Cuba. Árbol araláceo, con flores blancas en umbela.

YAGUA. f. Especie de palma, de Venezuela. Amer. Fruta silvestre.

YAGUAL. m. Mej. Rodete para llevar peso sobre la cabeza.

YAGUANÉ adj. Argent. Animal vacuno que tiene el pescuezo y costillares de color diferente al resto.

YAGUAR. m. Jaguar, onza y científicamente felis onza. De la familia de los félidos, mamífero carnicero, semejante a la pantera. Amér. Tigre.

YAGUARUNDI. m. Eira. Mamífero carnicero, de la familia de los félidos.

YAGURÉ. m. Amér. Merid. Mofeta, mamífero carnicero.

YAITÍ. m. Cuba. Árbol euforbiáceo, de madera muy dura, que se emplea para vigas.

YAK. m. Yac.

YAMAO. m. Cuba. Árbol meliáceo, que sirve de alimento al ganado.

YAMATO. m. Idioma primitivo del Japón, difiere profundamente del idioma actual y apenas se usa más que en la poesía.

YÁMBICO-CA. adj. Relativo al yambo. m. Verso yámbico.

YAMBO. m. Pie de la poesía griega y latina, compuesto de dos sílabas: la primera breve y la otra larga.

YANACÓN. m. Perú. Yanacona, indio aparcero.

YANACONA. adj. Indio que estaba al servicio personal de los españoles en algunos países de América.

YANQUI. adj. Norteamericano.

YANTAR. tr ant. Comer, especialmente al mediodía.

YANTAR. m. Tributo que pagaban los habitantes de los pueblos y distritos rurales para el sostenimiento del soberano y del señor cuando transitaban por ellos. Manjar o vianda.

YAOURT. m. Yogurt.

YAPETO. m. Astr. Satélite número 8 de Saturno.

YAPIGIA. m. Comarca de la antigua Italia.

YAPÚ. m. Zool. Ave de la Argentina, parecido al tordo, plumas negras, alas cortas, pico fuerte.

YARARÁ. f. Argent. Víbora muy venenosa.

YARAVÍ. m. Canción dulce y melancólica que entonan los indics en algunos países americanos.

YARDA. f. Medida inglesa.

YARE. m. En Venezuela masa de yuca dulce. Jugo venenoso de la yuca amarga.

YATAGÁN. m. Especie de sable o alfanje que usan los orientales.

YATAY. m. Bot. Nombre que se da a una planta de la familia de las palmas, con cuyas hojas fibrosas se tejen sombreros.

YATE. m. Embarcación de recreo.

YAVÉ. m. Jehová. Nombre de Dios en el Antiguo Testamento.

YAYO. m. Albac. Abuelo.

YE. f. Nombre de letra y.

YEBEL. Voz árabe que significa montaña.

YECO-CA. adj. Chile. Curandero o médico que receta principalmente hierbas.

YEDRA. f. Bot. Hiedra.

YEGUA. f. Hembra del caballo.

YEGUADA. f. Manada de ganado caballar.

YEGUERÍA. f. Yeguada.

YEGUERO-RA. m. y f. El que cuida las yeguas.

YEISMO. m. Defecto de pronunciación que cambia la elle en ye.

YELMO. m. Una parte de la armadura antigua compuesta de morrión, visera y babero, que resguarda la cabeza.

YEMA. f. Zool. Parte central del huevo, de color amarillo, rodeada de la clara. Dulce compuesto de yema y azúcar. Bot. Renuevo que nace en los tallos de las plantas de los que nacen nuevas hojas y flores.

YEMENITA. adj. Natural del Yemen, Arabia.

YEN. m. Moneda japonesa.

YENTE. p. a. de Ir. El que va. Sólo se usa en la expresión "yente y viniente".

YERAL. m. Terreno sembrado de yeros.

YERBA. f. Hierba.

YERBATERO. adj. Chile. Curandero o médico que receta principalmente hierbas.

YERBERA. f. Argent. Vasija en que se tiene la hierba para cobrar el mate.

YERMAR. tr. Despoblar o dejar yermo un lugar, campo, etc.

YERMO-MA. adj. Terreno sin cultivo.

YERNO. m. El marido de la hija, respecto de los padres de ésta.

YERO. m. Bot. Planta leguminosa de flores rosadas y sirve de alimento al ganado vacuno.

YERRO. m. Equivocación, falta, error.

YERTEZ. f. Rigidez, dureza.

YERTO-TA. adj. Tieso, rígido o áspero. Aplícase al viviente que se ha quedado rígido por el frío.

YESAR. m. Cantera de yeso.

YESCA. f. Materia muy seca y preparada de suerte que cualquiera chispa prende en ella.

YESERÍA. f. Fábrica de yeso. Tienda donde se vende yeso.

YESERO-RA. adj. Perteneciente al yeso. m. El que fabrica o vende yeso.

YESO. m. Sulfato de calcio deshidratado, usado en albañilería. El yeso fino y seleccionado se llama escayola.

YESÓN. m. Cascote de yeso.

YESOSO-SA. adj. De yeso, parecido a él.

YESQUERO. adj. Hongo. Quien fabrica yesca.

YEYUNO. m. Fisiol. Trozo del intestino entre el duodeno y el íleon.

YEZGO. m. Planta parecida al sauco, de olor fétido.

YLONA. m. Astr. Asteroide núm. 1.182.

YO. Nominativo del pron. personal de primera persona en gén. masc. o fem. y número singular.

YODADO-DA. adj. Que contiene yodo.

YODO. m. Metaloide gris, de brillo metálico.

YODOFENOL. m. Terap. Mezcla de yodo, fenol y glicerina; antiséptico.

YODOFORMO. m. Compuesto de yodo, hidrógeno y carbono, usado como antiséptico.

YODOSERUM. m. Preparación de yodo y suero sanguíneo; se usa en medicina del mismo modo que los yoduros.

YODOTERAPIA. f. Med. Uso terapéutico del yodo.

YODURAR. tr. Convertir en yoduro, preparar con él.

YODURO. m. Quím. Compuesto de yodo y un radical.

YOGA. m. Oración contemplativa de los indios.

YOGURT. m. Leche cuajada por fermentación.

YOLA. f. Mar. Embarcación ligera.

YOLE. m. Mar. Yola.

YPSILON. f. Letra griega que equivale a nuestra "y".

YUBARTA. f. Ballena de larga aleta en el dorso.

YUCA. f. Planta liliácea. que da harina.

YUCAL. m. Plantación de yucas.

YUCATECO-CA. adj. Natural de Yucatán.

YUGADA. f. Extensión de terreno que puede arar una. yunta de bueyes en un día.

YUGO. m. Instrumento al que se uncen bueyes o mulas, para el arrastre.

YUGUERO. m. Mozo que labra la tierra con una yunta.

YUGULAR. adj. Relativo a la garganta. Venas a cada lado del cuello.

YUMBO. adj. Indio sudamericano.

YUNCA. adj. Individuo que pertenece a los grandes grupos o familias de indios sudamericanos.

YUNGAS. m. pl. Indios que vivían en las costas del Ecuador.

YUNGIA. f. Zool. Gusanos de cuerpo aplastado siendo la especie más concida la que vive en el golfo de Nápoles.

YUNQUE. m. Pieza de hierro sobre la que se trabajan los metales. Hueso pequeño del oído medio.

YUNTA. f. Pareja de bestias de labor o acarreo.

YUNTERO. m. Yuguero.

YUNTO-TA. adj. De modo que los surcos estén juntos.

YURUMÍ. m. Oso hormiguero americano.

YUSERA. f. Piedra que hace de suelo en los molinos de aceite.

YUSIÓN. f. For. Acción de mandar. Mandato, precepto.

YUSO. adv. Ayuso.

YUTE. m. Material textil. Tejido de esta materia.

YUXTA. Prefijo que significa junto, cerca de.

YUXTALINEAL. adj. Traducción unida al original o correspondencia línea por línea.

YUXTAPONER. tr. Poner una cosa junto a otra.

YUXTAPOSICIÓN f. Acto de yuxtaponer o yuxtaponerse.

YUYO. m. Hierba inútil, en Argentina.

Z. f. Vigésima octava letra del alfabeto español.

¡ZA! Voz usada para ahuyentar los animales.

ZABALMEDINA. m. Zalmedina.

ZABARCERO-RA. m. y f. Persona que revende por menudo frutos y comestibles.

ZABATÁN. m. Planta medicinal.

ZABAZALA. m. Encargado de dirigir la oración pública en las mezquitas.

ZABILA. f. Áloe.

ZABORDA. f. Zabordamiento. m. Acto de zabordar.

ZABORDAR. intr. Mar. Encallar un barco en tierra.

ZABORDO. m. Zaborda.

ZABORRO. m. Hombre o niño gordinflón.

ZABOYAR. tr. Embadurnar.

ZABRA. f. Buque de dos palos, de cruz.

ZABUCAR. tr. Bazucar, rev.lver un líquido.

ZABULLIDA. f. Zambullida.

ZABULLIR. tr. Zambullir.

ZABUQUEO. m. Bazuqueo.

ZACA. f. Min. Zaque usado para el desagüe de la mina.

ZACAPELA. f. Riña ruidosa entre muchos.

ZACATE. m. Planta gramínea que sirve de forraje.

ZACATECA. m. Cuba. Sepulturero muñidor de entierros.

ZACATECO-CA. adj. Natural de Zacatecas, en Méjico.

ZACATÍN. m. Plaza o calle donde se venden ropas.

ZACATÓN. m. Hierba alta de pasto.

ZACEAR. tr. Ahuyentar con la voz ¡zas!

ZACEAR. intr. Cecear pronunciando la s como c.

ZADORIJA. f. Pamplina.

ZAFA. f. Jofaina.

ZAFACOCA. f. Amér. And. Riña, trifulca.

ZAFADA. m. Acción de zafar o zafarse.

ZAFADURA. f. Chil. Dislocación, luxación.

ZAFAR. tr. Adornar. Desembarazarse. Salírsele la correa a una máquina.

ZAFARECHE. m. prov. Estanque.

ZAFARÍ. adj. Granada de granos cuadrados. Clase de higos muy dulces.

ZAFARICHE. m. Cantarera.

ZAFARRANCHO. m. Acto de despejar una parte de la embarcación. Riña.

ZAFIEDAD. f. Calidad de zafio.

ZAFIO-A. adj. Tosco, inculto, grosero.

ZAFIR. m. Zafiro.

ZAFIRINA. f. Calcedonia azul.

ZAFIRINO-NA. adj. De color de zafiro.

ZAFIRO. m. Corindón cristalizado azul.

ZAFO-FA. adj. Libre, desembarazado, sin daño.

ZAFÓN. m. Zahón.

ZAFRA. f. Vasija metálica para aceite. Cosecha de la caña de azúcar. Fabricación de esta.

ZAFRE. m. Quím. Óxido de cobalto con el que se azulea la loza y el vidrio.

ZAGA. f. Parte posterior de una cosa.

ZAGAL. m. Adolescente. Pastor a las órdenes del rabadán.

ZAGALA. f. Joven soltera. Pastora joven.

ZAGALEJO. m. Falda usada sobre las enaguas.

ZAGALÓN-NA. adj. aum. de Zagal.

ZAGUA. f. Arbusto de muchas ramas, científicamente salsola longifolia.

ZAGUAL. m. Mar. Remo corto ligero.

ZAGUÁN. m. Vestíbulo a la entrada de una casa.

ZAGUANETE. m. dim. de Zaguán. Escolta real a pie.

ZAGUERO-RA. adj. Que va a la zaga. El que juega detrás a la pelota.

ZAGUT. m. Astr. Región lunar de unos 90 km. de diámetro, semejante a un circo.

ZAHARENSE. adj. Natural de Zahara, Cádiz.

ZAHAREÑO-ÑA. adj. Pájaro indómito. Desdeñoso, huraño.

ZAHARÍ. adj. Zafarí.

ZAHÉN. adj. Moneda de oro que usaron los moros en España y valía dos ducados.

ZAHERIDOR-RA. adj. Que zahiere.

ZAHERIMIENTO. m. Acto de zaherir.

ZAHERIR. tr. Censurar con malicia.

ZAHINA. f. Graminácea usada para alimento de las aves.

ZAHINAR. m. Terreno sembrado de zahina.

ZAHÓN. m. Calzón de cuero o paño con perniles abiertos, sujeto al muslo.

ZAHONADO-DA. adj. Color entre cervuno y negro.

ZAHONDAR. tr. Ahondar en la tierra. intr. Hundirse los pies en ella.

ZAHORA. f. En la región de la Mancha merienda bulliciosa.

ZAHORÍ. m. A quien atribuyen ver lo oculto. Suspicaz.

ZAHORRA. f. Mar. Lastre.

ZAHURDA. f. Pocilga.

ZAIDA. f. Ave zancuda. parecida a la grulla.

ZAINA. f Bolsa para guardar el dinero.

ZAINO-NA. adj. Traidor, falso. Caballo de color oscuro.

ZAINOSO-SA. adj. Chil. Zaino, persona falsa.

ZAJARI. adj. Zahari. Naranja injertada.

ZALÁ. f. Azalá. Hacer uno zalá a otro.

ZALAGARDA. f. Emboscada, lazo, alboroto, reyerta.

ZALAMA. f. Zalamería.

ZALAMEANO-NA. adj. Natural de Zalamea de la Serena, Badajoz. También se dice Zalameo,a.

ZALAMEDINA. m. Magisterio que había en Aragón.

ZALAMERÍA. f. Demostración de cariño afectada y empalagosa.

ZALAMERO-RA. adj. Que hace zalamerías.

ZALEA. tr. Piel de oveja con lana.

ZALEAR. tr. Agitar con facilidad una cosa.

ZALEMÁ. f. Muestra de sumisión.

ZALEO. m. Acto de zalear.

ZALONA. f. prov. Vasija de barro grande, de boca ancha y con asas.

ZALLAR. tr. Mar. Resbalar hacia el exterior de la nave.

ZAMACUCO. m. Hombre torpe, solapado. Borrachera.

ZAMACUECA. f. Baile popular grotesco usado en varios pueblos de América.

ZAMARRA. f. Chaqueta de piel con lana o pelo. Piel de carnero.

ZAMARRADA. f. Acción propia de un zamarro.

ZAMARREAR. tr. Sacudir la presa asida con los dientes. Tratar violentamente.

ZAMARREO. m. Acto de zamarrear.

ZAMARRILLA. f. Planta labial aromática.

ZAMARRO. m. Piel de cordero. Hombre tosco.

ZAMARRONEAR. tr. Chil. Zamarrear.

ZAMBAIGO-GA. adj. Zambo, hijo de negra e indio o viceversa.

ZAMBAPALO. m. Baile grotesco oriundo de las Indias occidentales.

ZAMBARCO. m. Correa que ciñe el pecho de las caballerías de tiro.

ZAMBI. adj. Dícese del nacido de padres americano y negro.

ZAMBIGO-GA. adj. Zambo.

ZAMBO-BA. adj. El que tiene juntas las rodillas y separadas las piernas.

ZAMBOMBA. f. Instrumento musical de barro o madera cerrado por una piel tensa y un mástil en el centro.

ZAMBOMBAZO. m. Sonido de la zambomba.

ZAMBOMBO. m. Hombre tosco, grosero y rudo.

ZAMBORONDÓN-NA. adj. Zamborotudo.

ZAMBOROTUDO-DA. adj. Tosco, mal formado.

ZAMBRA. f. Fiesta morisco. Algazara. Barco moruno.

ZAMBUCAR. tr. Ocultar con rapidez.

ZAMBUCO. m. Acción de zambucar.

ZAMBULLIDA. f. Zambullidera.

ZAMBULLIDOR-RA. adj. Que zambulle o se zambulle.

ZAMBULLIDURA. f. Acción y efecto de zambullir o zambullirse.

ZAMBULLIMIENTO. m. Zambullida.

ZAMBULLIR. tr. Meter bajo el agua con ímpetu. r. Esconderse.

ZAMBULLO. m. Cubo y balde que se usa como sillico en los buques.

ZAMORA. n. p. No se ganó Zamora en una hora. ref. que significa que las cosas importantes necesitan tiempo para lograrlas.

ZAMORANO-NA. adj. s. De Zamora.

ZAMORRO. m. Aparejo de pesca usado en el norte de Africa.

ZAMPA. m. Cada una de las estacas que se clavan en un terreno sobre el cual se va a edificar, para hacer el firme.

ZAMPABÓDIGOS. adj. Zampabollos. Zampatortas.

ZAMPALIMOSNAS. com. fam. Persona pobre que anda de puerta en puerta comiendo y pidiendo.

ZAMPAPALO. com. fam. Zampaporta.

ZAMPAR. tr. Ocultar de prisa. Comer excesivamente.

ZAMPATORTAS. m. El que come con exceso. Falto de crianza.

ZAMPEADO. Arq. Obra para construir sobre terrenos falsos.

ZAMPEAR. tr. Arq. Afirmar el terreno con zampeados.

ZAMPÓN-N. adj Que come mucho. Comilón, tragón.

ZAMPOÑA. f. Mús. Instrumento rústico formado por una o varias flautas.

ZAMPUZAR. tr. Zambullir o zampar.

ZAMPUZO. m. Acción de zampuzar.

ZANAHORIA. f. Planta umbelífera de raíz comestible.

ZANATE. m. En América, pájaro dentirrostro, de color negro.

ZANCA. f. Pierna larga. Madero inclinado que sostiene los peldaños de una escalera.

ZANCADA. f. Paso largo.

ZANCADILLA. f. Acto de cruzar la pierna para derribar.

ZANCADO. adj. Salmón que, después de desovar, vuelve flaco y sin fuerzas al mar.

ZANCAJEAR. tr. Andar mucho y aceleradamente.

ZANCAJERA. f. Parte del estribo del coche en que se apoya el pie.

ZANCAJIENTO-TA. adj. Zancajoso.

ZANCAJO. m. Hueso del talón. Talón de la media.

ZANCAJOSO-SA. adj. De pies vueltos hacia afuera.

ZANCARRÓN. m. Hueso de la pierna descarnado. Hombre flaco y sucio.

ZANCO. m. Palo alto, para andar por terreno pantanoso o hacer ejercicio.

ZANCÓN-NA. adj. fam. Zancudo.

ZANCUDO-DA. adj. Que tiene las zancas largas. Ave de riberas o pantanos.

ZANFONÍA. f. Instrumento músico de cuerdas, que se toca con manubrio.

ZANGA. f. Juego de naipes.

ZANGALA. f. Tela de hilo muy engomada.

ZANGAMANGA. f. Treta, ardid.

ZÁNGANA. f. Mujer floja, desmañada y torpe.

ZANGANADA. f. Dicho impertinente e inoportuno.

ZANGANDUNGO-GA. adj. Persona desmañada.

ZANGANEAR. intr. Vagar ocioso.

ZÁNGANO. m. Macho de la abeja reina. Holgazán, flojo.

ZANGARILLA. f. Presa de madera y césped en un río.

ZANGARILLEJA. f. Muchacha vagabunda.

ZANGARREAR. intr. Rasguear sin arte la guitarra.

ZANGARRIANA. f. Veter. Coma que ataca al ganado lanar.

ZANGARRÓN. m. Sal. Moharroso que interviene en la danza.

ZANGARULLÓN. m. Zangón.

ZANGOLOTEAR. intr. Mover o sacudir continuamente una cosa.

ZANGOLOTEO. m. Acción de zangolotear.

ZANGOLOTINO-NA. adj. Muchacho que quiere pasar por niño.

ZANGÓN. m. Muchacho de buena estatura y ocioso.

ZANGOTEAR. tr. Zangolotear.

ZANGOTEO. m. Zangoloteo.

ZANGUANGA. f. Ficción de dolencia para no trabajar.

ZANGUANGO-GA. adj. Indolente, perezoso.

ZANGUAYO. m. Hombre ocioso, zangolotino, que se hace el simple.

ZANJA. f. Excavación larga y angosta hecha en tierra.

ZANJAR. tr. Abrir zanjas. Resolver rápidamente una dificultad.

ZANQUEADOR-RA. adj. Que zanquea. Que anda mucho.

ZANQUEAMIENTO. m. Acción de zanquear.

ZANQUEAR. intr. Torcer las piernas al andar.

ZANQUILARGO-GA. adj. Que tiene zancas largas.

ZANQUILLAS-TAS. m. pl. fig. fam. Hombre que tiene las piernas delgadas y cortas.

ZANQUITUERTO-TA. adj. fam. De zancas tuertas.

ZANQUIVANO-NA. adj. Que tiene piernas largas y flacas.

ZANUYO-YA. adj. De Azanuy, Huesca.

ZAPA. f. Pala de hierro, con corte acerado. Piel granulenta. Lija.

ZAPADOR. m. Soldado que trabaja con la zapa.

ZAPALLO. m. Planta cucurbitácea de semillas antihelmínticas y fruto comestible.

ZAPAPICO. m. Herramienta para excavar tierras duras.

ZAPAQUILDA. f. Gata, hembra del gato.

ZAPAR. intr. Trabajar con la zapa.

ZAPARDA. f. Ál. Carpa o tenca de color pardo sucio.

ZAPARRADA. f. Zarpazo.

ZAPARRASTRAR. intr. Arrastrar el vestido.

ZAPARRASTROSO-SA. adj. fam. Zarrapastroso.

ZAPARRAZO. m. Zarpazo.

ZAPATA. f. Calzado hasta media pierna. Trozo de cuero bajo el quicio de una puerta.

ZAPATADA. f. Multitud de zapatos.

ZAPATAZO. m. Golpe dado con un zapato.

ZAPATEADO. m. Baile españ.l taconeado.

ZAPATEAR. tr. Golpear con el zapato.

ZAPATEO. m. Acto de zapatear.

ZAPATERA. f. Mujer del zapatero. fam. La que se queda sin hacer baza o tantos en el juego.

ZAPATERÍA. f. Tienda o taller de zapatero.

ZAPATERO-RA. adj. Legumbres que se encrudecen por echar agua fría cuando hervían. Que hace o vende zapatos.

ZAPATETA. f. Golpe dado con el zapato en el suelo en ciertos bailes.

ZAPATILLA. f. Zapato ligero de paño y suela delgada, propio para estar en casa con los pies abrigados.

ZAPATILLAZO. m. Golpe dado con una zapatilla.

ZAPATILLERO-RA. m. y f. Que hace o vende zapatillas.

ZAPATO. m Calzado exterior que no pasa del tobillo, con la parte inferior de suela y el resto de piel.

ZAPATÓN. m. aum. de Zapato.

ZAPATUDO-DA. adj. El que lleva zapatos grandes. Asegurado con una zapata.

¡ZAPE! interj. Para ahuyentar gatos o manifestar extrañeza.

ZAPEAR. tr. Ahuyentar el gato con la interj. ¡zape!

ZAPITO-TA. m. y f. Colodra.

ZAPOROGOS. m. pl. Cosacos de Ucrania.

ZAPOTAL. m. Terreno en que abundan los zapotes.

ZAPOTE. m. Árbol americano de fruto comestible de forma de manzana.

ZAPOTERO. m. Zapote, árbol.

ZAPOTILLO. Chicozapote.

ZAPOYOL. m. Hond. Hueso del zapote.

ZAPOYOLITO. m. Amér. C. Ave trepadora especie de perico pequeño.

ZAQUE. m. Odre pequeño. fam. Borracho.

ZAQUEAR. tr Pasar líquidos de un zaque a otro.

ZAQUEO. m. Acto de zaquear.

ZAQUIZAMÍ. m. Desván, cuarto pequeño, tabuco.

ZAR. m. Soberano de Rusia.

ZARA. f. Maíz.

ZARABANDA. f. Danza picaresca española, antigua.

ZARABANDISTA. adj. Que tañe, canta o baila zarabanda.

ZARABUTEAR. tr. Zaragutear.

ZARABUTERO-RA. adj. s. Zaragutero.

ZARAGALLA. f. Cisco gordo.

ZARAGATA. f. Gresca, trifulca, alboroto.

ZARAGATE. m. En hispanoamérica, persona despreciable.

ZARAGATERO-RA. adj. Bullicioso, aficionado a zaragatas.

ZARAGATONA. f. Planta medicinal de flores verdosas, de la que se extrae una substancia mucilaginosa.

ZARAGOCÍ. adj. Variedad de ciruela amarilla.

ZARAGOZANO-NA. adj. s. De Zaragoza.

ZARAGÜELLES. m. pl. Especie de calzones anchos y follado en pliegues.

ZARAGUTEAR. tr. Embrollar, enrollar.

ZARAGUTERO-RA. adj. Que zaragutea.

ZARAMAGULLÓN. m. Somorgujo.

ZARAMBEQUE. m. Danza alegre de negros.

ZARAMULLO. m. Perú. Zascandil.

ZARANDA. f. Cedazo rectangular. Criba.

ZARANDAJA. f. En alguna región de América, mujer digna de desprecio.

ZARANDAJAS. f. Cosas menudas, sin valor.

ZARANDALÍ. adj. prov. Palomo pintado de negro.

ZARANDAR. tr. Zarandear. Cribar.

ZARANDEAR. tr. Ajetrear. r. Contonearse.

ZARANDERO-RA. adj. Zarandador.

ZARANDILLA. f. Rioja. Lagartija.

ZARANDILLO. m. Zaranda pequeña.

ZARANGA. f. Ar. Fritada parecida al
pisto.

ZARAPATEL. m. Especie de alboronía.

ZARAPITO. m. Ave zancuda del tamaño del gallo.

ZARAPÓN. m. Ál. Lampazo, planta.

ZARATÁN. m. Cáncer de los pechos en
la mujer.

ZARATRUSTA. Biog. Nombre zendo de
Zoroastro.

ZARAZA. f. Tela de algodón, ancha, con
listas.

ZARAZAS. f. pl. Mezcla de agujas, cristales o vidrios, venenos, etc., para cazar animales.

ZARBO. m. Ál. Cierto pez de río semejante al gobio.

ZARCEAR. tr. Limpiar cañe-ías con
zarzas.

ZARCEÑO-ÑA. adj. Relativo a la zarza.

ZARCERA. f. Rioja. Respiradero abierto en las bodegas para su ventilación.

ZARCERO-RA. adj. Perro pequeño y
corto de pies que entra en los zar-
zales.

ZARCETA. f. Cerceta, especie de pato.

ZARCILLO. m. Pendiente. Escardillc.

ZARCO-CA. adj. De color azul claro.

ZAREVITZ. m. Hijo del zar.

ZARGOTONA. f. Zaragotana.

ZARIANO-NA. adj. Relativo al zar.

ZARIGÜEYA. f. Mamífero americano,
de cabeza parecida a la zorra y cola
prensil.

ZARINA. f. Esposa del zar. Emperatriz
en Rusia.

ZARISMO. m. Forma de gobierno de los
zares.

ZARJA. f. Azarja.

ZARPA. f. Acción de zarpar. Garra de
ciertos animales.

ZARPA. f. Arq. Parte que en la anchura de un cimiento excede a la del muro que se levanta sobre él.

ZARPADA. f. Golpe dado con la zarpa.

ZARPAR. tr. Mar. Levar ancla.

ZARPAZO. m. Zarpada. Golpe ruidoso.

ZARPOSO-SA. adj. Que tiene zarpas.

ZARRA. f. Palo fuerte y grueso.

ZARRABETE. m. Ál. Zanfonía, instrumento músico.

ZARRACATÍN. m. Regatón que compra
barato y vende caro.

ZARRAMPLÍN. m. Hombre chapucero,
torpe.

ZARRANJA. f. Rastrillo para el lino.

ZARRAPASTRA. f. Zarra, cazcarria.

ZARRAPASTRÓN-NA. adj. Que anda
zarrapastroso.

ZARRAPASTROSAMENTE. adv. m.
Con desaliño y desaseo.

ZARRAPASTROSO-SA. adj. Desaliñado, desaseado.

ZARRIA. f. Cazcarria. Pingajo. Cinta
de cuero para atar la abarca.

ZARRIENTO-TA. adj. Que tiene za-
rrias.

ZARRIO-RRIA. adj. Charrc.

ZARZA. f. Arbusto rosáceo con tallos
largos, cuyo fruto es la zarzamora.

ZARZAGÁN. m. Cierzo frío, no muy
fuerte.

ZARZAGANETE. m. d. de Zarzagán.

ZARZAGANILLO. m. Cierzo que causa
tempestades.

ZARZAHÁN. m. Tela de seda delgada
como el tafetán.

ZARZAIDEO. f. Frambuesa.

ZARZAL. m. Terreno lleno de zarzas.

ZARZALEÑO-ÑA. adj. Perteneciente o
relativo al zarzal.

ZARZAMORA. f. Fruto de zarza.

ZARZAPARRILLA. f. Arbusto medicinal usado como refrescante.

ZARZAPARRILLAR. m. Campo de zarzaparrilla.

ZARZAPERRUNA. f. Rosal silvestre.

ZARZARROSA. f. Flor del rosal silvestre.

ZARZO. m. Tejido plano hecho con cañas, mimbres, etc., que se usa para
apalear la lana.

ZARZUELA. f. Obra dramática musical,
con canto y declamación.

ZARZUELERO-RA. adj. Perteneciente
o relativo a la zarzuela.

ZARZUELISTA. com. El que escribe o
compone zarzuelas.

¡ZAS! Onomatopeya del golpe o el golpe
mismo .

ZASCANDIL. m. Hombre bullicioso, poco serio, despreciable.

ZASCANDILEAR. intr. Portarse como
un zascandil.

ZASCANDILEO. m. Acción y efecto de
zascandilear.

ZATA. f. Balsa para transportes fluviales.

ZATARA. f. Zata.

ZATI. m. Dignidad de visir en el antiguo Egipto.

ZATICO-LLO. m. El encargado de abastecer de pan y quitar los manteles en palacio.

ZATO. m. Pedazo o mendrugo de pan.

ZAYA. f. León. Caz del molino.

ZAZOSO-SA. adj. Ceceoso.

ZEBRA. f. Cebra.

ZEDA. f. Nombre de la letra Z.

ZEDILLA. f. La letra "c" con un virgulilla debajo.

ZÉJEL. m. Manera de componer en lo popular los moros españoles.

ZENDAVESTA. m. Doctrina de Zoroastro. Libros sagrados de los persas.

ZENDO-DA. adj. Idioma de la familia indoeuropea.

ZENIT. m. Cenit.

ZEPELÍN. m. Especie de globo dirigible, para transportar personas y carga.

ZETA. f. Zeda. Sexta letra del alfabeto griego.

ZEUGMA. f. Especie de elipsis que suprime verbo o adjetivo al repetirse, en construcción homogénea.

ZEUMA. f. Gram. Zeugma.

ZIGZAG. m. Línea quebrada con ángulos alternos, entrantes y salientes.

ZIGZAGUEAR. intr. Moverse en zigzag.

ZIMOSIS. f. Fermentación. Desarrollo de enfermedad infecciosa.

ZIMOTECNIA. f. Arte de producir y dirigir las fermentaciones.

ZINC. m. Cinc.

ZINCATO. m. Quím. Cincato.

ZIPIZAPE. m. Riña ruidosa, gresca, trifulca, confusión.

ZIRIGAÑA. f. prov. Adulación o zalamería.

¡ZIS! ¡ZAS! Onomatopeya para expresar repetición de golpes.

ZOANDRIA. f. Imitación voluntaria de los movimientos de los animales.

ZOANTROPIA. f. Monomanía en la cual el enfermo se cree convertido en un animal.

ZOCA. f. Plaza pública.

ZÓCALO. m. Friso, cuerpo inferior de una construcción.

ZOCAÑO. m. And. Zoquete de pan.

ZOCATO-TA. adj. Frutos muy maduros que se ponen como amarillos y muy hinchados.

ZOCLO. m. Zueco, chanclo.

ZOCO-CA. m. En Marruecos, mercado.

.ZODIACAL adj. Relativo al Zodíaco.

ZODÍACO. m. Astr. Zona o faja celeste que comprende los doce signos o constelaciones que recorre el Sol en su curso anual aparente.

ZOFRA. f. Especie de tapete o alfombra morisca.

ZOILO. m. Crítico malévolo, murmurador.

ZOLOCHO-CHA. adj. fam. Simple, mentecato.

ZOLTANI. m. Soltaní.

ZOLLIPAR. intr Sollozar.

ZOLLIPO. m. Sollozo con hipo.

ZOMPOPA. adj. Zopo.

ZOMPOPO. m. Amér. C. Hormiga de cabeza grande.

ZONA. f. Lista, banda o faja. Extensión de terreno. Demarcación, a ciertos efectos.

ZONCERÍA. f. Insulsez, sosería.

ZONCHICHE. m. Sant. Capacho de mimbres.

ZONOTE. m. Cenote, depósito de agua en el centro de la plaza.

ZONURO. Zool. m. Reptil saurio de grandes escamas óseas y agudas.

ZONZO-ZA. adj. Soso.

ZONZORRIÓN-NA. adj. Muy zonzo.

ZOO. m. fam. Jardín o parque donde se tienen animales poco conocidos.

ZOÓFAGO-GA. adj. El que se alimenta de materias animales.

ZOÓFITO. m. Animal con aspecto de planta.

ZOOFOBIA. f. Miedo morboso a los animales.

ZOOGENIA. f. Parte de la Zoología que estudia el desenvolvimiento de los animales y de sus órganos.

ZOOGRAFÍA. f. Parte de la Zoología donde se describen los animales.

ZOOGRAFO-FA. m. y f. Persona especializada en zoografía.

ZOOLATRA. adj. Que adora a los animales.

ZOOLATRÍA. f. Culto de los animales.

ZOOLOGÍA. f. Parte de la Historia Natural que trata de los animales.

ZOOLÓGICO-CA. adj. Perteneciente o relativo a la zoología.

ZOÓLOGO-GA. m. y f. El que se dedica a la Zoología.

ZOONOMIA. f. Conjunto de leyes que rigen la vida animal.

ZOONOSIS. f. Med. Enfermedad propia de los animales, que puede comunicarse a las personas.

ZOOPATOLOGIA. f. Veter. Estudio de las enfermedades de los animales.

ZOOSPERMO. m. Espermatozoide.

ZOOTECNIA. f. Arte de la cría de animales domésticos.

ZOOTERAPIA. f. Terapéutica veterinaria.

ZOOTOMIA. f. Anatomía de los animales.

ZOPAS. com. fam. Persona que habla ceceando.

ZOPE. m. Zopilote. En América ave rapaz. Tortilla pequeña y gruesa.

ZOPENCO-CA. adj. Tonto, abrutado.

ZOPETERO. m. Ribazo.

ZOPILOTE. m. Aura, especie de buitre americano.

ZOPISA. f. Brea. Resina de pino.

ZOPITAS. com. fam. Zopas.

ZOPO-PA. adj. Pie o mano contrahechos.

ZOQUETE. m. Mendrugo. Hombre torpe y tardo para entender.

ZOQUETERO-RA. adj. Que recoge zoquetes de pan y se mantiene de ellos.

ZOQUETUDO-DA. adj. Basto o mal hecho.

ZORCICO. m. Música y baile popular vasco, de compás de cinco por ocho.

ZORITO-TA. adj. Zurito.

ZOROLLO. adj. Trigo segado antes de su madurez.

ZORONGO. m. Pañuelo doblado que llevan los baturros en la cabeza. Baile popular andaluz.

ZORRA. f. Hembra del zorro. Mujer astuto. Ramera.

ZORRASTRÓN-NA. adj. Pícaro, astuto, cauteloso.

ZORRERA. f. Cueva de zorros. Habitación llena de humo.

ZORRERIA. f. Astucia, cautela.

ZORRERO-RA. adj. Perro raposero, astuto, capcioso.

ZORRILLO. m. Mamífero carnicero americano parecido a la comadreja.

ZORRO. m. Macho de la zorra. Mamífero carnicero de orejas derechas y cola larga. El que finge simpleza. Hombre astuto.

ZORROCLOCO. m. Hombre tardo en sus acciones y que parece bobo, pero que no se descuida en su provecho.

ZORRÓN. m. aum. de Zorro.

ZORRONGLÓN-NA. adj. Que obedece refunfuñando.

ZORRUELA. f. d. de Zorra.

ZORRUELO. m. de Zorro.

ZORRUNO-NA. adj. Relativo a la zorra o zorro.

ZORZAL. m. Pájaro congénere del tordo, que inverna en España.

ZORZALEAR. tr. Chil. Sablear, sacar dinero fiingiendo un apuro.

ZORZALEÑO-ÑA. adj. Que aplica a la aceituna pequeña y redonda.

ZOTE. adj. Ignorante, torpe, rudo.

ZOZOBRA. f. Acción de zozobrar. Inquietud, congoja.

ZOZOBRANTE. p. a. De zozobrar. Que zozobra.

ZOZOBRAR. intr. Naufragar, irse a pique.

ZÚA. f. Azuda.

ZUAVO. m. Soldado argelino al servicio de Francia.

ZUBIA. f. Lugar por donde corre mucha agua.

ZUCARINO-NA. adj. Sacarino.

ZUCRERIA. f. Ar. Confitería.

ZUCURCO. m. Chil. Planta umbelífera, con hojas espinosas, flores amarillas y fruto con cuatro alas.

ZUDA. f. Azud.

ZUDRA. m. Individuo de una de las castas indias.

ZUECO. m. Zapato de madera de una pieza.

ZUELA. f. Azuela.

ZULACAR. tr. Untar con bulaque.

ZULAQUE. m. Betún para tapar juntas en obras hidráulicas.

ZULÚ. adj. Negro de Africa Austral.

ZULLA. f. Hierba leguminosa que come el ganado.

ZULLARSE. r. Ensuciarse, ventosear.

ZULLENCO-CA. adj. fam. Que ventosea.

ZULLÓN-NA. adj. Zullenco.

ZUMA. f. Mimbrera fuerte como un árbol.

ZUMACAL. m. Terreno plantado de zumaque.

ZUMACAR. m. Zumacal.

ZUMACAYA. f. Zumaya. chotacabras.

ZUMAQUE. m. Arbusto abundante en tanino. Vino de uva.

ZUMAYA. f. Ave zancuda, Autillo.

ZUMBA. f. Cencerro grande. Bramadera.

ZUMBAR intr. Hacer ruido bronco. Golpear. Bromear.

ZUMBEL. m. Cuerda que se arrolla al peón para hacerlo bailar.

ZUMBIDO. m. Acto de zumbar. Golpe dado a alguien

ZUMBILÍN. m. Venablo arrojadizo usado en Filipinas.

ZUMBO. m. Zumbido.

ZUMBÓN-NA. adj. Cencerro que lleva el cabestro, de sonido bronco.

ZUMEL. m. Amér. Bota de los indios nativos.

ZUMIENTO-TA. adj. Que arroja zumo.

ZUMILLO. m. Dragonteo. Tapsia.

ZUMO. m. Líquido que se extrae de las flores, hierbas, frutos, etc. Utilidad sacada a algo.

ZUMOSO-SA. adj. Que tiene zumo.

ZUNA. f. Religión de los muslines.

ZUNCUYA. f. Hond. Cierta fruta de sabor agridulce.

ZUNCHO. m. Abrazadera, de hierro.

ZUNIACA. f. Amér. Maíz cocido con almendras y cacahuetes

ZUNTECO. m. Hond. Especie de avispa negra.

ZUNZÚN. m. Cuba. Pajarilla, especie de colibrí.

ZUÑO. m. Ceño, sobrecejo.

ZUPIA. f. Vino turbio. fig. Heces. Aguardiente malo.

ZURANO-NA. adj. Zuro, silvestre.

ZURCIDO. m. Costura de las cosas zurcidas.

ZURCIDOR-RA. adj. El que zurce.

ZURCIDURA. f. Acción de zurcir. Zurcido.

ZURCIR. tr. Coser una rotura de tela. Unir sutilmente dos cosas.

ZURDAL. m. prov. Ave de rapiña.

ZURDERÍA. f. Calidad de zurdo.

ZURDO-DA. adj. Quien usa la mano izquierda en vez de la derecha. Relativo a la mano zurda.

ZUREAR. intr. Hacer arrullos la paloma.

ZUREO. m. Acción de zurear.

ZURITA. f. Ál. Tórtola.

ZURITO-TA. adj. Zuro silvestre. Paloma, Tórtola.

ZURLITA. f. Miner. Variedad de melilita.

ZURO-RA. adj. Paloma torcaz, silvestre.

ZURRA. f. Acción de zurrar.

ZURRADOR-RA. adj. Que zurra. El que zurra las pieles.

ZURRAPA. f. Brizna, pelillo o poso en un líquido. Cosa despreciable. Muchacho despreciable.

ZURRAPELO. m. fam. Rapapolvo, represión áspera.

ZURRAPIENTO-TA. adj. Zurraposo, sa. Que tiene zurrapas.

ZURRAPOSO-SA. adj. Que tiene zurrapas.

ZURRAR. tr. Curtir las pieles. Castigar con golpes. Castigar con dureza.

ZURRARSE. r. Irse de vientre uno involuntariamente

ZURRIAGA. f. Zurrigo.

ZURRIAGAR. tr. Dar zurriagazos.

ZURRIAGAZO. m. Golpe dado con zurriago.

ZURRIAGO. m. Látigo. Correa para hacer bailar la peonza.

ZURRIAR. intr. Zurrir.

ZURRIBANDA. f. fam. Zurra repetida. Pendencia, riña.

ZURRIBURRI. m. fam. Sujeto vil y despreciable. Barullo, confusión. Personas plebeyas.

ZURRIDO. m. Sonido bronco, desapacible y confuso.

ZURRIR. intr. Sonar de modo bronco, desagradable.

ZURRÓN. m. Bolsa grande de pellejo o cuero.

ZURRONA. f. Zorrona, mujer perdida.

ZURRONADA. f. Conjunto de cosas con que se llena un zurrón.

ZURRUMBERA. f. Ál. Bramadera, juguete.

ZURRUSCARSE. f. Zurrarse.

ZURRUSCO. m. Churrusco.

ZURUBÍ. m. Especie de bagre, grande y sin escamas, en el río de la Plata, Argentina.

ZURUCUA. m. Pájaro de hermoso plumaje y muy manso.

ZURULLO. m. Pedazo rollizo de materia blanda.

ZURUMBÁTICO-CA. adj. Lelo, pasmado, aturdido.

ZURUPETO. m. Corredor de bolsa no matriculado.

ZUTANO-NA. adj. Complemento de fulano y mengano siempre citado detrás.

ZUZAR. tr. Azuzar.

¡ZUZO! interj. ¡Chucho!

ZUZÓN. m. Hierba cana.